CATÉCHISME
DE
L'ÉGLISE
CATHOLIQUE

CATÉCHISME
DE
L'ÉGLISE
CATHOLIQUE

CENTURION / *cerf* / FLEURUS-MAME / CECC

Le logo de couverture est dessiné d'après une pierre tombale chrétienne des catacombes de Domitilla, datée de la fin du troisième siècle. Cette image bucolique d'origine païenne est utilisée par les chrétiens pour symboliser le repos et le bonheur que l'âme du défunt trouve dans la vie éternelle.

Cette image suggère aussi quelques aspects qui caractérisent ce Caté-chisme : le Christ Bon Pasteur qui guide et protège ses fidèles (la brebis) par son autorité (le bâton), les attire par la symphonie mélodieuse de la vérité (la flûte) et les fait reposer à l'ombre de « l'arbre de la vie », sa Croix rédemptrice qui ouvre le paradis.

ISBN : 978-2-266-09563-1

Liste des sigles

IGMR	Institutio generalis MR
IM	Inter mirifica
LE	Laborem exercens
LG	Lumen gentium
LH	Liturgie des heures
MC	Marialis cultus
MD	Mulieris dignitatem
MF	Mysterium fidei
MM	Mater et magistra
MR	Missel Romain
NA	Nostra ætate
OBA	Ordo baptismi adultorum
OBP	Ordo baptismi parvulorum
OCf	Ordo confirmationis
OcM	Ordo celebrandi Matrimonium
OCV	Ordo consecrationis virginum
OE	Orientalium ecclesiarum
OEx	Ordo exsequiarum
off. lect.	office des lectures
OICA	Ordo initiationis christianæ adultorum
OP	Ordo pœnitentiæ
OT	Optatam totius
PC	Perfectæ caritatis
PO	Presbyterorum ordinis
PP	Populorum progressio
PT	Pacem in terris
RH	Redemptor hominis
RM	Redemptoris Mater
RP	Reconciliatio et pœnitentia
SC	Sacrosanctum concilium
SPF	Credo du Peuple de Dieu : profession de foi solennelle
SRS	Sollicitudo rei socialis

UR   Unitatis redintegratio

Les titres des œuvres d'écrivains ecclésiastiques se trouvent dans
l'index des citations. Les lettres qui figurent en gras dans ces
titres constituent l'abréviation utilisée dans les notes pour ces
mêmes œuvres.
Ex. p. 630 pour S. Ambroise : ep est l'abréviation de **ep**istulae.

Constitution Apostolique
Fidei depositum

pour la publication
du *Catéchisme de l'Église Catholique*
rédigé à la suite
du deuxième Concile œcuménique
du Vatican

JEAN-PAUL, ÉVÊQUE
Serviteur des Serviteurs de Dieu
en perpétuelle mémoire

Introduction

GARDER LE DÉPÔT DE LA FOI, telle est la mission que le Seigneur a confiée à son Eglise et qu'elle accomplit en tout temps. Le deuxième Concile œcuménique du Vatican, ouvert voici trente ans par mon prédécesseur Jean XXIII, d'heureuse mémoire, avait pour intention et pour désir de mettre en lumière la mission apostolique et pastorale de l'Eglise, et d'amener tous les hommes, par le resplendissement de la vérité de l'Evangile, à rechercher et à recevoir l'amour du Christ qui est au-dessus de tout (cf. Ep. 3, 19).

A ces assises, le Pape Jean XXIII avait assigné comme tâche principale de mieux garder et de mieux expliquer le dépôt précieux de la doctrine chrétienne, afin de le rendre plus accessible aux fidèles du Christ et à tous les hommes dc bonne volonté. Pour cela, le Concile ne devait pas d'abord condamner les erreurs de l'époque, mais il devait avant tout s'attacher à montrer sereinement la force et la beauté de la doctrine de la foi. « Les lumières de ce Concile — disait-il — seront pour l'Eglise [...] une source d'enrichissement spirituel. Après avoir puisé en lui de nouvelles énergies, elle regardera sans crainte vers l'avenir. [...] Nous devons nous mettre joyeusement, sans crainte, au travail qu'exige notre époque, en poursuivant la route sur laquelle l'Eglise marche depuis près de vingt siècles[1]. »

---

1. Jean XXIII, Discours d'ouverture du Concile œcuménique Vatican II, 11 octobre 1962 *AAS* 54 (1962), p. 788.

Avec l'aide de Dieu, les Pères conciliaires ont pu élaborer, au long de quatre années de travail, un ensemble considérable d'exposés doctrinaux et de directives pastorales offerts à toute l'Eglise. Pasteurs et fidèles y trouvent des orientations pour ce « renouveau de pensée, d'activité, de mœurs, de force morale, de joie et d'espérance qui a été le but même du Concile[1] ».

Depuis sa conclusion, le Concile n'a cessé d'inspirer la vie ecclésiale. En 1985, je pouvais déclarer : « Pour moi — qui ai eu la grâce spéciale d'y participer et de collaborer activement à son déroulement —, Vatican II a toujours été, et est d'une manière particulière en ces années de mon pontificat, le point constant de référence de toute mon action pastorale, dans l'effort conscient de traduire ses directives par une application concrète et fidèle, au niveau de chaque Eglise et de toute l'Eglise. Il faut sans cesse revenir à cette source[2]. »

Dans cet esprit, j'ai convoqué, le 25 janvier 1985, une assemblée extraordinaire du Synode des évêques, à l'occasion du vingtième anniversaire de la clôture du Concile. Le but de cette assemblée était de célébrer les grâces et les fruits spirituels du Concile Vatican II, d'en approfondir l'enseignement pour mieux y adhérer et d'en promouvoir la connaissance et l'application.

En cette circonstance, les Pères du Synode ont émis le vœu « que soit rédigé un catéchisme ou compendium de toute la doctrine catholique tant sur la foi que sur la morale, qui serait comme un texte de référence pour les catéchismes ou compendiums qui sont composés dans les divers pays. La présentation de la doctrine doit être biblique et liturgique, exposant une doctrine sûre et en même temps adaptée à la vie actuelle des chrétiens[3] ». Dès la clôture du Synode, j'ai fait mien ce désir, estimant qu'il « répond tout à fait à un vrai besoin de l'Eglise universelle et des Eglises particulières[4] ».

Comment ne pas rendre grâce de tout cœur au Seigneur, en ce jour où nous pouvons offrir à l'Eglise tout entière, sous le nom de Catéchisme de l'Eglise catholique, ce texte de référence pour une catéchèse renouvelée aux sources vives de la foi !

Après le renouvellement de la liturgie et la nouvelle codification du Droit canonique de l'Eglise latine et des canons des Eglises orientales catholiques, ce Catéchisme apportera une contribution très importante

---

1. Paul VI, Discours de clôture du Concile œcuménique Vatican II, 8 décembre 1965 : *AAS* 58 (1966), pp. 7-8. — 2. Jean-Paul II, Allocution du 25 janvier 1985 : *L'Osservatore Romano*, 27 janvier 1985. — 3. Rapport final du Synode extraordinaire, 7 décembre 1985, II, B, a, n° 4 : *Enchiridion Vaticanum*, vol. 9, p. 1758, n° 1797. — 4. Discours de clôture du Synode extraordinaire, 7 décembre 1985, n° 6 : *AAS* 78 (1986), p. 435.

à l'œuvre de renouveau de toute la vie ecclésiale, voulue et mise en application par le deuxième Concile du Vatican.

Itinéraire et esprit de la préparation du texte

Le Catéchisme de l'Eglise catholique est le fruit d'une très large collaboration ; il a été mûri durant six années de travail intense dans un esprit d'ouverture attentif et avec une ardeur chaleureuse.

En 1986, j'ai confié à une commission de douze cardinaux et évêques, présidée par M. le Cardinal Joseph Ratzinger, la tâche de préparer un projet pour le catéchisme demandé par les Pères du Synode. Un comité de rédaction de sept évêques diocésains, experts en théologie et en catéchèse, a assisté la commission dans son travail.

La commission, chargée de donner les directives et de veiller au déroulement des travaux, a suivi attentivement toutes les étapes de la rédaction des neuf versions successives. Le comité de rédaction, pour sa part, a assumé la responsabilité d'écrire le texte, d'y introduire les modifications demandées par la commission et d'examiner les remarques de nombreux théologiens, d'exégètes, de catéchètes et surtout des évêques du monde entier en vue d'améliorer le texte. Le comité a été un lieu d'échanges fructueux et enrichissants en vue d'assurer l'unité et l'homogénéité du texte.

Le projet a fait l'objet d'une vaste consultation de tous les évêques catholiques, de leurs Conférences épiscopales ou de leurs Synodes, des instituts de théologie et de catéchèse. Dans son ensemble, le projet a reçu un accueil largement favorable de la part de l'Episcopat. On est en droit de dire que ce Catéchisme est le fruit d'une collaboration de tout l'Episcopat de l'Eglise catholique qui a généreusement accueilli mon invitation à prendre sa part de responsabilité dans une initiative qui touche de près à la vie ecclésiale. Cette réponse suscite en moi un profond sentiment de joie, car le concours de tant de voix exprime véritablement ce qu'on peut appeler la « symphonie » de la foi. La réalisation de ce Catéchisme reflète ainsi la nature collégiale de l'Episcopat ; elle atteste la catholicité de l'Eglise.

Distribution de la matière

Un catéchisme doit présenter fidèlement et organiquement l'enseignement de l'Ecriture sainte, de la Tradition vivante dans l'Eglise et du Magistère authentique, de même que l'héritage spirituel des Pères, des saints et des saintes de l'Eglise, pour permettre de mieux connaître le mystère chrétien et de raviver la foi du peuple de Dieu. Il doit tenir compte des explicitations de la doctrine que le Saint-Esprit a suggérées à l'Eglise au cours des temps. Il faut aussi qu'il aide à éclairer de la lumière de la foi les situations nouvelles et les problèmes qui ne s'étaient pas encore posés dans le passé.

Le Catéchisme comportera donc du neuf et de l'ancien (cf. Mt 13, 52), la foi étant toujours la même et source de lumières toujours nouvelles.

Pour répondre à cette double exigence, le Catéchisme de l'Eglise catholique d'une part reprend l'ordre « ancien », traditionnel et déjà suivi par le Catéchisme de saint Pie V, en articulant le contenu en quatre parties : le Credo ; la sainte liturgie, avec les sacrements au premier plan ; l'agir chrétien, exposé à partir des commandements ; et enfin la prière chrétienne. Mais, en même temps, le contenu est souvent exprimé d'une façon « nouvelle », afin de répondre aux interrogations de notre époque.

Les quatre parties sont liées les unes aux autres : le mystère chrétien est l'objet de la foi (première partie) ; il est célébré et communiqué dans les actions liturgiques (deuxième partie) ; il est présent pour éclairer et soutenir les enfants de Dieu dans leur agir (troisième partie) ; il fonde notre prière dont l'expression privilégiée est le « Notre Père » et il constitue l'objet de notre demande, de notre louange et de notre intercession (quatrième partie).

La liturgie est elle-même prière : la confession de la foi trouve sa juste place dans la célébration du culte. La grâce, fruit des sacrements, est la condition irremplaçable de l'agir chrétien, de même que la participation à la liturgie de l'Eglise requiert la foi. Si la foi ne se déploie pas en œuvres, elle reste morte (cf. Jc 2, 14-26) et elle ne peut porter des fruits de vie éternelle.

A la lecture du Catéchisme de l'Eglise catholique, on peut saisir l'admirable unité du mystère de Dieu, de son dessein de salut, ainsi que la place centrale de Jésus-Christ, le Fils unique de Dieu, envoyé par le Père, fait homme dans le sein de la Très Sainte Vierge Marie par l'Esprit Saint, pour être notre Sauveur. Mort et ressuscité, Il est toujours présent dans son Eglise, particulièrement dans les sacrements ; Il est la source de la foi, le modèle de l'agir chrétien et le Maître de notre prière.

Valeur doctrinale du texte

Le Catéchisme de l'Eglise catholique, que j'ai approuvé le 25 juin dernier et dont aujourd'hui j'ordonne la publication en vertu de l'autorité apostolique, est un exposé de la foi de l'Eglise et de la doctrine catholique, attestées ou éclairées par l'Ecriture sainte, la Tradition apostolique et le Magistère ecclésiastique. Je le reconnais comme un instrument valable et autorisé au service de la communion ecclésiale et comme une norme sûre pour l'enseignement de la foi. Puisse-t-il servir au renouveau auquel l'Esprit Saint appelle sans cesse l'Eglise de Dieu, Corps du Christ, en pèlerinage vers la lumière sans ombre du Royaume !

L'approbation et la publication du Catéchisme de l'Eglise catholique constituent un service que le successeur de Pierre veut rendre à la Sainte Eglise catholique, à toutes les Eglises particulières en paix et en communion avec le Siège apostolique de Rome : celui de soutenir et de confirmer la foi de tous les disciples du Seigneur Jésus (cf. Lc 22, 32), ainsi que de renforcer les liens de l'unité dans la même foi apostolique.

Je demande donc aux pasteurs de l'Eglise et aux fidèles de recevoir ce Catéchisme dans un esprit de communion et de l'utiliser assidûment en accomplissant leur mission d'annoncer la foi et d'appeler à la vie évangélique. Ce Catéchisme leur est donné afin de servir de texte de référence sûr et authentique pour l'enseignement de la doctrine catholique, et tout particulièrement pour la composition des catéchismes locaux. Il est aussi offert à tous les fidèles qui désirent mieux connaître les richesses inépuisables du salut (cf. Jn 8, 32). Il veut apporter un soutien aux efforts œcuméniques animés par le saint désir de l'unité de tous les chrétiens, en montrant avec exactitude le contenu et la cohérence harmonieuse de la foi catholique. Le Catéchisme de l'Eglise catholique est enfin offert à tout homme qui nous demande raison de l'espérance qui est en nous (cf. 1 P 3, 15) et qui voudrait connaître ce que croit l'Eglise catholique.

Ce Catéchisme n'est pas destiné à remplacer les catéchismes locaux dûment approuvés par les autorités ecclésiastiques, les évêques diocésains et les Conférences épiscopales, surtout lorsqu'ils ont reçu l'approbation du Siège apostolique. Il est destiné à encourager et à aider la rédaction de nouveaux catéchismes locaux qui tiennent compte des diverses situations et cultures, mais qui gardent avec soin l'unité de la foi et la fidélité à la doctrine catholique.

Conclusion

Au terme de ce document qui présente le Catéchisme de l'Eglise catholique, je prie la Très Sainte Vierge Marie, Mère du Verbe incarné et Mère de l'Eglise, de soutenir par sa puissante intercession le travail catéchétique de l'Eglise entière à tous les niveaux, en ce temps où l'Eglise est appelée à un nouvel effort d'évangélisation. Puisse la

lumière de la vraie foi délivrer l'humanité de l'ignorance et de l'esclavage du péché pour la conduire à la seule liberté digne de ce nom (cf.
Jn 8, 32) : celle de la vie en Jésus-Christ sous la conduite de l'Esprit
Saint, ici-bas et dans le Royaume des cieux, dans la plénitude du bonheur de la vision de Dieu face à face (cf. 1 Co 13, 12 ; 2 Co 5, 6-8) !

Donné le 11 octobre 1992, trentième anniversaire de l'ouverture du deuxième Concile du Vatican, en la quatorzième année de mon
pontificat.

Prologue

« PÈRE, (...) la vie éternelle, c'est qu'ils Te connaissent, Toi, le seul véritable Dieu, et Ton envoyé, Jésus-Christ » (Jn 17, 3). « Dieu notre Sauveur (...) veut que tous les hommes soient sauvés et parviennent à la connaissance de la vérité » (1 Tm 2, 3-4). « Il n'y a sous le ciel d'autre nom donné aux hommes, par lequel il nous faille être sauvés » (Ac 4, 12) que le nom de JÉSUS.

I. La vie de l'homme – connaître et aimer Dieu

Dieu, infiniment Parfait et Bienheureux en Lui-même, 1
dans un dessein de pure bonté, a librement créé l'homme pour le faire participer à sa vie bienheureuse. C'est pourquoi, de tout temps et en tout lieu, Il se fait proche de l'homme. Il l'appelle, l'aide à Le chercher, à Le connaître et à L'aimer de toutes ses forces. Il convoque tous les hommes que le péché a dispersés dans l'unité de sa famille, l'Église. Pour ce faire, Il a envoyé son Fils comme Rédempteur et Sauveur lorsque les temps furent accomplis. En Lui et par Lui, Il appelle les hommes à devenir, dans l'Esprit Saint, ses enfants d'adoption, et donc les héritiers de sa vie bienheureuse.

Pour que cet appel retentisse par toute la terre, le Christ a 2
envoyé les apôtres qu'Il avait choisis en leur donnant mandat d'annoncer l'Évangile : « Allez, de toutes les nations faites des disciples, les baptisant au nom du Père et du Fils et du Saint-Esprit, et leur apprenant à observer tout ce que je vous ai prescrit. Et moi, je suis avec vous pour toujours, jusqu'à la fin du monde » (Mt 28, 19-20). Forts de cette mission, les apôtres « s'en allèrent prêcher en tout lieu, le Seigneur agissant avec eux et confirmant la Parole par les signes qui l'accompagnaient » (Mc 16, 20).

Ceux qui à l'aide de Dieu ont accueilli l'appel du Christ 3
et y ont librement répondu ont été à leur tour pressés par l'amour du Christ d'annoncer partout dans le monde la Bonne Nouvelle. Ce trésor reçu des apôtres a été gardé fidèlement par leurs successeurs. Tous les fidèles du Christ sont appelés à le transmettre de génération en génération, en

annonçant la foi, en la vivant dans le partage fraternel et en la célébrant dans la liturgie et la prière [1].

II. Transmettre la foi – la catéchèse

4   Très tôt on a appelé *catéchèse* l'ensemble des efforts entrepris dans l'Eglise pour faire des disciples, pour aider les hommes à croire que Jésus est le Fils de Dieu afin que, par la foi, ils aient la vie en son nom, pour les éduquer et les instruire dans cette vie et construire ainsi le Corps du Christ [2].

5   « La catéchèse est une *éducation de la foi* des enfants, des jeunes et des adultes, qui comprend spécialement un enseignement de la doctrine chrétienne, donné en général de façon organique et systématique, en vue d'initier à la plénitude de la vie chrétienne [3]. »

6   Sans se confondre avec eux, la catéchèse s'articule sur un certain nombre d'éléments de la mission pastorale de l'Eglise, qui ont un aspect catéchétique, qui préparent la catéchèse ou qui en découlent : première annonce de l'Evangile ou prédication missionnaire pour susciter la foi ; recherche des raisons de croire ; expérience de vie chrétienne ; célébration des sacrements ; intégration dans la communauté ecclésiale ; témoignage apostolique et missionnaire [4].

7   « La catéchèse est liée intimement à toute la vie de l'Eglise. Non seulement l'extension géographique et l'augmentation numérique mais aussi, et davantage encore, la croissance intérieure de l'Eglise, sa correspondance avec le dessein de Dieu, dépendent essentiellement d'elle [5]. »

8   Les périodes de renouveau de l'Eglise sont aussi des temps forts de la catéchèse. Ainsi voit-on à la grande époque des Pères de l'Eglise de saints évêques y consacrer une part importante de leur ministère. Tels sont S. Cyrille de Jérusalem et S. Jean Chrysostome, S. Ambroise et S. Augustin, et bien d'autres Pères dont les œuvres catéchétiques demeurent des modèles.

9   Le ministère de la catéchèse puise des énergies toujours nouvelles dans les Conciles. Le Concile de Trente constitue à cet égard un exemple à souligner : il a donné à la catéchèse une priorité dans

1. Cf. Ac 2, 42. — 2. Cf. CT 1. — 3. CT 18. — 4. Cf. CT 18. — 5. CT 13.

ses constitutions et ses décrets; il est à l'origine du Catéchisme Romain qui porte aussi son nom et constitue une œuvre de premier ordre comme abrégé de la doctrine chrétienne; il a suscité dans l'Eglise une organisation remarquable de la catéchèse; il a entraîné, grâce à de saints évêques et théologiens tels S. Pierre Canisius, S. Charles Borromée, S. Toribio de Mogrovejo ou S. Robert Bellarmin, la publication de nombreux catéchismes.

Il n'est pas étonnant, dès lors, que, dans le mouvement à la suite 10 du deuxième Concile du Vatican, considéré par le Pape Paul VI (comme le grand catéchisme des temps modernes), la catéchèse de l'Eglise ait de nouveau attiré l'attention. Le « Directoire général de la Catéchèse » de 1971, les sessions du Synode des évêques consacrées à l'évangélisation (1974) et à la catéchèse (1977), les exhortations apostoliques qui leur correspondent, « Evangelii nuntiandi » (1975) et « Catechesi tradendæ » (1979), en témoignent. La session extraordinaire du Synode des évêques de 1985 demanda « que soit rédigé un catéchisme ou compendium de toute la doctrine catholique tant sur la foi que sur la morale[1] ». Le Saint-Père, Jean-Paul II, a fait sien ce vœu émis par le Synode des évêques en reconnaissant que « ce désir répond tout à fait à un vrai besoin de l'Eglise universelle et des Eglises particulières[2] ». Il mit tout en œuvre pour la réalisation de ce vœu des pères du Synode.

III. Le but et les destinataires de ce Catéchisme

Ce Catéchisme a pour but de présenter un exposé organique et synthétique des contenus essentiels et fondamentaux de la doctrine catholique tant sur la foi que sur la morale, à la lumière du Concile Vatican II et de l'ensemble de la Tradition de l'Eglise. Ses sources principales sont l'Ecriture Sainte, les saints Pères, la liturgie et le Magistère de l'Eglise. Il est destiné à servir « comme un point de référence pour les catéchismes ou *compendia* qui sont composés dans les divers pays[3] ».

Ce Catéchisme est destiné principalement aux responsables de la catéchèse : en premier lieu aux évêques, en tant que docteurs de la foi et pasteurs de l'Eglise. Il leur est offert comme instrument dans l'accomplissement de leur charge d'enseigner le Peuple de Dieu. A travers les évêques, il s'adresse aux rédacteurs de catéchismes, aux prêtres et aux catéchistes. Il sera aussi d'utile lecture pour tous les autres fidèles chrétiens.

---

1. Rapport final II B a 4. — 2. Discours 7 décembre 1985. — 3. Synode des Evêques 1985, rapport final II B a 4.

IV. La structure de ce Catéchisme

13   Le plan de ce Catéchisme s'inspire de la grande tradition
des catéchismes qui articulent la catéchèse autour de quatre
« piliers » : la profession de la foi baptismale *(le Symbole)*,
les sacrements de la foi, la vie de la foi *(les Commandements)*, la prière du croyant *(le Notre Père)*.

Première partie : *La profession de la foi*

14   Ceux qui par la foi et le Baptême appartiennent au Christ
doivent confesser leur foi baptismale devant les hommes [1].
Pour cela, le Catéchisme expose d'abord en quoi consiste la
Révélation par laquelle Dieu s'adresse et se donne à
l'homme, et la foi, par laquelle l'homme répond à Dieu
(première section). Le symbole de la foi résume les dons
que Dieu fait à l'homme comme Auteur de tout bien,
comme Rédempteur, comme Sanctificateur et les articule
autour des « trois chapitres » de notre Baptême – la foi en
un seul Dieu : le Père Tout-Puissant, le Créateur ; et Jésus-
Christ, son Fils, notre Seigneur et Sauveur ; et l'Esprit Saint,
dans la Sainte Eglise *(deuxième section)*.

Deuxième partie : *Les sacrements de la foi*

15   La deuxième partie du Catéchisme expose comment le
salut de Dieu, réalisé une fois pour toutes par le Christ Jésus
et par l'Esprit Saint, est rendu présent dans les actions
sacrées de la liturgie de l'Eglise *(première section)*, particulièrement dans les sept sacrements *(deuxième section)*.

Troisième partie : *La vie de la foi*

16   La troisième partie du Catéchisme présente la fin ultime
de l'homme, créé à l'image de Dieu : la béatitude, et les
chemins pour y parvenir : par un agir droit et libre, avec
l'aide de la loi et de la grâce de Dieu *(première section)* ; par
un agir qui réalise le double commandement de la charité,
déployé dans les dix Commandements de Dieu *(deuxième
section)*.

Quatrième partie : *La prière dans la vie de la foi*

17   La dernière partie du Catéchisme traite du sens et de
l'importance de la prière dans la vie des croyants *(première
section)*. Elle s'achève sur un bref commentaire des sept

---

1. Cf. Mt 10, 32 ; Rm 10, 9.

demandes de la prière du Seigneur *(deuxième section)*. En elles, en effet, nous trouvons la somme des biens que nous devons espérer et que notre Père céleste veut nous accorder.

V. Indications pratiques pour l'usage de ce Catéchisme

Ce Catéchisme est conçu comme un *exposé organique* de 18 toute la foi catholique. Il faut donc le lire comme une unité. De nombreux renvois en marge du texte (numéros en italique se référant à d'autres paragraphes traitant du même sujet) et l'index thématique à la fin du volume permettent de voir chaque thème dans son lien avec l'ensemble de la foi.

Souvent, les textes de l'Ecriture Sainte ne sont pas cités 19 littéralement mais avec la seule indication de leur référence (par « cf. ») en note. Pour une intelligence approfondie de tels passages il convient de se reporter aux textes eux-mêmes. Ces références bibliques sont un instrument de travail pour la catéchèse.

L'emploi des **petits caractères** pour certains passages indique 20 qu'il s'agit de remarques de type historique, apologétique ou d'exposés doctrinaux complémentaires.

Les citations, en petits caractères, de sources patristiques, liturgiques, magistérielles ou hagiographiques sont destinées à enrichir l'exposé doctrinal. Souvent ces textes ont été choisis en vue d'un usage directement catéchétique. 21

A la fin de chaque unité thématique, une série de textes 22 *brefs résument en des formules ramassées l'essentiel de l'enseignement. Ces « En bref » ont pour but de donner des suggestions à la catéchèse locale pour des formules synthétiques et mémorisables.*

VI. Les adaptations nécessaires

L'accent de ce Catéchisme porte sur l'exposé doctrinal. 23 En effet, il veut aider à approfondir la connaissance de la foi. Par là même il est orienté vers la maturation de cette foi, son enracinement dans la vie et son rayonnement dans le témoignage[1].

1. Cf. CT 20-22 ; 25.

24   Par sa finalité même, ce Catéchisme ne se propose pas de
réaliser les adaptations de l'exposé et des méthodes catéchétiques exigées par les différences de cultures, d'âges, de
maturité spirituelle, de situations sociales et ecclésiales de
ceux à qui s'adresse la catéchèse. Ces adaptations indispensables relèvent des catéchismes appropriés, et plus encore de
ceux qui instruisent les fidèles :

> Celui qui enseigne doit « se faire tout à tous » (1 Co 9, 22),
> pour gagner tout le monde à Jésus-Christ. (...) Surtout qu'il
> ne s'imagine pas qu'une seule sorte d'âmes lui soit confiée,
> et que par conséquent il lui est loisible d'enseigner et de
> former également tous les fidèles à la vraie piété, avec une
> seule et même méthode et toujours la même ! Qu'il sache
> bien que les uns sont en Jésus-Christ comme des enfants
> nouvellement nés, d'autres comme des adolescents, quel-
> ques-uns enfin, comme en possession de toutes leurs forces.
> (...) Ceux qui sont appelés au ministère de la prédication
> doivent, en transmettant l'enseignement des mystères, de la
> foi et des règles des mœurs, proportionner leurs paroles à
> l'esprit et à l'intelligence de leurs auditeurs[1].

Par-dessus tout – la Charité

25   Pour conclure cette présentation, il est opportun de rappeler ce principe pastoral qu'énonce le Catéchisme Romain :

> Toute la finalité de la doctrine et de l'enseignement doit être
> placée dans l'amour qui ne finit pas. Car on peut bien expo-
> ser ce qu'il faut croire, espérer ou faire ; mais surtout on doit
> toujours faire apparaître l'Amour de Notre Seigneur afin
> que chacun comprenne que tout acte de vertu parfaitement
> chrétien n'a pas d'autre origine que l'Amour et pas d'autre
> terme que l'Amour[2].

---

1. Catech. R. préface 11. — 2. Catech. R. préface 10.

Première partie
La profession de la foi

Fragment d'une fresque de la catacombe de Priscilla, Rome, début du IIIe siècle. La plus ancienne image de la Sainte Vierge.

Cette image, parmi les plus anciennes de l'art chrétien, thématise ce qui est le cœur de la foi chrétienne : le mystère de l'Incarnation du Fils de Dieu né de la Vierge Marie.

A gauche, une figure d'homme qui indique une étoile, située au-dessus de la Vierge avec l'enfant : un prophète, probablement Balaam, qui annonce qu'« un astre issu de Jacob devient chef » (Nb 24, 17). C'est toute l'attente de l'Ancienne Alliance et l'appel d'une humanité déchue vers un sauveur et rédempteur (cf. § 27, 528).

Cette annonce est réalisée dans la naissance de Jésus, Fils de Dieu fait homme, conçu du Saint-Esprit, né de la Vierge Marie (cf. § 27, 53, 422, 488). Marie Le met au monde, elle Le donne aux hommes. Par là elle est la figure la plus pure de l'Eglise (cf. § 967).

PREMIÈRE SECTION

« Je crois » – « Nous croyons »

Lorsque nous professons notre foi, nous commençons par 26
dire : « Je crois » ou « Nous croyons ». Avant d'exposer la
foi de l'Eglise telle qu'elle est confessée dans le Credo,
célébrée dans la liturgie, vécue dans la pratique des
Commandements et dans la prière, demandons-nous donc ce
que signifie « croire ». La foi est la réponse de l'homme à
Dieu qui se révèle et se donne à lui, en apportant en même
temps une lumière surabondante à l'homme en quête du
sens ultime de sa vie. Nous considérons dès lors d'abord
cette quête de l'homme *(chapitre premier)*, ensuite la Révélation divine, par laquelle Dieu vient au devant de l'homme
(chapitre deuxième), enfin la réponse de la foi *(chapitre
troisième)*.

CHAPITRE PREMIER

L'homme est « capable » de Dieu

I. Le désir de Dieu

Le désir de Dieu est inscrit dans le cœur de l'homme, car 27
l'homme est créé par Dieu et pour Dieu ; Dieu ne cesse 355, 1701
d'attirer l'homme vers Lui, et ce n'est qu'en Dieu que
l'homme trouvera la vérité et le bonheur qu'il ne cesse de 1718
chercher :

> L'aspect le plus sublime de la dignité humaine se trouve
> dans cette vocation de l'homme à communier avec Dieu.
> Cette invitation que Dieu adresse à l'homme de dialoguer
> avec Lui commence avec l'existence humaine. Car si
> l'homme existe, c'est que Dieu l'a créé par Amour et, par
> Amour, ne cesse de lui donner l'être ; et l'homme ne vit
> pleinement selon la vérité que s'il reconnaît librement cet
> Amour et s'abandonne à son Créateur[1].

De multiples manières, dans leur histoire, et jusqu'à 28
aujourd'hui, les hommes ont donné expression à leur quête
de Dieu par leurs croyances et leurs comportements reli- 843, 2566

1. GS 19, § 1.

2095-2109 gieux (prières, sacrifices, cultes, méditations, etc.). Malgré
les ambiguïtés qu'elles peuvent comporter, ces formes
d'expression sont si universelles que l'on peut appeler
l'homme *un être religieux* :

> Dieu a fait habiter sur toute la face de la terre tout le genre
> humain, issu d'un seul ; il a fixé aux peuples les temps qui
> leur étaient départis et les limites de leur habitat, afin que
> les hommes cherchent la divinité pour l'atteindre, si pos-
> sible, comme à tâtons, et la trouver ; aussi bien n'est-elle pas
> loin de chacun de nous. C'est en elle en effet que nous
> avons la vie, le mouvement et l'être (Ac 17, 26-28).

29 Mais ce « rapport intime et vital qui unit l'homme à
2123-2128 Dieu[1] » peut être oublié, méconnu et même rejeté explicitement par l'homme. De telles attitudes peuvent avoir des origines très diverses[2] : la révolte contre le mal dans le monde,
l'ignorance ou l'indifférence religieuses, les soucis du
monde et des richesses[3], le mauvais exemple des croyants,
les courants de pensée hostiles à la religion, et finalement
398 cette attitude de l'homme pécheur qui, de peur, se cache
devant Dieu[4] et fuit devant son appel[5].

30. « Joie pour les cœurs qui cherchent Dieu » (Ps 105, 3). Si
l'homme peut oublier ou refuser Dieu, Dieu, Lui, ne cesse
2567 d'appeler tout homme à Le chercher pour qu'il vive et
845 trouve le bonheur. Mais cette quête exige de l'homme tout
l'effort de son intelligence, la rectitude de sa volonté, « un
368 cœur droit », et aussi le témoignage des autres qui lui
apprennent à chercher Dieu.

> Tu es grand, Seigneur, et louable hautement : grand est ton
> pouvoir et ta sagesse n'a point de mesure. Et l'homme,
> petite partie de ta création, prétend Te louer, précisément
> l'homme qui, revêtu de sa condition mortelle, porte en lui le
> témoignage de son péché et le témoignage que Tu résistes
> aux superbes. Malgré tout, l'homme, petite partie de ta créa-
> tion, veut Te louer. Toi-même Tu l'y incites, en faisant qu'il
> trouve ses délices dans ta louange, parce que Tu nous a faits
> pour Toi et notre cœur est sans repos tant qu'il ne se repose
> en Toi[6].

II. Les voies d'accès à la connaissance de Dieu

31 Créé à l'image de Dieu, appelé à connaître et à aimer
Dieu, l'homme qui cherche Dieu découvre certaines
« voies » pour accéder à la connaissance de Dieu. On les

---

1. GS 19, § 1. — 2. Cf. GS 19-21. — 3. Cf. Mt 13, 22. — 4. Cf. Gn 3, 8-10.
— 5. Cf. Jon 1, 3. — 6. S. Augustin, conf. 1, 1, 1.

appelle aussi « preuves de l'existence de Dieu », non pas
dans le sens des preuves que cherchent les sciences naturelles, mais dans le sens d'« arguments convergents et
convaincants » qui permettent d'atteindre à de vraies certitudes.

Ces « voies » pour approcher Dieu ont pour point de départ
la création : le monde matériel et la personne humaine.

Le *monde* : à partir du mouvement et du devenir, de la   32
contingence, de l'ordre et de la beauté du monde, on peut   *54, 337*
connaître Dieu comme origine et fin de l'univers.

> S. Paul affirme au sujet des païens : « Ce qu'on peut
> connaître de Dieu est pour eux manifeste : Dieu en effet le
> leur a manifesté. Ce qu'il y a d'invisible depuis la création
> du monde se laisse voir à l'intelligence à travers ses œuvres,
> son éternelle puissance et sa divinité » (Rm 1, 19-20)[1].

> Et S. Augustin : « Interroge la beauté de la terre, interroge
> la beauté de la mer, interroge la beauté de l'air qui se dilate
> et se diffuse, interroge la beauté du ciel (...) interroge toutes
> ces réalités. Toutes te répondent : Vois, nous sommes
> belles. Leur beauté est une profession *(confessio)*. Ces beau-
> tés sujettes au changement, qui les a faites sinon le Beau
> *(Pulcher)*, non sujet au changement[2] ? »

L'*homme* : avec son ouverture à la vérité et à la beauté,   33
son sens du bien moral, sa liberté et la voix de sa   *2500, 1730*
conscience, son aspiration à l'infini et au bonheur, l'homme *1776*
s'interroge sur l'existence de Dieu. A travers tout cela il perçoit des signes de son âme spirituelle. « Germe d'éternité   *1703*
qu'il porte en lui-même, irréductible à la seule matière[3] »,
son âme ne peut avoir son origine qu'en Dieu seul.   *366*

Le monde et l'homme attestent qu'ils n'ont en eux-   34
mêmes ni leur principe premier ni leur fin ultime, mais participent à l'Etre en soi, sans origine et sans fin. Ainsi, par
ces diverses « voies », l'homme peut accéder à la connaissance de l'existence d'une réalité qui est la cause première
et la fin ultime de tout, « et que tous appellent Dieu[4] ». *199*

Les facultés de l'homme le rendent capable de connaître   35
l'existence d'un Dieu personnel. Mais pour que l'homme   *50*
puisse entrer dans son intimité, Dieu a voulu se révéler à lui

---

1. Cf. Ac 14, 15. 17 ; 17, 27-28 ; Sg 13, 1-9. — 2. Serm. 241, 2. — 3. GS 18,
§ 1 ; cf. 14, § 2. — 4. S. Thomas d'A., s. th. 1, 2, 3.

et lui donner la grâce de pouvoir accueillir cette révélation dans la foi. Néanmoins, les preuves de l'existence de Dieu peuvent disposer à la foi et aider à voir que la foi ne
159 s'oppose pas à la raison humaine.

III. La connaissance de Dieu selon l'Église

36   « La Sainte Eglise, notre mère, tient et enseigne que Dieu, principe et fin de toutes choses, peut être connu avec certitude par la lumière naturelle de la raison humaine à partir des choses créées[1]. » Sans cette capacité, l'homme ne pourrait accueillir la révélation de Dieu. L'homme a cette capa-
355 cité parce qu'il est créé « à l'image de Dieu » (Gn 1, 27).

37   Dans les conditions historiques dans lesquelles il se trouve, l'homme éprouve cependant bien des difficultés
1960 pour connaître Dieu avec la seule lumière de sa raison :

> Bien que la raison humaine, en effet, à parler simplement, puisse vraiment par ses forces et sa lumière naturelles arriver à une connaissance vraie et certaine d'un Dieu personnel, protégeant et gouvernant le monde par sa Providence, ainsi que d'une loi naturelle mise par le Créateur dans nos âmes, il y a cependant bien des obstacles empêchant cette même raison d'user efficacement et avec fruit de son pouvoir naturel, car les vérités qui concernent Dieu et les hommes dépassent absolument l'ordre des choses sensibles, et lorsqu'elles doivent se traduire en action et informer la vie, elles demandent qu'on se donne et qu'on se renonce. L'esprit humain, pour acquérir de semblables vérités, souffre difficulté de la part des sens et de l'imagination, ainsi que des mauvais désirs nés du péché originel. De là vient qu'en de telles matières les hommes se persuadent facilement de la fausseté ou du moins de l'incertitude des choses dont ils ne voudraient pas qu'elles soient vraies[2].

38   C'est pourquoi l'homme a besoin d'être éclairé par la révélation de Dieu, non seulement sur ce qui dépasse son entendement, mais aussi sur « les vérités religieuses et
2036 morales qui, de soi, ne sont pas inaccessibles à la raison, afin qu'elles puissent être, dans l'état actuel du genre humain, connues de tous sans difficulté, avec une ferme certitude et sans mélange d'erreur[3] ».

---

1. Cc. Vatican I : DS 3004; cf. 3026; DV 6. — 2. Pie XII, enc. Humani Generis : DS 3875. — 3. *Ibid.*, (DS 3876; cf. Cc. Vatican I : DS 3005; DV 6; S. Thomas d'A., s. th. 1, 1, 1.

IV. Comment parler de Dieu?

En défendant la capacité de la raison humaine de   39
connaître Dieu, l'Eglise exprime sa confiance en la possibilité de parler de Dieu à tous les hommes et avec tous les   *851*
hommes. Cette conviction est le point de départ de son dialogue avec les autres religions, avec la philosophie et les
sciences, et aussi avec les incroyants et les athées.

Puisque notre connaissance de Dieu est limitée, notre lan-   40
gage sur Dieu l'est également. Nous ne pouvons nommer
Dieu qu'à partir des créatures, et selon notre mode humain
limité de connaître et de penser.

Les créatures portent toutes une certaine ressemblance de   41
Dieu, tout spécialement l'homme créé à l'image et à la ressemblance de Dieu. Les multiples perfections des créatures
(leur vérité, leur bonté, leur beauté) reflètent donc la perfection infinie de Dieu. Dès lors, nous pouvons nommer Dieu à   *213, 299*
partir des perfections de ses créatures, « car la grandeur et la
beauté des créatures font, par analogie, contempler leur
Auteur » (Sg 13, 5).

Dieu transcende toute créature. Il faut donc sans cesse   42
purifier notre langage de ce qu'il a de limité, d'imagé,   *212, 300*
d'imparfait pour ne pas confondre le Dieu « ineffable,
incompréhensible, invisible, insaisissable[1] » avec nos représentations humaines. Nos paroles humaines restent toujours   *370*
en deçà du mystère de Dieu.

En parlant ainsi de Dieu, notre langage s'exprime, certes,   43
de façon humaine, mais il atteint réellement Dieu lui-même,
sans pourtant pouvoir l'exprimer dans son infinie simplicité.
En effet, il faut se rappeler qu'« entre le Créateur et la créature on ne peut marquer tellement de ressemblance que la
dissemblance entre eux ne soit pas plus grande encore[2] » et
que « nous ne pouvons saisir de Dieu ce qu'Il est, mais seulement ce qu'Il n'est pas, et comment les autres êtres se   *206*
situent par rapport à Lui »[3].

EN BREF
L'homme est par nature et par vocation un être religieux.   44
Venant de Dieu, allant vers Dieu, l'homme ne vit une vie
pleinement humaine que s'il vit librement son lien avec
Dieu.

1. Liturgie de S. Jean Chrysostome, Anaphore. — 2. Cc. Latran IV : DS 806.
— 3. S. Thomas d'A., s. gent. 1, 30.

45   *L'homme est fait pour vivre en communion avec Dieu en qui il trouve son bonheur : « Quand tout entier je serai en Toi, il n'y aura plus jamais de chagrin et d'épreuve ; tout entière pleine de Toi, ma vie sera accomplie[1]. »*

46   *Quand il écoute le message des créatures et la voix de sa conscience, l'homme peut atteindre la certitude de l'existence de Dieu, cause et fin de tout.*

47   *L'Eglise enseigne que le Dieu unique et véritable, notre Créateur et Seigneur, peut être connu avec certitude par ses œuvres grâce à la lumière naturelle de la raison humaine[2].*

48   *Nous pouvons réellement nommer Dieu en partant des multiples perfections des créatures, similitudes du Dieu infiniment parfait, même si notre langage limité n'en épuise pas le mystère.*

49   *« La créature sans le Créateur s'évanouit[3]. » Voilà pourquoi les croyants se savent pressés par l'amour du Christ d'apporter la lumière du Dieu vivant à ceux qui l'ignorent ou le refusent.*

Chapitre deuxième
Dieu à la rencontre de l'homme

50   Par la raison naturelle, l'homme peut connaître Dieu avec
36   certitude à partir de ses œuvres. Mais il existe un autre ordre de connaissance que l'homme ne peut nullement atteindre par ses propres forces, celui de la Révélation divine[4]. Par une décision tout à fait libre, Dieu se révèle et se donne à l'homme. Il le fait en révélant son mystère, son dessein
1066   bienveillant qu'Il a formé de toute éternité dans le Christ en faveur de tous les hommes. Il révèle pleinement son dessein en envoyant son Fils bien-aimé, notre Seigneur Jésus-Christ, et l'Esprit Saint.

---

1. S. Augustin, conf. 10, 28, 39. — 2. Cf. Cc. Vatican I : DS 3026. — 3. GS 36. — 4. Cf. Cc. Vatican I : DS 3015.

ARTICLE 1
La Révélation de Dieu

I. Dieu révèle son « dessein bienveillant »

« Il a plu à Dieu dans sa sagesse et sa bonté de se révéler 51
en personne et de faire connaître le mystère de sa volonté 2823
grâce auquel les hommes, par le Christ, le Verbe fait chair,
accèdent dans l'Esprit Saint auprès du Père et sont rendus 1996
participants de la nature divine[1]. »

Dieu qui « habite une lumière inaccessible » (1 Tm 6, 16) 52
veut communiquer sa propre vie divine aux hommes librement créés par Lui, pour en faire, dans son Fils unique, des
fils adoptifs[2]. En se révélant Lui-même, Dieu veut rendre les
hommes capables de Lui répondre, de Le connaître et de
L'aimer bien au-delà de tout ce dont ils seraient capables
d'eux-mêmes.

Le dessein divin de la Révélation se réalise à la fois « par 53
des actions et par des paroles, intimement liées entre elles et 1953
s'éclairant mutuellement[3]. » Il comporte une « pédagogie 1950
divine » particulière : Dieu se communique graduellement à
l'homme, Il le prépare par étapes à accueillir la Révélation
surnaturelle qu'Il fait de Lui-même et qui va culminer dans
la Personne et la mission du Verbe incarné, Jésus-Christ.

S. Irénée de Lyon parle à maintes reprises de cette pédagogie divine sous l'image de l'accoutumance mutuelle entre
Dieu et l'homme : « Le Verbe de Dieu a habité dans
l'homme et s'est fait Fils de l'homme pour accoutumer
l'homme à saisir Dieu et accoutumer Dieu à habiter dans
l'homme, selon le bon plaisir du Père[4]. »

II. Les étapes de la Révélation

Dès l'origine, Dieu se fait connaître

« Dieu, qui a créé et conserve toutes choses par le Verbe, 54
donne aux hommes dans les choses créées un témoignage 32
incessant sur Lui-même ; voulant de plus ouvrir la voie d'un

1. DV 2. — 2. Cf. Ep 1, 4-5. — 3. DV 2. — 4. Hær. 3, 20, 2 ; cf. par exemple hær. 3, 17, 1 ; 4, 12, 4 ; 4, 21, 3.

salut supérieur, Il se manifesta aussi Lui-même, dès l'origine, à nos premiers parents[1]. » Il les a invités à une com-
374 munion intime avec Lui-même en les revêtant d'une grâce et d'une justice resplendissantes.

55   Cette Révélation n'a pas été interrompue par le péché de
397, 410 nos premiers parents. Dieu, en effet, « après leur chute leur promit une rédemption, leur rendit courage en leur faisant espérer le salut; sans arrêt, Il montra sa sollicitude pour le genre humain, afin de donner la vie éternelle à tous ceux qui par la constance dans le bien cherchent le salut[2]. »

> Comme il avait perdu ton amitié en se détournant de Toi, tu ne l'as pas abandonné au pouvoir de la mort. (...) Tu as mul-
761 > tiplié les alliances avec eux[3].

L'alliance avec Noé

56   Une fois l'unité du genre humain morcelée par le péché,
401 Dieu cherche tout d'abord à sauver l'humanité en passant par chacune de ses parties. L'alliance avec Noé d'après le
1219 déluge[4] exprime le principe de l'Economie divine envers les « nations », c'est-à-dire envers les hommes regroupés « d'après leurs pays, chacun selon sa langue, et selon leurs clans » (Gn 10, 5)[5].

57   Cet ordre à la fois cosmique, social et religieux de la pluralité des nations[6] est destiné à limiter l'orgueil d'une humanité déchue qui, unanime dans sa perversité[7], voudrait faire par elle-même son unité à la manière de Babel[8]. Mais, à cause du péché[9], le polythéisme ainsi que l'idolâtrie de la nation et de son chef menacent sans cesse d'une perversion païenne cette économie provisoire.

58   L'alliance avec Noé est en vigueur tant que dure le temps
674 des nations[10], jusqu'à la proclamation universelle de l'Evangile. La Bible vénère quelques grandes figures des « nations », tels qu'« Abel le juste », le roi-prêtre Melchisédech[11], figure du Christ[12] ou les justes « Noé, Danel et Job » (Ez 14, 14). Ainsi, l'Ecriture exprime quelle hauteur de sainteté peuvent atteindre ceux qui vivent selon l'alliance de
2569 Noé dans l'attente que le Christ « rassemble dans l'unité tous les enfants de Dieu dispersés » (Jn 11, 52).

1. DV 3. — 2. DV 3. — 3. MR, prière eucharistique IV, 118. — 4. Cf. Gn 9, 9. — 5. Cf. Gn 10, 20-31. — 6. Cf. Ac 17, 26-27. — 7. Cf. Sg 10, 5. — 8. Cf. Gn 11, 4-6. — 9. Cf. Rm 1, 18-25. — 10. Cf. Lc 21, 24. — 11. Cf. Gn 14, 18. — 12. Cf. He 7, 3.

Dieu élit Abraham

Pour rassembler l'humanité dispersée, Dieu élit Abram en l'appelant « hors de son pays, de sa parenté et de sa maison » (Gn 12, 1), pour faire de lui Abraham, c'est-à-dire « le père d'une multitude de nations » (Gn 17, 5) : « En toi seront bénies toutes les nations de la terre » (Gn 12, 3 LXX)[1]. 59
145, 2570

Le peuple issu d'Abraham sera le dépositaire de la promesse faite aux patriarches, le peuple de l'élection[2], appelé à préparer le rassemblement, un jour, de tous les enfants de Dieu dans l'unité de l'Eglise[3] ; il sera la racine sur laquelle seront greffés les païens devenus croyants[4]. 60
760
762, 781

Les patriarches et les prophètes et d'autres personnages de l'Ancien Testament ont été et seront toujours vénérés comme saints dans toutes les traditions liturgiques de l'Eglise. 61

Dieu forme son peuple Israël

Après les patriarches, Dieu forma Israël comme son peuple en le sauvant de l'esclavage de l'Egypte. Il conclut avec lui l'Alliance du Sinaï et lui donna, par Moïse, sa loi, pour qu'il Le reconnaisse et Le serve comme le seul Dieu vivant et vrai, Père provident et juste juge, et qu'il attende le Sauveur promis[5]. 62
2060, 2574
1961

Israël est le Peuple sacerdotal de Dieu[6], celui qui « porte le nom du Seigneur » (Dt 28, 10). C'est le peuple de ceux « à qui Dieu a parlé en premier[7] », le peuple des « frères aînés » dans la foi d'Abraham[8]. 63
204, 2801, 839

Par les prophètes, Dieu forme son peuple dans l'espérance du salut, dans l'attente d'une Alliance nouvelle et éternelle destinée à tous les hommes[9] et qui sera inscrite dans les cœurs[10]. Les prophètes annoncent une rédemption radicale du Peuple de Dieu, la purification de toutes ses infidélités[11], un salut qui incluera toutes les nations[12]. Ce seront surtout les pauvres et les humbles du Seigneur[13] qui porte- 64
711
1965

---

1. Cf. Ga 3, 8. — 2. Cf. Rm 11, 28. — 3. Cf. Jn 11, 52 ; 10, 16. — 4. Cf. Rm 11, 17-18. 24. — 5. Cf. DV 3. — 6. Cf. Ex 19, 6. — 7. MR, Vendredi Saint 13 : oraison universelle VI. — 8. Cf. Jean Paul II, « Allc. nella synagoga », 4. — 9. Cf. Is 2, 2-4. — 10. Cf. Jr 31, 31-34 ; He 10, 16. — 11. Cf. Ez 36. — 12. Cf. Is 49, 5-6 ; 53, 11. — 13. Cf. So 2, 3.

ront cette espérance. Les femmes saintes comme Sara,
Rébecca, Rachel, Miryam, Débora, Anne, Judith et Esther,
489 ont conservé vivante l'espérance du salut d'Israël. La figure
la plus pure en est Marie[1].

III. Le Christ Jésus
« Médiateur et Plénitude de toute la
Révélation[2] »

Dieu a tout dit en son Verbe

65   « Après avoir, à bien des reprises et de bien des manières,
parlé par les prophètes, Dieu en ces jours qui sont les der-
102 niers, nous a parlé par son Fils » (He 1, 1-2). Le Christ, le
Fils de Dieu fait homme, est la Parole unique, parfaite et
indépassable du Père. En Lui Il dit tout, et il n'y aura pas
d'autre parole que celle-là. S. Jean de la Croix, après tant
d'autres, l'exprime de façon lumineuse, en commentant He
1, 1-2 :

> Dès lors qu'Il nous a donné son Fils, qui est sa Parole, Dieu
> n'a pas d'autre parole à nous donner. Il nous a tout dit à la
> fois et d'un seul coup en cette seule Parole et il n'a rien de
> plus à dire ; car ce qu'Il disait par parties aux prophètes, Il
516   > l'a dit tout entier dans son Fils, en nous donnant ce tout
> qu'est son Fils. Voilà pourquoi celui qui voudrait mainte-
> nant l'interroger, ou désirerait une vision ou une révélation,
> non seulement ferait une folie, mais ferait injure à Dieu, en
2717 > ne jetant pas les yeux uniquement sur le Christ, sans cher-
> cher autre chose ou quelque nouveauté[3].

Il n'y aura plus d'autre Révélation

66   « L'Economie chrétienne, étant l'Alliance Nouvelle et
définitive, ne passera donc jamais et aucune nouvelle révélation publique n'est dès lors à attendre avant la manifestation
glorieuse de notre Seigneur Jésus-Christ[4]. » Cependant,
même si la Révélation est achevée, elle n'est pas complètement explicitée ; il restera à la foi chrétienne d'en saisir gra-
94 duellement toute la portée au cours des siècles.

67   Au fil des siècles il y a eu des révélations dites « privées », dont
certaines ont été reconnues par l'autorité de l'Eglise. Elles n'appar-
84 tiennent cependant pas au dépôt de la foi. Leur rôle n'est pas

1. Cf. Lc 1, 38. — 2. DV 2. — 3. Carm. 2, 22. — 4. DV 4.

d'« améliorer » ou de « compléter » la Révélation définitive du Christ, mais d'aider à en vivre plus pleinement à une certaine époque de l'histoire. Guidé par le Magistère de l'Eglise, le sens des fidèles sait discerner et accueillir ce qui dans ces révélations constitue un appel authentique du Christ ou de ses saints à l'Eglise. *93*

La foi chrétienne ne peut pas accepter des « révélations » qui prétendent dépasser ou corriger la Révélation dont le Christ est l'achèvement. C'est le cas de certaines religions non chrétiennes et aussi de certaines sectes récentes qui se fondent sur de telles « révélations ».

En bref

Par amour, Dieu s'est révélé et s'est donné à l'homme. Il apporte ainsi une réponse définitive et surabondante aux questions que l'homme se pose sur le sens et le but de sa vie. 68

Dieu s'est révélé à l'homme en lui communiquant graduellement son propre mystère par des actions et par des paroles. 69

Au-delà du témoignage que Dieu donne de Lui-même dans les choses créées, Il s'est manifesté Lui-même à nos premiers parents. Il leur a parlé et, après la chute, leur a promis le salut[1] et leur a offert son alliance. 70

Dieu conclut avec Noé une alliance éternelle entre Lui et tous les êtres vivants[2]. Elle durera tant que dure le monde. 71

Dieu a élu Abraham et a conclu une alliance avec lui et sa descendance. Il en a formé son peuple auquel il a révélé sa loi par Moïse. Il l'a préparé par les prophètes à accueillir le salut destiné à toute l'humanité. 72

Dieu s'est révélé pleinement en envoyant son propre Fils en qui Il a établi son Alliance pour toujours. Celui-ci est la Parole définitive du Père, de sorte qu'il n'y aura plus d'autre Révélation après Lui. 73

Article 2
La transmission de la Révélation divine

Dieu « veut que tous les hommes soient sauvés et parviennent à la connaissance de la vérité » (1 Tm 2, 4), c'est-à-dire du Christ Jésus[3]. Il faut donc que le Christ soit annoncé à tous les peuples et à tous les hommes et qu'ainsi la Révélation parvienne jusqu'aux extrémités du monde : 74 *851*

---

1. Cf. Gn 3, 15. — 2. Cf. Gn 9, 16. — 3. Cf. Jn 14, 6.

Cette Révélation donnée pour le salut de toutes les nations, Dieu, avec la même bienveillance, prit des dispositions pour qu'elle demeurât toujours en son intégrité et qu'elle fût transmise à toutes les générations[1].

I. La Tradition apostolique

75   « Le Christ Seigneur en qui s'achève toute la Révélation du Dieu très haut, ayant accompli Lui-même et proclamé de sa propre bouche l'Evangile d'abord promis par les prophètes, ordonna à ses apôtres de le prêcher à tous comme la *171* source de toute vérité salutaire et de toute règle morale en leur communiquant les dons divins[2]. »

La prédication apostolique...

76   La transmission de l'Evangile, selon l'ordre du Seigneur, s'est faite de deux manières :

Oralement « par les apôtres, qui, dans la prédication orale, dans les exemples et les institutions transmirent, soit ce qu'ils avaient appris de la bouche du Christ en vivant avec Lui et en Le voyant agir, soit ce qu'ils tenaient des suggestions du Saint-Esprit » ;

Par écrit « par ces apôtres et par des hommes de leur entourage, qui, sous l'inspiration du même Esprit Saint, consignèrent par écrit le message de salut[3] ».

... continuée dans la succession apostolique

77   « Pour que l'Evangile fût toujours gardé intact et vivant *861* dans l'Eglise, les apôtres laissèrent comme successeurs les évêques, auxquels ils "transmirent leur propre charge d'enseignement"[4]. » En effet, « la prédication apostolique, qui se trouve spécialement exprimée dans les livres inspirés, devait être conservée par une succession ininterrompue jusqu'à la consommation des temps[5] ».

78   Cette transmission vivante, accomplie dans l'Esprit Saint, *174* est appelée la Tradition en tant que distincte de la Sainte Ecriture, quoique étroitement liée à elle. Par elle, « l'Eglise *1124, 2651* perpétue dans sa doctrine, sa vie et son culte et elle transmet

1. DV 7. — 2. DV 7. — 3. DV 7. — 4. DV 7. — 5. DV 8.

à chaque génération tout ce qu'elle est elle-même, tout ce qu'elle croit[1] ». « L'enseignement des saints Pères atteste la présence vivifiante de cette Tradition, dont les richesses passent dans la pratique et la vie de l'Eglise qui croit et qui prie[2]. »

Ainsi, la communication que le Père a faite de Lui-même par son Verbe dans l'Esprit Saint, demeure présente et agissante dans l'Eglise : « Dieu qui parla jadis ne cesse de converser avec l'Epouse de son Fils bien-aimé, et l'Esprit Saint, par qui la voix vivante de l'Evangile retentit dans l'Eglise et par elle dans le monde, introduit les croyants dans la vérité tout entière et fait que la parole du Christ habite en eux avec abondance[3]. » 79

II. Le rapport entre la Tradition et l'Écriture Sainte

Une source commune...

« Elles sont reliées et communiquent étroitement entre elles. Car toutes deux jaillissent d'une source divine identique, ne forment pour ainsi dire qu'un tout et tendent à une même fin[4]. » L'une et l'autre rendent présent et fécond dans l'Eglise le mystère du Christ qui a promis de demeurer avec les siens « pour toujours, jusqu'à la fin du monde » (Mt 28, 20). 80

... deux modes distincts de transmission

« *La Sainte Ecriture* est la parole de Dieu en tant que, sous l'inspiration de l'Esprit divin, elle est consignée par écrit. » 81

« Quant à *la Sainte Tradition*, elle porte la parole de Dieu, confiée par le Christ Seigneur et par l'Esprit Saint aux apôtres, et la transmet intégralement à leurs successeurs, pour que, illuminés par l'Esprit de vérité, en la prêchant, ils la gardent, l'exposent et la répandent avec fidélité[5]. » *113*

Il en résulte que l'Eglise à laquelle est confiée la transmission et l'interprétation de la Révélation, « ne tire pas de la seule Ecriture Sainte sa certitude sur tous les points de la 82

1. DV 8. — 2. DV 8. — 3. DV 8. — 4. DV 9. — 5. DV 9.

Révélation. C'est pourquoi l'une et l'autre doivent être reçues et vénérées avec égal sentiment d'amour et de respect[1]. »

Tradition apostolique et traditions ecclésiales

83   La Tradition dont nous parlons ici vient des apôtres et transmet ce que ceux-ci ont reçu de l'enseignement et de l'exemple de Jésus et ce qu'ils ont appris par l'Esprit Saint. En effet, la première génération de chrétiens n'avait pas encore un Nouveau Testament écrit, et le Nouveau Testament lui-même atteste le processus de la Tradition vivante.

1202,
2041, 2684   Il faut en distinguer les « traditions » théologiques, disciplinaires, liturgiques ou dévotionnelles nées au cours du temps dans les Eglises locales. Elles constituent des formes particulières sous lesquelles la grande Tradition reçoit des expressions adaptées aux divers lieux et aux diverses époques. C'est à sa lumière que celles-ci peuvent être maintenues, modifiées ou aussi abandonnées sous la conduite du Magistère de l'Eglise.

III. L'interprétation de l'héritage de la foi

L'héritage de la foi confié à la totalité de l'Église

84   « L'héritage sacré[2] » de la foi *(depositum fidei)*, contenu dans la Sainte Tradition et dans l'Ecriture Sainte a été confié
857, 871   par les apôtres à l'ensemble de l'Eglise. « En s'attachant à lui le peuple saint tout entier uni à ses pasteurs reste assidûment fidèle à l'enseignement des apôtres et à la communion fraternelle, à la fraction du pain et aux prières, si bien que,
2033   dans le maintien, la pratique et la confession de la foi transmise, s'établit, entre pasteurs et fidèles, une singulière unité d'esprit[3]. »

Le Magistère de l'Église

85   « La charge d'interpréter de façon authentique la Parole
888-892 de Dieu, écrite ou transmise, a été confiée au seul Magistère vivant de l'Eglise dont l'autorité s'exerce au nom de Jésus-
2032-2040 Christ[4] », c'est-à-dire aux évêques en communion avec le successeur de Pierre, l'évêque de Rome.

86   « Pourtant, ce Magistère n'est pas au-dessus de la parole de Dieu, mais il la sert, n'enseignant que ce qui fut transmis, puisque par mandat de Dieu, avec l'assistance de l'Esprit

---

1. *Ibid.* — 2. Cf. 1 Tm 6, 20 ; 2 Tm 1, 12-14. — 3. DV 10. — 4. DV 10.

Saint, il écoute cette Parole avec amour, la garde saintement 688
et l'expose aussi avec fidélité, et puise en cet unique dépôt
de la foi tout ce qu'il propose à croire comme étant révélé
par Dieu[1]. »

Les fidèles, se souvenant de la parole du Christ à ses 87
apôtres : « Qui vous écoute, m'écoute » (Lc 10, 16)[2], 1548
reçoivent avec docilité les enseignements et directives que
leurs pasteurs leur donnent sous différentes formes. 2037

Les dogmes de la foi

Le Magistère de l'Eglise engage pleinement l'autorité 88
reçue du Christ quand il définit des dogmes, c'est-à-dire 888-892
quand il propose, sous une forme obligeant le peuple chrétien à une adhésion irrévocable de foi, des vérités contenues 2032-2040
dans la Révélation divine ou bien quand il propose de
manière définitive des vérités ayant avec celles-là un lien
nécessaire.

Il existe un lien organique entre notre vie spirituelle et les 89
dogmes. Les dogmes sont des lumières sur le chemin de 2625
notre foi, ils l'éclairent et le rendent sûr. Inversement, si
notre vie est droite, notre intelligence et notre cœur seront
ouverts pour accueillir la lumière des dogmes de la foi[3].

Les liens mutuels et la cohérence des dogmes peuvent 90
être trouvés dans l'ensemble de la Révélation du mystère du 114, 158
Christ[4]. Il faut, en effet, se rappeler que « la diversité de 234
leurs rapports avec les fondements de la foi chrétienne
marque un ordre ou une "hiérarchie" des vérités de la doctrine catholique[5]. »

Le sens surnaturel de la foi

Tous les fidèles ont part à la compréhension et à la trans- 91
mission de la vérité révélée. Ils ont reçu l'onction de l'Esprit
Saint qui les instruit[6] et les conduit vers la vérité tout entière 737
(Jn 16, 13).

« L'ensemble des fidèles (...) ne peut se tromper dans la 92
foi et manifeste cette qualité par le moyen du sens surnaturel 785
de la foi qui est celui du peuple tout entier, lorsque, "des

1. DV 10. — 2. Cf. LG 20. — 3. Cf. Jn 8, 31-32. — 4. Cf. Cc. Vatican I : DS
3016 : nexus mysteriorum ; LG 25. — 5. UR 11. — 6. Cf. 1 Jn 2, 20. 27.

évêques jusqu'au dernier des fidèles laïcs", il apporte aux vérités concernant la foi et les mœurs un consentement universel[1]. »

93   « Grâce en effet à ce sens de la foi qui est éveillé et sou-
889 tenu par l'Esprit de vérité, et sous la conduite du Magistère sacré, (...) le Peuple de Dieu s'attache indéfectiblement à la foi transmise aux saints une fois pour toutes, il y pénètre plus profondément en l'interprétant comme il faut et dans sa vie la met plus parfaitement en œuvre[2]. »

La croissance dans l'intelligence de la foi

94   Grâce à l'assistance du Saint-Esprit, l'intelligence des réalités comme des paroles de l'héritage de la foi peut
66   croître dans la vie de l'Eglise :
2651 — « par la contemplation et l'étude des croyants qui les méditent en leur cœur[3] » ; c'est en particulier « la recherche théologique qui approfondit la connaissance de la vérité révélée[4] » ;
2038, 2518 — « par l'intelligence intérieure que les croyants éprouvent des choses spirituelles[5] » ; « les divines paroles et celui qui les lit grandissent ensemble[6] » ;
      — « par la prédication de ceux qui, avec la succession épiscopale, reçurent un charisme certain de la vérité[7]. »

95   « Il est donc clair que la Sainte Tradition, la Sainte Ecriture et le Magistère de l'Eglise, par une très sage disposition de Dieu, sont tellement reliés et solidaires entre eux qu'aucune de ces réalités ne subsiste sans les autres, et que toutes ensemble, chacune à sa façon, sous l'action du seul Esprit Saint, contribuent efficacement au salut des âmes[8]. »

En bref

96   *Ce que le Christ a confié aux apôtres, ceux-ci l'ont transmis par leur prédication et par écrit, sous l'inspiration de l'Esprit Saint, à toutes les générations, jusqu'au retour glorieux du Christ.*

97   *« La Sainte Tradition et la Sainte Ecriture constituent un unique dépôt sacré de la parole de Dieu[9] » en lequel, comme dans un miroir, l'Eglise pérégrinante contemple Dieu, source de toutes ses richesses.*

1. Cf. LG 12. — 2. LG 12. — 3. DV 8. — 4. GS 62, § 7 ; cf. 44, § 2 ; DV 23 ; 24 ; UR 4. — 5. DV 8. — 6. S. Grégoire le Grand, hom. Ez. 1, 7, 8. — 7. DV 8. — 8. DV 10, § 3. — 9. DV 10.

« Dans sa doctrine, sa vie et son culte, l'Eglise perpétue et 98
transmet à chaque génération tout ce qu'elle est elle-même,
tout ce qu'elle croit[1]. »

Grâce à son sens surnaturel de la foi, le Peuple de Dieu tout 99
entier ne cesse d'accueillir le don de la Révélation divine,
de le pénétrer plus profondément et d'en vivre plus pleine-
ment.

La charge d'interpréter authentiquement la Parole de Dieu 100
a été confiée au seul Magistère de l'Eglise, au Pape et aux
évêques en communion avec lui.

Article 3
La Sainte Écriture

I. Le Christ – Parole unique de l'Écriture Sainte

Dans la condescendance de sa bonté, Dieu, pour se révé- 101
ler aux hommes, leur parle en paroles humaines : « En effet,
les paroles de Dieu, exprimées en langues humaines, ont
pris la ressemblance du langage humain, de même que le
Verbe du Père éternel, ayant assumé l'infirmité de notre
chair, est devenu semblable aux hommes[2]. »

A travers toutes les paroles de l'Ecriture Sainte, Dieu ne 102
dit qu'une seule Parole, son Verbe unique en qui Il se dit   *65, 2763*
tout entier[3] :

Rappelez-vous que c'est une même Parole de Dieu qui   *426-429*
s'étend dans toutes les Ecritures, que c'est un même Verbe
qui résonne dans la bouche de tous les écrivains sacrés, lui
qui, étant au commencement Dieu auprès de Dieu, n'y a pas
besoin de syllabes parce qu'il n'y est pas soumis au temps[4].

Pour cette raison, l'Eglise a toujours vénéré les divines 103
Ecritures comme elle vénère aussi le Corps du Seigneur.   *1100, 1184*
Elle ne cesse de présenter aux fidèles le Pain de vie pris sur   *1378*
la Table de la Parole de Dieu et du Corps du Christ[5].

1. DV 8. — 2. DV 13. — 3. Cf. He 1, 1-3. — 4. S. Augustin, Psal. 103, 4, 1.
— 5. Cf. DV 21.

104   Dans l'Ecriture Sainte, l'Eglise trouve sans cesse sa nourriture et sa force[1], car en elle, elle n'accueille pas seulement
une parole humaine, mais ce qu'elle est réellement : la
Parole de Dieu[2]. « Dans les Saints Livres, en effet, le Père
qui est aux Cieux vient avec tendresse au-devant de ses fils
et entre en conversation avec eux[3]. »

II. Inspiration et vérité de la Sainte Écriture

105   *Dieu est l'Auteur de l'Ecriture Sainte.* « La vérité divinement révélée, que contiennent et présentent les livres de la
Sainte Ecriture, y a été consignée sous l'inspiration de
l'Esprit Saint. »

        « Notre Sainte Mère l'Eglise, de par sa foi apostolique, juge
sacrés et canoniques tous les livres tant de l'Ancien que du
Nouveau Testament, avec toutes leurs parties, puisque, rédigés
sous l'inspiration de l'Esprit Saint ils ont Dieu pour auteur et
qu'ils ont été transmis comme tels à l'Eglise elle-même[4]. »

106   Dieu a inspiré les auteurs humains des livres sacrés. « En
vue de composer ces livres sacrés, Dieu a choisi des
hommes auxquels il eut recours dans le plein usage de leurs
facultés et de leurs moyens, pour que, Lui-même agissant en
eux et par eux, ils missent par écrit, en vrais auteurs, tout ce
qui était conforme à son désir, et cela seulement[5]. »

107   Les livres inspirés enseignent la vérité. « Dès lors, puisque toutes les assertions des auteurs inspirés ou hagio-
702   graphes doivent être tenues pour assertions de l'Esprit Saint,
il faut déclarer que les livres de l'Ecriture enseignent fermement, fidèlement et sans erreur la vérité que Dieu a voulu
voir consignée pour notre salut dans les Lettres sacrées[6]. »

108   Cependant, la foi chrétienne n'est pas une « religion du
Livre ». Le christianisme est la religion de la « Parole » de
Dieu, « non d'un verbe écrit et muet, mais du Verbe incarné
et vivant[7] ». Pour qu'elles ne restent pas lettre morte, il faut
que le Christ, Parole éternelle du Dieu vivant, par l'Esprit
Saint nous « ouvre l'esprit à l'intelligence des Écritures[8] ».

III. L'Esprit Saint, interprète de l'Écriture

109   Dans l'Ecriture Sainte, Dieu parle à l'homme à la manière
des hommes. Afin de bien interpréter l'Ecriture, il faut donc
être attentif à ce que les auteurs humains ont vraiment

1. Cf. DV 24. — 2. Cf. 1 Th 2, 13. — 3. DV 21. — 4. DV 11. — 5. DV 11.
— 6. DV 11. — 7. S. Bernard, hom. miss. 4, 11. — 8. Lc 24, 45.

entendu affirmer et à ce que Dieu a bien voulu nous manifester par leurs paroles[1].

Il faut tenir compte, pour découvrir *l'intention des
auteurs sacrés*, des conditions de leur temps et de leur   110
culture, des « genres littéraires » en usage à l'époque, des
manières de sentir, de parler et de raconter courantes en ce
temps-là. « Car c'est de façon bien différente que la vérité se
propose et s'exprime en des textes diversement historiques,
en des textes, ou prophétiques, ou poétiques, ou même en
d'autres genres d'expression[2]. »

Mais comme l'Ecriture Sainte est inspirée, il existe un   111
autre principe de l'interprétation juste, non moins important
que le précédent, et sans lequel l'Ecriture demeurerait lettre
morte : « La Sainte Ecriture doit être lue et interprétée à la
lumière du même Esprit qui la fit rédiger[3]. »

Le Concile Vatican II indique *trois critères* pour une interprétation de l'Ecriture conforme à l'Esprit qui l'a inspirée[4] :

1. *Porter d'abord une grande attention* « *au contenu et à*   112
l'unité de toute l'Ecriture ». Car, aussi différents que soient   *128*
les livres qui la composent, l'Ecriture est une en raison de
l'unité du dessein de Dieu, dont le Christ Jésus est le centre
et le cœur, ouvert depuis sa Pâque[5].   *368*

> Le cœur[6] du Christ désigne la Sainte Ecriture qui fait
> connaître le cœur du Christ. Ce cœur était fermé avant la
> passion car l'Ecriture était obscure. Mais l'Ecriture a été
> ouverte après la passion, car ceux qui désormais en ont
> l'intelligence considèrent et discernent de quelle manière
> les prophéties doivent être interprétées[7].

2. *Lire ensuite l'Ecriture dans* « *la Tradition vivante de*   113
toute l'Eglise ». Selon un adage des Pères, la Sainte Ecriture   *81*
se lit bien plus dans le cœur de l'Eglise que dans les moyens
matériels de son expression[8]. En effet, l'Eglise porte dans sa
Tradition la mémoire vivante de la Parole de Dieu, et c'est
l'Esprit Saint qui lui donne l'interprétation spirituelle de
l'Ecriture (« ... selon le sens spirituel dont l'Esprit gratifie
l'Eglise[9] »).

1. Cf. DV 12, § 1. — 2. DV 12, § 2. — 3. DV 12, § 3. — 4. Cf. DV 12, § 3.
— 5. Cf. Lc 24, 25-27. 44-46. — 6. Cf. Ps 22, 15. — 7. Cf. S. Thomas d'A.,
Psal. 21, 11. — 8. Cf. S. Hilaire de Poitiers, Const. 9 ; S. Jérôme, ep. Gal. 1,
1, 11-12. — 9. Origène, hom. in Lev. 5, 5.

114   3. *Etre attentif « à l'analogie de la foi*[1] ». Par « analogie
90   de la foi » nous entendons la cohésion des vérités de la foi
entre elles et dans le projet total de la Révélation.

Les sens de l'Écriture

115   Selon une ancienne tradition, on peut distinguer deux *sens* de
l'Ecriture : le sens littéral et le sens spirituel, ce dernier étant sub-
divisé en sens allégorique, moral et anagogique. La concordance
profonde des quatre sens assure toute sa richesse à la lecture
vivante de l'Ecriture dans l'Eglise :

116   Le *sens littéral.* C'est le sens signifié par les paroles de l'Ecri-
110-114 ture et découvert par l'exégèse qui suit les règles de la juste interprétation. « Tous les sens de la Sainte Ecriture trouvent leur appui
dans le sens littéral[2]. »

117   Le *sens spirituel.* Grâce à l'unité du dessein de Dieu, non seule-
1101   ment le texte de l'Ecriture, mais aussi les réalités et les événements
dont il parle peuvent être des signes.
1. Le sens *allégorique.* Nous pouvons acquérir une compréhension
plus profonde des événements en reconnaissant leur signification
dans le Christ ; ainsi, la traversée de la mer Rouge est un signe de la
victoire du Christ, et par-là du Baptême[3] ;
2. Le sens *moral.* Les événements rapportés dans l'Ecriture
doivent nous conduire à un agir juste. Ils ont été écrits « pour notre
instruction » (1 Co 10, 11)[4] ;
3. Le sens *anagogique.* Il est également possible de voir des réalités et des événements dans leur signification éternelle, nous condui-
sant (en grec : *anagoge*) vers notre Patrie. Ainsi, l'Eglise sur terre
est signe de la Jérusalem céleste[5].

118   Un distique médiéval résume la signification des quatre sens :
Le sens littéral enseigne les événements, l'allégorie ce qu'il faut
croire, le sens moral ce qu'il faut faire, l'anagogie vers quoi il
faut tendre[6].

119   « Il appartient aux exégètes de s'efforcer, suivant ces
règles, de pénétrer et d'exposer plus profondément le sens
de la Sainte Ecriture, afin que, par leurs études en quelque
94   sorte préparatoires, mûrisse le jugement de l'Eglise. Car tout
ce qui concerne la manière d'interpréter l'Ecriture est finalement soumis au jugement de l'Eglise, qui exerce le ministère et le mandat divinement reçus de garder la parole de
Dieu et de l'interpréter[7] » :

1. Cf. Rm 12, 6. — 2. S. Thomas d'A., s. th. 1, 1, 10, ad 1. — 3. Cf. 1 Co 10,
2. — 4. Cf. He 3 – 4, 11. — 5. Cf. Ap 21, 1 – 22, 5. — 6. Augustin de Dace,
rot. I. — 7. DV 12, 3.

Je ne croirais pas à l'Evangile, si l'autorité de l'Eglise catholique ne m'y poussait[1].   *113*

IV. Le Canon des Écritures

C'est la Tradition apostolique qui a fait discerner à l'Eglise quels écrits devaient être comptés dans la liste des Livres Saints[2]. Cette liste intégrale est appelée « Canon » des Ecritures. Elle comporte pour l'Ancien Testament 46 écrits (45, si l'on compte Jr et Lm ensemble) et 27 pour le Nouveau[3] :   *120* *117*

Genèse, Exode, Lévitique, Nombres, Deutéronome, Josué, Juges, Ruth, les deux livres de Samuel, les deux livres des Rois, les deux livres des Chroniques, Esdras et Néhémie, Tobie, Judith, Esther, les deux livres des Maccabées, Job, les Psaumes, les Proverbes, l'Ecclésiaste, le Cantique des Cantiques, la Sagesse, l'Ecclésiastique, Isaïe, Jérémie, les Lamentations, Baruch, Ezéchiel, Daniel, Osée, Joël, Amos, Abdias, Jonas, Michée, Nahum, Habaquq, Sophonie, Agée, Zacharie, Malachie pour l'Ancien Testament ;

les Evangiles de Matthieu, de Marc, de Luc et de Jean, les Actes des Apôtres, les Epîtres de S. Paul aux Romains, la première et la deuxième aux Corinthiens, aux Galates, aux Ephésiens, aux Philippiens, aux Colossiens, la première et la deuxième aux Thessaloniciens, la première et la deuxième à Timothée, à Tite, à Philémon, l'Epître aux Hébreux, l'Epître de Jacques, la première et la deuxième de Pierre, les trois Epîtres de Jean, l'Epître de Jude et l'Apocalypse pour le Nouveau Testament.

L'Ancien Testament

L'Ancien Testament est une partie inamissible de l'Ecriture Sainte. Ses livres sont divinement inspirés et conservent une valeur permanente[4] car l'Ancienne Alliance n'a jamais été révoquée.   *121* *1093*

En effet, « l'Economie de l'Ancien Testament avait pour principale raison d'être de préparer l'avènement du Christ Sauveur du monde ». « Bien qu'ils contiennent de l'imparfait et du provisoire », les livres de l'Ancien Testament témoignent de toute la divine pédagogie de l'amour salvifique de Dieu : « En eux se trouvent de sublimes enseigne-   *122* *702, 763* *708*

1. S. Augustin, fund. 5, 6. — 2. Cf. DV 8, 3. — 3. Cf. DS 179-180 ; 1334-1336 ; 1501-1504. — 4. Cf. DV 14.

ments sur Dieu, une bienfaisante sagesse sur la vie humaine
2568 d'admirables trésors de prière ; en eux enfin se tient caché l
mystère de notre salut[1]. »

123   Les chrétiens vénèrent l'Ancien Testament comme vrai
Parole de Dieu. L'Eglise a toujours vigoureusemen
repoussé l'idée de rejeter l'Ancien Testament sous prétext
que le Nouveau l'aurait rendu caduc (Marcionisme).

Le Nouveau Testament

124   « La Parole de Dieu, qui est une force divine pour le salu
de tout croyant, se présente dans les écrits du Nouveau Tes
tament et sa puissance s'y manifeste de façon singulière[2]. »
Ces écrits nous livrent la vérité définitive de la Révélatio
divine. Leur objet central est Jésus-Christ, le Fils de Die
incarné, ses actes, ses enseignements, sa passion et sa glori
fication ainsi que les débuts de son Eglise sous l'action d
l'Esprit Saint[3].

125   Les *Evangiles* sont le cœur de toutes les Ecritures « e
515 tant qu'ils constituent le témoignage par excellence sur l
vie et sur l'enseignement du Verbe incarné, notre Sau
veur[4] ».

126   Dans la formation des Evangiles on peut distinguer trois étapes

1. *La vie et l'enseignement de Jésus.* L'Eglise tient fermement qu
les quatre Evangiles, « dont elle affirme sans hésiter l'historicité
transmettent fidèlement ce que Jésus le Fils de Dieu, durant sa vie
parmi les hommes, a réellement fait et enseigné pour leur salut éter
nel, jusqu'au jour où Il fut enlevé au ciel ».

76 2. *La tradition orale.* « Ce que le Seigneur avait dit et fait, le
apôtres après son Ascension le transmirent à leurs auditeurs ave
cette intelligence plus profonde des choses dont eux-mêmes, ins
truits par les événements glorieux du Christ et éclairés par l'Espri
de vérité, jouissaient. »

76 3. *Les Evangiles écrits.* « Les auteurs sacrés composèrent donc le
quatre Evangiles, choisissant certains des nombreux éléments soi
oralement soit déjà par écrit, rédigeant un résumé des autres, ou le
expliquant en fonction de la situation des Eglises, gardant enfin l
forme d'une prédication, de manière à nous livrer toujours sur Jésu
des choses vraies et sincères[5]. »

127   L'Evangile quadriforme occupe dans l'Eglise une place
1154 unique, dont témoignent la vénération que la liturgie lu
accorde et l'attrait incomparable qu'il a exercé de tout temps
sur les saints :

1. DV 15. — 2. DV 17. — 3. Cf. DV 20. — 4. DV 18. — 5. DV 19.

s'éclairent mutuellement ; les deux sont vraie Parole de Dieu.

« L'Eglise a toujours vénéré les divines Ecritures, comme 141
elle l'a fait pour le Corps même du Seigneur[1] » : ces deux
nourrissent et régissent toute la vie chrétienne. « Ta Parole
est la lumière de mes pas, la lampe de ma route » (Ps 119,
105)[2].

CHAPITRE TROISIÈME
La réponse de l'homme à Dieu

Par sa Révélation, « provenant de l'immensité de sa cha- 142
rité, Dieu, qui est invisible, s'adresse aux hommes comme à
ses amis et converse avec eux pour les inviter à entrer en
communion avec lui et les recevoir en cette communion[3] ».
La réponse adéquate à cette invitation est la foi.   *1102*

Par la foi l'homme soumet complètement son intelligence 143
et sa volonté à Dieu. De tout son être l'homme donne son
assentiment à Dieu Révélateur[4]. L'Ecriture Sainte appelle
« obéissance de la foi » cette réponse de l'homme au Dieu   *2087*
qui révèle[5].

ARTICLE 1
Je crois
                                                                                          1814-1816

I. L'obéissance de la foi

Obéir *(ob-audire)* dans la foi, c'est se soumettre librement 144
à la parole écoutée, parce que sa vérité est garantie par Dieu,
la Vérité même. Abraham est le modèle de cette obéissance
que nous propose l'Ecriture Sainte. La Vierge Marie en est
la réalisation la plus parfaite.

Abraham – « le père de tous les croyants »

L'Epître aux Hébreux, dans le grand éloge de la foi des 145
ancêtres, insiste particulièrement sur la foi d'Abraham :   *59, 2570*
« Par la foi, Abraham *obéit* à l'appel de partir vers un pays

1. DV 21. — 2. Cf. Is 50, 4. — 3. DV 2. — 4. Cf. DV 5. — 5. Cf. Rm 1, 5 ;
16, 26.

qu'il devait recevoir en héritage, et il partit ne sachant où il
allait » (He 11, 8)[1]. Par la foi, il a vécu en étranger et en
489   pèlerin dans la Terre promise[2]. Par la foi, Sara reçut de
concevoir le fils de la promesse. Par la foi enfin, Abraham
offrit son fils unique en sacrifice[3].

146   Abraham réalise ainsi la définition de la foi donnée par
1819 l'Epître aux Hébreux : « La foi est la garantie des biens que
l'on espère, la preuve des réalités qu'on ne voit pas » (He
11, 1). « Abraham eut foi en Dieu, et ce lui fut compté
comme justice » (Rm 4, 3)[4]. Grâce à cette « foi puissante »
(Rm 4, 20), Abraham est devenu « le père de tous ceux qui
croiraient » (Rm 4, 11. 18)[5].

147   De cette foi, l'Ancien Testament est riche en témoi-
839   gnages. L'Epître aux Hébreux proclame l'éloge de la foi
exemplaire des Anciens « qui leur a valu un bon témoignage » (He 11, 2. 39). Pourtant, « Dieu prévoyait pour nous
un sort meilleur » : la grâce de croire en son Fils Jésus, « le
chef de notre foi, qui la mène à la perfection » (He 11, 40 ;
12, 2).

Marie – « Bienheureuse celle qui a cru »

148   La Vierge Marie réalise de la façon la plus parfaite
494, 2617 l'obéissance de la foi. Dans la foi, Marie accueillit
l'annonce et la promesse apportées par l'ange Gabriel,
croyant que « rien n'est impossible à Dieu » (Lc 1, 37)[6], et
donnant son assentiment : « Je suis la servante du Seigneur,
qu'il m'advienne selon ta parole » (Lc 1, 38). Elisabeth la
506   salua : « Bienheureuse celle qui a cru en l'accomplissement
de ce qui lui a été dit de la part du Seigneur » (Lc 1, 45).
C'est pour cette foi que toutes les générations la proclame-
ront bienheureuse[7].

149   Pendant toute sa vie, et jusqu'à sa dernière épreuve[8],
lorsque Jésus, son fils, mourut sur la Croix, sa foi n'a pas
969   vacillé. Marie n'a pas cessé de croire « en l'accomplissement » de la parole de Dieu. Aussi bien, l'Eglise vénère-
507, 829 t-elle en Marie la réalisation la plus pure de la foi.

1. Cf. Gn 12, 1-4. — 2. Cf. Gn 23, 4. — 3. Cf. He 11, 17. — 4. Cf. Gn 15, 6.
— 5. Cf. Gn 15, 5. — 6. Cf. Gn 18, 14. — 7. Cf. Lc 1, 48. — 8. Cf. Lc 2, 35.

II. « Je sais en qui j'ai mis ma foi » (2 Tm 1, 12)

Croire en Dieu seul

La foi est d'abord une *adhésion personnelle* de l'homme 150
à Dieu; elle est en même temps, et inséparablement,
l'assentiment libre à toute la vérité que Dieu a révélée. En
tant qu'adhésion personnelle à Dieu et assentiment à la
vérité qu'Il a révélée, la foi chrétienne diffère de la foi en
une personne humaine. Il est juste et bon de se confier tota- 222
lement en Dieu et de croire absolument ce qu'Il dit. Il serait
vain et faux de mettre une telle foi en une créature[1].

Croire en Jésus-Christ, le Fils de Dieu

Pour le chrétien, croire en Dieu, c'est inséparablement 151
croire en Celui qu'Il a envoyé, « son Fils bien-aimé » en qui
Il a mis toute sa complaisance[2]; Dieu nous a dit de L'écouter[3]. Le Seigneur Lui-même dit à ses disciples : « Croyez en
Dieu, croyez aussi en moi » (Jn 14, 1). Nous pouvons croire
en Jésus-Christ parce qu'Il est Lui-même Dieu, le Verbe fait 424
chair : « Nul n'a jamais vu Dieu; le Fils unique, qui est dans
le sein du Père, Lui, L'a fait connaître » (Jn 1, 18). Parce
qu'il « a vu le Père » (Jn 6, 46), Il est seul à Le connaître et
à pouvoir Le révéler[4].

Croire en l'Esprit Saint

On ne peut croire en Jésus-Christ sans avoir part à son 152
Esprit. C'est l'Esprit Saint qui révèle aux hommes qui est 243, 683
Jésus. Car « nul ne peut dire : "Jésus est Seigneur", que sous
l'action de l'Esprit Saint » (1 Co 12, 3). « L'Esprit sonde
tout, jusqu'aux profondeurs de Dieu (...) Nul ne connaît ce
qui concerne Dieu, sinon l'Esprit de Dieu » (1 Co 2, 10-11).
Dieu seul connaît Dieu tout entier. Nous croyons *en* l'Esprit
Saint parce qu'il est Dieu.

L'Eglise ne cesse de confesser sa foi en un seul Dieu, Père, 232
Fils et Esprit Saint.

III. Les caractéristiques de la foi

La foi est une grâce

Lorsque S. Pierre confesse que Jésus est le Christ, le Fils 153
du Dieu vivant, Jésus lui déclare que cette révélation ne lui 552
est pas venue « de la chair et du sang, mais de son Père qui

1. Cf. Jr 17, 5-6 ; Ps 40, 5 ; 146, 3-4. — 2. Cf. Mc 1, 11. — 3. Cf. Mc 9, 7. —
4. Cf. Mt 11, 27.

est dans les cieux » (Mt 16, 17)[1]. La foi est un don de Dieu,
1814   une vertu surnaturelle infuse par Lui. « Pour prêter cette foi,
1996   l'homme a besoin de la grâce prévenante et aidante de Dieu,
ainsi que des secours intérieurs du Saint-Esprit. Celui-ci
2606   touche le cœur et le tourne vers Dieu, ouvre les yeux de
l'esprit et donne "à tous la douceur de consentir et de croire
à la vérité[2]." »

La foi est un acte humain

154   Croire n'est possible que par la grâce et les secours intérieurs du Saint-Esprit. Il n'en est pas moins vrai que croire
1749   est un acte authentiquement humain. Il n'est contraire ni à la
liberté ni à l'intelligence de l'homme de faire confiance à
Dieu et d'adhérer aux vérités par Lui révélées. Déjà dans les
relations humaines il n'est pas contraire à notre propre
dignité de croire ce que d'autres personnes nous disent sur
elles-mêmes et sur leurs intentions, et de faire confiance à
leurs promesses (comme, par exemple, lorsqu'un homme et
une femme se marient), pour entrer ainsi en communion
mutuelle. Dès lors, il est encore moins contraire à notre
2126   dignité de « présenter par la foi la soumission plénière de
notre intelligence et de notre volonté au Dieu qui révèle[3] » et
d'entrer ainsi en communion intime avec Lui.

155   Dans la foi, l'intelligence et la volonté humaines coo-
2008   pèrent avec la grâce divine : « Croire est un acte de l'intelligence adhérant à la vérité divine sous le commandement
de la volonté mue par Dieu au moyen de la grâce[4]. »

La foi et l'intelligence

156   Le *motif* de croire n'est pas le fait que les vérités révélées
apparaissent comme vraies et intelligibles à la lumière de
1063, 2465 notre raison naturelle. Nous croyons « à cause de l'autorité
de Dieu même qui révèle et qui ne peut ni se tromper ni
nous tromper[5] ». « Néanmoins, pour que l'hommage de
notre foi fût conforme à la raison, Dieu a voulu que les
secours intérieurs du Saint-Esprit soient accompagnés des
preuves extérieures de sa Révélation[6]. » C'est ainsi que les
548   miracles du Christ et des saints[7], les prophéties, la propaga-

1. Cf. Ga 1, 15-16 ; Mt 11, 25. — 2. DV 5. — 3. Cc. Vatican I : DS 3008. —
4. S. Thomas d'A., s. th. 2-2, 2, 9 ; cf. Cc. Vatican I : DS 3010. — 5. *Ibid.*,
DS 3008. — 6. *Ibid.*, DS 3009. — 7. Cf. Mc 16, 20 ; He 2, 4.

tion et la sainteté de l'Eglise, sa fécondité et sa stabilité *812*
« sont des signes certains de la Révélation, adaptés à l'intelligence de tous[1] », des « motifs de crédibilité » qui montrent
que l'assentiment de la foi n'est « nullement un mouvement
aveugle de l'esprit[2] ».

La foi est *certaine,* plus certaine que toute connaissance *157*
humaine, parce qu'elle se fonde sur la Parole même de
Dieu, qui ne peut pas mentir. Certes, les vérités révélées
peuvent paraître obscures à la raison et à l'expérience
humaines, mais « la certitude que donne la lumière divine
est plus grande que celle que donne la lumière de la raison
naturelle[3] ». « Dix mille difficultés ne font pas un seul
doute[4]. »
2088

« La foi *cherche à comprendre*[5] » : il est inhérent à la foi *158*
que le croyant désire mieux connaître Celui en qui il a mis *2705*
sa foi, et mieux comprendre ce qu'Il a révélé ; une connaissance plus pénétrante appellera à son tour une foi plus
grande, de plus en plus embrasée d'amour ». La grâce de la *1827*
foi ouvre « les yeux du cœur » (Ep 1, 18) pour une intelligence vive des contenus de la Révélation, c'est-à-dire de
l'ensemble du dessein de Dieu et des mystères de la foi, de
leur lien entre eux et avec le Christ, centre du mystère *90*
révélé. Or, pour « rendre toujours plus profonde l'intelligence de la Révélation, l'Esprit Saint ne cesse, par ses
dons, de rendre la foi plus parfaite[6] ». Ainsi, selon l'adage *2518*
de S. Augustin[7], « je crois pour comprendre et je comprends
pour mieux croire ».

Foi et science. « Bien que la foi soit au-dessus de la rai- *159*
son, il ne peut jamais y avoir de vrai désaccord entre elles. *283*
Puisque le même Dieu qui révèle les mystères et communique la foi a fait descendre dans l'esprit humain la
lumière de la raison, Dieu ne pourrait se nier Lui-même ni le
vrai contredire jamais le vrai[8]. » « C'est pourquoi la
recherche méthodique, dans tous les domaines du savoir, si
elle est menée d'une manière vraiment scientifique et si elle *2293*
suit les normes de la morale, ne sera jamais réellement
opposée à la foi : les réalités profanes et celles de la foi
trouvent leur origine dans le même Dieu. Bien plus, celui
qui s'efforce, avec persévérance et humilité, de pénétrer les

1. Cc. Vatican I : DS 3009. — 2. *Ibid.*, DS 3010. — 3. S. Thomas d'A., s. th.
2-2, 171, 5, obj. 3. — 4. Newman, apol. — 5. S. Anselme, prosl. proœm. —
6. DV 5. — 7. Serm. 43, 7, 9. — 8. Cc. Vatican I : DS 3017.

secrets des choses, celui-là, même s'il n'en a pas conscience, est comme conduit par la main de Dieu, qui soutient tous les êtres et les fait ce qu'ils sont[1]. »

La liberté de la foi

160   Pour être humaine, « la réponse de la foi donnée par l'homme à Dieu doit être volontaire ; en conséquence, personne ne doit être contraint à embrasser la foi malgré soi.
1738, 2106   Par sa nature même, en effet, l'acte de foi a un caractère volontaire[2]. » « Dieu, certes, appelle l'homme à Le servir en esprit et vérité ; si cet appel oblige l'homme en conscience, il ne le contraint pas. (...) Cela est apparu au plus haut point dans le Christ Jésus[3]. » En effet, le Christ a invité à la foi et à la conversion, Il n'y a nullement contraint. « Il a rendu témoignage à la vérité, mais Il n'a pas voulu l'imposer par la force à ses contradicteurs. Son royaume (...) s'étend grâce à l'amour par lequel le Christ, élevé sur la Croix, attire à Lui
616   tous les hommes[4]. »

La nécessité de la foi

161   Croire en Jésus-Christ et en Celui qui L'a envoyé pour
432, 1257   notre salut est nécessaire pour obtenir ce salut[5]. « Parce que "sans la foi (...) il est impossible de plaire à Dieu" (He 11, 6) et d'arriver à partager la condition de ses fils, personne jamais ne se trouve justifié sans elle et personne, à moins qu'il n'ait "persévéré en elle jusqu'à la fin" (Mt 10, 22 ; 24,
846   13), n'obtiendra la vie éternelle[6]. »

La persévérance dans la foi

162   La foi est un don gratuit que Dieu fait à l'homme. Nous
2089   pouvons perdre ce don inestimable ; S. Paul en avertit Timothée : « Combats le bon combat, possédant foi et bonne conscience ; pour s'en être affranchis, certains ont fait naufrage dans la foi » (1 Tm 1, 18-19). Pour vivre, croître et
1037,   persévérer jusqu'à la fin dans la foi nous devons la nourrir
2016,   par la Parole de Dieu ; nous devons implorer le Seigneur de
2573, 2849   l'augmenter[7] ; elle doit « agir par la charité » (Ga 5, 6)[8], être portée par l'espérance[9] et être enracinée dans la foi de l'Eglise.

---

1. GS 36, § 2. — 2. DH 10 ; cf. CIC, can. 748, § 2. — 3. DH 11. — 4. DH 11. — 5. Cf. Mc 16, 16 ; Jn 3, 36 ; 6, 40 e.a. — 6. Cc. Vatican I : DS 3012 ; cf. Cc. Trente : DS 1532. — 7. Cf. Mc 9, 24 ; Lc 17, 5 ; 22, 32. — 8. Cf. Jc 2, 14-26. — 9. Cf. Rm 15, 13.

La foi − commencement de la vie éternelle

La foi nous fait goûter comme à l'avance la joie et la
lumière de la vision béatifique, but de notre cheminement
ici-bas. Nous verrons alors Dieu « face à face » (1 Co 13,
12), « tel qu'Il est » (1 Jn 3, 2). La foi est donc déjà le
commencement de la vie éternelle :

163

1088

> Tandis que dès maintenant nous contemplons les bénédic-
> tions de la foi, comme un reflet dans un miroir, c'est
> comme si nous possédions déjà les choses merveilleuses
> dont notre foi nous assure qu'un jour nous en jouirons[1].

Maintenant, cependant, « nous cheminons dans la foi, non
dans la claire vision » (2 Co 5, 7), et nous connaissons Dieu
« comme dans un miroir, d'une manière confuse, (...),
imparfaite » (1 Co 13, 12). Lumineuse de par Celui en qui
elle croit, la foi est vécue souvent dans l'obscurité. Elle peut
être mise à l'épreuve. Le monde en lequel nous vivons
semble souvent bien loin de ce que la foi nous assure ; les
expériences du mal et de la souffrance, des injustices et de
la mort paraissent contredire la Bonne Nouvelle ; elles
peuvent ébranler la foi et devenir pour elle une tentation.

164

2846

309, 1502
1006

C'est alors que nous devons nous tourner vers les *témoins
de la foi* : Abraham, qui crut, « espérant contre toute espérance » (Rm 4, 18) ; la Vierge Marie qui, dans « le pèlerinage de la foi[2] », est allée jusque dans la « nuit de la foi[3] »
en communiant à la souffrance de son Fils et à la nuit de son
tombeau[4] ; et tant d'autres témoins de la foi : « Enveloppés
d'une si grande nuée de témoins, nous devons rejeter tout
fardeau et le péché qui nous assiège et courir avec constance
l'épreuve qui nous est proposée, fixant nos yeux sur le chef
de notre foi, qui la mène à la perfection, Jésus » (He 12,
1-2).

165

2719

ARTICLE 2
Nous croyons

La foi est un acte personnel : la réponse libre de l'homme
à l'initiative de Dieu qui se révèle. Mais la foi n'est pas un
acte isolé. Nul ne peut croire seul, comme nul ne peut vivre
seul. Nul ne s'est donné la foi à lui-même comme nul ne
s'est donné la vie à lui-même. Le croyant a reçu la foi

166

875

1. S. Basile, Spir. 15, 36 ; cf. S. Thomas d'A., s. th. 2-2, 4, 1. — 2. LG 58.
— 3. Jean Paul II, RM 17. — 4. *Ibid.*, RM 18.

d'autrui, il doit la transmettre à autrui. Notre amour pour Jésus et pour les hommes nous pousse à parler à autrui de notre foi. Chaque croyant est ainsi comme un maillon dans la grande chaîne des croyants. Je ne peux croire sans être porté par la foi des autres et, par ma foi, je contribue à porter la foi des autres.

167 « Je crois[1] » : c'est la foi de l'Eglise professée personnel-
1124 lement par chaque croyant, principalement lors du baptême. « Nous croyons[2] » : c'est la foi de l'Eglise confessée par les évêques assemblés en Concile ou, plus généralement, par l'assemblée liturgique des croyants. « Je crois » : c'est aussi
2040 l'Eglise, notre Mère, qui répond à Dieu par sa foi et qui nous apprend à dire : « Je crois », « Nous croyons ».

I. « Regarde, Seigneur, la foi de ton Église »

168 C'est d'abord l'Eglise qui croit, et ainsi porte, nourrit et soutient ma foi. C'est d'abord l'Eglise qui, partout, confesse le Seigneur (« C'est Toi que par tout l'univers la Sainte Eglise proclame son Seigneur », chantons-nous dans le « Te Deum »), et avec elle et en elle, nous sommes entraînés et amenés à confesser, nous aussi : « Je crois », « Nous croyons ». C'est par l'Eglise que nous recevons la foi et la
1253 vie nouvelle dans le Christ par le Baptême. Dans le « Rituale Romanum », le ministre du baptême demande au catéchumène : « Que demandes-tu à l'Eglise de Dieu ? Et la réponse : – La foi. – Que te donne la foi ? – La vie éter-nelle[3]. »

169 Le salut vient de Dieu seul ; mais parce que nous recevons la vie de la foi à travers l'Eglise, celle-ci est notre mère : « Nous croyons l'Eglise comme la mère de notre nouvelle
750 naissance, et non pas en l'Eglise comme si elle était l'auteur
2030 de notre salut[4]. » Parce qu'elle est notre mère, elle est aussi l'éducatrice de notre foi.

II. Le langage de la foi

170 Nous ne croyons pas en des formules, mais dans les réali-tés qu'elles expriment et que la foi nous permet de « tou-cher ». « L'acte (de foi) du croyant ne s'arrête pas à

1. Symbole des Apôtres. — 2. Symbole de Nicée-Constantinople, dans l'ori-ginal grec. — 3. OICA 75 et 247. — 4. Faustus de Riez, Spir. 1, 2.

l'énoncé, mais à la réalité (énoncée)[1]. » Cependant, ces réalités, nous les approchons à l'aide des formulations de la foi. *186*
Celles-ci permettent d'exprimer et de transmettre la foi, de la célébrer en communauté, de l'assimiler et d'en vivre de plus en plus.

L'Eglise, qui est « la colonne et le soutien de la vérité » 171
(1 Tm 3, 15), garde fidèlement la foi transmise aux saints *78, 857,*
une fois pour toutes[2]. C'est elle qui garde la mémoire des *84*
Paroles du Christ, c'est elle qui transmet de génération en génération la confession de foi des apôtres. Comme une mère apprend à ses enfants à parler, et par là même à comprendre et à communiquer, l'Eglise, notre Mère, nous apprend le langage de la foi pour nous introduire dans *185*
l'intelligence et la vie de la foi.

III. Une seule foi

Depuis des siècles, à travers tant de langues, cultures, 172
peuples et nations, l'Eglise ne cesse de confesser sa foi *813*
unique, reçue d'un seul Seigneur, transmise par un seul Baptême, enracinée dans la conviction que tous les hommes n'ont qu'un seul Dieu et Père[3]. S. Irénée de Lyon, témoin de cette foi, déclare :

« En effet, l'Eglise, bien que dispersée dans le monde 173
entier jusqu'aux extrémités de la terre, ayant reçu des *830*
apôtres et de leurs disciples la foi (...) garde [cette prédication et cette foi] avec soin, comme n'habitant qu'une seule maison, elle y croit d'une manière identique, comme n'ayant qu'une seule âme et qu'un seul cœur, et elle les prêche, les enseigne et les transmet d'une voix unanime, comme ne possédant qu'une seule bouche[4]. »

« Car, si les langues diffèrent à travers le monde, le 174
contenu de la Tradition est un et identique. Et ni les Eglises *78*
établies en Germanie n'ont d'autre foi ou d'autre Tradition, ni celles qui sont chez les Ibères, ni celles qui sont chez les Celtes, ni celles de l'Orient, de l'Egypte, de la Libye, ni celles qui sont établies au centre du monde...[5] » « Le message de l'Eglise est donc véridique et solide, puisque c'est chez elle qu'un seul chemin de salut apparaît à travers le monde entier[6]. »

---

1. S. Thomas d'A., s. th. 2-2, 1, 2, ad 2. — 2. Cf. Jude 1, 3. — 3. Cf. Ep 4, 4-6. — 4. Hær. 1, 10, 1-2. — 5. *Ibid.*, 1, 10, 2. — 6. *Ibid.*, 5, 20, 1.

175   « Cette foi que nous avons reçue de l'Eglise, nous la gardons avec soin, car sans cesse, sous l'action de l'Esprit de
Dieu, tel un dépôt de grand prix renfermé dans un vase
excellent, elle rajeunit et fait rajeunir le vase même qui la
contient[1]. »

EN BREF

176   *La foi est une adhésion personnelle de l'homme tout entier
à Dieu qui se révèle. Elle comporte une adhésion de l'intelligence et de la volonté à la Révélation que Dieu a faite de
Lui-même par ses actions et ses paroles.*

177   *« Croire » a donc une double référence : à la personne et à
la vérité; à la vérité par confiance en la personne qui
l'atteste.*

178   *Nous ne devons croire en nul autre que Dieu, le Père, le
Fils et le Saint-Esprit.*

179   *La foi est un don surnaturel de Dieu. Pour croire, l'homme
a besoin des secours intérieurs du Saint-Esprit.*

180   *« Croire » est un acte humain, conscient et libre, qui correspond à la dignité de la personne humaine.*

181   *« Croire » est un acte ecclésial. La foi de l'Eglise précède,
engendre, porte et nourrit notre foi. L'Eglise est la mère de
tous les croyants. « Nul ne peut avoir Dieu pour Père qui
n'a pas l'Eglise pour mère[2]. »*

182   *« Nous croyons tout ce qui est contenu dans la parole de
Dieu, écrite ou transmise, et que l'Eglise propose à croire
comme divinement révélé[3]. »*

183   *La foi est nécessaire au salut. Le Seigneur lui-même
l'affirme : « Celui qui croira et sera baptisé, sera sauvé;
celui qui ne croira pas, sera condamné » (Mc 16, 16).*

184   *« La foi est un avant-goût de la connaissance qui nous rendra bienheureux dans la vie future[4]. »*

---

1. *Ibid.*, 3, 24, 1. — 2. S. Cyprien, unit. eccl. — 3. SPF 20. — 4. S. Thomas
d'A., comp. 1, 2.

Le Credo

Symbole des Apôtres[1]

Je crois en Dieu,
le Père Tout-Puissant,
Créateur du ciel et de la terre.

Et en Jésus-Christ, son Fils unique

notre Seigneur,

qui a été conçu du Saint-Esprit,
est né de la Vierge Marie,

a souffert sous Ponce Pilate,
a été crucifié, est mort

et a été enseveli,
est descendu aux enfers.
Le troisième jour est ressuscité des morts,

est monté aux cieux,
est assis à la droite de Dieu le Père Tout-Puissant,
d'où Il viendra juger les vivants et les morts.

Je crois en l'Esprit Saint,

à la sainte Eglise catholique,
à la communion des saints,

à la rémission des péchés,
à la résurrection de la chair,
à la vie éternelle.
Amen.

Credo de Nicée-Constantinople[2]

Je crois en un seul Dieu,
le Père Tout-Puissant,
Créateur du ciel et de la terre
de l'univers visible et invisible.
Je crois en un seul Seigneur,
Jésus-Christ
le Fils unique de Dieu,
né du Père avant tous les siècles :
Il est Dieu, né de Dieu,
Lumière, né de la Lumière,
vrai Dieu, né du vrai Dieu,
engendré, non pas créé,
de même nature que le Père,
et par Lui tout a été fait.
Pour nous les hommes, et pour notre salut,
Il descendit du ciel;
par l'Esprit Saint,
Il a pris chair de la Vierge Marie,
et S'est fait homme.
Crucifié pour nous sous Ponce Pilate,
Il souffrit sa passion et fut mis au tombeau.

Il ressuscita le troisième jour,
conformément aux Ecritures,
et Il monta au ciel;
Il est assis à la droite du Père.

Il reviendra dans la gloire,
pour juger les vivants et les morts;
et son règne n'aura pas de fin.
Je crois en l'Esprit Saint,
qui est Seigneur et qui donne la vie;
Il procède du Père et du Fils;
avec le Père et le Fils,
Il reçoit même adoration et même gloire;
Il a parlé par les prophètes.
Je crois en l'Eglise,
une, sainte, catholique et apostolique.
Je reconnais un seul baptême
pour le pardon des péchés.
J'attends la résurrection des morts,
et la vie du monde à venir.
Amen.

1. DS 30. — 2. DS 150.

La profession de la foi chrétienne
Les symboles de la foi

Qui dit « Je crois », dit « J'adhère à ce que *nous* 185 croyons ». La communion dans la foi a besoin d'un langage commun de la foi, normatif pour tous et unissant dans la même confession de foi. *171, 949*

Dès l'origine, l'Eglise apostolique a exprimé et transmis 186 sa propre foi en des formules brèves et normatives pour tous[1]. Mais très tôt déjà, l'Eglise a aussi voulu recueillir l'essentiel de sa foi en des résumés organiques et articulés, destinés surtout aux candidats au Baptême :

> Cette synthèse de la foi n'a pas été faite selon les opinions humaines ; mais de toute l'Ecriture a été recueilli ce qu'il y a de plus important, pour donner au complet l'unique enseignement de la foi. Et comme la semence de sénevé contient dans une toute petite graine un grand nombre de branches, de même ce résumé de la foi renferme-t-il en quelques paroles toute la connaissance de la vraie piété contenue dans l'Ancien et le Nouveau Testament[2].

On appelle ces synthèses de la foi « professions de foi » 187 puisqu'elles résument la foi que professent les chrétiens. On les appelle « Credo » en raison de ce qui en est normalement la première parole : « Je crois. » On les appelle également « symboles de la foi ».

Le mot grec *symbolon* signifiait la moitié d'un objet brisé (par 188 exemple un sceau) que l'on présentait comme un signe de reconnaissance. Les parties brisées étaient mises ensemble pour vérifier l'identité du porteur. Le symbole de la foi est donc un signe de reconnaissance et de communion entre les croyants. *Symbolon* désigne ensuite un recueil, une collection ou un sommaire. Le Symbole de la foi est le recueil des principales vérités de la foi. D'où le fait qu'il sert de point de référence premier et fondamental de la catéchèse.

La première « profession de foi » se fait lors du Baptême. 189 Le « symbole de la foi » est d'abord le symbole *baptismal*. *1237, 232* Puisque le Baptême est donné « au nom du Père et du Fils et

1. Cf. Rm 10, 9 ; 1 Co 15, 3-5 ; etc. — 2. S. Cyrille de Jérusalem, catech. ill. 5, 12.

du Saint-Esprit » (Mt 28, 19), les vérités de foi professées
lors du Baptême sont articulées selon leur référence aux
trois Personnes de la Sainte Trinité.

190   Le Symbole est donc divisé en trois parties : « D'abord il
est question de la première Personne divine et de l'œuvre
admirable de la création ; ensuite, de la seconde Personne
divine et du mystère de la Rédemption des hommes ; enfin
de la troisième Personne divine, source et principe de notre
sanctification[1]. » Ce sont là « les trois chapitres de notre
sceau (baptismal)[2] ».

191   « Ces trois parties sont distinctes quoique liées entre elles.
D'après une comparaison souvent employée par les Pères,
nous les appelons *articles*. De même, en effet, que dans nos
membres, il y a certaines articulations qui les distinguent et
les séparent, de même, dans cette profession de foi, on a
donné avec justesse et raison le nom d'articles aux vérités
que nous devons croire en particulier et d'une manière distincte[3]. » Selon une antique tradition, attestée déjà par
S. Ambroise, on a aussi coutume de compter *douze* articles
du Credo, symbolisant par le nombre des apôtres l'ensemble
de la foi apostolique[4].

192   Nombreux ont été, tout au long des siècles, en réponse
aux besoins des différentes époques, les professions ou symboles de la foi : les symboles des différentes Eglises apostoliques et anciennes[5], le Symbole « Quicumque », dit de
S. Athanase[6], les professions de foi de certains Conciles
(Tolède[7] ; Latran[8] ; Lyon[9] ; Trente[10] ou de certains Papes,
tels la « Fides Damasi »[11] ou le « Credo du Peuple de
Dieu » [SPF] de Paul VI (1968)[12].

193   Aucun des symboles des différentes étapes de la vie de
l'Eglise ne peut être considéré comme dépassé et inutile. Ils
nous aident à atteindre et à approfondir aujourd'hui la foi de
toujours à travers les divers résumés qui en ont été faits.

    Parmi tous les symboles de la foi, deux tiennent une place
toute particulière dans la vie de l'Eglise :

194   Le *Symbole des apôtres*, appelé ainsi parce qu'il est
considéré à juste titre comme le résumé fidèle de la foi des
apôtres. Il est l'ancien symbole baptismal de l'Eglise de

---

1. Catech. R. 1, 1, 4. — 2. S. Irénée, dem. 100. — 3. Catech. R. 1, 1, 4. — 4. Cf.
symb. 8. — 5. Cf. DS 1-64. — 6. Cf. DS 75-76. — 7. DS 525-541. — 8. DS 800-
802. — 9. DS 851-861. — 10. DS 1862-1870. — 11. Cf. DS 71-72. — 12. SPF.

Rome. Sa grande autorité lui vient de ce fait : « Il est le symbole que garde l'Eglise romaine, celle où a siégé Pierre, le premier des apôtres, et où il a apporté la sentence commune[1]. »

Le *Symbole dit de Nicée-Constantinople* tient sa grande autorité de ce qu'il est issu des deux premiers Conciles œcuméniques (325 et 381). Il demeure commun, aujourd'hui encore, à toutes les grandes Eglises de l'Orient et de l'Occident.

195
242, 245,
465

Notre exposé de la foi suivra le Symbole des apôtres qui constitue, pour ainsi dire, « le plus ancien catéchisme romain ». L'exposé sera cependant complété par des références constantes au Symbole de Nicée-Constantinople, souvent plus explicite et plus détaillé.

196

Comme au jour de notre Baptême, lorsque toute notre vie a été confiée « à la règle de doctrine » (Rm 6, 17), accueillons le symbole de notre foi qui donne la vie. Réciter avec foi le Credo, c'est entrer en communion avec Dieu le Père, le Fils et le Saint-Esprit, c'est entrer aussi en communion avec l'Eglise tout entière qui nous transmet la foi et au sein de laquelle nous croyons :

197
1064

Ce Symbole est le sceau spirituel, il est la méditation de notre cœur et la garde toujours présente, il est, à coup sûr, le trésor de notre âme[2].

1274

Chapitre premier
Je crois en Dieu le Père

Notre profession de foi commence par *Dieu,* car Dieu est « le Premier et le Dernier » (Is 44, 6), le Commencement et la Fin de tout. Le Credo commence par Dieu *le Père,* parce que le Père est la Première Personne Divine de la Très Sainte Trinité; notre Symbole commence par la création du ciel et de la terre, parce que la création est le commencement et le fondement de toutes les œuvres de Dieu.

198

1. S. Ambroise, symb. 7. — 2. S. Ambroise, symb. 1.

ARTICLE 1

*« Je crois en Dieu le Père Tout-Puissant
Créateur du ciel et de la terre »*

PARAGRAPHE 1. *Je crois en Dieu*

199   « Je crois en Dieu » : cette première affirmation de la profession de foi est aussi la plus fondamentale. Tout le Symbole parle de Dieu, et s'il parle aussi de l'homme et du
monde, il le fait par rapport à Dieu. Les articles du Credo
2083   dépendent tous du premier, tout comme les commandements
explicitent le premier. Les autres articles nous font mieux
connaître Dieu tel qu'Il s'est révélé progressivement aux
hommes. « Les fidèles font d'abord profession de croire en
Dieu[1]. »

I. « Je crois en un seul Dieu »

200   C'est avec ces paroles que commence le Symbole de
Nicée-Constantinople. La confession de l'Unicité de Dieu,
2085   qui a sa racine dans la Révélation Divine de l'Ancienne
Alliance, est inséparable de celle de l'existence de Dieu et
tout aussi fondamentale. Dieu est Unique : il n'y a qu'un
seul Dieu : « La foi chrétienne confesse qu'il y a un seul
Dieu, par nature, par substance et par essence[2]. »

201   A Israël, son élu, Dieu S'est révélé comme l'Unique :
2083   « Ecoute, Israël ! Le Seigneur notre Dieu est le Seigneur Un.
Tu aimeras le Seigneur ton Dieu de tout ton cœur, de tout
ton être, de toute ta force » (Dt 6, 4-5). Par les prophètes,
Dieu appelle Israël et toutes les nations à se tourner vers
Lui, l'Unique : « Tournez-vous vers Moi et vous serez sauvés, tous les confins de la terre, car Je suis Dieu, il n'y en a
pas d'autre (...). Oui, devant Moi tout genou fléchira, par
Moi jurera toute langue en disant : en Dieu seul sont la justice et la force » (Is 45, 22-24)[3].

202   Jésus Lui-même confirme que Dieu est « l'unique Seigneur » et qu'il faut L'aimer « de tout son cœur, de toute
son âme, de tout son esprit et de toutes ses forces[4] ». Il

---

1. Catech. R. 1, 2, 6. — 2. *Ibid.*, 1, 2, 8. — 3. Cf. Ph 2, 10-11. — 4. Cf. Mc 12,
29-30.

laisse en même temps entendre qu'Il est Lui-même « le Seigneur [1] ». Confesser que « Jésus est Seigneur » est le propre *446* de la foi chrétienne. Cela n'est pas contraire à la foi en Dieu l'Unique. Croire en l'Esprit Saint « qui est Seigneur et qui *152* donne la Vie » n'introduit aucune division dans le Dieu unique :

> Nous croyons fermement et nous affirmons simplement, qu'il y a un seul vrai Dieu, immense et immuable, incompréhensible, Tout-Puissant et ineffable, Père et Fils et *42* Saint-Esprit : Trois Personnes, mais une Essence, une Substance ou Nature absolument simple [2].

II. Dieu révèle son nom

A son peuple Israël Dieu s'est révélé en lui faisant *203* connaître son nom. Le nom exprime l'essence, l'identité de la personne et le sens de sa vie. Dieu a un nom. Il n'est pas *2143* une force anonyme. Livrer son nom, c'est se faire connaître aux autres ; c'est en quelque sorte se livrer soi-même en se rendant accessible, capable d'être connu plus intimement et d'être appelé, personnellement.

Dieu s'est révélé progressivement et sous divers noms à *204* son peuple, mais c'est la révélation du nom divin faite à *63* Moïse dans la théophanie du buisson ardent, au seuil de l'Exode et de l'alliance du Sinaï, qui s'est avérée être la révélation fondamentale pour l'Ancienne et la Nouvelle Alliance.

Le Dieu vivant

Dieu appelle Moïse du milieu d'un buisson qui brûle sans *205* se consumer. Dieu dit à Moïse : « Je suis le Dieu de tes *2575* pères, le Dieu d'Abraham, le Dieu d'Isaac et le Dieu de Jacob » (Ex 3, 6). Dieu est le Dieu des pères, Celui qui avait appelé et guidé les patriarches dans leurs pérégrinations. Il est le Dieu fidèle et compatissant qui se souvient d'eux et de ses promesses ; Il vient pour libérer leurs descendants de l'esclavage. Il est le Dieu qui, par-delà l'espace et le temps, le peut et le veut et qui mettra Sa Toute Puissance en œuvre *268* pour ce dessein.

« Je Suis Celui qui Suis »

> Moïse dit à Dieu : « Voici, je vais trouver les Israélites et je leur dis : "Le Dieu de vos pères m'a envoyé vers vous." Mais s'ils me disent : "Quel est son nom ?", que leur dirai-

1. Cf. Mc 12, 35-37. — 2. Cc. Latran IV : DS 800.

je ? » Dieu dit à Moïse : « Je Suis Celui qui Suis. » Et il dit :
« Voici ce que tu diras aux Israélites : "Je suis" m'a envoyé
vers vous. (..) C'est mon nom pour toujours, c'est ainsi que
l'on m'invoquera de génération en génération » (Ex 3, 13-
15).

206   En révélant son nom mystérieux de YHWH, « Je Suis
Celui qui Est » ou « Je Suis Celui qui Suis » ou aussi « Je
Suis qui Je Suis », Dieu dit Qui Il est et de quel nom on doit
L'appeler. Ce nom Divin est mystérieux comme Dieu est
mystère. Il est tout à la fois un nom révélé et comme le refus
d'un nom, et par là même il exprime le mieux Dieu comme
43 ce qu'Il est, infiniment au-dessus de tout ce que nous pouvons comprendre ou dire : Il est le « Dieu caché » (Is 45,
15), son nom est ineffable [1], et Il est le Dieu qui se fait
proche des hommes :

207   En révélant son nom, Dieu révèle en même temps sa fidélité qui est de toujours et pour toujours, valable pour le
passé (« Je suis le Dieu de tes pères », Ex 3, 6), comme pour
l'avenir : (« Je serai avec toi », Ex 3,12). Dieu qui révèle
son nom comme « Je suis » se révèle comme le Dieu qui est
toujours là, présent auprès de son peuple pour le sauver.

208   Devant la présence attirante et mystérieuse de Dieu,
724 l'homme découvre sa petitesse. Devant le buisson ardent,
Moïse ôte ses sandales et se voile le visage [2] face à la Sainteté Divine. Devant la Gloire du Dieu trois fois saint, Isaïe
s'écrie : « Malheur à moi, je suis perdu ! Car je suis un
homme aux lèvres impures » (Is 6, 5). Devant les signes
divins que Jésus accomplit, Pierre s'écrie : « Eloigne-toi de
448 moi, Seigneur, car je suis un pécheur » (Lc 5, 8). Mais parce
que Dieu est saint, Il peut pardonner à l'homme qui se
découvre pécheur devant Lui : « Je ne donnerai pas cours à
388 l'ardeur de ma colère (...) car je suis Dieu et non pas
homme, au milieu de toi je suis le Saint » (Os 11, 9).
L'apôtre Jean dira de même : « Devant Lui nous apaiserons
notre cœur, si notre cœur venait à nous condamner, car Dieu
est plus grand que notre cœur, et Il connaît tout » (1 Jn 3,
19-20).

209   Par respect pour sa sainteté, le peuple d'Israël ne prononce pas le
nom de Dieu. Dans la lecture de l'Ecriture Sainte le nom révélé est
446 remplacé par le titre divin « Seigneur » (*Adonaï*, en grec *Kyrios*).
C'est sous ce titre que sera acclamée la Divinité de Jésus : « Jésus
est Seigneur. »

1. Cf. Jg 13, 18. — 2. Cf. Ex 3, 5-6.

« Dieu de tendresse et de pitié »

Après le péché d'Israël, qui s'est détourné de Dieu pour 210
adorer le veau d'or[1], Dieu écoute l'intercession de Moïse et 2116, 2577
accepte de marcher au milieu d'un peuple infidèle, manifestant ainsi son amour[2]. A Moïse qui demande de voir sa
Gloire, Dieu répond : « Je ferai passer devant toi toute ma
bonté [beauté] et Je prononcerai devant toi le nom de
YHWH » (Ex 33, 18-19). Et le Seigneur passe devant Moïse
et proclame : « YHWH, YHWH, Dieu de tendresse et de
pitié, lent à la colère, riche en grâce et en fidélité » (Ex 34,
6). Moïse confesse alors le Seigneur comme un Dieu qui
pardonne[3].

Le nom divin « Je suis » ou « Il est » exprime la fidélité 211
de Dieu qui, malgré l'infidélité du péché des hommes et du
châtiment qu'il mérite, « garde sa grâce à des milliers » (Ex
34, 7). Dieu révèle qu'Il est « riche en miséricorde » (Ep 2,
4) en allant jusqu'à donner son propre Fils. En donnant sa 604
vie pour nous libérer du péché, Jésus révélera qu'Il porte
Lui-même le nom divin : « quand vous aurez élevé le Fils de
l'homme, alors vous saurez que "Je suis" » (Jn 8, 28).

Dieu seul EST

Au cours des siècles, la foi d'Israël a pu déployer et 212
approfondir les richesses contenues dans la révélation du
nom divin. Dieu est unique, hormis Lui pas de dieux[4]. Il
transcende le monde et l'histoire. C'est Lui qui a fait le ciel 42
et la terre : « Eux périssent, Toi tu restes ; tous, comme un
vêtement ils s'usent (...) mais Toi, le même, sans fin sont tes
années » (Ps 102, 27-28). En Lui « n'existe aucun changement, ni l'ombre d'une variation » (Jc 1, 17). Il est « Celui 469, 2086
qui est », depuis toujours et pour toujours, et c'est ainsi qu'Il
demeure toujours fidèle à Lui-même et à ses promesses.

La révélation du nom ineffable « Je suis Celui qui Suis » 213
contient donc la vérité que Dieu seul EST. C'est en ce sens
que déjà la traduction des Septante et à sa suite la Tradition
de l'Eglise, ont compris le nom divin : Dieu est la plénitude
de l'Etre et de toute perfection, sans origine et sans fin. 41
Alors que toutes les créatures ont reçu de Lui tout leur être
et leur avoir, Lui seul est son être même et Il est de Lui-même tout ce qu'Il est.

---

1. Cf. Ex 32. — 2. Cf. Ex 33, 12-17. — 3. Cf. Ex 34, 9. — 4. Cf. Is 44, 6.

III. Dieu, « Celui qui Est », est Vérité et Amour

214   Dieu, « Celui qui Est », s'est révélé à Israël comme Celui
qui est « riche en grâce et en fidélité » (Ex 34, 6). Ces deux
termes expriment de façon condensée les richesses du nom
divin. Dans toutes ses œuvres Dieu montre sa bienveillance,
sa bonté, sa grâce, son amour; mais aussi sa fiabilité, sa
1062 constance, sa fidélité, sa vérité. « Je rends grâce à ton nom
pour ton amour et ta vérité » (Ps 138, 2)[1]. Il est la Vérité,
car « Dieu est Lumière, en Lui point de ténèbres » (1 Jn 1,
5); Il est « Amour », comme l'apôtre Jean l'enseigne (1 Jn
4, 8).

Dieu est Vérité

215   « Vérité, le principe de ta parole ! Pour l'éternité, tes
2465 justes jugements » (Ps 119, 160). « Oui, Seigneur Dieu,
c'est Toi qui es Dieu, tes paroles sont vérité » (2 S 7, 28);
c'est pourquoi les promesses de Dieu se réalisent toujours[2].
1063 Dieu est la Vérité même, ses paroles ne peuvent tromper.
156 C'est pourquoi on peut se livrer en toute confiance à la
vérité et à la fidélité de sa parole en toutes choses. Le
commencement du péché et de la chute de l'homme fut un
397 mensonge du tentateur qui induit à douter de la parole de
Dieu, de sa bienveillance et de sa fidélité.

216   La vérité de Dieu est sa sagesse qui commande tout
295 l'ordre de la création et du gouvernement du monde[3]. Dieu
qui, seul, a créé le ciel et la terre[4], peut seul donner la
32 connaissance véritable de toute chose créée dans sa relation
à Lui[5].

217   Dieu est vrai aussi quand Il se révèle : l'enseignement qui
vient de Dieu est « une doctrine de vérité » (Ml 2, 6). Quand
Il enverra son Fils dans le monde ce sera « pour rendre
851 témoignage à la Vérité » (Jn 18, 37) : « Nous savons que le
Fils de Dieu est venu et qu'Il nous a donné l'intelligence
2466 afin que nous connaissions le Véritable » (1 Jn 5, 20)[6].

Dieu est Amour

218   Au cours de son histoire, Israël a pu découvrir que Dieu
n'avait qu'une raison de s'être révélé à lui et de l'avoir
295 choisi parmi tous les peuples pour être à lui : son amour gra-

---

1. Cf. Ps 85, 11. — 2. Cf. Dt 7, 9. — 3. Cf. Sg 13, 1-9. — 4. Cf. Ps 115, 15. —
5. Cf. Sg 7, 17-21. — 6. Cf. Jn 17, 3.

tuit[1]. Et Israël de comprendre, grâce à ses prophètes, que c'est encore par amour que Dieu n'a cessé de le sauver[2] et de lui pardonner son infidélité et ses péchés[3].

L'amour de Dieu pour Israël est comparé à l'amour d'un père pour son fils[4]. Cet amour est plus fort que l'amour d'une mère pour ses enfants[5]. Dieu aime son Peuple plus qu'un époux sa bien-aimée[6]; cet amour sera vainqueur même des pires infidélités[7]; il ira jusqu'au don le plus précieux : « Dieu a tant aimé le monde qu'Il a donné son Fils unique » (Jn 3, 16).   219
239
796
458

L'amour de Dieu est « éternel » (Is 54, 8) : « Car les montagnes peuvent s'en aller et les collines s'ébranler, mais mon amour pour Toi ne s'en ira pas » (Is 54, 10). « D'un amour éternel, je T'ai aimé; c'est pourquoi je T'ai conservé ma faveur » (Jr 31, 3).   220

S. Jean va encore plus loin lorsqu'il atteste : « Dieu est Amour » (1 Jn 4, 8. 16) : l'Etre même de Dieu est Amour. En envoyant dans la plénitude des temps son Fils unique et l'Esprit d'Amour, Dieu révèle son secret le plus intime[8] : Il est Lui-même éternellement échange d'amour : Père, Fils et Esprit Saint, et Il nous a destinés à y avoir part.   221
733, 851
257

IV. La portée de la foi en Dieu Unique

Croire en Dieu, l'Unique, et L'aimer de tout son être a des conséquences immenses pour toute notre vie :   222

C'est connaître la grandeur et la majesté de Dieu : « Oui, Dieu est si grand qu'Il dépasse notre science » (Jb 36, 26). C'est pour cela que Dieu doit être « premier servi[9] ».   223
400

C'est vivre en action de grâces : si Dieu est l'Unique, tout ce que nous sommes et tout ce que nous possédons vient de Lui : « Qu'as-tu que tu n'aies reçu ? » (1 Co 4, 7). « Comment rendrai-je au Seigneur tout le bien qu'Il m'a fait ? » (Ps 116, 12).   224
2637

C'est connaître l'unité et la vraie dignité de tous les hommes : tous, ils sont faits « à l'image et à la ressemblance de Dieu » (Gn 1, 26).   225
356, 360,
1700, 1934

---

1. Cf. Dt 4, 37; 7, 8; 10, 15. — 2. Cf. Is 43, 1-7. — 3. Cf. Os 2. — 4. Cf. *ibid.*, 11, 1. — 5. Cf. Is 49, 14-15. — 6. Cf. Is 62, 4-5. — 7. Cf. Ez 16; Os 11. — 8. Cf. 1 Co 2, 7-16; Ep 3, 9-12. — 9. Ste Jeanne d'Arc, dictum.

226 *C'est bien user des choses créées :* la foi en Dieu
339, 2402, l'Unique nous amène à user de tout ce qui n'est pas Lui
2415 dans la mesure où cela nous rapproche de Lui, et à nous en
détacher dans la mesure où cela nous détourne de Lui[1] :

> Mon Seigneur et mon Dieu, prends-moi tout ce qui
> m'éloigne de Toi. Mon Seigneur et mon Dieu, donne-moi
> tout ce qui me rapproche de Toi. Mon Seigneur et mon
> Dieu, détache-moi de moi-même pour me donner tout à
> Toi[2].

227 *C'est faire confiance à Dieu en toute circonstance,* même
313, 2090 dans l'adversité. Une prière de Ste Thérèse de Jésus
l'exprime admirablement :

> Que rien ne te trouble / Que rien ne t'effraie
> Tout passe / Dieu ne change pas
> *2830* La patience obtient tout / Celui qui a Dieu
> *1723* Ne manque de rien / Dieu seul suffit[3].

EN BREF

228 « *Ecoute, Israël, le Seigneur notre Dieu est l'Unique Seigneur...* » *(Dt 6, 4 ; Mc 12, 29.)* « *Il faut nécessairement que
l'Etre suprême soit unique, c'est-à-dire sans égal. (...) Si
Dieu n'est pas unique, Il n'est pas Dieu*[4]. »

229 *La foi en Dieu nous amène à nous tourner vers Lui seul
comme vers notre première origine et notre fin ultime, et ne
rien Lui préférer ou Lui substituer.*

230 *Dieu, en se révélant, demeure mystère ineffable :* « *Si tu Le
comprenais, ce ne serait pas Dieu*[5]. »

231 *Le Dieu de notre foi s'est révélé comme* Celui qui est; *Il
s'est fait connaître comme* « *riche en grâce et en fidélité* »
(Ex 34, 6). Son Etre même est Vérité et Amour.

PARAGRAPHE 2. *Le Père*

I. « Au nom du Père et du Fils et du Saint-Esprit »

232 Les chrétiens sont baptisés « au nom du Père et du Fils et
189, 1223 du Saint-Esprit » (Mt 28, 19). Auparavant ils répondent « Je
crois » à la triple interrogation qui leur demande de confes-

---

1. Cf. Mt 5, 29-30 ; 16, 24 ; 19, 23-24. — 2. S. Nicolas de Flüe, prière. — 3. Poes.
9. — 4. Tertullien, Marc. 1, 3. — 5. S. Augustin, serm. 52, 6, 16.

ser leur foi au Père, au Fils et à l'Esprit : « La foi de tous les chrétiens repose sur la Trinité[1]. »

233 Les chrétiens sont baptisés « au nom » du Père et du Fils et du Saint-Esprit et non pas « aux noms » de ceux-ci[2] car il n'y a qu'un seul Dieu, le Père Tout-Puissant et son Fils unique et l'Esprit Saint : la Très Sainte Trinité.

234
2157 Le mystère de la Très Sainte Trinité est le mystère central de la foi et de la vie chrétienne. Il est le mystère de Dieu en Lui-même. Il est donc la source de tous les autres mystères de la foi, lumière qui les illumine. Il est l'enseignement le plus fondamental et essentiel dans la hiérarchie des vérités *90* de foi[3]. « Toute l'histoire du salut n'est autre que l'histoire de la voie et des moyens par lesquels le Dieu vrai et unique, Père, Fils et Saint-Esprit, se révèle, se réconcilie et s'unit les *1449* hommes qui se détournent du péché[4]. »

235 Dans ce paragraphe, il sera exposé brièvement de quelle manière est révélé le mystère de la Bienheureuse Trinité (I), comment l'Eglise a formulé la doctrine de la foi sur ce mystère (II), et enfin, comment, par les missions divines du Fils et de l'Esprit Saint, Dieu le Père réalise son « dessein bienveillant » de création, de rédemption et de sanctification (III).

236
1066 Les Pères de l'Eglise distinguent entre la *Theologia* et l'*Oikonomia*, désignant par le premier terme le mystère de la vie intime du Dieu-Trinité, par le second toutes les œuvres de Dieu par lesquelles Il se révèle et communique sa vie. C'est par l'*Oikonomia* que nous *259* est révélée la *Theologia*; mais inversement, c'est la *Theologia* qui éclaire toute l'*Oikonomia*. Les œuvres de Dieu révèlent qui Il est en Lui-même ; et inversement, le mystère de son Etre intime illumine l'intelligence de toutes ses œuvres. Il en est ainsi, analogiquement, entre les personnes humaines. La personne se montre dans son agir, et mieux nous connaissons une personne, mieux nous comprenons son agir.

237 La Trinité est un mystère de foi au sens strict, un des « mystères cachés en Dieu, qui ne peuvent être connus s'ils ne sont révélés d'en haut[5] ». Dieu certes a laissé des traces *50* de son être trinitaire dans son œuvre de création et dans sa Révélation au cours de l'Ancien Testament. Mais l'intimité de son Etre comme Trinité Sainte constitue un mystère inac-

1. S. Césaire d'Arles, symb. — 2. Cf. Profession de foi du pape Vigile en 552 : DS 415. — 3. Cf. DCG 43. — 4. DCG 47. — 5. Cc. Vatican I : DS 31015.

cessible à la seule raison et même à la foi d'Israël avant
l'Incarnation du Fils de Dieu et la mission du Saint-Esprit.

II. La révélation de Dieu comme Trinité

Le Père révélé par le Fils

238   L'invocation de Dieu comme « Père » est connue dans
beaucoup de religions. La divinité est souvent considérée
comme « père des dieux et des hommes ». En Israël, Dieu
est appelé Père en tant que Créateur du monde[1]. Dieu est
Père plus encore en raison de l'alliance et du don de la Loi à
Israël son « fils premier-né » (Ex 4, 22). Il est aussi appelé
Père du roi d'Israël[2]. Il est tout spécialement « le Père des
2443   pauvres », de l'orphelin et de la veuve qui sont sous sa protection aimante[3].

239   En désignant Dieu du nom de « Père », le langage de la foi
indique principalement deux aspects : que Dieu est origine première de tout et autorité transcendante et qu'Il est en même temps
bonté et sollicitude aimante pour tous ses enfants. Cette tendresse
parentale de Dieu peut aussi être exprimée par l'image de la maternité[4] qui indique davantage l'immanence de Dieu, l'intimité entre
Dieu et sa créature. Le langage de la foi puise ainsi dans l'expérience humaine des parents qui sont d'une certaine façon les premiers représentants de Dieu pour l'homme. Mais cette expérience
dit aussi que les parents humains sont faillibles et qu'ils peuvent
défigurer le visage de la paternité et de la maternité. Il convient
alors de rappeler que Dieu transcende la distinction humaine des
370, 2779   sexes. Il n'est ni homme, ni femme, Il est Dieu. Il transcende aussi
la paternité et la maternité[5] humaines, tout en en étant l'origine et
la mesure[6] : personne n'est père comme l'est Dieu.

240   Jésus a révélé que Dieu est « Père » dans un sens inouï : Il
ne l'est pas seulement en tant que Créateur, Il est éternelle-
2780   ment Père en relation à son Fils unique, qui éternellement
441-445 n'est Fils qu'en relation au Père : « Nul ne connaît le Fils si
ce n'est le Père, comme nul ne connaît le Père si ce n'est le
Fils et celui à qui le Fils veut bien Le révéler » (Mt 11, 27).

241   C'est pourquoi les apôtres confessent Jésus comme « le
Verbe qui était au commencement auprès de Dieu et qui est
Dieu » (Jn 1, 1), comme « l'image du Dieu invisible » (Col
1, 15), comme « le resplendissement de sa gloire et l'effigie
de sa substance » (He 1, 3).

1. Cf. Dt 32, 6 ; Ml 2, 10. — 2. Cf. 2 S 7, 14. — 3. Cf. Ps 68, 6. — 4. Cf. Is 66,
13 ; Ps 131, 2. — 5. Cf. Ps 27, 10. — 6. Cf. Ep 3, 14-15 ; Is 49, 15.

A leur suite, suivant la tradition apostolique, l'Eglise a 242
confessé en 325 au premier Concile œcuménique de Nicée
que le Fils est « consubstantiel[1] » au Père, c'est-à-dire un   465
seul Dieu avec Lui. Le deuxième Concile œcuménique,
réuni à Constantinople en 381, a gardé cette expression dans
sa formulation du Credo de Nicée et a confessé « le Fils
unique de Dieu, engendré du Père avant tous les siècles,
lumière de lumière, vrai Dieu du vrai Dieu, engendré non
pas créé, consubstantiel au Père[2] ».

Le Père et le Fils révélés par l'Esprit

Avant sa Pâque, Jésus annonce l'envoi d'un « autre Para- 243
clet » (Défenseur), l'Esprit Saint. A l'œuvre depuis la créa-   683
tion[3], ayant jadis « parlé par les prophètes[4] », Il sera maintenant auprès des disciples et en eux[5], pour les enseigner[6] et   2780
les conduire « vers la vérité tout entière » (Jn 16, 13).
L'Esprit Saint est ainsi révélé comme une autre personne   687
divine par rapport à Jésus et au Père.

L'origine éternelle de l'Esprit se révèle dans sa mission 244
temporelle. L'Esprit Saint est envoyé aux apôtres et à
l'Eglise aussi bien par le Père au nom du Fils, que par le Fils
en personne, une fois retourné auprès du Père[7]. L'envoi de
la personne de l'Esprit après la glorification de Jésus[8] révèle
en plénitude le mystère de la Sainte Trinité.   732

La foi apostolique concernant l'Esprit a été confessée par 245
le deuxième Concile œcuménique en 381 à Constantinople :
« Nous croyons dans l'Esprit Saint, qui est Seigneur et qui 152
donne la vie ; Il procède du Père[9]. » L'Eglise reconnaît par
là le Père comme « la source et l'origine de toute la divi-
nité[10] ». L'origine éternelle de l'Esprit Saint n'est cependant
pas sans lien avec celle du Fils : « L'Esprit Saint qui est la
Troisième Personne de la Trinité, est Dieu, un et égal au
Père et au Fils, de même substance et aussi de même nature.
(...) Cependant, on ne dit pas qu'il est seulement l'Esprit du
Père, mais à la fois l'Esprit du Père et du Fils[11]. » Le Credo du
Concile de Constantinople de l'Eglise confesse : « Avec le 685
Père et le Fils Il reçoit même adoration et même gloire[12]. »

La tradition latine du Credo confesse que l'Esprit « pro- 246
cède du Père *et du Fils (filioque)* ». Le Concile de Florence,
en 1438, explicite : « Le Saint-Esprit tient son essence et

1. DS 125. — 2. DS 150. — 3. Cf. Gn 1, 2. — 4. Symbole de Nicée-Constantinople. — 5. Cf. Jn 14, 17. — 6. Cf. Jn 14, 26. — 7. Cf. Jn 14, 26 ; 15, 26 ; 16, 14.
— 8. Cf. Jn 7, 39. — 9. DS 150. — 10. Cc. Tolède VI en 638 : DS 490. — 11. Cc.
Tolède XI en 675 : DS 527. — 12. DS 150.

son être à la fois du Père et du Fils et Il procède éternellement de l'Un comme de l'Autre comme d'un seul Principe
et par une seule spiration... Et parce que tout ce qui est au
Père, le Père Lui-même l'a donné à son Fils unique en
L'engendrant, à l'exception de son être de Père, cette procession même du Saint-Esprit à partir du Fils, Il la tient éternellement de son Père qui L'a engendré éternellement[1]. »

247   L'affirmation du *filioque* ne figurait pas dans le symbole
confessé en 381 à Constantinople. Mais en suivant une ancienne
tradition latine et alexandrine, le Pape S. Léon l'avait déjà confessée dogmatiquement en 447[2] avant même que Rome ne connût et
ne reçût, en 451, au Concile de Chalcédoine, le symbole de 381.
L'usage de cette formule dans le Credo a été peu à peu admis dans
la liturgie latine (entre le VIIIe et le XIe siècle). L'introduction du
filioque dans le Symbole de Nicée-Constantinople par la liturgie
latine constitue cependant, aujourd'hui encore, un différend avec
les Eglises orthodoxes.

248   La tradition orientale exprime d'abord le caractère d'origine première du Père par rapport à l'Esprit. En confessant l'Esprit comme
« issu du Père » (Jn 15, 26), elle affirme que celui-ci est *issu* du
Père *par* le Fils[3]. La tradition occidentale exprime d'abord la communion consubstantielle entre le Père et le Fils en disant que
l'Esprit procède du Père et du Fils (*filioque*). Elle le dit « de
manière légitime et raisonnable[4] », car l'ordre éternel des personnes divines dans leur communion consubstantielle implique que
le Père soit l'origine première de l'Esprit en tant que « principe
sans principe[5] », mais aussi qu'en tant que Père du Fils unique, Il
soit avec Lui « l'unique principe d'où procède l'Esprit Saint[6] ».
Cette légitime complémentarité, si elle n'est pas durcie, n'affecte
pas l'identité de la foi dans la réalité du même mystère confessé.

III. La Sainte Trinité dans la doctrine de la foi

La formation du dogme trinitaire

249   La vérité révélée de la Sainte Trinité a été dès les origines
à la racine de la foi vivante de l'Eglise, principalement au
683, 189 moyen du Baptême. Elle trouve son expression dans la règle
de la foi baptismale, formulée dans la prédication, la catéchèse et la prière de l'Eglise. De telles formulations se
trouvent déjà dans les écrits apostoliques, comme en
témoigne cette salutation, reprise dans la liturgie eucharistique : « La grâce du Seigneur Jésus-Christ, l'amour de Dieu

1. DS 1300-1301. — 2. Cf. DS 284. — 3. Cf. AG 2. — 4. Cc. Florence en 1439 :
DS 1302. — 5. DS 1331. — 6. Cc. Lyon II en 1274 : DS 850.

et la communion du Saint-Esprit soient avec vous tous » (2 Co 13, 13)[1].

Au cours des premiers siècles, l'Eglise a cherché à formuler plus explicitement sa foi trinitaire tant pour approfondir sa propre intelligence de la foi que pour la défendre contre des erreurs qui la déformaient. Ce fut l'œuvre des Conciles anciens, aidés par le travail théologique des Pères de l'Eglise et soutenus par le sens de la foi du peuple chrétien. 250 94

Pour la formulation du dogme de la Trinité, l'Eglise a dû développer une terminologie propre à l'aide de notions d'origine philosophique : « substance », « personne » ou « hypostase », « relation », etc. Ce faisant, elle n'a pas soumis la foi à une sagesse humaine mais a donné un sens nouveau, inouï, à ces termes appelés à signifier désormais aussi un mystère ineffable, « infiniment au-delà de tout ce que nous pouvons concevoir à la mesure humaine[2] ». 251 170

L'Eglise utilise le terme « substance » (rendu aussi parfois par « essence » ou par « nature ») pour désigner l'être divin dans son unité, le terme « personne » ou « hypostase » pour désigner le Père, le Fils et le Saint-Esprit dans leur distinction réelle entre eux, le terme « relation » pour désigner le fait que leur distinction réside dans la référence des uns aux autres. 252

Le dogme de la Sainte Trinité

La Trinité est Une. Nous ne confessons pas trois dieux, mais un seul Dieu en trois personnes : la « Trinité consubstantielle[3] ». Les personnes divines ne se partagent pas l'unique divinité mais chacune d'elles est Dieu tout entier : « Le Père est cela même qu'est le Fils, le Fils cela même qu'est le Père, le Père et le Fils cela même qu'est le Saint-Esprit, c'est-à-dire un seul Dieu par nature[4]. » « Chacune des trois personnes est cette réalité, c'est-à-dire la substance, l'essence ou la nature divine[5]. » 253 2789 590

Les personnes divines sont réellement distinctes entre elles. « Dieu est unique mais non pas solitaire[6]. » « Père », « Fils », « Esprit Saint » ne sont pas simplement des noms désignant des modalités de l'être divin, car ils sont réelle- 254 468, 689

1. Cf. 1 Co 12, 4-6; Ep 4, 4-6. — 2. SPF 9. — 3. Cc. Constantinople II en 553 : DS 421. — 4. Cc. Tolède XI en 675 : DS 530. — 5. Cc. Latran IV en 1215 : DS 804. — 6. Fides Damasi : DS 71.

ment distincts entre eux : « Celui qui est le Fils n'est pas le Père, et celui qui est le Père n'est pas le Fils, ni le Saint-Esprit n'est celui qui est le Père ou le Fils[1]. » Ils sont distincts entre eux par leurs relations d'origine : « C'est le Père qui engendre, le Fils qui est engendré, le Saint-Esprit qui procède[2]. » *L'Unité divine est Trine.*

255   *Les personnes divines sont relatives les unes aux autres.*
240 Parce qu'elle ne divise pas l'unité divine, la distinction réelle des personnes entre elles réside uniquement dans les relations qui les réfèrent les unes aux autres : « Dans les noms relatifs des personnes, le Père est référé au Fils, le Fils au Père, le Saint-Esprit aux deux ; quand on parle de ces trois personnes en considérant les relations, on croit cependant en une seule nature ou substance[3]. » En effet, « tout est un [en eux] là où l'on ne rencontre pas l'opposition de relation[4] ». « A cause de cette unité, le Père est tout entier dans le Fils, tout entier dans le Saint-Esprit ; le Fils est tout entier dans le Père, tout entier dans le Saint-Esprit ; le Saint-Esprit tout entier dans le Père, tout entier dans le Fils[5]. »

256   Aux Catéchumènes de Constantinople, S. Grégoire de
236, 684 Nazianze, que l'on appelle aussi « le Théologien », confie ce résumé de la foi trinitaire :

84   Avant toutes choses, gardez-moi ce bon dépôt, pour lequel je vis et je combats, avec lequel je veux mourir, qui me fait supporter tous les maux et mépriser tous les plaisirs : je veux dire la profession de foi en le Père et le Fils et le Saint-Esprit. Je vous la confie aujourd'hui. C'est par elle que je vais tout à l'heure vous plonger dans l'eau et vous en élever. Je vous la donne pour compagne et patronne de toute votre vie. Je vous donne une seule Divinité et Puissance, existant Une dans les Trois, et contenant les Trois d'une manière distincte. Divinité sans disparité de substance ou de nature, sans degré supérieur qui élève ou degré inférieur qui abaisse. (...) C'est de trois infinis l'infinie connaturalité. Dieu tout entier chacun considéré en soi-même (...), Dieu les Trois considérés ensemble (...). Je n'ai pas commencé de penser à l'Unité que la Trinité me baigne dans sa splendeur. Je n'ai pas commencé de penser à la Trinité que l'unité me ressaisit[6]...

1. Cc. Tolède XI en 675 : DS 530. — 2. Cc. Latran IV en 1215 : DS 804. — 3. Cc. Tolède XI en 675 : DS 528. — 4. Cc. Florence en 1442 : DS 1330. — 5. Cc. Florence en 1442 : DS 1331. — 6. Or. 40, 41.

IV. Les œuvres divines et les missions trinitaires

« O Trinité lumière bienheureuse, O primordiale 257
Unité[1] ! » Dieu est éternelle béatitude, vie immortelle,
lumière sans déclin. Dieu est Amour : Père, Fils et Esprit 221
Saint. Librement, Dieu veut communiquer la gloire de sa vie
bienheureuse. Tel est le « dessein bienveillant » (Ep 1, 9) 758
qu'Il a conçu dès avant la création du monde en son Fils
bien-aimé, « nous prédestinant à l'adoption filiale en celui-
ci » (Ep 1, 5), c'est-à-dire « à reproduire l'image de son
Fils » (Rm 8, 29) grâce à « l'Esprit d'adoption filiale » (Rm
8, 15). Ce dessein est une « grâce donnée avant tous les siècles » (2 Tm 1, 9), issue immédiatement de l'amour trinitaire. Il se déploie dans l'œuvre de la création, dans toute 292
l'histoire du salut après la chute, dans les missions du Fils et
de l'Esprit, que prolonge la mission de l'Eglise[2].   850

Toute l'économie divine est l'œuvre commune des trois 258
personnes divines. Car de même qu'elle n'a qu'une seule et
même nature, la Trinité n'a qu'une seule et même opération[3]. « Le Père, le Fils et le Saint-Esprit ne sont pas trois 686
principes des créatures mais un seul principe[4]. » Cependant,
chaque personne divine opère l'œuvre commune selon sa
propriété personnelle. Ainsi l'Eglise confesse, à la suite du
Nouveau Testament[5], « un Dieu et Père de qui sont toutes
choses, un Seigneur Jésus-Christ pour qui sont toutes
choses, un Esprit Saint en qui sont toutes choses[6] ». Ce sont
surtout les missions divines de l'Incarnation du Fils et du
don du Saint-Esprit qui manifestent les propriétés des personnes divines.

Œuvre à la fois commune et personnelle, toute l'écono- 259
mie divine fait connaître et la propriété des personnes
divines et leur unique nature. Aussi, toute la vie chrétienne 236
est-elle communion avec chacune des personnes divines,
sans aucunement les séparer. Celui qui rend gloire au Père le
fait par le Fils dans l'Esprit Saint ; celui qui suit le Christ, le
fait parce que le Père l'attire[7] et que l'Esprit le meut[8].

La fin ultime de toute l'économie divine, c'est l'entrée 260
des créatures dans l'unité parfaite de la Bienheureuse Trinité[9]. Mais dès maintenant nous sommes appelés à être 1050, 1721

---

1. LH, hymne de vêpres. — 2. Cf. AG 2-9. — 3. Cf. Cc Constantinople II en 553 :
DS 421. — 4. Cc. Florence en 1442 : DS 1331. — 5. Cf. 1 Co 8, 6. — 6. Cc.
Constantinople II : DS 421. — 7. Cf. Jn 6, 44. — 8. Cf. Rm 8, 14. — 9. Cf. Jn 17,
21-23.

1997 habités par la Très Sainte Trinité : « Si quelqu'un m'aime, dit le Seigneur, il gardera ma parole, et mon Père l'aimera et nous viendrons à Lui, et nous ferons chez Lui notre demeure » (Jn 14, 23) :

> O mon Dieu, Trinité que j'adore, aidez-moi à m'oublier entièrement pour m'établir en Vous, immobile et paisible comme si déjà mon âme était dans l'éternité ; que rien ne puisse troubler ma paix ni me faire sortir de Vous, ô mon Immuable, mais que chaque minute m'emporte plus loin dans la profondeur de votre mystère ! Pacifiez mon âme. Faites-en votre ciel, votre demeure aimée et le lieu de votre repos. Que je ne Vous y laisse jamais seul, mais que je sois là, tout entière, tout éveillée en ma foi, tout adorante, toute livrée à votre action créatrice [1].

2565

EN BREF

261   *Le mystère de la Très Sainte Trinité est le mystère central de la foi et de la vie chrétienne. Dieu seul peut nous en donner la connaissance en se révélant comme Père, Fils et Saint-Esprit.*

262   *L'Incarnation du Fils de Dieu révèle que Dieu est le Père éternel, et que le Fils est consubstantiel au Père, c'est-à-dire qu'Il est en Lui et avec Lui le même Dieu unique.*

263   *La mission du Saint-Esprit, envoyé par le Père au nom du Fils [2] et par le Fils « d'auprès du Père » (Jn 15, 26) révèle qu'Il est avec eux le même Dieu unique. « Avec le Père et le Fils Il reçoit même adoration et même gloire [3]. »*

264   *« Le Saint-Esprit procède du Père en tant que source première et, par le don éternel de celui-ci au Fils, du Père et du Fils en communion [4]. »*

265   *Par la grâce du Baptême « au nom du Père et du Fils et du Saint-Esprit » (Mt, 28, 19), nous sommes appelés à partager la vie de la Bienheureuse Trinité, ici-bas dans l'obscurité de la foi, et au-delà de la mort, dans la lumière éternelle [5].*

266   *« La foi catholique consiste en ceci : vénérer un seul Dieu dans la Trinité, et la Trinité dans l'Unité, sans confondre les personnes, sans diviser la substance : car autre est la personne du Père, autre celle du Fils, autre celle de l'Esprit Saint ; mais du Père, du Fils et de l'Esprit Saint une est la divinité, égale la gloire, coéternelle la majesté [6]. »*

---

1. Prière de la Bienheureuse Élisabeth de la Trinité. — 2. Cf. Jn 14, 26. — 3. Symbole de Nicée-Constantinople. — 4. S. Augustin, Trin. 15, 26, 47. — 5. Cf. SPF 9. — 6. Symbolum « Quicumque ».

Inséparables dans ce qu'elles sont, les personnes divines 267
sont aussi inséparables dans ce qu'elles font. Mais dans
l'unique opération divine chacune manifeste ce qui lui est
propre dans la Trinité, surtout dans les missions divines de
l'Incarnation du Fils et du don du Saint-Esprit.

PARAGRAPHE 3. *Le Tout-Puissant*

De tous les attributs divins, seule la Toute-Puissance de 268
Dieu est nommée dans le Symbole : la confesser est d'une
grande portée pour notre vie. Nous croyons qu'elle est *uni-* 222
verselle, car Dieu qui a tout créé[1], régit tout et peut tout;
aimante, car Dieu est notre Père[2]; *mystérieuse,* car seule la
foi peut la discerner lorsqu'« elle se déploie dans la faiblesse » (2 Co 12, 9)[3].

« Tout ce qu'Il veut, Il le fait » (Ps 115, 3)

Les Saintes Ecritures confessent à maintes reprises la 269
puissance *universelle* de Dieu. Il est appelé « le Puissant de
Jacob » (Gn 49, 24; Is 1, 24 e.a.), « le Seigneur des
armées », « le Fort, le Vaillant » (Ps 24, 8-10). Si Dieu est
Tout-Puissant « au ciel et sur la terre » (Ps 135, 6), c'est
qu'Il les a faits. Rien ne Lui est donc impossible[4] et Il dispose à son gré de son œuvre[5]; Il est le Seigneur de l'univers
dont Il a établi l'ordre qui Lui demeure entièrement soumis
et disponible; Il est le Maître de l'histoire : Il gouverne les 303
cœurs et les événements selon son gré[6] : « Ta grande puissance est toujours à ton service, et qui peut résister à la force
de ton bras? » (Sg 11, 21.)

« Tu as pitié de tous, parce que Tu peux tout » (Sg 11, 23)

Dieu est le *Père* Tout-Puissant. Sa paternité et sa puis- 270
sance s'éclairent mutuellement. En effet, Il montre sa Toute- 2777
Puissance paternelle par la manière dont Il prend soin de nos
besoins[7]; par l'adoption filiale qu'Il nous donne (« Je serai
pour vous un père, et vous serez pour moi des fils et des
filles, dit le Seigneur Tout-Puissant », 2 Co 6, 18); enfin par
Sa miséricorde infinie, puisqu'Il montre sa puissance au
plus haut point en pardonnant librement les péchés. 1441

1. Cf. Gn 1, 1; Jn 1, 3. — 2. Cf. Mt 6, 9. — 3. Cf. 1 Co 1, 18. — 4. Cf. Jr 32, 17 : Lc
1, 37. — 5. Cf. Jr 27, 5. — 6. Cf. Est 4, 17c; Pr 21, 1; Tb 13, 2. — 7. Cf. Mt 6, 32.

271   La Toute-Puissance divine n'est nullement arbitraire :
« En Dieu la puissance et l'essence, la volonté et l'intelligence, la sagesse et la justice sont une seule et même
chose, de sorte que rien ne peut être dans la puissance divine
qui ne puisse être dans la juste volonté de Dieu ou dans sa
sage intelligence[1]. »

Le mystère de l'apparente impuissance de Dieu

272   La foi en Dieu le Père Tout-Puissant peut être mise à
l'épreuve par l'expérience du mal et de la souffrance. Parfois Dieu peut sembler absent et incapable d'empêcher le
309, 412 mal. Or, Dieu le Père a révélé Sa Toute-Puissance de la
609 façon la plus *mystérieuse* dans l'abaissement volontaire et
dans la Résurrection de son Fils, par lesquels Il a vaincu le
mal. Ainsi, le Christ crucifié est « puissance de Dieu et
sagesse de Dieu. Car ce qui est folie de Dieu est plus sage
que les hommes et ce qui est faiblesse de Dieu est plus fort
648 que les hommes » (1 Co 1, 25). C'est dans la Résurrection et
dans l'exaltation du Christ que le Père a « déployé la
vigueur de sa force » et manifesté « quelle extraordinaire
grandeur revêt sa puissance pour nous les croyants » (Ep 1,
19).

273   Seule la foi peut adhérer aux voies mystérieuses de la
Toute-Puissance de Dieu. Cette foi se glorifie de ses fai-
148 blesses afin d'attirer sur elle la puissance du Christ[2]. De
cette foi, la Vierge Marie est le suprême modèle, elle qui a
cru que « rien n'est impossible à Dieu » (Lc 1, 37) et qui a
pu magnifier le Seigneur : « Le Puissant fit pour moi des
merveilles, saint est son nom » (Lc 1, 49).

274   « Rien n'est donc plus propre à affirmer notre foi et notre
1814, 1817 espérance que la conviction profondément gravée dans nos
âmes que rien n'est impossible à Dieu. Car tout ce que [le
Credo] nous proposera ensuite à croire, les choses les plus
grandes, les plus incompréhensibles, aussi bien que les plus
élevées au-dessus des lois ordinaires de la nature, dès que
notre raison aura seulement l'idée de la Toute-Puissance
divine, elle les admettra facilement et sans hésitation
2110 aucune[3]. »

EN BREF

275   *Avec Job, le juste, nous confessons : « Je sais que Tu es
Tout-Puissant : ce que Tu conçois, Tu peux le réaliser » (Jb
42, 2).*

1. S. Thomas d'A., s. th. 1, 25, 5, ad 1. — 2. Cf. 2 Co 12, 9 ; Ph 4, 13. —
3. Catech. R. 1, 2, 13.

Fidèle au témoignage de l'Ecriture, l'Eglise adresse 276
souvent sa prière au « Dieu Tout-Puissant et éternel »
(« *omnipotens sempiterne Deus...* »), *croyant fermement que*
« *rien n'est impossible à Dieu* » (Lc 1, 37)[1].

Dieu manifeste sa Toute-Puissance en nous convertissant de 277
nos péchés et en nous rétablissant dans son amitié par la
grâce : « Dieu, qui donnes la preuve suprême de ta puissance, lorsque tu patientes et prends pitié[2]... »

A moins de croire que l'amour de Dieu est Tout-Puissant, 278
comment croire que le Père a pu nous créer, le Fils nous
racheter, l'Esprit Saint nous sanctifier ?

PARAGRAPHE 4. *Le Créateur*

« Au commencement, Dieu créa le ciel et la terre » (Gn 1, 279
1). Ces paroles solennelles sont au seuil de l'Ecriture Sainte.
Le Symbole de la foi reprend ces paroles en confessant Dieu
le Père Tout-Puissant comme « le Créateur du ciel et de la
terre[3] », « de l'univers visible et invisible[4] ». Nous parle-
rons donc d'abord du Créateur, ensuite de sa création, enfin
de la chute du péché dont Jésus-Christ, le Fils de Dieu, est
venu nous relever.

La création est le *fondement* de « tous les desseins salvi- 280
fiques de Dieu », « le commencement de l'histoire du
salut[5] » qui culmine dans le Christ. Inversement, le mystère 288
du Christ est la lumière décisive sur le mystère de la création ; il révèle la fin en vue de laquelle, « au commencement,
Dieu créa le ciel et la terre » (Gn 1, 1) : dès le commencement, Dieu avait en vue la gloire de la nouvelle création 1043
dans le Christ[6].

C'est pour cela que les lectures de la Nuit Pascale, célébration de 281
la création nouvelle dans le Christ, commencent par le récit de
la création ; celui-ci, dans la liturgie byzantine, constitue toujours la 1095
première lecture des vigiles des grandes fêtes du Seigneur. Selon le
témoignage des anciens, l'instruction des catéchumènes pour le
Baptême suit le même chemin[7].

I. La catéchèse sur la création

La catéchèse sur la création revêt une importance capi- 282
tale. Elle concerne les fondements mêmes de la vie humaine
et chrétienne : car elle explicite la réponse de la foi chré-

---

1. Cf. Gn 18, 14 ; Mt, 19, 26. — 2. MR, collecte du 26e dimanche. — 3. Symbole
des Apôtres. — 4. Symbole de Nicée-Constantinople. — 5. DCG 51. — 6. Cf. Rm
8, 18-23. — 7. Cf. Ethérie, pereg. 46 ; S. Augustin, catech. 3, 5.

tienne à la question élémentaire que les hommes de tous les temps se sont posée : « D'où venons-nous ? » « Où allons-nous ? » « Quelle est notre origine ? » « Quelle est notre fin ? » « D'où vient et où va tout ce qui existe ? » Les deux questions, celle de l'origine et celle de la fin, sont insépa-rables. Elles sont décisives pour le sens et l'orientation de
1730 notre vie et de notre agir.

283   La question des origines du monde et de l'homme fait l'objet de
159 nombreuses recherches scientifiques qui ont magnifiquement enri-chi nos connaissances sur l'âge et les dimensions du cosmos, le devenir des formes vivantes, l'apparition de l'homme. Ces décou-
341 vertes nous invitent à admirer d'autant plus la grandeur du Créa-teur, à Lui rendre grâce pour toutes ses œuvres et pour l'intel-ligence et la sagesse qu'Il donne aux savants et aux chercheurs. Avec Salomon, ceux-ci peuvent dire : « C'est Lui qui m'a donné la science vraie de ce qui est, qui m'a fait connaître la structure du monde et les propriétés des éléments (...) car c'est l'ouvrière de toutes choses qui m'a instruit, la Sagesse » (Sg 7, 17-22).

284   Le grand intérêt réservé à ces recherches est fortement stimulé par une question d'un autre ordre, qui dépasse le domaine propre des sciences naturelles. Il ne s'agit pas seulement de savoir quand et comment a surgi matériellement le cosmos, ni quand l'homme est apparu, mais plutôt de découvrir quel est le sens d'une telle ori-gine : si elle est gouvernée par le hasard, un destin aveugle, une nécessité anonyme, ou bien par un Etre transcendant, intelligent et bon, appelé Dieu. Et si le monde provient de la sagesse et de la bonté de Dieu, pourquoi le mal ? D'où vient-il ? Qui en est respon-sable ? Et y en a-t-il une libération ?

285   Depuis ses débuts, la foi chrétienne a été confrontée à des réponses différentes de la sienne sur la question des origines. Ainsi, on trouve dans les religions et les cultures anciennes de nombreux mythes concernant les origines. Certains philosophes ont dit que tout est Dieu, que le monde est Dieu, ou que le devenir du monde est le devenir de Dieu (panthéisme) ; d'autres ont dit que le monde
295 est une émanation nécessaire de Dieu, s'écoulant de cette source et retournant vers elle ; d'autres encore ont affirmé l'existence de deux principes éternels, le Bien et le Mal, la Lumière et les Ténèbres, en lutte permanente (dualisme, manichéisme) ; selon certaines de ces conceptions, le monde (au moins le monde matériel) serait mau-vais, produit d'une déchéance, et donc à rejeter ou à dépasser (gnose) ; d'autres admettent que le monde ait été fait par Dieu, mais à la manière d'un horloger qui l'aurait, une fois fait, abandonné à lui-même (déisme) ; d'autres enfin n'acceptent aucune origine transcendante du monde, mais y voient le pur jeu d'une matière qui aurait toujours existé (matérialisme). Toutes ces tentatives témoignent de la permanence et de l'universalité de la question des
28 origines. Cette quête est propre à l'homme.

286   L'intelligence humaine a la capacité, certes, de trouver déjà une réponse à la question des origines. En effet, l'exis-
32 tence de Dieu le Créateur peut être connue avec certitude

par ses œuvres grâce à la lumière de la raison humaine[1], même si cette connaissance est souvent obscurcie et défigu- *37* rée par l'erreur. C'est pourquoi la foi vient confirmer et éclairer la raison dans la juste intelligence de cette vérité : « Par la foi, nous comprenons que les mondes ont été formés par une parole de Dieu, de sorte que ce que l'on voit provient de ce qui n'est pas apparent » (He 11, 3).

La vérité de la création est si importante pour toute la vie   287
humaine que Dieu, dans sa tendresse, a voulu révéler à son
Peuple tout ce qu'il est salutaire de connaître à ce sujet. Au-   *107*
delà de la connaissance naturelle que tout homme peut avoir
du Créateur[2], Dieu a progressivement révélé à Israël le mystère de la création. Lui qui a choisi les patriarches, qui a fait
sortir Israël d'Egypte, et qui, en élisant Israël, l'a créé et
formé[3], Il se révèle comme celui à qui appartiennent tous les
peuples de la terre, et la terre entière, comme celui qui, seul,
« a fait le ciel et la terre » (Ps 115, 15 ; 124, 8 ; 134, 3).

Ainsi, la révélation de la création est inséparable de la   288
révélation et de la réalisation de l'alliance de Dieu,   *280*
l'Unique, avec son Peuple. La création est révélée comme le
premier pas vers cette alliance, comme le premier et universel témoignage de l'amour Tout-Puissant de Dieu[4]. Aussi, la
vérité de la création s'exprime-t-elle avec une vigueur crois-
sante dans le message des prophètes[5], dans la prière des
psaumes[6] et de la liturgie, dans la réflexion de la sagesse[7]
du Peuple élu.

Parmi toutes les paroles de l'Ecriture Sainte sur la créa-   289
tion, les trois premiers chapitres de la Genèse tiennent une
place unique. Du point de vue littéraire ces textes peuvent   *390*
avoir diverses sources. Les auteurs inspirés les ont placés au
commencement de l'Ecriture de sorte qu'ils expriment, dans
leur langage solennel, les vérités de la création, de son origine et de sa fin en Dieu, de son ordre et de sa bonté, de la
vocation de l'homme, enfin du drame du péché et de l'espérance du salut. Lues à la lumière du Christ, dans l'unité de   *111*
l'Ecriture Sainte et dans la Tradition vivante de l'Eglise, ces
paroles demeurent la source principale pour la catéchèse des
mystères du « commencement » : création, chute, promesse
du salut.

1. Cf. DS 3026. — 2. Cf. Ac 17, 24-29 ; Rm 1, 19-20. — 3. Cf. Is 43, 1. — 4. Cf. Gn 15, 5 ; Jr 33, 19-26. — 5. Cf. Is 44, 24. — 6. Cf. Ps 104. — 7. Cf. Pr 8, 22-31.

II. La création – œuvre de la Sainte Trinité

290   « Au commencement, Dieu créa le ciel et la terre » : trois
choses sont affirmées dans ces premières paroles de l'Ecriture : le Dieu éternel a posé un commencement à tout ce qui
existe en dehors de lui. Lui seul est créateur (le verbe
« créer » – en hébreu *bara* – a toujours pour sujet Dieu). La
326 totalité de ce qui existe (exprimé par la formule « le ciel et
la terre ») dépend de Celui qui lui donne d'être.

291   « Au commencement était le Verbe (...) et le Verbe était
Dieu. (...) Tout a été fait par lui et sans lui rien n'a été fait »
241 (Jn 1, 1-3). Le Nouveau Testament révèle que Dieu a tout
créé par le Verbe Eternel, son Fils bien-aimé. C'est en Lui
331 « qu'ont été créées toutes choses, dans les cieux et sur la
terre (...) tout a été créé par Lui et pour Lui. Il est avant
toute chose et tout subsiste en Lui » (Col 1, 16-17). La foi
de l'Eglise affirme de même l'action créatrice de l'Esprit
703 Saint : Il est le « donateur de vie[1] », « l'Esprit Créateur »
(« Veni, Creator Spiritus »), la « Source de tout bien[2] ».

292   Insinuée dans l'Ancien Testament[3], révélée dans la Nouvelle Alliance, l'action créatrice du Fils et de l'Esprit, inséparablement une avec celle du Père, est clairement affirmée
par la règle de foi de l'Eglise : « Il n'existe qu'un seul Dieu
(...) : Il est le Père, Il est Dieu, Il est le Créateur, Il est
l'Auteur, Il est l'Ordonnateur. Il a fait toutes choses *par Lui-
même,* c'est-à-dire par son Verbe et par sa Sagesse[4] », « par
699 le Fils et l'Esprit » qui sont comme « ses mains[5] ». La créa-
257 tion est l'œuvre commune de la Sainte Trinité.

III. « Le monde a été créé pour la Gloire de Dieu »

293   C'est une vérité fondamentale que l'Ecriture et la Tradition ne cessent d'enseigner et de célébrer : « Le monde a été
337, 344 créé pour la Gloire de Dieu[6]. » Dieu a créé toutes choses,
explique S. Bonaventure, « non pour accroître la Gloire,
1361 mais pour manifester et communiquer cette Gloire[7] ». Car
Dieu n'a pas d'autre raison pour créer que son amour et sa
bonté : « C'est la clé de l'amour qui a ouvert sa main pour

1. Symbole de Nicée-Constantinople. — 2. Liturgie byzantine, Tropaire des vêpres
de Pentecôte. — 3. Cf. Ps 33, 6 ; 104, 30 ; Gn 1, 2-3. — 4. S. Irénée, hær. 2, 30, 9.
— 5. *Ibid.*, 4, 20, 1. — 6. Cc. Vatican I : DS 3025. — 7. Sent. 2, 1, 2, 2, 1.

produire les créatures[1]. » Et le premier Concile du Vatican explique :

> Dans sa bonté et par sa force toute-puissante, non pour aug-   *759*
> menter sa béatitude, ni pour acquérir sa perfection, mais
> pour la manifester par les biens qu'il accorde à ses créa-
> tures, ce seul vrai Dieu a, dans le plus libre dessein, tout
> ensemble, dès le commencement du temps, créé de rien
> l'une et l'autre créature, la spirituelle et la corporelle[2].

La Gloire de Dieu c'est que se réalise cette manifestation   294
et cette communication de sa bonté en vue desquelles le
monde a été créé. Faire de nous « des fils adoptifs par Jésus-   *2809*
Christ : tel fut le dessein bienveillant de sa volonté *à la
louange de gloire* de sa grâce » (Ep 1, 5-6) : « Car la Gloire
de Dieu, c'est l'homme vivant, et la vie de l'homme, c'est la   *1722*
vision de Dieu : si déjà la révélation de Dieu par la création
procura la vie à tous les êtres qui vivent sur la terre,
combien plus la manifestation du Père par le Verbe procure-
t-elle la vie à ceux qui voient Dieu[3]. » La fin ultime de la
création, c'est que Dieu, « qui est le Créateur de tous les
êtres, devienne enfin "tout en tous" (1 Co 15, 28), en pro-
curant à la fois sa gloire et notre béatitude[4] ».   *1992*

IV. Le mystère de la création

Dieu crée par sagesse et par amour

Nous croyons que Dieu a créé le monde selon sa   295
sagesse[5]. Il n'est pas le produit d'une nécessité quelconque,
d'un destin aveugle ou du hasard. Nous croyons qu'il procède de la volonté libre de Dieu qui a voulu faire participer
les créatures à son être, sa sagesse et sa bonté : « Car c'est   *216, 1951*
Toi qui créas toutes choses ; Tu as voulu qu'elles soient, et
elles furent créées » (Ap 4, 11). « Que tes œuvres sont nombreuses, Seigneur ! Toutes avec sagesse Tu les fis » (Ps 104,
24). « Le Seigneur est bonté envers tous, ses tendresses vont
à toutes ses œuvres » (Ps 145, 9).

Dieu crée « de rien »

Nous croyons que Dieu n'a besoin de rien de préexistant   296
ni d'aucune aide pour créer[6]. La création n'est pas non plus
une émanation nécessaire de la substance divine[7]. Dieu crée   *285*
librement « de rien[8] » :

---

1. S. Thomas d'A., sent. 2, prol. — 2. DS 3002. — 3. S. Irénée, hær. 4, 20, 7.
— 4. AG 2. — 5. Cf. Sg 9, 9. — 6. Cf. Cc. Vatican I : DS 3002. — 7. Cf. Cc.
Vatican I : DS 3023-3024. — 8. DS 800 ; 3025.

> Quoi d'extraordinaire si Dieu avait tiré le monde d'une matière préexistante ? Un artisan humain, quand on lui donne un matériau, en fait tout ce qu'il veut. Tandis que la puissance de Dieu se montre précisément quand Il part du néant pour faire tout ce qu'Il veut[1].

297
338
La foi en la création « de rien » est attestée dans l'Ecriture comme une vérité pleine de promesse et d'espérance. Ainsi la mère des sept fils les encourage au martyre :

> Je ne sais comment vous êtes apparus dans mes entrailles ; ce n'est pas moi qui vous ai gratifiés de l'esprit et de la vie ; ce n'est pas moi qui ai organisé les éléments qui composent chacun de vous. Aussi bien le Créateur du monde, qui a formé le genre humain et qui est à l'origine de toute chose, vous rendra-t-Il, dans sa miséricorde, et l'esprit et la vie, parce que vous vous méprisez maintenant vous-mêmes pour l'amour de ses lois (...). Mon enfant, regarde le ciel et la terre et vois tout ce qui est en eux, et sache que Dieu les a faits de rien et que la race des hommes est faite de la même manière (2 M 7, 22-23. 28).

298
1375
992
Puisque Dieu peut créer à partir de rien, Il peut aussi, par l'Esprit Saint, donner la vie de l'âme à des pécheurs en créant en eux un cœur pur[2], et la vie du corps aux défunts par la Résurrection, Lui « qui donne la vie aux morts et appelle le néant à l'existence » (Rm 4, 17). Et puisque, par sa Parole, Il a pu faire resplendir la lumière des ténèbres[3], Il peut aussi donner la lumière de la foi à ceux qui l'ignorent[4].

Dieu crée un monde ordonné et bon

299
339
Si Dieu crée avec sagesse, la création est ordonnée : « Tu as tout disposé avec mesure, nombre et poids » (Sg 11, 20). Créée dans et par le Verbe éternel, « image du Dieu invisible » (Col 1, 15), elle est destinée, adressée à l'homme, image de Dieu[5], lui-même appelé à une relation personnelle avec Dieu. Notre intelligence, participant à la lumière de l'Intellect divin, peut entendre ce que Dieu nous dit par sa *41, 1147* création[6], certes non sans grand effort et dans un esprit d'humilité et de respect devant le Créateur et son œuvre[7]. Issue de la bonté divine, la création participe à cette bonté (« Et Dieu vit que cela était bon (...) très bon » : Gn 1, 4. 10. 12. 18. 21. 31). Car la création est voulue par Dieu comme

---

1. S. Théophile d'Antioche, Autol. 2, 4. — 2. Cf. Ps 51, 12. — 3. Cf. Gn 1, 3. — 4. Cf. 2 Co 4, 6. — 5. Cf. Gn 1, 26. — 6. Cf. Ps 19, 2-5. — 7. Cf. Jb 42, 3.

un don adressé à l'homme, comme un héritage qui lui est *358*
destiné et confié. L'Eglise a dû, à maintes reprises, défendre
la bonté de la création, y compris du monde matériel[1].   *2415*

Dieu transcende la création et lui est présent

Dieu est infiniment plus grand que toutes ses œuvres[2] : 300
« Sa majesté est plus haute que les cieux » (Ps 8, 2), « à sa *42, 223*
grandeur point de mesure » (Ps 145, 3). Mais parce qu'Il est
le Créateur souverain et libre, cause première de tout ce qui
existe, Il est présent au plus intime de ses créatures : « En
Lui nous avons la vie, le mouvement et l'être » (Ac 17, 28).
Selon les paroles de S. Augustin, Il est « plus haut que le
plus haut de moi, plus intime que le plus intime[3] ».

Dieu maintient et porte la création

Avec la création, Dieu n'abandonne pas sa créature à elle- 301
même. Il ne lui donne pas seulement d'être et d'exister, Il la
maintient à chaque instant dans l'être, lui donne d'agir et la
porte à son terme. Reconnaître cette dépendance complète *1951, 396*
par rapport au Créateur est une source de sagesse et de
liberté, de joie et de confiance :

> Oui, Tu aimes tout ce qui existe, et Tu n'as de dégoût pour
> rien de ce que Tu as fait; car si Tu avais haï quelque chose,
> Tu ne l'aurais pas formé. Et comment une chose aurait-elle
> subsisté, si Tu ne l'avais voulue? Ou comment ce que Tu
> n'aurais pas appelé aurait-il été conservé? Mais Tu
> épargnes tout, parce que tout est à Toi, Maître ami de la vie
> (Sg 11, 24-26).

V. Dieu réalise son dessein : la divine providence

La création a sa bonté et sa perfection propres, mais n'est 302
pas sortie tout achevée des mains du Créateur. Elle est créée
dans un état de cheminement (« *in statu viæ* ») vers une perfection ultime encore à atteindre, à laquelle Dieu l'a destinée. Nous appelons divine providence les dispositions par
lesquelles Dieu conduit sa création vers cette perfection :

> Dieu garde et gouverne par sa providence tout ce qu'Il a
> créé, « atteignant avec force d'une extrémité à l'autre et dis-
> posant tout avec douceur » (Sg 8, 1). Car « toutes choses

1. Cf. DS 286; 455-463; 800; 1333; 3002. — 2. Cf. Si 43, 30. — 3. Augustin,
Conf. 3, 6, 11.

sont à nu et à découvert devant ses yeux » (He 4, 13), même celles que l'action libre des créatures produira[1].

303   Le témoignage de l'Ecriture est unanime : la sollicitude de la divine providence est *concrète* et *immédiate*, elle prend soin de tout, des moindres petites choses jusqu'aux grands événements du monde et de l'histoire. Avec force, les livres saints affirment la souveraineté absolue de Dieu dans le cours des événements : « Notre Dieu, au ciel et sur la terre,
269 tout ce qui lui plaît, Il le fait » (Ps 115, 3) ; et du Christ il est dit : « S'Il ouvre, nul ne fermera, et s'Il ferme, nul n'ouvrira » (Ap 3, 7) ; « Il y a beaucoup de pensées dans le cœur de l'homme, seul le dessein de Dieu se réalisera » (Pr 19, 21).

304   Ainsi voit-on l'Esprit Saint, auteur principal de l'Ecriture Sainte, attribuer souvent des actions à Dieu, sans mentionner des causes secondes. Ce n'est pas là « une façon de parler » primitive, mais une manière profonde de rappeler la primauté de Dieu et sa Seigneurie absolue sur l'histoire et le monde[2] et d'éduquer ainsi à la
2568 confiance en Lui. La prière des Psaumes est la grande école de cette confiance[3].

305   Jésus demande un abandon filial à la providence du Père
2115 céleste qui prend soin des moindres besoins de ses enfants : « Ne vous inquiétez donc pas en disant : qu'allons-nous manger ? qu'allons-nous boire ? (...) Votre Père céleste sait que vous avez besoin de tout cela. Cherchez d'abord son Royaume et sa justice, et tout cela vous sera donné par surcroît » (Mt 6, 31-33)[4].

La providence et les causes secondes

306   Dieu est le Maître souverain de son dessein. Mais pour sa
1884 réalisation, Il se sert aussi du concours des créatures. Ce n'est pas là un signe de faiblesse, mais de la grandeur et de la bonté du Dieu Tout-Puissant. Car Dieu ne donne pas seulement à ses créatures d'exister, mais aussi la dignité d'agir
1951 elles-mêmes, d'être causes et principes les unes des autres et de coopérer ainsi à l'accomplissement de son dessein.

307   Aux hommes, Dieu accorde même de pouvoir participer librement à sa providence en leur confiant la responsabilité
106, 373 de « soumettre » la terre et de la dominer[5]. Dieu donne ainsi

---

1. Cc. Vatican I : DS 3003. — 2. Cf. Is 10, 5-15 ; 45, 5-7 ; Dt 32, 39 ; Si 11, 14. — 3. Cf. Ps 22 ; 32 ; 35 ; 103 ; 138 ; e.a. — 4. Cf. Mt 10, 29-31. — 5. Cf. Gn 1, 26-28.

aux hommes d'être causes intelligentes et libres afin de *1954*
compléter l'œuvre de la création, en parfaire l'harmonie *2427*
pour leur bien et celui de leur prochains. Coopérateurs
souvent inconscients de la volonté divine, les hommes
peuvent entrer délibérément dans le plan divin, par leurs
actions, par leurs prières, mais aussi par leurs souffrances[1]. *2738*
Ils deviennent alors pleinement « collaborateurs de Dieu » *618, 1505*
(1 Co 3, 9)[2] et de son Royaume[3].

C'est une vérité inséparable de la foi en Dieu le Créateur : *308*
Dieu agit en tout agir de ses créatures. Il est la cause première qui opère dans et par les causes secondes : « Car c'est
Dieu qui opère en nous à la fois le vouloir et l'opération
même, au profit de ses bienveillants desseins » (Ph 2, 13)[4].
Loin de diminuer la dignité de la créature, cette vérité la
rehausse. Tirée du néant par la puissance, la sagesse et la
bonté de Dieu, elle ne peut rien si elle est coupée de son ori- *970*
gine, car « la créature sans le Créateur s'évanouit[5] » ; encore
moins peut-elle atteindre sa fin ultime sans l'aide de la
grâce[6].

La providence et le scandale du mal

Si Dieu le Père Tout-Puissant, Créateur du monde *309*
ordonné et bon, prend soin de toutes ses créatures, pourquoi
le mal existe-t-il ? A cette question aussi pressante qu'iné- *164, 385*
table, aussi douloureuse que mystérieuse, aucune réponse
rapide ne suffira. C'est l'ensemble de la foi chrétienne qui
constitue la réponse à cette question : la bonté de la création,
le drame du péché, l'amour patient de Dieu qui vient au-
devant de l'homme par ses alliances, par l'Incarnation
rédemptrice de son Fils, par le don de l'Esprit, par le rassemblement de l'Eglise, par la force des sacrements, par
l'appel à une vie bienheureuse à laquelle les créatures libres
sont invitées d'avance à consentir, mais à laquelle elles
peuvent aussi d'avance, par un mystère terrible, se dérober.
*Il n'y a pas un trait du message chrétien qui ne soit pour
une part une réponse à la question du mal.* *2805*

Pourquoi Dieu n'a-t-Il pas créé un monde aussi parfait *310*
qu'aucun mal ne puisse y exister ? Selon sa puissance infi- *412*
nie, Dieu pourrait toujours créer quelque chose de meilleur[7].
Cependant dans sa sagesse et sa bonté infinies, Dieu a voulu

1. Cf. Col 1, 24. — 2. Cf. 1 Th 3, 2. — 3. Cf. Col 4, 11. — 4. Cf. 1 Co 12, 6. —
5. GS 36, § 3. — 6. Cf. Mt 19, 26 ; Jn 15, 5 ; Ph 4, 13. — 7. Cf. S. Thomas d'A., s.
th. 1, 25, 6.

1042-1050 librement créer un monde « en état de cheminement » vers
sa perfection ultime. Ce devenir comporte, dans le dessein
de Dieu, avec l'apparition de certains êtres, la disparition
342 d'autres, avec le plus parfait aussi le moins parfait, avec les
constructions de la nature aussi les destructions. Avec le
bien physique existe donc aussi *le mal physique*, aussi longtemps que la création n'a pas atteint sa perfection[1].

311   Les anges et les hommes, créatures intelligentes et libres,
396 doivent cheminer vers leur destinée ultime par choix libre et
amour de préférence. Ils peuvent donc se dévoyer. En fait,
1849 ils ont péché. C'est ainsi que *le mal moral* est entré dans le
monde, sans commune mesure plus grave que le mal physique. Dieu n'est en aucune façon, ni directement ni indirectement, la cause du mal moral[2]. Il le permet cependant, respectant la liberté de sa créature, et, mystérieusement, Il sait
en tirer le bien :

> Car le Dieu Tout-Puissant (...), puisqu'Il est souverainement
> bon, ne laisserait jamais un mal quelconque exister dans ses
> œuvres s'il n'était assez puissant et bon pour faire sortir le
> bien du mal lui-même[3].

312   Ainsi, avec le temps, on peut découvrir que Dieu, dans sa
providence toute-puissante, peut tirer un bien des conséquences d'un mal, même moral, causé par ses créatures :
« Ce n'est pas vous, dit Joseph à ses frères, qui m'avez
envoyé ici, c'est Dieu ; (...) le mal que vous aviez dessein de
me faire, le dessein de Dieu l'a tourné en bien afin de (...)
598-600 sauver la vie d'un peuple nombreux » (Gn 45, 8 ; 50, 20)[4].
Du mal moral le plus grand qui ait jamais été commis, le
rejet et le meurtre du Fils de Dieu, causé par les péchés de
tous les hommes, Dieu, par la surabondance de sa grâce[5], a
1994 tiré le plus grand des biens : la glorification du Christ et
notre Rédemption. Le mal n'en devient pas pour autant un
bien.

313   « Tout concourt au bien de ceux qui aiment Dieu » (Rm
227 8, 28). Le témoignage des saints ne cesse de confirmer cette
vérité :

> Ainsi, Ste Catherine de Sienne dit à « ceux qui se scanda-
> lisent et se révoltent de ce qui leur arrive » : « Tout procède
> de l'amour, tout est ordonné au salut de l'homme, Dieu ne
> fait rien que dans ce but[6]. »

---

1. Cf. S. Thomas d'A., s. gent. 3, 71. — 2. Cf. S. Augustin, lib. 1, 1, 1 ; S. Thomas
d'A., s. th. 1-2, 79, 1. — 3. S. Augustin, enchir. 3, 11. — 4. Cf. Tb 2, 12-18 vulg.
— 5. Cf. Rm 5, 20. — 6. Dial. 138.

Et S. Thomas More, peu avant son martyre, console sa fille : « Rien ne peut arriver que Dieu ne l'ait voulu. Or, tout ce qu'Il veut, si mauvais que cela puisse nous paraître, est cependant ce qu'il y a de meilleur pour nous[1]. »

Et Lady Julian of Norwich : « J'appris donc, par la grâce de Dieu, qu'il fallait m'en tenir fermement à la foi, et croire avec non moins de fermeté que toutes choses seront bonnes... Et tu verras que toutes choses seront bonnes. » (« *Thou shalt see thyself that all MANNER of thing shall be well*[2]. »)

Nous croyons fermement que Dieu est le Maître du monde et de l'histoire. Mais les chemins de sa providence nous sont souvent inconnus. Ce n'est qu'au terme, lorsque prendra fin notre connaissance partielle, lorsque nous verrons Dieu « face à face » (1 Co 13, 12), que les voies nous seront pleinement connues, par lesquelles, même à travers les drames du mal et du péché, Dieu aura conduit sa création jusqu'au repos de ce *Sabbat*[3] définitif, en vue duquel Il a créé le ciel et la terre. 314

1040

2550

En bref

Dans la création du monde et de l'homme, Dieu a posé le premier et universel témoignage de son amour tout-puissant et de sa sagesse, la première annonce de son « dessein bienveillant » qui trouve sa fin dans la nouvelle création dans le Christ. 315

Bien que l'œuvre de la création soit particulièrement attribuée au Père, c'est également vérité de foi que le Père, le Fils et l'Esprit Saint sont l'unique et indivisible principe de la création. 316

Dieu seul a créé l'univers librement, directement, sans aucune aide. 317

Aucune créature n'a le pouvoir infini qui est nécessaire pour « créer » au sens propre du mot, c'est-à-dire de produire et de donner l'être à ce qui ne l'avait aucunement (appeler à l'existence « de rien »[4]). 318

Dieu a créé le monde pour manifester et pour communiquer sa gloire. Que ses créatures aient part à sa vérité, à sa bonté et à sa beauté, voilà la gloire pour laquelle Dieu les a créées. 319

1. Margarita Roper, Epistula ad Aliciam Alington (mense augusti 1534). — 2. Rev. 13, 32. — 3. Cf. Gn 2, 2. — 4. Cf. DS 3624.

320   *Dieu qui a créé l'univers le maintient dans l'existence par
son Verbe, « ce Fils qui soutient l'univers par sa parole
puissante » (He 1, 3) et par son Esprit Créateur qui donne
la vie.*

321   *La divine Providence, ce sont les dispositions par lesquelles
Dieu conduit avec sagesse et amour toutes les créatures
jusqu'à leur fin ultime.*

322   *Le Christ nous invite à l'abandon filial à la providence de
notre Père céleste[1], et l'apôtre S. Pierre reprend : « De
toute votre inquiétude, déchargez-vous sur Lui, car Il prend
soin de vous » (1 P 5, 7)[2].*

323   *La providence divine agit aussi par l'agir des créatures.
Aux êtres humains, Dieu donne de coopérer librement à ses
desseins.*

324   *La permission divine du mal physique et du mal moral est
un mystère que Dieu éclaire par son Fils, Jésus-Christ, mort
et ressuscité pour vaincre le mal. La foi nous donne la certitude que Dieu ne permettrait pas le mal s'Il ne faisait pas
sortir le bien du mal même, par des voies que nous ne
connaîtrons pleinement que dans la vie éternelle.*

PARAGRAPHE 5. *Le ciel et la terre*

325   Le Symbole des apôtres professe que Dieu est « le Créateur du ciel et de la terre[3] », et le Symbole de Nicée-
Constantinople explicite : « ... de l'univers visible et invisible[4] ».

326   Dans l'Ecriture Sainte, l'expression « ciel et terre » signi-
290   fie : tout ce qui existe, la création tout entière. Elle indique
aussi le lien, à l'intérieur de la création, qui à la fois unit et
distingue ciel et terre : « La terre », c'est le monde des
1023, 2794   hommes[5]. « Le ciel » ou « les cieux » peut désigner le fir-
mament[6], mais aussi le « lieu » propre de Dieu : « notre
Père aux cieux » (Mt 5, 16)[7] et, par conséquent, aussi le
« ciel » qui est la gloire eschatologique. Enfin, le mot
« ciel » indique le « lieu » des créatures spirituelles – les
anges – qui entourent Dieu.

327   La profession de foi du quatrième Concile du Latran
affirme que Dieu « a tout ensemble, dès le commencement
296   du temps, créé de rien l'une et l'autre créature, la spirituelle

---

1. Cf. Mt 6, 26-34. — 2. Cf. Ps 55, 23. — 3. Symbole des Apôtres. — 4. Symbole
de Nicée-Constantinople. — 5. Cf. Ps 115, 16. — 6. Cf. Ps 19, 2. — 7. Cf. Ps 115,
16.

et la corporelle, c'est-à-dire les anges et le monde terrestre ; puis la créature humaine qui tient des deux, composée qu'elle est d'esprit et de corps [1] ».

I. Les anges

L'existence des anges – une vérité de foi

L'existence des êtres spirituels, non corporels, que l'Ecriture Sainte nomme habituellement anges, est une vérité de foi. Le témoignage de l'Ecriture est aussi net que l'unanimité de la Tradition.   328   *150*

Qui sont-ils ?

S. Augustin dit à leur sujet : « "Ange" désigne la fonction non pas la nature. Tu demandes comment s'appelle cette nature ? – Esprit. Tu demandes la fonction ? – Ange ; d'après ce qu'il est, c'est un esprit, d'après ce qu'il fait, c'est un ange [2]. » De tout leur être, les anges sont *serviteurs* et messagers de Dieu. Parce qu'ils contemplent « constamment la face de mon Père qui est aux cieux » (Mt 18, 10), ils sont « les ouvriers de sa parole, attentifs au son de sa parole » (Ps 103, 20).   329

En tant que créatures purement *spirituelles,* ils ont intelligence et volonté : ils sont des créatures personnelles [3] et immortelles [4]. Ils dépassent en perfection toutes les créatures visibles. L'éclat de leur gloire en témoigne [5].   330

Le Christ « avec tous ses anges »

Le Christ est le centre du monde angélique. Ce sont ses anges à Lui : « Quand le Fils de l'homme viendra dans sa gloire avec tous ses anges... » (Mt 25, 31). Ils sont à Lui parce que créés *par* et *pour* Lui : « Car c'est en Lui qu'ont été créées toutes choses, dans les cieux et sur la terre, les visibles et les invisibles : trônes, seigneuries, principautés, puissances ; tout a été créé par Lui et pour Lui » (Col 1, 16). Ils sont à Lui plus encore parce qu'Il les a faits messagers de son dessein de salut : « Est-ce que tous ne sont pas des   331   *291*

1. DS 800 ; cf. DS 3002. et SPF 8. — 2. Enarr. in Psal. 103, 1, 15. — 3. Cf. Pie XII : DS 3891. — 4. Cf. Lc 20, 36. 5. Cf. Dn 10, 9-12.

esprits chargés d'un ministère, envoyés en service pour ceux qui doivent hériter le salut ? » (He 1, 14).

332   Ils sont là, dès la création[1] et tout au long de l'histoire du salut, annonçant de loin ou de près ce salut et servant le dessein divin de sa réalisation : ils ferment le paradis terrestre[2], protègent Lot[3], sauvent Agar et son enfant[4], arrêtent la main d'Abraham[5], la loi est communiquée par leur ministère[6], ils conduisent le Peuple de Dieu[7], ils annoncent naissances[8] et vocations[9], ils assistent les prophètes[10], pour ne citer que quelques exemples. Enfin, c'est l'Ange Gabriel qui annonce la naissance du Précurseur et celle de Jésus lui-même[11].

333   De l'Incarnation à l'Ascension, la vie du Verbe incarné est entourée de l'adoration et du service des anges. Lorsque Dieu « introduit le Premier-né dans le monde, il dit : "Que tous les anges de Dieu L'adorent" » (He 1, 6). Leur chant de
559   louange à la naissance du Christ n'a cessé de résonner dans la louange de l'Eglise : « Gloire à Dieu... » (Lc 2, 14.) Ils protègent l'enfance de Jésus[12], Le servent au désert[13], Le réconfortent dans l'agonie[14], alors qu'Il aurait pu être sauvé par eux de la main des ennemis[15] comme jadis Israël[16]. Ce sont encore les anges qui « évangélisent » (Lc 2, 10) en annonçant la Bonne Nouvelle de l'Incarnation[17], et de la Résurrection[18] du Christ. Ils seront là au retour du Christ qu'ils annoncent[19], au service de son jugement[20].

Les anges dans la vie de l'Église

334   D'ici là, toute la vie de l'Eglise bénéficie de l'aide mystérieuse et puissante des anges[21].

335   Dans sa liturgie, l'Eglise se joint aux anges pour adorer le Dieu trois fois saint ; elle invoque leur assistance (ainsi dans
1138   In Paradisum deducant te angeli... de la liturgie des défunts[22], ou encore dans l'« Hymne chérubinique » de la liturgie byzantine[23]), elle fête plus particulièrement la mémoire de certains anges (S. Michel, S. Gabriel, S. Raphaël, les anges gardiens).

---

1. Cf. Jb 38, 7, où les anges sont appelés « fils de Dieu ». — 2. Cf. Gn 3, 24. — 3. Cf. Gn 19. — 4. Cf. Gn 21, 17. — 5. Cf. Gn 22, 11. — 6. Cf. Ac 7, 53. — 7. Cf. Ex 23, 20-23. — 8. Cf. Jg 13. — 9. Cf. Jg 6, 11-24 ; Is 6, 6. — 10. Cf. 1 R 19, 5. — 11. Cf. Lc 1, 11. 26. — 12. Cf. Mt 1, 20 ; 2, 13. 19. — 13. Cf. Mc 1, 12 ; Mt 4, 11. — 14. Cf. Lc 22, 43. — 15. Cf. Mt 26, 53. — 16. Cf. 2 M 10, 29-30 ; 11, 8. — 17. Cf. Lc 2, 8-14. — 18. Cf. Mc 16, 5-7. — 19. Cf. Ac 1, 10-11. — 20. Cf. Mt 13, 41 ; 24, 31 ; Lc 12, 8-9. — 21. Cf. Ac 5, 18-20 ; 8, 26-29 ; 10, 3-8 ; 12, 6-11 ; 27, 23-25. — 22. OE × 50. — 23. Liturgia byzantina Sancti Ioannis Chrysostomi, Hymnus cherubinorum.

Du début de (l'existence)[1] au trépas[2], la vie humaine est entourée de leur garde[3] et de leur intercession[4]. « Chaque fidèle a à ses côtés un ange comme protecteur et pasteur pour le conduire à la vie[5]. » Dès ici-bas, la vie chrétienne participe, dans la foi, à la société bienheureuse des anges et des hommes, unis en Dieu. **336** *1020*

I. Le monde visible

C'est Dieu Lui-même qui a créé le monde visible dans toute sa richesse, sa diversité et son ordre. L'Ecriture présente l'œuvre du Créateur symboliquement comme une suite de six jours de « travail » divin qui s'achèvent sur le « repos » du septième jour[6]. Le texte sacré enseigne, au sujet de la création, des vérités révélées par Dieu pour notre salut[7] qui permettent de « reconnaître la nature profonde de la création, sa valeur et sa finalité qui est la Gloire de Dieu[8] » : **337** *290* *293*

Il n'existe rien qui ne doive son existence à Dieu créateur. Le monde a commencé quand il a été tiré du néant par la parole de Dieu ; tous les êtres existants, toute la nature, toute l'histoire humaine s'enracinent en cet événement primordial : c'est la genèse même par laquelle le monde est constitué, et le temps commencé[9]. **338** *297*

Chaque créature possède sa bonté et sa perfection propres. Pour chacune des œuvres des « six jours » il est dit : « Et Dieu vit que cela était bon. » « C'est en vertu de la création même que toutes les choses sont établies selon leur consistance, leur vérité, leur excellence propre avec leur ordonnance et leurs lois spécifiques[10]. » Les différentes créatures, voulues en leur être propre, reflètent, chacune à sa façon, un rayon de la sagesse et de la bonté infinies de Dieu. C'est pour cela que l'homme doit respecter la bonté propre de chaque créature pour éviter un usage désordonné des choses, qui méprise le Créateur et entraîne des conséquences néfastes pour les hommes et pour leur environnement. **339** *2501* *299* *226*

L'interdépendance des créatures est voulue par Dieu. Le soleil et la lune, le cèdre et la petite fleur, l'aigle et le moineau : le spectacle de leurs innombrables diversités et inéga- **340** *1937*

. Cf. Mt 18, 10. — 2. Cf. Lc 16, 22. — 3. Cf. Ps 34, 8 ; 91, 10-13. — 4. Cf. Jb 3, 23-24 ; Za 1, 12 ; Tb 12, 12. — 5. S. Basile, Eun. 3, 1. — 6. Cf. Gn 1, 1 - 2, 4. — 7. Cf. DV 11. — 8. LG 36. — 9. Cf. S. Augustin, Gen. Man. 1, 2, 4. — 10. GS 6, § 2.

lités signifie qu'aucune des créatures ne se suffit à elle
même. Elles n'existent qu'en dépendance les unes des
autres, pour se compléter mutuellement, au service les unes
des autres.

341   La *beauté de l'univers* : L'ordre et l'harmonie du monde
créé résultent de la diversité des êtres et des relations qui
existent entre eux. L'homme les découvre progressivement
283 comme lois de la nature. Ils font l'admiration des savants.
2500 La beauté de la création reflète l'infinie beauté du Créateur.
Elle doit inspirer le respect et la soumission de l'intelligence
de l'homme et de sa volonté.

342   La *hiérarchie des créatures* est exprimée par l'ordre des
310 « six jours », qui va du moins parfait au plus parfait. Dieu
aime toutes ses créatures[1], et Il prend soin de chacune,
même des passereaux. Néanmoins, Jésus dit : « Vous valez
mieux qu'une multitude de passereaux » (Lc 12, 7), ou
encore : « Un homme vaut plus qu'une brebis » (Mt 12, 12).

343   *L'homme est le sommet* de l'œuvre de la création. Le récit
inspiré l'exprime en distinguant nettement la création de
355 l'homme de celle des autres créatures[2].

344   Il existe une *solidarité entre toutes les créatures* du fait
qu'elles ont toutes le même Créateur, et que toutes sont
293, 1939, ordonnées à sa gloire :
2416

Loué sois-tu, Seigneur, dans toutes tes créatures,
spécialement messire le frère Soleil,
par qui tu nous donnes le jour la lumière ;
il est beau, rayonnant d'une grande splendeur,
et de toi, le Très-Haut, il nous offre le symbole...

1218   Loué sois-tu, mon Seigneur, pour sœur Eau,
qui est très utile et très humble,
précieuse et chaste...

Loué sois-tu, mon Seigneur, pour sœur notre mère la Terre
qui nous porte et nous nourrit,
qui produit la diversité des fruits
avec les fleurs diaprées et les herbes...

Louez et bénissez mon Seigneur,
rendez-lui grâce et servez-le
en toute humilité[3].

---

1. Cf. Ps 145, 9. — 2. Cf. Gn 1, 26. — 3. S. François d'Assise, cant.

Le Sabbat – fin de l'œuvre des « six jours ». Le texte   345
sacré dit que « Dieu conclut au septième jour l'ouvrage   *2168*
qu'Il avait fait » et qu'ainsi « le ciel et la terre furent ache-
vés », et que Dieu, au septième jour, « chôma » et qu'Il
sanctifia et bénit ce jour (Gn 2, 1-3). Ces paroles inspirées
sont riches en enseignements salutaires :

Dans la création Dieu a posé un fondement et des lois qui   346
demeurent stables[1], sur lesquels le croyant pourra s'appuyer avec   *2169*
confiance, et qui lui seront le signe et le gage de la fidélité inébranlable de l'alliance de Dieu[2]. De son côté, l'homme devra rester
fidèle à ce fondement et respecter les lois que le Créateur y a inscrites.

La création est faite en vue du Sabbat et donc du culte et de   347
l'adoration de Dieu. Le culte est inscrit dans l'ordre de la création[3].   *1145-1152*
« Ne rien préférer au culte de Dieu », dit la règle de S. Benoît[4],
indiquant ainsi le juste ordre des préoccupations humaines.

Le Sabbat est au cœur de la loi d'Israël. Garder les commande-   348
ments, c'est correspondre à la sagesse et à la volonté de Dieu expri-   .
mées dans son œuvre de création.   *2172*

Le huitième jour. Mais pour nous, un jour nouveau s'est   349
levé : le jour de la Résurrection du Christ. Le septième jour   *2174*
achève la première création. Le huitième jour commence la
nouvelle création. Ainsi, l'œuvre de la création culmine en   *1046*
l'œuvre plus grande de la rédemption. La première création
trouve son sens et son sommet dans la nouvelle création
dans le Christ, dont la splendeur dépasse celle de la première[5].

En bref
Les anges sont des créatures spirituelles qui glorifient Dieu   350
sans cesse et qui servent ses desseins salvifiques envers les
autres créatures : « Les anges concourent à tout ce qui est
bon pour nous »[6].

Les anges entourent le Christ, leur Seigneur. Ils le servent   351
particulièrement dans l'accomplissement de sa mission sal-
vifique envers les hommes.

L'Eglise vénère les anges qui l'aident dans son pèlerinage   352
terrestre et qui protègent tout être humain.

Dieu a voulu la diversité de ses créatures et leur bonté   353
propre, leur interdépendance et leur ordre. Il a destiné
toutes les créatures matérielles au bien du genre humain.

---

1. Cf. He 4, 3-4. — 2. Cf. Jr 31, 35-37 ; 33, 19-26. — 3. Cf. Gn 1, 14. — 4. S.
Benoît, reg. 43, 3. — 5. Cf. MR, Vigile Pascale 24 : prière après la première lecture. — 6. S. Thomas d'A., s. th. 1, 114, 3, ad 3.

L'homme, et toute la création à travers lui, est destiné à la Gloire de Dieu.

354   *Respecter les lois inscrites dans la création et les rapports qui dérivent de la nature des choses, est un principe de sagesse et un fondement de la morale.*

PARAGRAPHE 6. *L'homme*

355   « Dieu créa l'homme à son image, à l'image de Dieu Il le créa, homme et femme Il les créa » (Gn 1, 27). L'homme
1700, 343 tient une place unique dans la création : il est « à l'image de Dieu » (I) ; dans sa propre nature il unit le monde spirituel et le monde matériel (II) ; il est créé « homme et femme » (III) ; Dieu l'a établi dans son amitié (IV).

I. « À l'image de Dieu »

356   De toutes les créatures visibles, seul l'homme est « capable de connaître et d'aimer son Créateur[1] » ; il est « la
1703, 2258 seule créature sur terre que Dieu a voulue pour elle-même[2] » ; lui seul est appelé à partager, par la connaissance et l'amour, la vie de Dieu. Il a été créé à cette fin et c'est là
225 la raison fondamentale de sa dignité :

Quelle raison T'a fait constituer l'homme en si grande dignité ? L'amour inestimable par lequel Tu as regardé en Toi-même ta créature, et Tu T'es épris d'elle ; car c'est par
295   amour que Tu l'as créée, c'est par amour que Tu lui as donné un être capable de goûter ton Bien éternel[3].

357   Parce qu'il est à l'image de Dieu, l'individu humain a la
1935 dignité de *personne :* il n'est pas seulement quelque chose, mais quelqu'un. Il est capable de se connaître, de se possé-
1877 der et de librement se donner et entrer en communion avec d'autres personnes, et il est appelé, par grâce, à une alliance avec son Créateur, à Lui offrir une réponse de foi et d'amour que nul autre ne peut donner à sa place.

358   Dieu a tout créé pour l'homme[4], mais l'homme a été créé
299, 901 pour servir et aimer Dieu et pour Lui offrir toute la créa-tion :

1. GS 12, § 3. — 2. GS 24, § 3. — 3. Ste Catherine de Sienne, dial. 13. — 4. Cf. GS 12, § 1 ; 24, § 3 ; 39, § 1.

Quel est donc l'être qui va venir à l'existence entouré d'une telle considération ? C'est l'homme, grande et admirable figure vivante, plus précieux aux yeux de Dieu que la création tout entière : c'est l'homme, c'est pour lui qu'existent le ciel et la terre et la mer et la totalité de la création, et c'est à son salut que Dieu a attaché tant d'importance qu'Il n'a même pas épargné son Fils unique pour lui. Car Dieu n'a eu de cesse de tout mettre en œuvre pour faire monter l'homme jusqu'à Lui et le faire asseoir à sa droite[1].

« En réalité, c'est seulement dans le mystère du Verbe incarné que s'éclaire véritablement le mystère de l'homme[2] » :

359

1701

S. Paul nous apprend que deux hommes sont à l'origine du genre humain : Adam et le Christ... Le premier Adam, dit-il, a été créé comme un être humain qui a reçu la vie ; le dernier est un être spirituel qui donne la vie. Le premier a été créé par le dernier, de qui il a reçu l'âme qui le fait vivre... Le second Adam a établi son image dans le premier Adam alors qu'il le modelait. De là vient qu'il en a endossé le rôle et reçu le nom, afin de ne pas laisser perdre ce qu'il avait fait à son image. Premier Adam, dernier Adam : le premier a commencé, le dernier ne finira pas. Car le dernier est véritablement le premier, comme il l'a dit lui-même : « Je suis le Premier et le Dernier[3]. »

388, 411

Grâce à la communauté d'origine *le genre humain forme une unité.* Car Dieu « a fait sortir d'une souche unique toute la descendance des hommes » (Ac 17, 26)[4] :

360

225, 404,
775, 831,
842

Merveilleuse vision qui nous fait contempler le genre humain dans l'unité de son origine en Dieu (...) ; dans l'unité de sa nature, composée pareillement chez tous d'un corps matériel et d'une âme spirituelle ; dans l'unité de sa fin immédiate et de sa mission dans le monde ; dans l'unité de son habitation : la terre, des biens de laquelle tous les hommes, par droit de nature, peuvent user pour soutenir et développer la vie ; unité de sa fin surnaturelle : Dieu même, à qui tous doivent tendre ; dans l'unité des moyens pour atteindre cette fin ; (...) dans l'unité de son rachat opéré pour tous par le Christ[5].

« Cette loi de solidarité humaine et de charité[6] », sans exclure la riche variété des personnes, des cultures et des peuples, nous assure que tous les hommes sont vraiment frères.

361

1939

---

1. S. Jean Chrysostome, serm. in Gen. 2, 1. — 2. GS 22, § 1. — 3. S. Pierre Chrysologue, serm. 117, 1-2. — 4. Cf. Tb 8, 6. — 5. Pie XII, enc. « Summi pontificatus » ; cf. NA 1. — 6. Pie XII, enc. « Summi pontificatus ».

II. « Un de corps et d'âme »

362
1146, 2332
La personne humaine, créée à l'image de Dieu, est un être à la fois corporel et spirituel. Le récit biblique exprime cette réalité avec un langage symbolique, lorsqu'il affirme que « Dieu modela l'homme avec la glaise du sol; Il insuffla dans ses narines une haleine de vie et l'homme devint un être vivant » (Gn 2, 7). L'homme tout entier est donc *voulu* par Dieu.

363
1703
Souvent, le terme *âme* désigne dans l'Ecriture Sainte la *vie* humaine[1] ou toute la *personne* humaine[2]. Mais il désigne aussi ce qu'il y a de plus intime en l'homme[3] et de plus grande valeur en lui[4], ce par quoi il est plus particulièrement image de Dieu : « âme » signifie le *principe spirituel* en l'homme.

364

1004
Le *corps* de l'homme participe à la dignité de l'« image de Dieu » : il est corps humain précisément parce qu'il est animé par l'âme spirituelle, et c'est la personne humaine tout entière qui est destinée à devenir, dans le Corps du Christ, le Temple de l'Esprit[5] :

> Corps et âme, mais vraiment un, l'homme, dans sa condition corporelle, rassemble en lui-même les éléments du monde matériel qui trouvent ainsi, en lui, leur sommet, et peuvent librement louer leur Créateur. Il est donc interdit à
> *2289*
> l'homme de dédaigner la vie corporelle. Mais au contraire il doit estimer et respecter son corps qui a été créé par Dieu et doit ressusciter au dernier jour[6].

365
L'unité de l'âme et du corps est si profonde que l'on doit considérer l'âme comme la « forme » du corps[7]; c'est-à-dire, c'est grâce à l'âme spirituelle que le corps constitué de matière est un corps humain et vivant; l'esprit et la matière, dans l'homme, ne sont pas deux natures unies, mais leur union forme une unique nature.

366
L'Eglise enseigne que chaque âme spirituelle est immédiatement créée par Dieu[8] – elle n'est pas « produite » par les parents –; elle nous apprend aussi qu'elle est immor-
1005, 997
telle[9] : elle ne périt pas lors de sa séparation du corps dans

---

1. Cf. Mt 16, 25-26; Jn 15, 13. — 2. Cf. Ac 2, 41. — 3. Cf. Mt 26, 38; Jn 12, 27. — 4. Cf. Mt 10, 28; 2 M 6, 30. — 5. Cf. 1 Co 6, 19-20; 15, 44-45. — 6. GS 14, § 1. — 7. Cf. Cc. Vienne en 1312 : DS 902. — 8. Cf. Pie XII, enc. « Humani generis », 1950 : DS 3896.; SPF 8. — 9. Cf. Cc. Latran V en 1513 : DS 1440.

la mort, et s'unira de nouveau au corps lors de la résurrection finale.

Parfois il se trouve que l'âme soit distinguée de l'esprit. **367**
Ainsi S. Paul prie pour que notre « être tout entier, l'esprit, *2083*
l'âme et le corps » soit gardé sans reproche à l'Avènement
du Seigneur (1 Th 5, 23). L'Eglise enseigne que cette distinction n'introduit pas une dualité dans l'âme[1]. « Esprit »
signifie que l'homme est ordonné dès sa création à sa fin
surnaturelle[2], et que son âme est capable d'être surélevée
gratuitement à la communion avec Dieu[3].

La tradition spirituelle de l'Eglise insiste aussi sur le **368**
cœur, au sens biblique de « fond de l'être » (Jr 31, 33) où la   *478, 582,*
personne se décide ou non pour Dieu[4].   *1431,*
                                                                   1764,
                                                                   2517,
III. « Homme et femme Il les créa »   *2562, 2843*
Égalité et différence voulues par Dieu   *2331-2336*

L'homme et la femme sont *créés,* c'est-à-dire ils sont   **369**
voulus par Dieu : dans une parfaite égalité en tant que personnes humaines, d'une part, et d'autre part dans leur être
respectif d'homme et de femme. « Etre homme », « être
femme » est une réalité bonne et voulue par Dieu : l'homme
et la femme ont une dignité inamissible qui leur vient immédiatement de Dieu leur créateur[5]. L'homme et la femme
sont, avec une même dignité, « à l'image de Dieu ». Dans
leur « être-homme » et leur « être-femme », ils reflètent la
sagesse et la bonté du Créateur.

Dieu n'est aucunement à l'image de l'homme. Il n'est ni homme   **370**
ni femme. Dieu est pur esprit en lequel il n'y a pas place pour la
différence des sexes. Mais les « perfections » de l'homme et de la   *42, 239*
femme reflètent quelque chose de l'infinie perfection de Dieu :
celles d'une mère[6] et celles d'un père et époux[7].

« L'un pour l'autre » – « une unité à deux »

Créés *ensemble,* l'homme et la femme sont voulus par   **371**
Dieu l'un *pour* l'autre. La Parole de Dieu nous le fait   *1605*
entendre par divers traits du texte sacré. « Il n'est pas bon

1. Cc. Constantinople IV en 870 : DS 657. — 2. Cc. Vatican I : DS 3005 ; cf. GS
22, § 5. — 3. Cf. Pie XII, Enc. « Humani generis », 1950 : DS 3891. — 4. Cf. Dt
6, 5 ; 29, 3 ; Is 29, 13 ; Ez 36, 26 ; Mt 6, 21 ; Lc 8, 15 ; Rm 5, 5. — 5. Cf. Gn 2, 7.
22. — 6. Cf. Is 49, 14-15 ; 66, 13 ; Ps 131, 2-3. — 7. Cf. Os 11, 1-4 ; Jr 3, 4-19.

que l'homme soit seul. Il faut que Je lui fasse une aide qui lui soit assortie » (Gn 2, 18). Aucun des animaux ne peut être ce « vis-à-vis » de l'homme[1]. La femme que Dieu « façonne » de la côte tirée de l'homme et qu'Il amène à l'homme, provoque de la part de l'homme un cri d'admiration, une exclamation d'amour et de communion : « C'est l'os de mes os et la chair de ma chair » (Gn 2, 23). L'homme découvre la femme comme un autre « moi », de la même humanité.

372   L'homme et la femme sont faits « l'un pour l'autre » : non pas que Dieu ne les aurait faits qu'« à moitié » et « incomplets » ; Il les a créés pour une communion de personnes, en laquelle chacun peut être « aide » pour l'autre parce qu'ils sont à la fois égaux en tant que personnes (« os de mes os... ») et complémentaires en tant que masculin et féminin[2]. Dans le mariage, Dieu les unit de manière que, en formant « une seule chair » (Gn 2, 24), ils puissent transmettre la vie humaine : « Soyez féconds, multipliez, emplissez la terre » (Gn 1, 28). En transmettant à leurs descendants la vie humaine, l'homme et la femme comme époux et parents, coopèrent d'une façon unique à l'œuvre du Créateur[3].

1652, 2366

373   Dans le dessein de Dieu, l'homme et la femme ont la vocation de « soumettre » la terre[4] comme « intendants » de Dieu. Cette souveraineté ne doit pas être une domination arbitraire et destructrice. A l'image du Créateur « qui aime tout ce qui existe » (Sg 11, 24), l'homme et la femme sont appelés à participer à la Providence divine envers les autres créatures. De là, leur responsabilité pour le monde que Dieu leur a confié.

307
2415

IV. L'homme au Paradis

374   Le premier homme n'a pas seulement été créé bon, mais a été constitué dans une amitié avec son Créateur et une harmonie avec lui-même et avec la création autour de lui seulement dépassées par la gloire de la nouvelle création dans le Christ.

54

375   L'Eglise, en interprétant de manière authentique le symbolisme du langage biblique à la lumière du Nouveau Testament et de la Tradition, enseigne que nos premiers parents

1. Cf. Gn 2, 19-20. — 2. MD 7. — 3. Cf. GS 50, § 1. — 4. Cf. Gn 1, 28.

Adam et Eve ont été constitués dans un état « de sainteté et de justice originelle [1] ». Cette grâce de la sainteté originelle était une participation à la vie divine [2].   *1997*

Par le rayonnement de cette grâce toutes les dimensions   376
de la vie de l'homme étaient confortées. Tant qu'il demeurait dans l'intimité divine, l'homme ne devait ni mourir [3], ni souffrir [4]. L'harmonie intérieure de la personne humaine,   *1008, 1502*
l'harmonie entre l'homme et la femme [5], enfin l'harmonie entre le premier couple et toute la création constituait l'état appelé « justice originelle ».

La « maîtrise » du monde que Dieu avait accordée à   377
l'homme dès le début, se réalisait avant tout chez l'homme lui-même comme *maîtrise de soi*. L'homme était intact et ordonné dans tout son être, parce que libre de la triple   *2514*
concupiscence [6] qui le soumet aux plaisirs des sens, à la convoitise des biens terrestres et à l'affirmation de soi contre les impératifs de la raison.

Le signe de la familiarité avec Dieu, c'est que Dieu le   378
place dans le jardin [7]. Il y vit « pour cultiver le sol et le gar-   *2415, 2427*
der » (Gn 2, 15) : le travail n'est pas une peine [8], mais la collaboration de l'homme et de la femme avec Dieu dans le perfectionnement de la création visible.

C'est toute cette harmonie de la justice originelle, prévue   379
pour l'homme par le dessein de Dieu, qui sera perdue par le péché de nos premiers parents.

En bref

*« Dieu, Tu as fait l'homme à ton image et Tu lui as confié   380
l'univers, afin qu'en Te servant, Toi, son Créateur, il règne sur la création [9]. »*

*L'homme est prédestiné à reproduire l'image du Fils de   381
Dieu fait homme – « image du Dieu invisible » (Col 1, 15) – afin que le Christ soit le premier-né d'une multitude de frères et de sœurs [10].*

*L'homme est « un de corps et d'âme [11] ». La doctrine de la   382
foi affirme que l'âme spirituelle et immortelle est créée immédiatement par Dieu.*

---

1. Cc. Trente : DS 1511. — 2. Cf. LG 2. — 3. Cf. Gn 2, 17 ; 3, 19. — 4. Cf. Gn 3, 16. — 5. Cf. Gn 2, 25. — 6. Cf. 1 Jn 2, 16. — 7. Cf. Gn 2, 8. — 8. Cf. Gn 3, 17-19. — 9. MR, prière eucharistique IV, 118. — 10. Cf. Ep 1, 3-6 ; Rm 8, 29. — 11. GS 14, § 1.

383   *« Dieu n'a pas créé l'homme solitaire : dès l'origine, "Il les*
       créa homme et femme" (Gn 1, 27); leur société réalise la
       première forme de communion entre personnes[1]*. »*

384   *La révélation nous fait connaître l'état de sainteté et de jus-*
       tice originelles de l'homme et de la femme avant le péché :
       de leur amitié avec Dieu découlait la félicité de leur exis-
       tence au paradis.

Paragraphe 7. *La chute*

385   Dieu est infiniment bon et toutes ses œuvres sont bonnes.
       Cependant, personne n'échappe à l'expérience de la souf-
       france, des maux dans la nature – qui apparaissent comme
       liés aux limites propres des créatures – , et surtout à la ques-
309   tion du mal moral. D'où vient le mal ? « Je cherchais d'où
       vient le mal et je ne trouvais pas de solution » dit S. Augus-
       tin[2], et sa propre quête douloureuse ne trouvera d'issue que
       dans sa conversion au Dieu vivant. Car « le mystère de l'ini-
       quité » (2 Th 2, 7) ne s'éclaire qu'à la lumière du mystère de
457   la piété[3]. La révélation de l'amour divin dans le Christ a
       manifesté à la fois l'étendue du mal et la surabondance de la
       grâce[4]. Nous devons donc considérer la question de l'ori-
1848   gine du mal en fixant le regard de notre foi sur Celui qui,
539   seul, en est le Vainqueur[5].

I. Là où le péché a abondé, la grâce a surabondé

La réalité du péché

386   Le péché est présent dans l'histoire de l'homme : il serait
       vain de tenter de l'ignorer ou de donner à cette obscure réa-
       lité d'autres noms. Pour essayer de comprendre ce qu'est le
1847   péché, il faut d'abord reconnaître le *lien profond de*
       l'homme avec Dieu, car en dehors de ce rapport, le mal du
       péché n'est pas démasqué dans sa véritable identité de refus
       et d'opposition face à Dieu, tout en continuant à peser sur la
       vie de l'homme et sur l'histoire.

387   La réalité du péché, et plus particulièrement du péché des
       origines, ne s'éclaire qu'à la lumière de la Révélation
       divine. Sans la connaissance qu'elle nous donne de Dieu on

1. GS 12, § 4. — 2. Conf. 7, 7, 11. — 3. Cf. 1 Tm 3, 16. — 4. Cf. Rm 5, 20.
— 5. Cf. Lc 11, 21-22 ; Jn 16, 11 ; 1 Jn 3, 8.

ne peut clairement reconnaître le péché, et on est tenté de *1848*
l'expliquer uniquement comme un défaut de croissance,
comme une faiblesse psychologique, une erreur, la conséquence nécessaire d'une structure sociale inadéquate, etc.
C'est seulement dans la connaissance du dessein de Dieu sur
l'homme que l'on comprend que le péché est un abus de la
liberté que Dieu donne aux personnes créées pour qu'elles *1739*
puissent L'aimer et s'aimer mutuellement.

Le péché originel – une vérité essentielle de la foi

Avec la progression de la Révélation est éclairée aussi la 388
réalité du péché. Bien que le Peuple de Dieu de l'Ancien *431*
Testament ait abordé la douleur de la condition humaine à la
lumière de l'histoire de la chute narrée dans la Genèse, il ne *208*
pouvait pas atteindre la signification ultime de cette histoire,
qui se manifeste seulement à la lumière de la Mort et de la
Résurrection de Jésus-Christ[1]. Il faut connaître le Christ *359*
comme source de la grâce pour reconnaître Adam comme
source du péché. C'est l'Esprit-Paraclet, envoyé par le
Christ ressuscité, qui est venu « confondre le monde en *729*
matière de péché » (Jn 16, 8) en révélant Celui qui en est le
Rédempteur.

La doctrine du péché originel est pour ainsi dire le 389
« revers » de la Bonne Nouvelle que Jésus est le Sauveur de *422*
tous les hommes, que tous ont besoin du salut et que le salut
est offert à tous grâce au Christ. L'Eglise qui a le sens du
Christ[2] sait bien qu'on ne peut pas toucher à la révélation du
péché originel sans porter atteinte au mystère du Christ.

Pour lire le récit de la chute

Le récit de la chute (Gn 3) utilise un langage imagé, mais 390
il affirme un événement primordial, un fait qui a eu lieu *au* *289*
commencement de l'histoire de l'homme[3]. La Révélation
nous donne la certitude de foi que toute l'histoire humaine
est marquée par la faute originelle librement commise par
nos premiers parents[4].

II. La chute des anges

Derrière le choix désobéissant de nos premiers parents il 391
y a une voix séductrice, opposée à Dieu[5] qui, par envie, les *2538*
fait tomber dans la mort[6]. L'Ecriture et la Tradition de

1. Cf. Rm 5, 12-21. — 2. Cf. 1 Co 2, 16. — 3. Cf. GS 13, § 1. — 4. Cf. Cc.
Trente : DS 1513 ; Pie XII : DS 3897 ; Paul VI, discours 11 juillet 1966. — 5. Cf.
Gn 3, 1-5. — 6. Cf. Sg 2, 24.

l'Eglise voient en cet être un ange déchu, appelé Satan ou diable [1]. L'Eglise enseigne qu'il a été d'abord un ange bon, fait par Dieu. « Le diable et les autres démons ont certes été créés par Dieu naturellement bons, mais c'est eux qui se sont rendus mauvais [2]. »

392 L'Ecriture parle d'un *péché* de ces anges [3]. Cette « chute »
1850 consiste dans le choix libre de ces esprits créés, qui ont radicalement et irrévocablement *refusé* Dieu et son Règne. Nous trouvons un reflet de cette rébellion dans les paroles du tentateur à nos premiers parents : « Vous deviendrez comme Dieu » (Gn 3, 5). Le diable est « pécheur dès l'origine » (1
2482 Jn 3, 8), « père du mensonge » (Jn 8, 44).

393 C'est le caractère *irrévocable* du choix des anges, et non
1033-1037 un défaut de l'infinie miséricorde divine, qui fait que leur péché ne peut être pardonné. « Il n'y a pas de repentir pour eux après la chute, comme il n'y a pas de repentir pour les
1022 hommes après la mort [4]. »

394 L'Ecriture atteste l'influence néfaste de celui que Jésus appelle « l'homicide dès l'origine » (Jn 8, 44), et a même
538-540 tenté de détourner Jésus de la mission reçue du Père [5].
550 « C'est pour détruire les œuvres du diable que le Fils de Dieu est apparu » (1 Jn 3, 8). La plus grave en conséquences
2846-2849 de ces œuvres a été la séduction mensongère qui a induit l'homme à désobéir à Dieu.

395 La puissance de Satan n'est cependant pas infinie. Il n'est
309 qu'une créature, puissante du fait qu'il est pur esprit, mais toujours une créature : il ne peut empêcher l'édification du Règne de Dieu. Quoique Satan agisse dans le monde par
1673 haine contre Dieu et son Royaume en Jésus-Christ, et que son action cause de graves dommages – de nature spirituelle et indirectement même de nature physique – pour chaque
412 homme et pour la société, cette action est permise par la divine providence qui avec force et douceur dirige l'histoire de l'homme et du monde. La permission divine de l'activité
2850-2854 diabolique est un grand mystère, mais « nous savons que Dieu fait tout concourir au bien de ceux qui L'aiment » (Rm 8, 28).

---

1. Cf. Jn 8, 44 ; Ap 12, 9. — 2. Cc. Latran IV en 1215 : DS 800. — 3. Cf. 2 P 2, 4.
— 4. S. Jean Damascène, f. o. 2, 4. — 5. Cf. Mt 4, 1-11.

III. Le péché originel

L'épreuve de la liberté

Dieu a créé l'homme à son image et l'a constitué dans son   396
amitié. Créature spirituelle, l'homme ne peut vivre cette   *1730, 311*
amitié que sur le mode de la libre soumission à Dieu. C'est
ce qu'exprime la défense faite à l'homme de manger de
l'arbre de la connaissance du bien et du mal, « car du jour
où tu en mangeras, tu mourras » (Gn 2, 17). « L'arbre de la
connaissance du bien et du mal » (Gn 2, 17) évoque symboliquement la limite infranchissable que l'homme, en tant que
créature, doit librement reconnaître et respecter avec
confiance. L'homme dépend du Créateur; il est soumis aux   *301*
lois de la création et aux normes morales qui règlent l'usage
de la liberté.

Le premier péché de l'homme

L'homme, tenté par le diable, a laissé mourir dans son   397
cœur la confiance envers son Créateur[1] et, en abusant de sa   *1707, 2541*
liberté, a *désobéi* au commandement de Dieu. C'est en cela   *1850*
qu'a consisté le premier péché de l'homme[2]. Tout péché,
par la suite, sera une désobéissance à Dieu et un manque de
confiance en sa bonté.   *215*

Dans ce péché, l'homme s'est *préféré* lui-même à Dieu, et   398
par là même, il a méprisé Dieu : il a fait choix de soi-même
contre Dieu, contre les exigences de son état de créature et   *2084*
dès lors contre son propre bien. Constitué dans un état de
sainteté, l'homme était destiné à être pleinement « divinisé »
par Dieu dans la gloire. Par la séduction du diable, il a voulu
« être comme Dieu[3] », mais « sans Dieu, et avant Dieu, et   *2113*
non pas selon Dieu[4] ».

L'Ecriture montre les conséquences dramatiques de cette   399
première désobéissance. Adam et Eve perdent immédiatement la grâce de la sainteté originelle[5]. Ils ont peur de ce
Dieu[6] dont ils ont conçu une fausse image, celle d'un Dieu
jaloux de ses prérogatives[7].

L'harmonie dans laquelle ils étaient, établie grâce à la   400
justice originelle, est détruite; la maîtrise des facultés spirituelles de l'âme sur le corps est brisée[8]; l'union de l'homme

---

1. Cf. Gn 3, 1-11. — 2. Cf. Rm 5, 19. — 3. Cf. Gn 3, 5. — 4. S. Maxime le
Confesseur, ambig. — 5. Cf. Rm 3, 23. — 6. Cf. Gn 3, 9-10. — 7. Cf. Gn 3, 5. —
8. Cf. Gn 3, 7.

1607
2514 et de la femme est soumise à des tensions[1] ; leurs rapports seront marqués par la convoitise et la domination[2]. L'harmonie avec la création est rompue : la création visible est devenue pour l'homme étrangère et hostile[3]. A cause de l'homme, la création est soumise à « la servitude de la corruption » (Rm 8, 20). Enfin, la conséquence explicitement annoncée pour le cas de la désobéissance[4] se réalisera : l'homme retournera à la poussière de laquelle il est formé[5]. *602, 1008* *La mort fait son entrée dans l'histoire de l'humanité*[6].

401
1865, 2259 Depuis ce premier péché, une véritable « invasion » du péché inonde le monde : le fratricide commis par Caïn sur Abel[7] ; la corruption universelle à la suite du péché[8] ; de même, dans l'histoire d'Israël, le péché se manifeste fréquemment, surtout comme une infidélité au Dieu de l'alliance et comme transgression de la Loi de Moïse ; après la Rédemption du Christ aussi, parmi les chrétiens, le péché se manifeste de nombreuses manières[9]. L'Ecriture et la Tradition de l'Eglise ne cessent de rappeler la présence et *l'universalité du péché dans l'histoire* de l'homme : *1799*

> Ce que la révélation divine nous découvre, notre propre expérience le confirme. Car l'homme, s'il regarde au-dedans de son cœur, se découvre également enclin au mal, submergé de multiples maux qui ne peuvent provenir de son Créateur, qui est bon. Refusant souvent de reconnaître Dieu comme son principe, l'homme a, par le fait même, brisé l'ordre qui l'orientait à sa fin dernière, et, en même temps, il a rompu toute harmonie, soit par rapport à lui-même, soit par rapport aux autres hommes et à toute la création[10].

Conséquences du péché d'Adam pour l'humanité

402 Tous les hommes sont impliqués dans le péché d'Adam. S. Paul l'affirme : « Par la désobéissance d'un seul homme, la multitude (c'est-à-dire tous les hommes) a été constituée pécheresse » (Rm 5, 19) : « De même que par un seul homme le péché est entré dans le monde et par le péché la mort, et qu'ainsi la mort est passée en tous les hommes, du fait que tous ont péché... » (Rm 5, 12). A l'universalité du *430, 605* péché et de la mort l'apôtre oppose l'universalité du salut dans le Christ : « Comme la faute d'un seul a entraîné sur tous les hommes une condamnation, de même l'œuvre de

---

1. Cf. Gn 3, 11-13. — 2. Cf. Gn 3, 16. — 3. Cf. Gn 3, 17. 19. — 4. Cf. Gn 2, 17. — 5. Cf. Gn 3, 19. — 6. Cf. Rm 5, 12. — 7. Cf. Gn 4, 3-15. — 8. Cf. Gn 6, 5. 12. ; Rm 1, 18-32. — 9. Cf. 1 Co 1-6 ; Ap 2-3. — 10. GS 13, § 1.

justice d'un seul (celle du Christ) procure à tous une justification qui donne la vie » (Rm 5, 18).

A la suite de S. Paul, l'Eglise a toujours enseigné que **403** l'immense misère qui opprime les hommes et leur inclination au mal et à la mort ne sont pas compréhensibles sans *2606* leur lien avec le péché d'Adam et le fait qu'il nous a transmis un péché dont nous naissons tous affectés et qui est « mort de l'âme[1] ». En raison de cette certitude de foi, l'Eglise donne le Baptême pour la rémission des péchés *1250* même aux petits enfants qui n'ont pas commis de péché personnel[2].

Comment le péché d'Adam est-il devenu le péché de tous **404** ses descendants? Tout le genre humain est en Adam « comme l'unique corps d'un homme unique[3] ». Par cette « unité du genre humain » tous les hommes sont impliqués *360* dans le péché d'Adam, comme tous sont impliqués dans la justice du Christ. Cependant, la transmission du péché originel est un mystère que nous ne pouvons comprendre pleine- *50* ment. Mais nous savons par la Révélation qu'Adam avait reçu la sainteté et la justice originelles non pour lui seul, mais pour toute la nature humaine : en cédant au tentateur, Adam et Eve commettent un *péché personnel,* mais ce péché affecte la *nature humaine* qu'ils vont transmettre *dans un état déchu*[4]. C'est un péché qui sera transmis par propagation à toute l'humanité, c'est-à-dire par la transmission d'une nature humaine privée de la sainteté et de la justice originelles. C'est pourquoi le péché originel est appelé « péché » de façon analogique : c'est un péché « contracté » et non pas « commis », un état et non pas un acte.

Quoique propre à chacun[5], le péché originel n'a, en aucun **405** descendant d'Adam, un caractère de faute personnelle. C'est la privation de la sainteté et de la justice originelles, mais la nature humaine n'est pas totalement corrompue : elle est blessée dans ses propres forces naturelles, soumise à l'ignorance, à la souffrance et à l'empire de la mort, et inclinée au péché (cette inclination au mal est appelée « concupiscence »). Le Baptême, en donnant la vie de la grâce du *2515* Christ, efface le péché originel et retourne l'homme vers Dieu, mais les conséquences pour la nature, affaiblie et inclinée au mal, persistent dans l'homme et l'appellent au combat spirituel.

1264

1. Cf. Cc. Trente : DS 1512. — 2. Cf. Cc. Trente : DS 1514. — 3. S. Thomas d'A., mal. 4, 1. — 4. Cf. Cc. Trente : DS 1511-1512. — 5. Cf. Cc. Trente : DS 1513.

406   La doctrine de l'Eglise sur la transmission du péché originel s'est précisée surtout au ve siècle, en particulier sous l'impulsion de la réflexion de S. Augustin contre le pélagianisme, et au xvie siècle, en opposition à la Réforme protestante. Pélage tenait que l'homme pouvait, par la force naturelle de sa volonté libre, sans l'aide néces- saire de la grâce de Dieu, mener une vie moralement bonne; il réduisait ainsi l'influence de la faute d'Adam à celle d'un mauvais exemple. Les premiers réformateurs protestants, au contraire, ensei- gnaient que l'homme était radicalement perverti et sa liberté annu- lée par le péché des origines; ils identifiaient le péché hérité par chaque homme avec la tendance au mal *(concupiscentia)*, qui serait insurmontable. L'Eglise s'est spécialement prononcée sur le sens du donné révélé concernant le péché originel au deuxième Concile d'Orange en 529[1] et au Concile de Trente en 1546[2].

Un dur combat...

407   La doctrine sur le péché originel – liée à celle de la Rédemption par le Christ – donne un regard de discerne-
2015 ment lucide sur la situation de l'homme et de son agir dans
2852 le monde. Par le péché des premiers parents, le diable a acquis une certaine domination sur l'homme, bien que ce dernier demeure libre. Le péché originel entraîne « la servi- tude sous le pouvoir de celui qui possédait l'empire de la mort, c'est-à-dire du diable[3] ». Ignorer que l'homme a une nature blessée, inclinée au mal, donne lieu à de graves erreurs dans le domaine de l'éducation, de la politique, de
1888 l'action sociale[4] et des mœurs.

408   Les conséquences du péché originel et de tous les péchés personnels des hommes confèrent au monde dans son ensemble une condition pécheresse, qui peut être désignée par l'expression de Saint Jean : « le péché du monde » (Jn 1, 29). Par cette expression on signifie aussi l'influence néga- tive qu'exercent sur les personnes les situations communau-
1865 taires et les structures sociales qui sont le fruit des péchés des hommes[5].

409   Cette situation dramatique du monde qui « tout entier gît au pouvoir du mauvais » (1 Jn 5, 19)[6] fait de la vie de
2516 l'homme un combat :

> Un dur combat contre les puissances des ténèbres passe à travers toute l'histoire des hommes; commencé dès les ori- gines, il durera, le Seigneur nous l'a dit, jusqu'au dernier

1. Cf. DS 371-372. — 2. Cf. DS 1510-1516. — 3. Cc. Trente : DS 1511 ; cf. He 2, 14. — 4. Cf. CA 25. — 5. Cf. RP 16. — 6. Cf. 1 P 5, 8.

jour. Engagé dans cette bataille, l'homme doit sans cesse combattre pour s'attacher au bien ; et non sans grands efforts, avec la grâce de Dieu, il parvient à réaliser son unité intérieure [1].

IV. « Tu ne l'as pas abandonné au pouvoir de la mort »

Après sa chute, l'homme n'a pas été abandonné par Dieu. Au contraire, Dieu l'appelle [2] et lui annonce de façon mystérieuse la victoire sur le mal et le relèvement de sa chute [3]. Ce passage de la Genèse a été appelé « Protévangile », étant la première annonce du Messie rédempteur, celle d'un combat entre le serpent et la Femme et de la victoire finale d'un descendant de celle-ci.

410
55, 705,
1609, 2568

675

La tradition chrétienne voit dans ce passage une annonce du « nouvel Adam [4] » qui, par son « obéissance jusqu'à la mort de la Croix » (Ph 2, 8) répare en surabondance la désobéissance d'Adam [5]. Par ailleurs, de nombreux Pères et docteurs de l'Eglise reconnaissent dans la femme annoncée dans le « protévangile » la mère du Christ, Marie, comme « nouvelle Eve ». Elle a été celle qui, la première et d'une manière unique, a bénéficié de la victoire sur le péché remportée par le Christ : elle a été préservée de toute souillure du péché originel [6] et durant toute sa vie terrestre, par une grâce spéciale de Dieu, elle n'a commis aucune sorte de péché [7].

411

359, 615

491

Mais *pourquoi Dieu n'a-t-Il pas empêché le premier homme de pécher ?* S. Léon le Grand répond : « La grâce ineffable du Christ nous a donné des biens meilleurs que ceux que l'envie du démon nous avait ôtés [8]. » Et S. Thomas d'Aquin : « Rien ne s'oppose à ce que la nature humaine ait été destinée à une fin plus haute après le péché. Dieu permet, en effet, que les maux se fassent pour en tirer un plus grand bien. D'où le mot de S. Paul : "Là où le péché a abondé, la grâce a surabondé" (Rm 5, 20). Et le chant de l'"Exultet" : "O heureuse faute qui a mérité un tel et un si grand Rédempteur" [9]. »

412
310, 395

272

1994

EN BREF

« Dieu n'a pas fait la mort, Il ne se réjouit pas de la perte des vivants (...). C'est par l'envie du diable que la mort est entrée dans le monde » (Sg 1, 13 ; 2, 24).

413

---

1. GS 37, § 2. — 2. Cf. Gn 3, 9. — 3. Cf. Gn 3, 15. — 4. Cf. 1 Co 15, 21-22. 45. — 5. Cf. Rm 5, 19-20. — 6. Cf. Pie IX : DS 2803. — 7. Cf. Cc. Trente : DS 1573. — 8. Serm. 73, 4. — 9. S. s. th. 3, 1, 3, ad 3.

414   *Satan ou le diable et les autres démons sont des anges*
        déchus pour avoir librement refusé de servir Dieu et son
        dessein. Leur choix contre Dieu est définitif. Ils tentent
        d'associer l'homme à leur révolte contre Dieu.

415   « *Etabli par Dieu dans un état de sainteté, l'homme séduit*
        par le Malin, dès le début de l'histoire, a abusé de sa
        liberté, en se dressant contre Dieu et en désirant parvenir à
        sa fin hors de Dieu[1]. »

416   *Par son péché, Adam, en tant que premier homme, a perdu*
        la sainteté et la justice originelles qu'il avait reçues de Dieu
        non seulement pour lui, mais pour tous les humains.

417   *A leur descendance, Adam et Eve ont transmis la nature*
        humaine blessée par leur premier péché, donc privée de la
        sainteté et la justice originelles. Cette privation est appelée
        « *péché originel* ».

418   *En conséquence du péché originel, la nature humaine est*
        affaiblie dans ses forces, soumise à l'ignorance, à la souf-
        france et à la domination de la mort, et inclinée au péché
        (inclination appelée « concupiscence »).

419   « *Nous tenons donc, avec le Concile de Trente, que le péché*
        originel est transmis avec la nature humaine, "non par imi-
        tation, mais par propagation", et qu'il est ainsi "propre à
        chacun"[2]. »

420   *La victoire sur le péché remportée par le Christ nous a*
        donné des biens meilleurs que ceux que le péché nous avait
        ôtés : « *Là où le péché a abondé, la grâce a surabondé* »
        (Rm 5, 20).

421   « *Pour la foi des chrétiens, ce monde a été fondé et demeure*
        conservé par l'amour du créateur ; il est tombé, certes, sous
        l'esclavage du péché, mais le Christ, par la Croix et la
        Résurrection, a brisé le pouvoir du Malin et l'a libéré[3]... »

CHAPITRE DEUXIÈME

Je crois en Jésus-Christ, le Fils unique de Dieu

La Bonne Nouvelle : Dieu a envoyé son Fils

422   « Mais quand vint la plénitude du temps, Dieu envoya son
389   Fils, né d'une femme, né sujet de la loi, afin de racheter les
        sujets de la loi, afin de nous conférer l'adoption filiale » (Ga

1. GS 13, § 1. — 2. SPF 16. — 3. GS 2, § 2.

4, 4-5). Voici la Bonne Nouvelle touchant Jésus-Christ, Fils
de Dieu[1] : Dieu a visité son peuple[2]. Il a accompli les promesses faites à Abraham et à sa descendance[3]. Il l'a fait au-   *2763*
delà de toute attente : Il a envoyé son « Fils bien-aimé » (Mc
1, 11).

Nous croyons et confessons que Jésus de Nazareth, né   **423**
juif d'une fille d'Israël, à Bethléem, au temps du roi Hérode
le Grand et de l'empereur César Auguste Ier, de son métier
charpentier, mort crucifié à Jérusalem, sous le procurateur
Ponce Pilate, pendant le règne de l'empereur Tibère, est le
Fils éternel de Dieu fait homme, qu'Il est « sorti de Dieu »
(Jn 13, 3), « descendu du ciel » (Jn 3, 13 ; 6, 33), « venu
dans la chair » (1 Jn 4, 2), car « le Verbe s'est fait chair et Il
a habité parmi nous, et nous avons vu sa gloire, gloire qu'Il
tient de son Père comme Fils unique, plein de grâce et de
vérité (...). Oui, de sa plénitude nous avons tout reçu et
grâce pour grâce » (Jn 1, 14. 16).

Mus par la grâce de l'Esprit Saint et attirés par le Père   **424**
nous croyons et confessons au sujet de Jésus : « Tu es le   *683*
Christ, le Fils du Dieu Vivant » (Mt 16, 16). C'est sur le roc
de cette foi, confessée par S. Pierre, que le Christ a bâti son   *552*
Eglise[4].

« Annoncer l'insondable richesse du Christ » (Ep 3, 8)

La transmission de la foi chrétienne, c'est d'abord   **425**
l'annonce de Jésus-Christ, pour conduire à la foi en Lui. Dès
le commencement, les premiers disciples ont brûlé du désir
d'annoncer le Christ : « Nous ne pouvons pas, quant à nous,
ne pas publier ce que nous avons vu et entendu » (Ac 4, 20).
Et ils invitent les hommes de tous les temps à entrer dans la   *850, 858*
joie de leur communion avec le Christ :

> Ce que nous avons entendu, ce que nous avons vu de nos
> yeux, ce que nous avons contemplé, ce que nos mains ont
> touché du Verbe de vie ; – car la vie s'est manifestée : nous
> l'avons vue, nous en rendons témoignage et nous vous
> annonçons cette Vie éternelle, qui était auprès du Père et
> qui nous est apparue – ce que nous avons vu et entendu,
> nous vous l'annonçons, afin que vous aussi vous soyez en
> communion avec nous. Quant à notre communion, elle est
> avec le Père et avec son Fils Jésus-Christ. Tout ceci, nous

---

1. Cf. Mc 1, 1. — 2. Cf. Lc 1, 68. — 3. Cf. Lc 1, 55. — 4. Cf. Mt 16, 18 ; S. Léon
le Grand, serm. 4, 3 ; 51, 1 ; 62, 2 ; 83, 3.

vous l'écrivons pour que notre joie soit complète
(1 Jn 1, 1-4).

Au cœur de la catéchèse : le Christ

426   « Au cœur de la catéchèse nous trouvons essentiellement
1698 une Personne, celle de Jésus de Nazareth, Fils unique du
Père (...), qui a souffert et qui est mort pour nous et qui
maintenant, ressuscité, vit avec nous pour toujours (...).
Catéchiser (...), c'est dévoiler dans la Personne du Christ
tout le dessein éternel de Dieu. C'est chercher à comprendre
513   la signification des gestes et des paroles du Christ, des
signes réalisés par Lui[1]. » Le but de la catéchèse : « Mettre
en communion avec Jésus-Christ : Lui seul peut conduire à
l'amour du Père dans l'Esprit et nous faire participer à la vie
260   de la Trinité Sainte[2]. »

427   « Dans la catéchèse, c'est le Christ, Verbe incarné et Fils
2146 de Dieu, qui est enseigné – tout le reste l'est en référence à
Lui ; et seul le Christ enseigne, tout autre le fait dans la
mesure où il est son porte-parole, permettant au Christ
d'enseigner par sa bouche (...). Tout catéchiste devrait pou-
876   voir s'appliquer à lui-même la mystérieuse parole de Jésus :
"Ma doctrine n'est pas de moi, mais de Celui qui m'a
envoyé" (Jn 7, 16)[3]. »

428   Celui qui est appelé à « enseigner le Christ », doit donc
d'abord chercher « ce gain suréminent qu'est la connaissance du Christ » ; il faut « accepter de tout perdre (...) afin
de gagner le Christ et d'être trouvé en Lui », et de « Le
connaître, Lui, avec la puissance de sa résurrection et la
communion à ses souffrances, Lui devenir conforme dans la
mort, afin de parvenir si possible à ressusciter d'entre les
morts » (Ph 3, 8-11).

429   C'est de cette connaissance amoureuse du Christ que jail-
851   lit le désir de L'annoncer, d'« évangéliser », et de conduire
d'autres au « oui » de la foi en Jésus-Christ. Mais en même
temps se fait sentir le besoin de toujours mieux connaître
cette foi. A cette fin, en suivant l'ordre du Symbole de la
foi, seront d'abord présentés les principaux titres de Jésus :
le Christ, le Fils de Dieu, le Seigneur *(article 2)*. Le Symbole confesse ensuite les principaux mystères de la vie du
Christ : ceux de son Incarnation *(article 3)*, ceux de sa

---

1. CT 5. — 2. *Ibid.* — 3. *Ibid.*, 6.

Pâque *(articles 4 et 5)*, enfin ceux de sa glorification *(articles 6 et 7)*.

ARTICLE 2
« Et en Jésus-Christ, son Fils unique, notre Seigneur »

I. Jésus

Jésus veut dire en hébreu : « Dieu sauve. » Lors de l'Annonciation, l'Ange Gabriel lui donne comme nom propre le nom de Jésus qui exprime à la fois son identité et sa mission[1]. Puisque « Dieu seul peut remettre les péchés » (Mc 2, 7), c'est Lui qui, en Jésus, son Fils éternel fait homme « sauvera son peuple de ses péchés » (Mt 1, 21). En Jésus, Dieu récapitule ainsi toute son histoire de salut en faveur des hommes.
430
210

402

Dans l'histoire du salut, Dieu ne s'est pas contenté de délivrer Israël de « la maison de servitude » (Dt 5, 6) en le faisant sortir d'Egypte. Il le sauve encore de son péché. Parce que le péché est toujours une offense faite à Dieu[2], Lui seul peut l'absoudre[3]. C'est pourquoi Israël, en prenant de plus en plus conscience de l'universalité du péché, ne pourra plus chercher le salut que dans l'invocation du nom du Dieu Rédempteur[4].
431

1850, 1441
388

Le nom de Jésus signifie que le nom même de Dieu est présent en la personne de son Fils[5] fait homme pour la rédemption universelle et définitive des péchés. Il est le nom divin qui seul apporte le salut[6] et Il peut désormais être invoqué de tous car Il s'est uni à tous les hommes par l'Incarnation[7] de telle sorte qu'« il n'y a pas sous le ciel d'autre nom donné aux hommes par lequel nous puissions être sauvés » (Ac 4, 12)[8].
432

589, 2666,
389

161

Le nom du Dieu Sauveur était invoqué une seule fois par an par le grand prêtre pour l'expiation des péchés d'Israël, quand il avait aspergé le propitiatoire du Saint des Saints
433

1. Cf. Lc 1, 31. — 2. Cf. Ps 51, 6. — 3. Cf. Ps 51, 11. — 4. Cf. Ps 79, 9. — 5. Cf. Ac 5, 41 ; 3 Jn 7. — 6. Cf. Jn 3, 18 ; Ac 2, 21. — 7. Cf. Rm 10, 6-13. — 8. Cf. Ac 9, 14 ; Jc 2, 7.

avec le sang du sacrifice[1]. Le propitiatoire était le lieu de la
présence de Dieu[2]. Quand S. Paul dit de Jésus que « Dieu
615   L'a destiné à être propitiatoire par son propre sang » (Rm 3,
25), il signifie que dans l'humanité de celui-ci, « c'était
Dieu qui dans le Christ se réconciliait le monde » (2 Co 5,
19).

434   La Résurrection de Jésus glorifie le nom du Dieu Sau-
2812   veur[3] car désormais, c'est le nom de Jésus qui manifeste en
plénitude la puissance suprême du « nom au-dessus de tout
nom » (Ph 2, 9). Les esprits mauvais craignent son nom[4] et
c'est en son nom que les disciples de Jésus font des
2614   miracles[5], car tout ce qu'ils demandent au Père en son nom,
celui-ci le leur accorde[6].

435   Le nom de Jésus est au cœur de la prière chrétienne.
2667-2668   Toutes les oraisons liturgiques se concluent par la formule
« par notre Seigneur Jésus-Christ ». Le « Je vous salue,
2676   Marie » culmine dans « et Jésus, le fruit de tes entrailles, est
béni ». La prière du cœur orientale appelée « prière à Jésus »
dit : « Jésus-Christ, Fils de Dieu, Seigneur, prends pitié de
moi pécheur. » De nombreux chrétiens meurent en ayant,
comme Ste Jeanne d'Arc, le seul mot de « Jésus » aux
lèvres[7].

II. Christ

436   *Christ* vient de la traduction grecque du terme hébreu
690, 695   « Messie » qui veut dire « oint ». Il ne devient le nom propre
de Jésus que parce que celui-ci accomplit parfaitement la
mission divine qu'il signifie. En effet en Israël étaient oints
au nom de Dieu ceux qui Lui étaient consacrés pour une
mission venant de Lui. C'était le cas des rois[8], des prêtres[9]
et, en de rares cas, des prophètes[10]. Ce devait être par excellence le cas du Messie que Dieu enverrait pour instaurer
définitivement son Royaume[11]. Il fallait que le Messie soit
oint par l'Esprit du Seigneur[12] à la fois comme roi et
prêtre[13] mais aussi comme prophète[14]. Jésus a accompli
711-716,   l'espérance messianique d'Israël dans sa triple fonction de
783   prêtre, de prophète et dc roi.

---

1. Cf. Lv 16, 15-16; Si 50, 22; He 9, 7. — 2. Cf. Ex 25, 22; Lv 16, 2; Nb 7, 89;
He 9, 5. — 3. Cf. Jn 12, 28. — 4. Cf. Ac 16, 16-18; 19, 13-16. — 5. Cf. Mc 16,
17. — 6. Cf. Jn 15, 16. — 7. P. Doncœur et Y. Lanhers, La réhabilitation de
Jeanne la Pucelle, p. 39, 45, 56. — 8. Cf. 1 S 9, 16; 10, 1; 16, 1. 12-13 1 R 1, 39.
— 9. Cf. Ex 29, 7; Lv 8, 12. — 10. Cf. 1 R 19, 16. — 11. Cf. Ps 2, 2; Ac 4,
26-27. — 12. Cf. Is 11, 2. — 13. Cf. Za 4, 14; 6, 13. — 14. Cf. Is 61, 1; Lc 4,
16-21.

L'Ange a annoncé aux bergers la naissance de Jésus
comme celle du Messie promis à Israël : « Aujourd'hui,
dans la ville de David vous est né un Sauveur qui est le
Christ Seigneur » (Lc 2, 11). Dès l'origine Il est « celui que
le Père a consacré et envoyé dans le monde » (Jn 10, 36),
conçu comme saint[1] dans le sein virginal de Marie. Joseph a
été appelé par Dieu à « prendre chez lui Marie son épouse »
enceinte de « ce qui a été engendré en elle par l'Esprit
Saint » (Mt 1, 20) afin que Jésus « que l'on appelle Christ »
naisse de l'épouse de Joseph dans la descendance messianique de David (Mt 1, 16)[2].

La consécration messianique de Jésus manifeste sa mission divine. « C'est d'ailleurs ce qu'indique son nom lui-
même, car dans le nom de Christ est sous-entendu Celui qui
a oint, Celui qui a été oint et l'onction même dont Il a été
oint : Celui qui a oint, c'est le Père, Celui qui a été oint,
c'est le Fils, et Il l'a été dans l'Esprit qui est l'onction[3]. » Sa
consécration messianique éternelle s'est révélée dans le
temps de sa vie terrestre lors de son baptême par Jean quand
« Dieu L'a oint de l'Esprit Saint et de puissance »
(Ac 10, 38) « pour qu'Il fût manifesté à Israël » (Jn 1, 31)
comme son Messie. Ses œuvres et ses paroles le feront
connaître comme le saint de Dieu[4].

De nombreux juifs et même certains païens qui parta-
geaient leur espérance ont reconnu en Jésus les traits fondamentaux du « fils de David » messianique promis par Dieu à
Israël[5]. Jésus a accepté le titre de Messie auquel Il avait
droit[6], mais non sans réserve parce que celui-ci était
compris par une partie de ses contemporains selon une
conception trop humaine[7], essentiellement politique[8].

Jésus a accueilli la profession de foi de Pierre qui Le
reconnaissait comme le Messie en annonçant la passion pro-
chaine du Fils de l'Homme[9]. Il a dévoilé le contenu authentique de sa royauté messianique à la fois dans l'identité
transcendante du Fils de l'Homme « qui est descendu du
ciel » (Jn 3, 13)[10] et dans sa mission rédemptrice comme
Serviteur souffrant : « Le Fils de l'Homme n'est pas venu
pour être servi mais pour servir et donner sa vie en rançon
pour la multitude » (Mt 20, 28)[11]. C'est pourquoi le vrai

437
525, 486

438
727

535

439
528-529,
547

440
552

550
443

---

1. Cf. Lc 1, 35. — 2. Cf. Rm 1, 3 ; 2 Tm 2, 8 ; Ap 22, 16. — 3. S. Irénée, hær. 3,
18, 3. — 4. Cf. Mc 1, 24 ; Jn 6, 69 ; Ac 3, 14. — 5. Cf. Mt 2, 2 ; 9, 27 ; 12, 23 ; 15,
22 ; 20, 30 ; 21, 9. 15. — 6. Cf. Jn 4, 25-26 ; 11, 27. — 7. Cf. Mt 22, 41-46.
— 8. Cf. Jn 6, 15 ; Lc 24, 21. — 9. Cf. Mt 16, 16-23. — 10. Cf. Jn 6, 62 ; Dn 7,
13. — 11. Cf. Is 53, 10-12.

sens de sa royauté n'est manifesté que du haut de la Croix[1].
C'est seulement après sa Résurrection que sa royauté messianique pourra être proclamée par Pierre devant le Peuple
de Dieu : « Que toute la maison d'Israël le sache avec certitude : Dieu L'a fait Seigneur et Christ, ce Jésus que vous,
vous avez crucifié » (Ac 2, 36).

III. Fils unique de Dieu

441   *Fils de Dieu*, dans l'Ancien Testament, est un titre donné
aux anges[2], au peuple de l'Election[3], aux enfants d'Israël[4]
et à leurs rois[5]. Il signifie alors une filiation adoptive qui
établit entre Dieu et sa créature des relations d'une intimité
particulière. Quand le Roi-Messie promis est dit « fils de
Dieu[6] », cela n'implique pas nécessairement, selon le sens
littéral de ces textes, qu'il soit plus qu'humain. Ceux qui ont
désigné ainsi Jésus en tant que Messie d'Israël[7] n'ont peut-
être pas voulu dire davantage[8].

442   Il n'en va pas de même pour Pierre quand il confesse
Jésus comme « le Christ, le Fils du Dieu vivant » (Mt 16,
552 16) car celui-ci lui répond avec solennité : « Cette *révélation*
ne t'est pas venue de la chair et du sang mais *de mon Père*
qui est dans les cieux » (Mt 16, 17). Parallèlement Paul dira
à propos de sa conversion sur le chemin de Damas :
« Quand Celui qui dès le sein maternel m'a mis à part et
appelé par sa grâce daigna révéler en moi son Fils pour que
je L'annonce parmi les païens... » (Ga 1, 15-16.) « Aussitôt
il se mit à prêcher Jésus dans les synagogues, proclamant
qu'Il est le Fils de Dieu » (Ac 9, 20). Ce sera dès le début[9]
le centre de la foi apostolique[10] professée d'abord par Pierre
424 comme fondement de l'Eglise[11].

443   Si Pierre a pu reconnaître le caractère transcendant de la
filiation divine de Jésus Messie, c'est que celui-ci l'a nettement laissé entendre. Devant le Sanhédrin, à la demande de
ses accusateurs : « Tu es donc le Fils de Dieu », Jésus a
répondu : « Vous le dites bien, je le suis » (Lc 22, 70)[12].
Bien avant déjà, Il s'est désigné comme « le Fils » qui
connaît le Père[13], qui est distinct des « serviteurs » que Dieu

1. Cf. Jn 19, 19-22 ; Lc 23, 39-43. — 2. Cf. Dt (LXX) 32, 8 ; Jb 1, 6. — 3. Cf. Ex
4, 22 ; Os 11, 1 ; Jr 3, 19 ; Si 36, 14 ; Sg 18, 13. — 4. Cf. Dt 14, 1 ; Os 2, 1.
— 5. Cf. 2 S 7, 14 ; Ps 82, 6. — 6. Cf. 1 Ch 17, 13 ; Ps 2, 7. — 7. Cf. Mt 27, 54.
— 8. Cf. Lc 23, 47. — 9. Cf. 1 Th 1, 10. — 10. Cf. Jn 20, 31. — 11. Cf. Mt 16,
18. — 12. Cf. Mt 26, 64 ; Mc 14, 62. — 13. Cf. Mt 11, 27 ; 21, 37-38.

a auparavant envoyés à son peuple[1], supérieur aux anges eux-mêmes[2]. Il a distingué sa filiation de celle de ses disciples en ne disant jamais « notre Père[3] » sauf pour leur ordonner : « *Vous* donc priez ainsi : Notre Père » (Mt 6, 9) ; **2786** et Il a souligné cette distinction : « Mon Père et votre Père » (Jn 20, 17).

Les Evangiles rapportent en deux moments solennels, le **444** Baptême et la transfiguration du Christ, la voix du Père qui **536, 554** Le désigne comme son « Fils bien-aimé[4] ». Jésus se désigne Lui-même comme « le Fils Unique de Dieu » (Jn 3, 16) et affirme par ce titre sa préexistence éternelle[5]. Il demande la foi « au nom du Fils unique de Dieu » (Jn 3, 18). Cette confession chrétienne apparaît déjà dans l'exclamation du centurion face à Jésus en Croix : « Vraiment cet homme était Fils de Dieu » (Mc 15, 39). Dans le mystère pascal seulement le croyant peut donner sa portée ultime au titre de « Fils de Dieu ».

C'est après sa Résurrection que sa filiation divine apparaît dans la puissance de son humanité glorifiée : « Selon **653** l'Esprit qui sanctifie, par sa Résurrection d'entre les morts, Il a été établi comme Fils de Dieu dans sa puissance » (Rm 1, 4)[6]. Les apôtres pourront confesser : « Nous avons vu sa gloire, gloire qu'Il tient de son Père comme Fils unique, plein de grâce et de vérité » (Jn 1, 14).

IV. Seigneur

Dans la traduction grecque des livres de l'Ancien Testament, le nom ineffable sous lequel Dieu s'est révélé à **446** Moïse[7], YHWH, est rendu par *Kyrios* (« Seigneur »). *Seigneur* devient dès lors le nom le plus habituel pour désigner la divinité même du Dieu d'Israël. Le Nouveau Testament **209** utilise ce sens fort du titre de « Seigneur » à la fois pour le Père, mais aussi, et c'est là la nouveauté, pour Jésus reconnu ainsi comme Dieu Lui-même[8].

Jésus Lui-même s'attribue de façon voilée ce titre **447** lorsqu'Il discute avec les Pharisiens sur le sens du psaume 110[9], mais aussi de manière explicite en s'adressant

---

1. Cf. Mt 21, 34-36. — 2. Cf. Mt 24, 36. — 3. Cf. Mt 5, 48 ; 6, 8 ; 7, 21 ; Lc 11, 13. — 4. Cf. Mt 3, 17 ; 17, 5. — 5. Cf. Jn 10, 36. — 6. Cf. Ac 13, 33. — 7. Cf. Ex 3, 14. — 8. Cf. 1 Co 2, 8. — 9. Cf. Mt 22, 41-46 ; cf. aussi Ac 2, 34-36 ; He 1, 13.

à ses apôtres[1]. Tout au long de sa vie publique ses gestes de
548 domination sur la nature, sur les maladies, sur les démons,
sur la mort et le péché, démontraient sa souveraineté divine.

448   Très souvent, dans les Evangiles, des personnes
s'adressent à Jésus en l'appelant « Seigneur ». Ce titre
témoigne du respect et de la confiance de ceux qui
s'approchent de Jésus et attendent de Lui secours et guérison[2]. Sous la motion de l'Esprit Saint, il exprime la
208, 683 reconnaissance du mystère divin de Jésus[3]. Dans la rencontre avec Jésus ressuscité, il devient adoration : « Mon
Seigneur et mon Dieu ! » (Jn 20, 28.) Il prend alors une
connotation d'amour et d'affection qui va rester le propre de
641 la tradition chrétienne : « C'est le Seigneur ! » (Jn 21, 7).

449   En attribuant à Jésus le titre divin de Seigneur, les premières confessions de foi de l'Eglise affirment, dès l'origine[4], que le pouvoir, l'honneur et la gloire dus à Dieu le
Père le sont aussi à Jésus[5] parce qu'Il est de « condition
461 divine » (Ph 2, 6) et que le Père a manifesté cette souverai-
653 neté de Jésus en Le ressuscitant des morts et en L'exaltant
dans sa gloire[6].

450   Dès le commencement de l'histoire chrétienne, l'affirma-
668, 672 tion de la seigneurie de Jésus sur le monde et sur l'histoire[7]
signifie aussi la reconnaissance que l'homme ne doit soumettre sa liberté personnelle, de façon absolue, à aucun pouvoir terrestre, mais seulement à Dieu le Père et au Seigneur
2242 Jésus-Christ : César n'est pas « le Seigneur[8] ». « L'Eglise
croit (...) que la clé, le centre et la fin de toute histoire
humaine se trouve en son Seigneur et Maître[9]. »

451   La prière chrétienne est marquée par le titre « Seigneur »,
2664-2665 que ce soit l'invitation à la prière « le Seigneur soit avec
vous », ou la conclusion de la prière « par Jésus-Christ notre
Seigneur » ou encore le cri plein de confiance et d'espé-
2817 rance : « *Maran atha* » (« Le Seigneur vient ! ») ou
« *Marana tha* » (« Viens, Seigneur ! ») (1 Co 16, 22) ;
« Amen, viens, Seigneur Jésus ! » (Ap 22, 20).

       En bref

452   *Le nom de Jésus signifie « Dieu qui sauve ». L'enfant né de*
la Vierge Marie est appelé « Jésus » « car c'est Lui qui sau-
vera son peuple de ses péchés » (Mt 1, 21) : « Il n'y a pas

1. Cf. Jn 13, 13. — 2. Cf. Mt 8, 2 ; 14, 30 ; 15, 22 ; e.a. — 3. Cf. Lc 1, 43 ; 2, 11.
— 4. Cf. Ac 2, 34-36. — 5. Cf. Rm 9, 5 ; Tt 2, 13 ; Ap 5, 13. — 6. Cf. Rm 10, 9 ; 1
Co 12, 3 ; Ph 2, 9-11. — 7. Cf. Ap 11, 15. — 8. Cf. Mc 12, 17 ; Ac 5, 29. — 9. GS
10, § 2 ; cf. 45, § 2.

sous le ciel d'autre nom donné aux hommes par lequel il nous faille être sauvés » (Ac 4, 12).

Le nom de Christ signifie « oint », « Messie ». Jésus est le   453
Christ car « Dieu L'a oint de l'Esprit Saint et de puis-
sance » (Ac 10, 38). Il était « celui qui doit venir » (Lc 7,
19), l'objet de « l'espérance d'Israël » (Ac 28, 20).

Le nom de Fils de Dieu signifie la relation unique et éter-   454
nelle de Jésus-Christ à Dieu son Père : Il est le Fils unique
du Père[1] et Dieu Lui-même[2]. Croire que Jésus-Christ est le
Fils de Dieu est nécessaire pour être chrétien[3].

Le nom de Seigneur signifie la souveraineté divine. Confes-   455
ser ou invoquer Jésus comme Seigneur, c'est croire en sa
divinité. « Nul ne peut dire "Jésus est Seigneur" s'il n'est
avec l'Esprit Saint » (1 Co 12, 3).

ARTICLE 3
« Jésus-Christ a été conçu du Saint-Esprit, Il est né de la Vierge Marie »

PARAGRAPHE 1. *Le Fils de Dieu s'est fait homme*

I. Pourquoi le Verbe s'est-Il fait chair ?

Avec le Credo de Nicée-Constantinople, nous répondons   456
en confessant : « *Pour nous les hommes et pour notre salut*
Il descendit du ciel ; par l'Esprit Saint, Il a pris chair de la
Vierge Marie et s'est fait homme[4]. »

Le Verbe s'est fait chair *pour nous sauver en nous*   457
réconciliant avec Dieu : « C'est Dieu qui nous a aimés et   *607*
qui a envoyé son Fils en victime de propitiation pour nos
péchés » (1 Jn 4, 10). « Le Père a envoyé son Fils, le Sauveur du monde » (1 Jn 4, 14). « Celui-là a paru pour ôter les
péchés » (1 Jn 3, 5) :

Malade, notre nature demandait à être guérie ; déchue, à être   *385*
relevée ; morte, à être ressuscitée. Nous avions perdu la possession du bien, il fallait nous la rendre. Enfermés dans les

1. Cf. Jn 1, 14. 18 ; 3, 16. 18. — 2. Cf. Jn 1, 1. — 3. Cf. Ac 8, 37 ; 1 Jn 2, 23.
— 4. DS 150.

ténèbres, il fallait nous porter la lumière ; captifs, nous attendions un sauveur ; prisonniers, un secours ; esclaves, un libérateur. Ces raisons-là étaient-elles sans importance ? Ne méritaient-elles pas d'émouvoir Dieu au point de Le faire descendre jusqu'à notre nature humaine pour la visiter, puisque l'humanité se trouvait dans un état si misérable et si malheureux[1] ?

458   Le Verbe s'est fait chair *pour que nous connaissions ainsi*
219   *l'amour de Dieu* : « En ceci s'est manifesté l'amour de Dieu pour nous : Dieu a envoyé son Fils unique dans le monde afin que nous vivions par Lui » (1 Jn 4, 9). « Car Dieu a tant aimé le monde qu'Il a donné son Fils unique afin que quiconque croit en Lui ne se perde pas, mais ait la vie éternelle » (Jn 3, 16).

459   Le Verbe s'est fait chair *pour être notre modèle de sain-*
520, 823   *teté* : « Prenez sur vous mon joug et apprenez de moi... »
2012   (Mt 11, 29.) « Je suis la voie, la vérité et la vie ; nul ne vient au Père sans passer par moi » (Jn 14, 6). Et le Père, sur la montagne de la Transfiguration, ordonne : « Ecoutez-Le »
1717, 1965   (Mc 9, 7)[2]. Il est en effet le modèle des béatitudes et la norme de la Loi nouvelle : « Aimez-vous les uns les autres comme je vous ai aimés » (Jn 15, 12). Cet amour implique l'offrande effective de soi-même à sa suite[3].

460   Le Verbe s'est fait chair *pour nous rendre « participants*
1265, 1391   *de la nature divine »* (2 P 1, 4) : « Car telle est la raison pour laquelle le Verbe s'est fait homme, et le Fils de Dieu, Fils de l'homme : c'est pour que l'homme, en entrant en communion avec le Verbe et en recevant ainsi la filiation divine, devienne fils de Dieu[4]. » « Car le Fils de Dieu s'est fait
1988   homme pour nous faire Dieu[5]. » « Le Fils unique de Dieu, voulant que nous participions à sa divinité, assuma notre nature, afin que Lui, fait homme, fît les hommes dieux[6]. »

II. L'Incarnation

461   Reprenant l'expression de S. Jean (« Le Verbe s'est fait
653, 661   chair » : Jn 1, 14), l'Eglise appelle « Incarnation » le fait que le Fils de Dieu ait assumé une nature humaine pour
449   accomplir en elle notre salut. Dans une hymne attestée par S. Paul, l'Eglise chante le mystère de l'Incarnation :

---

1. S. Grégoire de Nysse, or. catech. 15. — 2. Cf. Dt 6, 4-5. — 3. Cf. Mc 8, 34. — 4. S. Irénée, hær. 3, 19, 1. — 5. S. Athanase, inc. 54, 3. — 6. S. Thomas d'A., opusc. 57 in festo Corp. Chr. 1.

Ayez entre vous les mêmes sentiments qui furent dans le Christ Jésus : Lui, de condition divine, ne retint pas jalousement le rang qui L'égalait à Dieu. Mais Il s'anéantit Lui-même prenant condition d'esclave et devenant semblable aux hommes. S'étant comporté comme un homme, il s'humilia plus encore, obéissant jusqu'à la mort, et la mort sur la Croix ! » (Ph 2, 5-8)[1].

L'épître aux Hébreux parle du même mystère :   462

C'est pourquoi, en entrant dans le monde, le Christ dit : Tu n'as voulu ni sacrifice ni oblation ; mais tu m'as façonné un corps. Tu n'as agréé ni holocauste ni sacrifices pour les péchés. Alors j'ai dit : Voici, je viens (...) pour faire ta volonté (He 10, 5-7, citant Ps 40, 7-9 LXX).

La foi en l'Incarnation véritable du Fils de Dieu est le   463
signe distinctif de la foi chrétienne : « A ceci reconnaissez   90
l'esprit de Dieu : Tout esprit qui confesse Jésus-Christ venu dans la chair est de Dieu » (1 Jn 4, 2). Telle est la joyeuse conviction de l'Eglise dès son commencement, lorsqu'elle chante « le grand mystère de la piété » : « Il a été manifesté dans la chair » (1 Tm 3, 16).

III. Vrai Dieu et vrai homme

L'événement unique et tout à fait singulier de l'Incarna-   464
tion du Fils de Dieu ne signifie pas que Jésus-Christ soit en partie Dieu et en partie homme, ni le résultat du mélange confus entre le divin et l'humain. Il s'est fait vraiment homme en restant vraiment Dieu. Jésus-Christ est vrai Dieu et vrai homme. Cette vérité de foi, l'Eglise a dû la défendre   88
et la clarifier au cours des premiers siècles face à des hérésies qui la falsifiaient.

Les premières hérésies ont moins nié la divinité du Christ   465
que son humanité vraie (docétisme gnostique). Dès les temps apostoliques la foi chrétienne a insisté sur la vraie incarnation du Fils de Dieu, « venu dans la chair[2] ». Mais dès le troisième siècle, l'Eglise a dû affirmer contre Paul de Samosate, dans un Concile réuni à Antioche, que Jésus-Christ est Fils de Dieu par nature et non par adoption. Le premier Concile œcuménique de Nicée, en 325, confessa dans son Credo que le Fils de Dieu est « engendré, non pas

---

1. Cf. LH, cantique des Vêpres du dimanche. — 2. Cf. 1 Jn 4, 2-3 ; 2 Jn 7.

242 créé, de la même substance *(homousios)*[1] que le Père » et condamna Arius qui affirmait que « le Fils de Dieu est sorti du néant[2] » et « d'une autre substance que le Père[3] ».

466   L'hérésie nestorienne voyait dans le Christ une personne humaine conjointe à la personne divine du Fils de Dieu. Face à elle S. Cyrille d'Alexandrie et le troisième Concile œcuménique réuni à Ephèse en 431 ont confessé que « le Verbe, en s'unissant dans sa personne une chair animée par une âme rationnelle, est devenu homme[4] ». L'humanité du Christ n'a d'autre sujet que la personne divine du Fils de Dieu qui l'a assumée et faite sienne dès sa conception. Pour cela le Concile d'Ephèse a proclamé en 431 que Marie est
495 devenue en toute vérité Mère de Dieu par la conception humaine du Fils de Dieu dans son sein : « Mère de Dieu, non parce que le Verbe de Dieu a tiré d'elle sa nature divine, mais parce que c'est d'elle qu'Il tient le corps sacré doté d'une âme rationnelle, uni auquel en sa personne le Verbe est dit naître selon la chair[5]. »

467   Les monophysites affirmaient que la nature humaine avait cessé d'exister comme telle dans le Christ en étant assumée par sa personne divine de Fils de Dieu. Confronté à cette hérésie, le quatrième Concile œcuménique, à Chalcédoine, a confessé en 451 :

> A la suite des saints Pères, nous enseignons unanimement à confesser un seul et même Fils, notre Seigneur Jésus-Christ, le même parfait en divinité et parfait en humanité, le même vraiment Dieu et vraiment homme, composé d'une âme rationnelle et d'un corps, consubstantiel au Père selon la divinité, consubstantiel à nous selon l'humanité, « semblable à nous en tout, à l'exception du péché[6] » ; engendré du Père avant tous les siècles selon la divinité, et en ces derniers jours, pour nous et pour notre salut, né de la Vierge Marie, Mère de Dieu, selon l'humanité.
>
> Un seul et même Christ, Seigneur, Fils unique, que nous devons reconnaître en deux natures, sans confusion, sans changement, sans division, sans séparation. La différence des natures n'est nullement supprimée par leur union, mais plutôt les propriétés de chacune sont sauvegardées et réunies en une seule personne et une seule hypostase[7].

468   Après le Concile de Chalcédoine, certains firent de la nature humaine du Christ une sorte de sujet personnel. Le cinquième Concile œcuménique, à Constantinople en 553, a

---

1. DS 125. — 2. DS 130. — 3. DS 126. — 4. DS 250. — 5. DS 251. — 6. Cf. He 4, 15. — 7. DS 301-302.

confessé contre eux : « Il n'y a qu'une seule hypostase [ou personne], qui est notre Seigneur Jésus-Christ, *un de la Trinité* [1]. » Tout dans l'humanité du Christ doit donc être attribué à sa personne divine comme à son sujet propre [2], non seulement les miracles mais aussi les souffrances [3] et même la mort : « Celui qui a été crucifié dans la chair, notre Seigneur Jésus-Christ, est vrai Dieu, Seigneur de la gloire et Un de la Sainte Trinité [4]. »   *254*   *616*

L'Eglise confesse ainsi que Jésus est inséparablement vrai Dieu et vrai homme. Il est vraiment le Fils de Dieu qui s'est fait homme, notre frère, et cela sans cesser d'être Dieu, notre Seigneur :   **469**   *212*

> « Il resta ce qu'Il était, Il assuma ce qu'Il n'était pas », chante la liturgie romaine [5]. Et la liturgie de S. Jean Chrysostome proclame et chante : « O Fils unique et Verbe de Dieu, étant immortel, tu as daigné pour notre salut t'incarner de la sainte Mère de Dieu et toujours Vierge Marie, qui sans changement es devenu homme, et qui as été crucifié, O Christ Dieu, qui, par ta mort as écrasé la mort, qui es Un de la Sainte Trinité, glorifié avec le Père et le Saint-Esprit, sauve-nous [6] ! »

IV. Comment le Fils de Dieu est-Il homme ?

Parce que dans l'union mystérieuse de l'Incarnation « la nature humaine a été assumée, non absorbée [7] », l'Eglise a été amenée au cours des siècles à confesser la pleine réalité de l'âme humaine, avec ses opérations d'intelligence et de volonté, et du corps humain du Christ. Mais parallèlement, elle a eu à rappeler à chaque fois que la nature humaine du Christ appartient en propre à la personne divine du Fils de Dieu qui l'a assumée. Tout ce qu'Il est et ce qu'Il fait en elle relève « d'Un de la Trinité ». Le Fils de Dieu communique donc à son humanité son propre mode d'exister personnel dans la Trinité. Ainsi, dans son âme comme dans son corps, le Christ exprime humainement les mœurs divines de la Trinité [8] :   **470**   *516*   *626*

> Le Fils de Dieu a travaillé avec des mains d'homme, Il a pensé avec une intelligence d'homme, Il a agi avec une volonté d'homme, Il a aimé avec un cœur d'homme. Né de   *2599*

---

1. DS 424. — 2. Cf. déjà Cc. Ephèse : DS 255. — 3. Cf. DS 423. — 4. DS 432. — 5. In Solemnitate Sanctae Dei Genetricis Mariae ; cf. S. Léon le Grand, serm. 21, 2. — 6. Tropaire « O monoghenis ». — 7. GS 22, § 2. — 8. Cf. Jn 14, 9-10.

la Vierge Marie, il est vraiment devenu l'un de nous, en tout
semblable à nous, hormis le péché [1].

L'âme et la connaissance humaine du Christ

471   Apollinaire de Laodicée affirmait que dans le Christ le
Verbe avait remplacé l'âme ou l'esprit. Contre cette erreur
l'Eglise a confessé que le Fils éternel a assumé aussi une
363 âme raisonnable humaine [2].

472   Cette âme humaine que le Fils de Dieu a assumée est
douée d'une vraie connaissance humaine. En tant que telle
celle-ci ne pouvait pas être de soi illimitée : elle était exercée dans les conditions historiques de son existence dans
l'espace et le temps. C'est pourquoi le Fils de Dieu a pu
accepter en se faisant homme de « croître en sagesse, en
taille et en grâce » (Lc 2, 52) et même d'avoir à s'enquérir
sur ce que dans la condition humaine on doit apprendre de
manière expérimentale [3]. Cela correspondait à la réalité de
son abaissement volontaire dans la « condition d'esclave »
(Ph 2, 7).

473   Mais en même temps, cette connaissance vraiment
humaine du Fils de Dieu exprimait la vie divine de sa personne [4]. « La nature humaine du Fils de Dieu, *non par elle-
même mais par son union au Verbe*, connaissait et manifes-
tait en elle tout ce qui convient à Dieu [5]. » C'est en premier
240 lieu le cas de la connaissance intime et immédiate que le
Fils de Dieu fait homme a de son Père [6]. Le Fils montrait
aussi dans sa connaissance humaine la pénétration divine
qu'Il avait des pensées secrètes du cœur des hommes [7].

474   De par son union à la Sagesse divine en la personne du
Verbe incarné, la connaissance humaine du Christ jouissait
en plénitude de la science des desseins éternels qu'Il était
venu révéler [8]. Ce qu'Il reconnaît ignorer dans ce domaine [9],
Il déclare ailleurs n'avoir pas mission de le révéler [10].

La volonté humaine du Christ

475   De manière parallèle, l'Eglise a confessé au sixième
Concile œcuménique que le Christ possède deux volontés et
deux opérations naturelles, divines et humaines, non pas

---

1. GS 22, § 2. — 2. Cf. DS 149. — 3. Cf. Mc 6, 38 ; Mc 8, 27 ; Jn 11, 34 ; etc.
— 4. Cf. S. Grégoire le Grand, ep. 10, 39 : DS 475. — 5. S. Maxime le Confesseur, qu. dub. 1, 67. — 6. Cf. Mc 14, 36 ; Mt 11, 27 ; Jn 1, 18 ; 8, 55 ; etc. — 7. Cf.
Mc 2, 8 ; Jn 2, 25 ; 6, 61 ; etc. — 8. Cf. Mc 8, 31 ; 9, 31 ; 10, 33-34 ; 14, 18-20.
26-30. — 9. Cf. Mc 13, 32. — 10. Cf. Ac 1, 7.

opposées, mais coopérantes, de sorte que le Verbe fait chair *2008*
a voulu humainement dans l'obéissance à son Père tout ce *2824*
qu'Il a décidé divinement avec le Père et le Saint-Esprit
pour notre salut[1]. La volonté humaine du Christ « suit sa
volonté divine, sans être en résistance ni en opposition vis-
à-vis d'elle, mais bien plutôt en étant subordonnée à cette
volonté toute-puissante[2] ».

Le vrai corps du Christ

Puisque le Verbe s'est fait chair en assumant une vraie   476
humanité, le corps du Christ était délimité[3]. A cause de cela,
le visage humain de Jésus peut être dépeint[4]. Au sixième   *1159-1162*
Concile œcuménique[5], l'Eglise a reconnu comme légitime
qu'il soit représenté sur des images saintes.   *2129-2132*

En même temps l'Eglise a toujours reconnu que, dans le   477
corps de Jésus, « Dieu qui est par nature invisible est devenu
visible à nos yeux[6] ». En effet, les particularités individuelles du corps du Christ expriment la personne divine du
Fils de Dieu. Celui-ci a fait siens les traits de son corps
humain au point que, dépeints sur une image sainte, ils
peuvent être vénérés car le croyant qui vénère son image,
« vénère en elle la personne qui y est dépeinte[7] ».

Le Cœur du Verbe incarné

Jésus nous a tous et chacun connus et aimés durant sa vie,   478
son agonie et sa passion et Il s'est livré pour chacun de   *487*
nous : « Le Fils de Dieu m'a aimé et s'est livré pour moi »
(Ga 2, 20). Il nous a tous aimés d'un cœur humain. Pour
cette raison, le Cœur sacré de Jésus, transpercé par nos   *368, 2669*
péchés et pour notre salut[8], « est considéré comme le signe
et le symbole éminents... de cet amour que le divin Rédempteur porte sans cesse au père éternel et à tous les hommes   *766*
sans exception[9] ».

En bref
Au temps établi par Dieu, le Fils unique du Père, la Parole   479
éternelle, c'est-à-dire le Verbe et l'Image substantielle du
Père, s'est incarné : sans perdre la nature divine Il a
assumé la nature humaine.

1. Cf. Cc. Constantinople III en 681 ; DS 556-559. — 2. DS 556. — 3. Cf. Cc.
Latran en 649 : DS 504. — 4. Cf. Ga 3, 1. — 5. Cc. Nicée II en 787 : DS 600-603.
— 6. Préface de Noël. — 7. Cc. Nicée II : DS 601. — 8. Cf. Jn 19, 34. — 9. Pie
XII, Enc. « Haurietis aquas » : DS 3924 ; cf. DS 3812.

480   *Jésus-Christ est vrai Dieu et vrai homme, dans l'unité de sa Personne divine ; pour cette raison Il est l'unique Médiateur entre Dieu et les hommes.*

481   *Jésus-Christ possède deux natures, la divine et l'humaine, non confondues, mais unies dans l'unique Personne du Fils de Dieu.*

482   *Le Christ, étant vrai Dieu et vrai homme, a une intelligence et une volonté humaines, parfaitement accordées et soumises à son intelligence et à sa volonté divines, qu'Il a en commun avec le Père et le Saint-Esprit.*

483   *L'Incarnation est donc le mystère de l'admirable union de la nature divine et de la nature humaine dans l'unique Personne du Verbe.*

PARAGRAPHE 2. « ... *Conçu du Saint-Esprit, né de la Vierge Marie* »

I. Conçu du Saint-Esprit...

484   L'Annonciation à Marie inaugure la « plénitude des temps » (Ga 4, 4), c'est-à-dire l'accomplissement des pro-
461 messes et des préparations. Marie est invitée à concevoir Celui en qui habitera « corporellement la plénitude de la divinité » (Col 2, 9). La réponse divine à sa question : « Comment cela se fera-t-il, puisque je ne connais point d'homme ? » (Lc 1, 34) est donnée par la puissance de
721 l'Esprit : « L'Esprit Saint viendra sur toi » (Lc 1, 35).

485   La mission de l'Esprit Saint est toujours conjointe et ordonnée à celle du Fils[1]. L'Esprit Saint est envoyé pour
689, 723 sanctifier le sein de la Vierge Marie et la féconder divinement, Lui qui est « le Seigneur qui donne la Vie », en faisant qu'elle conçoive le Fils éternel du Père dans une humanité tirée de la sienne.

486   Le Fils unique du Père en étant conçu comme homme dans le sein de la Vierge Marie est « Christ », c'est-à-dire
437 oint par l'Esprit Saint[2], dès le début de son existence humaine, même si sa manifestation n'a lieu que progressivement : aux bergers[3], aux mages[4], à Jean-Baptiste[5], aux dis-

---

1. Cf. Jn 16, 14-15. — 2. Cf. Mt 1, 20 ; Lc 1, 35. — 3. Cf. Lc 2, 8-20. — 4. Cf. Mt 2, 1-12. — 5. Cf. Jn 1, 31-34.

ciples[1]. Toute la vie de Jésus-Christ manifestera donc
« comment Dieu l'a oint d'Esprit et de puissance » (Ac 10,
38).

II. ... né de la Vierge Marie

Ce que la foi catholique croit au sujet de Marie se fonde   487
sur ce qu'elle croit au sujet du Christ, mais ce qu'elle   963
enseigne sur Marie éclaire à son tour sa foi au Christ.

La prédestination de Marie

« Dieu a envoyé son Fils » (Ga 4, 4), mais pour Lui   488
« façonner un corps[2] » Il a voulu la libre coopération d'une
créature. Pour cela, de toute éternité, Dieu a choisi, pour être
la Mère de son Fils, une fille d'Israël, une jeune juive de
Nazareth en Galilée, « une vierge fiancée à un homme du
nom de Joseph, de la maison de David, et le nom de la
vierge était Marie » (Lc 1, 27) :

> Le Père des miséricordes a voulu que l'Incarnation fût pré-
> cédée par une acceptation de la part de cette Mère prédesti-
> née, en sorte que, une femme ayant contribué à l'œuvre de
> mort, de même une femme contribuât aussi à la vie[3].

Tout au long de l'Ancienne Alliance, la mission de Marie   489
a été *préparée* par celle de saintes femmes. Tout au   722
commencement, il y a Eve : malgré sa désobéissance, elle
reçoit la promesse d'une descendance qui sera victorieuse   410
du Malin[4] et celle d'être la mère de tous les vivants[5]. En
vertu de cette promesse, Sara conçoit un fils malgré son   145
grand âge[6]. Contre toute attente humaine, Dieu choisit ce
qui était tenu pour impuissant et faible[7] pour montrer sa
fidélité à sa promesse : Anne, la mère de Samuel[8], Débora,   64
Ruth, Judith et Esther, et beaucoup d'autres femmes. Marie
« occupe la première place parmi ces humbles et ces pauvres
du Seigneur qui espèrent et reçoivent le salut de Lui avec
confiance. Avec elle, la fille de Sion par excellence, après la
longue attente de la promesse, s'accomplissent les temps et
s'instaure l'économie nouvelle[9]. »

L'Immaculée Conception

Pour être la Mère du Sauveur, Marie « fut pourvue par   490
Dieu de dons à la mesure d'une si grande tâche[10] ». L'Ange
Gabriel, au moment de l'Annonciation, la salue comme

---

1. Cf. Jn 2, 11. — 2. Cf. He 10, 5. — 3. LG 56 ; cf. 61. — 4. Cf. Gn 3, 15.
— 5. Cf. Gn 3, 20. — 6. Cf. Gn 18, 10-14 ; 21, 1-2. — 7. Cf. 1 Co 1, 27. — 8. Cf.
1 S 1. — 9. LG 55. — 10. LG 56.

2676, 2853 « pleine de grâce [1] ». En effet, pour pouvoir donner l'assentiment libre de sa foi à l'annonce de sa vocation, il fallait
2001   qu'elle fût toute portée par la grâce de Dieu.

491   Au long des siècles l'Eglise a pris conscience que Marie,
411   « comblée de grâce » par Dieu [2], avait été rachetée dès sa
conception. C'est ce que confesse le dogme de l'Immaculée
Conception, proclamé en 1854 par le Pape Pie IX :

> La bienheureuse Vierge Marie a été, au premier instant de
> sa conception, par une grâce et une faveur singulière du
> Dieu Tout-Puissant, en vue des mérites de Jésus-Christ Sau-
> veur du genre humain, préservée intacte de toute souillure
> du péché originel [3].

492   Cette « sainteté éclatante absolument unique » dont elle
est « enrichie dès le premier instant de sa conception [4] » lui
vient tout entière du Christ : elle est « rachetée de façon
2011   éminente en considération des mérites de son Fils [5] ». Plus
1077   que toute autre personne créée, le Père l'a « bénie par toutes
sortes de bénédictions spirituelles, aux cieux, dans le
Christ » (Ep 1, 3). Il l'a « élue en Lui, dès avant la fondation
du monde, pour être sainte et immaculée en sa présence,
dans l'amour » (Ep 1, 4).

493   Les Pères de la tradition orientale appellent la Mère de
Dieu « la Toute Sainte » (Panaghia), ils la célèbrent comme
« indemne de toute tache de péché, ayant été pétrie par
l'Esprit Saint, et formée comme une nouvelle créature [6] »
Par la grâce de Dieu, Marie est restée pure de tout péché
personnel tout au long de sa vie.

« Qu'il me soit fait selon ta parole... »

494   A l'annonce qu'elle enfantera « le Fils du Très Haut »
sans connaître d'homme, par la vertu de l'Esprit Saint [7],
2617, 148 Marie a répondu par « l'obéissance de la foi » (Rm 1, 5),
certaine que « rien n'est impossible à Dieu » : « Je suis la
servante du Seigneur ; qu'il m'advienne selon ta parole »
(Lc 1, 37-38). Ainsi, donnant à la parole de Dieu son
consentement, Marie devint Mère de Jésus et, épousant à

1. Lc 1, 28. — 2. Cf. Lc 1, 28. — 3. DS 2803. — 4. LG 56. — 5. LG 53. — 6. LG
56. — 7. Cf. Lc 1, 28-37.

plein cœur, sans que nul péché la retienne, la volonté divine
de salut, se livra elle-même intégralement à la personne et à   *968*
l'œuvre de son Fils, pour servir, dans sa dépendance et avec
Lui, par la grâce de Dieu, au mystère de la Rédemption[1] :

> Comme dit S. Irénée, « par son obéissance elle est devenue,
> pour elle-même et pour tout le genre humain, cause de
> salut[2] ». Aussi, avec lui, bon nombre d'anciens Pères
> disent : « Le nœud dû à la désobéissance d'Eve, s'est
> dénoué par l'obéissance de Marie ; ce que la vierge Eve
> avait noué par son incrédulité, la Vierge Marie l'a dénoué
> par sa foi[3] » ; comparant Marie avec Eve, ils appellent
> Marie « la Mère des vivants » et déclarent souvent : « Par   *726*
> Eve la mort, par Marie la vie[4]. »

La maternité divine de Marie

Appelée dans les Evangiles « la Mère de Jésus » (Jn 2, 1 ;   *495*
19, 25)[5], Marie est acclamée, sous l'impulsion de l'Esprit,
dès avant la naissance de son fils, comme « la Mère de mon
Seigneur » (Lc 1, 43). En effet, Celui qu'elle a conçu
comme homme du Saint-Esprit et qui est devenu vraiment
son Fils selon la chair, n'est autre que le Fils éternel du
Père, la deuxième Personne de la Sainte Trinité. L'Eglise
confesse que Marie est vraiment *Mère de Dieu (Theoto-*   *466, 2677*
kos)[6].

La virginité de Marie

Dès les premières formulations de la foi[7], l'Eglise a   *496*
confessé que Jésus a été conçu par la seule puissance du
Saint-Esprit dans le sein de la Vierge Marie, affirmant aussi
l'aspect corporel de cet événement : Jésus a été conçu « de
l'Esprit Saint sans semence virile[8] ». Les Pères voient dans
la conception virginale le signe que c'est vraiment le Fils de
Dieu qui est venu dans une humanité comme la nôtre :

> Ainsi, S. Ignace d'Antioche (début IIe siècle) : « Vous êtes
> fermement convaincus au sujet de notre Seigneur qui est
> véritablement de la race de David selon la chair[9], Fils de
> Dieu selon la volonté et la puissance de Dieu[10], véritable-
> ment né d'une vierge, (...) Il a été véritablement cloué pour

1. Cf. LG 56. — 2. Haer. 3, 22, 4. — 3. Cf. *ibid.* — 4. LG 56. — 5. Cf. Mt 13, 55.
— 6. Cf. DS 251. — 7. Cf. DS 10-64. — 8. Cc. Latran en 649 : DS 503. — 9. Cf.
Rm 1, 3. — 10. Cf. Jn 1, 13.

> nous dans sa chair sous Ponce Pilate (...) Il a véritablement
> souffert, comme il est aussi véritablement ressuscité[1]. »

497 Les récits évangéliques[2] comprennent la conception virginale comme une œuvre divine qui dépasse toute compréhension et toute possibilité humaines[3] : « Ce qui a été engendré en elle vient de l'Esprit Saint », dit l'Ange à Joseph au sujet de Marie, sa fiancée (Mt 1, 20). L'Eglise y voit l'accomplissement de la promesse divine donnée par le prophète Isaïe : « Voici que la Vierge concevra et enfantera un fils » (Is 7, 14), d'après la traduction grecque de Mt 1, 23.

498 On a été parfois troublé par le silence de l'Evangile de S. Marc et des Epîtres du Nouveau Testament sur la conception virginale de Marie. On a aussi pu se demander s'il ne s'agissait pas ici de légendes ou de constructions théologiques sans prétentions historiques. A quoi il faut répondre : La foi en la conception virginale de Jésus a rencontré vive opposition, moqueries ou incompréhension de la part des non-croyants, juifs et païens[4] : elle n'était pas motivée par la mythologie païenne ou par quelque adaptation aux idées du temps. Le sens de cet événement n'est accessible qu'à la foi qui *50* le voit dans ce « lien qui relie les mystères entre eux[5] », dans l'ensemble des mystères du Christ, de son Incarnation à sa Pâque. S. Ignace d'Antioche témoigne déjà de ce lien : « Le prince de ce monde a ignoré la virginité de Marie et son enfantement, de même que la mort du Seigneur : trois mystères retentissants qui furent *2717* accomplis dans le silence de Dieu »[6].

Marie — « toujours vierge »

499 L'approfondissement de sa foi en la maternité virginale a conduit l'Eglise à confesser la virginité réelle et perpétuelle de Marie[7] même dans l'enfantement du Fils de Dieu fait homme[8]. En effet la naissance du Christ « n'a pas diminué, mais consacré l'intégrité virginale » de sa mère[9]. La liturgie de l'Eglise célèbre Marie comme la *Aeiparthenos*, « toujours vierge »[10].

500 A cela on objecte parfois que l'Ecriture mentionne des frères et sœurs de Jésus[11]. L'Eglise a toujours compris ces passages comme ne désignant pas d'autres enfants de la Vierge Marie : en effet Jacques et Joseph, « frères de Jésus » (Mt 13, 55), sont les fils d'une Marie disciple du Christ[12] qui est désignée de manière significative comme « l'autre Marie » (Mt 28, 1). Il s'agit de proches

1. Smyrn. 1-2. — 2. Cf. Mt 1, 18-25; Lc 1, 26-38. — 3. Cf. Lc 1, 34. — 4. Cf. S. Justin, dial. 66-67; Origène, Cels. 1, 32; *ibid.*, 1, 69; e.a. — 5. DS 3016. — 6. S. Ignace d'Antioche, Eph. 19, 1; cf. 1 Co 2, 8. — 7. Cf. DS 427. — 8. Cf. DS 291; 294; 442; 503; 571; 1880. — 9. LG 57. — 10. Cf. LG 52. — 11. Cf. Mc 3, 31-35; 6, 3; 1 Co 9, 5; Ga 1, 19. — 12. Cf. Mt 27, 56.

parents de Jésus, selon une expression connue de l'Ancien Testament[1].

Jésus est le Fils unique de Marie. Mais la maternité spirituelle de Marie[2] s'étend à tous les hommes qu'Il est venu sauver : « Elle engendra son Fils, dont Dieu a fait "l'aîné d'une multitude de frères" (Rm 8, 29), c'est-à-dire de croyants, à la naissance et à l'éducation desquels elle apporte la coopération de son amour maternel[3]. »

501
969

970

La maternité virginale de Marie dans le dessein de Dieu

Le regard de la foi peut découvrir, en lien avec l'ensemble de la Révélation, les raisons mystérieuses pour lesquelles Dieu, dans son dessein salvifique, a voulu que son Fils naisse d'une vierge. Ces raisons touchent aussi bien la personne et la mission rédemptrice du Christ que l'accueil de cette mission par Marie pour tous les hommes :

502
90

La virginité de Marie manifeste l'initiative absolue de Dieu dans l'Incarnation. Jésus n'a que Dieu comme Père[4]. « La nature humaine qu'il a prise ne l'a jamais éloigné du Père (...) ; naturellement Fils de son Père par sa divinité, naturellement fils de sa mère par son humanité, mais proprement Fils de Dieu dans ses deux natures[5]. »

503
422

Jésus est conçu du Saint-Esprit dans le sein de la Vierge Marie parce qu'Il est *le Nouvel Adam*[6] qui inaugure la création nouvelle : « Le premier homme, issu du sol, est terrestre ; le second homme, Lui, vient du ciel » (1 Co 15, 47). L'humanité du Christ est, dès sa conception, remplie de l'Esprit Saint car Dieu « Lui donne l'Esprit sans mesure » (Jn 3, 34). C'est de « sa plénitude » à Lui, tête de l'humanité rachetée[7], que « nous avons reçu grâce sur grâce » (Jn 1, 16).

504
359

Jésus, le Nouvel Adam, inaugure par sa conception virginale *la nouvelle naissance* des enfants d'adoption dans l'Esprit Saint par la foi. « Comment cela se fera-t-il ? » (Lc 1, 34.)[8] La participation à la vie divine ne vient pas « du sang, ni du vouloir de chair, ni du vouloir d'homme, mais de Dieu » (Jn 1, 13). L'accueil de cette vie est virginal car celle-ci est entièrement donnée par l'Esprit à l'homme. Le sens sponsal de la vocation humaine par rapport à Dieu[9] est accompli parfaitement dans la maternité virginale de Marie.

505
1265

Marie est vierge parce que sa virginité est *le signe de sa foi* « que nul doute n'altère[10] » et de sa donation sans partage à la volonté de Dieu[11]. C'est sa foi qui lui donne de devenir la mère du

506
148, 1814

---

1. Cf. Gn 13, 8 ; 14, 16 ; 29, 15 ; etc. — 2. Cf. Jn 19, 26-27 ; Ap 12, 17. — 3. LG 63. — 4. Cf. Lc 2, 48-49. — 5. Cc. Frioul en 796 : DS 619. — 6. Cf. 1 Co 15, 45. — 7. Cf. Col 1, 18. — 8. Cf. Jn 3, 9. — 9. Cf. 2 Co 11, 2. — 10. LG 63. — 11. Cf. 1 Co 7, 34-35.

Sauveur : « Bienheureuse Marie, plus encore parce qu'elle a reçu la foi du Christ que parce qu'elle a conçu la chair du Christ[1]. »

507
967 Marie est à la fois vierge et mère car elle est la figure et la plus parfaite réalisation de l'Eglise[2] : « L'Eglise devient à son tour une Mère, grâce à la parole de Dieu qu'elle reçoit dans la foi : par la prédication en effet, et par le Baptême elle engendre, à une vie nouvelle et immortelle, des fils conçus du Saint-Esprit et nés de Dieu. Elle est aussi vierge, ayant donné à son Epoux sa foi, qu'elle garde
149 intègre et pure[3]. »

EN BREF

508   *Dans la descendance d'Eve, Dieu a choisi la Vierge Marie pour être la Mère de son Fils. « Pleine de grâce », elle est « le fruit le plus excellent de la Rédemption[4] » : dès le premier instant de sa conception, elle est totalement préservée de la tache du péché originel et elle est restée pure de tout péché personnel tout au long de sa vie.*

509   *Marie est vraiment « Mère de Dieu » puisqu'elle est la mère du Fils éternel de Dieu fait homme, qui est Dieu lui-même.*

510   *Marie « est restée vierge en concevant son Fils, vierge en l'enfantant, vierge en le portant, vierge en le nourrissant de son sein, vierge toujours[5] » : de tout son être elle est « la servante du Seigneur » (Lc 1, 38).*

511   *La Vierge Marie a « coopéré au salut des hommes avec sa foi et son obéissance libres[6] ». Elle a prononcé son oui « au nom de toute la nature humaine[7] » : Par son obéissance, elle est devenue la nouvelle Eve, mère des vivants.*

PARAGRAPHE 3. *Les mystères de la vie du Christ*

512   Le Symbole de la foi ne parle, concernant la vie du Christ, que des mystères de l'Incarnation (conception et naissance) et de la Pâque (passion, crucifixion, mort, sépulture, descente aux enfers, résurrection, ascension). Il ne dit rien, explicitement, des mystères de la vie cachée et publique de Jésus, mais les articles de la foi concernant
1163 l'Incarnation et la Pâque de Jésus éclairent *toute* la vie terrestre du Christ. « Tout ce que Jésus a fait et enseigné, depuis le commencement jusqu'au jour où (...) Il fut enlevé au ciel » (Ac 1, 1-2) est à voir à la lumière des mystères de Noël et de Pâques.

---

1. S. Augustin, virg. 3. — 2. Cf. LG 63. — 3. LG 64. — 4. SC 103. — 5. S. Augustin, serm. 186, 1. — 6. LG 56. — 7. S. Thomas d'A., s. th. 3, 30, 1.

La catéchèse, selon les circonstances, déploiera toute la   513
richesse des mystères de Jésus. Ici il suffit d'indiquer quel-   *426, 561*
ques éléments communs à tous les mystères de la vie du
Christ *(I)*, pour esquisser ensuite les principaux mystères de
la vie cachée *(II)* et publique *(III)* de Jésus.

I. Toute la vie du Christ est mystère

Beaucoup de choses qui intéressent la curiosité humaine   514
au sujet de Jésus ne figurent pas dans les Evangiles. Presque
rien n'est dit sur sa vie à Nazareth, et même une grande part
de sa vie publique n'est pas relatée[1]. Ce qui a été écrit dans
les Evangiles, l'a été « pour que vous croyiez que Jésus est
le Christ, le Fils de Dieu, et qu'en croyant vous ayez la vie
en son nom » (Jn 20, 31).

Les Evangiles sont écrits par des hommes qui ont été   515
parmi les premiers à avoir la foi[2] et qui veulent la faire par-   *126*
tager à d'autres. Ayant connu dans la foi qui est Jésus, ils
ont pu voir et faire voir les traces de son mystère dans toute
sa vie terrestre. Des langes de sa nativité[3] jusqu'au vinaigre
de sa passion[4] et au suaire de sa Résurrection[5], tout dans la
vie de Jésus est signe de son mystère. A travers ses gestes,
ses miracles, ses paroles, il a été révélé qu'« en Lui habite
corporellement toute la plénitude de la divinité » (Col 2, 9).
Son humanité apparaît ainsi comme le « sacrement », c'est-
à-dire le signe et l'instrument de sa divinité et du salut qu'Il   *609, 774*
apporte : ce qu'il y avait de visible dans sa vie terrestre
conduisit au mystère invisible de sa filiation divine et de sa   *477*
mission rédemptrice.

Les traits communs des mystères de Jésus

Toute la vie du Christ est *Révélation* du Père : ses paroles   516
et ses actes, ses silences et ses souffrances, sa manière d'être   *65*
et de parler. Jésus peut dire : « Qui me voit, voit le Père[6] »,
et le Père : « Celui-ci est mon Fils bien-aimé ; écoutez-le »
(Lc 9, 35). Notre Seigneur s'étant fait homme pour
accomplir la volonté du Père[7], les moindres traits de ses
mystères nous manifestent « l'amour de Dieu pour nous » (1   *2708*
Jn 4, 9).

Toute la vie du Christ est mystère de *Rédemption*. La   517
Rédemption nous vient avant tout par le sang de la Croix[8],
mais ce mystère est à l'œuvre dans toute la vie du Christ :   *606, 1115*

1. Cf. Jn 20, 30. — 2. Cf. Mc 1, 1 ; Jn 21, 24. — 3. Cf. Lc 2, 7. — 4. Cf. Mt 27,
48. — 5. Cf. Jn 20, 7. — 6. Cf. Jn 14, 9. — 7. Cf. He 10, 5-7. — 8. Cf. Ep 1, 7 ;
Col 1, 13-14 (Vulg.) ; 1 P 1, 18-19.

dans son Incarnation déjà, par laquelle, en se faisant pauvre,
Il nous enrichit par sa pauvreté[1] ; dans sa vie cachée qui, par
sa soumission[2], répare notre insoumission ; dans sa parole
qui purifie ses auditeurs[3] ; dans ses guérisons et ses exorcismes, par lesquels « Il a pris nos infirmités et s'est chargé
de nos maladies » (Mt 8, 17)[4] ; dans sa Résurrection, par
laquelle Il nous justifie[5].

518   Toute la vie du Christ est mystère de *Récapitulation*. Tout
ce que Jésus a fait, dit et souffert, avait pour but de rétablir
l'homme déchu dans sa vocation première :

> Lorsqu'Il s'est incarné et s'est fait homme, Il a récapitulé en
> Lui-même la longue histoire des hommes et nous a procuré
> le salut en raccourci, de sorte que ce que nous avions perdu
> en Adam, c'est-à-dire d'être à l'image et à la ressemblance
> de Dieu, nous le recouvrions dans le Christ Jésus[6]. C'est
> d'ailleurs pourquoi le Christ est passé par tous les âges de la
> vie, rendant par là à tous les hommes la communion avec
> Dieu[7].

Notre communion aux mystères de Jésus

519   Toute la richesse du Christ « est destinée à tout homme et
constitue le bien de chacun[8] ». Le Christ n'a pas vécu sa vie
793, 602   pour Lui-même, mais *pour nous,* de son Incarnation « pour
nous les hommes et pour notre salut[9] » jusqu'à sa mort
« pour nos péchés » (1 Co 15, 3) et à sa Résurrection « pour
notre justification » (Rm 4, 25). Maintenant encore, Il est
« notre avocat auprès du Père » (1 Jn 2, 1), « étant toujours
vivant pour intercéder en notre faveur » (He 7, 25). Avec
tout ce qu'Il a vécu et souffert pour nous une fois pour
1085   toutes, Il reste présent pour toujours « devant la face de
Dieu en notre faveur » (He 9, 24).

520   En toute sa vie, Jésus se montre comme *notre modèle*[10] :
459, 359   Il est « l'homme parfait[11] » qui nous invite à devenir ses disciples et à Le suivre : par son abaissement, Il nous a donné
2607   un exemple à imiter[12], par sa prière, Il attire à la prière[13], par
sa pauvreté, Il appelle à accepter librement le dénuement et
les persécutions[14].

521   Tout ce que le Christ a vécu, Il fait que nous puissions *le*
2715   *vivre en Lui* et qu'Il *le vive en nous.* « Par son Incarnation,
le Fils de Dieu s'est en quelque sorte uni Lui-même à tout

---

1. Cf. 2 Co 8, 9. — 2. Cf. Lc 2, 51. — 3. Cf. Jn 15, 3. — 4. Cf. Is 53, 4. — 5. Cf.
Rm 4, 25. — 6. S. Irénée, hær. 3, 18, 1. — 7. *Ibid.* 3, 18, 7 ; cf. 2, 22, 4. — 8. RH
11. — 9. Symbole de Nicée-Constantinople. — 10. Cf. Rm 15, 5 ; Ph 2, 5.
— 11. GS 38. — 12. Cf. Jn 13, 15. — 13. Cf. Lc 11, 1. — 14. Cf. Mt 5, 11-12.

homme[1]. » Nous sommes appelés à ne faire plus qu'un avec Lui ; ce qu'Il a vécu dans sa chair pour nous et comme notre modèle, Il nous y fait communier comme les membres de son Corps :

1391

> Nous devons continuer et accomplir en nous les états et mystères de Jésus, et le prier souvent qu'Il les consomme et accomplisse en nous et en toute son Eglise (...). Car le Fils de Dieu a dessein de mettre une participation, et de faire comme une extension et continuation de ses mystères en nous et en toute son Eglise, par les grâces qu'Il veut nous communiquer, et par les effets qu'Il veut opérer en nous par ces mystères. Et par ce moyen il veut les accomplir en nous[2].

II. Les mystères de l'enfance et de la vie cachée de Jésus

Les préparations

La venue du Fils de Dieu sur la terre est un événement si immense que Dieu a voulu le préparer pendant des siècles. Rites et sacrifices, figures et symboles de la Première alliance[3], Il fait tout converger vers le Christ ; Il l'annonce par la bouche des prophètes qui se succèdent en Israël. Il éveille par ailleurs dans le cœur des païens l'obscure attente de cette venue.

522
711, 762

Saint Jean le Baptiste est le précurseur[4] immédiat du Seigneur, envoyé pour Lui préparer le chemin[5]. « Prophète du Très-Haut » (Lc 1, 76), il dépasse tous les prophètes[6], il en est le dernier[7], il inaugure l'Evangile[8] ; il salue la venue du Christ dès le sein de sa mère[9] et il trouve sa joie à être « l'ami de l'époux » (Jn 3, 29) qu'il désigne comme « l'Agneau de Dieu qui ôte le péché du monde » (Jn 1, 29). Précédant Jésus « avec l'esprit et la puissance d'Elie » (Lc 1, 17), il lui rend témoignage par sa prédication, son Baptême de conversion et finalement son martyre[10].

523
712, 720

En célébrant chaque année la *liturgie de l'Avent,* l'Eglise actualise cette attente du Messie : en communiant à la longue préparation de la première venue du Sauveur, les

524
1171

---

1. GS 22, § 2. — 2. S. Jean Eudes, regn. — 3. Cf. He 9, 15. — 4. Cf. Ac 13, 24. — 5. Cf. Mt 3, 3. — 6. Cf. Lc 7, 26. — 7. Cf. Mt 11,13. — 8. Cf. Ac 1, 22 ; Lc 16, 16. — 9. Cf. Lc 1, 41. — 10. Cf. Mc 6, 17-29.

fidèles renouvellent l'ardent désir de son second Avènement[1]. Par la célébration de la nativité et du martyre du Précurseur, l'Eglise s'unit à son désir : « Il faut que Lui grandisse et que moi je décroisse » (Jn 3, 30).

Le mystère de Noël

525 Jésus est né dans l'humilité d'une étable, dans une famille
pauvre[2]; de simples bergers sont les premiers témoins de
437. 2443 l'événement. C'est dans cette pauvreté que se manifeste la
gloire du ciel[3]. L'Eglise ne se lasse pas de chanter la gloire
de cette nuit :

> La Vierge aujourd'hui met au monde l'Eternel
> Et la terre offre une grotte à l'Inaccessible.
> Les anges et les pasteurs le louent
> Et les mages avec l'étoile s'avancent,
> Car Tu es né pour nous,
> Petit Enfant, Dieu éternel[4] !

526 « Devenir enfant » par rapport à Dieu est la condition
pour entrer dans le Royaume[5]; pour cela il faut s'abaisser[6],
devenir petit; plus encore : il faut « naître d'en haut » (Jn 3,
7), naître de Dieu[7] pour « devenir enfants de Dieu » (Jn 1,
12). Le mystère de Noël s'accomplit en nous lorsque le
Christ « prend forme » en nous[8]. Noël est le mystère de cet
« admirable échange » :

> O admirable échange ! Le créateur du genre humain, assumant un corps et une âme, a daigné naître d'une vierge et,
> devenu homme sans l'intervention de l'homme, Il nous a
460 fait don de sa divinité[9].

Les mystères de l'enfance de Jésus

527 La *circoncision* de Jésus, le huitième jour après sa naissance[10], est signe de son insertion dans la descendance
d'Abraham, dans le peuple de l'alliance, de sa soumission à
580 la loi[11], et de sa députation au culte d'Israël auquel Il participera pendant toute sa vie. Ce signe préfigure la « circonci-
1214 sion du Christ » qu'est le Baptême[12].

528 L'*Epiphanie* est la manifestation de Jésus comme Messie
439 d'Israël, Fils de Dieu et Sauveur du monde. Avec le Baptême de Jésus au Jourdain et les noces de Cana[13], elle

---

1. Cf. Ap 22, 17. — 2. Cf. Lc 2, 6-7. — 3. Cf. Lc 2, 8-20. — 4. Kontakion de
Romanos le Mélode. — 5. Cf. Mt 18, 3-4. — 6. Cf. Mt 23, 12. — 7. Cf. Jn 1, 13.
— 8. Cf. Ga 4, 19. — 9. LH, antienne de l'octave de Noël. — 10. Cf. Lc 2, 21.
— 11. Cf. Ga 4, 4. — 12. Cf. Col 2, 11-13. — 13. Cf. LH, antienne du Magnificat
des secondes vêpres de l'Epiphanie.

célèbre l'adoration de Jésus par des « mages » venus d'Orient[1]. Dans ces « mages », représentants des religions païennes environnantes, l'Evangile voit les prémices des nations qui accueillent la Bonne Nouvelle du salut par l'Incarnation. La venue des mages à Jérusalem pour rendre hommage au roi des Juifs[2] montre qu'ils cherchent en Israël, à la lumière messianique de l'étoile de David[3], celui qui sera le roi des nations[4]. Leur venue signifie que les païens ne peuvent découvrir Jésus et L'adorer comme Fils de Dieu et Sauveur du monde qu'en se tournant vers les juifs[5] et en recevant d'eux leur promesse messianique telle qu'elle est contenue dans l'Ancien Testament[6]. L'Epiphanie manifeste que « la plénitude des païens entre dans la famille des patriarches[7] » et acquiert la *Israelitica dignitas*[8].

711-716, 122

La *présentation de Jésus au Temple*[9] Le montre comme le Premier-Né appartenant au Seigneur[10]. Avec Siméon et Anne c'est toute l'attente d'Israël qui vient à la *rencontre* de son Sauveur (la tradition byzantine appelle ainsi cet événement). Jésus est reconnu comme le Messie tant attendu, « lumière des nations » et « gloire d'Israël », mais aussi « signe de contradiction ». Le glaive de douleur prédit à Marie annonce cette autre oblation, parfaite et unique, de la Croix qui donnera le salut que Dieu a « préparé à la face de tous les peuples ».

529
583

439

614

La *fuite en Egypte* et le massacre des innocents[11] manifestent l'opposition des ténèbres à la lumière : « Il est venu chez Lui et les siens ne L'ont pas reçu » (Jn 1, 11). Toute la vie du Christ sera sous le signe de la persécution. Les siens la partagent avec Lui[12]. Sa montée d'Egypte[13] rappelle l'Exode[14] et présente Jésus comme le libérateur définitif.

530

574

Les mystères de la vie cachée de Jésus

Pendant la plus grande partie de sa vie, Jésus a partagé la condition de l'immense majorité des hommes : une vie quotidienne sans apparente grandeur, vie de travail manuel, vie religieuse juive soumise à la Loi de Dieu[15], vie dans la communauté. De toute cette période il nous est révélé que Jésus

531

2427

1. Cf. Mt 2, 1. — 2. Cf. Mt 2, 2. — 3. Cf. Nb 24, 17 ; Ap 22, 16. — 4. Cf. Nb 24, 17-19. — 5. Cf. Jn 4, 22. — 6. Cf. Mt 2, 4-6. — 7. S. Léon le Grand, serm. 33, 3. — 8. MR, Vigile Pascale 26 : prière après la troisième lecture. — 9. Cf. Lc 2, 22-39. — 10. Cf. Ex 13, 12-13. — 11. Cf. Mt 2, 13-18. — 12. Cf. Jn 15, 20. — 13. Cf. Mt 2, 15. — 14. Cf. Os 11, 1. — 15. Cf. Ga 4, 4.

était « soumis » à ses parents[1] et qu'« Il croissait en sagesse, en taille et en grâce devant Dieu et devant les hommes » (Lc 2, 52).

532
2214-2220   La soumission de Jésus à sa mère et à son père légal accomplit parfaitement le quatrième commandement. Elle est l'image temporelle de son obéissance filiale à son Père céleste. La soumission de tous les jours de Jésus à Joseph et à Marie annonçait et anticipait la soumission du Jeudi
612   Saint : « Non pas ma volonté... » (Lc 22, 42.) L'obéissance du Christ dans le quotidien de la vie cachée inaugurait déjà l'œuvre de rétablissement de ce que la désobéissance d'Adam avait détruit[2].

533   La vie cachée de Nazareth permet à tout homme de communier à Jésus par les voies les plus quotidiennes de la vie :

2717   Nazareth est l'école où l'on commence à comprendre la vie de Jésus : l'école de l'Evangile (...). Une leçon de *silence* d'abord. Que naisse en nous l'estime du silence, cette admirable et indispensable condition de l'esprit (...). Une leçon
2204   de *vie familiale*. Que Nazareth nous enseigne ce qu'est la famille, sa communion d'amour, son austère et simple beauté, son caractère sacré et inviolable (...). Une leçon de *travail*. Nazareth, ô maison du « Fils du Charpentier », c'est ici que nous voudrions comprendre et célébrer la loi sévère et rédemptrice du labeur humain (...); comme nous voudrions enfin saluer ici tous les travailleurs du monde entier
2427   et leur montrer leur grand modèle, leur frère divin[3].

534   Le *recouvrement de Jésus au Temple*[4] est le seul événement qui rompt le silence des Evangiles sur les années
583, 2599   cachées de Jésus. Jésus y laisse entrevoir le mystère de sa consécration totale à une mission découlant de sa filiation divine : « Ne saviez-vous pas que je me dois aux affaires de mon Père ? » Marie et Joseph « ne comprirent pas » cette
964   parole, mais ils l'accueillirent dans la foi, et Marie « gardait fidèlement tous ces souvenirs en son cœur », tout au long des années où Jésus restait enfoui dans le silence d'une vie ordinaire.

III. Les mystères de la vie publique de Jésus

Le Baptême de Jésus

535   Le commencement[5] de la vie publique de Jésus est son Baptême par Jean dans le Jourdain[6]. Jean proclamait « un
719-720   baptême de repentir pour la rémission des péchés »

1. Cf. Lc 2, 51. — 2. Cf. Rm 5, 19. — 3. Paul VI, discours 5 janvier 1964 à Nazareth. — 4. Cf. Lc 2, 41-52. — 5. Cf. Lc 3, 23. — 6. Cf. Ac 1, 22.

Lc 3, 3). Une foule de pécheurs, publicains et soldats[1], Pha-
isiens et Sadducéens[2] et prostituées[3] vient se faire baptiser
par lui. « Alors paraît Jésus. » Le Baptiste hésite, Jésus
insiste : Il reçoit le Baptême. Alors l'Esprit Saint, sous
forme de colombe, vient sur Jésus, et la voix du ciel proclame : « Celui-ci est mon Fils bien-aimé » (Mt 3, 13-17).
C'est la manifestation (« Epiphanie ») de Jésus comme Messie d'Israël et Fils de Dieu.   701

                                                                 438

Le Baptême de Jésus, c'est, de sa part, l'acceptation et   536
l'inauguration de sa mission de Serviteur souffrant. Il se
laisse compter parmi les pécheurs[4]; Il est déjà « l'Agneau   606
de Dieu qui ôte le péché du monde » (Jn 1, 29); déjà, Il anticipe le « baptême » de sa mort sanglante[5]. Il vient déjà
« accomplir toute justice » (Mt 3, 15), c'est-à-dire qu'Il se 1224
soumet tout entier à la volonté de son Père : Il consent par
amour à ce baptême de mort pour la rémission de nos
péchés[6]. A cette acceptation répond la voix du Père qui met
toute sa complaisance en son Fils[7]. L'Esprit, que Jésus possède en plénitude dès sa conception, vient « reposer » sur   444, 727
Lui[8]. Il en sera la source pour toute l'humanité. A son Bap- 739
tême, « les cieux s'ouvrirent » (Mt 3, 16) que le péché
d'Adam avait fermés; et les eaux sont sanctifiées par la descente de Jésus et de l'Esprit, prélude de la création nouvelle.

Par le Baptême, le chrétien est sacramentellement assi-   537
milé à Jésus qui anticipe en son Baptême sa mort et sa résur- 1262
rection; il doit entrer dans ce mystère d'abaissement humble
et de pénitence, descendre dans l'eau avec Jésus, pour
remonter avec Lui, renaître de l'eau et de l'Esprit pour devenir, dans le Fils, fils bien-aimé du Père et « vivre dans une
vie nouvelle » (Rm 6, 4) :

> Ensevelissons-nous avec le Christ par le Baptême, pour res-   628
> susciter avec Lui; descendons avec Lui, pour être élevés
> avec Lui; remontons avec Lui, pour être glorifiés en Lui[9].

> Tout ce qui s'est passé dans le Christ nous fait connaître
> qu'après le bain d'eau, l'Esprit Saint vole sur nous du haut
> du ciel et qu'adoptés par la Voix du Père, nous devenons
> fils de Dieu[10].

La tentation de Jésus

Les Evangiles parlent d'un temps de solitude de Jésus au   538
désert immédiatement après son Baptême par Jean :

1. Cf. Lc 3, 10-14. — 2. Cf. Mt 3, 7. — 3. Cf. Mt 21, 32. — 4. Cf. Is 53, 12.
— 5. Cf. Mc 10, 38; Lc 12, 50. — 6. Cf. Mt 26, 39. — 7. Cf. Lc 3, 22; Is 42, 1.
— 8. Cf. Jn 1, 32-33; Is 11, 2. — 9. S. Grégoire de Naz., or. 40, 9. — 10. S.
Hilaire, Mat. 2, 6.

« Poussé par l'Esprit » au désert, Jésus y demeure quarante
jours sans manger ; Il vit avec les bêtes sauvages et les anges
394   Le servent[1]. A la fin de ce temps, Satan Le tente par trois fois,
cherchant à mettre en cause son attitude filiale envers Dieu.
518   Jésus repousse ces attaques qui récapitulent les tentations
d'Adam au Paradis et d'Israël au désert, et le diable s'éloigne
de Lui « pour revenir au temps marqué » (Lc 4, 13).

539   Les Evangélistes indiquent le sens salvifique de cet événement mystérieux. Jésus est le nouvel Adam, resté fidèle là
397   où le premier a succombé à la tentation. Jésus accomplit
parfaitement la vocation d'Israël : contrairement à ceux qui
provoquèrent jadis Dieu pendant quarante ans au désert[2], le
Christ se révèle comme le Serviteur de Dieu totalement
obéissant à la volonté divine. En cela, Jésus est vainqueur
du diable : Il a « ligoté l'homme fort » pour lui reprendre
son butin[3]. La victoire de Jésus sur le tentateur au désert
anticipe la victoire de la passion, obéissance suprême de son
609   amour filial du Père.

540   La tentation de Jésus manifeste la manière qu'a le Fils de
2119 Dieu d'être Messie, à l'opposé de celle que Lui propose
Satan et que les hommes[4] désirent Lui attribuer. C'est pour-
519, 2849 quoi le Christ a vaincu le Tentateur *pour nous* : « Car nous
n'avons pas un grand prêtre impuissant à compatir à nos faiblesses, Lui qui a été éprouvé en tout, d'une manière semblable, à l'exception du péché » (He 4, 15). L'Eglise s'unit
1438 chaque année par les quarante jours du *Grand Carême* au
mystère de Jésus au désert.

« Le Royaume de Dieu est tout proche »

541   « Après que Jean eut été livré, Jésus se rendit en Galilée.
Il y proclamait en ces termes la Bonne Nouvelle venue de
2816 Dieu : "Les temps sont accomplis et le Royaume de Dieu est
tout proche : repentez-vous et croyez à la Bonne Nouvelle" » (Mc 1, 14-15). « Pour accomplir la volonté du Père
763   le Christ inaugura le Royaume des cieux sur la terre[5]. » Or,
la volonté du Père, c'est d'« élever les hommes à la communion de la vie divine[6] ». Il le fait en rassemblant les
hommes autour de son Fils, Jésus-Christ. Ce rassemblement
669, 768, est l'Eglise, qui est sur terre « le germe et le commencement
865   du Royaume de Dieu[7] ».

542   Le Christ est au cœur de ce rassemblement des hommes
2233 dans la « famille de Dieu ». Il les convoque autour de Lui
par sa parole, par ses signes qui manifestent le règne de

1. Cf. Mc 1, 13. — 2. Cf. Ps 95, 10. — 3. Cf. Mc 3, 27. — 4. Cf. Mt 16, 21-23
— 5. LG 3. — 6. LG 2. — 7. LG 5.

Dieu, par l'envoi de ses disciples. Il réalisera la venue de son Royaume surtout par le grand mystère de sa Pâque : sa mort sur la Croix et sa Résurrection. « Et moi, élevé de terre, j'attirerai tous les hommes à moi » (Jn 12, 32). A cette union avec le Christ tous les hommes sont appelés [1]. 789

L'annonce du Royaume de Dieu

Tous les hommes sont appelés à entrer dans le Royaume. 543 Annoncé d'abord aux enfants d'Israël [2], ce Royaume messianique est destiné à accueillir les hommes de toutes les nations [3]. Pour y accéder, il faut accueillir la parole de 764 Jésus :

> La parole du Seigneur est en effet comparée à une semence qu'on sème dans un champ : ceux qui l'écoutent avec foi et sont agrégés au petit troupeau du Christ ont accueilli son royaume lui-même ; puis, par sa propre vertu, la semence croît jusqu'au temps de la moisson [4].

Le Royaume appartient *aux pauvres et aux petits*, c'est-à- 544 dire à ceux qui l'ont accueilli avec un cœur humble. Jésus est envoyé pour « porter la Bonne Nouvelle aux pauvres » 709 (Lc 4, 18) [5]. Il les déclare bienheureux car « le Royaume des cieux est à eux » (Mt 5, 3) ; c'est aux « petits » que le Père a daigné révéler ce qui reste caché aux sages et aux habiles [6]. 2443, 2546 Jésus partage la vie des pauvres, de la crèche à la Croix ; Il connaît la faim [7], la soif [8] et le dénuement [9]. Plus encore : Il s'identifie aux pauvres de toutes sortes et fait de l'amour actif envers eux la condition de l'entrée dans son Royaume [10].

Jésus invite *les pécheurs* à la table du Royaume : « Je ne 545 suis pas venu appeler les justes, mais les pécheurs » (Mc 2, 1443, 588, 17) [11]. Il les invite à la conversion sans laquelle on ne peut 1846 entrer dans le Royaume, mais Il leur montre en parole et en acte la miséricorde sans bornes de son Père pour eux [12] et 1439 l'immense « joie dans le ciel pour un seul pécheur qui se repent » (Lc 15, 7). La preuve suprême de cet amour sera le sacrifice de sa propre vie « en rémission des péchés » (Mt 26, 28).

Jésus appelle à entrer dans le Royaume à travers les *para-* 546 *boles,* trait typique de son enseignement [13]. Par elles, Il 2613 invite au festin du Royaume [14], mais Il demande aussi un

---

1. Cf. LG 3. — 2. Cf. Mt 10, 5-7. — 3. Cf. Mt 8, 11 ; 28, 19. — 4. LG 5. — 5. Cf. Lc 7, 22. — 6. Cf. Mt 11, 25. — 7. Cf. Mc 2, 23-26 ; Mt 21, 18. — 8. Cf. Jn 4, 6-7 ; 19, 28. — 9. Cf. Lc 9, 58. — 10. Cf. Mt 25, 31-46. — 11. Cf. 1 Tm 1, 15. — 12. Cf. Lc 15, 11-32. — 13. Cf. Mc 4, 33-34. — 14. Cf. Mt 22, 1-14.

choix radical : pour acquérir le Royaume, il faut tout donner[1] ; les paroles ne suffisent pas, il faut des actes[2]. Les
paraboles sont comme des miroirs pour l'homme : accueille-
t-il la parole comme un sol dur ou comme une bonne terre[3] ?
Que fait-il des talents reçus[4] ? Jésus et la présence du
Royaume en ce monde sont secrètement au cœur des paraboles. Il faut entrer dans le Royaume, c'est-à-dire devenir
542 disciple du Christ pour « connaître les mystères du
Royaume des cieux » (Mt 13, 11). Pour ceux qui restent
« dehors » (Mc 4, 11), tout demeure énigmatique[5].

Les signes du Royaume de Dieu

547   Jésus accompagne ses paroles par de nombreux
670 « miracles, prodiges et signes » (Ac 2, 22) qui manifestent
que le Royaume est présent en Lui. Ils attestent que Jésus
439 est le Messie annoncé[6].

548   Les signes accomplis par Jésus témoignent que le Père
L'a envoyé[7]. Ils invitent à croire en Lui[8]. A ceux qui
156; 2616 s'adressent à Lui avec foi, Il accorde ce qu'ils demandent[9].
Alors les miracles fortifient la foi en Celui qui fait les
œuvres de son Père : ils témoignent qu'Il est le Fils de
574 Dieu[10]. Mais ils peuvent aussi être occasion de chute[11]. Ils
ne veulent pas satisfaire la curiosité et les désirs magiques.
447 Malgré ses miracles si évidents, Jésus est rejeté par certains[12] ; on L'accuse même d'agir par les démons[13].

549   En libérant certains hommes des maux terrestres de la
1503 faim[14], de l'injustice[15], de la maladie et de la mort[16], Jésus a
posé des signes messianiques ; Il n'est cependant pas venu
pour abolir tous les maux ici-bas[17], mais pour libérer les
440 hommes de l'esclavage le plus grave, celui du péché[18], qui
les entrave dans leur vocation de fils de Dieu et cause tous
leurs asservissements humains.

550   La venue du Royaume de Dieu est la défaite du royaume
394 de Satan[19] : « Si c'est par l'Esprit de Dieu que j'expulse les
démons, c'est qu'alors le Royaume de Dieu est arrivé pour
1673 vous » (Mt 12, 28). Les exorcismes de Jésus libèrent des

1. Cf. Mt 13, 44-45. — 2. Cf. Mt 21, 28-32. — 3. Cf. Mt 13, 3-9. — 4. Cf. Mt 25,
14-30. — 5. Cf. Mt 13, 10-15. — 6. Cf. Lc 7, 18-23. — 7. Cf. Jn 5, 36 ; 10, 25.
— 8. Cf. Jn 10, 38. — 9. Cf. Mc 5, 25-34 ; 10, 52 ; etc. — 10. Cf. Jn 10, 31-38.
— 11. Cf. Mt 11, 6. — 12. Cf. Jn 11, 47-48. — 13. Cf. Mc 3, 22. — 14. Cf. Jn 6,
5-15. — 15. Cf. Lc 19, 8. — 16. Cf. Mt 11, 5. — 17. Cf. Lc 12, 13. 14 ; Jn 18, 36.
— 18. Cf. Jn 8, 34-36. — 19. Cf. Mt 12, 26.

hommes de l'emprise des démons[1]. Ils anticipent la grande victoire de Jésus sur « le prince de ce monde » (Jn 12, 31). C'est par la Croix du Christ que le Royaume de Dieu sera définitivement établi : « Dieu a régné du haut du bois[2]. »   *440, 2816*

« Les clefs du Royaume »

Dès le début de sa vie publique, Jésus choisit des hommes au nombre de douze pour être avec Lui et pour participer à sa mission[3]. Il leur donne part à son autorité « et Il les envoya proclamer le Royaume de Dieu et guérir » (Lc 9, 2). Ils restent pour toujours associés au Royaume du Christ car Celui-ci dirige par eux l'Eglise :   *551*
858
765

> Je dispose pour vous du Royaume, comme mon Père en a disposé pour moi ; vous mangerez et boirez à la table en mon Royaume, et vous siégerez sur des trônes, pour juger les douze tribus d'Israël (Lc 22, 29-30).

Dans le collège des Douze, Simon Pierre tient la première place[4]. Jésus lui a confié une mission unique. Grâce à une révélation venant du Père, Pierre avait confessé : « Tu es le Christ, le Fils du Dieu vivant[5]. » Notre Seigneur lui avait alors déclaré : « Tu es Pierre, et sur cette pierre je bâtirai mon Eglise, et les Portes de l'Hadès ne tiendront pas contre elle » (Mt 16, 18). Le Christ, « Pierre vivante » (1 P 2, 4), assure à son Eglise bâtie sur Pierre la victoire sur les puissances de mort. Pierre, en raison de la foi confessée par lui, demeurera le roc inébranlable de l'Eglise. Il aura mission de garder cette foi de toute défaillance et d'y affermir ses frères[6].   *552*
880, 153,
442
424

Jésus a confié à Pierre une autorité spécifique : « Je te donnerai les clefs du Royaume des cieux : quoi que tu lies sur la terre, ce sera tenu dans les cieux pour lié, et quoi que tu délies sur la terre, ce sera tenu dans les cieux pour délié » (Mt 16, 19). Le « pouvoir des clefs » désigne l'autorité pour gouverner la maison de Dieu, qui est l'Eglise. Jésus, « le Bon Pasteur » (Jn 10, 11) a confirmé cette charge après sa Résurrection : « Pais mes brebis » (Jn 21, 15-17). Le pouvoir de « lier et délier » signifie l'autorité pour absoudre les péchés, prononcer des jugements doctrinaux et prendre des décisions disciplinaires dans l'Eglise. Jésus a confié cette   *553*
381
1445

---

1. cf. Lc 8, 26-39. — 2. Hymne « Vexilla Regis ». — 3. Cf. Mc 3, 13-19. — 4. Cf. Mc 3, 16 ; 9, 2 ; Lc 24, 34 ; 1 Co 15, 5. — 5. Mt. 16, 16. — 6. Cf. Lc 22, 32.

641, 881 autorité à l'Eglise par le ministère des apôtres[1] et particulièrement de Pierre, le seul à qui Il a confié explicitement les clefs du Royaume.

Un avant-goût du Royaume : la Transfiguration

554   A partir du jour où Pierre a confessé que Jésus est le Christ, le Fils du Dieu vivant, le Maître « commença de montrer à ses disciples qu'il Lui fallait s'en aller à Jérusalem, y souffrir (...) être mis à mort et, le troisième jour, ressusciter » (Mt 16, 21) : Pierre refuse cette annonce[2], les autres ne la comprennent pas davantage[3]. C'est dans ce contexte que se situe l'épisode mystérieux de la Transfiguration de Jésus[4], sur une haute montagne, devant trois témoins choisis par Lui : Pierre, Jacques et Jean. Le visage et les vêtements de Jésus deviennent fulgurants de lumière, Moïse et Elie apparaissent, Lui « parlant de son départ qu'Il allait accomplir à Jérusalem » (Lc 9, 31). Une nuée les couvre et une voix du ciel dit : « Celui-ci est mon Fils, mon Elu ; écoutez-Le » (Lc 9, 35).

697, 2600

444

555   Pour un instant, Jésus montre sa gloire divine, confirmant ainsi la confession de Pierre. Il montre aussi que, pour « entrer dans sa gloire » (Lc 24, 26), il doit passer par la Croix à Jérusalem. Moïse et Elie avaient vu la Gloire de Dieu sur la Montagne ; la Loi et les Prophètes avaient annoncé les souffrances du Messie[5]. La passion de Jésus est bien la volonté du Père : le Fils agit en Serviteur de Dieu[6]. La nuée indique la présence de l'Esprit Saint : « Toute la Trinité apparut : le Père dans la voix, le Fils dans l'homme, l'Esprit dans la nuée lumineuse[7] » :

2576, 2583

257

> Tu t'es transfiguré sur la montagne, et, autant qu'ils en étaient capables, tes disciples ont contemplé ta Gloire, Christ Dieu afin que lorsqu'ils Te verraient crucifié, ils comprennent que ta passion était volontaire et qu'ils annoncent au monde que Tu es vraiment le rayonnement du Père[8].

556   Au seuil de la vie publique : le Baptême ; au seuil de la Pâque : la Transfiguration. Par le Baptême de Jésus « fut manifesté le mystère de notre première régénération » : notre Baptême ; la Transfiguration « est le sacrement de la

1. Cf. Mt 18, 18. — 2. Cf. Mt 16, 22-23. — 3. Cf. Mt 17, 23 ; Lc 9, 45. — 4. Cf. Mt 17, 1-8 par. ; 2 P 1, 16-18. — 5. Cf. Lc 24, 27. — 6. Cf. Is 42, 1. — 7. S. Thomas d'A., s. th. 3, 45, 4, ad 2. — 8. Liturgie byzantine, Kontakion de la fête de la Transfiguration.

seconde régénération » : notre propre résurrection[1]. Dès maintenant nous participons à la Résurrection du Seigneur par l'Esprit Saint qui agit dans les sacrements du Corps du Christ. La Transfiguration nous donne un avant-goût de la glorieuse venue du Christ « qui transfigurera notre corps de misère pour le conformer à son corps de gloire » (Ph 3, 21). Mais elle nous rappelle aussi qu'« il nous faut passer par bien des tribulations pour entrer dans le Royaume de Dieu » (Ac 14, 22) : *1003*

> Cela Pierre ne l'avait pas encore compris quand il désirait vivre avec le Christ sur la montagne[2]. Il t'a réservé cela, Pierre, pour après la mort. Mais maintenant il dit lui-même : Descends pour peiner sur la terre, pour servir sur la terre, pour être méprisé, crucifié sur la terre. La Vie descend pour se faire tuer ; le Pain descend pour avoir faim ; la Voie descend, pour se fatiguer en chemin ; la Source descend, pour avoir soif ; et tu refuses de peiner[3] ?

La montée de Jésus à Jérusalem

« Or, comme approchait le temps où Il devait être emporté de ce monde, Jésus prit résolument le chemin de Jérusalem » (Lc 9, 51)[4]. Par cette décision, Il signifiait qu'Il montait à Jérusalem prêt à y mourir. A trois reprises Il avait annoncé sa passion et sa Résurrection[5]. En se dirigeant vers Jérusalem, Il dit : « Il ne convient pas qu'un prophète périsse hors de Jérusalem » (Lc 13, 33). 557

Jésus rappelle le martyre des prophètes qui avaient été mis à mort à Jérusalem[6]. Néanmoins, Il persiste à appeler Jérusalem à se rassembler autour de Lui : « Combien de fois j'ai voulu rassembler tes enfants à la manière dont une poule rassemble ses poussins sous ses ailes (...) et vous n'avez pas voulu ! » (Mt 23, 37b.) Quand Jérusalem est en vue, Il pleure sur elle[7] et exprime encore une fois le désir de son cœur : « Ah ! Si en ce jour tu avais compris, toi aussi, le message de paix ! Mais, hélas, il est demeuré caché à tes yeux » (Lc 19, 42). 558

L'entrée messianique de Jésus à Jérusalem

Comment Jérusalem va-t-elle accueillir son Messie ? Alors qu'Il s'était toujours dérobé aux tentatives populaires de le faire roi[8], Jésus choisit le temps et prépare les détails 559

---

1. S. Thomas d'A., s. th. 3, 45, 4, ad 2. — 2. Cf. Lc 9, 33. — 3. S. Augustin, serm. 78, 6. — 4. Cf. Jn 13, 1. — 5. Cf. Mc 8, 31-33 ; 9, 31-32 ; 10, 32-34. — 6. Cf. Mt 23, 37a. — 7. Cf. Lc 19, 41. — 8. Cf. Jn 6, 15.

de son entrée messianique dans la ville de « David, son père » (Lc 1, 32)[1]. Il est acclamé comme le fils de David, celui qui apporte le salut (*Hosanna* veut dire « sauve donc ! », « donne le salut ! »). Or le « Roi de Gloire » (Ps 24, 7-10) entre dans sa Ville « monté sur un ânon » (Za 9, 9) : Il ne conquiert pas la Fille de Sion, figure de son Eglise, par la ruse ou par la violence, mais par l'humilité qui témoigne de la Vérité[2]. C'est pourquoi les sujets de son Royaume, ce jour-là, sont les enfants[3] et les « pauvres de Dieu », qui

333   L'acclament comme les anges l'annonçaient aux bergers[4]. Leur acclamation, « Béni soit celui qui vient au nom du Seigneur » (Ps 118, 26), est reprise par l'Eglise dans le « Sanc-

1352   tus » de la liturgie eucharistique pour ouvrir le mémorial de la Pâque du Seigneur.

560   L'*entrée de Jésus à Jérusalem* manifeste la Venue du

550, 2816 Royaume que le Roi-Messie va accomplir par la Pâque de sa Mort et de sa Résurrection. C'est par sa célébration, le dimanche des Rameaux, que la liturgie de l'Eglise ouvre la

1169   grande Semaine Sainte.

> ### En bref
>
> **561**   *« Toute la vie du Christ fut un continuel enseignement : ses silences, ses miracles, ses gestes, sa prière, son amour de l'homme, sa prédilection pour les petits et les pauvres, l'acceptation du sacrifice total sur la Croix pour la rédemption du monde, sa Résurrection sont l'actuation de sa parole et l'accomplissement de la Révélation[5]. »*
>
> **562**   *Les disciples du Christ doivent se conformer à Lui jusqu'à ce qu'Il soit formé en eux[6]. « C'est pourquoi nous sommes assumés dans les mystères de sa vie, configurés à Lui, associés à sa mort et à sa Résurrection, en attendant de l'être à son Règne[7]. »*
>
> **563**   *Berger ou Mage, on ne peut atteindre Dieu ici-bas qu'en s'agenouillant devant la crèche de Bethléem et en l'adorant caché dans la faiblesse d'un enfant.*
>
> **564**   *Par sa soumission à Marie et Joseph, ainsi que par son humble travail pendant de longues années à Nazareth, Jésus nous donne l'exemple de la sainteté dans la vie quotidienne de la famille et du travail.*
>
> **565**   *Dès le début de sa vie publique, à son Baptême, Jésus est le « Serviteur », entièrement consacré à l'œuvre rédemptrice qui s'accomplira par le « baptême » de sa passion.*

---

1. Cf. Mt 21, 1-11. — 2. Cf. Jn 18, 37. — 3. Cf. Mt 21, 15-16; Ps 8, 3. — 4. Cf. Lc 19, 38; 2, 14. — 5. CT 9. — 6. Cf. Ga 4, 19. — 7. LG 7.

La tentation au désert montre Jésus, Messie humble qui 566
triomphe de Satan par sa totale adhésion au dessein de
salut voulu par le Père.

Le Royaume des cieux a été inauguré sur la terre par le 567
Christ. « Il brille aux yeux des hommes dans la parole, les
œuvres et la présence du Christ[1]*. » L'Eglise est le germe et*
le commencement de ce Royaume. Ses clefs sont confiées à
Pierre.

La Transfiguration du Christ a pour but de fortifier la foi 568
des apôtres en vue de la passion : la montée sur la « haute
montagne » prépare la montée au Calvaire. Le Christ, Tête
de l'Eglise, manifeste ce que son Corps contient et rayonne
dans les sacrements : « l'espérance de la Gloire » (Col 1,
27)[2]*.*

Jésus est monté volontairement à Jérusalem tout en sachant 569
qu'Il y mourrait de mort violente à cause de la contradic-
tion des pécheurs[3]*.*

L'entrée de Jésus à Jérusalem manifeste la venue du 570
Royaume que le Roi-Messie, accueilli dans sa ville par les
enfants et les humbles de cœur, va accomplir par la Pâque
de sa Mort et de sa Résurrection.

ARTICLE 4
« Jésus-Christ a souffert sous
Ponce Pilate, Il a été crucifié, Il est mort,
Il a été enseveli »

Le mystère pascal de la Croix et de la Résurrection du 571
Christ est au centre de la Bonne Nouvelle que les apôtres, et *1067*
l'Eglise à leur suite, doivent annoncer au monde. Le dessein
sauveur de Dieu s'est accompli « une fois pour toutes » (He
9, 26) par la mort rédemptrice de son Fils Jésus-Christ.

L'Eglise reste fidèle à « l'interprétation de toutes les Ecri- 572
tures » donnée par Jésus Lui-même avant comme après sa
Pâque[4] : « Ne fallait-il pas que le Messie endurât ces souf- *599*

1. LG 5. — 2. Cf. S. Léon le Grand, serm. 51, 3. — 3. Cf. He 12, 3. — 4. Cf. Lc
24, 27. 44-45.

frances pour entrer dans sa gloire ? » (Lc 24, 26.) Les souffrances de Jésus ont pris leur forme historique concrète du
fait qu'Il a été « rejeté par les anciens, les grands prêtres et
les scribes » (Mc 8, 31) qui L'ont « livré aux païens pour
être bafoué, flagellé et mis en Croix » (Mt 20, 19).

573   La foi peut donc essayer de scruter les circonstances de la
158 mort de Jésus, transmises fidèlement par les Evangiles[1] et
éclairées par d'autres sources historiques, pour mieux
comprendre le sens de la Rédemption.

PARAGRAPHE 1. *Jésus et Israël*

574   Dès les débuts du ministère public de Jésus, des Phari-
530 siens et des partisans d'Hérode, avec des prêtres et des
scribes, se sont mis d'accord pour le perdre[2]. Par certains de
ses actes (expulsions de démons[3]; pardon des péchés[4]; guérisons le jour du sabbat[5]; interprétation originale des préceptes de pureté de la Loi[6]; familiarité avec les publicains et
les pécheurs publics[7]; Jésus a semblé à certains, mal inten-
591 tionnés, suspect de possession[8]. On L'accuse de blasphème[9]
et de faux prophétisme[10], crimes religieux que la Loi châ-
tiait par la peine de mort sous forme de lapidation[11].

575   Bien des actes et des paroles de Jésus ont donc été un « signe de
contradiction[12] » pour les autorités religieuses de Jérusalem, celles
que l'Evangile de S. Jean appelle souvent « les Juifs[13] », plus
encore que pour le commun du Peuple de Dieu[14]. Certes, ses rapports avec les Pharisiens ne furent pas uniquement polémiques. Ce
sont des Pharisiens qui Le préviennent du danger qu'Il court[15].
Jésus loue certains d'entre eux comme le scribe de Mc 12, 34 et Il
mange à plusieurs reprises chez des Pharisiens[16]. Jésus confirme
des doctrines partagées par cette élite religieuse du Peuple de Dieu :
la résurrection des morts[17], les formes de piété (aumône, jeûne et
993 prière)[18] et l'habitude de s'adresser à Dieu comme Père, le caractère central du commandement de l'amour de Dieu et du prochain[19].

576   Aux yeux de beaucoup en Israël, Jésus semble agir contre
les institutions essentielles du Peuple élu :
– la soumission à la Loi dans l'intégralité de ses préceptes
écrits et, pour les Pharisiens, dans l'interprétation de la tradition orale ;

1. Cf. DV 19. — 2. Cf. Mc 3, 6. — 3. Cf. Mt 12, 24. — 4. Cf. Mc 2, 7. — 5. Cf.
MC 3, 1-6. — 6. Cf. Mc 7, 14-23. — 7. Cf. Mc 2, 14-17. — 8. Cf. Mc 3, 22.; Jn
8, 48; 10, 20. — 9. Cf. Mc 2, 7; Jn 5, 18; 10, 33. — 10. Cf. Jn 7, 12; 7, 52.
— 11. Cf. Jn 8, 59; 10, 31. — 12. Cf. Lc 2, 34. — 13. Cf. Jn 1, 19; 2, 18; 5, 10;
7, 13; 9, 22; 18, 12; 19, 38; 20, 19. — 14. Cf. Jn 7, 48-49. — 15. Cf. Lc 13, 31.
— 16. Cf. Lc 7, 36; 14, 1. — 17. Cf. Mt 22, 23-34; Lc 20, 39. — 18. Cf. Mt 6,
2-18. — 19. Cf. Mc 12, 28-34.

- le caractère central du Temple de Jérusalem comme lieu saint où Dieu habite d'une manière privilégiée ;
- la foi dans le Dieu unique dont aucun homme ne peut partager la gloire.

1. Jésus et la Loi

Jésus a fait une mise en garde solennelle au début du Sermon sur la Montagne où Il a présenté la Loi donnée par Dieu au Sinaï lors de la Première alliance à la lumière de la grâce de la Nouvelle Alliance : 577
1965

> N'allez pas croire que je sois venu abolir la Loi ou les Prophètes : je ne suis pas venu abolir mais accomplir. Car je vous le dis en vérité, avant que ne passent le ciel et la terre, pas un *i*, pas un point sur l'*i* ne passera de la Loi, que tout ne soit réalisé. Celui donc qui violera l'un de ces moindres préceptes, sera tenu pour moindre dans le Royaume des cieux ; au contraire, celui qui les exécutera et les enseignera, celui-là sera tenu pour grand dans le Royaume des cieux » (Mt 5, 17-19). *1967*

Jésus, le Messie d'Israël, le plus grand donc dans le Royaume des cieux, se devait d'accomplir la Loi en l'exécutant dans son intégralité jusque dans ses moindres préceptes selon ses propres paroles. Il est même le seul à avoir pu le faire parfaitement[1]. Les Juifs, de leur propre aveu, n'ont jamais pu accomplir la Loi dans son intégralité sans en violer le moindre précepte[2]. C'est pourquoi à chaque fête annuelle de l'Expiation, les enfants d'Israël demandent à Dieu pardon pour leurs transgressions de la Loi. En effet, la Loi constitue un tout et, comme le rappelle S. Jacques, « aurait-on observé la Loi tout entière, si l'on commet un écart sur un seul point, c'est du tout que l'on devient justiciable » (Jc 2, 10)[3]. 578
1953

Ce principe de l'intégralité de l'observance de la Loi, non seulement dans sa lettre mais dans son esprit, était cher aux Pharisiens. En le dégageant pour Israël, ils ont conduit beaucoup de Juifs du temps de Jésus à un zèle religieux extrême[4]. Celui-ci, s'il ne voulait pas se résoudre en une casuistique « hypocrite[5] », ne pouvait que préparer le Peuple à cette intervention de Dieu inouïe que sera l'exécution parfaite de la Loi par le seul Juste à la place de tous les pécheurs[6]. 579

1. Cf. Jn 8, 46. — 2. Cf. Jn 7, 19 ; Ac 13, 38-41 ; 15, 10. — 3. Cf. Ga 3, 10 ; 5, 3. — 4. Cf. Rm 10, 2. — 5. Cf. Mt 15, 3-7 ; Lc 11, 39-54. — 6. Cf. Is 53, 11 ; He 9, 15.

580
527 L'accomplissement parfait de la Loi ne pouvait être l'œuvre que du divin Législateur né sujet de la Loi en la personne du Fils[1]. En Jésus, la Loi n'apparaît plus gravée sur des tables de pierre mais « au fond du cœur » (Jr 31, 33) du Serviteur qui, parce qu'Il « apporte fidèlement le droit » (Is 42, 3) est devenu l'« alliance du peuple » (Is 42, 6). Jésus accomplit la Loi jusqu'à prendre sur Lui la « malédiction de la Loi » (Ga 3, 13) encourue par ceux qui ne pratiquent pas tous les préceptes de la Loi[2] car « la mort du Christ a eu lieu pour racheter les transgressions de la Première alliance » (He 9, 15).

581

2054 Jésus est apparu aux yeux des Juifs et de leurs chefs spirituels comme un « rabbi[3] ». Il a souvent argumenté dans le cadre de l'interprétation rabbinique de la Loi[4]. Mais en même temps, Jésus ne pouvait que heurter les docteurs de la Loi car Il ne se contentait pas de proposer son interprétation parmi les leurs, « Il enseignait comme quelqu'un qui a autorité et non pas comme les scribes » (Mt 7, 28-29). En Lui, c'est la même Parole de Dieu qui avait retenti au Sinaï pour donner à Moïse la Loi écrite et qui se fait entendre de nouveau sur la Montagne des béatitudes[5]. Elle n'abolit pas la Loi mais l'accomplit en fournissant de manière divine son interprétation ultime : « Vous avez appris qu'il a été dit aux ancêtres (...) moi je vous dis » (Mt 5, 33-34). Avec cette même autorité divine, il désavoue certaines « traditions humaines[6] » des Pharisiens qui annulent la Parole de Dieu[7].

582

368 Allant plus loin, Jésus accomplit la Loi sur la pureté des aliments, si importante dans la vie quotidienne juive, en dévoilant son sens « pédagogique[8] » par une interprétation divine : « Rien de ce qui pénètre du dehors dans l'homme ne peut le souiller (...) – ainsi il déclarait purs tous les aliments. Ce qui sort de l'homme, voilà ce qui souille l'homme. Car c'est du dedans, du cœur des hommes que sortent les desseins pervers » (Mc 7, 18-21). En délivrant avec autorité divine l'interprétation définitive de la Loi, Jésus s'est
548 trouvé affronté à certains docteurs de la Loi qui ne recevaient pas son interprétation de la Loi garantie pourtant par les signes divins
2173 qui l'accompagnaient[9]. Ceci vaut particulièrement pour la question du sabbat : Jésus rappelle, souvent avec des arguments rabbiniques[10], que le repos du sabbat n'est pas troublé par le service de Dieu[11] ou du prochain[12] qu'accomplissent ses guérisons.

II. Jésus et le Temple

583

529 Jésus, comme les prophètes avant Lui, a professé pour le Temple de Jérusalem le plus profond respect. Il y a été présenté par Joseph et Marie quarante jours après sa naissance[13]. A l'âge de douze ans, Il décide de rester dans le

1. Cf. Ga 4, 4. — 2. Cf. Ga 3, 10. — 3. Cf. Jn 11, 28; 3, 2; Mt 22, 23-24. 34-36. — 4. Cf. Mt 12, 5; 9, 12; Mc 2, 23 – 27; Lc 6, 6-9; Jn 7, 22-23. — 5. Cf. Mt 5, 1. — 6. Cf. Mc 7, 8. — 7. Cf. Mc 7, 13. — 8. Cf. Ga 3, 24. — 9. Cf. Jn 5, 36; 10, 25. 37-38; 12, 37. — 10. Cf. Mc 2, 25-27; Jn 7, 22-24. — 11. Cf. Mt 12, 5; Nb 28, 9. — 12. Cf. Lc 13, 15-16; 14, 3-4. — 13. Cf. Lc 2, 22-39.

Temple pour rappeler à ses parents qu'Il se doit aux affaires de son Père[1]. Il y est monté chaque année au moins pour la Pâque pendant sa vie cachée[2]; son ministère public lui-même a été rythmé par ses pèlerinages à Jérusalem pour les grandes fêtes juives[3].   *534*

Jésus est monté au Temple comme au lieu privilégié de la rencontre de Dieu. Le Temple est pour Lui la demeure de son Père, une maison de prière, et Il s'indigne de ce que son parvis extérieur soit devenu un lieu de trafic[4]. S'Il chasse les marchands du Temple, c'est par amour jaloux pour son Père : « Ne faites pas de la maison de mon Père une maison de commerce. Ses disciples se rappelèrent qu'il est écrit : "Le zèle pour ta maison me dévorera" (Ps 69, 10) » (Jn 2, 16-17). Après sa Résurrection, les apôtres ont gardé un respect religieux pour le Temple[5].   *584*   *2599*

Au seuil de sa passion, Jésus a cependant annoncé la ruine de ce splendide édifice dont il ne restera plus pierre sur pierre[6]. Il y a ici annonce d'un signe des derniers temps qui vont s'ouvrir avec sa propre Pâque[7]. Mais cette prophétie a pu être rapportée de manière déformée par de faux témoins lors de son interrogatoire chez le grand prêtre[8] et Lui être renvoyée comme injure lorsqu'Il était cloué sur la Croix[9].   *585*

Loin d'avoir été hostile au Temple[10] où Il a donné l'essentiel de son enseignement[11], Jésus a voulu payer l'impôt du Temple en s'associant Pierre[12] qu'Il venait de poser comme fondement pour son Eglise à venir[13]. Plus encore, Il s'est identifié au Temple en se présentant comme la demeure définitive de Dieu parmi les hommes[14]. C'est pourquoi sa mise à mort corporelle[15] annonce la destruction du Temple qui manifestera l'entrée dans un nouvel âge de l'histoire du salut : « L'heure vient où ce n'est ni sur cette montagne ni à Jérusalem que vous adorerez le Père » (Jn 4, 21)[16].   *586*   *797*   *1179*

III. Jésus et la foi d'Israël au Dieu Unique et Sauveur

Si la Loi et le Temple de Jérusalem ont pu être occasion de « contradiction[17] » de la part de Jésus pour les autorités   *587*

1. Cf. Lc 2, 46-49. — 2. Cf. Lc 2, 41. — 3. Cf. Jn 2, 13-14 ; 5, 1. 14 ; 7, 1. 10. 14 ; 8, 2 ; 10, 22-23. — 4. Cf. Mt 21, 13. — 5. Cf. Ac 2, 46 ; 3, 1 ; 5, 20. 21 ; etc. — 6. Cf. Mt 24, 1-2. — 7. Cf. Mt 24, 3 ; Lc 13, 35. — 8. Cf. Mc 14, 57-58. — 9. Cf. Mt 27, 39-40. — 10. Cf. Mt 8, 4 ; 23, 21 ; Lc 17, 14 ; Jn 4, 22. — 11. Cf. Jn 18, 20. — 12. Cf. Mt 17, 24-27. — 13. Cf. Mt 16, 18. — 14. Cf. Jn 2, 21 ; Mt 12, 6. — 15. Cf. Jn 2, 18-22. — 16. Cf. Jn 4, 23-24 ; Mt 27, 51 ; He 9, 11 ; Ap 21, 22. — 17. Cf. Lc 2, 34.

religieuses d'Israël, c'est son rôle dans la rédemption des péchés, œuvre divine par excellence, qui a été pour elles la véritable pierre d'achoppement[1].

588   Jésus a scandalisé les Pharisiens en mangeant avec les publicains et les pécheurs[2] aussi familièrement qu'avec eux-mêmes[3]. Contre ceux d'entre eux « qui se flattaient d'être des justes et n'avaient que mépris pour les autres »
545 (Lc 18, 9)[4], Jésus a affirmé : « Je ne suis pas venu appeler les justes, mais les pécheurs au repentir » (Lc 5, 32). Il est allé plus loin en proclamant face aux Pharisiens que, le péché étant universel[5], ceux qui prétendent ne pas avoir besoin de salut s'aveuglent sur eux-mêmes[6].

589   Jésus a surtout scandalisé parce qu'Il a identifié sa conduite miséricordieuse envers les pécheurs avec l'attitude de Dieu Lui-même à leur égard[7]. Il est allé jusqu'à laisser entendre qu'en partageant la table des pécheurs[8], Il les admettait au banquet messianique[9]. Mais c'est tout particulièrement en pardonnant les péchés que Jésus a mis les
431, 1441 autorités religieuses d'Israël devant le dilemme. Ne diraient-elles pas avec justesse dans leur effroi : « Dieu seul peut pardonner les péchés » (Mc 2, 7) ? En pardonnant les
432 péchés, ou bien Jésus blasphème car c'est un homme qui se fait l'égal de Dieu[10], ou bien Il dit vrai et sa personne rend présent et révèle le nom de Dieu[11].

590   Seule l'identité divine de la personne de Jésus peut justifier une exigence aussi absolue que celle-ci : « Celui qui n'est pas avec moi est contre moi » (Mt 12, 30) ; de même quand Il dit qu'il y a en Lui « plus que Jonas, (...) plus que Salomon » (Mt 12, 41-42), plus que le Temple[12] ; quand Il rappelle à son sujet que David a appelé le Messie son Sei-
253 gneur[13], quand Il affirme : « Avant qu'Abraham fût, Je Suis » (Jn 8, 58) ; et même : « Le Père et moi nous sommes un » (Jn 10, 30).

591   Jésus a demandé aux autorités religieuses de Jérusalem de croire en Lui à cause des œuvres de son Père qu'Il

1. Cf. Lc 20, 17-18 ; Ps 118, 22. — 2. Cf. Lc 5, 30. — 3. Cf. Lc 7, 36 ; 11, 37 ; 14, 1. — 4. Cf. Jn 7, 49 ; 9, 34. — 5. Cf. Jn 8, 33-36. — 6. Cf. Jn 9, 40-41. — 7. Cf. Mt 9, 13 ; Os 6, 6. — 8. Cf. Lc 15, 1-2. — 9. Cf. Lc 15, 23-32. — 10. Cf. Jn 5, 18 ; 10, 33. — 11. Cf. Jn 17, 6. 26. — 12. Cf. Mt 12, 6. — 13. Cf. Mc 12, 36-37.

accomplit[1]. Mais un tel acte de foi devait passer par une mystérieuse mort à soi-même pour une nouvelle naissance d'en haut[2] dans l'attirance de la grâce divine[3]. Une telle exigence de conversion face à un accomplissement si surprenant des promesses[4] permet de comprendre la tragique méprise du Sanhédrin estimant que Jésus méritait la mort comme blasphémateur[5]. Ses membres agissaient ainsi à la fois par ignorance[6] et par l'endurcissement[7] de l'incrédulité[8].

526

574

EN BREF

Jésus n'a pas aboli la Loi du Sinaï, mais Il l'a accomplie[9] avec une telle perfection[10] qu'Il en révèle le sens ultime[11] et qu'Il rachète les transgressions contre elle[12].

592

Jésus a vénéré le Temple en y montant aux fêtes juives de pèlerinage et Il a aimé d'un amour jaloux cette demeure de Dieu parmi les hommes. Le Temple préfigure son mystère. S'Il annonce sa destruction, c'est comme manifestation de sa propre mise à mort et de l'entrée dans un nouvel âge de l'histoire du salut, où son Corps sera le Temple définitif.

593

Jésus a posé des actes, tel le pardon des péchés, qui L'ont manifesté comme étant le Dieu Sauveur Lui-même[13]. Certains Juifs, qui, ne reconnaissant pas le Dieu fait homme[14], voyaient en Lui un homme qui se fait Dieu[15], L'ont jugé comme un blasphémateur.

594

PARAGRAPHE 2. *Jésus est mort crucifié*

I. Le procès de Jésus

Divisions des autorités juives à l'égard de Jésus

Parmi les autorités religieuses de Jérusalem, non seulement il s'est trouvé le Pharisien Nicodème[16] ou le notable Joseph d'Arimathie pour être en secret disciples de Jésus[17], mais il s'est produit pendant longtemps des dissensions au sujet de Celui-ci[18] au point

595

1. Cf. Jn 10, 36-38. — 2. Cf. Jn 3, 7. — 3. Cf. Jn 6, 44. — 4. Cf. Is 53, 1. — 5. Cf. Mc 3, 6 ; Mt 26, 64-66. — 6. Cf. Lc 23, 34 ; Ac 3, 17-18. — 7. Cf. Mc 3, 5 ; Rm 11, 25. — 8. Cf. Rm 11, 20. — 9. Cf. Mt 5, 17-19. — 10. Cf. Jn 8, 46. — 11. Cf. Mt 5, 33. — 12. Cf. He 9, 15. — 13. Cf. Jn 5, 16-18. — 14. Cf. Jn 1, 14. — 15. Cf. Jn 10, 33. — 16. Cf. Jn 7, 50. — 17. Cf. Jn 19, 38-39. — 18. Cf. Jn 9, 16-17 ; 10, 19-21.

qu'à la veille même de sa passion, S. Jean peut dire d'eux qu'« un bon nombre crut en Lui », quoique d'une manière très imparfaite (Jn 12, 42). Cela n'a rien d'étonnant si l'on tient compte qu'au lendemain de la Pentecôte « une multitude de prêtres obéissait à la foi » (Ac 6, 7) et que « certains du parti des Pharisiens étaient devenus croyants » (Ac 15, 5) au point que S. Jacques peut dire à S. Paul que « plusieurs milliers de Juifs ont embrassé la foi et ce sont tous d'ardents partisans de la Loi » (Ac 21, 20).

596   Les autorités religieuses de Jérusalem n'ont pas été unanimes dans la conduite à tenir vis-à-vis de Jésus[1]. Les Pharisiens ont menacé d'excommunication ceux qui Le suivraient[2]. A ceux qui craignaient que « tous croient en Jésus et que les Romains viennent détruire notre Lieu Saint et notre nation » (Jn 11, 48), le grand prêtre Caïphe proposa en prophétisant : « Il est de votre intérêt qu'un seul homme meure pour le peuple et que la nation ne périsse

1753   pas tout entière » (Jn 11, 50). Le Sanhédrin, ayant déclaré Jésus « passible de mort[3] » en tant que blasphémateur, mais ayant perdu le droit de mise à mort[4], livre Jésus aux Romains en l'accusant de révolte politique[5] ce qui mettra celui-ci en parallèle avec Barrabas accusé de « sédition » (Lc 23, 19). Ce sont aussi des menaces politiques que les grands prêtres exercent sur Pilate pour qu'il condamne Jésus à mort[6].

Les Juifs ne sont pas collectivement responsables de la mort de Jésus

597   En tenant compte de la complexité historique du procès de Jésus manifestée dans les récits évangéliques, et quel que puisse être le péché personnel des acteurs du procès (Judas, le Sanhédrin, Pilate) que seul Dieu connaît, on ne peut en attribuer la responsabilité à l'ensemble des Juifs de Jérusalem, malgré les cris d'une foule manipulée[7] et les reproches globaux contenus dans les appels à la conversion après la Pentecôte[8]. Jésus Lui-même en pardonnant sur la Croix[9] et

1735   Pierre à sa suite ont fait droit à l'ignorance[10] des Juifs de Jérusalem et même de leurs chefs. Encore moins peut-on, à partir du cri du peuple : « Que son sang soit sur nous et sur nos enfants » (Mt 27, 25) qui signifie une formule de ratification[11], étendre la responsabilité aux autres Juifs dans l'espace et dans le temps :

Aussi bien l'Eglise a-t-elle déclaré au Concile Vatican II : « Ce qui a été commis durant la passion ne peut être imputé ni indistinctement à tous les Juifs vivant alors, ni aux Juifs
839   de notre temps. (...) Les Juifs ne doivent pas être présentés comme réprouvés par Dieu, ni maudits comme si cela découlait de la Sainte Ecriture[12]. »

1. Cf. Jn 9, 16 ; 10, 19. — 2. Cf. Jn 9, 22. — 3. Cf. Mt 26, 66. — 4. Cf. Jn 18, 31. — 5. Cf. Lc 23, 2. — 6. Cf. Jn 19, 12. 15. 21. — 7. Cf. Mc 15, 11. — 8. Cf. Ac 2, 23. 36 ; 3, 13-14 ; 4, 10 ; 5, 30 ; 7, 52 ; 10, 39 ; 13, 27-28 ; 1 Th 2, 14-15. — 9. Cf. Lc 23, 34. — 10. Cf. Ac 3, 17. — 11. Cf. Ac 5, 28 ; 18, 6. — 12. NA 4.

Tous les pécheurs furent les auteurs de la passion du Christ

L'Eglise, dans le Magistère de sa foi et dans le témoignage de ses saints, n'a jamais oublié que « les pécheurs eux-mêmes furent les auteurs et comme les instruments de toutes les peines qu'endura le divin Rédempteur[1] ». Tenant compte du fait que nos péchés atteignent le Christ Lui-même[2], l'Eglise n'hésite pas à imputer aux chrétiens la responsabilité la plus grave dans le supplice de Jésus, responsabilité dont ils ont trop souvent accablé uniquement les Juifs : 598

> Nous devons regarder comme coupables de cette horrible faute, ceux qui continuent à retomber dans leurs péchés. Puisque ce sont nos crimes qui ont fait subir à Notre-Seigneur Jésus-Christ le supplice de la Croix, à coup sûr ceux qui se plongent dans les désordres et dans le mal « crucifient de nouveau dans leur cœur, autant qu'il est en eux, le Fils de Dieu par leurs péchés et Le couvrent de confusion » (He 6, 6). Et il faut le reconnaître, notre crime à nous dans ce cas est plus grand que celui des Juifs. Car eux, au témoignage de l'apôtre, « s'ils avaient connu le Roi de gloire, ils ne l'auraient jamais crucifié » (1 Co 2, 8). Nous, au contraire, nous faisons profession de Le connaître. Et lorsque nous Le renions par nos actes, nous portons en quelque sorte sur Lui nos mains meurtrières[3]. *1851*

> Et les démons, ce ne sont pas eux qui L'ont crucifié ; c'est toi qui avec eux L'as crucifié et Le crucifies encore, en te délectant dans les vices et les péchés[4].

II. La mort rédemptrice du Christ dans le dessein divin de salut

« Jésus livré selon le dessein bien arrêté de Dieu »

La mort violente de Jésus n'a pas été le fruit du hasard dans un concours malheureux de circonstances. Elle appartient au mystère du dessein de Dieu, comme S. Pierre l'explique aux Juifs de Jérusalem dès son premier discours de Pentecôte : « Il avait été livré selon le dessein bien arrêté et la prescience de Dieu » (Ac 2, 23). Ce langage biblique ne signifie pas que ceux qui ont livré Jésus[5] n'ont été que les exécutants passifs d'un scénario écrit d'avance par Dieu. 599

517

---

1. Catech. R. 1, 5, 11 ; cf. He 12, 3. — 2. Cf. Mt 25, 45 ; Ac 9, 4-5. — 3. Catech. R. 1, 5, 11. — 4. S. François d'Assise, admon. 5, 3. — 5. Cf. Ac 3, 13.

600   A Dieu tous les moments du temps sont présents dans leur actualité. Il établit donc son dessein éternel de « prédestination » en y incluant la réponse libre de chaque homme à sa grâce : « Oui, vraiment, ils se sont rassemblés dans cette ville contre ton saint serviteur Jésus, que tu as oint, Hérode et Ponce Pilate avec les nations païennes et les peuples d'Israël[1], de telle sorte qu'ils ont accompli tout ce que, dans ta puissance et ta sagesse, tu avais prédestiné » (Ac 4, 27-28). Dieu a permis les actes issus de leur aveuglement[2] en vue d'accomplir son dessein de salut[3].

312

« Mort pour nos péchés selon les Écritures »

601   Ce dessein divin de salut par la mise à mort du Serviteur, le Juste[4] avait été annoncé par avance dans l'Ecriture comme un mystère de rédemption universelle, c'est-à-dire de rachat qui libère les hommes de l'esclavage du péché[5]. S. Paul professe, dans une confession de foi qu'il dit avoir reçue[6] que « le Christ est mort pour nos péchés *selon les Ecritures* » (1 Co 15, 3)[7]. La mort rédemptrice de Jésus accomplit en particulier la prophétie du Serviteur souffrant[8]. Jésus Lui-même a présenté le sens de sa vie et de sa mort à la lumière du Serviteur souffrant[9]. Après sa Résurrection, Il a donné cette interprétation des Ecritures aux disciples d'Emmaüs[10], puis aux apôtres eux-mêmes[11].

652
713

« Dieu L'a fait péché pour nous »

602   S. Pierre peut en conséquence formuler ainsi la foi apostolique dans le dessein divin de salut : « Vous avez été affranchis de la vaine conduite héritée de vos pères par un sang précieux, comme d'un agneau sans reproche et sans tache, le Christ, discerné avant la fondation du monde et manifesté dans les derniers temps à cause de vous » (1 P 1, 18-20). Les péchés des hommes, consécutifs au péché originel, sont sanctionnés par la mort[12]. En envoyant son propre Fils dans la condition d'esclave[13], celle d'une humanité déchue et vouée à la mort à cause du péché[14], « Dieu L'a fait péché pour nous, Lui qui n'avait pas connu le péché, afin qu'en Lui nous devenions justice de Dieu » (2 Co 5, 21).

400

519

---

1. Cf. Ps 2, 1-2. — 2. Cf. Mt 26, 54 ; Jn 18, 36 ; 19, 11. — 3. Cf. Ac 3, 17-18. — 4. Cf. Is 53, 11 ; Ac 3, 14. — 5. Cf. Is 53, 11-12 ; Jn 8, 34-36. — 6. Cf. 1 Co 15, 3. — 7. Cf. aussi Ac 3, 18 ; 7, 52 ; 13, 29 ; 26, 22-23. — 8. Cf. Is 53, 7-8 et Ac 8, 32-35. — 9. Cf. Mt 20, 28. — 10. Cf. Lc 24, 25-27. — 11. Cf. Lc 24, 44-45. — 12. Cf. Rm 5, 12 ; 1 Co 15, 56. — 13. Cf. Ph 2, 7. — 14. Cf. Rm 8, 3.

Jésus n'a pas connu la réprobation comme s'Il avait Lui- 603
même péché[1]. Mais dans l'amour rédempteur qui L'unissait
toujours au Père[2], Il nous a assumés dans l'égarement de
notre péché par rapport à Dieu au point de pouvoir dire en
notre nom sur la Croix : « Mon Dieu, mon Dieu, pourquoi
m'as-tu abandonné ? » (Mc 15, 34)[3]. L'ayant rendu ainsi
solidaire de nous pécheurs, « Dieu n'a pas épargné son
propre Fils mais L'a livré pour nous tous » (Rm 8, 32) pour
que nous soyons « réconciliés avec Lui par la mort de son
Fils » (Rm 5, 10).

Dieu a l'initiative de l'amour rédempteur universel

En livrant son Fils pour nos péchés, Dieu manifeste que 604
son dessein sur nous est un dessein d'amour bienveillant qui
précède tout mérite de notre part : « En ceci consiste   211, 2009
l'amour : ce n'est pas nous qui avons aimé Dieu, mais c'est   1825
Lui qui nous a aimés et qui a envoyé son Fils en victime de
propitiation pour nos péchés » (1 Jn 4, 10)[4]. « La preuve que
Dieu nous aime, c'est que le Christ, alors que nous étions
encore pécheurs, est mort pour nous » (Rm 5, 8).

Cet amour est sans exclusion, Jésus l'a rappelé en conclu- 605
sion de la parabole de la brebis perdue : « Ainsi on ne veut
pas, chez votre Père qui est aux cieux, qu'un seul de ses
petits ne se perde » (Mt 18, 14). Il affirme « donner sa vie
en rançon *pour la multitude* » (Mt 20, 28) ; ce dernier terme
n'est pas restrictif : il oppose l'ensemble de l'humanité à   402
l'unique personne du Rédempteur qui se livre pour la sauver[5]. L'Eglise, à la suite des apôtres[6], enseigne que le Christ
est mort pour tous les hommes sans exception. « Il n'y a, il   634, 2793
n'y a eu et il n'y aura aucun homme pour qui le Christ n'ait
pas souffert[7]. »

III. Le Christ s'est offert Lui-même à son Père pour nos péchés

Toute la vie du Christ est offrande au Père

Le Fils de Dieu, descendu du ciel non pour faire sa 606
volonté mais celle de son Père qui L'a envoyé[8], « dit en   517
entrant dans le monde : (...) Voici je viens (...) pour faire ô

1. Cf. Jn 8, 46. — 2. Cf. Jn 8, 29. — 3. Cf. Ps 22,1. — 4. Cf. Jn 4, 19. — 5. Cf.
Rm 5, 18-19. — 6. Cf. 2 Co 5, 15 ; 1 Jn 2, 2. — 7. Cc. Quierzy en 853 : DS 624.
— 8. Cf. Jn 6, 38.

Dieu ta volonté. (...) C'est en vertu de cette volonté que nous sommes sanctifiés par l'oblation du corps de Jésus-Christ, une fois pour toutes » (He 10, 5-10). Dès le premier instant de son Incarnation, le Fils épouse le dessein de salut divin dans sa mission rédemptrice : « Ma nourriture est de faire la volonté de Celui qui M'a envoyé et de mener son œuvre à bonne fin » (Jn 4, 34). Le sacrifice de Jésus « pour *536* les péchés du monde entier » (1 Jn 2, 2) est l'expression de sa communion d'amour au Père : « Le Père m'aime parce que Je donne ma vie » (Jn 10, 17). « Il faut que le monde sache que J'aime le Père et que Je fais comme le Père M'a commandé » (Jn 14, 31).

607   Ce désir d'épouser le dessein d'amour rédempteur de son Père anime toute la vie de Jésus [1] car sa passion rédemptrice *457* est la raison d'être de son Incarnation : « Père, sauve-moi de cette heure ! Mais c'est pour cela que je suis venu à cette heure » (Jn 12, 27). « La coupe que M'a donnée le Père ne la boirai-Je pas ? » (Jn 18, 11). Et encore sur la Croix avant que « tout soit accompli » (Jn 19, 30), il dit : « J'ai soif » (Jn 19, 28).

« L'Agneau qui enlève le péché du monde »

608   Après avoir accepté de Lui donner le Baptême à la suite *523* des pécheurs [2], Jean-Baptiste a vu et montré en Jésus l'Agneau de Dieu, qui enlève les péchés du monde [3]. Il manifeste ainsi que Jésus est à la fois le Serviteur souffrant qui, silencieux, se laisse mener à l'abattoir [4] et porte le péché des multitudes [5], et l'agneau Pascal symbole de la rédemption d'Israël lors de la première Pâque [6]. Toute la vie du *517* Christ exprime sa mission : servir et donner sa vie en rançon pour la multitude [7].

Jésus épouse librement l'amour rédempteur du Père

609   En épousant dans son cœur humain l'amour du Père pour *478* les hommes, Jésus « les a aimés jusqu'à la fin » (Jn 13, 1) « car il n'y a pas de plus grand amour que de donner sa vie pour ceux qu'on aime » (Jn 15, 13). Ainsi, dans la souffrance et dans la mort, son humanité est devenue l'instru-

1. Cf. Lc 12, 50 ; 22, 15 ; Mt 16, 21-23. — 2. Cf. Lc 3, 21 ; Mt 3, 14-15. — 3. Cf. Jn 1, 29-36. — 4. Cf. Is 53, 7 ; Jr 11, 19. — 5. Cf. Is 53, 12. — 6. Cf. Ex 12, 3-14 ; Jn 19, 36 ; 1 Co 5, 7. — 7. Cf. Mc 10, 45.

ment libre et parfait de son amour divin qui veut le salut des *515*
hommes[1]. En effet, Il a librement accepté sa passion et sa *272, 539*
mort par amour de son Père et des hommes que Celui-ci
veut sauver : « Personne ne M'enlève la vie, mais Je la
donne de Moi-même » (Jn 10, 18). D'où la souveraine
liberté du Fils de Dieu quand Il va Lui-même vers la mort[2].

A la Cène Jésus a anticipé l'offrande libre de sa vie

Jésus a exprimé suprêmement l'offrande libre de Lui-   *610*
même dans le repas pris avec les douze apôtres[3], dans « la   *766*
nuit où Il fut livré » (1 Co 11, 23). La veille de sa passion,
alors qu'Il était encore libre, Jésus a fait de cette dernière
Cène avec ses apôtres le mémorial de son offrande volon-   *1337*
taire au Père[4] pour le salut des hommes : « Ceci est mon
corps *donné* pour vous » (Lc 22, 19). « Ceci est mon sang,
le sang de l'alliance, qui *va être répandu* pour une multitude
en rémission des péchés » (Mt 26, 28).

L'Eucharistie qu'Il institue à ce moment sera le mémo-   *611*
rial[5] de son sacrifice. Jésus inclut les apôtres dans sa propre   *1364*
offrande et leur demande de la perpétuer[6]. Par là, Jésus institue ses apôtres prêtres de l'Alliance Nouvelle : « Pour eux   *1341, 1566*
Je me consacre afin qu'ils soient eux aussi consacrés dans la
vérité » (Jn 17, 19)[7].

L'agonie à Gethsémani

La coupe de la Nouvelle Alliance, que Jésus a anticipée à   *612*
la Cène en s'offrant Lui-même[8], Il l'accepte ensuite des
mains du Père dans son agonie à Gethsémani[9] en se faisant
« obéissant jusqu'à la mort » (Ph 2, 8)[10]. Jésus prie : « Mon   *532, 2600*
Père, s'il est possible que cette coupe passe loin de moi... »
(Mt 26, 39.) Il exprime ainsi l'horreur que représente la
mort pour sa nature humaine. En effet celle-ci, comme la
nôtre, est destinée à la vie éternelle ; en plus, à la différence
de la nôtre, elle est parfaitement exempte du péché[11] qui
cause la mort[12] ; mais surtout elle est assumée par la personne divine du « Prince de la Vie » (Ac 3, 15), du
« Vivant » (Ap 1, 17)[13]. En acceptant dans sa volonté
humaine que la volonté du Père soit faite[14], Il accepte sa

---

1. Cf. He 2, 10. 17-18 ; 4, 15 ; 5, 7-9. — 2. Cf. Jn 18, 4-6 ; Mt 26, 53. — 3. Cf. Mt
26, 20. — 4. Cf. 1 Co 5, 7. — 5. Cf. 1 Co 11, 25. — 6. Cf. Lc 22, 19. — 7. Cf. Cc.
Trente : DS 1752 ; 1764. — 8. Cf. Lc 22, 20. — 9. Cf. Mt 26, 42. — 10. Cf. He 5,
7-8. — 11. Cf. *ibid.*, 4, 15. — 12. Cf. Rm 5, 12. — 13. Cf. Jn 1, 4 ; 5, 26. —
14. Cf. Mt 26, 42.

1009 mort en tant que rédemptrice pour « porter Lui-même nos fautes dans son corps sur le bois » (1 P 2, 24).

La mort du Christ est le sacrifice unique et définitif

613
1366
2009
La mort du Christ est à la fois le *sacrifice Pascal* qui accomplit la rédemption définitive des hommes[1] par l'Agneau qui porte le péché du monde[2] et le *sacrifice de la Nouvelle Alliance*[3] qui remet l'homme en communion avec Dieu[4] en le réconciliant avec Lui par le sang répandu pour la multitude en rémission des péchés[5].

614
529, 1330
2100
Ce sacrifice du Christ est unique, il achève et dépasse tous les sacrifices[6]. Il est d'abord un don de Dieu le Père Lui-même : c'est le Père qui livre son Fils pour nous réconcilier avec Lui[7]. Il est en même temps offrande du Fils de Dieu fait homme qui, librement et par amour[8], offre sa vie[9] à son Père par l'Esprit Saint[10], pour réparer notre désobéissance.

Jésus substitue son obéissance à notre désobéissance

615
1850
433
411
« Comme par la désobéissance d'un seul la multitude a été constituée pécheresse, ainsi par l'obéissance d'un seul la multitude sera constituée juste » (Rm 5, 19). Par son obéissance jusqu'à la mort, Jésus a accompli la substitution du Serviteur souffrant qui « offre sa vie en *sacrifice expiatoire* », alors qu'Il portait le péché des multitudes qu'Il justifie en s'accablant Lui-même de leurs fautes[11]. Jésus a réparé pour nos fautes et satisfait au Père pour nos péchés[12].

Sur la Croix, Jésus consomme son sacrifice

616
478
C'est « l'amour jusqu'à la fin[13] » qui confère sa valeur de rédemption et de réparation, d'expiation et de satisfaction au sacrifice du Christ. Il nous a tous connus et aimés dans l'offrande de sa vie[14]. « L'amour du Christ nous presse, à la pensée que, si un seul est mort pour tous, alors tous sont morts » (2 Co 5, 14). Aucun homme, fût-il le plus saint, n'était en mesure de prendre sur lui les péchés de tous les

1. Cf. 1 Co 5, 7 ; Jn 8, 34-36. — 2. Cf. Jn 1, 29 ; 1 P 1, 19. — 3. Cf. 1 Co 11, 25. — 4. Cf. Ex 24, 8. — 5. Cf. Mt 26, 28 ; Lv 16, 15-16. — 6. Cf. He 10, 10. — 7. Cf. 1 Jn 4, 10. — 8. Cf. Jn 15, 13. — 9. Cf. Jn 10, 17-18. — 10. Cf. He 9, 14. — 11. Cf. Is 53,10-12. — 12. Cf. Cc. Trente : DS 1529. — 13. Cf. Jn 13, 1. — 14. Cf. Ga 2, 20 ; Ep 5, 2. 25.

hommes et de s'offrir en sacrifice pour tous. L'existence dans le Christ de la Personne divine du Fils, qui dépasse et, *468* en même temps, embrasse toutes les personnes humaines, et qui Le constitue Tête de toute l'humanité, rend possible son sacrifice rédempteur *pour tous*.   *519*

« Par sa sainte passion, sur le bois de la Croix, Il nous a   617
mérité la justification » enseigne le Concile de Trente[1] :   *1992*
soulignant le caractère unique du sacrifice du Christ comme
« principe de salut éternel[2] ». Et l'Eglise vénère la Croix en   *1235*
chantant : « Salut, O Croix, notre unique espérance[3] ! »

Notre participation au sacrifice du Christ

La Croix est l'unique sacrifice du Christ « seul médiateur   618
entre Dieu et les hommes[4] ». Mais, parce que, dans sa Personne divine incarnée, « Il s'est en quelque sorte uni Lui-
même à tout homme[5] », Il « offre à tous les hommes, d'une
façon que Dieu connaît, la possibilité d'être associés au
mystère pascal[6] ». Il appelle ses disciples à prendre leur   *1368, 1460*
Croix et à Le suivre[7] car Il a souffert pour nous, Il nous a
tracé le chemin afin que nous suivions ses pas[8]. Il veut en
effet associer à son sacrifice rédempteur ceux-là même qui   *307, 2100*
en sont les premiers bénéficiaires[9]. Cela s'accomplit suprêmement en la personne de sa Mère, associée plus intime-   *964*
ment que tout autre au mystère de sa souffrance rédemptrice[10] :

En dehors de la Croix il n'y a pas d'autre échelle par où
monter au ciel[11].

EN BREF

« Le Christ est mort pour nos péchés selon les Ecritures »   619
(1 Co 15, 3).

Notre salut découle de l'initiative d'amour de Dieu envers   620
nous car « c'est Lui qui nous a aimés et qui a envoyé son
Fils en victime de propitiation pour nos péchés » (1 Jn 4,
10). « C'est Dieu qui dans le Christ se réconciliait le
monde » (2 Co 5, 19).

Jésus s'est offert librement pour notre salut. Ce don, Il le   621
signifie et le réalise à l'avance pendant la dernière cène :
« Ceci est mon corps, qui va être donné pour vous » (Lc 22,
19).

---

1. DS 1529. — 2. Cf. He 5, 9. — 3. Hymne « Vexilla Regis ». — 4. Cf. 1 Tm 2, 5.
— 5. GS 22, § 2. — 6. GS 22, § 5. — 7. Cf. Mt 16, 24. — 8. Cf. 1 P 2, 21. —
9. Cf. Mc 10, 39 ; Jn 21, 18-19 ; Col 1, 24. — 10. Cf. Lc 2, 35. — 11. Ste Rose de
Lima, vita.

622   *En ceci consiste la rédemption du Christ : Il « est venu don-*
         ner sa vie en rançon pour la multitude » (Mt 20, 28), c'est-
         à-dire « aimer les siens jusqu'à la fin » (Jn 13, 1) pour
         qu'ils soient affranchis de la vaine conduite héritée de leurs
         pères[1].

623   *Par son obéissance aimante au Père, « jusqu'à la mort de*
         la Croix » (Ph 2, 8), Jésus accomplit la mission expiatrice[2]
         du Serviteur souffrant qui justifie les multitudes en s'acca-
         blant Lui-même de leurs fautes[3].

Paragraphe 3. *Jésus-Christ a été enseveli*

624   « Par la grâce de Dieu, au bénéfice de tout homme, Il a
         goûté la mort » (He 2, 9). Dans son dessein de salut, Dieu a
         disposé que son Fils non seulement « mourrait pour nos
         péchés » (1 Co 15, 3) mais aussi qu'Il « goûterait la mort »,
         c'est-à-dire connaîtrait l'état de mort, l'état de séparation
1005, 362 entre son âme et son corps, durant le temps compris entre le
         moment où Il a expiré sur la Croix et le moment où Il est
         ressuscité. Cet état du Christ mort est le mystère du sépulcre
         et de la descente aux enfers. C'est le mystère du Samedi
         Saint où le Christ déposé au tombeau[4] manifeste le grand
349   repos sabbatique de Dieu[5] après l'accomplissement[6] du
         salut des hommes qui met en paix l'univers entier.[7]

Le Christ au sépulcre dans son corps

625   Le séjour du Christ au tombeau constitue le lien réel entre
         l'état passible du Christ avant Pâques et son actuel état glo-
         rieux de Ressuscité. C'est la même personne du « Vivant »
         qui peut dire : « J'ai été mort et me voici vivant pour les siè-
         cles des siècles » (Ap 1, 18) :

> Dieu (le Fils) n'a pas empêché la mort de séparer l'âme du
> corps, selon l'ordre nécessaire à la nature, mais Il les a de
> nouveau réunis l'un à l'autre par la Résurrection, afin d'*être*
> *Lui-même dans sa personnne le point de rencontre de la*
> *mort et de la vie* en arrêtant en Lui la décomposition de la
> nature produite par la mort et en devenant Lui-même prin-
> cipe de réunion pour les parties séparées[8].

---

1. Cf. 1 P 1, 18. — 2. Cf. Is 53, 10. — 3. Cf. Is 53, 11 ; Rm 5, 19. — 4. Cf. Jn 19,
42. — 5. Cf. He 4, 4-9. — 6. Cf. Jn 19, 30. — 7. Cf. Col 1, 18-20. — 8. S. Grégoire de Nysse, or. catech. 16.

Puisque le « Prince de la vie » qu'on a mis à mort[1] est **626**
bien le même que le Vivant qui est ressuscité[2], il faut que la
personne divine du Fils de Dieu ait continué à assumer son
âme et son corps séparés entre eux par la mort :   *470 650*

> Du fait qu'à la mort du Christ l'âme a été séparée de la
> chair, la personne unique ne s'est pas trouvée divisée en
> deux personnes ; car le corps et l'âme du Christ ont existé
> au même titre dès le début dans la personne du Verbe ; et
> dans la mort, quoique séparés l'un de l'autre, ils sont restés
> chacun avec la même et unique personne du Verbe[3].

« Tu ne laisseras pas ton saint voir la corruption »

La mort du Christ a été une vraie mort en tant qu'elle a   **627**
mis fin à son existence humaine terrestre. Mais à cause de   *1009*
l'union que la personne du Fils a gardée avec son corps, Il
n'est pas devenu une dépouille mortelle comme les autres   *1683*
car il n'était « pas possible qu'il fût retenu en son [de la
mort] pouvoir » (Ac 2, 24). C'est pourquoi « la vertu divine
a préservé le corps du Christ de la corruption[4] ». Du Christ
on peut dire à la fois : « Il a été retranché de la terre des
vivants » (Is 53, 8) ; et : « Ma chair reposera dans l'espérance que tu n'abandonneras pas mon âme aux enfers et ne
laisseras pas ton saint voir la corruption » (Ac 2, 26-27)[5]. La
Résurrection de Jésus « le troisième jour » (1 Co 15, 4 ; Lc
24, 46)[6] en était le signe et cela aussi parce que la corruption était censée se manifester à partir du quatrième jour[7].

« Ensevelis avec le Christ... »

Le Baptême, dont le signe originel et plénier est l'immer-   **628**
sion, signifie efficacement la descente au tombeau du chré-   *537*
tien qui meurt au péché avec le Christ en vue d'une vie nouvelle : « Nous avons été ensevelis avec le Christ par le   *1215*
Baptême dans la mort, afin que, comme le Christ est ressuscité des morts par la Gloire du Père, nous vivions nous aussi
dans une vie nouvelle » (Rm 6, 4)[8].

EN BREF
Au bénéfice de tout homme Jésus a goûté la mort[9]. *C'est*   **629**
vraiment le Fils de Dieu fait homme qui est mort et qui a été
enseveli.

---

1. Cf. Ac 3, 15. — 2. Cf. Lc 24, 5-6. — 3. S. Jean Damascène, f. o. 3, 27. — 4. S.
Thomas d'A., s. th. 3, 51, 3. — 5. Cf. Ps 16, 9-10. — 6. Cf. Mt 12, 40 : Jon 2, 1 ;
Os 6, 2. — 7. Cf. Jn 11, 39. — 8. Cf. Col 2, 12 ; Ep 5, 26. — 9. Cf. He 2, 9.

630   *Pendant le séjour du Christ au tombeau sa Personne divine
a continué à assumer tant son âme que son corps séparés
pourtant entre eux par la mort. C'est pourquoi le corps du
Christ mort « n'a pas vu la corruption » (Ac 13, 37).*

ARTICLE 5
« Jésus-Christ est descendu aux enfers, est ressuscité des morts le troisième jour »

631   « Jésus est descendu dans les régions inférieures de la
terre. Celui qui est descendu est le même que celui qui est
aussi monté » (Ep 4, 9-10). Le Symbole des apôtres
confesse en un même article de foi la descente du Christ aux
enfers et sa Résurrection des morts le troisième jour, parce
que dans sa Pâque c'est du fond de la mort qu'Il a fait jaillir
la vie :

> Le Christ, ton Fils
> qui, remonté des Enfers,
> répandit sur le genre humain sa sereine clarté
> et vit et règne pour les siècles des siècles. Amen[1].

PARAGRAPHE 1. *Le Christ est descendu aux enfers*

632   Les fréquentes affirmations du Nouveau Testament selon
lesquelles Jésus « est ressuscité d'entre les morts » (1 Co 15,
20)[2] présupposent, préalablement à la résurrection, que
celui-ci soit demeuré dans le séjour des morts[3]. C'est le sens
premier que la prédication apostolique a donné à la descente
de Jésus aux enfers : Jésus a connu la mort comme tous les
hommes et les a rejoints par son âme au séjour des morts.
Mais Il y est descendu en Sauveur, proclamant la bonne
nouvelle aux esprits qui y étaient détenus[4].

633   Le séjour des morts où le Christ mort est descendu,
l'Ecriture l'appelle les enfers, le Shéol ou l'Hadès[5] parce
que ceux qui s'y trouvent sont privés de la vision de Dieu[6].

---

1. MR, Vigile Pascale 18 : Exsultet. — 2. Cf. Ac 3, 15; Rm 8, 11. — 3. Cf. He 13,
20. — 4. Cf. 1 P 3, 18-19. — 5. Cf. Ph 2, 10; Ac 2, 24; Ap 1, 18; Ep 4, 9.
— 6. Cf. Ps 6, 6; 88, 11-13.

Tel est en effet, en attendant le Rédempteur, le cas de tous les morts, méchants ou justes[1] ce qui ne veut pas dire que leur sort soit identique comme le montre Jésus dans la parabole du pauvre Lazare reçu dans « le sein d'Abraham[2] ». « Ce sont précisément ces âmes saintes, qui attendaient leur Libérateur dans le sein d'Abraham, que Jésus-Christ délivra lorsqu'Il descendit aux enfers[3]. » Jésus n'est pas descendu aux enfers pour y délivrer les damnés[4] ni pour détruire l'enfer de la damnation[5] mais pour libérer les justes qui L'avaient précédé[6].   *1033*

« La Bonne Nouvelle a été également annoncée aux   634
morts... » (1 P 4, 6). La descente aux enfers est l'accomplissement, jusqu'à la plénitude, de l'annonce évangélique du salut. Elle est la phase ultime de la mission messianique de Jésus, phase condensée dans le temps mais immensément vaste dans sa signification réelle d'extension de l'œuvre rédemptrice à tous les hommes de tous les temps et de tous les lieux, car tous ceux qui sont sauvés ont été rendus parti-   *605*
cipants de la Rédemption.

Le Christ est donc descendu dans la profondeur de la   635
mort[7] afin que « les morts entendent la voix du Fils de Dieu et que ceux qui l'auront entendue vivent » (Jn 5, 25). Jésus, « le Prince de la vie » (Ac 3, 15), a « réduit à l'impuissance, par sa mort, celui qui a la puissance de la mort, c'est-à-dire le diable, et a affranchi tous ceux qui, leur vie entière, étaient tenus en esclavage par la crainte de la mort » (He 2, 14-15). Désormais le Christ ressuscité « détient la clef de la mort et de l'Hadès » (Ap 1, 18) et « au nom de Jésus tout genou fléchit au ciel, sur terre et aux enfers » (Ph 2, 10).

Un grand silence règne aujourd'hui sur la terre, un grand silence et une grande solitude. Un grand silence parce que le Roi dort. La terre a tremblé et s'est calmée parce que Dieu s'est endormi dans la chair et qu'Il est allé réveiller ceux qui dormaient depuis des siècles (...). Il va chercher Adam, notre premier Père, la brebis perdue. Il veut aller visiter tous ceux qui sont assis dans les ténèbres et à l'ombre de la mort. Il va pour délivrer de leurs douleurs Adam dans les liens et Eve, captive avec lui, Lui qui est en même temps leur Dieu et leur Fils (...) « Je suis ton Dieu, et à cause de toi Je suis devenu ton Fils. Lève-toi, toi qui dormais, car Je ne t'ai pas créé pour que tu séjournes ici

1. Cf. Ps 89, 49 ; 1 S 28, 19 ; Ez 32, 17-32. — 2. Cf. Lc 16, 22-26. — 3. Catech. R. 1, 6, 3. — 4. Cf. Cc. Rome de 745 : DS 587. — 5. Cf. DS 1011 ; 1077. — 6. Cf. Cc. Tolède IV en 633 : DS 485 ; Mt 27, 52-53. — 7. Cf. Mt 12, 40 ; Rm 10, 7 ; Ep 4, 9.

enchaîné dans l'enfer. Relève-toi d'entre les morts, Je suis la Vie des morts [1]. »

EN BREF

636   *Dans l'expression « Jésus est descendu aux enfers », le symbole confesse que Jésus est mort réellement, et que, par sa mort pour nous, Il a vaincu la mort et le diable « qui a la puissance de la mort » (He 2, 14).*

637   *Le Christ mort, dans son âme unie à sa personne divine, est descendu au séjour des morts. Il a ouvert aux justes qui L'avaient précédé les portes du ciel.*

PARAGRAPHE 2. *Le troisième jour*
Il est ressuscité des morts

638   « Nous vous annonçons la Bonne Nouvelle : la promesse faite à nos pères, Dieu l'a accomplie en notre faveur à nous, leurs enfants : Il a ressuscité Jésus » (Ac 13, 32-33). La Résurrection de Jésus est la vérité culminante de notre foi
90   dans le Christ, crue et vécue comme vérité centrale par la première communauté chrétienne, transmise comme fondamentale par la Tradition, établie par les documents du Nou-
651   veau Testament, prêchée comme partie essentielle du mys-
991   tère pascal en même temps que la Croix :

> Le Christ est ressuscité des morts.
> Par sa mort Il a vaincu la mort,
> Aux morts Il a donné la vie [2].

I. L'événement historique et transcendant

639   Le mystère de la résurrection du Christ est un événement réel qui a eu des manifestations historiquement constatées comme l'atteste le Nouveau Testament. Déjà S. Paul peut écrire aux Corinthiens vers l'an 56 : « Je vous ai donc transmis ce que j'avais moi-même reçu, à savoir que le Christ est mort pour nos péchés selon les Écritures, qu'Il a été mis au tombeau, qu'Il est ressuscité le troisième jour selon les Écritures, qu'Il est apparu à Céphas, puis aux Douze » (1 Co 15, 3-4). L'apôtre parle ici de la *vivante tradition de la Résur-*

---

1. Ancienne homélie pour le Samedi Saint. — 2. Liturgie byzantine, Tropaire de Pâques.

rection qu'il avait apprise après sa conversion aux portes de Damas[1].

Le tombeau vide

« Pourquoi chercher le Vivant parmi les morts ? Il n'est 640 pas ici, mais Il est ressuscité » (Lc 24, 5-6). Dans le cadre des événements de Pâques, le premier élément que l'on rencontre est le sépulcre vide. Il n'est pas en soi une preuve directe. L'absence du corps du Christ dans le tombeau pourrait s'expliquer autrement[2]. Malgré cela, le sépulcre vide a constitué pour tous un signe essentiel. Sa découverte par les disciples a été le premier pas vers la reconnaissance du fait même de la Résurrection. C'est le cas des saintes femmes d'abord[3], puis de Pierre[4]. « Le disciple que Jésus aimait » (Jn 20, 2) affirme qu'en entrant dans le tombeau vide et en découvrant « les linges gisant à terre » (Jn 20, 6) « il vit et il crut » (Jn 20, 8). Cela suppose qu'il ait constaté dans l'état du sépulcre vide[5] que l'absence du corps de Jésus n'a pas pu 999 être une œuvre humaine et que Jésus n'était pas simplement revenu à une vie terrestre comme cela avait été le cas de Lazare[6].

Les apparitions du Ressuscité

Marie de Magdala et les saintes femmes, qui venaient 641 achever d'embaumer le corps de Jésus[7] enseveli à la hâte à cause de l'arrivée du Sabbat le soir du Vendredi Saint[8], ont été les premières à rencontrer le Ressuscité[9]. Ainsi les femmes furent les premières messagères de la Résurrection du Christ pour les apôtres eux-mêmes[10]. C'est à eux que Jésus apparaît ensuite, d'abord à Pierre, puis aux Douze[11]. Pierre, appelé à confirmer la foi de ses frères[12], voit donc le 553 Ressuscité avant eux et c'est sur son témoignage que la communauté s'écrie : « C'est bien vrai ! Le Seigneur est res- 448 suscité et Il est apparu à Simon » (Lc 24, 34).

Tout ce qui est arrivé dans ces journées Pascales engage 642 chacun des apôtres – et Pierre tout particulièrement – dans la construction de l'ère nouvelle qui a débuté au matin de Pâques. Comme témoins du Ressuscité ils demeurent les

---

1. Cf. Ac 9, 3-18. — 2. Cf. Jn 20, 13 ; Mt 28, 11-15. — 3. Cf. Lc 24, 3. 22-23. — 4. Cf. Lc 24, 12. — 5. Cf. Jn 20, 5-7. — 6. Cf. Jn 11, 44. — 7. Cf. Mc 16, 1 ; Lc 24, 1. — 8. Cf. Jn 19, 31. 42. — 9. Cf. Mt 28, 9-10 ; Jn 20, 11-18. — 10. Cf. Lc 24, 9-10. — 11. Cf. 1 Co 15, 5. — 12. Cf. Lc 22, 31-32.

659, 881 pierres de fondation de son Eglise. La foi de la première
communauté des croyants est fondée sur le témoignage
d'hommes concrets, connus des chrétiens et, pour la plupart,
860 vivant encore parmi eux. Ces « témoins de la Résurrection
du Christ [1] » sont avant tout Pierre et les Douze, mais pas
seulement eux : Paul parle clairement de plus de cinq cents
personnes auxquelles Jésus est apparu en une seule fois, en
plus de Jacques et de tous les apôtres [2].

643   Devant ces témoignages il est impossible d'interpréter la Résurrection du Christ en dehors de l'ordre physique, et de ne pas la
reconnaître comme un fait historique. Il résulte des faits que la foi
des disciples a été soumise à l'épreuve radicale de la passion et de
la mort en Croix de leur maître annoncée par Celui-ci à l'avance [3].
La secousse provoquée par la passion fut si grande que les disciples
(tout au moins certains d'entre eux) ne crurent pas aussitôt à la nouvelle de la Résurrection. Loin de nous montrer une communauté
saisie par une exaltation mystique, les Evangiles nous présentent
les disciples abattus (« le visage sombre » : Lc 24, 17) et effrayés [4].
C'est pourquoi ils n'ont pas cru les saintes femmes de retour du
tombeau et « leurs propos leur ont semblé du radotage » (Lc 24,
11) [5]. Quand Jésus se manifeste aux onze au soir de Pâques, « Il
leur reproche leur incrédulité et leur obstination à ne pas ajouter foi
à ceux qui L'avaient vu ressuscité » (Mc 16, 14).

644   Même mis devant la réalité de Jésus ressuscité, les disciples
doutent encore [6], tellement la chose leur paraît impossible : ils
croient voir un esprit [7]. « Dans leur joie ils ne croient pas encore et
demeurent saisis d'étonnement » (Lc 24, 41). Thomas connaîtra la
même épreuve du doute [8] et, lors de la dernière apparition en Galilée rapportée par Matthieu, « certains cependant doutèrent » (Mt
28, 17). C'est pourquoi l'hypothèse selon laquelle la Résurrection
aurait été un « produit » de la foi (ou de la crédulité) des apôtres est
sans consistance. Bien au contraire, leur foi dans la Résurrection est
née – sous l'action de la grâce divine – de l'expérience directe de la
réalité de Jésus ressuscité.

L'état de l'humanité ressuscitée du Christ

645   Jésus ressuscité établit avec ses disciples des rapports
directs, à travers le toucher [9] et le partage du repas [10]. Il les
invite par là à reconnaître qu'Il n'est pas un esprit [11] mais
999 surtout à constater que le corps ressuscité avec lequel Il se
présente à eux est le même qui a été martyrisé et crucifié
puisqu'Il porte encore les traces de sa passion [12]. Ce corps

1. Cf. Ac 1, 22. — 2. Cf. 1 Co 15, 4-8. — 3. Cf. Lc 22, 31-32. — 4. Cf. Jn 20, 19.
— 5. Cf. Mc 16, 11. 13. — 6. Cf. Lc 24, 38. — 7. Cf. Lc 24, 39. — 8. Cf. Jn 20,
24-27. — 9. Cf. Lc 24, 39 ; Jn 20, 27. — 10. Cf. Lc 24, 30. 41-43 ; Jn 21, 9. 13-15.
— 11. Cf. Lc 24, 39. — 12. Cf. Lc 24, 40 ; Jn 20, 20. 27.

authentique et réel possède pourtant en même temps les propriétés nouvelles d'un corps glorieux : Il n'est plus situé dans l'espace et le temps, mais peut se rendre présent à sa guise où et quand Il veut[1] car son humanité ne peut plus être retenue sur terre et n'appartient plus qu'au domaine divin du Père[2]. Pour cette raison aussi Jésus ressuscité est souverainement libre d'apparaître comme Il veut : sous l'apparence d'un jardinier[3] ou « sous d'autres traits » (Mc 16, 12) que ceux qui étaient familiers aux disciples, afin précisément de susciter leur foi[4].

La Résurrection du Christ ne fut pas un retour à la vie terrestre, comme ce fut le cas pour les résurrections qu'Il avait accomplies avant Pâques : la fille de Jaïre, le jeune homme de Naïm, Lazare. Ces faits étaient des événements miraculeux, mais les personnes miraculées retrouvaient, par le pouvoir de Jésus, une vie terrestre « ordinaire ». A un certain moment, ils mourront de nouveau. La Résurrection du Christ est essentiellement différente. Dans son corps ressuscité, Il passe de l'état de mort à une autre vie au-delà du temps et de l'espace. Le corps de Jésus est, dans la Résurrection, rempli de la puissance du Saint-Esprit ; Il participe à la vie divine dans l'état de sa gloire, si bien que S. Paul peut dire du Christ qu'Il est « l'homme céleste[5] ». 646 934 549

La Résurrection comme événement transcendant

« O nuit, chante l'"Exsultet" de Pâques, toi seule as pu connaître le moment où le Christ est sorti vivant du séjour des morts[6]. » En effet, personne n'a été le témoin oculaire de l'événement même de la Résurrection et aucun évangéliste ne le décrit. Personne n'a pu dire comment elle s'était faite physiquement. Moins encore son essence la plus intime, le passage à une autre vie, fut perceptible aux sens. Evénement historique constatable par le signe du tombeau vide et par la réalité des rencontres des apôtres avec le Christ ressuscité, la Résurrection n'en demeure pas moins, en ce qu'elle transcende et dépasse l'histoire, au cœur du mystère de la foi. C'est pourquoi le Christ ressuscité ne se manifeste pas au monde[7] mais à ses disciples, « à ceux qui étaient montés avec Lui de Galilée à Jérusalem, ceux-là mêmes qui sont maintenant ses témoins auprès du peuple » (Ac 13, 31). 647 1000

1. Cf. Mt 28, 9. 16-17 ; Lc 24, 15. 36 ; Jn 20, 14. 19. 26 ; 21, 4. — 2. Cf. Jn 20, 17. — 3. Cf. Jn 20, 14-15. — 4. Cf. Jn 20, 14. 16 ; 21, 4. 7. — 5. Cf. 1 Co 15, 35-50. — 6. Vigilia Paschalis, Praeconium Paschale (« Exsultet »). — 7. Cf. Jn 14, 22.

II. La Résurrection – œuvre de la Sainte Trinité

648 La Résurrection du Christ est objet de foi en tant qu'elle
258 est une intervention transcendante de Dieu Lui-même dans
989 la création et dans l'histoire. En elle, les trois Personnes
divines à la fois agissent ensemble et manifestent leur origi-
nalité propre. Elle s'est faite par la puissance du Père qui « a
ressuscité » (Ac 2, 24) le Christ, son Fils, et a de cette façon
introduit de manière parfaite son humanité – avec son
663 corps – dans la Trinité. Jésus est définitivement révélé « Fils
445 de Dieu avec puissance selon l'Esprit, par sa Résurrection
d'entre les morts » (Rm 1, 4). S. Paul insiste sur la manifes-
272 tation de la puissance de Dieu [1] par l'œuvre de l'Esprit qui a
vivifié l'humanité morte de Jésus et l'a appelée à l'état glorieux de Seigneur,

649 Quant au Fils, Il opère sa propre Résurrection en vertu de
sa puissance divine. Jésus annonce que le Fils de l'Homme
devra beaucoup souffrir, mourir, et ensuite ressusciter (au
sens actif du mot [2]). Ailleurs, Il affirme explicitement : « Je
donne ma vie pour la reprendre. (...) J'ai pouvoir de la donner et pouvoir de la reprendre » (Jn 10, 17-18). « Nous
croyons (...) que Jésus est mort, puis est ressuscité » (1 Th 4,
14).

650 Les Pères contemplent la Résurrection à partir de la personne divine du Christ qui est restée unie à son âme et à son
626 corps séparés entre eux par la mort : « Par l'unité de la
nature divine qui demeure présente dans chacune des deux
parties de l'homme, celles-ci s'unissent à nouveau. Ainsi la
1005 mort se produit par la séparation du composé humain, et la
Résurrection par l'union des deux parties séparées [3]. »

III. Sens et portée salvifique de la Résurrection

651 « Si le Christ n'est pas ressuscité, alors notre prédication
est vaine et vaine aussi notre foi » (1 Co 15, 14). La Résurrection constitue avant tout la confirmation de tout ce que le
Christ Lui-même a fait et enseigné. Toutes les vérités, même

---

1. Cf. Rm 6, 4 ; 2 Co 13, 4 ; Ph 3, 10 ; Ep 1, 19-22 ; He 7, 16. — 2. Cf. Mc 8, 31 ; 9,
9. 31 ; 10, 34. — 3. S. Grégoire de Nysse, res. 1 ; cf. aussi DS 325 ; 359 ; 369 ; 539.

les plus inaccessibles à l'esprit humain, trouvent leur justification si en ressuscitant le Christ a donné la preuve définitive, qu'Il avait promise, de son autorité divine.

129
274

La Résurrection du Christ est *accomplissement des promesses* de l'Ancien Testament[1] et de Jésus Lui-même durant sa vie terrestre[2]. L'expression « selon les Ecritures[3] » indique que la Résurrection du Christ accomplit ces prédictions.

652
994
601

La vérité de *la divinité de Jésus* est confirmée par sa Résurrection. Il avait dit : « Quand vous aurez élevé le Fils de l'Homme, alors vous saurez que Je Suis » (Jn 8, 28). La Résurrection du Crucifié démontra qu'Il était vraiment « Je Suis », le Fils de Dieu et Dieu Lui-même. S. Paul a pu déclarer aux Juifs : « La promesse faite à nos pères, Dieu l'a accomplie en notre faveur (...) ; Il a ressuscité Jésus, ainsi qu'il était écrit au psaume premier : Tu es mon Fils, moi-même aujourd'hui Je T'ai engendré » (Ac 13, 32-33)[4]. La Résurrection du Christ est étroitement liée au mystère de l'Incarnation du Fils de Dieu. Elle en est l'accomplissement selon le dessein éternel de Dieu.

653
445
461
422

Il y a un double aspect dans le mystère pascal : par sa mort il nous libère du péché, par sa Résurrection il nous ouvre l'accès à une nouvelle vie. Celle-ci est d'abord *la justification* qui nous remet dans la grâce de Dieu[5] « afin que, comme le Christ est ressuscité des morts, nous vivions nous aussi dans une vie nouvelle » (Rm 6, 4). Elle consiste en la victoire sur la mort du péché et dans la nouvelle participation à la grâce[6]. Elle accomplit *l'adoption filiale* car les hommes deviennent frères du Christ, comme Jésus Lui-même appelle ses disciples après sa Résurrection : « Allez annoncer à mes frères » (Mt 28, 10)[7]. Frères non par nature, mais par don de la grâce, parce que cette filiation adoptive procure une participation réelle à la vie du Fils unique, qui s'est pleinement révélée dans sa Résurrection.

654
1987
1996

Enfin, la Résurrection du Christ – et le Christ ressuscité lui-même – est principe et source de *notre résurrection future* : « Le Christ est ressuscité des morts, prémices de ceux qui se sont endormis (...), de même que tous meurent

655
989

---

1. Cf. Lc 24, 26-27. 44-48. — 2. Cf. Mt 28, 6 ; Mc 16, 7 ; Lc 24, 6-7. — 3. Cf. 1 Co 15, 3-4 et le Symbole de Nicée-Constantinople. — 4. Cf. Ps 2, 7. — 5. Cf. Rm 4, 25. — 6. Cf. Ep 2, 4-5 ; 1 P 1, 3. — 7. Cf. Jn 20, 17.

en Adam, tous aussi revivront dans le Christ » (1 Co 15, 20-
22). Dans l'attente de cet accomplissement, le Christ ressus-
1002 cité vit dans le cœur de ses fidèles. En Lui les chrétiens
« goûtent aux forces du monde à venir » (He 6, 5) et leur vie
est entraînée par le Christ au sein de la vie divine[1] « afin
qu'ils ne vivent plus pour eux-mêmes mais pour Celui qui
est mort et ressuscité pour eux » (2 Co 5, 15).

En bref

656   *La foi en la Résurrection a pour objet un événement à la*
          fois historiquement attesté par les disciples qui ont réelle-
          ment rencontré le Ressuscité, et mystérieusement transcen-
          dant en tant qu'entrée de l'humanité du Christ dans la
          Gloire de Dieu.

657   *Le tombeau vide et les linges gisant signifient par eux-*
          mêmes que le corps du Christ a échappé aux liens de la
          mort et de la corruption par la puissance de Dieu. Ils pré-
          parent les disciples à la rencontre du Ressuscité.

658   *Le Christ, « premier-né d'entre les morts » (Col 1, 18), est*
          le principe de notre propre résurrection, dès maintenant par
          la justification de notre âme[2], plus tard par la vivification
          de notre corps[3].

ARTICLE 6
« Jésus est monté aux cieux, Il siège
à la droite de Dieu,
le Père Tout-Puissant »

659   « Or le Seigneur Jésus, après leur avoir parlé, fut enlevé
          au ciel et Il s'assit à la droite de Dieu » (Mc 16, 19). Le
          Corps du Christ a été glorifié dès l'instant de sa Résurrec-
645   tion comme le prouvent les propriétés nouvelles et surna-
          turelles dont jouit désormais son Corps en permanence[4].
          Mais pendant les quarante jours où Il va manger et boire
          familièrement avec ses disciples[5] et les instruire sur le
          Royaume[6], sa gloire reste encore voilée sous les traits d'une
66   humanité ordinaire[7]. La dernière apparition de Jésus se ter-

1. Cf. Col 3, 1-3. — 2. Cf. Rm 6, 4. — 3. Cf. Rm 8, 11. — 4. Cf. Lc 24, 31 ; Jn 20,
19. 26. — 5. Cf. Ac 10, 41. — 6. Cf. Ac 1, 3. — 7. Cf. Mc 16, 12 ; Lc 24, 15 ; Jn
20, 14-15 ; 21, 4.

mine par l'entrée irréversible de son humanité dans la gloire
divine symbolisée par la nuée[1] et par le ciel[2] où Il siège   697
désormais à la droite de Dieu[3]. Ce n'est que de manière tout
à fait exceptionnelle et unique qu'Il se montrera à Paul
« comme à l'avorton » (1 Co 15, 8) en une dernière apparition qui le constitue apôtre[4].   642

Le caractère voilé de la gloire du Ressuscité pendant ce   660
temps transparaît dans sa parole mystérieuse à Marie-Made-
leine : « Je ne suis pas encore monté vers le Père. Mais va
vers mes frères et dis-leur : Je monte vers mon Père et votre
Père, vers mon Dieu et votre Dieu » (Jn 20, 17). Ceci
indique une différence de manifestation entre la gloire du
Christ ressuscité et celle du Christ exalté à la droite du Père.
L'événement à la fois historique et transcendant de l'Ascension marque la transition de l'une à l'autre.

Cette dernière étape demeure étroitement unie à la pre-   661
mière, c'est-à-dire à la descente du ciel réalisée dans l'Incarnation. Seul celui qui est « sorti du Père » peut « retourner
au Père » : le Christ[5]. « Personne n'est jamais monté aux
cieux sinon le Fils de l'Homme qui est descendu des cieux »
(Jn 3, 13)[6]. Laissée à ses forces naturelles, l'humanité n'a
pas accès à la Maison du Père[7], à la vie et à la félicité de
Dieu. Le Christ seul a pu ouvrir cet accès à l'homme, « de
sorte que nous, ses membres, nous ayons l'espérance de Le   792
rejoindre là où Lui, notre Tête et notre Principe, nous a précédés[8] ».

« Moi, une fois élevé de terre, J'attirerai tous les hommes   662
à moi » (Jn 12, 32). L'élévation sur la Croix signifie et
annonce l'élévation de l'Ascension au ciel. Elle en est le
début. Jésus-Christ, l'unique Prêtre de l'Alliance nouvelle et   1545
éternelle, n'est pas « entré dans un sanctuaire fait de mains
d'hommes (...) mais dans le ciel, afin de paraître maintenant
à la face de Dieu en notre faveur » (He 9, 24). Au ciel le
Christ exerce en permanence son sacerdoce, « étant toujours
vivant pour intercéder en faveur de ceux qui par Lui
s'avancent vers Dieu » (He 7, 25). Comme « grand prêtre   1137
des biens à venir » (He 9, 11), Il est le centre et l'acteur
principal de la liturgie qui honore le Père dans les cieux[9].

Le Christ, désormais, *siège à la droite du Père* : « Par   663
droite du Père nous entendons la gloire et l'honneur de la
divinité, où celui qui existait comme Fils de Dieu avant tous

1. Cf. Ac 1, 9. ; cf. aussi Lc 9, 34-35 ; Ex 13, 22. — 2. Cf. Lc 24, 51. — 3. Cf. Mc
16, 19 ; Ac 2, 33 ; 7, 56 ; cf. aussi Ps 110, 1.— 4. Cf. 1 Co 9, 1 ; Ga 1, 16.
— 5. Cf. Jn 16, 28. — 6. Cf. Jn 3, 13. — 7. Cf. Jn 14, 2. — 8. MR, Préface de
l'Ascension. — 9. Cf. Ap 4, 6-11.

648 les siècles comme Dieu et consubstantiel au Père, s'est assis corporellement après qu'Il s'est incarné et que sa chair a été glorifiée[1]. »

664
541   La session à la droite du Père signifie l'inauguration du règne du Messie, accomplissement de la vision du prophète Daniel concernant le Fils de l'homme : « A Lui fut conféré empire, honneur et royaume, et tous les peuples, nations et langues Le servirent. Son empire est un empire à jamais, qui ne passera point et son royaume ne sera point détruit » (Dn 7, 14). A partir de ce moment, les apôtres sont devenus les témoins du « Règne qui n'aura pas de fin[2] ».

EN BREF

665   *L'ascension du Christ marque l'entrée définitive de l'humanité de Jésus dans le domaine céleste de Dieu d'où Il reviendra[3], mais qui entre-temps Le cache aux yeux des hommes[4].*

666   *Jésus-Christ, Tête de l'Eglise, nous précède dans le Royaume glorieux du Père pour que nous, membres de son Corps, vivions dans l'espérance d'être un jour éternellement avec Lui.*

667   *Jésus-Christ, étant entré une fois pour toutes dans le sanctuaire du ciel, intercède sans cesse pour nous comme le médiateur qui nous assure en permanence l'effusion de l'Esprit Saint.*

ARTICLE 7
« D'où Il viendra juger les vivants et les morts »

I. Il reviendra dans la gloire

Le Christ règne déjà par l'Église...

668   « Le Christ est mort et revenu à la vie pour être le Seigneur des morts et des vivants » (Rm 14, 9). L'Ascension du Christ au Ciel signifie sa participation, dans son humanité, à

---

1. S. Jean Damascène, f. o. 4, 2. — 2. Symbole de Nicée-Constantinople. — 3. Cf. Ac 1, 11. — 4. Cf. Col 3, 3.

la puissance et à l'autorité de Dieu Lui-même. Jésus-Christ est Seigneur : Il possède tout pouvoir dans les cieux et sur la *450* terre. Il est « au-dessus de toute autorité, pouvoir, puissance et souveraineté », car le Père « a tout mis sous ses pieds » (Ep 1, 20-22). Le Christ est le Seigneur du cosmos[1] et de l'histoire. En Lui, l'histoire de l'homme et même toute la création trouvent leur récapitulation[2], leur achèvement *518* transcendant.

Comme Seigneur, le Christ est aussi la Tête de l'Eglise **669** qui est son Corps[3]. Elevé au ciel et glorifié, ayant ainsi *792* accompli pleinement sa mission, Il demeure sur la terre dans son Eglise. La Rédemption est la source de l'autorité que le *1088* Christ, par son Esprit Saint, exerce sur l'Eglise[4]. « Le règne du Christ est déjà mystérieusement présent dans l'Eglise[5] », *541* « germe et commencement de ce Royaume sur la terre[6] ».

Depuis l'Ascension, le dessein de Dieu est entré dans son **670** accomplissement. Nous sommes déjà à « la dernière heure » (1 Jn 2, 18)[7]. « Ainsi donc déjà les derniers temps sont arrivés pour nous. Le renouvellement du monde est irrévocable- *1042* ment acquis et, en toute réalité, anticipé dès maintenant : en effet, déjà sur la terre l'Eglise est parée d'une sainteté imparfaite mais véritable[8]. » Le Royaume du Christ mani- *825* feste déjà sa présence par les signes miraculeux[9] qui *547* accompagnent son annonce par l'Eglise[10].

... en attendant que tout Lui soit soumis

Déjà présent dans son Eglise, le Règne du Christ n'est **671** cependant pas encore achevé « avec puissance et grande gloire » (Lc 21, 27)[11] par l'avènement du Roi sur la terre. Ce Règne est encore attaqué par les puissances mauvaises[12] même si elles ont été déjà vaincues à la base par la Pâque du Christ. Jusqu'à ce que tout Lui ait été soumis[13], « jusqu'à l'heure où seront réalisés les nouveaux cieux et la nouvelle *1043* terre où la justice habite, l'Eglise en pèlerinage porte dans *769, 773* ses sacrements et ses institutions, qui relèvent de ce temps, la figure du siècle qui passe ; elle vit elle-même parmi les créatures qui gémissent présentement encore dans les dou- leurs de l'enfantement et attendent la manifestation des fils de Dieu[14] ». Pour cette raison les chrétiens prient, surtout

1. Cf. Ep 4, 10 ; 1 Co 15, 24. 27-28. — 2. Cf. Ep 1, 10. — 3. Cf. Ep 1, 22. — 4. Cf. Ep 4, 11-13. — 5. LG 3. — 6. LG 5. — 7. Cf. 1 P 4, 7. — 8. LG 48. — 9. Cf. Mc 16, 17-18. — 10. Cf. Mc 16, 20. — 11. Cf. Mt 25, 31. — 12. Cf. 2 Th 2, 7. — 13. Cf. 1 Co 15, 28. — 14. LG 48.

1043, 2046 dans l'Eucharistie[1], pour hâter le retour du Christ[2] en Lui
2817 disant : « Viens, Seigneur » (Ap 22, 20)[3].

672   Le Christ a affirmé avant son Ascension que ce n'était
pas encore l'heure de l'établissement glorieux du Royaume
messianique attendu par Israël[4] qui devait apporter à tous
les hommes, selon les prophètes[5], l'ordre définitif de la justice, de l'amour et de la paix. Le temps présent est, selon le
732 Seigneur, le temps de l'Esprit et du témoignage[6], mais c'est
aussi un temps encore marqué par la « détresse » (1 Co 7,
26) et l'épreuve du mal[7] qui n'épargne pas l'Eglise[8] et inaugure les combats des derniers jours[9]. C'est un temps
2612 d'attente et de veille[10].

L'avènement glorieux du Christ, espérance d'Israël

673   Depuis l'Ascension, l'avènement du Christ dans la gloire
1040, 1048 est imminent[11] même s'il ne nous « appartient pas de
connaître les temps et les moments que le Père a fixés de sa
seule autorité » (Ac 1, 7)[12]. Cet avènement eschatologique
peut s'accomplir à tout moment[13] même s'il est « retenu »,
lui et l'épreuve finale qui le précédera[14].

674   La venue du Messie glorieux est suspendue à tout
moment de l'histoire[15] à sa reconnaissance par tout Israël[16]
dont « une partie s'est endurcie[17] » dans « l'incrédulité »
(Rm 11, 20) envers Jésus. S. Pierre le dit aux juifs de Jérusalem après la Pentecôte : « Repentez-vous et convertissez-
vous, afin que vos péchés soient effacés et qu'ainsi le Seigneur fasse venir le temps de répit. Il enverra alors le Christ
qui vous est destiné, Jésus, celui que le Ciel doit garder
jusqu'au temps de la restauration universelle dont Dieu a
parlé dans la bouche de ses saints prophètes » (Ac 3, 19-21).
Et S. Paul lui fait écho : « Si leur mise à l'écart fut une
réconciliation pour le monde, que sera leur assomption,
840 sinon la vie sortant des morts ? » (Rm 11, 15). L'entrée de la
plénitude des juifs[18] dans le salut messianique, à la suite de
58 la plénitude des païens[19], donnera au Peuple de Dieu de
« réaliser la plénitude du Christ » (Ep 4, 13) dans laquelle
« Dieu sera tout en tous » (1 Co 15, 28).

1. Cf. 1 Co 11, 26. — 2. Cf. 2 P 3, 11-12. — 3. Cf. 1 Cor 16, 22 ; Ap 22, 17. —
4. Cf. Ac 1, 6-7. — 5. Cf. Is 11, 1-9. — 6. Cf. Ac 1, 8. — 7. Cf. Ep 5, 16. —
8. Cf. 1 P 4, 17. — 9. Cf. 1 Jn 2, 18 ; 4, 3 ; 1 Tm 4, 1. — 10. Cf. Mt 25, 1-13 ; Mc
13, 33-37. — 11. Cf. Ap 22, 20. — 12. Cf. Mc 13, 32. — 13. Cf. Mt 24, 44 ; 1 Th
5, 2. — 14. Cf. 2 Th 2, 3-12. — 15. Cf. Rm 11, 31. — 16. Cf. Rm 11, 26 ; Mt 23,
39. — 17. Cf. Rm 11, 25. — 18. Cf. Rm 11, 12. — 19. Cf. Rm 11, 25 ; Lc 21, 24.

L'Épreuve ultime de l'Église

Avant l'avènement du Christ, l'Eglise doit passer par une épreuve finale qui ébranlera la foi de nombreux croyants[1]. La persécution qui accompagne son pèlerinage sur la terre[2] dévoilera le « mystère d'iniquité » sous la forme d'une imposture religieuse apportant aux hommes une solution apparente à leurs problèmes au prix de l'apostasie de la vérité. L'imposture religieuse suprême est celle de l'Anti-Christ, c'est-à-dire celle d'un pseudo-messianisme où l'homme se glorifie lui-même à la place de Dieu et de son Messie venu dans la chair[3]. **675** *769*

Cette imposture antichristique se dessine déjà dans le monde chaque fois que l'on prétend accomplir dans l'histoire l'espérance messianique qui ne peut s'achever qu'au-delà d'elle à travers le jugement eschatologique : même sous sa forme mitigée, l'Eglise a rejeté cette falsification du Royaume à venir sous le nom de millénarisme[4], surtout sous la forme politique d'un messianisme sécularisé, « intrinsèquement perverse[5] ». **676** *2425*

L'Eglise n'entrera dans la gloire du Royaume qu'à travers cette ultime Pâque où elle suivra son Seigneur dans sa mort et sa Résurrection[6]. Le Royaume ne s'accomplira donc pas par un triomphe historique de l'Eglise[7] selon un progrès ascendant mais par une victoire de Dieu sur le déchaînement ultime du mal[8] qui fera descendre du Ciel son Epouse[9]. Le triomphe de Dieu sur la révolte du mal prendra la forme du Jugement dernier[10] après l'ultime ébranlement cosmique de ce monde qui passe[11]. **677** *1340* *2853*

II. Pour juger les vivants et les morts *1038-1041*

A la suite des prophètes[12] et de Jean-Baptiste[13], Jésus a annoncé dans sa prédication le Jugement du dernier Jour. Alors seront mis en lumière la conduite de chacun[14] et le secret des cœurs[15]. Alors sera condamnée l'incrédulité coupable qui a tenu pour rien la grâce offerte par Dieu[16]. L'attitude par rapport au prochain révélera l'accueil ou le refus de **678** *1470*

1. Cf. Lc 18, 8 ; Mt 24, 12. — 2. Cf. Lc 21, 12 ; Jn 15, 19-20. — 3. Cf. 2 Th 2, 4-12 ; 1 Tm 5, 2-3 ; 2 Jn 7 ; 1 Jn 2, 18. 22. — 4. Cf. DS 3839. — 5. Cf. Pie XI, enc. « Divini Redemptoris » condamnant le « faux mysticisme » de cette « contrefaçon de la rédemption des humbles » ; GS 20-21. — 6. Cf. Ap 19, 1-9. — 7. Cf. Ap 13, 8. — 8. Cf. Ap 20, 7-10. — 9. Cf. Ap 21, 2-4. — 10. Cf. Ap 20, 12. — 11. Cf. 2 P 3, 12-13. — 12. Cf. Dn 7, 10 ; Jl 3-4 ; Ml 3, 19. — 13. Cf. Mt 3, 7-12. — 14. Cf. Mc 12, 38-40. — 15. Cf. Lc 12, 1-3 ; Jn 3, 20-21 ; Rm 2, 16 ; 1 Co 4, 5. — 16. Cf. Mt 11, 20-24 ; 12, 41-42.

la grâce et de l'amour divin[1]. Jésus dira au dernier jour :
« Tout ce que vous avez fait à l'un de ces plus petits de mes
frères, c'est à moi que vous l'avez fait » (Mt 25, 40).

679   Le Christ est Seigneur de la vie éternelle. Le plein droit
de juger définitivement les œuvres et les cœurs des hommes
appartient à Lui en tant que Rédempteur du monde. Il a
« acquis » ce droit par sa Croix. Aussi le Père a-t-il remis
« le jugement tout entier au Fils » (Jn 5, 22)[2]. Or, le Fils
n'est pas venu pour juger, mais pour sauver[3] et pour donner
la vie qui est en Lui[4]. C'est par le refus de la grâce en cette
1474-1477 vie que chacun se juge déjà lui-même[5], reçoit selon ses
œuvres[6] et peut même se damner pour l'éternité en refusant
l'Esprit d'amour[7].

EN BREF

680   *Le Christ Seigneur règne déjà par l'Eglise, mais toutes
choses de ce monde ne lui sont pas encore soumises. Le
triomphe du Royaume du Christ ne se fera pas sans un dernier assaut des puissances du mal.*

681   *Au Jour du Jugement, lors de la fin du monde, le Christ
viendra dans la gloire pour accomplir le triomphe définitif
du bien sur le mal qui, comme le grain et l'ivraie, auront
grandi ensemble au cours de l'histoire.*

682   *En venant à la fin des temps juger les vivants et les morts, le
Christ glorieux révélera la disposition secrète des cœurs et
rendra à chaque homme selon ses œuvres et selon son
accueil ou son refus de la grâce.*

CHAPITRE TROISIÈME
Je crois en l'Esprit Saint

683   « Nul ne peut appeler Jésus Seigneur sinon dans l'Esprit
424, 2670 Saint » (1 Co 12, 3). « Dieu a envoyé dans nos cœurs
l'Esprit de son Fils qui crie : *Abba*, Père ! » (Ga 4, 6.) Cette
152 connaissance de foi n'est possible que dans l'Esprit Saint.
Pour être en contact avec le Christ, il faut d'abord avoir été

1. Cf. Mt 5, 22 ; 7, 1-5. — 2. Cf. Jn 5, 27 ; Mt 25, 31 ; Ac 10, 42 ; 17, 31 ; 2 Tm 4,
1. — 3. Cf. Jn 3, 17. — 4. Cf. Jn 5, 26. — 5. Cf. Jn 3, 18 ; 12, 48. — 6. Cf. 1 Co 3,
12-15. — 7. Cf. Mt 12, 32 ; He 6, 4-6 ; 10 26-31.

touché par l'Esprit Saint. C'est Lui qui vient au-devant de nous, et suscite en nous la foi. De par notre Baptême, premier sacrement de la foi, la Vie, qui a sa source dans le Père et nous est offerte dans le Fils, nous est communiquée intimement et personnellement par l'Esprit Saint dans l'Eglise :

> Le Baptême nous accorde la grâce de la nouvelle naissance 249
> en Dieu le Père par le moyen de son Fils dans l'Esprit Saint.
> Car ceux qui portent l'Esprit de Dieu sont conduits au
> Verbe, c'est-à-dire au Fils; mais le Fils les présente au Père,
> et le Père leur procure l'incorruptibilité. Donc, sans l'Esprit,
> il n'est pas possible de voir le Fils de Dieu, et, sans le Fils,
> personne ne peut approcher du Père, car la connaissance du
> Père, c'est le Fils, et la connaissance du Fils de Dieu se fait
> par l'Esprit Saint[1].

L'Esprit Saint, par sa grâce, est premier dans l'éveil de 684 notre foi et dans la vie nouvelle qui est de connaître le Père et celui qu'Il a envoyé, Jésus-Christ[2]. Cependant Il est dernier dans la révélation des Personnes de la Trinité Sainte. S. Grégoire de Nazianze, « le Théologien », explique cette progression par la pédagogie de la « condescendance » divine : 236

> L'Ancien Testament proclamait manifestement le Père, le
> Fils plus obscurément. Le Nouveau a manifesté le Fils, a
> fait entrevoir la divinité de l'Esprit. Maintenant l'Esprit a
> droit de cité parmi nous et nous accorde une vision plus
> claire de Lui-même. En effet il n'était pas prudent, quand
> on ne confessait pas encore la divinité du Père, de procla-
> mer ouvertement le Fils et, quand la divinité du Fils n'était
> pas encore admise, d'ajouter l'Esprit Saint comme un far-
> deau supplémentaire, pour employer une expression un peu
> hardie... C'est par des avances et des progressions « de
> gloire en gloire » que la lumière de la Trinité éclatera en
> plus brillantes clartés[3].

Croire en l'Esprit Saint c'est donc professer que l'Esprit 685 Saint est l'une des Personnes de la Trinité Sainte, consubstantielle au Père et au Fils, « adoré et glorifié avec le Père et le Fils[4] ». C'est pourquoi il a été question du mystère divin de l'Esprit Saint dans la « théologie » trinitaire. Ici il ne 236 s'agira donc de l'Esprit Saint que dans « l'économie » divine.

L'Esprit Saint est à l'œuvre avec le Père et le Fils du 686 commencement à la consommation du dessein de notre 258 salut. Mais c'est dans les « derniers temps », inaugurés avec

1. S. Irénée, dem. 7. — 2. Cf. Jn 17, 3. — 3. S. Grégoire de Naz., or. theol. 5, 26 — 4. Symbole de Nicée-Constantinople.

l'Incarnation rédemptrice du Fils, qu'Il est révélé et donné, reconnu et accueilli comme Personne. Alors ce dessein divin, achevé dans le Christ, « Premier-Né » et Tête de la nouvelle création, pourra prendre corps dans l'humanité par l'Esprit répandu : l'Eglise, la communion des saints, la rémission des péchés, la résurrection de la chair, la vie éternelle.

ARTICLE 8
« Je crois en l'Esprit Saint »

687
243 « Nul ne connaît ce qui concerne Dieu, sinon l'Esprit de Dieu » (1 Co 2, 11). Or, son Esprit qui Le révèle nous fait connaître le Christ, son Verbe, sa Parole vivante, mais ne se dit pas Lui-même. Celui qui « a parlé par les prophètes[1] » nous fait entendre la Parole du Père. Mais Lui, nous ne L'entendons pas. Nous ne Le connaissons que dans le mouvement où Il nous révèle le Verbe et nous dispose à L'accueillir dans la foi. L'Esprit de Vérité qui nous « dévoile » le Christ « ne parle pas de Lui-même[2] ». Un tel effacement, proprement divin, explique pourquoi « le monde ne peut pas Le recevoir, parce qu'il ne Le voit pas ni ne Le connaît », tandis que ceux qui croient au Christ Le connaissent parce qu'Il demeure avec eux (Jn 14, 17).

688 L'Eglise, communion vivante dans la foi des apôtres qu'elle transmet, est le lieu de notre connaissance de l'Esprit Saint :
– dans les Ecritures qu'Il a inspirées ;
– dans la Tradition, dont les Pères de l'Eglise sont les témoins toujours actuels ;
– dans le Magistère de l'Eglise qu'Il assiste ;
– dans la liturgie sacramentelle, à travers ses paroles et ses symboles, où l'Esprit Saint nous met en communion avec le Christ ;
– dans la prière dans laquelle Il intercède pour nous ;
– dans les charismes et les ministères par lesquels l'Eglise est édifiée ;
– dans les signes de vie apostolique et missionnaire ;
– dans le témoignage des saints où Il manifeste sa sainteté et continue l'œuvre du salut.

1. *Ibid.* — 2. Cf. Jn 16, 13.

I. La mission conjointe du Fils et de l'Esprit

Celui que le Père a envoyé dans nos cœurs, l'Esprit de son Fils[1], est réellement Dieu. Consubstantiel au Père et au Fils, Il en est inséparable, tant dans la Vie intime de la Trinité que dans son don d'amour pour le monde. Mais en adorant la Trinité Sainte, vivifiante, consubstantielle et indivisible, la foi de l'Eglise professe aussi la distinction des Personnes. Quand le Père envoie son Verbe, Il envoie toujours son Souffle : mission conjointe où le Fils et l'Esprit Saint sont distincts mais inséparables. Certes, c'est le Christ qui paraît, Lui, l'Image visible du Dieu invisible, mais c'est l'Esprit Saint qui Le révèle. 689 245 254 485

Jésus est Christ, « oint », parce que l'Esprit en est l'onction et tout ce qui advient à partir de l'Incarnation découle de cette plénitude[2]. Quand enfin le Christ est glorifié[3], Il peut à son tour, d'auprès du Père, envoyer l'Esprit à ceux qui croient en Lui : Il leur communique sa Gloire[4], c'est-à-dire l'Esprit Saint qui Le glorifie[5]. La mission conjointe se déploiera dès lors dans les enfants adoptés par le Père dans le Corps de son Fils : la mission de l'Esprit d'adoption sera de les unir au Christ et de les faire vivre en Lui. 690 436 788

La notion de l'onction suggère (...) qu'il n'y a aucune distance entre le Fils et l'Esprit. En effet de même qu'entre la surface du corps et l'onction de l'huile ni la raison ni la sensation ne connaissent aucun intermédiaire, ainsi est immédiat le contact du Fils avec l'Esprit, si bien que pour celui qui va prendre contact avec le Fils par la foi, il est nécessaire de rencontrer d'abord l'huile par le contact. En effet il n'y a aucune partie qui soit nue de l'Esprit Saint. C'est pourquoi la confession de la Seigneurie du Fils se fait dans l'Esprit Saint pour ceux qui la reçoivent, l'Esprit venant de toutes parts au-devant de ceux qui s'approchent par la foi[6]. 448

II. Le nom, les appellations et les symboles de l'Esprit Saint

Le nom propre de l'Esprit Saint

« Saint-Esprit », tel est le nom propre de Celui que nous adorons et glorifions avec le Père et le Fils. L'Eglise l'a reçu du Seigneur et le professe dans le Baptême de ses nouveaux enfants[7]. 691

1. Cf. Ga 4, 6. — 2. Cf. Jn 3, 34. — 3. Cf. Jn 7, 39. — 4. Cf. Jn 17, 22. — 5. Cf. Jn 16, 14. — 6. S. Grégoire de Nysse, Spir. 16. — 7. Cf. Mt 28, 19.

Le terme « Esprit » traduit le terme hébreu *Ruah* qui, dans son sens premier, signifie souffle, air, vent. Jésus utilise justement l'image sensible du vent pour suggérer à Nicodème la nouveauté transcendante de Celui qui est personnellement le Souffle de Dieu, l'Esprit divin[1]. D'autre part, Esprit et Saint sont des attributs divins communs aux Trois Personnes divines. Mais en joignant les deux termes, l'Ecriture, la liturgie et le langage théologique désignent la Personne ineffable de l'Esprit Saint, sans équivoque possible avec les autres emplois des termes « esprit » et « saint ».

Les appellations de l'Esprit Saint

692   Jésus, lorsqu'Il annonce et promet la venue de l'Esprit Saint, Le nomme le « Paraclet », littéralement : « Celui qui est appelé auprès », *ad-vocatus* (Jn 14, 16. 26 ; 15, 26 ; 16, 7). « Paraclet » est traduit habituellement par « Consola-

1433   teur », Jésus étant le premier consolateur[2]. Le Seigneur Lui-même appelle l'Esprit Saint « l'Esprit de Vérité » (Jn 16, 13).

693   Outre son nom propre, qui est le plus employé dans les Actes des apôtres et les Epîtres, on trouve chez S. Paul les appellations : l'Esprit de la promesse (Ga 3, 14 ; Ep 1, 13), l'Esprit d'adoption (Rm 8, 15 ; Ga 4, 6), l'Esprit du Christ (Rm 8, 11), l'Esprit du Seigneur (2 Co 3, 17), l'Esprit de Dieu (Rm 8, 9. 14 ; 15, 19 ; 1 Co 6, 11 ; 7, 40), et chez S. Pierre, l'Esprit de gloire (1 P 4, 14).

Les symboles de l'Esprit Saint

694   *L'eau.* Le symbolisme de l'eau est significatif de l'action de
1218   l'Esprit Saint dans le Baptême, puisque, après l'invocation de l'Esprit Saint, elle devient le signe sacramentel efficace de la nouvelle naissance : de même que la gestation de notre première naissance s'est opérée dans l'eau, de même l'eau baptismale signifie réellement que notre naissance à la vie divine nous est donnée dans l'Esprit Saint. Mais « baptisés dans un seul Esprit », nous sommes aussi « abreuvés d'un seul Esprit » (1 Co 12, 13) : l'Esprit est donc aussi personnellement l'Eau vive qui jaillit du Christ crucifié[3]
2652   comme de sa source et qui en nous jaillit en Vie éternelle[4].

695   *L'onction.* Le symbolisme de l'onction d'huile est aussi signifi-
1293   catif de l'Esprit Saint, jusqu'à en devenir le synonyme[5]. Dans l'initiation chrétienne, elle est le signe sacramentel de la Confirmation, appelée justement dans les Eglises d'Orient « Chrismation ». Mais

---

1. Cf. Jn 3, 5-8. — 2. Cf. 1 Jn 2, 1. — 3. Cf. Jn 19, 34 ; 1 Jn 5, 8. — 4. Cf. Jn 4, 10-14 ; 7, 38 ; Ex 17, 1-6 ; Is 55, 1 ; Za 14, 8 ; 1 Co 10, 4 ; Ap 21, 6 ; 22, 17. — 5. Cf. 1 Jn 2, 20. 27 ; 2 Co 1, 21.

pour en saisir toute la force, il faut revenir à l'onction première accomplie par l'Esprit Saint : celle de Jésus. Christ (« Messie » à partir de l'hébreu) signifie « oint » de l'Esprit de Dieu. Il y a eu des « oints » du Seigneur dans l'Ancienne Alliance[1], le roi David éminemment[2]. Mais Jésus est l'oint de Dieu d'une manière unique : l'humanité que le Fils assume est totalement « ointe de l'Esprit Saint ». Jésus est constitué « Christ » par l'Esprit Saint[3]. La Vierge Marie conçoit le Christ de l'Esprit Saint qui par l'ange l'annonce comme Christ lors de sa naissance[4] et pousse Siméon à venir au Temple voir le Christ du Seigneur[5] ; c'est Lui qui emplit le Christ[6] et dont la puissance sort du Christ dans ses actes de guérison et de salut[7]. C'est Lui enfin qui ressuscite Jésus d'entre les morts[8]. Alors, constitué pleinement « Christ » dans son humanité victorieuse de la mort[9], Jésus répand à profusion l'Esprit Saint jusqu'à ce que « les saints » constituent, dans leur union à l'humanité du Fils de Dieu, « cet Homme parfait (...) qui réalise la plénitude du Christ » (Ep 4, 13) : « le Christ total », selon l'expression de S. Augustin[10]. | *436* | *1504* | *794*

Le feu. Alors que l'eau signifiait la naissance et la fécondité de la Vie donnée dans l'Esprit Saint, le feu symbolise l'énergie transformante des actes de l'Esprit Saint. Le prophète Elie, qui « se leva comme un feu et dont la parole brûlait comme une torche » (Si 48, 1), par sa prière attire le feu du ciel sur le sacrifice du mont Carmel[11], figure du feu de l'Esprit Saint qui transforme ce qu'il touche. Jean-Baptiste, « qui marche devant le Seigneur avec "l'esprit" et la puissance d'Elie » (Lc 1, 17) annonce le Christ comme celui qui « baptisera dans l'Esprit Saint et le feu » (Lc 3, 16), cet Esprit dont Jésus dira : « Je suis venu jeter un feu sur la terre et combien je voudrais qu'il fût déjà allumé » (Lc 12, 49). C'est sous la forme de langues « qu'on eût dites de feu » que l'Esprit Saint se pose sur les disciples au matin de la Pentecôte et les remplit de Lui[12]. La tradition spirituelle retiendra ce symbolisme du feu comme l'un des plus expressifs de l'action de l'Esprit Saint[13] : « N'éteignez pas l'Esprit » (1 Th 5, 19). | *696* | *1127* | *2586* | *718*

La nuée et *la lumière.* Ces deux symboles sont inséparables dans les manifestations de l'Esprit Saint. Dès les théophanies de l'Ancien Testament, la Nuée, tantôt obscure, tantôt lumineuse, révèle le Dieu vivant et sauveur, en voilant la transcendance de sa gloire : avec Moïse sur la montagne du Sinaï[14], à la Tente de Réunion[15] et durant la marche au désert[16] ; avec Salomon lors de la dédicace du Temple[17]. Or ces figures sont accomplies par le Christ dans l'Esprit Saint. C'est Celui-ci qui vient sur la Vierge Marie et la prend « sous son ombre » pour qu'elle conçoive et enfante Jésus[18]. Sur la montagne de la Transfiguration, c'est Lui qui « survient dans la nuée qui prend sous son ombre » Jésus, Moïse et Elie, Pierre, Jacques et Jean, et « de la nuée sort une voix qui dit : | *697* | *484* | *554*

1. Cf. Ex 30, 22-32. — 2. Cf. 1 S 16, 13. — 3. Cf. Lc 4, 18-19 ; Is 61, 1. — 4. Cf. Lc 2, 11. — 5. Cf. Lc 2, 26-27. — 6. Cf. Lc 4, 1. — 7. Cf. Lc 6, 19 ; 8, 46. — 8. Cf. Rm 1, 4 ; 8, 11. — 9. Cf. Ac 2, 36. — 10. S. Augustin, serm. 341, 1, 1, ; *ibid.*, 9, 11. — 11. Cf. 1 R 18, 38-39. — 12. Cf. Ac 2, 3-4. — 13. Cf. S. Jean de la Croix, llama. — 14. Cf. Ex 24, 15-18. — 15. Cf. Ex 33, 9-10. — 16. Cf. Ex 40, 36-38 ; 1 Co 10, 1-2. — 17. Cf. 1 R 8, 10-12. — 18. Cf. Lc 1, 35.

"Celui-ci est mon Fils, mon Elu, écoutez-Le" » (Lc 9, 34-35). C'est
enfin la même Nuée qui « dérobe Jésus aux yeux » des disciples le
659 jour de l'Ascension[1] et qui Le révélera Fils de l'Homme dans sa
gloire au Jour de son Avènement[2].

698
1295-1296 *Le sceau* est un symbole proche de celui de l'onction. C'est en
effet le Christ que « Dieu a marqué de son sceau » (Jn 6, 27) et
c'est en Lui que le Père nous marque aussi de son sceau[3]. Parce
qu'elle indique l'effet indélébile de l'onction de l'Esprit Saint dans
les sacrements du Baptême, de la Confirmation et de l'Ordre,
1121 l'image du sceau (*sphragis*) a été utilisée dans certaines traditions
théologiques pour exprimer le « caractère » ineffaçable imprimé
par ces trois sacrements qui ne peuvent être réitérés.

699
292 *La main.* C'est en imposant les mains que Jésus guérit les
malades[4] et bénit les petits enfants[5]. En son nom, les apôtres
feront de même[6]. Mieux encore, c'est par l'imposition des
1288 mains des apôtres que l'Esprit Saint est donné[7]. L'Epître
aux Hébreux met l'imposition des mains au nombre des
« articles fondamentaux » de son enseignement[8]. Ce signe
1300 de l'effusion toute-puissante de l'Esprit Saint, l'Eglise l'a
1573, 1668 gardé dans ses épiclèses sacramentelles.

700 *Le doigt.* « C'est par le doigt de Dieu que [Jésus] expulse les
démons[9] ». Si la Loi de Dieu a été écrite sur des tables de pierre
2056 « par le doigt de Dieu » (Ex 31, 18), « la lettre du Christ », remise
aux soins des apôtres, « est écrite avec l'Esprit du Dieu vivant, non
sur des tables de pierre, mais sur des tables de chair, sur les cœurs »
(2 Co 3, 3). L'hymne « Veni, Creator Spiritus » invoque l'Esprit
Saint comme « *le doigt de la droite du Père*[10] ».

701 *La colombe.* A la fin du déluge (dont le symbolisme concerne le
1219 Baptême), la colombe lâchée par Noé revient, un rameau tout frais
d'olivier dans le bec, signe que la terre est de nouveau habitable[11].
535 Quand le Christ remonte de l'eau de son Baptême, l'Esprit Saint,
sous forme d'une colombe, descend sur Lui et y demeure[12].
L'Esprit descend et repose dans le cœur purifié des baptisés. Dans
certaines églises, la sainte Réserve eucharistique est conservée dans
un réceptacle métallique en forme de colombe (le *columbarium*)
suspendu au-dessus de l'autel. Le symbole de la colombe pour suggérer l'Esprit Saint est traditionnel dans l'iconographie chrétienne.

III. L'Esprit et la Parole de Dieu dans le temps des promesses

702 Du commencement jusqu'à « la Plénitude du temps » (Ga
4, 4), la mission conjointe du Verbe et de l'Esprit du Père
demeure *cachée,* mais elle est à l'œuvre. L'Esprit de Dieu y

1. Cf. Ac 1, 9. — 2. Cf. Lc 21, 27. — 3. Cf. 2 Cor 1, 22 ; Ep 1, 13 ; 4, 30. — 4. Cf.
Mc 6, 5 ; 8, 23. — 5. Cf. Mc 10, 16. — 6. Cf. Mc 16, 18 ; Ac 5, 12 ; 14, 3. —
7. Cf. Ac 8, 17-19 ; 13, 3 ; 19, 6. — 8. Cf. He 6, 2. — 9. Cf. Lc 11, 20. — 10. In
Dominica Pentecostes, hymnus éd. I et II Vesperas. — 11. Cf. Gn 8, 8-12. —
12. Cf. Mt 3, 16 par.

prépare le temps du Messie, et l'un et l'autre, sans être   *122*
encore pleinement révélés, y sont déjà promis afin d'être
attendus et accueillis lors de leur manifestation. C'est pourquoi lorsque l'Eglise lit l'Ancien Testament [1], elle y scrute [2]
ce que l'Esprit, « qui a parlé par les prophètes [3] », veut nous   *107*
dire du Christ.

Par « prophètes », la foi de l'Eglise entend ici tous ceux que   *243*
l'Esprit Saint a inspirés dans la vivante annonce et dans la rédaction
des livres saints, tant de l'Ancien que du Nouveau Testament. La
tradition juive distingue la Loi (les cinq premiers livres ou Penta-
teuque), les Prophètes (nos livres dits historiques et prophétiques)
et les Ecrits (surtout sapientiels, en particulier les Psaumes) [4].

Dans la création

La Parole de Dieu et son Souffle sont à l'origine de l'être   703
et de la vie de toute créature [5] :   *292*

> Au Saint-Esprit il convient de régner, de sanctifier et d'ani-
> mer la création, car Il est Dieu consubstantiel au Père et au
> Fils (...). A Lui revient le pouvoir sur la vie, car étant Dieu
> Il garde la création dans le Père par le Fils [6].   *291*

« Quant à l'homme, c'est de ses propres mains [c'est-à-   704
dire le Fils et l'Esprit Saint] que Dieu le façonna (...) et Il
dessina sur la chair façonnée sa propre forme, de façon que
même ce qui serait visible portât la forme divine [7]. »   *356*

L'Esprit de la promesse

Défiguré par le péché et par la mort, l'homme demeure   705
« à l'image de Dieu », à l'image du Fils, mais il est privé de   *410*
la Gloire de Dieu [8], privé de la « ressemblance ». La promesse faite à Abraham inaugure l'économie du salut au
terme de laquelle le Fils Lui-même assumera « l'image [9] » et   *2809*
la restaurera dans « la ressemblance » avec le Père en lui
redonnant la Gloire, l'Esprit « qui donne la Vie ».

Contre toute espérance humaine, Dieu promet à Abraham   706
une descendance, comme fruit de la foi et de la puissance de   *60*
l'Esprit Saint [10]. En elle seront bénies toutes les nations de la

1. Cf. 2 Co 3, 14. — 2. Cf. Jn 5, 39. 46. — 3. Symbole de Nicée-Constantinople.
— 4. Cf. Lc 24, 44. — 5. Cf. Ps 33, 6 ; 104, 30 ; Gn 1, 2 ; 2, 7 ; Qo 3, 20-21 ; Ez
37, 10. — 6. Liturgie byzantine, Tropaire des matines des dimanches du second
mode. — 7. S. Irénée, dem. 11. — 8. Cf. Rm 3, 23. — 9. Cf. Jn 1, 14 ; Ph 2, 7. —
10. Cf. Gn 18, 1-15 ; Lc 1, 26-38. 54-55 ; Jn 1, 12-13 ; Rm 4, 16-21.

terre[1]. Cette descendance sera le Christ[2] en qui l'effusion de l'Esprit Saint fera « l'unité des enfants de Dieu dispersés[3] ». En s'engageant par serment[4], Dieu s'engage déjà au don de son Fils bien-aimé[5] et au don de « l'Esprit de la Promesse (...) qui (...) prépare la rédemption du Peuple que Dieu s'est acquis » (Ep 1, 13-14)[6].

Dans les Théophanies et la Loi

707   Les Théophanies (manifestations de Dieu) illuminent le chemin de la promesse, des patriarches à Moïse et de Josué jusqu'aux visions qui inaugurent la mission des grands prophètes. La tradition chrétienne a toujours reconnu que dans ces Théophanies le Verbe de Dieu se laissait voir et entendre, à la fois révélé et « ombré » dans la Nuée de l'Esprit Saint.

708   Cette pédagogie de Dieu apparaît spécialement dans le
1961-1964, don de la Loi[7]. La Loi a été donnée comme un « péda-
122 gogue » pour conduire le Peuple vers le Christ[8]. Mais son impuissance à sauver l'homme privé de la « ressemblance » divine et la connaissance accrue qu'elle donne du péché[9] suscitent le désir de l'Esprit Saint. Les gémissements des
2585 Psaumes en témoignent.

Dans le Royaume et l'Exil

709   La Loi, signe de la promesse et de l'alliance, aurait dû régir le cœur et les institutions du Peuple issu de la foi d'Abraham. « Si vous écoutez ma voix et gardez mon alliance, je vous tiendrai pour un royaume de prêtres, pour une nation sainte » (Ex 19, 5-6)[10]. Mais, après David, Israël succombe à la tentation de devenir un royaume comme les autres nations. Or le Royaume, objet de la promesse faite à
2579 David[11] sera l'œuvre de l'Esprit Saint; il appartiendra aux
544 pauvres selon l'Esprit.

710   L'oubli de la Loi et l'infidélité à l'alliance aboutissent à la mort : c'est l'Exil, apparemment échec des promesses, en fait fidélité mystérieuse du Dieu sauveur et début d'une restauration promise, mais selon l'Esprit. Il fallait que le Peuple de Dieu souffrît cette purification[12]; l'Exil porte déjà

1. Cf. Gn 12, 3. — 2. Cf. Ga 3, 16. — 3. Cf. Jn 11, 52. — 4. Cf. Lc 1, 73. — 5. Cf. Gn 22, 17-18; Rm 8, 32; Jn 3, 16. — 6. Cf. Ga 3, 14. — 7. Cf. Ex 19-20; Dt 1-11; 29-30. — 8. Cf. Ga 3, 24. — 9. Cf. Rm 3, 20. — 10. Cf. 1 P 2, 9. — 11. Cf. 2 S 7; Ps 89; Lc 1, 32-33. — 12. Cf. Lc 24, 26.

'ombre de la Croix dans le dessein de Dieu, et le Reste des
'auvres qui en revient est l'une des figures les plus transpa-
'entes de l'Eglise.

L'attente du Messie et de son Esprit

« Voici que je vais faire du nouveau » (Is 43, 19) : deux   711
signes prophétiques vont se dessiner, portant l'une sur
l'attente du Messie, l'autre sur l'annonce d'un Esprit nou-   64
veau, et elles convergent dans le petit Reste, le peuple des
auvres[1], qui attend dans l'espérance la « consolation
d'Israël » et la « délivrance de Jérusalem » (Lc 2, 25. 38).

On a vu plus haut comment Jésus accomplit les prophéties qui
le concernent. On se limite ici à celles où apparaît davantage la
relation du Messie et de son Esprit.

Les traits du visage du *Messie* attendu commencent à   712
apparaître dans le Livre de l'Emmanuel[2] (« quand Isaïe eut   439
la vision de la Gloire » du Christ : Jn 12, 41), en particulier
en Is 11, 1-2 :

Un rejeton sort de la souche de Jessé,
un surgeon pousse de ses racines :
sur lui repose l'Esprit du Seigneur,
esprit de sagesse et d'intelligence,
esprit de conseil et de force,
esprit de science et de crainte du Seigneur.

Les traits du Messie sont révélés surtout dans les chants   713
du Serviteur[3]. Ces chants annoncent le sens de la passion de
Jésus, et indiquent ainsi la manière dont Il répandra l'Esprit 601
Saint pour vivifier la multitude : non pas de l'extérieur, mais
en épousant notre « condition d'esclave » (Ph 2, 7). Prenant
sur Lui notre mort, Il peut nous communiquer son propre
Esprit de vie.

C'est pourquoi le Christ inaugure l'annonce de la Bonne   714
Nouvelle en faisant sien ce passage d'Isaïe (Lc 4, 18-19)[4] :

L'Esprit du Seigneur est sur moi,
car le Seigneur m'a oint.
Il m'a envoyé porter la Bonne Nouvelle aux pauvres,

_____

. Cf. So 2, 3. — 2. Cf. Is 6-12. — 3. Cf. Is 42, 1-9 ; Mt 12, 18-21 ; Jn 1, 32-34,
uis Is 49, 16 ; cf. Mt 3, 17 ; Lc 2, 32, enfin Is 50, 4-10 et Is 52, 13-15 ; 53, 12. —
. Cf. Is 61, 1-2.

> panser les cœurs meurtris ;
> annoncer aux captifs l'amnistie
> et aux prisonniers la liberté,
> annoncer une année de grâce de la part du Seigneur.

715   Les textes prophétiques concernant directement l'envoi
de l'Esprit Saint sont des oracles où Dieu parle au cœur de
son Peuple dans le langage de la promesse, avec les accents
de « l'amour et de la fidélité[1] » dont S. Pierre proclamera
l'accomplissement le matin de la Pentecôte[2]. Selon ces promesses, dans les « derniers temps », l'Esprit du Seigneur
1965 renouvellera le cœur des hommes en gravant en eux une loi
nouvelle ; Il rassemblera et réconciliera les peuples dispersés
et divisés ; Il transformera la création première et Dieu y
habitera avec les hommes dans la paix.

716   Le Peuple des « pauvres[3] », les humbles et les doux, tout
abandonnés aux desseins mystérieux de leur Dieu, ceux qui
attendent la justice, non des hommes mais du Messie, est
finalement la grande œuvre de la mission cachée de l'Esprit
Saint durant le temps des promesses pour préparer la venue
368 du Christ. C'est leur qualité de cœur, purifié et éclairé par
l'Esprit, qui s'exprime dans les Psaumes. En ces pauvres
l'Esprit prépare au Seigneur « un peuple bien disposé[4] ».

IV. L'Esprit du Christ dans la plénitude du temps

Jean, Précurseur, Prophète et Baptiste

717   « Parut un homme envoyé de Dieu. Il se nommait Jean »
523 (Jn 1, 6). Jean est « rempli de l'Esprit Saint, dès le sein de sa
mère » (Lc 1, 15)[5] par le Christ Lui-même que la Vierge
Marie venait de concevoir de l'Esprit Saint. La « visitation »
de Marie à Elisabeth est ainsi devenue visite de Dieu à son
peuple[6].

718   Jean est Elie qui doit venir[7] : le Feu de l'Esprit l'habite et
696 le fait « courir devant » [en « précurseur »] le Seigneur qui
vient. En Jean le Précurseur, l'Esprit Saint achève de « préparer au Seigneur un peuple bien disposé » (Lc 1, 17).

---

1. Cf. Ez 11, 19 ; 36, 25-28 ; 37, 1-14 ; Jr 31, 31-34 ; et Jl 3, 1-5. — 2. Cf. Ac 2,
17-21. — 3. Cf. So 2, 3 ; Ps 22, 27 ; 34, 3 ; Is 49, 13 ; 61, 1 ; etc. — 4. Cf. Lc 1, 17.
— 5. Cf. Lc 1, 41. — 6. Cf. Lc 1, 68. — 7. Cf. Mt 17, 10-13.

Jean est « plus qu'un prophète » (Lc 7, 26). En lui l'Esprit   719
Saint accomplit de « parler par les prophètes ». Jean achève
le cycle des prophètes inauguré par Elie[1]. Il annonce   2684
l'imminence de la consolation d'Israël, il est la « voix » du
Consolateur qui vient[2]. Comme le fera l'Esprit de Vérité, « il
vient comme témoin, pour rendre témoignage à la
Lumière » (Jn 1, 7)[3]. Au regard de Jean, l'Esprit accomplit
ainsi les « recherches des prophètes » et la « convoitise »
des anges[4] : « Celui sur qui tu verras l'Esprit descendre et
demeurer, c'est lui qui baptise dans l'Esprit (...). Oui, j'ai vu
et j'atteste que c'est lui, le Fils de Dieu. (...) Voici l'Agneau   536
de Dieu » (Jn 1, 33-36).

Enfin, avec Jean le Baptiste, l'Esprit Saint inaugure, en le   720
préfigurant, ce qu'Il réalisera avec et dans le Christ : redon-
ner à l'homme la « ressemblance » divine. Le baptême de
Jean était pour le repentir, celui dans l'eau et dans l'Esprit   535
sera une nouvelle naissance[5].

« Réjouis-toi, comblée de grâce »

Marie, la Toute Sainte Mère de Dieu, toujours Vierge est   721
le chef-d'œuvre de la mission du Fils et de l'Esprit dans la
plénitude du temps. Pour la première fois dans le dessein du
salut et parce que son Esprit l'a préparée, le Père trouve la
Demeure où son Fils et son Esprit peuvent habiter parmi les   484
hommes. C'est en ce sens que la Tradition de l'Eglise a
souvent lu en relation à Marie les plus beaux textes sur la
Sagesse[6] : Marie est chantée et représentée dans la liturgie
comme le « Trône de la Sagesse ».

En elle commencent à se manifester les « merveilles de
Dieu », que l'Esprit va accomplir dans le Christ et dans
l'Eglise :

L'Esprit Saint a *préparé* Marie par sa grâce. Il convenait   722
que fût « pleine de grâce » la Mère de Celui en qui « habite
corporellement la Plénitude de la Divinité » (Col 2, 9). Elle
a été, par pure grâce, conçue sans péché comme la plus
humble des créatures, la plus capable d'accueil au Don ineffable du Tout-Puissant. C'est à juste titre que l'Ange
Gabriel la salue comme la « Fille de Sion » : « Réjouis-
toi[7]. » C'est l'action de grâces de tout le Peuple de Dieu, et   2676
donc de l'Eglise, qu'elle fait monter vers le Père dans

1. Cf. Mt 11, 13-14. — 2. Cf. Jn 1, 23 ; Is 40, 1-3. — 3. Cf. Jn 15, 26 ; 5, 33. —
4. Cf. 1 P1, 10-12. — 5. Cf. Jn 3, 5. — 6. Cf. Pr 8, 1 — 9, 6 ; Si 24. — 7. Cf. So 3,
14 ; Za 2, 14.

l'Esprit Saint en son cantique[1], alors qu'elle porte en elle le
Fils éternel.

723   En Marie, l'Esprit Saint *réalise* le dessein bienveillant du
         Père. C'est par l'Esprit Saint que la Vierge conçoit et
485, 506 enfante le Fils de Dieu. Sa virginité devient fécondité
         unique par la puissance de l'Esprit et de la foi[2].

724   En Marie, l'Esprit Saint *manifeste* le Fils du Père devenu
208   Fils de la Vierge. Elle est le Buisson ardent de la Théopha-
         nie définitive : comblée de l'Esprit Saint, elle montre le
2619   Verbe dans l'humilité de sa chair et c'est aux Pauvres[3] et
         aux prémices des nations[4] qu'elle Le fait connaître.

725   Enfin, par Marie, l'Esprit Saint commence à *mettre en
963   communion* avec le Christ les hommes « objets de l'amour
         bienveillant de Dieu[5] », et les humbles sont toujours les pre-
         miers à le recevoir : les bergers, les mages, Siméon et Anne,
         les époux de Cana et les premiers disciples.

726   Au terme de cette mission de l'Esprit, Marie devient la
494, 2618 « Femme », nouvelle Eve « mère des vivants », Mère du
         « Christ total[6] ». C'est comme telle qu'elle est présente avec
         les Douze, « d'un même cœur, assidus à la prière » (Ac 1,
         14), à l'aube des « derniers temps » que l'Esprit va inaugu-
         rer le matin de la Pentecôte avec la manifestation de
         l'Eglise.

Le Christ Jésus

727   Toute la Mission du Fils et de l'Esprit Saint dans la pléni-
         tude du temps est contenue en ce que le Fils est l'oint de
438, 695, l'Esprit du Père depuis son Incarnation : Jésus est Christ, le
536   Messie.
         Tout le deuxième chapitre du Symbole de la foi est à
         lire à cette lumière. Toute l'œuvre du Christ est mission
         conjointe du Fils et de l'Esprit Saint. Ici, on mentionnera
         seulement ce qui concerne la promesse de l'Esprit Saint par
         Jésus et son don par le Seigneur glorifié.

728   Jésus ne révèle pas pleinement l'Esprit Saint tant que Lui-
         même n'a pas été glorifié par sa Mort et sa Résurrection.
         Pourtant, Il le suggère peu à peu, même dans son enseigne-

---

1. Cf. Lc 1, 46-55. — 2. Cf. Lc 1, 26-38 ; Rm 4, 18-21 ; Ga 4, 26-28. — 3. Cf. Lc
2, 15-19. — 4. Cf. Mt 2, 11. — 5. Cf. Lc 2, 14. — 6. Cf. Jn 19, 25-27.

ment aux foules, lorsqu'Il révèle que sa Chair sera nourriture pour la vie du monde[1]. Il le suggère aussi à Nicodème[2], à la Samaritaine[3] et à ceux qui participent à la fête des Tabernacles[4]. A ses disciples, Il en parle ouvertement à propos de la prière[5] et du témoignage qu'ils auront à rendre[6].   *2615*

C'est seulement quand l'Heure est venue où Il va être   729
glorifié que Jésus *promet* la venue de l'Esprit Saint, puisque sa Mort et sa Résurrection seront l'accomplissement de la promesse faite aux Pères[7] : l'Esprit de Vérité, l'autre Paraclet, sera donné par le Père à la prière de Jésus ; Il sera envoyé par le Père au nom de Jésus ; Jésus l'enverra d'auprès du Père car Il est issu du Père. L'Esprit Saint viendra, nous le connaîtrons, Il sera avec nous à jamais, Il demeurera avec nous ; Il nous enseignera tout et nous rappellera tout ce que le Christ nous a dit et Lui rendra témoignage ; Il nous conduira vers la vérité tout entière et glorifiera le Christ. Quant au monde, Il le confondra en matière   *388, 1433*
de péché, de justice et de jugement.

Enfin vient l'Heure de Jésus[8] : Jésus remet son esprit   730
entre les mains du Père[9] au moment où, par sa Mort, Il est vainqueur de la mort, de sorte que, « ressuscité des morts par la Gloire du Père » (Rm 6, 4), Il *donne* aussitôt l'Esprit Saint en « soufflant » sur ses disciples[10]. A partir de cette Heure, la mission du Christ et de l'Esprit devient la mission   *850*
de l'Eglise : « Comme le Père m'a envoyé, moi aussi je vous envoie » (Jn 20, 21)[11].

V. L'Esprit et l'Église dans les derniers temps

La Pentecôte

Le jour de la Pentecôte (au terme des sept semaines Pas-   731
cales), la Pâque du Christ s'accomplit dans l'effusion de l'Esprit Saint qui est manifesté, donné et communiqué   *2623, 767*
comme Personne divine : de sa Plénitude, le Christ, Seigneur, répand à profusion l'Esprit[12].   *1302*

En ce jour est pleinement révélée la Trinité Sainte.   732
Depuis ce jour, le Royaume annoncé par le Christ est ouvert   *244*
à ceux qui croient en Lui : dans l'humilité de la chair et dans

1. Cf. Jn 6, 27. 51. 62-63. — 2. Cf. Jn 3, 5-8. — 3. Cf. Jn 4, 10. 14. 23-24. — 4. Cf. Jn 7, 37-39. — 5. Cf. Lc 11, 13. — 6. Cf. Mt 10, 19-20. — 7. Cf. Jn 14, 16-17. 26 ; 15, 26 ; 16, 7-15 ; 17, 26. — 8. Cf. Jn 13, 1 ; 17, 1. — 9. Cf. Lc 23, 46 ; Jn 19, 30. — 10. Cf. Jn 20, 22. — 11. Cf. Mt 28, 19 ; Lc 24, 47-48 ; Ac 1, 8. — 12. Cf. Ac 2, 33-36.

la foi, ils participent déjà à la communion de la Trinité
Sainte. Par sa venue, et elle ne cesse pas, l'Esprit Saint fait
672 entrer le monde dans les « derniers temps », le temps de
l'Eglise, le Royaume déjà hérité, mais pas encore
consommé :

> Nous avons vu la vraie Lumière, nous avons reçu l'Esprit
> céleste, nous avons trouvé la vraie foi : nous adorons la Tri-
> nité indivisible car c'est elle qui nous a sauvés[1].

L'Esprit Saint – le Don de Dieu

733   « Dieu est Amour » (1 Jn 4, 8. 16) et l'Amour est le pre-
218 mier don, il contient tous les autres. Cet Amour, « Dieu l'a
répandu dans nos cœurs par l'Esprit qui nous fut donné »
(Rm 5, 5).

734   Parce que nous sommes morts, ou, au moins, blessés par
le péché, le premier effet du don de l'Amour est la rémis-
1987 sion de nos péchés. C'est la communion de l'Esprit Saint (2
Co 13, 13) qui, dans l'Eglise, redonne aux baptisés la ressemblance divine perdue par le péché.

735   Il donne alors les « arrhes » ou les « prémices » de notre
Héritage[2] : la Vie même de la Trinité Sainte qui est d'aimer
1822 « comme Il nous a aimés[3] ». Cet Amour (la charité de 1 Co
13) est le principe de la vie nouvelle dans le Christ, rendue
possible puisque nous avons « reçu une force, celle de
l'Esprit Saint » (Ac 1, 8).

736   C'est par cette puissance de l'Esprit que les enfants de
Dieu peuvent porter du fruit. Celui qui nous a greffés sur la
1832 vraie Vigne, nous fera porter « le fruit de l'Esprit qui est
charité, joie, paix, longanimité, serviabilité, bonté, confiance
dans les autres, douceur, maîtrise de soi » (Ga 5, 22-23).
« L'Esprit est notre Vie » ; plus nous renonçons à nous-
mêmes[4], plus l'Esprit nous fait aussi agir[5] :

> Par communion avec Lui, l'Esprit Saint rend spirituel, réta-
> blit au Paradis, ramène au Royaume des cieux et à l'adop-
> tion filiale, donne la confiance d'appeler Dieu Père et de
> participer à la grâce du Christ, d'être appelé enfant de
> lumière et d'avoir part à la gloire éternelle[6].

---

1. Liturgie byzantine, Tropaire des vêpres de Pentecôte ; il est repris dans les liturgies
eucharistiques après la communion. — 2. Cf. Rm 8, 23 ; 2 Co 1, 22. — 3. Cf. 1 Jn
4, 11-12. — 4. Cf. Mt 16, 24-26. — 5. Cf. Ga 5, 25. — 6. S. Basile, Spir. 15, 36.

L'Esprit Saint et l'Église

La mission du Christ et de l'Esprit Saint s'accomplit dans **737** l'Église, Corps du Christ et Temple de l'Esprit Saint. Cette *787-798* mission conjointe associe désormais les fidèles du Christ à sa communion avec le Père dans l'Esprit Saint : l'Esprit *pré-pare* les hommes, les prévient par sa grâce, pour les attirer *1093-1109* vers le Christ. Il leur *manifeste* le Seigneur ressuscité, Il leur rappelle sa parole et leur ouvre l'esprit à l'intelligence de sa Mort et de sa Résurrection. Il leur *rend présent* le mystère du Christ, éminemment dans l'Eucharistie, afin de les réconcilier, de les *mettre en communion* avec Dieu, afin de leur faire porter « beaucoup de fruit » (Jn 15, 5. 8. 16).

Ainsi la mission de l'Eglise ne s'ajoute pas à celle du **738** Christ et de l'Esprit Saint, mais elle en est le sacrement : par *850, 777* tout son être et dans tous ses membres elle est envoyée pour annoncer et témoigner, actualiser et répandre le mystère de la communion de la Sainte Trinité (ce sera l'objet du prochain article) :

> Nous tous qui avons reçu l'unique et même esprit, à savoir, l'Esprit Saint, nous nous sommes fondus entre nous et avec Dieu. Car bien que nous soyons nombreux séparément et que le Christ fasse habiter l'Esprit du Père et le sien en chacun de nous, cet Esprit unique et indivisible ramène par Lui-même à l'unité ceux qui sont distincts entre eux (...) et fait que tous apparaissent comme une seule chose en Lui-même. Et de même que la puissance de la sainte humanité du Christ fait que tous ceux-là en qui elle se trouve forment un seul corps, je pense que de la même manière l'Esprit de Dieu qui habite en tous, unique et indivisible, les ramène tous à l'unité spirituelle[1].

Parce que l'Esprit Saint est l'onction du Christ, c'est le **739** Christ, la Tête du Corps, qui Le répand dans ses membres *1076* pour les nourrir, les guérir, les organiser dans leurs fonctions mutuelles, les vivifier, les envoyer témoigner, les associer à son offrande au Père et à son intercession pour le monde entier. C'est par les sacrements de l'Eglise que le Christ communique aux membres de son Corps son Esprit Saint et Sanctificateur (ce sera l'objet de la deuxième partie du Catéchisme).

Ces « merveilles de Dieu », offertes aux croyants dans les **740** sacrements de l'Eglise, portent leurs fruits dans la vie nouvelle, dans le Christ, selon l'Esprit (ce sera l'objet de la troisième partie du Catéchisme).

---

1. S. Cyrille d'Alexandrie, Jo. 11, 11.

741   « L'Esprit vient au secours de notre faiblesse, car nous ne
       savons que demander pour prier comme il faut ; mais
       l'Esprit Lui-même intercède pour nous en des gémissements
       ineffables » (Rm 8, 26). L'Esprit Saint, artisan des œuvres
       de Dieu, est le Maître de la prière (ce sera l'objet de la qua-
       trième partie du Catéchisme).

       EN BREF

742   *« La preuve que vous êtes des fils, c'est que Dieu a envoyé
       dans nos cœurs l'Esprit de son Fils qui crie :* Abba, Père »
       (Ga 4, 6).

743   *Du commencement à la consommation du temps, quand
       Dieu envoie son Fils, Il envoie toujours son Esprit : leur
       mission est conjointe et inséparable.*

744   *Dans la plénitude du temps, l'Esprit Saint accomplit en
       Marie toutes les préparations à la venue du Christ dans le
       Peuple de Dieu. Par l'action de l'Esprit Saint en elle, le
       Père donne au monde l'Emmanuel, « Dieu-avec-nous » (Mt
       1, 23).*

745   *Le Fils de Dieu est consacré Christ (Messie) par l'onction
       de l'Esprit Saint dans son Incarnation[1].*

746   *Par sa Mort et sa Résurrection, Jésus est constitué Seigneur
       et Christ dans la gloire[2]. De sa Plénitude, Il répand l'Esprit
       Saint sur les apôtres et l'Eglise.*

747   *L'Esprit Saint que le Christ, Tête, répand dans ses
       membres, bâtit, anime et sanctifie l'Eglise. Elle est le sacre-
       ment de la communion de la Trinité Sainte et des hommes.*

ARTICLE 9
« Je crois
à la Sainte Église catholique »

748   « Le Christ est la lumière des peuples : réuni dans l'Esprit
       Saint, le saint Concile souhaite donc ardemment, en annon-
       çant à toutes créatures la bonne nouvelle de l'Evangile,
       répandre sur tous les hommes la clarté du Christ qui resplen-
       dit sur le visage de l'Eglise[3]. » C'est sur ces paroles que
       s'ouvre la « constitution dogmatique sur l'Eglise » du

---

1. Cf. Ps 2, 6-7. — 2. Cf. Ac 2, 36. — 3. LG 1.

deuxième Concile du Vatican. Par là, le Concile montre que l'article de foi sur l'Eglise dépend entièrement des articles concernant le Christ Jésus. L'Eglise n'a pas d'autre lumière que celle du Christ ; elle est, selon une image chère aux Pères de l'Eglise, comparable à la lune dont toute la lumière est reflet du soleil.

L'article sur l'Eglise dépend aussi entièrement de celui sur le Saint-Esprit qui le précède. « En effet, après avoir montré que l'Esprit Saint est la source et le donateur de toute sainteté, nous confessons maintenant que c'est Lui qui a doté l'Eglise de sainteté[1]. » L'Eglise est, selon l'expression des Pères, le lieu « où fleurit l'Esprit[2] ». **749**

Croire que l'Eglise est « Sainte » et « Catholique », et qu'elle est « Une » et « Apostolique » (comme l'ajoute le Symbole de Nicée-Constantinople) est inséparable de la foi en Dieu le Père, le Fils et le Saint Esprit. Dans le Symbole des apôtres, nous faisons profession de croire une Eglise Sainte *(« Credo [...] Ecclesiam »)*, et non pas *en* l'Eglise, pour ne pas confondre Dieu et ses œuvres et pour attribuer clairement à la bonté de Dieu *tous* les dons qu'Il a mis dans son Eglise[3]. **750** *811* *169*

PARAGRAPHE 1. *L'Église dans le dessein de Dieu*

I. Les noms et les images de l'Église

Le mot « Eglise » [*ekklèsia*, du grec *ek-kalein*, « appeler hors »] signifie « convocation ». Il désigne des assemblées du peuple[4], en général de caractère religieux. C'est le terme fréquemment utilisé dans l'Ancien Testament grec pour l'assemblée du peuple élu devant Dieu, surtout pour l'assemblée du Sinaï où Israël reçut la Loi et fut constitué par Dieu comme son peuple saint[5]. En s'appelant « Eglise », la première communauté de ceux qui croyaient au Christ se reconnaît héritière de cette assemblée. En elle, Dieu « convoque » son Peuple de tous les confins de la terre. Le terme *Kyriakè* dont sont dérivés *church*, *Kirche*, signifie « celle qui appartient au Seigneur ». **751**

---

1. Catech. R. 1, 10, 1. — 2. S. Hippolyte, trad. ap. 35. — 3. Cf. Catech. R. 1, 10, 22. — 4. Cf. Ac 19, 39. — 5. Cf. Ex 19.

752   Dans le langage chrétien, le mot « Eglise » désigne
1140, 832,   l'assemblée liturgique [1], mais aussi la communauté locale [2]
830   ou toute la communauté universelle des croyants [3]. Ces trois
significations sont en fait inséparables. « L'Eglise », c'est le
Peuple que Dieu rassemble dans le monde entier. Elle existe
dans les communautés locales et se réalise comme assemblée liturgique, surtout eucharistique. Elle vit de la Parole et
du Corps du Christ et devient ainsi elle-même Corps du
Christ.

Les symboles de l'Église

753   Dans l'Ecriture Sainte, nous trouvons une foule d'images
et de figures liées entre elles, par lesquelles la révélation
parle du mystère inépuisable de l'Eglise. Les images prises
de l'Ancien Testament constituent des variations d'une idée
781   de fond, celle du « Peuple de Dieu ». Dans le Nouveau Testament [4], toutes ces images trouvent un nouveau centre par le
789   fait que le Christ devient « la Tête » de ce peuple [5] qui est
dès lors son Corps. Autour de ce centre se sont groupées des
images « tirées soit de la vie pastorale ou de la vie des
champs, soit du travail de construction ou de la famille et
des épousailles [6] ».

754   L'Eglise, en effet, est le *bercail* dont le Christ est l'entrée unique
et nécessaire [7]. Elle est aussi le troupeau dont Dieu a proclamé Lui-
même à l'avance qu'Il serait le pasteur [8] et dont les brebis,
857   quoiqu'elles aient à leur tête des pasteurs humains, sont cependant
continuellement conduites et nourries par le Christ même, Bon Pasteur et Prince des pasteurs [9], qui a donné sa vie pour ses brebis [10].

755   L'Eglise est le *terrain de culture*, le champ de Dieu (1 Co 3, 9).
Dans ce champ croît l'antique olivier dont les patriarches furent la
racine sainte et en lequel s'opère et s'opérera la réconciliation entre
Juifs et Gentils [11]. Elle fut plantée par le Vigneron céleste comme
une vigne choisie [12]. La Vigne véritable, c'est le Christ : c'est Lui
qui donne vie et fécondité aux rameaux que nous sommes : par
795   l'Eglise nous demeurons en Lui, sans qui nous ne pouvons rien
faire [13].

756   Bien souvent aussi, l'Eglise est dite la *construction* de Dieu [14].
Le Seigneur Lui-même s'est comparé à la pierre rejetée par les
bâtisseurs et devenue pierre angulaire (Mt 21, 42 par. ; Ac 4, 11 ;

1. Cf. 1 Co 11, 18 ; 14, 19. 28. 34. 35. — 2. Cf. 1 Co 1, 2 ; 16, 1. — 3. Cf. 1 Co
15, 9 ; Ga 1, 13 ; Ph 3, 6. — 4. Cf. Ep 1, 22 ; Col 1, 18. — 5. Cf. LG 9. — 6. LG 6.
— 7. Cf. Jn 10, 1-10. — 8. Cf. Is 40, 11 ; Ez 34, 11-31. — 9. Cf. Jn 10, 11 ; 1 P 5,
4. — 10. Cf. LG 6. Jn 10, 11-15. — 11. Cf. Rm 11, 13-26. — 12. Cf. Mt 21,
33-43 par. ; Is 5, 1-7. — 13. LG 6. Cf. Jn 15, 1-5. — 14. Cf. 1 Co 3, 9.

1 P 2, 7 ; Ps 118, 22). Sur ce fondement, l'Eglise est construite par les
apôtres[1], et de ce fondement elle reçoit fermeté et cohésion. Cette   857
construction est décorée d'appellations diverses : la maison de Dieu[2],
dans laquelle habite sa *famille*, l'habitation de Dieu dans l'Esprit[3], la
demeure de Dieu chez les hommes[4], et surtout le *temple* saint,
lequel, représenté par les sanctuaires de pierres, est l'objet de la
louange des saints Pères et comparé à juste titre dans la liturgie à la
Cité sainte, la nouvelle Jérusalem. En effet, nous sommes en elle   1045
sur la terre comme les pierres vivantes qui entrent dans la construction[5]. Cette Cité sainte, Jean la contemple descendant du ciel
d'auprès de Dieu à l'heure où se renouvellera le monde, prête
comme une fiancée parée pour son époux (Ap 21, 1-2)[6].

L'Eglise s'appelle encore « la Jérusalem d'en haut » et « notre   757
mère » (Ga 4, 26)[7] ; elle est décrite comme l'épouse immaculée de   507, 796
l'Agneau immaculé[8] que le Christ « a aimée, pour laquelle Il s'est
livré afin de la sanctifier » (Ep 5, 25-26), qu'Il s'est associée par un   1616
pacte indissoluble, qu'Il ne cesse de « nourrir et d'entourer de
soins » (Ep 5, 29)[9].

II. Origine, fondation et mission de l'Église

Pour scruter le mystère de l'Eglise, il convient de méditer   758
d'abord son origine dans le dessein de la Très Sainte Trinité   257
et sa réalisation progressive dans l'histoire.

Un dessein né dans le cœur du Père

« Le Père Éternel par la disposition absolument libre et   759
mystérieuse de sa sagesse et de sa bonté a créé l'univers ; Il   293
a décidé d'élever les hommes à la communion de sa vie
divine », à laquelle Il appelle tous les hommes dans son
Fils : « Tous ceux qui croient au Christ, le Père a voulu les
appeler à former la Sainte Eglise. » Cette « famille de
Dieu » se constitue et se réalise graduellement au long des   1655
étapes de l'histoire humaine, selon les dispositions du Père :
en effet, l'Eglise a été « préfigurée dès l'origine du monde ;
elle a été merveilleusement préparée dans l'histoire du
peuple d'Israël et dans l'Ancienne Alliance ; elle a été instituée enfin en ces temps qui sont les derniers ; elle est manifestée grâce à l'effusion de l'Esprit Saint et, au terme des
siècles, elle sera consommée dans la gloire[10] ».

L'Église – préfigurée dès l'origine du monde

« Le monde fut créé en vue de l'Eglise », disaient les   760
chrétiens des premiers temps[11]. Dieu a créé le monde en vue   294

1. Cf. 1 Co 3, 11. — 2. Cf. 1 Tm 3, 15. — 3. Cf. Ep 2, 19-22. — 4. Cf. Ap 21, 3.
— 5. Cf. 1 P 2, 5. — 6. LG 6. — 7. Cf. Ap 12, 17. — 8. Cf. Ap 19, 7 ; 21, 2. 9 ;
22, 17. — 9. LG 6. — 10. LG 2. — 11. Hermas, vis. 2, 4, 1 ; cf. Aristide, apol. 16,
7 ; Justin, apol. 2, 7.

de la communion à sa vie divine, communion qui se réalise par la « convocation » des hommes dans le Christ, et cette « convocation », c'est l'Eglise. L'Eglise est la fin de toutes

309 choses[1], et les vicissitudes douloureuses elles-mêmes, comme la chute des anges et le péché de l'homme, ne furent permises par Dieu que comme occasion et moyen pour déployer toute la force de son bras, toute la mesure d'amour qu'Il voulait donner au monde :

> De même que la volonté de Dieu est un acte et qu'elle s'appelle le monde, ainsi son intention est le salut des hommes, et elle s'appelle l'Eglise[2].

L'Église – préparée dans l'Ancienne Alliance

761   Le rassemblement du Peuple de Dieu commence à l'instant où le péché détruit la communion des hommes avec

55 Dieu et celle des hommes entre eux. Le rassemblement de l'Eglise est pour ainsi dire la réaction de Dieu au chaos provoqué par le péché. Cette réunification se réalise secrètement au sein de tous les peuples : « En toute nation, Dieu tient pour agréable quiconque Le craint et pratique la justice » (Ac 10, 35)[3].

762   La *préparation* lointaine du rassemblement du Peuple de

122, 522, Dieu commence avec la vocation d'Abraham, à qui Dieu

60 promet qu'il deviendra le père d'un grand peuple[4]. La préparation immédiate commence avec l'élection d'Israël

64 comme Peuple de Dieu[5]. Par son élection, Israël doit être le signe du rassemblement futur de toutes les nations[6]. Mais déjà les prophètes accusent Israël d'avoir rompu l'alliance et de s'être comporté comme une prostituée[7]. Ils annoncent une Alliance nouvelle et éternelle[8]. « Cette Alliance Nouvelle, le Christ l'a instituée[9]. »

L'Église – instituée par le Christ Jésus

763   Il appartient au Fils de réaliser, dans la plénitude des temps, le plan de salut de son Père ; c'est là le motif de sa « mission[10] ». « Le Seigneur Jésus posa le commencement de son Eglise en prêchant l'heureuse nouvelle, l'avènement

541 du Règne de Dieu promis dans les Ecritures depuis des siè-

---

1. Cf. S. Epiphane, hær. 1, 1, 5. — 2. Clément d'Alexandrie, pæd. 1, 6. — 3. Cf. LG 9 ; 13 ; 16. — 4. Cf. Gn 12, 2 ; 15, 5-6. — 5. Cf. Ex 19, 5-6 ; Dt 7, 6. — 6. Cf. Is 2, 2-5 ; Mi 4, 1-4. — 7. Cf. Os 1 ; Is 1, 2-4 ; Jr 2 ; etc. — 8. Cf. Jr 31, 31-34 ; Is 55, 3. — 9. LG 9. — 10. Cf. LG 3 ; AG 3.

cles[1]. » Pour accomplir la volonté du Père, le Christ inaugura le Royaume des cieux sur la terre. L'Eglise « est le Règne du Christ déjà mystérieusement présent[2] ».

« Ce Royaume brille aux yeux des hommes dans la parole, les œuvres et la présence du Christ[3]. » Accueillir la parole de Jésus, c'est « accueillir le Royaume lui-même[4] ». Le germe et le commencement du Royaume sont le « petit troupeau » (Lc 12, 32) de ceux que Jésus est venu convoquer autour de Lui et dont Il est Lui-même le pasteur[5]. Ils constituent la vraie famille de Jésus[6]. A ceux qu'Il a ainsi rassemblés autour de Lui, Il a enseigné une « manière d'agir » nouvelle, mais aussi une prière propre[7]. *764*

543

1691, 2558

Le Seigneur Jésus a doté sa communauté d'une structure qui demeurera jusqu'au plein achèvement du Royaume. Il y a avant tout le choix des Douze avec Pierre comme leur chef[8]. Représentant les douze tribus d'Israël,[9] ils sont les pierres d'assise de la nouvelle Jérusalem[10]. Les Douze[11] et les autres disciples[12] participent à la mission du Christ, à son pouvoir, mais aussi à son sort[13]. Par tous ces actes, le Christ prépare et bâtit son Eglise. *765*

860, 551

Mais l'Eglise est née principalement du don total du Christ pour notre salut, anticipé dans l'institution de l'Eucharistie et réalisé sur la Croix. « Le commencement et la croissance de l'Eglise sont signifiés par le sang et l'eau sortant du côté de Jésus crucifié[14]. » « Car c'est du côté du Christ endormi sur la Croix qu'est né l'admirable sacrement de l'Eglise tout entière[15]. » De même qu'Eve a été formée du côté d'Adam endormi, ainsi l'Eglise est née du cœur transpercé du Christ mort sur la Croix[16]. *766*

813, 610,
1340

617

478

L'Église – manifestée par l'Esprit Saint

« Une fois achevée l'œuvre que le Père avait chargé son Fils d'accomplir sur la terre, le jour de Pentecôte, l'Esprit Saint fut envoyé pour sanctifier l'Eglise en permanence[17]. » C'est alors que « l'Eglise se manifesta publiquement devant la multitude et que commença la diffusion de l'Evangile avec la prédication[18] ». Parce qu'elle est « convocation » de *767*

731

---

1. LG 5. — 2. LG 3. — 3. LG 5. — 4. *Ibid.* — 5. Cf. Mt 10, 16; 26, 31; Jn 10, 1-21. — 6. Cf. Mt 12, 49. — 7. Cf. Mt 5-6. — 8. Cf. Mc 3, 14-15. — 9. Cf. Mt 19, 28; Lc 22, 30. — 10. Cf. Ap 21, 12-14. — 11. Cf. Mc 6, 7. — 12. Cf. Lc 10, 1-2. — 13. Cf. Mt 10, 25; Jn 15, 20. — 14. LG 3. — 15. SC 5. — 16. Cf. S. Ambroise, Luc. 2, 85-89. — 17. LG 4. — 18. AG 4.

tous les hommes au salut, l'Eglise est, par sa nature même,
849 missionnaire envoyée par le Christ à toutes les nations pour en faire des disciples[1].

768 Pour réaliser sa mission, l'Esprit Saint « équipe et dirige l'Eglise grâce à la diversité des dons hiérarchiques et charismatiques[2] ». « Aussi l'Eglise, pourvue des dons de son fondateur, et fidèlement appliquée à garder ses préceptes de charité, d'humilité et d'abnégation, reçoit mission d'annoncer le Royaume du Christ et de Dieu et de l'instaurer dans
541 toutes les nations ; elle constitue de ce royaume le germe et le commencement sur terre[3]. »

L'Église – consommée dans la gloire

769 « L'Eglise (...) n'aura sa consommation que dans la gloire céleste[4] », lors du retour glorieux du Christ. Jusqu'à ce jour,
671, 2818 « l'Eglise avance dans son pèlerinage à travers les persécutions du monde et les consolations de Dieu[5] ». Ici-bas, elle se sait en exil, loin du Seigneur[6], et elle aspire à l'avè-
675 nement plénier du Royaume, « l'heure où elle sera, dans la gloire, réunie à son Roi[7] ». La consommation de l'Eglise et, à travers elle, celle du monde, dans la gloire ne se fera pas
1045 sans de grandes épreuves. Alors seulement, « tous les justes depuis Adam, depuis Abel le juste jusqu'au dernier élu se trouveront rassemblés dans l'Eglise universelle auprès du Père[8] ».

III. Le mystère de l'Église

770 L'Eglise est dans l'histoire, mais elle la transcende en
812 même temps. C'est uniquement « avec les yeux de la foi[9] » que l'on peut voir en sa réalité visible en même temps une réalité spirituelle, porteuse de vie divine.

L'Église – à la fois visible et spirituelle

771 « Le Christ, unique médiateur, constitue et soutient conti-
827 nuellement son Eglise sainte, communauté de foi, d'espérance et de charité, ici-bas, sur terre, comme un tout visible par lequel Il répand, à l'intention de tous, la vérité et la grâce. » L'Eglise est à la fois :

1. Cf. Mt 28, 19-20 ; AG 2 ; 5-6. — 2. LG 4. — 3. LG 5. — 4. LG 48. — 5. S. Augustin, civ. 18, 51 ; cf. LG 8. — 6. Cf. 2 Co 5, 6 ; LG 6. — 7. LG 5. — 8. LG 2. — 9. Catech. R. 1, 10, 20.

– « société dotée d'organes hiérarchiques et Corps Mystique du Christ ; *1880*
– assemblée visible et communauté spirituelle ;
– Eglise terrestre et Eglise parée de dons célestes ». *954*

Ces dimensions constituent ensemble « une seule réalité complexe, faite d'un double élément humain et divin[1] » :

> Il appartient en propre à l'Eglise d'être à la fois humaine et divine, visible et riche de réalités invisibles, fervente dans l'action et occupée à la contemplation, présente dans le monde et pourtant étrangère. Mais de telle sorte qu'en elle ce qui est humain est ordonné et soumis au divin ; ce qui est visible, à l'invisible ; ce qui relève de l'action, à la contemplation ; et ce qui est présent, à la cité future que nous recherchons[2].

> Humilité ! Sublimité ! Tente de Cédar et sanctuaire de Dieu ; habitation terrestre et céleste palais ; maison d'argile et cour royale ; corps mortel et temple de lumière ; objet de mépris enfin pour les orgueilleux et épouse du Christ ! Elle est noire mais belle, filles de Jérusalem, celle qui, pâlie par la fatigue et la souffrance d'un long exil, a cependant pour ornement la parure céleste[3].

L'Église – mystère de l'union des hommes avec Dieu

C'est dans l'Eglise que le Christ accomplit et révèle son *772*
propre mystère comme le but du dessein de Dieu : « récapituler tout en Lui » (Ep 1, 10). S. Paul appelle « grand mystère » (Ep 5, 32) l'union sponsale du Christ et de l'Eglise. *518*
Parce qu'elle est unie au Christ comme à son Epoux[4], *796*
l'Eglise devient elle-même à son tour mystère[5]. Contemplant en elle le mystère, S. Paul s'écrie : « Le Christ en vous, l'espérance de la gloire ! » (Col 1, 27.)

Dans l'Eglise, cette communion des hommes avec Dieu *773*
par « la charité qui ne passe jamais » (1 Co 13, 8) est la fin qui commande tout ce qui en elle est moyen sacramentel lié à ce monde qui passe[6]. « Sa structure est complètement *671*
ordonnée à la sainteté des membres du Christ. Et la sainteté s'apprécie en fonction du "grand mystère" dans lequel l'Epouse répond par le don de l'amour au don de l'Epoux[7]. » Marie nous précède tous dans la sainteté qui est *972*

---

1. LG 8. — 2. SC 2. — 3. S. Bernard, Cant. 27, 7, 14. — 4. Cf. Ep 5, 25-27. —
5. Cf. Ep 3, 9-11. — 6. Cf. LG 48. — 7. MD 27.

le mystère de l'Eglise comme l'Epouse sans tache ni ride[1].
C'est pourquoi « la dimension mariale de l'Eglise précède
sa dimension pétrinienne[2] ».

L'Église – sacrement universel du salut

774   Le mot grec *mysterion* a été traduit en latin par deux termes :
1075   *mysterium* et *sacramentum*. Dans l'interprétation ultérieure, le
terme *sacramentum* exprime davantage le signe visible de la réalité
cachée du salut, indiquée par le terme *mysterium*. En ce sens, le
Christ est Lui-même le mystère du salut : Il n'y a pas d'autre mystère que le Christ[3]. L'œuvre salvifique de son humanité sainte et
515   sanctifiante est le sacrement du salut qui se manifeste et agit dans
les sacrements de l'Eglise (que les Eglises d'Orient appellent aussi
2014   « les saints mystères »). Les sept sacrements sont les signes et les
instruments par lesquels l'Esprit Saint répand la grâce du Christ,
1116   qui est la Tête, dans l'Eglise qui est son Corps. L'Eglise contient
donc et communique la grâce invisible qu'elle signifie. C'est en ce
sens analogique qu'elle est appelée « sacrement ».

775   « L'Eglise est, dans le Christ, en quelque sorte le sacrement,
c'est-à-dire à la fois le signe et l'instrument de l'union intime
avec Dieu et de l'unité de tout le genre humain[4] » : Etre le
sacrement de l'*union intime des hommes avec Dieu :* c'est là
le premier but de l'Eglise. Parce que la communion entre les
hommes s'enracine dans l'union avec Dieu, l'Eglise est
360   aussi le sacrement de l'*unité du genre humain*. En elle, cette
unité est déjà commencée puisqu'elle rassemble des
hommes « de toute nation, race, peuple et langue » (Ap 7,
9) ; en même temps, l'Eglise est « signe et instrument » de la
pleine réalisation de cette unité qui doit encore venir.

776   Comme sacrement, l'Eglise est instrument du Christ.
1088   « Entre ses mains elle est l'instrument de la Rédemption de
tous les hommes[5] », « le sacrement universel du salut[6] »,
par lequel le Christ « manifeste et actualise l'amour de Dieu
pour les hommes[7] ». Elle « est le projet visible de l'amour
de Dieu pour l'humanité[8] », qui veut « que le genre humain
tout entier constitue un seul Peuple de Dieu, se rassemble
dans le Corps unique du Christ, soit construit en un seul
temple du Saint-Esprit[9] ».

En bref

777   *Le mot « Eglise » signifie « convocation ». Il désigne
l'assemblée de ceux que la Parole de Dieu convoque pour
former le Peuple de Dieu et qui, nourris du Corps du Christ,
deviennent eux-mêmes Corps du Christ.*

1. Cf. Ep 5, 27. — 2. Cf. MD 27. — 3. S. Augustin, ep. 187, 11, 34. — 4. LG 1.
— 5. LG 9. — 6. LG 48. — 7. GS 45, § 1. — 8. Paul VI, discours 22 juin 1973.
— 9. AG 7 ; cf. LG 17.

L'Eglise est à la fois chemin et but du dessein de Dieu : pré- 778
figurée dans la création, préparée dans l'Ancienne Alliance,
fondée par les paroles et les actions de Jésus-Christ, réali-
sée par sa Croix rédemptrice et sa Résurrection, elle est
manifestée comme mystère de salut par l'effusion de
l'Esprit Saint. Elle sera consommée dans la gloire du ciel
comme assemblée de tous les rachetés de la terre[1].

L'Eglise est à la fois visible et spirituelle, société hiérar- 779
chique et Corps Mystique du Christ. Elle est une, formée
d'un double élément humain et divin. C'est là son mystère
que seule la foi peut accueillir.

L'Eglise est dans ce monde-ci le sacrement du salut, le 780
signe et l'instrument de la communion de Dieu et des
hommes.

PARAGRAPHE 2. *L'Église – Peuple de Dieu, Corps du Christ, Temple de l'Esprit Saint*

I. L'Église – Peuple de Dieu

« A toute époque, à la vérité, et en toute nation, Dieu a 781
tenu pour agréable quiconque le craint et pratique la justice.
Cependant, il a plu à Dieu que les hommes ne reçoivent pas
la sanctification et le salut séparément, hors de tout lien
mutuel ; Il a voulu au contraire en faire un Peuple qui Le
connaîtrait selon la vérité et Le servirait dans la sainteté.
C'est pourquoi Il s'est choisi le Peuple d'Israël pour être son
Peuple avec qui Il a fait alliance et qu'Il a progressivement
instruit (...). Tout cela cependant n'était que pour préparer et
figurer l'Alliance Nouvelle et parfaite qui serait conclue
dans le Christ (...). C'est la Nouvelle Alliance dans son
sang, appelant un Peuple, venu des Juifs et des païens, à se
rassembler dans l'unité, non pas selon la chair, mais dans
l'Esprit[2]. »

Les caractéristiques du Peuple de Dieu

Le Peuple de Dieu a des caractéristiques qui le dis- 782
tinguent nettement de tous les groupements religieux, eth- *871*
niques, politiques ou culturels de l'histoire :

1. Cf. Ap 14, 4. — 2. LG 9.

2787 – Il est le Peuple *de Dieu* : Dieu n'appartient en propre à aucun peuple. Mais Il s'est acquis un Peuple de ceux qui autrefois n'étaient pas un peuple : « une race élue, un sacerdoce royal, une nation sainte » (1 P 2, 9).

1267 – On devient *membre* de ce Peuple non par la naissance physique, mais par la « naissance d'en haut », « de l'eau et de l'Esprit » (Jn 3, 3-5), c'est-à-dire par la foi au Christ et le Baptême.

695 – Ce Peuple a pour *Chef* (Tête) Jésus le Christ (oint, Messie) : parce que la même onction, l'Esprit Saint, découle de la Tête dans le Corps, il est « le Peuple messianique ».

– « La *condition* de ce Peuple, c'est la dignité de la liberté
1741 des fils de Dieu : dans leurs cœurs, comme dans un temple, réside l'Esprit Saint. »

– « Sa *loi*, c'est le commandement nouveau d'aimer comme le Christ Lui-même nous a aimés[1]. » C'est la loi « nouvelle » de l'Esprit Saint[2].

849 – Sa *mission*, c'est d'être le sel de la terre et la lumière du monde[3]. « Il constitue pour tout le genre humain le germe le plus fort d'unité, d'espérance et de salut[4]. »

769 – Sa *destinée*, enfin, c'est « le Royaume de Dieu, commencé sur la terre par Dieu Lui-même, Royaume qui doit se dilater de plus en plus, jusqu'à ce que, à la fin des temps, il soit achevé par Dieu Lui-même[5]. »

Un Peuple sacerdotal, prophétique et royal

783 Jésus-Christ est celui que le Père a oint de l'Esprit Saint
436 et qu'Il a constitué « Prêtre, Prophète et Roi ». Le Peuple de
873 Dieu tout entier participe à ces trois fonctions du Christ et il porte les responsabilités de mission et de service qui en découlent[6].

784 En entrant dans le Peuple de Dieu par la foi et le Baptême, on reçoit part à la vocation unique de ce Peuple : à sa
1268 vocation *sacerdotale* : « Le Christ Seigneur, grand prêtre pris d'entre les hommes a fait du Peuple nouveau "un royaume, des prêtres pour son Dieu et Père". Les baptisés, en effet, par la régénération et l'onction du Saint-Esprit, sont
1546 *consacrés* pour être une demeure spirituelle et un sacerdoce saint[7]. »

785 « Le Peuple saint de Dieu participe aussi à la fonction *prophétique* du Christ. » Il l'est surtout par le sens surnatu-
92 rel de la foi qui est celui du Peuple tout entier, laïcs et hié-

1. LG 9 ; cf. Jn 13, 34. — 2. Cf. Rm 8, 2 ; Ga 5, 25. — 3. Cf. Mt 5, 13-16. — 4. LG 9. — 5. *Ibid.* — 6. Cf. RH 18-21. — 7. LG 10.

rarchie, lorsqu'il « s'attache indéfectiblement à la foi transmise aux saints une fois pour toutes [1] » et en approfondit
l'intelligence et devient témoin du Christ au milieu de ce
monde.

Le Peuple de Dieu participe enfin à la fonction *royale* du
Christ. Le Christ exerce sa royauté en attirant à soi tous les
hommes par sa mort et sa Résurrection [2]. Le Christ, Roi et
Seigneur de l'univers, s'est fait le serviteur de tous, n'étant
« pas venu pour être servi, mais pour servir et pour donner
sa vie en rançon pour la multitude » (Mt 20, 28). Pour le
chrétien, « régner, c'est Le servir [3] », particulièrement « dans
les pauvres et les souffrants, dans lesquels l'Eglise reconnaît
l'image de son Fondateur pauvre et souffrant [4] ». Le Peuple
de Dieu réalise sa « dignité royale » en vivant conformément à cette vocation de servir avec le Christ.

786

2449

2443

> De tous les régénérés dans le Christ le signe de la Croix fait
> des rois, l'onction du Saint-Esprit les consacre comme
> prêtres, afin que, mis à part le service particulier de notre
> ministère, tous les chrétiens spirituels et usant de leur raison
> se reconnaissent membres de cette race royale et partici-
> pants de la fonction sacerdotale. Qu'y a-t-il, en effet,
> d'aussi royal pour une âme que de gouverner son corps dans
> la soumission à Dieu ? Et qu'y a-t-il d'aussi sacerdotal que
> de vouer au Seigneur une conscience pure et d'offrir sur
> l'autel de son cœur les victimes sans taches de la piété [5] ?

II. L'Église – Corps du Christ

L'Église est communion avec Jésus

Dès le début, Jésus a associé ses disciples à sa vie [6]; Il
leur a révélé le mystère du Royaume [7]; Il leur a donné part à
sa mission, à sa joie [8] et à ses souffrances [9]. Jésus parle d'une
communion encore plus intime entre Lui et ceux qui Le suivraient : « Demeurez en moi, comme moi en vous (...). Je
suis le cep, vous êtes les sarments » (Jn 15, 4-5). Et Il
annonce une communion mystérieuse et réelle entre son
propre corps et le nôtre : « Qui mange ma chair et boit mon
sang demeure en moi et moi en lui » (Jn 6, 56).

787

755

Lorsque sa présence visible leur a été enlevée, Jésus n'a
pas laissé orphelins ses disciples [10]. Il leur a promis de rester
avec eux jusqu'à la fin des temps [11], Il leur a envoyé son

788

1. LG 12. — 2. Cf. Jn 12, 32. — 3. LG 36. — 4. LG 8. — 5. S. Léon le Grand,
serm. 4, 1. — 6. Cf. Mc 1, 16-20; 3, 13-19. — 7. Cf. Mt 13, 10-17. — 8. Cf. Lc
10, 17-20. — 9. Cf. Lc 22, 28-30. — 10. Cf. Jn 14, 18. — 11. Cf. Mt 28, 20.

Esprit[1]. La communion avec Jésus en est devenue, d'une
690 certaine façon, plus intense : « En communiquant son Esprit
à ses frères, qu'Il rassemble de toutes les nations, Il les a
constitués mystiquement comme son corps[2]. »

789   La comparaison de l'Eglise avec le corps jette une
lumière sur le lien intime entre l'Eglise et le Christ. Elle
n'est pas seulement rassemblée *autour de Lui;* elle est uni-
521 fiée *en Lui,* dans son Corps. Trois aspects de l'Eglise –
Corps du Christ sont plus spécifiquement à relever : l'unité
de tous les membres entre eux par leur union au Christ; le
Christ Tête du Corps; l'Eglise, Epouse du Christ.

« Un seul Corps »

790   Les croyants qui répondent à la Parole de Dieu et
deviennent membres du Corps du Christ, deviennent étroite-
947 ment unis au Christ : « Dans ce corps la vie du Christ se
répand à travers les croyants que les sacrements, d'une
manière mystérieuse et réelle, unissent au Christ souffrant et
1227 glorifié[3]. » Ceci est particulièrement vrai du Baptême par
lequel nous sommes unis à la mort et à la Résurrection du
1329 Christ[4], et de l'Eucharistie, par laquelle, « participant réellement au Corps du Christ », « nous sommes élevés à la communion avec Lui et entre nous[5] ».

791   L'unité du corps n'abolit pas la diversité des membres :
814 « Dans l'édification du Corps du Christ règne une diversité
de membres et de fonctions. Unique est l'Esprit qui distri-
1937 bue des dons variés pour le bien de l'Eglise à la mesure de
ses richesses et des exigences des services[6]. » L'unité du
Corps mystique produit et stimule entre les fidèles la charité : « Aussi un membre ne peut souffrir, que tous les
membres ne souffrent, un membre ne peut être à l'honneur,
que tous les membres ne se réjouissent avec lui[7]. » Enfin,
l'unité du Corps mystique est victorieuse de toutes les divisions humaines : « Vous tous, en effet, baptisés dans le
Christ, vous avez revêtu le Christ; il n'y a ni Juif ni Grec, il
n'y a ni esclave ni homme libre, il n'y a ni homme ni
femme; car tous vous ne faites qu'un dans le Christ Jésus »
(Ga 3, 27-28).

« De ce Corps, le Christ est la Tête »

792   Le Christ « est la Tête du Corps qui est l'Eglise » (Col 1,
669 18). Il est le Principe de la création et de la rédemption.
Elevé dans la gloire du Père, « Il a en tout la primauté » (Col

---

1. Cf. Jn 20, 22; Ac 2, 33. — 2. LG 7. — 3. LG 7. — 4. Cf. Rm 6, 4-5; 1 Co 12,
13. — 5. LG 7. — 6. *Ibid.* — 7. *Ibid.*

1, 18), principalement sur l'Eglise par laquelle il étend son *1119* règne sur toute chose :

Il nous unit à sa Pâque : tous les membres doivent **793** s'efforcer de Lui ressembler « jusqu'à ce que le Christ soit *661* formé » en eux (Ga 4, 19). « C'est dans ce but que nous sommes introduits dans les mystères de sa vie, (...) associés *519* à ses souffrances comme le corps à la tête, unis à sa passion pour être unis à sa gloire[1]. »

Il pourvoit à notre croissance[2] : Pour nous faire grandir **794** vers Lui, notre Tête[3], le Christ dispose dans son Corps, *872* l'Eglise, les dons et les services par lesquels nous nous aidons mutuellement sur le chemin du salut.

Le Christ et l'Eglise, c'est donc *le « Christ total » (Chris-* **795** *tus totus)*. L'Eglise est une avec le Christ. Les saints ont une *695* conscience très vive de cette unité :

Félicitons-nous donc et rendons grâces de ce que nous sommes devenus, non seulement des chrétiens, mais le Christ lui-même. Comprenez-vous, frères, la grâce que Dieu nous a faite en nous donnant le Christ comme Tête ? Soyez dans l'admiration et réjouissez-vous, nous sommes devenus le Christ. En effet, puisqu'il est la Tête et que nous sommes les membres, l'homme tout entier, c'est lui et nous (...). La Plénitude du Christ, c'est donc la Tête et les membres ; qu'est-ce à dire : la Tête et les membres ? Le Christ et l'Eglise[4].

Notre Rédempteur s'est montré comme une seule et même personne que l'Eglise qu'il a assumée[5].

Tête et membres, une seule et même personne mystique pour ainsi dire[6]. *1474*

Un mot de Ste Jeanne d'Arc à ses juges résume la foi des saints Docteurs et exprime le bon sens du croyant : « De Jésus-Christ et de l'Eglise, il m'est avis que c'est tout un, et qu'il n'en faut pas faire difficulté[7]. »

L'Église est l'Épouse du Christ

L'unité du Christ et de l'Eglise, Tête et membres du **796** Corps, implique aussi la distinction des deux dans une relation personnelle. Cet aspect est souvent exprimé par l'image

1. LG 7. — 2. Cf. Col 2, 19. — 3. Cf. Ep 4, 11-16. — 4. S. Augustin, ev. Jo. 21, 8. — 5. S. Grégoire le Grand, mor. præf. 6, 14. — 6. S. Thomas d'A., s. th. 3, 48, 2, ad 1. — 7. Jeanne d'Arc, proc.

757 de l'époux et de l'épouse. Le thème du Christ Epoux de
219 l'Eglise a été préparé par les prophètes et annoncé par Jean-
Baptiste[1]. Le Seigneur s'est Lui-même désigné comme
« l'Epoux » (Mc 2, 19)[2]. L'apôtre présente l'Eglise et
772 chaque fidèle, membre de son Corps, comme une Epouse
« fiancée » au Christ Seigneur, pour n'être avec Lui qu'un
1602 seul Esprit[3]. Elle est l'Epouse immaculée de l'Agneau
immaculé[4] que le Christ a aimée, pour laquelle Il s'est livré
1616 « afin de la sanctifier » (Ep 5, 26), qu'Il s'est associée par
une alliance éternelle, et dont Il ne cesse de prendre soin
comme de son propre Corps[5] :

> Voilà le Christ total, Tête et Corps, un seul formé de beau-
> coup. (...) Que ce soit la Tête qui parle, que ce soit les
> membres, c'est le Christ qui parle. Il parle en tenant le rôle
> de la Tête (*ex persona capitis*) ou bien en tenant le rôle du
> Corps (*ex persona corporis*). Selon ce qui est écrit : « Ils
> seront deux en une seule chair. C'est là un grand mystère, je
> veux dire en rapport avec le Christ et l'Eglise » (Ep 5, 31-
> 32). Et le Seigneur Lui-même dans l'Evangile : « Non plus
> deux, mais une seule chair » (Mt 19, 6). Comme vous l'avez
> vu, il y a bien en fait deux personnes différentes, et cepen-
> dant, elles ne font qu'un dans l'étreinte conjugale. (...) *En
> tant que Tête il se dit « Epoux », en tant que Corps il se dit
> « Epouse »[6]*.

III. L'Église – Temple de l'Esprit Saint

797 « Ce que notre esprit, je veux dire notre âme, est à nos
813 membres, l'Esprit Saint l'est aux membres du Christ, au
Corps du Christ, je veux dire l'Eglise[7]. » « C'est à l'Esprit
du Christ comme à un principe caché qu'il faut attribuer que
toutes les parties du Corps soient reliées, aussi bien entre
elles qu'avec leur Tête suprême, puisqu'il réside tout entier
dans la Tête, tout entier dans le Corps, tout entier dans chacun de ses membres[8]. » L'Esprit Saint fait de l'Eglise « le
586 Temple du Dieu Vivant » (2 Co 6, 16)[9] :

> C'est à l'Eglise elle-même, en effet, qu'a été confié le Don
> de Dieu. (...) C'est en elle qu'a été déposée la communion
> avec le Christ, c'est-à-dire l'Esprit Saint, arrhes de l'incor-
> ruptibilité, confirmation de notre foi et échelle de notre

1. Cf. Jn 3, 29. — 2. Cf. Mt 22, 1-14 ; 25, 1-13. — 3. Cf. 1 Co 6, 15-17 ; 2 Co 11,
2. — 4. Cf. Ap 22, 17 ; Ep 1, 4 ; 5, 27. — 5. Cf. Ep 5, 29. — 6. S. Augustin, Psal.
74, 4. — 7. S. Augustin, serm. 268, 2. — 8. Pie XII, Enc. « Mystici Corporis » :
DS 3808. — 9. Cf. 1 Co 3, 16-17 ; Ep 2, 21.

ascension vers Dieu (...). Car là où est l'Eglise, là est aussi l'Esprit de Dieu ; et là où est l'Esprit de Dieu, là est l'Eglise et toute grâce[1].

L'Esprit Saint est « le Principe de toute action vitale et vraiment salutaire en chacune des diverses parties du Corps[2] ». Il opère de multiples manières l'édification du Corps tout entier dans la charité[3] : par la Parole de Dieu, « qui a la puissance de construire l'édifice » (Ac 20, 32), par le Baptême par lequel Il forme le Corps du Christ[4] ; par les sacrements qui donnent croissance et guérison aux membres du Christ ; par « la grâce accordée aux apôtres qui tient la première place parmi ses dons[5] », par les vertus qui font agir selon le bien, enfin par les multiples grâces spéciales (appelées « charismes ») par lesquels il rend les fidèles « aptes et disponibles pour assumer les diverses charges et offices qui servent à renouveler et à édifier davantage l'Eglise[6] ».

798
737,
1091-1109

791

Les charismes

Extraordinaires ou simples et humbles, les charismes sont des grâces de l'Esprit Saint qui ont, directement ou indirectement, une utilité ecclésiale, ordonnés qu'ils sont à l'édification de l'Eglise, au bien des hommes et aux besoins du monde.

799
951, 2003

Les charismes sont à accueillir avec reconnaissance par celui qui les reçoit, mais aussi par tous les membres de l'Eglise. Ils sont, en effet, une merveilleuse richesse de grâce pour la vitalité apostolique et pour la sainteté de tout le Corps du Christ ; pourvu cependant qu'il s'agisse de dons qui proviennent véritablement de l'Esprit Saint et qu'ils soient exercés de façon pleinement conforme aux impulsions authentiques de ce même Esprit, c'est-à-dire selon la charité, vraie mesure des charismes[7].

800

C'est dans ce sens qu'apparaît toujours nécessaire le discernement des charismes. Aucun charisme ne dispense de la référence et de la soumission aux Pasteurs de l'Eglise. « C'est à eux qu'il convient spécialement, non pas d'éteindre l'Esprit, mais de tout éprouver pour retenir ce qui est bon[8] », afin que tous les charismes coopèrent, dans leur

801
894

1. S. Irénée, hær. 3, 24, 1. — 2. Pie XII, enc. « Mystici Corporis » : DS 3808. — 3. Cf. Ep 4, 16. — 4. Cf. 1 Co 12, 13. — 5. LG 7. — 6. LG 12 ; cf. AA 3. — 7. Cf. 1 Co 13. — 8. LG 12.

1905 diversité et leur complémentarité, au « bien commun » (1 Co 12, 7)[1].

EN BREF

802   *« Le Christ Jésus s'est livré pour nous afin de nous racheter de toute iniquité et de purifier un Peuple qui Lui appartienne en propre » (Tt 2, 14).*

803   *« Vous êtes donc une race élue, un sacerdoce royal, une nation sainte, un Peuple acquis » (1 P 2, 9).*

804   *On entre dans le Peuple de Dieu par la foi et le Baptême. « Tous les hommes sont appelés à faire partie du Peuple de Dieu[2] », afin que, dans le Christ, « les hommes constituent une seule famille et un seul Peuple de Dieu[3] ».*

805   *L'Eglise est le Corps du Christ. Par l'Esprit et son action dans les sacrements, surtout l'Eucharistie, le Christ mort et ressuscité constitue la communauté des croyants comme son Corps.*

806   *Dans l'unité de ce Corps, il y a diversité de membres et de fonctions. Tous les membres sont liés les uns aux autres, particulièrement à ceux qui souffrent, sont pauvres et persécutés.*

807   *L'Eglise est ce Corps dont le Christ est la Tête : elle vit de Lui, en Lui et pour Lui ; Il vit avec elle et en elle.*

808   *L'Eglise est l'Epouse du Christ : Il l'a aimée et s'est livré pour elle. Il l'a purifiée par son sang. Il a fait d'elle la Mère féconde de tous les fils de Dieu.*

809   *L'Eglise est le Temple de l'Esprit Saint. L'Esprit est comme l'âme du Corps Mystique, principe de sa vie, de l'unité dans la diversité et de la richesse de ses dons et charismes.*

810   *« Ainsi l'Eglise universelle apparaît comme "un Peuple qui tire son unité de l'unité du Père et du Fils et de l'Esprit Saint"[4]. »*

PARAGRAPHE 3. *L'Église est une, sainte, catholique et apostolique*

811   « C'est là l'unique Eglise du Christ, dont nous professons
750 dans le symbole qu'elle est une, sainte, catholique et apostolique[5]. » Ces quatre attributs, inséparablement liés entre

---

1. Cf. LG 30 ; CL 24. — 2. LG 13. — 3. AG 1. — 4. LG 4, citant S. Cyprien. — 5. LG 8.

eux[1], indiquent des traits essentiels de l'Eglise et de sa mission. L'Eglise ne les tient pas d'elle-même; c'est le Christ qui, par l'Esprit Saint, donne à son Eglise, d'être une, sainte, catholique et apostolique, et c'est Lui encore qui l'appelle à réaliser chacune de ces qualités.   *832, 865*

Seule la foi peut reconnaître que l'Eglise tient ces propriétés de sa source divine. Mais leurs manifestations historiques sont des signes qui parlent aussi clairement à la raison humaine. « L'Eglise, rappelle le premier Concile du Vatican, en raison de sa sainteté, de son unité catholique, de sa constance invaincue, est elle-même un grand et perpétuel motif de crédibilité et une preuve irréfragable de sa mission divine[2]. »   *812*

156, 770

I. L'Église est une

« Le mystère sacré de l'Unité de l'Église[3] »

L'Eglise est une de par sa source : « De ce mystère, le modèle suprême et le principe est dans la trinité des personnes, l'unité d'un seul Dieu Père, et Fils, en l'Esprit Saint[4]. » L'Eglise est une *de par son Fondateur :* « Car le Fils incarné en personne a réconcilié tous les hommes avec Dieu par sa Croix, rétablissant l'unité de tous en un seul Peuple et un seul Corps[5]. » L'Eglise est une *de par son « âme » :* « L'Esprit Saint qui habite dans les croyants, qui remplit et régit toute l'Eglise, réalise cette admirable communion des fidèles et les unit tous si intimement dans le Christ, qu'Il est le principe de l'Unité de l'Eglise[6]. » Il est donc de l'essence même de l'Eglise d'être une :   *813*

172

766

797

> Quel étonnant mystère ! Il y a un seul Père de l'univers, un seul Logos de l'univers et aussi un seul Esprit Saint, partout identique; il y a aussi une seule vierge devenue mère, et j'aime l'appeler l'Eglise[7].

Dès l'origine, cette Eglise une se présente cependant avec une grande *diversité* qui provient à la fois de la variété des dons de Dieu et de la multiplicité des personnes qui les reçoivent. Dans l'unité du Peuple de Dieu se rassemblent les diversités des peuples et des cultures. Entre les membres de l'Eglise existe une diversité de dons, de charges, de condi-   *814*

791, 873

1202

1. Cf. DS 2888. — 2. DS 3013. — 3. UR 2. — 4. UR 2. — 5. GS 78, §3. — 6. UR 2. — 7. S. Clément d'Alexandrie, pæd. 1, 6.

tions et de modes de vie; « au sein de la communion de
832 l'Eglise il existe légitimement des Eglises particulières,
jouissant de leurs traditions propres[1] ». La grande richesse
de cette diversité ne s'oppose pas à l'unité de l'Eglise.
Cependant, le péché et le poids de ses conséquences
menacent sans cesse le don de l'unité. Aussi l'apôtre doit-il
exhorter à « garder l'unité de l'Esprit par le lien de la paix »
(Ep 4, 3).

815   Quels sont ces liens de l'unité? « Par-dessus tout [c'est]
1827 la charité, qui est le lien de la perfection » (Col 3, 14). Mais
l'unité de l'Eglise pérégrinante est assurée aussi par des
830, 837 liens visibles de communion :
173 – la profession d'une seule foi reçue des apôtres;
– la célébration commune du culte divin, surtout des sacrements;
– la succession apostolique par le sacrement de l'Ordre,
maintenant la concorde fraternelle de la famille de Dieu[2].

816   « L'unique Eglise du Christ, (...) est celle que notre Sauveur, après sa Résurrection, remit à Pierre pour qu'il en soit
le pasteur, qu'Il lui confia, à lui et aux autres apôtres, pour
la répandre et la diriger (...). Cette Eglise comme société
constituée et organisée dans le monde est réalisée dans (sub-
sistit in) l'Eglise catholique gouvernée par le successeur de
Pierre et les évêques qui sont en communion avec lui[3] » :

830   Le Décret sur l'Œcuménisme du deuxième Concile du Vatican explicite : « C'est, en effet, par la seule Eglise catholique du Christ, laquelle est "moyen général de salut", que
peut s'obtenir toute la plénitude des moyens de salut. Car
c'est au seul collège apostolique, dont Pierre est le chef, que
le Seigneur confia, selon notre foi, toutes les richesses de la
Nouvelle Alliance, afin de constituer sur la terre un seul
Corps du Christ auquel il faut que soient pleinement incorporés tous ceux qui, d'une certaine façon, appartiennent
déjà au Peuple de Dieu[4]. »

Les blessures de l'unité

817   De fait, « dans cette seule et unique Eglise de Dieu appa-
rurent dès l'origine certaines scissions, que l'apôtre
réprouve avec vigueur comme condamnables; au cours des
siècles suivants naquirent des dissensions plus amples, et
des communautés considérables furent séparées de la pleine

1. LG 13. — 2. Cf. UR 2; LG 14; CIC, can. 205. — 3. LG 8. — 4. UR 3.

communion de l'Eglise catholique, parfois de par la faute des personnes de l'une et de l'autre partie [1] ». Les ruptures qui blessent l'unité du Corps du Christ (on distingue l'hérésie, l'apostasie et le schisme [2]) ne se font pas sans les péchés des hommes : *2089*

> Où se trouve le péché, là aussi la multiplicité, là le schisme, là l'hérésie, là le conflit ; mais où se trouve la vertu, là aussi l'unité, là l'union qui faisait que tous les croyants n'avaient qu'un corps et une âme [3].

Ceux qui naissent aujourd'hui dans des communautés issues de telles ruptures « et qui vivent la foi au Christ, ne peuvent être accusés de péché de division, et l'Eglise catholique les entoure de respect fraternel et de charité (...). Justifiés par la foi reçue au Baptême, incorporés au Christ, ils portent à juste titre le nom de chrétiens, et les fils de l'Eglise catholique les reconnaissent à bon droit comme des frères dans le Seigneur [4]. » *818 1271*

Au surplus, « beaucoup d'éléments de sanctification et de vérité [5] » existent en dehors des limites visibles de l'Eglise catholique : « la parole de Dieu écrite, la vie de la grâce, la foi, l'espérance et la charité, d'autres dons intérieurs du Saint-Esprit et d'autres éléments visibles [6] ». L'Esprit du Christ se sert de ces Eglises et communautés ecclésiales comme moyens de salut dont la force vient de la plénitude de grâce et de vérité que le Christ a confiée à l'Eglise catholique. Tous ces biens proviennent du Christ et conduisent à Lui [7] et appellent par eux-mêmes « l'unité catholique [8] ». *819*

Vers l'unité

L'unité, « le Christ l'a accordée à son Eglise dès le commencement. Nous croyons qu'elle subsiste de façon inamissible dans l'Eglise catholique et nous espérons qu'elle s'accroîtra de jour en jour jusqu'à la consommation des siècles [9] ». Le Christ donne toujours à son Eglise le don de l'unité, mais l'Eglise doit toujours prier et travailler pour maintenir, renforcer et parfaire l'unité que le Christ veut pour elle. C'est pourquoi Jésus lui-même a prié à l'heure de sa passion, et Il ne cesse de prier le Père pour l'unité de ses disciples : « ... Que tous soient un. Comme Toi, Père, Tu es *820 2748*

1. UR 3. — 2. Cf. CIC, can. 751. — 3. Origène, hom. in Ezech. 9, 1. — 4. UR 3. — 5. LG 8. — 6. UR 3 ; cf. LG 15. — 7. Cf. UR 3. — 8. LG 8. — 9. UR 4.

en Moi et Moi en Toi, qu'eux aussi soient un en Nous, afin
que le monde croie que Tu M'as envoyé » (Jn 17, 21). Le
désir de retrouver l'unité de tous les chrétiens est un don du
Christ et un appel de l'Esprit Saint[1].

821   Pour y répondre adéquatement sont exigés :
    – un *renouveau* permanent de l'Eglise dans une fidélité plus
grande à sa vocation. Cette rénovation est le ressort du mouvement
vers l'unité[2] ;

827   – la *conversion du cœur* « en vue de vivre plus purement selon
l'Evangile[3] », car c'est l'infidélité des membres au don du Christ
qui cause les divisions ;

279   – la *prière en commun*, car « la conversion du cœur et la sainteté
de vie, unies aux prières publiques et privées pour l'unité des chrétiens, doivent être regardées comme l'âme de tout œcuménisme et
peuvent être à bon droit appelées œcuménisme spirituel[4] » ;
    – la *connaissance réciproque fraternelle*[5] ;
    – *la formation œcuménique* des fidèles et spécialement des
prêtres[6] ;
    – le *dialogue* entre les théologiens et les rencontres entre les chré-
tiens des différentes Eglises et communautés[7] ;
    – la *collaboration* entre chrétiens dans les divers domaines du ser-
vice des hommes[8].

822   Le souci de réaliser l'union « concerne toute l'Eglise,
fidèles et pasteurs[9] ». Mais il faut aussi « avoir conscience
que ce projet sacré, la réconciliation de tous les chrétiens
dans l'unité d'une seule et unique Eglise du Christ, dépasse
les forces et les capacités humaines ». C'est pourquoi nous
mettons tout notre espoir « dans la prière du Christ pour
l'Eglise, dans l'amour du Père à notre égard, et dans la puissance du Saint-Esprit[10] ».

II. L'Église est sainte

823   « L'Eglise (...) est aux yeux de la foi indéfectiblement
sainte. En effet le Christ, Fils de Dieu, qui, avec le Père et
459 l'Esprit, est proclamé "seul Saint", a aimé l'Eglise comme
796 son épouse, Il s'est livré pour elle afin de la sanctifier, Il se
l'est unie comme son Corps et l'a comblée du don de
l'Esprit Saint pour la Gloire de Dieu[11]. » L'Eglise est donc
« le Peuple saint de Dieu[12] », et ses membres sont appelés
946 « saints[13] ».

824   L'Eglise, unie au Christ, est sanctifiée par Lui ; par Lui et
en Lui elle devient aussi *sanctifiante*. « Toutes les œuvres de
l'Eglise tendent comme à leur fin, à la sanctification des

---

1. Cf. UR 1. — 2. Cf. UR 6. — 3. UR 7. — 4. UR 8. — 5. Cf. UR 9. — 6. Cf. UR
10. — 7. Cf. UR 4 ; 9 ; 11. — 8. Cf. UR 12. — 9. UR 5. — 10. UR 24. — 11. LG
39. — 12. LG 12. — 13. Cf. Ac 9, 13 ; 1 Co 6, 1 ; 16, 1.

hommes dans le Christ et à la glorification de Dieu[1]. » C'est dans l'Eglise qu'est déposée « la plénitude des moyens de salut[2] ». C'est en elle que « nous acquérons la sainteté par la grâce de Dieu[3] ».

816

« Sur terre, l'Eglise est parée d'une sainteté véritable, bien qu'imparfaite[4]. » En ses membres, la sainteté parfaite est encore à acquérir : « Pourvus de moyens salutaires d'une telle abondance et d'une telle grandeur, tous ceux qui croient au Christ, quels que soient leur condition et leur état de vie, sont appelés par Dieu chacun dans sa route, à une sainteté dont la perfection est celle même du Père[5]. »

825
670

2013

La *charité* est l'âme de la sainteté à laquelle tous sont appelés : « Elle dirige tous les moyens de sanctification, leur donne leur âme et les conduit à leur fin[6] » :

826

1827, 2658

> Je compris que si l'Eglise avait un corps, composé de différents membres, le plus nécessaire, le plus noble de tous ne lui manquait pas, je compris que l'Eglise *avait un Cœur, et que ce Cœur était BRULANT d'AMOUR.* Je compris que l'*Amour seul* faisait agir les membres de l'Eglise, que si l'*Amour* venait à s'éteindre, les apôtres n'annonceraient plus l'Evangile, les Martyrs refuseraient de verser leur sang (...). Je compris que l'*AMOUR RENFERMAIT TOUTES LES VOCATIONS, QUE L'AMOUR ÉTAIT TOUT, QU'IL EMBRASSAIT TOUS LES TEMPS ET TOUS LES LIEUX* (...) *EN UN MOT, QU'IL EST ÉTERNEL*[7] !

864

« Tandis que le Christ saint, innocent, sans tache, venu uniquement pour expier les péchés du peuple, n'a pas connu le péché, l'Eglise, elle, qui *renferme des pécheurs* dans son propre sein, est donc à la fois sainte et appelée à se purifier, et poursuit constamment son effort de pénitence et de renouvellement[8]. » Tous les membres de l'Eglise, ses ministres y compris, doivent se reconnaître pécheurs[9]. En tous, l'ivraie du péché se trouve encore mêlée au bon grain de l'Evangile jusqu'à la fin des temps[10]. L'Eglise rassemble donc des pécheurs saisis par le salut du Christ mais toujours en voie de sanctification :

827
1425-1429

821

> L'Eglise est sainte tout en comprenant en son sein des pécheurs, parce qu'elle n'a elle-même d'autre vie que celle de la grâce : c'est en vivant de sa vie que ses membres se

1. SC 10. — 2. UR 3. — 3. LG 48. — 4. LG 48. — 5. LG 11. — 6. LG 42. — 7. Ste Thérèse de l'Enfant-Jésus, ms. autob. B 3v. — 8. LG 8; cf. UR 3; 6. — 9. Cf. 1 Jn 1, 8-10. — 10. Cf. Mt 13, 24-30.

sanctifient ; c'est en se soustrayant à sa vie qu'ils tombent dans les péchés et les désordres qui empêchent le rayonnement de sa sainteté. C'est pourquoi elle souffre et fait pénitence pour ces fautes, dont elle a le pouvoir de guérir ses enfants par le sang du Christ et le don de l'Esprit Saint[1].

828
1173
En *canonisant* certains fidèles, c'est-à-dire en proclamant solennellement que ces fidèles ont pratiqué héroïquement les vertus et vécu dans la fidélité à la grâce de Dieu, l'Eglise reconnaît la puissance de l'Esprit de sainteté qui est en elle et elle soutient l'espérance des fidèles en les leur donnant comme modèles et intercesseurs[2]. « Les saints et les saintes ont toujours été source et origine de renouvellement dans les moments les plus difficiles de l'histoire de l'Eglise[3]. » En *2045* effet, « la sainteté est la source secrète et la mesure infaillible de son activité apostolique et de son élan missionnaire[4] ».

829
1172
« En la personne de la bienheureuse Vierge l'Eglise atteint déjà à la perfection qui la fait sans tache ni ride. Les fidèles du Christ, eux, sont encore tendus dans leur effort pour croître en sainteté par la victoire sur le péché : c'est *972* pourquoi ils lèvent leurs yeux vers Marie[5] » : en elle, l'Eglise est déjà la toute sainte.

III. L'Église est catholique

Que veut dire « catholique » ?

830
Le mot « catholique » signifie « universel » dans le sens de « selon la totalité » ou « selon l'intégralité ». L'Eglise est catholique dans un double sens :

Elle est catholique parce qu'en elle le Christ est présent. « Là où est le Christ Jésus, là est l'Eglise Catholique[6]. » En elle sub-*795* siste la plénitude du Corps du Christ uni à sa Tête[7], ce qui *815-816* implique qu'elle reçoive de Lui « la plénitude des moyens de salut[8] » qu'Il a voulus : confession de foi droite et complète, vie sacramentelle intégrale et ministère ordonné dans la succession apostolique. L'Eglise était, en ce sens fondamental, catholique au jour de la Pentecôte[9], et elle le sera toujours jusqu'au jour de la Parousie.

1. SPF 19. — 2. Cf. LG 40 ; 48-51. — 3. CL 16, 3. — 4. CL 17, 3. — 5. LG 65. — 6. S. Ignace d'Antioche, Smyrn. 8, 2. — 7. Cf. Ep 1, 22-23. — 8. AG 6. — 9. Cf. AG 4.

Elle est catholique parce qu'elle est envoyée en mission par le Christ à l'universalité du genre humain[1] :

831
849

> Tous les hommes sont appelés à faire partie du Peuple de Dieu. C'est pourquoi ce Peuple, demeurant un et unique, est destiné à se dilater aux dimensions de l'univers entier et à toute la suite des siècles pour que s'accomplisse ce que s'est proposé la volonté de Dieu créant à l'origine la nature humaine dans l'unité, et décidant de rassembler enfin dans l'unité ses fils dispersés (...). Ce caractère d'universalité qui brille sur le Peuple de Dieu est un don du Seigneur Lui-même, grâce auquel l'Eglise catholique, efficacement et perpétuellement, tend à récapituler l'humanité entière avec tout ce qu'elle comporte de biens sous le Christ chef, dans l'unité de son Esprit[2].

360

518

Chaque Église particulière est « catholique »

« L'Eglise du Christ est vraiment présente en tous les légitimes groupements locaux de fidèles qui, unis à leurs pasteurs, reçoivent, dans le Nouveau Testament, eux aussi, le nom d'Eglises (...). En elles, les fidèles sont rassemblés par la prédication de l'Evangile du Christ, le mystère de la Cène du Seigneur est célébré (...). Dans ces communautés, si petites et pauvres qu'elles puissent être souvent ou dispersées, le Christ est présent par la vertu de qui se constitue l'Eglise une, sainte, catholique et apostolique[3]. »

832
814

811

On entend par Eglise particulière, qui est d'abord le diocèse (ou l'éparchie), une communauté de fidèles chrétiens en communion dans la foi et les sacrements avec leur évêque ordonné dans la succession apostolique[4]. Ces Eglises particulières « sont formées à l'image de l'Eglise universelle ; c'est en elles et à partir d'elles qu'existe l'Eglise catholique une et unique[5] ».

833
886

Les Eglises particulières sont pleinement catholiques par la communion avec l'une d'entre elles : l'Eglise de Rome « qui préside à la charité[6] ». « Car avec cette Eglise, en raison de son origine plus excellente doit nécessairement s'accorder toute Eglise, c'est-à-dire les fidèles de partout[7]. » « En effet, dès la descente vers nous du Verbe incarné, toutes les Eglises chrétiennes de partout ont tenu et tiennent

834
882, 1369

---

1. Cf. Mt 28, 19. — 2. LG 13. — 3. LG 26. — 4. Cf. CD 11 ; CIC, can. 368-369 ; CCEO, can. 177 § 1. 311 § 1. 312. — 5. LG 23. — 6. S. Ignace d'Antioche, Rom. 1, 1. — 7. S. Irénée, hær. 3, 3, 2 : repris par Cc. Vatican I : DS 3057.

la grande Eglise qui est ici (à Rome) pour unique base et fondement parce que, selon les promesses mêmes du Sauveur, les portes de l'enfer n'ont jamais prévalu sur elle[1]. »

835   « L'Eglise universelle ne doit pas être comprise comme une simple somme ou fédération d'Eglises particulières. Mais c'est bien plus l'Eglise, universelle par vocation et mission, qui prend racine dans une variété de terrains culturels, sociaux et humains, prenant dans chaque partie du monde des aspects et des formes d'expression diverses[2]. » La riche variété de disciplines ecclésiastiques, de rites liturgiques, de patrimoines théologiques et spirituels propres
1202   aux Eglises locales « montre avec plus d'éclat, par leur convergence dans l'unité, la catholicité de l'Eglise indivise[3] ».

Qui appartient à l'Église catholique ?

836   « A l'unité catholique du Peuple de Dieu (...) tous les
831   hommes sont appelés ; à cette unité appartiennent sous diverses formes ou sont ordonnés, et les fidèles catholiques et ceux qui, par ailleurs, ont foi dans le Christ, et finalement tous les hommes sans exception que la grâce de Dieu appelle au salut[4] » :

837   « Sont incorporés pleinement à la société qu'est l'Eglise
771   ceux qui, ayant l'Esprit du Christ, acceptent intégralement son organisation et tous les moyens de salut institués en elle,
815   et qui, en outre, grâce aux liens constitués par la profession de foi, les sacrements, le gouvernement ecclésiastique et la communion, sont unis, dans l'ensemble visible de l'Eglise,
882   avec le Christ qui la dirige par le Souverain Pontife et les évêques. L'incorporation à l'Eglise, cependant, n'assure pas le salut pour celui qui, faute de persévérer dans la charité, reste bien "de corps" au sein de l'Eglise, mais non "de cœur[5]". »

838   « Avec ceux qui, étant baptisés, portent le beau nom de
818   chrétiens sans professer pourtant intégralement la foi ou sans garder l'unité de communion avec le successeur de Pierre, l'Eglise se sait unie pour de multiples raisons[6]. » « Ceux qui croient au Christ et qui ont reçu validement le
1271   Baptême, se trouvent dans une certaine communion, bien qu'imparfaite, avec l'Eglise catholique[7]. » *Avec les Eglises orthodoxes*, cette communion est si profonde « qu'il lui manque bien peu pour qu'elle atteigne la plénitude auto-

---

1. S. Maxime le Confesseur, opusc. — 2. EN 62. — 3. LG 23. — 4. LG 13. — 5. LG 14. — 6. LG 15. — 7. UR 3.

risant une célébration commune de l'Eucharistie du Sei-   *1399*
gneur[1] ».

L'Église et les non-chrétiens

« Quant à ceux qui n'ont pas encore reçu l'Evangile, sous   839
des formes diverses, eux aussi sont ordonnés au Peuple de   *856*
Dieu[2] » :

Le rapport de l'Eglise avec le Peuple Juif. L'Eglise, Peuple
de Dieu dans la Nouvelle Alliance, découvre, en scrutant son
propre mystère, son lien avec le Peuple Juif[3], « à qui Dieu a
parlé en premier[4] ». A la différence des autres religions non   *63*
chrétiennes, la foi juive est déjà réponse à la révélation de Dieu   *147*
dans l'Ancienne Alliance. C'est au Peuple Juif qu'« appartiennent l'adoption filiale, la gloire, les alliances, la législation,
le culte, les promesses et les patriarches, lui de qui est né, selon
la chair, le Christ » (Rm 9, 4-5) car « les dons et l'appel de
Dieu sont sans repentance » (Rm 11, 29).

Par ailleurs, lorsque l'on considère l'avenir, le Peuple de Dieu de   840
l'Ancienne Alliance et le nouveau Peuple de Dieu tendent vers des   *674*
buts analogues : l'attente de la venue (ou du retour) du Messie.
Mais l'attente est d'un côté du retour du Messie, mort et ressuscité,
reconnu comme Seigneur et Fils de Dieu, de l'autre de la venue du
Messie, dont les traits restent voilés, à la fin des temps, attente
accompagnée du drame de l'ignorance ou de la méconnaissance du   *597*
Christ Jésus.

Les relations de l'Eglise avec les musulmans. « Le des-   841
sein de salut enveloppe également ceux qui reconnaissent le
Créateur, en tout premier lieu les musulmans qui, en déclarant qu'ils gardent la foi d'Abraham, adorent avec nous le
Dieu unique, miséricordieux, juge des hommes au dernier
jour[5]. »

Le lien de l'Eglise avec les religions non chrétiennes est   842
d'abord celui de l'origine et de la fin communes du genre
humain :   *360*

En effet, tous les peuples forment une seule communauté ;
ils ont une seule origine, puisque Dieu a fait habiter toute la
race humaine sur la face de la terre ; ils ont aussi une seule
fin dernière, Dieu, dont la providence, les témoignages de

---

1. Paul VI, discours 14 décembre 1975 ; cf. UR 13-18. — 2. LG 16. — 3. Cf. NA
4. — 4. MR, Vendredi Saint 13 : oraison universelle VI. — 5. LG 16 ; cf. NA 3.

> bonté et les desseins de salut s'étendent à tous, jusqu'à ce
> que les élus soient réunis dans la cité sainte[1].

843 L'Eglise reconnaît dans les autres religions la recherche,
28 « encore dans les ombres et sous des images », du Dieu
inconnu mais proche puisque c'est Lui qui donne à tous vie,
souffle et toutes choses et puisqu'Il veut que tous les
856 hommes soient sauvés. Ainsi, l'Eglise considère tout ce qui
peut se trouver de bon et de vrai dans les religions « comme
une préparation évangélique et comme un don de Celui qui
illumine tout homme pour que, finalement, il ait la vie[2] ».

844 Mais dans leur comportement religieux, les hommes
29 montrent aussi des limites et des erreurs qui défigurent en
eux l'image de Dieu :

> Bien souvent, trompés par le malin, ils se sont égarés dans
> leurs raisonnements, ils ont échangé la vérité de Dieu contre
> le mensonge, en servant la créature de préférence au Créa-
> teur ou bien vivant et mourant sans Dieu en ce monde, ils
> sont exposés à l'extrême désespoir[3].

845 C'est pour réunir de nouveau tous ses enfants que le
30 péché a dispersés et égarés que le Père a voulu convoquer
toute l'humanité dans l'Eglise de son Fils. L'Eglise est le
lieu où l'humanité doit retrouver son unité et son salut. Elle
953 est « le monde réconcilié[4] ». Elle est ce navire qui « navigue
bien en ce monde au souffle du Saint-Esprit sous la pleine
voile de la Croix du Seigneur[5] » selon une autre image
chère aux Pères de l'Eglise, elle est figurée par l'Arche de
1219 Noé qui seule sauve du déluge[6].

« Hors de l'Église point de salut »

846 Comment faut-il entendre cette affirmation souvent répétée par les Pères de l'Eglise ? Formulée de façon positive,
elle signifie que tout salut vient du Christ-Tête par l'Eglise
qui est son Corps :

> Appuyé sur la Sainte Ecriture et sur la Tradition, le Concile
> enseigne que cette Eglise en marche sur la terre est néces-
> saire au salut. Seul, en effet, le Christ est médiateur et voie
> de salut : or, Il nous devient présent en son Corps qui est
> l'Eglise ; et en nous enseignant expressément la nécessité de

---

1. NA 1. — 2. LG 16 ; cf. NA 2 ; EN 53. — 3. LG 16. — 4. S. Augustin, serm. 96, 7, 9. — 5. S. Ambroise, virg. 18, 119. — 6. Cf. déjà 1 P 3, 20-21.

la foi et du Baptême, c'est la nécessité de l'Eglise elle-même, dans laquelle les hommes entrent par la porte du Baptême, qu'Il nous a confirmée en même temps. C'est pourquoi ceux qui refuseraient soit d'entrer dans l'Eglise catholique, soit d'y persévérer, alors qu'ils la sauraient fondée de Dieu par Jésus-Christ comme nécessaire, ceux-là ne pourraient être sauvés [1]. *161, 1257*

Cette affirmation ne vise pas ceux qui, sans qu'il y aille de leur faute, ignorent le Christ et son Eglise : **847**

En effet, ceux qui, sans faute de leur part, ignorent l'Evangile du Christ et son Eglise, mais cherchent pourtant Dieu d'un cœur sincère et s'efforcent, sous l'influence de sa grâce, d'agir de façon à accomplir sa volonté telle que leur conscience la leur révèle et la leur dicte, ceux-là peuvent arriver au salut éternel [2].

« Bien que Dieu puisse par des voies connues de Lui seul amener à la foi sans laquelle il est impossible de plaire à Dieu [3] des hommes qui, sans faute de leur part, ignorent l'Evangile, l'Eglise a le devoir en même temps que le droit sacré d'évangéliser [4] » tous les hommes. **848** *1260*

La mission – une exigence de la catholicité de l'Église

Le mandat missionnaire. « Envoyée par Dieu aux nations pour être le sacrement universel du salut, l'Eglise, en vertu des exigences intimes de sa propre catholicité et obéissant au commandement de son fondateur est tendue de tout son effort vers la prédication de l'Evangile à tous les hommes [5] » : « Allez donc, de toutes les nations faites des disciples, les baptisant au nom du Père et du Fils et du Saint-Esprit, et leur apprenant à observer tout ce que je vous ai prescrit. Et voici que je suis avec vous pour toujours, jusqu'à la fin du monde » (Mt 28, 19-20). **849** *738, 767*

L'origine et le but de la mission. Le mandat missionnaire du Seigneur a sa source ultime dans l'amour éternel de la Très Sainte Trinité : « De par sa nature, l'Eglise, durant son pèlerinage sur terre, est missionnaire, puisqu'elle-même tire son origine de la mission du Fils et de la mission du Saint-Esprit, selon le dessein de Dieu le Père [6]. » Et le but dernier de la mission n'est autre que de faire participer les hommes **850** *257* *730*

1. LG 14. — 2. LG 16 ; cf. DS 3866-3872. — 3. Cf. He 11, 6. — 4. AG 7. — 5. AG 1. — 6. AG 2.

à la communion qui existe entre le Père et le Fils dans leur Esprit d'amour [1].

851   *Le motif de la mission.* C'est de *l'amour* de Dieu pour tous les hommes que l'Eglise a de tout temps tiré l'obliga-

221, 429 tion et la force de son élan missionnaire : « Car l'amour du Christ nous presse... » (2 Co 5, 14[2].) En effet, « Dieu veut que tous les hommes soient sauvés et parviennent à la

74, 217 connaissance de la vérité » (1 Tm 2, 4). Dieu veut le salut de tous par la connaissance de *la vérité.* Le salut se trouve dans la vérité. Ceux qui obéissent à la motion de l'Esprit de vérité sont déjà sur le chemin du salut ; mais l'Eglise, à qui cette

890 vérité a été confiée, doit aller à la rencontre de leur désir pour la leur apporter. C'est parce qu'elle croit au dessein universel de salut qu'elle doit être missionnaire.

852   *Les chemins de la mission.* « L'Esprit Saint est le protagoniste de toute la mission ecclésiale[3]. » C'est Lui qui conduit l'Eglise sur les chemins de la mission. Celle-ci « continue et développe au cours de l'histoire la mission du Christ Lui-même, qui fut envoyé pour annoncer aux pauvres la Bonne

2040 Nouvelle ; c'est donc par la même route qu'a suivie le Christ Lui-même que, sous la poussée de l'Esprit du Christ, l'Eglise doit marcher, c'est-à-dire par la route de la pauvreté, de l'obéissance, du service et de l'immolation de soi jusqu'à la mort, dont Il est sorti victorieux par sa résurrec-

2473 tion[4] ». C'est ainsi que « le sang des martyrs est une semence de chrétiens[5] ».

853   Mais dans son pèlerinage l'Eglise fait aussi l'expérience de la « distance qui sépare le message qu'elle révèle et la faiblesse humaine de ceux auxquels cet Evangile est confié[6] ». Ce n'est qu'en avançant sur le chemin « de la pénitence et du renouvelle-

1428 ment[7] » et « par la porte étroite de la Croix[8] » que le Peuple de Dieu peut étendre le règne du Christ[9]. En effet, « comme c'est dans

2443 la pauvreté et la persécution que le Christ a opéré la Rédemption, l'Eglise elle aussi est appelée à entrer dans cette même voie pour communiquer aux hommes les fruits du salut[10] ».

854   Par sa mission même « l'Eglise fait route avec toute l'humanité et partage le sort terrestre du monde ; elle est comme le ferment et, pour ainsi dire, l'âme de la société humaine appelée à être renouvelée dans le Christ et transformée en famille de Dieu[11] ». L'effort

2105 missionnaire exige donc *la patience.* Il commence par l'annonce de l'Evangile aux peuples et aux groupes qui ne croient pas encore au

---

1. Cf. Jean Paul II, RM 23. — 2. Cf. AA 6 ; RM 11. — 3. RM 21. — 4. AG 5. — 5. Tertullien, apol. 50, 13. — 6. GS 43, § 6. — 7. LG 8 ; cf. 15. — 8. AG 1. — 9. Cf. RM 12-20. — 10. LG 8. — 11. GS 40, § 2.

Christ[1] ; il se poursuit dans l'établissement de communautés chrétiennes qui soient des « signes de la présence de Dieu dans le monde[2] », et dans la fondation d'Eglises locales[3] ; il engage un processus d'inculturation pour incarner l'Evangile dans les cultures des peuples[4] ; il ne manquera pas de connaître aussi des échecs. « En ce qui concerne les hommes, les groupes humains et les peuples, l'Eglise ne les atteint et ne les pénètre que progressivement, et les assume ainsi dans la plénitude catholique[5]. »

204

La mission de l'Eglise appelle l'effort *vers l'unité des chrétiens*[6]. En effet « les divisions entre chrétiens empêchent l'Eglise de réaliser la plénitude de catholicité qui lui est propre en ceux de ses fils qui, certes, lui appartiennent par le Baptême, mais se trouvent séparés de sa pleine communion. Bien plus, pour l'Eglise elle-même, il devient plus difficile d'exprimer sous tous ses aspects la plénitude de la catholicité dans la réalité même de sa vie[7] ».

855
821

La tâche missionnaire implique *un dialogue respectueux* avec ceux qui n'acceptent pas encore l'Evangile[8]. Les croyants peuvent tirer profit pour eux-mêmes de ce dialogue en apprenant à mieux connaître « tout ce qui se trouvait déjà de vérité et de grâce chez les nations comme par une secrète présence de Dieu[9] ». S'ils annoncent la Bonne Nouvelle à ceux qui l'ignorent, c'est pour consolider, compléter et élever la vérité et le bien que Dieu a répandus parmi les hommes et les peuples, et pour les purifier de l'erreur et du mal « pour la Gloire de Dieu, la confusion du démon et le bonheur de l'homme[10] ».

856
839

843

IV. L'Église est apostolique

L'Eglise est apostolique parce qu'elle est fondée sur les apôtres, et cela en un triple sens :
– elle a été et demeure bâtie sur « le fondement des apôtres » (Ep 2, 20)[11], témoins choisis et envoyés en mission par le Christ lui-même[12] ;
– elle garde et transmet, avec l'aide de l'Esprit qui habite en elle, l'enseignement[13], le bon dépôt, les saines paroles entendues des apôtres[14] ;
– elle continue à être enseignée, sanctifiée et dirigée par les apôtres jusqu'au retour du Christ grâce à ceux qui leur succèdent dans leur charge pastorale : le collège des évêques, « assisté par les prêtres, en union avec le successeur de Pierre, pasteur suprême de l'Eglise[15] » :

857
75

171

880, 1575

> Père éternel, tu n'abandonnes pas ton troupeau, mais tu le gardes par tes bienheureux apôtres sous ta constante protection. Tu le diriges encore par ces mêmes pasteurs qui continuent aujourd'hui l'œuvre de ton Fils[16].

1. Cf. RM 42-47. — 2. AG 15. — 3. Cf. RM 48-49. — 4. Cf. RM 52-54. — 5. AG 6. — 6. Cf. RM 50. — 7. UR 4. — 8. Cf. RM 55. — 9. AG 9. — 10. AG 9. — 11. Cf. Ap 21, 14. — 12. Cf. Mt 28, 16-20 ; Ac 1, 8 ; 1 Co 9, 1 ; 15, 7-8 ; Ga 1, 1 ; etc. — 13. Cf. Ac 2, 42. — 14. Cf. 2 Tm 1, 13-14. — 15. AG 5. — 16. MR, Préface des Apôtres.

La mission des apôtres

858   Jésus est l'Envoyé du Père. Dès le début de son ministère,
551   Il « appela à Lui ceux qu'Il voulut, et Il en institua Douze
        pour être avec Lui et pour les envoyer prêcher » (Mc 3, 13-
        14). Dès lors, ils seront ses « envoyés » (ce que signifie le
425, 1086 mot grec *apostoloi*). En eux continue sa propre mission :
        « Comme le Père M'a envoyé, Moi aussi Je vous envoie »
        (Jn 20, 21)[1]. Leur ministère est donc la continuation de sa
        propre mission : « Qui vous accueille, M'accueille », dit-il
        aux Douze (Mt 10, 40)[2].

859   Jésus les unit à sa mission reçue du Père : comme « le Fils
        ne peut rien faire de Lui-même » (Jn 5, 19. 30), mais reçoit
        tout du Père qui L'a envoyé, ainsi ceux que Jésus envoie ne
        peuvent rien faire sans Lui[3] de qui ils reçoivent le mandat
        de mission et le pouvoir de l'accomplir. Les apôtres du
        Christ savent donc qu'ils sont qualifiés par Dieu comme
876   « ministres d'une alliance nouvelle » (2 Co 3, 6), « ministres
        de Dieu » (2 Co 6, 4), « en ambassade pour le Christ » (2 Co
        5, 20), « serviteurs du Christ et dispensateurs des mystères
        de Dieu » (1 Co 4, 1).

860   Dans la charge des apôtres, il y a un aspect intransmis-
642   sible : être les témoins choisis de la Résurrection du Sei-
        gneur et les fondements de l'Eglise. Mais il y a aussi un
        aspect permanent de leur charge. Le Christ leur a promis de
        rester *avec eux* jusqu'à la fin des temps[4]. « La mission
765   divine confiée par Jésus aux apôtres est destinée à durer
        jusqu'à la fin des siècles, étant donné que l'Evangile qu'ils
        doivent transmettre est pour l'Eglise principe de toute sa
1536 vie, pour toute la durée du temps. C'est pourquoi les apôtres
        prirent soin d'instituer (...) des successeurs[5]. »

Les évêques successeurs des apôtres

861   « Pour que la mission qui leur avait été confiée pût se
77   continuer après leur mort, les apôtres donnèrent mandat,
        comme par testament, à leurs coopérateurs immédiats
        d'achever leur tâche et d'affermir l'œuvre commencée par
        eux, leur recommandant de prendre garde au troupeau dans
        lequel l'Esprit Saint les avait institués pour paître l'Eglise de
1087 Dieu. Ils instituèrent donc des hommes de ce genre, et dis-

---

1. Cf. Jn 13, 20 ; 17, 18. — 2. Cf. Lc 10, 16. — 3. Cf. Jn 15, 5. — 4. Cf. Mt 28,
20. — 5. LG 20.

posèrent par la suite qu'après leur mort d'autres hommes
éprouvés recueilleraient leur ministère[1]. »

« De même que la charge confiée personnellement par le   862
Seigneur à Pierre, le premier des apôtres, et destinée à être   880
transmise à ses successeurs, constitue une charge permanente, permanente est également la charge confiée aux
apôtres d'être les pasteurs de l'Eglise, charge dont l'ordre
sacré des évêques doit assurer la pérennité. » C'est pourquoi
l'Eglise enseigne que « les évêques, en vertu de l'institution   1556
divine, succèdent aux apôtres, comme pasteurs de l'Eglise,
en sorte que, qui les écoute, écoute le Christ, qui les rejette,
rejette le Christ et celui qui a envoyé le Christ[2] ».

L'apostolat

Toute l'Eglise est apostolique en tant qu'elle demeure, à   863
travers les successeurs de S. Pierre et des apôtres, en com-   900
munion de foi et de vie avec son origine. Toute l'Eglise est
apostolique en tant qu'elle est « envoyée » dans le monde
entier; tous les membres de l'Eglise, toutefois de diverses
manières, ont part à cet envoi. « La vocation chrétienne est
aussi par nature vocation à l'apostolat. » On appelle « apos-   2472
tolat » « toute activité du Corps mystique » qui tend à
« étendre le règne du Christ à toute la terre[3] ».

« Le Christ envoyé par le Père étant la source et l'origine   864
de tout l'apostolat de l'Eglise », il est évident que la
fécondité de l'apostolat, celui des ministres ordonnés
comme celui des laïcs, dépend de leur union vitale avec le   828
Christ[4]. Selon les vocations, les appels du temps, les dons
variés du Saint-Esprit, l'apostolat prend les formes les plus
diverses. Mais c'est toujours la charité, puisée surtout dans   824
l'Eucharistie, « qui est comme l'âme de tout apostolat[5] ».   1324

L'Eglise est *une, sainte, catholique et apostolique* dans   865
son identité profonde et ultime, parce que c'est en elle
qu'existe déjà et sera accompli à la fin des temps « le   811, 541
Royaume des cieux », « le Règne de Dieu[6] », advenu dans
la Personne du Christ et grandissant mystérieusement au
cœur de ceux qui Lui sont incorporés, jusqu'à sa pleine
manifestation eschatologique. Alors *tous* les hommes rache-

---

1. LG 20; cf. S. Clément de Rome, Cor. 42; 44. — 2. LG 20. — 3. AA 2. —
4. Cf. Jn 15, 5; AA 4. — 5. AA 3. — 6. Cf. Ap 19, 6.

tés par Lui, rendus en Lui « *saints* et immaculés en présence de Dieu dans l'Amour[1] », seront rassemblés comme *l'unique* Peuple de Dieu, « l'Epouse de l'Agneau » (Ap 21, 9), « la Cité Sainte descendant du Ciel, de chez Dieu, avec en elle la Gloire de Dieu[2] »; et « le rempart de la ville repose sur les douze assises portant chacune le nom de l'un des *douze apôtres de l'Agneau* » (Ap 21, 14).

EN BREF

866   *L'Eglise est une : elle a un seul Seigneur, elle confesse une seule foi, elle naît d'un seul Baptême, elle ne forme qu'un Corps, vivifié par un seul Esprit, en vue d'une unique espérance[3] au terme de laquelle seront surmontées toutes les divisions.*

867   *L'Eglise est* sainte : *le Dieu très saint est son auteur; le Christ, son Epoux, s'est livré pour elle pour la sanctifier; l'Esprit de sainteté la vivifie. Encore qu'elle comprenne des pécheurs, elle est « la sans-péché faite de pécheurs ». Dans les saints brille sa sainteté; en Marie elle est déjà la toute sainte.*

868   *L'Eglise est* catholique : *elle annonce la totalité de la foi; elle porte en elle et administre la plénitude des moyens de salut; elle est envoyée à tous les peuples; elle s'adresse à tous les hommes; elle embrasse tous les temps; « elle est, de par sa nature même, missionnaire[4] ».*

869   *L'Eglise est* apostolique : *elle est bâtie sur des assises durables : « les douze apôtres de l'Agneau[5] »; elle est indestructible[6]; elle est infailliblement tenue dans la vérité : le Christ la gouverne par Pierre et les autres apôtres, présents en leurs successeurs, le Pape et le collège des évêques.*

870   *« L'unique Eglise du Christ, dont nous professons dans le Symbole qu'elle est une, sainte, catholique et apostolique, (...) c'est dans l'Eglise catholique qu'elle existe, gouvernée par le successeur de Pierre et par les évêques qui sont en communion avec lui, encore que des éléments nombreux de sanctification et de vérité subsistent hors de ses structures[7]. »*

1. Cf. Ep 1, 4. — 2. Cf. Ap 21, 10-11. — 3. Cf. Ep 4, 3-5. — 4. AG 2. — 5. Cf. 1p. 21, 14. — 6. Cf. Mt 16, 18. — 7. LG 8.

Paragraphe 4. *Les fidèles du Christ*
Hiérarchie, laïcs, vie consacrée

« Les fidèles du Christ sont ceux qui, en tant qu'incorpo- 871
rés au Christ par le Baptême, sont constitués en Peuple de *1268-1269*
Dieu et qui, pour cette raison, participant à leur manière à la
fonction sacerdotale, prophétique et royale du Christ, sont
appelés à exercer, chacun selon sa condition propre, la mis- *782-786*
sion que Dieu a confiée à l'Eglise pour qu'elle
l'accomplisse dans le monde[1]. »

« Entre tous les fidèles du Christ, du fait de leur régénéra- 872
tion dans le Christ, il existe, quant à la dignité et à l'activité,
une véritable égalité en vertu de laquelle tous coopèrent à *1934*
l'édification du Corps du Christ, selon la condition et la *794*
fonction propre de chacun[2]. »

Les différences même que le Seigneur a voulu mettre 873
entre les membres de son Corps servent son unité et sa mis- *814, 1937*
sion. Car « il y a dans l'Eglise diversité de ministères, mais
unité de mission. Le Christ a confié aux apôtres et à leurs
successeurs la charge d'enseigner, de sanctifier et de gouverner en son nom et par son pouvoir. Mais les laïcs rendus
participants de la charge sacerdotale, prophétique et royale
du Christ assument, dans l'Eglise et dans le monde, leur part
dans ce qui est la mission du Peuple de Dieu tout entier[3] ».
Enfin il y a « des fidèles qui appartiennent à l'une et l'autre
catégorie [hiérarchie et laïcs] et qui, par la profession des
conseils évangéliques (...) sont consacrés à Dieu et
concourent à la mission salvatrice de l'Eglise à leur manière
propre[4] ».

I. La constitution hiérarchique de l'Église
Pourquoi le ministère ecclésial ?

Le Christ est Lui-même la source du ministère dans 874
l'Eglise. Il l'a instituée, lui a donné autorité et mission, *1544*
orientation et finalité :

> Le Christ Seigneur, pour assurer au Peuple de Dieu des pas-
> teurs et les moyens de sa croissance, a institué dans son
> Eglise des ministères variés qui tendent au bien de tout le

1. CIC, can. 204, § 1 ; cf. LG 31. — 2. CIC, can. 208 ; cf. LG 32. — 3. AA 2. —
4. CIC, can. 207, § 2.

corps. En effet, les ministres qui disposent du pouvoir sacré, sont au service de leurs frères, pour que tous ceux qui appartiennent au Peuple de Dieu (...) parviennent au salut[1].

875 « Comment croire sans d'abord entendre ? Et comment entendre sans prédicateur ? Et comment prêcher sans être d'abord envoyé ? » (Rm 10, 14-15.) Personne, aucun indi-
166 vidu ni aucune communauté, ne peut s'annoncer à lui-même l'Evangile. « La foi vient de l'écoute » (Rm 10, 17). Personne ne peut se donner lui-même le mandat et la mission d'annoncer l'Evangile. L'envoyé du Seigneur parle et agit non pas par autorité propre, mais en vertu de l'autorité du Christ ; non pas comme membre de la communauté, mais parlant à elle au nom du Christ. Personne ne peut se conférer à lui-même la grâce, elle doit être donnée et offerte. Cela suppose des ministres de la grâce, autorisés et habilités de la part du Christ. De Lui, les évêques et les prêtres reçoivent la mission et la faculté (le « pouvoir sacré ») d'agir *in persona*
1548 *Christi Capitis*, les diacres la force de servir le peuple de Dieu dans la « diaconie » de la liturgie, de la parole et de la charité, en communion avec l'évêque et son presbyterium. Ce ministère, dans lequel les envoyés du Christ font et donnent par don de Dieu ce qu'ils ne peuvent faire et donner d'eux-mêmes, la tradition de l'Eglise l'appelle « sacrement ». Le ministère de l'Eglise est conféré par un sacre-
1536 ment propre.

876 Intrinsèquement lié à la nature sacramentelle du ministère
1551 ecclésial est *son caractère de service*. En effet, entièrement dépendants du Christ qui donne mission et autorité, les ministres sont vraiment esclaves du Christ[2], à l'image du Christ qui a pris librement pour nous « la forme d'esclave » (Ph 2, 7). Parce que la parole et la grâce dont ils sont les
427 ministres ne sont pas les leurs, mais celles du Christ qui les leur a confiées pour les autres, ils se feront librement esclaves de tous[3].

877 De même, il est de la nature sacramentelle du ministère
1559 ecclésial qu'il ait un *caractère collégial*. En effet, dès le début de son ministère, le Seigneur Jésus institua les Douze, « les germes du Nouvel Israël et en même temps l'origine de la hiérarchie sacrée[4] ». Choisis ensemble, ils sont aussi envoyés ensemble, et leur unité fraternelle sera au service de la communion fraternelle de tous les fidèles ; elle sera

1. LG 18. — 2. Cf. Rm 1, 1. — 3. Cf. 1 Co 9, 19. — 4. AG 5.

comme un reflet et un témoignage de la communion des personnes divines [1]. Pour cela, tout évêque exerce son ministère au sein du collège épiscopal, en communion avec l'évêque de Rome, successeur de S. Pierre et chef du collège; les prêtres exercent leur ministère au sein du presbyterium du diocèse, sous la direction de leur évêque.

Enfin, il est de la nature sacramentelle du ministère ecclésial qu'il ait un *caractère personnel*. Si les ministres du Christ agissent en communion, ils agissent toujours aussi de façon personnelle. Chacun est appelé personnellement : « Toi, suis-moi » (Jn 21, 22) [2] pour être, dans la mission commune, témoin personnel, portant personnellement responsabilité devant Celui qui donne la mission, agissant « en sa personne » et pour des personnes : « Je te baptise au nom du Père... » ; « Je te pardonne... »   878

1484

Le ministère sacramentel dans l'Eglise est donc un service exercé au nom du Christ. Il a un caractère personnel et une forme collégiale. Cela se vérifie dans les liens entre le collège épiscopal et son chef, le successeur de S. Pierre, et dans le rapport entre la responsabilité pastorale de l'évêque pour son Eglise particulière et la sollicitude commune du collège épiscopal pour l'Eglise Universelle.   879

Le collège épiscopal et son chef, le Pape

Le Christ, en instituant les Douze, « leur donna la forme d'un collège, c'est-à-dire d'un groupe stable, et mit à leur tête Pierre, choisi parmi eux [3] ». « De même que S. Pierre et les autres apôtres constituent, de par l'institution du Seigneur, un seul collège apostolique, semblablement le Pontife romain, successeur de Pierre et les évêques, successeurs des apôtres, forment entre eux un tout [4]. »   880

552, 862

Le Seigneur a fait du seul Simon, auquel Il donna le nom de Pierre, la pierre de son Eglise. Il lui en a remis les clefs [5] ; Il l'a institué pasteur de tout le troupeau [6]. « Mais cette charge de lier et de délier qui a été donnée à Pierre a été aussi donnée, sans aucun doute, au collège des apôtres unis à leur chef [7]. » Cette charge pastorale de Pierre et des autres apôtres appartient aux fondements de l'Eglise. Elle est continuée par les évêques sous la primauté du Pape.   881

553

642

1. Cf. Jn 17, 21-23. — 2. Cf. Mt 4, 19. 21 ; Jn 1, 43. — 3. LG 19. — 4. LG 22 ; cf. CIC, can. 330. — 5. Cf. Mt 16, 18-19. — 6. Cf. Jn 21, 15-17. — 7. LG 22.

882
834, 1369   Le *Pape*, évêque de Rome et successeur de S. Pierre, « est
principe perpétuel et visible et fondement de l'unité qui lie
entre eux soit les évêques, soit la multitude des fidèles[1] ».
837   « En effet, le Pontife romain a sur l'Eglise, en vertu de sa
charge de Vicaire du Christ et de Pasteur de toute l'Eglise,
un pouvoir plénier, suprême et universel qu'il peut toujours
librement exercer[2]. »

883   « Le *collège ou corps épiscopal* n'a d'autorité que si on
l'entend comme uni au Pontife romain, comme à son chef. »
Comme tel, ce collège est « lui aussi le sujet d'un pouvoir
suprême et plénier sur toute l'Eglise, pouvoir cependant qui
ne peut s'exercer qu'avec le consentement du Pontife
romain[3] ».

884   « Le Collège des évêques exerce le pouvoir sur l'Eglise
tout entière de manière solennelle dans le Concile Œcuménique[4]. » « Il n'y a pas de Concile Œcuménique s'il n'est
comme tel confirmé ou tout au moins accepté par le successeur de Pierre[5]. »

885   « Par sa composition multiple, ce collège exprime la
variété et l'universalité du Peuple de Dieu ; il exprime, par
son rassemblement sous un seul chef, l'unité du troupeau du
Christ[6]. »

886
1560, 833   « Les *évêques* sont, chacun pour sa part, principe et fondement de l'unité dans leurs Eglises particulières[7]. »
Comme tels ils « exercent leur autorité pastorale sur la portion du Peuple de Dieu qui leur a été confiée[8] », assistés des
prêtres et des diacres. Mais, comme membres du collège
épiscopal chacun d'entre eux a part à la sollicitude pour
toutes les Eglises[9], qu'ils exercent d'abord « en gouvernant
bien leur propre Eglise comme une portion de l'Eglise universelle », contribuant ainsi « au bien de tout le Corps mystique qui est aussi le Corps des Eglises[10] ». Cette sollicitude
2448   s'étendra particulièrement aux pauvres[11], aux persécutés
pour la foi, ainsi qu'aux missionnaires qui œuvrent sur toute
la terre.

887   Les Eglises particulières voisines et de culture homogène
forment des provinces ecclésiastiques ou des ensembles plus
vastes appelés patriarcats ou régions[12]. Les évêques de ces

---

1. LG 23. — 2. LG 22 ; cf. CD 2 ; 9. — 3. LG 22 ; cf. CIC, can. 336. — 4. CIC,
can. 337, §1. — 5. LG 22. — 6. LG 22. — 7. LG 23. — 8. LG 23. — 9. Cf. CD 3.
— 10. LG 23. — 11. Cf. Ga 2, 10. — 12. Cf. Canon des Apôtres 34.

ensembles peuvent se réunir en synodes ou en conciles provinciaux. « De même, les Conférences épiscopales peuvent, aujourd'hui, contribuer de façon multiple et féconde à ce que l'esprit collégial se réalise concrètement[1]. »

La charge d'enseigner   *85-87,*
                                                                   2032-2040

Les évêques, avec les prêtres, leurs coopérateurs, « ont   888
pour première tâche d'annoncer l'Evangile de Dieu à tous
les hommes[2] », selon l'ordre du Seigneur[3]. Ils sont « les
hérauts de la foi, qui amènent au Christ de nouveaux dis-   *2068*
ciples, les docteurs authentiques » de la foi apostolique,
« pourvus de l'autorité du Christ[4] ».

Pour maintenir l'Eglise dans la pureté de la foi transmise   889
par les apôtres, le Christ a voulu conférer à son Eglise une
participation à sa propre infaillibilité, Lui qui est la Vérité.
Par le « sens surnaturel de la foi », le Peuple de Dieu   *92*
« s'attache indéfectiblement à la foi », sous la conduite du
Magistère vivant de l'Eglise[5].

La mission du Magistère est liée au caractère définitif de   890
l'alliance instaurée par Dieu dans le Christ avec son Peuple ;   *851*
il doit le protéger des déviations et des défaillances, et lui
garantir la possibilité objective de professer sans erreur la
foi authentique. La charge pastorale du Magistère est ainsi
ordonnée à veiller à ce que le Peuple de Dieu demeure dans
la vérité qui libère. Pour accomplir ce service, le Christ a   *1785*
doté les pasteurs du charisme d'infaillibilité en matière de
foi et de mœurs. L'exercice de ce charisme peut revêtir plusieurs modalités :

« De cette infaillibilité, le Pontife romain, chef du collège 891
des évêques, jouit du fait même de sa charge quand, en tant
que pasteur et docteur suprême de tous les fidèles, et chargé
de confirmer ses frères dans la foi, il proclame, par un acte
définitif, un point de doctrine touchant la foi et les mœurs
(...). L'infaillibilité promise à l'Eglise réside aussi dans le
corps des évêques quand il exerce son Magistère suprême en
union avec le successeur de Pierre », surtout dans un
Concile Œcuménique[6]. Lorsque, par son Magistère
suprême, l'Eglise propose quelque chose « à croire comme
étant révélé par Dieu[7] » et comme enseignement du Christ,

---

1. LG 23. — 2. PO 4. — 3. Cf. Mc 16, 15. — 4. LG 25. — 5. Cf. LG 12 ; DV 10.
— 6. LG 25 ; cf. Vatican I : DS 3074. — 7. DV 10.

« il faut adhérer dans l'obéissance de la foi à de telles défi-
nitions[1] ». Cette infaillibilité s'étend aussi loin que le dépôt
lui-même de la Révélation divine[2].

892   L'assistance divine est encore donnée aux successeurs des
apôtres, enseignant en communion avec le successeur de
Pierre, et, d'une manière particulière, à l'évêque de Rome,
Pasteur de toute l'Eglise, lorsque, sans arriver à une définition infaillible et sans se prononcer d'une « manière définitive », ils proposent dans l'exercice du Magistère ordinaire
un enseignement qui conduit à une meilleure intelligence de
la Révélation en matière de foi et de mœurs. A cet enseignement ordinaire les fidèles doivent « donner l'assentiment
religieux de leur esprit[3] » qui, s'il se distingue de l'assentiment de la foi, le prolonge cependant.

La charge de sanctifier

893   L'évêque porte aussi « la responsabilité de dispenser la
grâce du suprême sacerdoce[4] », en particulier dans l'Eucha-
1561 ristie qu'il offre lui-même ou dont il assure l'oblation par les
prêtres, ses coopérateurs. Car l'Eucharistie est le centre de la
vie de l'Eglise particulière. L'évêque et les prêtres sanctifient l'Eglise par leur prière et leur travail, par le ministère
de la parole et des sacrements. Ils la sanctifient par leur
exemple, « non pas en faisant les seigneurs à l'égard de
ceux qui vous sont échus en partage, mais en devenant les
modèles du troupeau » (1 P 5, 3). C'est ainsi « qu'ils parviennent, avec le troupeau qui leur est confié, à la vie éternelle[5] ».

La charge de régir

894   « Les évêques dirigent leurs Eglises particulières comme
vicaires et légats du Christ par leurs conseils, leurs encou-
ragements, leurs exemples, mais aussi par leur autorité et
par l'exercice de leur pouvoir sacré[6] », qu'ils doivent cepen-
801 dant exercer pour édifier, dans l'esprit de service qui est
celui dc leur Maître[7].

895   « Ce pouvoir qu'ils exercent personnellement au nom du
1558 Christ est un pouvoir propre, ordinaire et immédiat : il est
soumis cependant dans son exercice à la régulation dernière

1. LG 25. — 2. Cf. LG 25. — 3. LG 25. — 4. LG 26. — 5. LG 26. — 6. LG 27.
— 7. Cf. Lc 22, 26-27.

de l'autorité suprême de l'Eglise[1]. » Mais on ne doit pas considérer les évêques comme des vicaires du Pape dont l'autorité ordinaire et immédiate sur toute l'Eglise n'annule pas, mais au contraire confirme et défend la leur. Celle-ci doit s'exercer en communion avec toute l'Eglise sous la conduite du Pape.

Le Bon Pasteur sera le modèle et la « forme » de la charge pastorale de l'évêque. Conscient de ses faiblesses, « l'évêque peut se montrer indulgent envers les ignorants et les égarés. Qu'il ne répugne pas à écouter ceux qui dépendent de lui, les entourant comme de vrais fils (...). Quant aux fidèles, ils doivent s'attacher à leur évêque comme l'Eglise à Jésus-Christ et comme Jésus-Christ à son Père[2] » :   **896**
1550

> Suivez tous l'évêque, comme Jésus-Christ [suit] son Père, et le presbyterium comme les apôtres ; quant aux diacres, respectez-les comme la loi de Dieu. Que personne ne fasse en dehors de l'évêque rien de ce qui regarde l'Eglise[3].

II. Les fidèles laïcs

« Sous le nom de laïcs, on entend ici l'ensemble des chrétiens excepté les membres de l'ordre sacré et de l'état religieux reconnu par l'Eglise, c'est-à-dire les chrétiens qui, étant incorporés au Christ par le Baptême, intégrés au Peuple de Dieu, faits participants à leur manière de la fonction sacerdotale, prophétique et royale du Christ, exercent pour leur part, dans l'Eglise et dans le monde, la mission qui est celle de tout le peuple chrétien[4]. »   **897**
873

La vocation des laïcs

« La vocation propre des laïcs consiste à chercher le règne de Dieu précisément à travers la gérance des choses temporelles qu'ils ordonnent selon Dieu (...). C'est à eux qu'il revient, d'une manière particulière, d'éclairer et d'orienter toutes les réalités temporelles auxquelles ils sont étroitement unis, de telle sorte qu'elles se fassent et prospèrent constamment selon le Christ et soient à la louange du Créateur et Rédempteur[5]. »   **898**
2105

L'initiative des chrétiens laïcs est particulièrement nécessaire lorsqu'il s'agit de découvrir, d'inventer des moyens pour imprégner les réalités sociales, politiques, écono-   **899**
2442

1. LG 27. — 2. LG 27. — 3. S. Ignace d'Antioche, Smyrn. 8, 1. — 4. LG 31. — 5. LG 31.

miques, selon les exigences de la doctrine et de la vie chrétiennes. Cette initiative est un élément normal de la vie de l'Eglise :

> Les fidèles laïcs se trouvent sur la ligne la plus avancée de la vie de l'Eglise ; par eux, l'Eglise est le principe vital de la société. C'est pourquoi eux surtout doivent avoir une conscience toujours plus claire, non seulement d'appartenir à l'Eglise, mais d'être l'Eglise, c'est-à-dire la communauté des fidèles sur la terre sous la conduite du Chef commun, le Pape, et des évêques en communion avec lui. Ils sont l'Eglise [1].

900
863
Parce que, comme tous les fidèles, ils sont chargés par Dieu de l'apostolat en vertu du Baptême et de la Confirmation, les laïcs sont tenus par l'obligation et jouissent du droit, individuellement ou groupés en associations, de travailler à ce que le message divin du salut soit connu et reçu par tous les hommes et par toute la terre ; cette obligation est encore plus pressante lorsque ce n'est que par eux que les hommes peuvent entendre l'Evangile et connaître le Christ. Dans les communautés ecclésiales, leur action est si nécessaire que, sans elle, l'apostolat des pasteurs ne peut, la plupart du temps, obtenir son plein effet [2].

La participation des laïcs à la charge sacerdotale du Christ

901
784, 1268
« Les laïcs, en vertu de leur consécration au Christ et de l'onction de l'Esprit Saint, reçoivent la vocation admirable et les moyens qui permettent à l'Esprit de produire en eux des fruits toujours plus abondants. En effet, toutes leurs activités, leurs prières et leurs entreprises apostoliques, leur vie conjugale et familiale, leurs labeurs quotidiens, leurs détentes d'esprit et de corps, s'ils sont vécus dans l'Esprit de Dieu, et même les épreuves de la vie, pourvu qu'elles soient patiemment supportées, tout cela devient "offrande spirituelle, agréable à Dieu par Jésus-Christ" (1 P 2, 5) ; et dans la célébration eucharistique, ces offrandes rejoignent l'oblation du Corps du Seigneur pour être offertes en toute piété
358
au Père. C'est ainsi que les laïcs consacrent à Dieu le monde lui-même, rendant partout à Dieu dans la sainteté de leur vie un culte d'adoration [3]. »

902
De façon particulière, les parents participent de la charge de sanctification « lorsqu'ils mènent une vie conjugale selon l'esprit chrétien et procurent à leurs enfants une éducation chrétienne [4] ».

---

1. Pie XII, discours 20 février 1946 : cité par Jean Paul II, CL 9. — 2. Cf. LG 33. — 3. LG 34 ; cf. LG 10. — 4. CIC, can. 835, § 4.

Les laïcs, s'ils ont les qualités requises, peuvent être admis de manière stable aux ministères de lecteurs et d'acolyte[1]. « Là où le besoin de l'Eglise le demande par défaut de ministres, les laïcs peuvent aussi, même s'ils ne sont ni lecteurs ni acolytes, suppléer à certaines de leurs fonctions, à savoir exercer le ministère de la parole, présider les prières liturgiques, conférer le Baptême et distribuer la sainte communion, selon les dispositions du droit[2]. »   903
1143

Leur participation à la charge prophétique du Christ

« Le Christ (...) accomplit sa fonction prophétique non seulement par la hiérarchie (...) mais aussi par les laïcs dont il fait pour cela des témoins en les pourvoyant du sens de la foi et de la grâce de la parole[3] » :   904
785

92

Enseigner quelqu'un pour l'amener à la foi est la tâche de chaque prédicateur et même de chaque croyant[4].

Leur mission prophétique, les laïcs l'accomplissent aussi par l'évangélisation, « c'est-à-dire l'annonce du Christ faite par le témoignage de la vie et par la parole ». Chez les laïcs, « cette action évangélisatrice (...) prend un caractère spécifique et une particulière efficacité du fait qu'elle s'accomplit dans les conditions communes du siècle[5] » :   905
2044

Cet apostolat ne consiste pas dans le seul témoignage de la vie : le véritable apôtre cherche les occasions d'annoncer le Christ par la parole, soit aux incroyants (...), soit aux fidèles[6].   2472

Ceux d'entre les fidèles laïcs qui en sont capables et qui s'y forment peuvent aussi prêter leur concours à la formation catéchétique[7], à l'enseignement des sciences sacrées[8], aux moyens de communication sociale[9].   906

2495

« Selon le devoir, la compétence et le prestige dont ils jouissent, ils ont le droit et même parfois le devoir de donner aux Pasteurs sacrés leur opinion sur ce qui touche le bien de l'Eglise et de la faire connaître aux autres fidèles, restant sauves l'intégrité de la foi et des mœurs et la révérence due aux pasteurs, et tenant compte de l'utilité commune et de la dignité des personnes[10]. »   907

Leur participation à la charge royale du Christ

Par son obéissance jusqu'à la mort[11], le Christ a communiqué à ses disciples le don de la liberté royale, « pour qu'ils arrachent au péché son empire en eux-mêmes par leur abnégation et la sainteté de leur vie[12] » :   908
786

1. Cf. CIC, can. 230, § 1. — 2. CIC, can. 230, § 3. — 3. LG 35. — 4. S. Thomas d'A., s. th. 3 71, 4, ad 3. — 5. LG 35. — 6. AA 6 ; cf. AG 15. — 7. Cf. CIC, can. 774 ; 776 ; 780. — 8. Cf. CIC, can. 229. — 9. Cf. CIC, can. 822, § 3. — 10. CIC, can. 212, § 3. — 11. Cf. Ph 2, 8-9. — 12. LG 36.

Celui qui soumet son propre corps et régit son âme, sans se laisser submerger par les passions est son propre maître : il peut être appelé roi parce qu'il est capable de régir sa propre personne ; il est libre et indépendant et ne se laisse captiver par un esclavage coupable[1].

909   « Que les laïcs, en outre, unissant leurs forces, apportent aux institutions et aux conditions de vie dans le monde, *1887* quand elles provoquent au péché, les assainissements convenables, pour qu'elles deviennent toutes conformes aux règles de la justice et favorisent l'exercice de la vertu au lieu d'y faire obstacle. En agissant ainsi ils imprègnent de valeur morale la culture et les œuvres humaines[2]. »

910   « Les laïcs peuvent aussi se sentir appelés ou être appelés à collaborer avec les pasteurs au service de la communauté ecclésiale, pour la croissance et la vie de celle-ci, exerçant des ministères très diversifiés, selon la grâce et les cha-*799* rismes que le Seigneur voudra bien déposer en eux[3]. »

911   Dans l'Eglise, « les fidèles laïcs peuvent coopérer selon le droit *2245* à l'exercice du pouvoir de gouvernement[4] ». Ainsi de leur présence dans les Conseils particuliers[5], les Synodes diocésains[6], les Conseils pastoraux[7] ; dans l'exercice de la charge pastorale d'une paroissse[8] ; la collaboration aux Conseils des affaires économiques[9] ; la participation aux tribunaux ecclésiastiques[10], etc.

912   Les fidèles doivent « distinguer avec soin entre les droits et devoirs qui leur incombent en tant que membres de *2245* l'Eglise et ceux qui leur reviennent comme membres de la société humaine. Qu'ils s'efforcent d'accorder harmonieusement les uns et les autres entre eux, se souvenant que la conscience chrétienne doit être leur guide en tous domaines temporels, car aucune activité humaine, fût-elle d'ordre temporel, ne peut être soustraite à l'empire de Dieu[11]. »

913   « Ainsi tout laïc, en vertu des dons qui lui ont été faits, constitue un témoin et en même temps un instrument vivant de la mission de l'Eglise elle-même "à la mesure du don du Christ" (Ep 4, 7)[12]. »

III. La vie consacrée

914   « L'état de vie constitué par la profession des conseils évangé-*2103* liques, s'il ne concerne pas la structure hiérarchique de l'Eglise, appartient cependant sans conteste à sa vie et à sa sainteté[13]. »

---

1. S. Ambroise, Psal. 118, 14, 30 : PL 15, 1403A. — 2. LG 36. — 3. EN 73. — 4. CIC, can. 129, § 2. — 5. Cf. CIC, can. 443, § 4. — 6. Cf. CIC, can. 463, §§ 1-2. — 7. Cf. CIC, can. 511-512 ; 536. — 8. Cf. CIC, can. 517, § 2. — 9. Cf. CIC, can. 492, § 1 ; 537. — 10. Cf. CIC, can. 1421, § 2. — 11. LG 36. — 12. LG 33. — 13. LG 44.

Conseils évangéliques, vie consacrée

Les conseils évangéliques sont, dans leur multiplicité, 915 proposés à tout disciple du Christ. La perfection de la cha- *1973-1974* rité à laquelle tous les fidèles sont appelés comporte pour ceux qui assument librement l'appel à la vie consacrée, l'obligation de pratiquer la chasteté dans le célibat pour le Royaume, la pauvreté et l'obéissance. C'est la *profession* de ces conseils, dans un état de vie stable reconnu par l'Eglise, qui caractérise la « vie consacrée » à Dieu[1].

L'état de la vie consacrée apparaît dès lors comme l'une 916 des manières de connaître une consécration « plus intime », *2687* qui s'enracine dans le Baptême et dédie totalement à Dieu[2]. Dans la vie consacrée, les fidèles du Christ se proposent, sous la motion de l'Esprit Saint, de suivre le Christ de plus près, de se donner à Dieu aimé par-dessus tout et, poursuivant la perfection de la charité au service du Royaume, de signifier et d'annoncer dans l'Eglise la gloire du monde à venir[3]. *933*

Un grand arbre, de multiples rameaux

« Comme un arbre qui se ramifie de façons admirables et 917 multiples dans le champ du Seigneur, à partir d'un germe *2684* semé par Dieu, ainsi se développèrent des formes variées de vie solitaire ou commune, des familles diverses dont le capital spirituel profite à la fois aux membres de ces familles et au bien de tout le Corps du Christ[4]. »

« Dès les origines de l'Eglise, il y eut des hommes et des 918 femmes qui voulurent, par la pratique des conseils évangéliques, suivre plus librement le Christ et l'imiter plus fidèlement et qui, chacun à sa manière, menèrent une vie consacrée à Dieu. Beaucoup parmi eux, sous l'impulsion du Saint-Esprit, vécurent dans la solitude, ou bien fondèrent des familles religieuses que l'Eglise accueillit volontiers et approuva de son autorité[5]. »

Les évêques s'efforceront toujours de discerner les nou- 919 veaux dons de vie consacrée confiés par l'Esprit Saint à son Eglise ; l'approbation de nouvelles formes de vie consacrée est réservée au Siège apostolique[6].

La vie érémitique

Sans toujours professer publiquement les trois conseils 920 évangéliques, les ermites, « dans un retrait plus strict du monde, dans le silence de solitude, dans la prière assidue et

1. Cf. LG 42-43 ; PC 1. — 2. Cf. PC 5. — 3. Cf. CIC, can. 573. — 4. LG 43. — 5. PC 1. — 6. Cf. CIC, can. 605.

la pénitence, vouent leur vie à la louange de Dieu et au salut du monde[1] ».

921   Ils montrent à chacun cet aspect intérieur du mystère de
2719   l'Eglise qu'est l'intimité personnelle avec le Christ. Cachée aux yeux des hommes, la vie de l'ermite est prédication silencieuse de Celui auquel il a livré sa vie, parce qu'Il est tout pour lui. C'est là un appel particulier à trouver au
2015   désert, dans le combat spirituel même, la gloire du Crucifié.

Les vierges et les veuves consacrées

922   Dès les temps apostoliques, des vierges[2] chrétiennes et
1618-1620 des veuves[3], appelées par le Seigneur à s'attacher à Lui sans partage dans une plus grande liberté de cœur, de corps et d'esprit, ont pris la décision, approuvée par l'Eglise, de vivre respectivement dans l'état de la virginité ou de la chasteté perpétuelle « à cause du Royaume des cieux » (Mt 19, 12).

923   « Exprimant le propos sacré de suivre le Christ de plus
1537   près, [des vierges] sont consacrées à Dieu par l'évêque diocésain selon le rite liturgique approuvé, sont épousées mystiquement par le Christ Fils de Dieu et sont vouées au service de l'Eglise[4]. » Par ce rite solennel (*Consecratio*
1672   *virginum*), « la vierge est constituée personne consacrée, signe transcendant de l'amour de l'Eglise envers le Christ, image eschatologique de cette Epouse du Ciel et de la vie future[5] ».

924   « Proche des autres formes de vie consacrée[6] », l'ordre des vierges établit la femme vivant dans le monde (ou la moniale) dans la prière, la pénitence, le service de ses frères et le travail apostolique, selon l'état et les charismes respectifs offerts à chacune[7]. Les vierges consacrées peuvent s'associer pour garder plus fidèlement leur propos[8].

La vie religieuse

925   Née en Orient dans les premiers siècles du christianisme[9] et vécue dans les instituts canoniquement érigés par l'Eglise[10], la vie religieuse se distingue des autres formes de

---

1. CIC, can. 603, § 1. — 2. Cf. 1 Co 7, 34-35. — 3. Jean-Paul II, exh. ap « Vita consecrata », 7. — 4. CIC, can. 604, § 1. — 5. OCV prænotanda 1. — 6. CIC, can. 604, § 1. — 7. OCV prænotanda 2. — 8. Cf. CIC, can. 604, § 2. — 9. Cf. UR 15. — 10. Cf. CIC, can. 573.

la vie consacrée par l'aspect cultuel, la profession publique *1672*
des conseils évangéliques, la vie fraternelle menée en commun, le témoignage rendu à l'union du Christ et de
l'Eglise[1].

La vie religieuse relève du mystère de l'Eglise. Elle est un   926
don que l'Eglise reçoit de son Seigneur et qu'elle offre
comme un état de vie stable au fidèle appelé par Dieu dans
la profession des conseils. Ainsi l'Eglise peut-elle à la fois
manifester le Christ et se reconnaître Epouse du Sauveur. La   *796*
vie religieuse est invitée à signifier, sous ses formes variées,
la charité même de Dieu, dans le langage de notre temps.

Tous les religieux, exempts ou non[2], prennent place   927
parmi les coopérateurs de l'évêque diocésain dans sa charge
pastorale[3]. L'implantation et l'expansion missionnaire de   *854*
l'Eglise requièrent la présence de la vie religieuse sous
toutes ses formes dès les débuts de l'évangélisation[4].
« L'histoire atteste les grands mérites des familles religieuses dans la propagation de la foi et dans la formation de
nouvelles Eglises, depuis les antiques Institutions monas-
tiques et les Ordres médiévaux jusqu'aux Congrégations
modernes[5]. »

Les instituts séculiers

« L'institut séculier est un institut de vie consacrée où les   928
fidèles vivant dans le monde tendent à la perfection de la
charité et s'efforcent de contribuer surtout de l'intérieur à la
sanctification du monde[6]. »

Par une « vie parfaitement et entièrement consacrée à   929
[cette] sanctification[7] », les membres de ces instituts participent à la tâche d'évangélisation de l'Eglise, « dans le
monde et à partir du monde[8] », où leur présence agit « à la
manière d'un ferment[9] ». Leur témoignage de vie chrétienne   *901*
vise à ordonner selon Dieu les réalités temporelles et pénétrer le monde de la force de l'Evangile. Ils assument par des
liens sacrés les conseils évangéliques et gardent entre eux la
communion et la fraternité propres à leur mode de vie
séculier[10].

Les sociétés de vie apostolique

Au côté des formes diverses de vie consacrée « prennent place   930
les sociétés de vie apostolique dont les membres, sans les vœux
religieux, poursuivent la fin apostolique propre de leur société et,

1. Cf. CIC, can. 607. — 2. Cf. CIC, can. 591. — 3. Cf. CD 33-35. — 4. Cf. AG
18 ; 40. — 5. Jean Paul II, RM 69. — 6. CIC, can. 710. — 7. Pie XII, const. ap. «
Provida Mater ». — 8. CIC, can. 713, § 2. — 9. PC 11. — 10. Cf. CIC, can. 713.

menant la vie fraternelle en commun, tendent, selon leur mode de vie propre, à la perfection de la charité par l'observation des constitutions. Il y a parmi elles des sociétés dont les membres assument les conseils évangéliques », selon leurs constitutions[1].

Consécration et mission : annoncer le Roi qui vient

931 Livré à Dieu suprêmement aimé, celui que le Baptême avait déjà voué à Lui se trouve ainsi consacré plus intimement au service divin et dédié au bien de l'Eglise. Par l'état de consécration à Dieu, l'Eglise manifeste le Christ et montre comment l'Esprit Saint agit en elle de façon admirable. Ceux qui professent les conseils évangéliques ont donc d'abord pour mission de vivre leur consécration. « Mais puisqu'ils se vouent au service de l'Eglise en vertu même de leur consécration, ils sont tenus par obligation de travailler de manière spéciale à l'œuvre missionnaire, selon le mode propre à leur Institut[2]. »

932 Dans l'Eglise qui est comme le sacrement, c'est-à-dire le
775 signe et l'instrument de la vie de Dieu, la vie consacrée apparaît comme un signe particulier du mystère de la Rédemption. Suivre et imiter le Christ « de plus près », manifester « plus clairement » son anéantissement, c'est se trouver « plus profondément » présent, dans le cœur du Christ, à ses contemporains. Car ceux qui sont dans cette voie « plus étroite » stimulent leurs frères par leur exemple, ils rendent ce témoignage éclatant « que le monde ne peut être transfiguré et offert à Dieu sans l'esprit des béatitudes[3] ».

933 Que ce témoignage soit public, comme dans l'état reli-
672 gieux, ou plus discret, ou même secret, la venue du Christ demeure pour tous les consacrés l'origine et l'Orient de leur vie :

769 Comme le Peuple de Dieu n'a pas ici-bas de cité permanente, [cet état] (...) manifeste pour tous les croyants la présence, déjà dans ce siècle, des biens célestes ; il témoigne de la vie nouvelle et éternelle acquise par la Rédemption du Christ, il annonce la résurrection future et la gloire céleste[4].

EN BREF

934 *« D'institution divine, il y a dans l'Eglise parmi les fidèles des ministres sacrés, qui en droit sont aussi appelés clercs ; quant aux autres, ils sont nommés laïcs. » Il y a enfin des*

1. CIC, can. 731, §§ 1. 2. — 2. CIC, can. 783 ; cf. RM 69. — 3. LG 31. — 4. LG 44.

fidèles qui appartiennent à l'une et à l'autre catégorie et qui, par la profession des conseils évangéliques, se sont consacrés à Dieu et servent ainsi la mission de l'Eglise[1].

Pour annoncer la foi et pour implanter son Règne, le Christ envoie ses apôtres et leurs successeurs. Il leur donne part à sa mission. De Lui ils reçoivent le pouvoir d'agir en sa personne.   935

Le Seigneur a fait de S. Pierre le fondement visible de son Eglise. Il lui en a remis les clefs. L'évêque de l'Eglise de Rome, successeur de S. Pierre, est « le chef du Collège des évêques, Vicaire du Christ et Pasteur de l'Eglise tout entière sur cette terre[2] ».   936

Le Pape « jouit, par institution divine, du pouvoir suprême, plénier, immédiat, universel pour la charge des âmes[3] ».   937

Les évêques, établis par l'Esprit Saint, succèdent aux apôtres. Ils sont, « chacun pour sa part, principe visible et fondement de l'unité dans leurs Eglises particulières[4] ».   938

Aidés des prêtres, leurs coopérateurs, et des diacres, les évêques ont la charge d'enseigner authentiquement la foi, de célébrer le culte divin, surtout l'Eucharistie, et de diriger leur Eglise en vrais pasteurs. A leur charge appartient aussi le souci de toutes les Eglises, avec et sous le Pape.   939

« Le propre de l'état des laïcs étant de mener leur vie au milieu du monde et des affaires profanes, ils sont appelés par Dieu à exercer leur apostolat dans le monde à la manière d'un ferment, grâce à la vigueur de leur esprit chrétien[5]. »   940

Les laïcs participent au sacerdoce du Christ : de plus en plus unis à Lui, ils déploient la grâce du Baptême et de la Confirmation dans toutes les dimensions de la vie personnelle, familiale, sociale et ecclésiale, et réalisent ainsi l'appel à la sainteté adressé à tous les baptisés.   941

Grâce à leur mission prophétique, les laïcs « sont aussi appelés à être, en toute circonstance et au cœur même de la communauté humaine, les témoins du Christ[6] ».   942

Grâce à leur mission royale, les laïcs ont le pouvoir d'arracher au péché son empire en eux-mêmes et dans le monde par leur abnégation et la sainteté de leur vie[7].   943

La vie consacrée à Dieu se caractérise par la profession publique des conseils évangéliques de pauvreté, de chasteté et d'obéissance dans un état de vie stable reconnu par l'Eglise.   944

1. CIC, can. 207, § 1. 2. — 2. CIC, can. 331. — 3. CD 2. — 4. LG 23. — 5. AA 2. — 6. GS 43, § 4. — 7. Cf. LG 36.

945   *Livré à Dieu suprêmement aimé, celui que le Baptême avait déjà destiné à Lui se trouve, dans l'état de vie consacrée, voué plus intimement au service divin et dédié au bien de toute l'Eglise.*

1474-1477   ## PARAGRAPHE 5. *La communion des saints*

946   Après avoir confessé « la Sainte Eglise catholique », le Symbole des apôtres ajoute « la communion des saints ». Cet article est, d'une certaine façon, une explicitation du précédent : « Qu'est-ce que l'Eglise sinon l'assemblée de *823* tous les saints[1] ? » La communion des saints est précisément l'Eglise.

947   « Puisque tous les croyants forment un seul corps, le bien des uns est communiqué aux autres. (...) Il faut de la sorte croire qu'il existe une communion des biens dans l'Eglise. Mais le membre le plus important est le Christ, puisqu'Il est *790* la tête (...). Ainsi, le bien du Christ est communiqué à tous les membres, et cette communication se fait par les sacrements de l'Eglise[2]. » « Comme cette Eglise est gouvernée par un seul et même Esprit, tous les biens qu'elle a reçus deviennent nécessairement un fonds commun[3]. »

948   Le terme « communion des saints » a dès lors deux signi-*1331* fications, étroitement liées : « communion aux choses saintes, *sancta* » et « communion entre les personnes saintes, *sancti* ».

« *Sancta sanctis*! (Ce qui est saint pour ceux qui sont saints) » est proclamé par le célébrant dans la plupart des liturgies orientales lors de l'élévation des saints Dons avant le service de la communion. Les fidèles (*sancti*) sont nourris du Corps et du Sang du Christ (*sancta*) afin de croître dans la communion de l'Esprit Saint (*Koinônia*) et de la communiquer au monde.

I. La communion des biens spirituels

949   Dans la communauté primitive de Jérusalem, les disciples « se montraient assidus à l'enseignement des apôtres, fidèles à la communion fraternelle, à la fraction du pain et aux prières » (Ac 2, 42) :

1. Nicétas, symb. 10. — 2. S. Thomas d'A., symb. 13. — 3. Catech. R. 1, 10, 24.

La *communion dans la foi*. La foi des fidèles est la foi *de l'Eglise* reçue des apôtres, trésor de vie qui s'enrichit en étant partagé.

185

La *communion des sacrements*. « Le fruit de tous les sacrements appartient à tous. Car les sacrements, et surtout le Baptême qui est comme la porte par laquelle les hommes entrent dans l'Eglise, sont autant de liens sacrés qui les unissent tous et les attachent à Jésus-Christ. La communion des saints, c'est la communion des sacrements (...). Le nom de communion peut s'appliquer à chacun d'eux, car chacun d'eux nous unit à Dieu (...). Mais ce nom convient mieux à l'Eucharistie qu'à tout autre, parce que c'est elle principalement qui consomme cette communion[1]. »

950
1130

1331

La *communion des charismes* : dans la communion de l'Eglise, l'Esprit Saint « distribue aussi parmi les fidèles de tous ordres (...) les grâces spéciales » pour l'édification de l'Eglise[2]. Or, « à chacun la manifestation de l'Esprit est donnée en vue du bien commun » (1 Co 12, 7).

951
799

« *Ils mettaient tout en commun* » (Ac 4, 32) : « Tout ce que le vrai chrétien possède, il doit le regarder comme un bien qui lui est commun avec tous, et toujours il doit être prêt et empressé à venir au secours de l'indigent et de la misère du prochain[3]. » Le chrétien est un administrateur des biens du Seigneur[4].

952
2402

La *communion de la charité* : dans la *sanctorum communio* « nul d'entre nous ne vit pour soi-même, comme nul ne meurt pour soi-même » (Rm 14, 7). « Un membre souffre-t-il ? tous les membres souffrent avec lui. Un membre est-il à l'honneur ? tous les membres prennent part à sa joie. Or vous êtes le Corps du Christ, et membres chacun pour sa part » (1 Co 12, 26-27). « La charité ne cherche pas ce qui est à elle » (1 Co 13, 5)[5]. Le moindre de nos actes fait dans la charité retentit au profit de tous, dans cette solidarité avec tous les hommes, vivants ou morts, qui se fonde sur la communion des saints. Tout péché nuit à cette communion.

953
1827

2011

845, 1469

---

1. Catech. R. 1, 10, 24. — 2. LG 12. — 3. Catech. R. 1, 10, 27. — 4. Cf. Lc 16, 1.
3. — 5. Cf. 1 Co 10, 24.

II. La communion de l'Église du ciel et de la terre

954
771

Les trois états de l'Eglise. « En attendant que le Seigneur soit venu dans sa majesté accompagné de tous les anges et que, la mort détruite, tout Lui soit soumis, les uns parmi ses disciples continuent sur terre leur pèlerinage ; d'autres, ayant
1031, 1023 achevé leur vie, se purifient encore ; d'autres enfin sont dans la gloire contemplant "dans la pleine lumière, tel qu'il est, le Dieu un en trois Personnes[1]" » :

> Tous cependant, à des degrés divers et sous des formes diverses, nous communions dans la même charité envers Dieu et envers le prochain, chantant à notre Dieu le même hymne de gloire. En effet, tous ceux qui sont du Christ et possèdent son Esprit, constituent une seule Eglise et se tiennent mutuellement comme un tout dans le Christ[2].

955

« L'union de ceux qui sont encore en chemin avec leurs frères qui se sont endormis dans la paix du Christ ne connaît pas la moindre intermittence ; au contraire, selon la foi constante de l'Eglise, cette union est renforcée par l'échange des biens spirituels[3]. »

956
1370

L'intercession des saints. « Etant en effet plus intimement liés avec le Christ, les habitants du ciel contribuent à affermir plus solidement l'Eglise en sainteté (...). Ils ne cessent
2683 d'intercéder pour nous auprès du Père, offrant les mérites qu'ils ont acquis sur terre par l'unique Médiateur de Dieu et des hommes, le Christ Jésus (...). Ainsi leur sollicitude fraternelle est du plus grand secours pour notre infirmité[4] » :

> Ne pleurez pas, je vous serai plus utile après ma mort et je vous aiderai plus efficacement que pendant ma vie[5].

> Je passerai mon ciel à faire du bien sur la terre[6].

957
1173

La communion avec les saints. « Nous ne vénérons pas seulement au titre de leur exemple la mémoire des habitants du ciel ; nous cherchons bien davantage par là à renforcer l'union de toute l'Eglise dans l'Esprit grâce à l'exercice de la charité fraternelle. Car tout comme la communion entre les chrétiens de la terre nous approche de plus près du Christ, ainsi la communauté avec les saints nous unit au

---

1. LG 49. — 2. LG 49. — 3. LG 49. — 4. LG 49. — 5. S. Dominique, mourant, à ses frères, cf. Jourdain de Saxe, lib. 93. — 6. Ste Thérèse de l'Enfant-Jésus, verba.

Christ de qui découlent, comme de leur chef, toute grâce et la vie du Peuple de Dieu lui-même[1] » :

> Le Christ, nous L'adorons, parce qu'Il est le Fils de Dieu ; quant aux martyrs, nous les aimons comme disciples et imitateurs du Seigneur, et c'est juste, à cause de leur dévotion incomparable envers leur roi et maître ; puissions-nous, nous aussi, être leurs compagnons et leurs condisciples[2].

La communion avec les défunts. « Reconnaissant dès l'abord cette communion qui existe à l'intérieur de tout le corps mystique de Jésus-Christ, l'Eglise en ses membres qui cheminent sur terre a entouré de beaucoup de piété la mémoire des défunts dès les premiers temps du christianisme en offrant aussi pour eux ses suffrages ; car "la pensée de prier pour les morts, afin qu'ils soient délivrés de leurs péchés, est une pensée sainte et pieuse" (2 M 12, 45)[3]. » Notre prière pour eux peut non seulement les aider mais aussi rendre efficace leur intercession en notre faveur. **958** *1371* *1032, 1689*

Dans l'unique famille de Dieu. « Lorsque la charité mutuelle et la louange unanime de la Très Sainte Trinité nous font communier les uns aux autres, nous tous, fils de Dieu qui ne faisons dans le Christ qu'une seule famille, nous répondons à la vocation profonde de l'Eglise[4]. » **959** *1027*

En bref

L'Eglise est « communion des saints » : cette expression désigne d'abord les « choses saintes » (sancta), et avant tout l'Eucharistie, par laquelle « est représentée et réalisée l'unité des fidèles qui, dans le Christ, forment un seul Corps[5] ». **960**

Ce terme désigne aussi la communion des « personnes saintes » (sancti) dans le Christ qui est « mort pour tous », de sorte que ce que chacun fait ou souffre dans et pour le Christ porte du fruit pour tous. **961**

« Nous croyons à la communion de tous les fidèles du Christ, de ceux qui sont pèlerins sur la terre, des défunts qui achèvent leur purification, des bienheureux du ciel, tous ensemble formant une seule Eglise, et nous croyons que dans cette communion l'amour miséricordieux de Dieu et de ses saints est toujours à l'écoute de nos prières[6]. » **962**

1. LG 50. — 2. S. Polycarpe, mart. 17. — 3. LG 50. — 4. LG 51. — 5. LG 3. — 6. SPF 30.

Paragraphe 6. *Marie – Mère du Christ, Mère de l'Église*

963
487-507,
721-726
Après avoir parlé du rôle de la Vierge Marie dans le mystère du Christ et de l'Esprit, il convient de considérer maintenant sa place dans le mystère de l'Eglise. « En effet, la Vierge Marie (...) est reconnue et honorée comme la véritable Mère de Dieu et du Rédempteur (...). Elle est aussi vraiment "Mère des membres [du Christ] (...) ayant coopéré par sa charité à la naissance dans l'Eglise des fidèles qui sont les membres de ce Chef[1]". » « ... Marie Mère du Christ, Mère de l'Eglise[2]. »

I. La maternité de Marie envers l'Église
Toute unie à son Fils...

964
Le rôle de Marie envers l'Eglise est inséparable de son union au Christ, elle en découle directement. « Cette union de Marie avec son Fils dans l'œuvre du salut est manifeste dès l'heure de la conception virginale du Christ, jusqu'à sa mort[3]. » Elle est particulièrement manifeste à l'heure de sa passion :

534

618
La bienheureuse Vierge avança dans son pèlerinage de foi, gardant fidèlement l'union avec son Fils jusqu'à la Croix où, non sans un dessein divin, elle était debout, souffrant cruellement avec son Fils unique, associée d'un cœur maternel à son sacrifice, donnant à l'immolation de la victime, née de sa chair, le consentement de son amour, pour être enfin, par le même Christ Jésus mourant sur la Croix, donnée comme sa Mère au disciple par ces mots : « Femme, voici ton fils » (Jn 19, 26)[4].

965
Après l'Ascension de son Fils, Marie a « assisté de ses prières l'Eglise naissante[5] ». Réunie avec les apôtres et quelques femmes, « on voit Marie appelant elle aussi de ses prières le don de l'Esprit qui, à l'Annonciation, l'avait déjà elle-même prise sous son ombre[6] ».

... aussi dans son Assomption...

966
491
« Enfin la Vierge immaculée, préservée par Dieu de toute atteinte de la faute originelle, ayant accompli le cours de sa vie terrestre, fut élevée corps et âme à la gloire du ciel, et

---

1. LG 53, citant S. Augustin, virg. 6. — 2. Paul VI, discours 21 novembre 1964. — 3. LG 57. — 4. LG 58. — 5. LG 69. — 6. LG 59.

exaltée par le Seigneur comme la Reine de l'univers, pour être ainsi plus entièrement conforme à son Fils, Seigneur des seigneurs, victorieux du péché et de la mort[1]. » L'Assomption de la Sainte Vierge est une participation singulière à la Résurrection de son Fils et une anticipation de la résurrection des autres chrétiens :

> Dans ton enfantement tu as gardé la virginité, dans ta dormition tu n'as pas quitté le monde, ô Mère de Dieu : tu as rejoint la source de la Vie, toi qui conçus le Dieu vivant et qui, par tes prières, délivreras nos âmes de la mort[2].

... elle est notre Mère dans l'ordre de la grâce

Par son adhésion entière à la volonté du Père, à l'œuvre rédemptrice de son Fils, à toute motion de l'Esprit Saint, la Vierge Marie est pour l'Eglise le modèle de la foi et de la charité. Par là elle est « membre suréminent et absolument unique de l'Eglise[3] », elle constitue même « la réalisation exemplaire », *typus,* de l'Eglise[4]. 967 2679 507

Mais son rôle par rapport à l'Eglise et à toute l'humanité va encore plus loin. « Elle a apporté à l'œuvre du Sauveur une coopération absolument sans pareille par son obéissance, sa foi, son espérance, son ardente charité, pour que soit rendue aux âmes la vie surnaturelle. C'est pourquoi elle est devenue pour nous, dans l'ordre de la grâce, notre Mère[5]. » 968 494

« A partir du consentement qu'elle apporta par sa foi au jour de l'Annonciation et qu'elle maintint dans sa fermeté sous la Croix, cette maternité de Marie dans l'économie de la grâce se continue sans interruption jusqu'à la consommation définitive de tous les élus. En effet, après son Assomption au ciel, son rôle dans le salut ne s'interrompt pas : par son intercession répétée elle continue à nous obtenir les dons qui assurent notre salut éternel. (...) C'est pourquoi la bienheureuse Vierge est invoquée dans l'Eglise sous les titres d'advocate, d'auxiliatrice, de secourable, de médiatrice[6]. » 969 149, 501 1370

« Le rôle maternel de Marie à l'égard des hommes n'offusque cependant et ne diminue en rien l'unique médiation du Christ : il en manifeste au contraire la vertu. Car toute influence salutaire de la 970 2008

1. LG 59; cf. la proclamation du dogme de l'Assomption de la Bienheureuse Vierge Marie par le Pape Pie XII en 1950 : DS 3903. — 2. Liturgie byzantine, Tropaire de la fête de la Dormition (15 août). — 3. LG 53. — 4. LG 63. — 5. LG 61. — 6. LG 62.

part de la bienheureuse Vierge (...) découle de la surabondance des
mérites du Christ; elle s'appuie sur sa médiation, dont elle dépend
en tout et d'où elle tire toute sa vertu[1]. » « Aucune créature en effet
ne peut jamais être mise sur le même plan que le Verbe incarné et
1545 rédempteur. Mais tout comme le sacerdoce du Christ est participé
sous formes diverses, tant par les ministres que par le peuple fidèle,
et tout comme l'unique bonté de Dieu se répand réellement sous
des formes diverses dans les créatures, ainsi l'unique médiation du
308 Rédempteur n'exclut pas, mais suscite au contraire une coopération
variée de la part des créatures, en dépendance de l'unique
source[2]. »

2673-2679 ## II. Le culte de la Sainte Vierge

971   « *Toutes les générations me diront bienheureuse* » (Lc 1,
1172 48) : « La piété de l'Eglise envers la Sainte Vierge est
intrinsèque au culte chrétien[3]. » La Sainte Vierge « est légitimement honorée par l'Eglise d'un culte spécial. Et de fait,
depuis les temps les plus reculés, la bienheureuse Vierge est
honorée sous le titre de "Mère de Dieu"; les fidèles se réfu-
gient sous sa protection, l'implorant dans tous leurs dangers
et leurs besoins (...). Ce culte (...) bien que présentant un
caractère absolument unique; (...) n'en est pas moins essentiellement différent du culte d'adoration qui est rendu au
Verbe incarné ainsi qu'au Père et à l'Esprit Saint; il est émi-
nement apte à le servir[4] »; il trouve son expression dans les
fêtes liturgiques dédiées à la Mère de Dieu[5] et dans la prière
2678 mariale, telle le Saint Rosaire, « abrégé de tout l'Evangile[6] ».

III. Marie – icône eschatologique de l'Église

972   Après avoir parlé de l'Eglise, de son origine, de sa mission et de sa destinée, nous ne saurions mieux conclure
773 qu'en tournant le regard vers Marie pour contempler en elle
ce qu'est l'Eglise dans son mystère, dans son « pèlerinage
de la foi », et ce qu'elle sera dans la patrie au terme de sa
marche, où l'attend, « dans la gloire de la Très Sainte et
indivisible Trinité », « dans la communion de tous les
829 saints[7] », celle que l'Eglise vénère comme la Mère de son
Seigneur et comme sa propre Mère :

> Tout comme dans le ciel où elle est déjà glorifiée corps et
> âme, la Mère de Jésus représente et inaugure l'Eglise en son
> achèvement dans le siècle futur, de même sur terre, en

1. LG 60. — 2. LG 62. — 3. MC 56. — 4. LG 66. — 5. Cf. SC 103. — 6. Cf. MC
42. — 7. LG 69.

attendant la venue du jour du Seigneur, elle brille déjà
comme un signe d'espérance assurée et de consolation   *2853*
devant le Peuple de Dieu en pèlerinage[1].

EN BREF

En prononçant le « Fiat » de l'Annonciation et en donnant 973
son consentement au mystère de l'Incarnation, Marie colla-
bore déjà à toute l'œuvre que doit accomplir son Fils. Elle
est Mère partout où Il est Sauveur et Tête du Corps mys-
tique.

La Très Sainte Vierge Marie, ayant accompli le cours de sa 974
vie terrestre, fut enlevée corps et âme à la gloire du ciel, où
elle participe déjà à la gloire de la Résurrection de son Fils,
anticipant la résurrection de tous les membres de son
Corps.

« Nous croyons que la Très Sainte Mère de Dieu, nouvelle 975
Eve, Mère de l'Eglise, continue au ciel son rôle maternel à
l'égard des membres du Christ[2]. »

ARTICLE 10
« Je crois au pardon des péchés »

Le Symbole des apôtres lie la foi au pardon des péchés à 976
la foi en l'Esprit Saint, mais aussi à la foi en l'Eglise et en la
communion des saints. C'est en donnant l'Esprit Saint à ses
apôtres que le Christ ressuscité leur a conféré son propre
pouvoir divin de pardonner les péchés : « Recevez l'Esprit
Saint. Ceux à qui vous remettrez les péchés, ils leur seront
remis ; ceux à qui vous les retiendrez, ils leur seront retenus » (Jn 20, 22-23).

(La deuxième partie du Catéchisme traitera explicitement du
pardon des péchés par le Baptême, le sacrement de Pénitence et les
autres sacrements, surtout l'Eucharistie. Il suffit donc d'évoquer ici
brièvement quelques données de base.)

I. Un seul Baptême pour le pardon des péchés   *1263*

Notre Seigneur a lié le pardon des péchés à la foi et au 977
Baptême : « Allez par le monde entier, proclamez la Bonne
Nouvelle à toute la création. Celui qui croira et sera baptisé,

1. LG 68. — 2. SPF 15.

sera sauvé » (Mc 16, 15-16). Le Baptême est le premier et principal sacrement du pardon des péchés parce qu'il nous unit au Christ mort pour nos péchés, ressuscité pour notre justification[1], afin que « nous vivions nous aussi dans une vie nouvelle » (Rm 6, 4).

978   « Au moment où nous faisons notre première profession de foi, en recevant le saint Baptême qui nous purifie, le pardon que nous recevons est si plein et si entier, qu'il ne nous reste absolument rien à effacer, soit de la faute originelle, soit des fautes commises par notre volonté propre, ni aucune peine à subir pour les expier (...). Mais néanmoins la grâce du Baptême ne délivre personne de toutes les infirmités de la nature. Au contraire nous avons encore à combattre les

1264 mouvements de la concupiscence qui ne cessent de nous porter au mal[2]. »

979   En ce combat avec l'inclination au mal, qui serait assez vaillant et vigilant pour éviter toute blessure du péché ? « Si donc il était nécessaire que l'Eglise eût le pouvoir de remettre les péchés, il fallait aussi que le Baptême ne fût pas pour elle l'unique moyen de se servir de ces clefs du

1446 Royaume des cieux qu'elle avait reçues de Jésus-Christ ; il fallait qu'elle fût capable de pardonner leurs fautes à tous les pénitents, quand même ils auraient péché jusqu'au dernier moment de leur vie[3]. »

980   C'est par le sacrement de Pénitence que le baptisé peut
1422-1484 être réconcilié avec Dieu et avec l'Eglise :

> Les pères ont eu raison d'appeler la pénitence « un baptême laborieux[4] ». Ce sacrement de Pénitence est, pour ceux qui sont tombés après le Baptême, nécessaire au salut, comme l'est le Baptême lui-même pour ceux qui ne sont pas encore régénérés[5].

II. Le pouvoir des clefs

981   Le Christ après sa résurrection a envoyé ses apôtres « annoncer à toutes les nations le repentir en son nom en vue de la rémission des péchés » (Lc 24, 47). Ce « ministère de la réconciliation » (2 Co 5, 18), les apôtres et leurs successeurs ne l'accomplissent pas seulement en annonçant aux

---

1. Cf. Rm 4, 25. — 2. Catech. R. 1, 11, 3. — 3. Catech. R. 1, 11, 4. — 4. S. Grégoire de Naz., or. 39, 17. — 5. Cc. Trente : DS 1672.

hommes le pardon de Dieu mérité pour nous par le Christ et
en les appelant à la conversion et à la foi, mais aussi en leur
communiquant la rémission des péchés par le Baptême et en   *1444*
les réconciliant avec Dieu et avec l'Eglise grâce au pouvoir
des clefs reçu du Christ :

> L'Eglise a reçu les clés du Royaume des cieux, afin que se   *553*
> fasse en elle la rémission des péchés par le sang du Christ et
> l'action du Saint-Esprit. C'est dans cette Eglise que l'âme
> revit, elle qui était morte par les péchés, afin de vivre avec
> le Christ, dont la grâce nous a sauvés[1].

Il n'y a aucune faute, aussi grave soit-elle, que la Sainte   982
Eglise ne puisse remettre. « Il n'est personne, si méchant et   *1463*
si coupable qu'il soit, qui ne doive espérer avec assurance
son pardon, pourvu que son repentir soit sincère[2]. » Le
Christ qui est mort pour tous les hommes, veut que, dans   *605*
son Eglise, les portes du pardon soient toujours ouvertes à
quiconque revient du péché[3].

La catéchèse s'efforcera d'éveiller et de nourrir chez les   983
fidèles la foi en la grandeur incomparable du don que le   *1442*
Christ ressuscité a fait à son Eglise : la mission et le pouvoir
de pardonner véritablement les péchés, par le ministère des
apôtres et de leurs successeurs :

> Le Seigneur veut que ses disciples aient un pouvoir   *1465*
> immense : Il veut que ses pauvres serviteurs accomplissent
> en son nom tout ce qu'Il avait fait quand Il était sur la
> terre[4].

> Les prêtres ont reçu un pouvoir que Dieu n'a donné ni aux
> anges ni aux archanges. (...) Dieu sanctionne là-haut tout ce
> que les prêtres font ici-bas[5].

> Si dans l'Eglise il n'y avait pas la rémission des péchés, nul
> espoir n'existerait, nulle espérance d'une vie éternelle et
> d'une libération éternelle. Rendons grâce à Dieu qui a
> donné à son Eglise un tel don[6].

EN BREF

Le Credo met en relation « le pardon des péchés » avec la   984
profession de foi en l'Esprit Saint. En effet, le Christ ressus-
cité a confié aux apôtres le pouvoir de pardonner les péchés
lorsqu'Il leur a donné l'Esprit Saint.

1. S. Augustin, serm. 214, 11. — 2. Catech. R. 1, 11, 5. — 3. Cf. Mt 18, 21-22. —
4. S. Ambroise, pœnit. 1, 8, 34. — 5. S. Jean Chrysostome, sac. 3, 5. — 6. S.
Augustin, serm. 213, 8.

985   *Le Baptême est le premier et principal sacrement pour le
       pardon des péchés : il nous unit au Christ mort et ressuscité
       et nous donne l'Esprit Saint.*

986   *De par la volonté du Christ, l'Eglise possède le pouvoir de
       pardonner les péchés des baptisés et elle l'exerce par les
       évêques et les prêtres de façon habituelle dans le sacrement
       de pénitence.*

987   *« Dans la rémission des péchés, les prêtres et les sacre-
       ments sont de purs instruments dont notre Seigneur Jésus-
       Christ, unique auteur et dispensateur de notre salut, veut
       bien se servir pour effacer nos iniquités et nous donner la
       grâce de la justification*[1]. *»*

ARTICLE 11
« Je crois
à la résurrection de la chair »

988   Le Credo chrétien – profession de notre foi en Dieu le
       Père, le Fils et le Saint-Esprit, et dans son action créatrice,
       salvatrice et sanctificatrice – culmine en la proclamation de
       la résurrection des morts à la fin des temps, et de la vie éter-
       nelle.

989   Nous croyons fermement, et ainsi nous espérons, que de
       même que le Christ est vraiment ressuscité des morts, et
655   qu'Il vit pour toujours, de même après leur mort les justes
       vivront pour toujours avec le Christ ressuscité et qu'Il les
       ressuscitera au dernier jour[2]. Comme la sienne, notre résur-
648   rection sera l'œuvre de la Très Sainte Trinité :

       Si l'Esprit de Celui qui a ressuscité Jésus d'entre les morts
       habite en vous, Celui qui a ressuscité Jésus-Christ d'entre
       les morts donnera aussi la vie à vos corps mortels, par son
       Esprit qui habite en vous (Rm 8, 11)[3].

990   Le terme « chair » désigne l'homme dans sa condition de fai-
       blesse et de mortalité[4]. La « résurrection de la chair » signifie qu'il
       n'y aura pas seulement, après la mort, la vie de l'âme immortelle,
364   mais que même nos « corps mortels » (Rm 8, 11) reprendront vie.

991   Croire en la résurrection des morts a été dès ses débuts un
638   élément essentiel de la foi chrétienne. « Une conviction des
       chrétiens : la résurrection des morts ; cette croyance nous
       fait vivre[5] » :

---

1. Catech. R. 1, 11, 6. — 2. Cf. Jn 6, 39-40. — 3. Cf. 1 Th 4, 14 ; 1 Co 6, 14 ; 2 Co
4, 14 ; Ph 3, 10-11. — 4. Cf. Gn 6, 3 ; Ps 56, 5 ; Is 40, 6. — 5. Tertullien res. 1, 1.

> Comment certains d'entre vous peuvent-ils dire qu'il n'y a
> pas de résurrection des morts ? S'il n'y a pas de résurrection
> des morts, le Christ non plus n'est pas ressuscité. Mais si le
> Christ n'est pas ressuscité, alors notre prédication est vide,
> vide aussi votre foi. (...) Mais non, le Christ est ressuscité
> des morts, prémices de ceux qui se sont endormis (1 Co 15,
> 12-14. 20).

I. La Résurrection du Christ et la nôtre

Révélation progressive de la Résurrection

La résurrection des morts a été révélée progressivement   992
par Dieu à son Peuple. L'espérance en la résurrection corporelle des morts s'est imposée comme une conséquence
intrinsèque de la foi en un Dieu créateur de l'homme tout   297
entier, âme et corps. Le créateur du ciel et de la terre est
aussi Celui qui maintient fidèlement son alliance avec Abraham et sa descendance. C'est dans cette double perspective
que commencera à s'exprimer la foi en la résurrection. Dans
leurs épreuves, les martyrs Maccabées confessent :

> Le Roi du monde nous ressuscitera pour une vie éternelle,
> nous qui mourons pour ses lois (2 M 7, 9). Mieux vaut mou-
> rir de la main des hommes en tenant de Dieu l'espoir d'être
> ressuscité par Lui (2 M 7, 14)[1].

Les Pharisiens[2] et bien des contemporains du Seigneur[3]   993
espéraient la résurrection. Jésus l'enseigne fermement. Aux   575
Sadducéens qui la nient Il répond : « Vous ne connaissez ni
les Ecritures ni la puissance de Dieu, vous êtes dans
l'erreur » (Mc 12, 24). La foi en la résurrection repose sur la
foi en Dieu qui « n'est pas un Dieu des morts, mais des   205
vivants » (Mc 12, 27).

Mais il y a plus : Jésus lie la foi en la résurrection à sa   994
propre personne : « Je suis la Résurrection et la vie » (Jn 11,
25). C'est Jésus Lui-même qui ressuscitera au dernier jour
ceux qui auront cru en Lui[4] et qui auront mangé son corps et
bu son sang[5]. Il en donne dès maintenant un signe et un   646
gage en rendant la vie à certains morts[6], annonçant par là sa
propre Résurrection qui sera cependant d'un autre ordre. De
cet événement unique Il parle comme du signe de Jonas[7], du

---

1. Cf. 2 M 7, 29 ; Dn 12, 1-13. — 2. Cf. Ac 23, 6. — 3. Cf. Jn 11, 24. — 4. Cf. Jn
5, 24-25 ; 6, 40. — 5. Cf. Jn 6, 54. — 6. Cf. Mc 5, 21-43 ; Lc 7, 11-17 ; Jn 11. —
7. Cf. Mt 12, 39.

652 signe du Temple[1] : Il annonce sa Résurrection le troisième jour après sa mise à mort[2].

995
860 Etre témoin du Christ, c'est être « témoin de sa Résurrection » (Ac 1, 22)[3], « avoir mangé et bu avec Lui après sa Résurrection d'entre les morts » (Ac 10, 41). L'espérance chrétienne en la résurrection est toute marquée par les rencontres avec le Christ ressuscité. Nous ressusciterons
655 comme Lui, avec Lui, par Lui.

996
643 Dès le début, la foi chrétienne en la résurrection a rencontré incompréhensions et oppositions[4]. « Sur aucun point la foi chrétienne ne rencontre plus de contradiction que sur la résurrection de la chair[5]. » Il est très communément accepté qu'après la mort la vie de la personne humaine continue d'une façon spirituelle. Mais comment croire que ce corps si manifestement mortel puisse ressusciter à la vie éternelle ?

Comment les morts ressuscitent-ils ?

997 *Qu'est-ce que « ressusciter » ?* Dans la mort, séparation
366 de l'âme et du corps, le corps de l'homme tombe dans la corruption, alors que son âme va à la rencontre de Dieu, tout en demeurant en attente d'être réunie à son corps glorifié. Dieu dans sa Toute-Puissance rendra définitivement la vie incorruptible à nos corps en les unissant à nos âmes, par la vertu de la Résurrection de Jésus.

998 *Qui ressuscitera ?* Tous les hommes qui sont morts :
1038 « Ceux qui auront fait le bien ressusciteront pour la vie, ceux qui auront fait le mal, pour la damnation » (Jn 5, 29)[6].

999 *Comment ?* Le Christ est ressuscité avec son propre
640 corps : « Regardez mes mains et mes pieds : c'est bien moi » (Lc 24, 39) ; mais Il n'est pas revenu à une vie terrestre. De même, en Lui, « tous ressusciteront avec leur
645 propre corps, qu'ils ont maintenant[7] », mais ce corps sera transfiguré en corps de gloire[8], en « corps spirituel » (1 Co 15, 44) :

> Mais, dira-t-on, comment les morts ressuscitent-ils ? Avec quel corps reviennent-ils ? Insensé ! Ce que tu sèmes, toi, ne reprend vie, s'il ne meurt. Et ce que tu sèmes, ce n'est pas le

1. Cf. Jn 2, 19-22. — 2. Cf. Mc 10, 34. — 3. Cf. Ac 4, 33. — 4. Cf. Ac 17, 32 ; 1 Co 15, 12-13. — 5. S. Augustin, Psal. 88, 2, 5. — 6. Cf. Dn 12, 2. — 7. Cc. Latran IV : DS 801. — 8. Cf. Ph 3, 21.

corps à venir, mais un grain tout nu (...). On sème de la corruption, il ressuscite de l'incorruption ; (...) les morts ressusciteront incorruptibles (...). Il faut en effet que cet être corruptible revête l'incorruptibilité, que cet être mortel revête
l'immortalité (1 Co 15, 35-37. 42. 52-53).

Ce « comment » dépasse notre imagination et notre enten-   1000
dement ; il n'est accessible que dans la foi. Mais notre parti-   *647*
cipation à l'Eucharistie nous donne déjà un avant-goût de la
transfiguration de notre corps par le Christ :

> De même que le pain qui vient de la terre, après avoir reçu
> l'invocation de Dieu, n'est plus du pain ordinaire, mais
> Eucharistie, constituée de deux choses, l'une terrestre et
> l'autre céleste, de même nos corps qui participent à
> l'Eucharistie ne sont plus corruptibles, puisqu'ils ont l'espé-   *1405*
> rance de la résurrection[1].

Quand ? Définitivement « au dernier jour » (Jn 6, 39-40.   1001
44. 54 ; 11, 24) ; « à la fin du monde[2] ». En effet, la résurrec-   *1038, 673*
tion des morts est intimement associée à la Parousie du
Christ :

> Car Lui-même, le Seigneur, au signal donné par la voix de
> l'archange et la trompette de Dieu, descendra du ciel, et les
> morts qui sont dans le Christ ressusciteront en premier lieu
> (1 Th 4, 16).

Ressuscités avec le Christ

S'il est vrai que le Christ nous ressuscitera « au dernier   1002
jour », il est vrai aussi que, d'une certaine façon, nous
sommes déjà ressuscités avec le Christ. En effet, grâce à
l'Esprit Saint, la vie chrétienne est, dès maintenant sur terre,
une participation à la mort et à la Résurrection du Christ :   *655*

> Ensevelis avec le Christ lors du Baptême, vous en êtes aussi
> ressuscités avec lui, parce que vous avez cru en la force de
> Dieu qui L'a ressuscité des morts (...). Du moment donc que
> vous êtes ressuscités avec le Christ, recherchez les choses
> d'en-haut, là où se trouve le Christ, assis à la droite de Dieu
> (Col 2, 12 ; 3, 1).

Unis au Christ par le Baptême, les croyants participent   1003
déjà réellement à la vie céleste du Christ ressuscité[3], mais   *1227*
cette vie demeure « cachée avec le Christ en Dieu » (Col 3,

---

1. S. Irénée, hær. 4, 18, 5. — 2. LG 48. — 3. Cf. Ph 3, 20.

2796 3). « Avec Lui Il nous a ressuscités et fait asseoir aux cieux, dans le Christ Jésus » (Ep 2, 6). Nourris de son Corps dans l'Eucharistie, nous appartenons déjà au Corps du Christ. Lorsque nous ressusciterons au dernier jour nous serons aussi « manifestés avec Lui pleins de gloire » (Col 3, 4).

1004   Dans l'attente de ce jour, le corps et l'âme du croyant participent déjà à la dignité d'être « au Christ »; d'où l'exi-
364 gence de respect envers son propre corps, mais aussi envers
1397 celui d'autrui, particulièrement lorsqu'il souffre :

> Le corps est pour le Seigneur, et le Seigneur pour le corps. Et Dieu, qui a ressuscité le Seigneur, nous ressuscitera, nous aussi, par sa puissance. Ne savez-vous pas que vos corps sont des membres du Christ ? (...)Vous ne vous appartenez pas (...). Glorifiez donc Dieu dans votre corps (1 Co 6, 13-15. 19-20).

II. Mourir dans le Christ Jésus

1005   Pour ressusciter avec le Christ, il faut mourir avec le Christ, il faut « quitter ce corps pour aller demeurer auprès du Seigneur » (2 Co 5, 8). Dans ce départ[1] qu'est la mort,
624 l'âme est séparée du corps. Elle sera réunie à son corps le jour de la résurrection des morts[2].

La mort

1006   « C'est en face de la mort que l'énigme de la condition
164, 1500 humaine atteint son sommet[3]. » En un sens, la mort corporelle est naturelle, mais pour la foi elle est en fait « salaire du péché » (Rm 6, 23)[4]. Et pour ceux qui meurent dans la grâce du Christ, elle est une participation à la mort du Seigneur, afin de pouvoir participer aussi à sa Résurrection[5].

1007   *La mort est le terme de la vie terrestre.* Nos vies sont mesurées par le temps, au cours duquel nous changeons, nous vieillissons et, comme chez tous les êtres vivants de la terre, la mort apparaît comme la fin normale de la vie. Cet aspect de la mort donne une urgence à nos vies : le souvenir de notre mortalité sert aussi à nous rappeler que nous n'avons qu'un temps limité pour réaliser notre vie :

1. Cf. Ph 1, 23. — 2. Cf. SPF 28. — 3. GS 18. — 4. Cf. Gn 2, 17. — 5. Cf. Rm 6, 3-9 ; Ph 3, 10-11.

Souviens-toi de ton Créateur aux jours de ton adolescence,
(...) avant que la poussière ne retourne à la terre, selon
qu'elle était, et que le souffle ne retourne à Dieu qui l'avait
donné (Qo 12, 1. 7).

La mort est conséquence du péché. Interprète authentique 1008
des affirmations de la Sainte Écriture[1] et de la Tradition, le   401
Magistère de l'Église enseigne que la mort est entrée dans le
monde à cause du péché de l'homme[2]. Bien que l'homme
possédât une nature mortelle, Dieu le destinait à ne pas
mourir. La mort fut donc contraire aux desseins de Dieu   376
Créateur, et elle entra dans le monde comme conséquence
du péché[3]. « La mort corporelle, à laquelle l'homme aurait
été soustrait s'il n'avait pas péché[4] », est ainsi « le dernier
ennemi » de l'homme à devoir être vaincu (1 Co 15, 26).

La mort est transformée par le Christ. Jésus, le Fils de 1009
Dieu, a souffert Lui aussi la mort, propre de la condition
humaine. Mais, malgré son effroi face à elle[5], Il l'assuma   612
dans un acte de soumission totale et libre à la volonté de son
Père. L'obéissance de Jésus a transformé la malédiction de
la mort en bénédiction[6].

Le sens de la mort chrétienne   *1681-1690*

Grâce au Christ, la mort chrétienne a un sens positif. 1010
« Pour moi, la vie c'est le Christ et mourir un gain » (Ph 1,
21). « C'est là une parole certaine : si nous mourons avec
Lui, nous vivrons avec Lui » (2 Tm 2, 11). La nouveauté
essentielle de la mort chrétienne est là : par le Baptême, le   *1220*
chrétien est déjà sacramentellement « mort avec le Christ »,
pour vivre d'une vie nouvelle ; et si nous mourons dans la
grâce du Christ, la mort physique consomme ce « mourir
avec le Christ » et achève ainsi notre incorporation à Lui
dans son acte rédempteur :

> Il est bon pour moi de mourir dans (*eis*) le Christ Jésus, plus
> que de régner sur les extrémités de la terre. C'est Lui que je
> cherche, qui est mort pour nous ; Lui que je veux, qui est
> ressuscité pour nous. Mon enfantement approche (...). Lais-
> sez-moi recevoir la pure lumière ; quand je serai arrivé là, je
> serai un homme[7].

Dans la mort, Dieu appelle l'homme vers Lui. C'est pour- 1011
quoi le chrétien peut éprouver envers la mort un désir semblable à celui de S. Paul : « J'ai le désir de m'en aller et

1. Cf. Gn 2, 17 ; 3, 3 ; 3, 19 ; Sg 1, 13 ; Rm 5, 12 ; 6, 23. — 2. Cf. DS 1511. —
3. Cf. Sg 2, 23-24. — 4. GS 18. — 5. Cf. Mc 14, 33-34 ; He 5, 7-8. — 6. Cf. Rm
5, 19-21. — 7. S. Ignace d'Antioche, Rom. 6, 1-2.

1025 d'être avec le Christ » (Ph 1, 23); et il peut transformer sa propre mort en un acte d'obéissance et d'amour envers le Père, à l'exemple du Christ[1] :

> Mon désir terrestre a été crucifié; (...) il y a en moi une eau vive qui murmure et qui dit au-dedans de moi : « Viens vers le Père[2]. »

> Je veux voir Dieu, et pour Le voir il faut mourir[3].

> Je ne meurs pas, j'entre dans la vie[4].

1012 La vision chrétienne de la mort[5] est exprimée de façon privilégiée dans la liturgie de l'Eglise :

> Pour tous ceux qui croient en toi, Seigneur, la vie n'est pas détruite, elle est transformée; et lorsque prend fin leur séjour sur la terre, ils ont déjà une demeure éternelle dans les cieux[6].

1013 La mort est la fin du pèlerinage terrestre de l'homme, du temps de grâce et de miséricorde que Dieu lui offre pour réaliser sa vie terrestre selon le dessein divin et pour décider son destin ultime. Quand a pris fin « l'unique cours de notre vie terrestre[7] », nous ne reviendrons plus à d'autres vies terrestres. « Les hommes ne meurent qu'une fois » (He 9, 27). Il n'y a pas de « réincarnation » après la mort.

1014 L'Eglise nous encourage à nous préparer pour l'heure de notre mort (« Délivre-nous, Seigneur, d'une mort subite et imprévue » : ancienne Litanie des saints), à demander à la Mère de Dieu d'intercéder pour nous « à l'heure de notre
2676-2677 mort » (Prière Ave Maria), et à nous confier à saint Joseph, patron de la bonne mort :

> Dans toutes tes actions, dans toutes tes pensées tu devrais te comporter comme si tu devais mourir aujourd'hui. Si ta conscience était en bon état, tu ne craindrais pas beaucoup la mort. Il vaudrait mieux se garder de pécher que de fuir la mort. Si aujourd'hui tu n'es pas prêt, comment le seras-tu demain[8] ?

> Loué sois-tu, mon Seigneur, pour sœur notre mort corporelle, à qui nul homme vivant ne peut échapper. Malheur à ceux qui mourront dans les péchés mortels, heureux ceux

---

1. Cf. Lc 23, 46. — 2. S. Ignace d'Antioche, Rom. 7, 2. — 3. Ste Thérèse de Jésus, poe 7. — 4. Ste Thérèse de l'Enfant-Jésus, lettre. — 5. Cf. 1 Th 4, 13-14. — 6. MR, Préface des défunts. — 7. LG 48. — 8. Imitation du Christ 1, 23, 5-8.

qu'elle trouvera dans ses très saintes volontés, car la seconde mort ne leur fera pas mal[1].

EN BREF

« La chair est le pivot du salut[2]. » *Nous croyons en Dieu qui est le créateur de la chair ; nous croyons au Verbe fait chair pour racheter la chair ; nous croyons en la résurrection de la chair, achèvement de la création et de la rédemption de la chair.* 1015

Par la mort l'âme est séparée du corps, mais dans la résurrection Dieu rendra la vie incorruptible à notre corps transformé en le réunissant à notre âme. De même que le Christ est ressuscité et vit pour toujours, tous nous ressusciterons au dernier jour. 1016

« *Nous croyons en la vraie résurrection de cette chair que nous possédons maintenant[3].* » *Cependant, on sème dans le tombeau un corps corruptible, il ressuscite un corps incorruptible[4], un "corps spirituel" » (1 Co 15, 44).* 1017

En conséquence du péché originel, l'homme doit subir « *la mort corporelle, à laquelle il aurait été soustrait s'il n'avait pas péché[5]* ». 1018

Jésus, le Fils de Dieu, a librement souffert la mort pour nous dans une soumission totale et libre à la volonté de Dieu, son Père. Par sa mort Il a vaincu la mort, ouvrant ainsi à tous les hommes la possibilité du salut. 1019

ARTICLE 12
« Je crois à la vie éternelle »

Le chrétien qui unit sa propre mort à celle de Jésus voit la mort comme une venue vers Lui et une entrée dans la vie éternelle. Lorsque l'Eglise a, pour la dernière fois, dit les paroles de pardon de l'absolution du Christ sur le chrétien mourant, l'a scellé pour la dernière fois d'une onction fortifiante et lui a donné le Christ dans le viatique comme nourriture pour le voyage, elle lui parle avec une douce assurance : 1020

1523-1525

Quitte ce monde, âme chrétienne, au nom du Père Tout-Puissant qui t'a créée, au nom de Jésus-Christ, le Fils du Dieu vivant, qui a souffert pour toi, au nom du Saint-Esprit

1. S. François d'Assise, cant. — 2. Tertullien, res. 8, 2. — 3. DS 854. — 4. Cf. 1 Co 15, 42. — 5. GS 18.

qui a été répandu en toi. Prends ta place aujourd'hui dans la paix, et fixe ta demeure avec Dieu dans la sainte Sion, avec la Vierge Marie, la Mère de Dieu, avec saint Joseph, les anges et tous les saints de Dieu (...). Retourne auprès de ton Créateur qui t'a formée de la poussière du sol. Qu'à l'heure où ton âme sortira de ton corps, Marie, les anges et tous les saints se hâtent à ta rencontre (...). Que tu puisses voir ton Rédempteur face à face[1]...

2677, 336

I. Le jugement particulier

1021   La mort met fin à la vie de l'homme comme temps ouvert à l'accueil ou au rejet de la grâce divine manifestée dans le
1038 Christ[2]. Le Nouveau Testament parle du jugement principalement dans la perspective de la rencontre finale avec le Christ dans son second avènement, mais il affirme aussi à
679   plusieurs reprises la rétribution immédiate après la mort de chacun en fonction de ses œuvres et de sa foi. La parabole du pauvre Lazare[3] et la parole du Christ en Croix au bon larron[4], ainsi que d'autres textes du Nouveau Testament[5] parlent d'une destinée ultime de l'âme[6] qui peut être différente pour les unes et pour les autres.

1022   Chaque homme reçoit dans son âme immortelle sa rétri-
393   bution éternelle dès sa mort en un jugement particulier qui réfère sa vie au Christ, soit à travers une purification[7], soit pour entrer immédiatement dans la béatitude du ciel[8], soit pour se damner immédiatement pour toujours[9].

1470 Au soir de notre vie, nous serons jugés sur l'amour[10].

II. Le ciel

1023   Ceux qui meurent dans la grâce et l'amitié de Dieu, et qui
954   sont parfaitement purifiés, vivent pour toujours avec le Christ. Ils sont pour toujours semblables à Dieu, parce qu'ils Le voient « tel qu'Il est » (1 Jn 3, 2), « face à face » (1 Co 13, 12)[11] :

De notre autorité apostolique nous définissons que, d'après la disposition générale de Dieu, les âmes de tous les saints (...) et de tous les autres fidèles morts après avoir reçu le

1. OEx « Commendatio animæ ». — 2. Cf. 2 Tm 1, 9-10. — 3. Cf. Lc 16, 22. — 4. Cf. Lc 23, 43. — 5. Cf. 2 Co 5, 8 ; Ph 1, 23 ; He 9, 27 ; 12, 23. — 6. Cf. Mt 16, 26. — 7. Cf. Cc. Lyon : DS 856 ; Cc. Florence : DS 1304 ; Cc. Lyon : DS 858 ; Cc. Trente : DS 1820. — 8. Cf. Cc. Lyon : DS 857 ; Jean XXII : DS 991 ; Benoît XII : DS 1000-1001. — 9. Cf. Cc. Florence : DS 1305 ; Benoît XII : DS 1002 ; Cc. Florence : DS 1306. — 10. S. Jean de la Croix, avisos 57. — 11. Cf. Ap 22, 4.

saint Baptême du Christ, en qui il n'y a rien eu à purifier lorsqu'ils sont morts, (...) ou encore, s'il y a eu ou qu'il y a quelque chose à purifier, lorsque, après leur mort, elles auront achevé de le faire, (...) avant même la résurrection dans leur corps et le Jugement général, et cela depuis l'Ascension du Seigneur et Sauveur Jésus-Christ au ciel, ont été, sont et seront au ciel, au Royaume des cieux et au Paradis céleste avec le Christ, admis dans la société des saints anges. Depuis la passion et la mort de notre Seigneur Jésus-Christ, elles ont vu et voient l'essence divine d'une vision intuitive et même face à face, sans la médiation d'aucune créature[1].

1024 Cette vie parfaite avec la Très Sainte Trinité, cette communion de vie et d'amour avec Elle, avec la Vierge Marie, les anges et tous les bienheureux est appelée « le ciel ». Le ciel est la fin ultime et la réalisation des aspirations les plus profondes de l'homme, l'état de bonheur suprême et définitif.

260, 326, 2734
1718

1025 Vivre au ciel c'est « être avec le Christ[2] ». Les élus vivent « en Lui », mais ils y gardent, mieux, ils y trouvent leur vraie identité, leur propre nom[3] :

1011

> Car la vie c'est d'être avec le Christ : là où est le Christ, là est la vie, là est le royaume[4].

1026 Par sa mort et sa Résurrection Jésus-Christ nous a « ouvert » le ciel. La vie des bienheureux consiste dans la possession en plénitude des fruits de la rédemption opérée par le Christ qui associe à sa glorification céleste ceux qui ont cru en Lui et qui sont demeurés fidèles à sa volonté. Le ciel est la communauté bienheureuse de tous ceux qui sont parfaitement incorporés à Lui.

793

1027 Ce mystère de communion bienheureuse avec Dieu et avec tous ceux qui sont dans le Christ dépasse toute compréhension et toute représentation. L'Ecriture nous en parle en images : vie, lumière, paix, festin de noces, vin du royaume, maison du Père, Jérusalem céleste, paradis : « Ce que l'œil n'a pas vu, ce que l'oreille n'a pas entendu, ce qui n'est pas monté au cœur de l'homme, tout ce que Dieu a préparé pour ceux qui L'aiment » (1 Co 2, 9).

959, 1720

1028 A cause de sa transcendance, Dieu ne peut être vu tel qu'Il est que lorsqu'Il ouvre Lui-même son mystère à la contemplation immédiate de l'homme et qu'Il lui en donne

1722

1. Benoit XII : DS 1000 ; cf. LG 49. — 2. Cf. Jn 14, 3 ; Ph 1, 23 ; 1 Th 4, 17. — 3. Cf. Ap 2, 17. — 4. S. Ambroise, Luc. 10, 121.

la capacité. Cette contemplation de Dieu dans sa gloire
163 céleste est appelée par l'Eglise la « vision béatifique » :

> Quelle ne sera pas ta gloire et ton bonheur : être admis à
> voir Dieu, avoir l'honneur de participer aux joies du salut et
> de la lumière éternelle dans la compagnie du Christ le Sei-
> gneur ton Dieu, (...) jouir au Royaume des cieux dans la
> compagnie des justes et des amis de Dieu, des joies de
> l'immortalité acquise[1].

1029   Dans la gloire du ciel, les bienheureux continuent
956 d'accomplir avec joie la volonté de Dieu par rapport aux
668 autres hommes et à la création toute entière. Déjà ils règnent
avec le Christ ; avec Lui « ils régneront pour les siècles des
siècles » (Ap 22, 5)[2].

III. La purification finale ou Purgatoire

1030   Ceux qui meurent dans la grâce et l'amitié de Dieu, mais
imparfaitement purifiés, bien qu'assurés de leur salut éternel, souffrent après leur mort une purification, afin d'obtenir
la sainteté nécessaire pour entrer dans la joie du ciel.

1031   L'Eglise appelle *Purgatoire* cette purification finale des
954, 1472 élus qui est tout à fait distincte du châtiment des damnés.
L'Eglise a formulé la doctrine de la foi relative au Purgatoire surtout aux Conciles de Florence[3] et de Trente[4]. La tradition de l'Eglise, faisant référence à certains textes de
l'Ecriture[5], parle d'un feu purificateur :

> Pour ce qui est de certaines fautes légères, il faut croire
> qu'il existe avant le jugement un feu purificateur, selon ce
> qu'affirme Celui qui est la Vérité, en disant que si
> quelqu'un a prononcé un blasphème contre l'Esprit Saint,
> cela ne lui sera pardonné ni dans ce siècle-ci, ni dans le siè-
> cle futur (Mt 12, 32). Dans cette sentence nous pouvons
> comprendre que certaines fautes peuvent être remises dans
> ce siècle-ci, mais certaines autres dans le siècle futur[6].

1032   Cet enseignement s'appuie aussi sur la pratique de la
958 prière pour les défunts dont parle déjà la Sainte Ecriture :
« Voilà pourquoi il (Judas Maccabée) fit faire ce sacrifice
expiatoire pour les morts, afin qu'ils fussent délivrés de leur
péché » (2 M 12, 46). Dès les premiers temps, l'Eglise a

---

1. S. Cyprien, ep. 58, 10. — 2. Cf. Mt 25, 21. 23. — 3. Cf. DS 1304. — 4. Cf. DS
1820 ; 1580. — 5. Par exemple 1 Co 3, 15 ; 1 P 1, 7. — 6. S. Grégoire le Grand,
dial. 4, 41, 3.

honoré la mémoire des défunts et offert des suffrages en leur faveur, en particulier le sacrifice eucharistique[1], afin que, *1371* purifiés, ils puissent parvenir à la vision béatifique de Dieu. L'Eglise recommande aussi les aumônes, les indulgences et *1479* les œuvres de pénitence en faveur des défunts :

> Portons-leur secours et faisons-leur commémoraison. Si les fils de Job ont été purifiés par le sacrifice de leur père[2], pourquoi douterions-nous que nos offrandes pour les morts leur apportent quelque consolation ? N'hésitons pas à porter secours à ceux qui sont partis et à offrir nos prières pour eux[3].

IV. L'enfer

Nous ne pouvons pas être unis à Dieu à moins de choisir *1033* librement de L'aimer. Mais nous ne pouvons pas aimer Dieu si nous péchons gravement contre Lui, contre notre prochain ou contre nous-même : « Celui qui n'aime pas demeure dans la mort. Quiconque hait son frère est un homicide ; or vous savez qu'aucun homicide n'a la vie éternelle demeurant en lui » (1 Jn 3, 14-15). Notre Seigneur nous avertit que nous serons séparés de Lui si nous omettons de rencontrer les besoins graves des pauvres et des petits qui sont ses frères[4]. Mourir en péché mortel sans s'en être repenti et sans *1861* accueillir l'amour miséricordieux de Dieu, signifie demeurer séparé de Lui pour toujours par notre propre choix libre. Et *393* c'est cet état d'auto-exclusion définitive de la communion avec Dieu et avec les bienheureux qu'on désigne par le mot « enfer ».   *633*

Jésus parle souvent de la « géhenne » du « feu qui ne *1034* s'éteint pas[5] », réservée à ceux qui refusent jusqu'à la fin de leur vie de croire et de se convertir, et où peuvent être perdus à la fois l'âme et le corps[6]. Jésus annonce en termes graves qu'Il « enverra ses anges, qui ramasseront tous les fauteurs d'iniquité (...), et les jetteront dans la fournaise ardente » (Mt 13, 41-42), et qu'Il prononcera la condamnation : « Allez loin de moi, maudits, dans le feu éternel ! » (Mt 25, 41.)

L'enseignement de l'Eglise affirme l'existence de l'enfer *1035* et son éternité. Les âmes de ceux qui meurent en état de *393* péché mortel descendent immédiatement après la mort dans

---

1. Cf. DS 856. — 2. Cf. Jb 1, 5. — 3. S. Jean Chrysostome, hom. in 1 Cor. 41, 5. — 4. Cf. Mt 25, 31-46. — 5. Cf. Mt 5, 22. 29 ; 13, 42. 50 ; Mc 9, 43-48. — 6. Cf. Mt 10, 28.

les enfers, où elles souffrent les peines de l'enfer, « le feu éternel[1] ». La peine principale de l'enfer consiste en la séparation éternelle d'avec Dieu en qui seul l'homme peut avoir la vie et le bonheur pour lesquels il a été créé et auxquels il aspire.

1036   Les affirmations de la Sainte Ecriture et les enseignements de l'Eglise au sujet de l'enfer sont un *appel à la res-*
1734 *ponsabilité* avec laquelle l'homme doit user de sa liberté en vue de son destin éternel. Elles constituent en même temps
1428 un *appel pressant à la conversion* : « Entrez par la porte étroite. Car large et spacieux est le chemin qui mène à la perdition, et il en est beaucoup qui le prennent ; mais étroite est la porte et resserré le chemin qui mène à la Vie, et il en est peu qui le trouvent » (Mt 7, 13-14) :

> Ignorants du jour et de l'heure, il faut que, suivant l'avertissement du Seigneur, nous restions constamment vigilants pour mériter, quand s'achèvera le cours unique de notre vie terrestre, d'être admis avec Lui aux noces et comptés parmi les bénis de Dieu, au lieu d'être, comme de mauvais et paresseux serviteurs, écartés par l'ordre de Dieu vers le feu éternel, vers ces ténèbres du dehors où seront les pleurs et les grincements de dents[2].

1037   Dieu ne prédestine personne à aller en enfer[3] ; il faut pour cela une aversion volontaire de Dieu (un péché mortel), et y
162 persister jusqu'à la fin. Dans la liturgie eucharistique et dans les prières quotidiennes de ses fidèles, l'Eglise implore la
1014, 1821 miséricorde de Dieu, qui veut « que personne ne périsse, mais que tous arrivent au repentir » (2 P 3, 9) :

> Voici l'offrande que nous présentons devant toi, nous, tes serviteurs, et ta famille entière : dans ta bienveillance, accepte-la. Assure toi-même la paix de notre vie, arrache-nous à la damnation et reçois-nous parmi tes élus[4].

678-679 # V. Le Jugement dernier

1038   La résurrection de tous les morts, « des justes et des
1001, 998 pécheurs » (Ac 24, 15), précédera le Jugement dernier. Ce sera « l'heure où ceux qui gisent dans la tombe en sortiront à l'appel de la voix du Fils de l'Homme ; ceux qui auront

---

1. Cf. DS 76 ; 409 ; 411 ; 801 ; 858 ; 1002 ; 1351 ; 1575 ; SPF 12. — 2. LG 48. — 3. Cf. DS 397 ; 1567. — 4. MR, Canon Romain 88.

fait le bien ressusciteront pour la vie, ceux qui auront fait le mal pour la damnation » (Jn 5, 28-29). Alors le Christ « viendra dans sa gloire, escorté de tous les anges (...). Devant Lui seront rassemblées toutes les nations, et Il séparera les gens les uns des autres, tout comme le berger sépare les brebis des boucs. Il placera les brebis à sa droite, et les boucs à sa gauche (...). Et ils s'en iront, ceux-ci à une peine éternelle, et les justes à la vie éternelle » (Mt 25, 31-33. 46).

C'est face au Christ qui est la Vérité que sera définitivement mise à nu la vérité sur la relation de chaque homme à Dieu[1]. Le Jugement dernier révélera jusque dans ses ultimes conséquences ce que chacun aura fait de bien ou omis de faire durant sa vie terrestre : 1039 678

> Tout le mal que font les méchants est enregistré – et ils ne le savent pas. Le Jour où « Dieu ne se taira pas » (Ps 50, 3) (...) Il se tournera vers les mauvais : « J'avais, leur dira-t-Il, placé sur terre mes petits pauvres, pour vous. Moi, leur chef, je trônais dans le ciel à la droite de mon Père – mais sur la terre mes membres avaient faim. Si vous aviez donné à mes membres, ce que vous auriez donné serait parvenu jusqu'à la Tête. Quand j'ai placé mes petits pauvres sur la terre, je les ai institués vos commissionnaires pour porter vos bonnes œuvres dans mon trésor : vous n'avez rien déposé dans leurs mains, c'est pourquoi vous ne possédez rien auprès de moi[2]. »

Le Jugement dernier interviendra lors du retour glorieux du Christ. Le Père seul en connaît l'heure et le jour, Lui seul décide de son avènement. Par son Fils Jésus-Christ Il prononcera alors sa parole définitive sur toute l'histoire. Nous connaîtrons le sens ultime de toute l'œuvre de la création et de toute l'économie du salut, et nous comprendrons les chemins admirables par lesquels sa Providence aura conduit toute chose vers sa fin ultime. Le Jugement dernier révélera que la justice de Dieu triomphe de toutes les injustices commises par ses créatures et que son amour est plus fort que la mort[3]. 1040 637 314

Le message du Jugement dernier appelle à la conversion pendant que Dieu donne encore aux hommes « le temps favorable, le temps du salut » (2 Co 6, 2). Il inspire la sainte crainte de Dieu. Il engage pour la justice du Royaume de Dieu. Il annonce la « bienheureuse espérance » (Tt 2, 13) du 1041 1432 2854

1. Cf. Jn 12, 48. — 2. S. Augustin, serm. 18, 4, 4. — 3. Cf. Ct 8, 6.

retour du Seigneur qui « viendra pour être glorifié dans ses saints et admiré en tous ceux qui auront cru » (2 Th 1, 10).

VI. L'espérance des cieux nouveaux et de la terre nouvelle

1042
769
670

A la fin des temps, le Royaume de Dieu arrivera à sa plénitude. Après le jugement universel, les justes régneront pour toujours avec le Christ, glorifiés en corps et en âme, et l'univers lui-même sera renouvelé :

310

> Alors l'Eglise sera « consommée dans la gloire céleste, lorsque, avec le genre humain, tout l'univers lui-même, intimement uni avec l'homme et atteignant par lui sa destinée, trouvera dans le Christ sa définitive perfection [1] ».

1043
671
280, 518

Cette rénovation mystérieuse, qui transformera l'humanité et le monde, la Sainte Ecriture l'appelle « les cieux nouveaux et la terre nouvelle » (2 P 3, 13) [2]. Ce sera la réalisation définitive du dessein de Dieu de « ramener toutes choses sous un seul Chef, le Christ, les êtres célestes comme les terrestres » (Ep 1, 10).

1044

Dans cet « univers nouveau » (Ap 21, 5), la Jérusalem céleste, Dieu aura sa demeure parmi les hommes. « Il essuiera toute larme de leurs yeux ; de mort, il n'y en aura plus ; de pleur, de cri et de peine, il n'y en aura plus, car l'ancien monde s'en est allé » (Ap 21, 4) [3].

1045
775
1404

Pour l'homme, cette consommation sera la réalisation ultime de l'unité du genre humain, voulue par Dieu dès la création et dont l'Eglise pérégrinante était « comme le sacrement [4] ». Ceux qui seront unis au Christ formeront la communauté des rachetés, la Cité Sainte de Dieu (Ap 21, 2), « l'Epouse de l'Agneau » (Ap 21, 9). Celle-ci ne sera plus blessée par le péché, les souillures [5], l'amour-propre, qui détruisent ou blessent la communauté terrestre des hommes. La vision béatifique, dans laquelle Dieu s'ouvrira de façon inépuisable aux élus, sera la source intarissable de bonheur, de paix et de communion mutuelle.

1046

Quant au cosmos, la Révélation affirme la profonde communauté de destin du monde matériel et de l'homme :

---

1. LG 48. — 2. Cf. Ap 21, 1. — 3. Cf. Ap 21, 27. — 4. LG 1. — 5. Cf. Ap 21, 27.

Car la création en attente aspire à la révélation des fils de *349*
Dieu (...) avec l'espérance d'être elle aussi libérée de la servitude de la corruption. (...) Nous le savons en effet, toute la
création jusqu'à ce jour gémit en travail d'enfantement. Et
non pas elle seule ; nous-mêmes qui possédons les prémices
de l'Esprit, nous gémissons nous aussi intérieurement dans
l'attente de la rédemption de notre corps (Rm 8, 19-23).

L'univers visible est donc destiné, lui aussi, à être trans- 1047
formé, « afin que le monde lui-même, restauré dans son premier état, soit, sans plus aucun obstacle, au service des
justes », participant à leur glorification en Jésus-Christ ressuscité[1].

« *Nous ignorons le temps de l'achèvement* de la terre et 1048
de l'humanité, nous ne connaissons pas le mode de trans- *673*
formation du cosmos. Elle passe, certes, la figure de ce
monde, déformée par le péché ; mais nous l'avons appris,
Dieu nous prépare une nouvelle demeure et une nouvelle
terre où régnera la justice et dont la béatitude comblera et
dépassera tous les désirs de paix qui montent au cœur de
l'homme[2]. »

« Mais l'attente de la terre nouvelle, loin d'affaiblir en 1049
nous le souci de cultiver cette terre, doit plutôt le réveiller :
le corps de la nouvelle famille humaine y grandit, qui offre
déjà quelque ébauche du siècle à venir. C'est pourquoi, s'il *2820*
faut soigneusement distinguer le progrès terrestre de la
croissance du règne du Christ, ce progrès a cependant beaucoup d'importance pour le royaume de Dieu, dans la mesure
où il peut contribuer à une meilleure organisation de la
société humaine[3]. »

« Car tous les fruits excellents de notre nature et de notre 1050
industrie, que nous aurons propagés sur terre selon le *1709*
commandement du Seigneur et dans son Esprit, nous les retrouverons plus tard, mais purifiés de toute souillure, illuminés, transfigurés, lorsque le Christ remettra à son Père le
royaume éternel et universel[4]. » Dieu sera alors « tout en
tous » (1 Co 15, 28), dans la *vie éternelle* :   *260*

La vie subsistante et vraie, c'est le Père qui, par le Fils et en
l'Esprit Saint, déverse sur tous sans exception les dons
célestes. Grâce à sa miséricorde, nous aussi, hommes, nous
avons reçu la promesse indéfectible de la vie éternelle[5].

1. S. Irénée, hær. 5, 32, 1. — 2. GS 39, § 1. — 3. GS 39, § 2. — 4. GS 39, § 3 ; cf.
LG 2. — 5. S. Cyrille de Jérusalem, catech. ill. 18, 29.

EN BREF

1051   *Chaque homme dans son âme immortelle reçoit sa rétribu-*
        tion éternelle dès sa mort en un jugement particulier par le
        Christ, juge des vivants et des morts.

1052   *« Nous croyons que les âmes de tous ceux qui meurent dans*
        la grâce du Christ (...) sont le Peuple de Dieu dans l'au-
        delà de la mort, laquelle sera définitivement vaincue le jour
        de la résurrection où ces âmes seront réunies à leurs
        corps[1]*. »*

1053   *« Nous croyons que la multitude de celles qui sont rassem-*
        blées autour de Jésus et de Marie au Paradis forment
        l'Eglise du ciel, où dans l'éternelle béatitude elles voient
        Dieu tel qu'Il est et où elles sont aussi, à des degrés divers,
        associées avec les saints anges au gouvernement divin
        exercé par le Christ en gloire, en intercédant pour nous et
        aidant notre faiblesse par leur sollicitude fraternelle[2]*. »*

1054   *Ceux qui meurent dans la grâce et l'amitié de Dieu, mais*
        imparfaitement purifiés, bien qu'assurés de leur salut éter-
        nel, souffrent après leur mort une purification, afin d'obte-
        nir la sainteté nécessaire pour entrer dans la joie de Dieu.

1055   *En vertu de la « communion des saints », l'Eglise recom-*
        mande les défunts à la miséricorde de Dieu et offre en leur
        faveur des suffrages, en particulier le saint sacrifice eucha-
        ristique.

1056   *Suivant l'exemple du Christ, l'Eglise avertit les fidèles de la*
        « triste et lamentable réalité de la mort éternelle[3] *», appelée*
        aussi « enfer ».

1057   *La peine principale de l'enfer consiste en la séparation*
        éternelle d'avec Dieu en qui seul l'homme peut avoir la vie
        et le bonheur pour lesquels il a été créé et auxquels il
        aspire.

1058   *L'Eglise prie pour que personne ne se perde : « Seigneur,*
        ne permets pas que je sois jamais séparé de toi[4]*. » S'il est*
        vrai que personne ne peut se sauver lui-même, il est vrai
        aussi que « Dieu veut que tous soient sauvés » (1 Tm 2, 4) et
        que pour Lui « tout est possible » (Mt 19, 26).

1059   *« La Très Sainte Eglise romaine croit et confesse fermement*
        qu'au jour du Jugement tous les hommes comparaîtront
        avec leur propre corps devant le tribunal du Christ pour
        rendre compte de leurs propres actes[5]*. »*

1. SPF 28. — 2. SPF 29. — 3. DCG 69. — 4. Oratio ante communionem, 132. —
5. DS 859 ; cf. DS 1549.

A la fin des temps, le Royaume de Dieu arrivera à sa pléni- 1060
tude. Alors les justes régneront avec le Christ pour toujours,
glorifiés en corps et en âme, et l'univers matériel lui-même
sera transformé. Dieu sera alors « tout en tous » (1 Co 15,
28), dans la vie éternelle.

« AMEN »

Le Credo, comme aussi le dernier livre de l'Ecriture 1061
Sainte[1], se termine avec le mot hébreu *Amen*. On le trouve 2856
fréquemment à la fin des prières du Nouveau Testament. De
même, l'Eglise termine ses prières par « Amen ».

En hébreu, *Amen* se rattache à la même racine que le mot 1062
« croire ». Cette racine exprime la solidité, la fiabilité, la
fidélité. Ainsi on comprend pourquoi l'« Amen » peut être
dit de la fidélité de Dieu envers nous et de notre confiance 214
en Lui.

Dans le prophète Isaïe on trouve l'expression « Dieu de 1063
vérité », littéralement « Dieu de l'Amen », c'est-à-dire le 215
Dieu fidèle à ses promesses : « Quiconque voudra être béni
sur terre voudra être béni par le Dieu de l'Amen » (Is 65,
16). Notre Seigneur emploie souvent le terme « Amen[2] »,
parfois sous forme redoublée[3], pour souligner la fiabilité de
son enseignement, son Autorité fondée sur la Vérité de 156
Dieu.

L'« Amen » final du Credo reprend et confirme donc ses 1064
deux premiers mots : « Je crois. » Croire, c'est dire
« Amen » aux paroles, aux promesses, aux commandements
de Dieu, c'est se fier totalement en Celui qui est l'« Amen »
d'infini amour et de parfaite fidélité. La vie chrétienne de
chaque jour sera alors l'« Amen » au « Je crois » de la Pro- 197, 2101
fession de foi de notre Baptême :

> Que ton Symbole soit pour toi comme un miroir. Regarde-
> toi en lui : pour voir si tu crois tout ce que tu déclares
> croire. Et réjouis-toi chaque jour en ta foi[4].

Jésus-Christ Lui-même est « l'Amen » (Ap 3, 14). Il est 1065
l'« Amen » définitif de l'amour du Père pour nous; Il
assume et achève notre « Amen » au Père : « Toutes les pro-

1. Cf. Ap 22, 21. — 2. Cf. Mt 6, 2. 5. 16. — 3. Cf. Jn 5, 19. — 4. S. Augustin,
serm. 58, 11, 13.

messes de Dieu ont en effet leur "oui" en Lui ; aussi bien est-ce par Lui que nous disons notre "Amen" à la Gloire de Dieu » (2 Co 1, 20) :

> Par Lui, avec Lui et en Lui,
> à toi, Dieu le Père Tout-Puissant,
> dans l'unité du Saint-Esprit,
> tout honneur et toute gloire,
> pour les siècles des siècles.

AMEN [1].

---

1. Doxologio post precem eucharisticam.

Deuxième partie
La célébration
du mystère chrétien

Fresque de la catacombe de S. Pierre et S. Marcellin, du début du IVe siècle.

La scène représente la rencontre de Jésus avec la femme hémorroïsse. Cette femme, souffrante depuis de longues années, est guérie en touchant le manteau de Jésus par « la force qui était sortie de Lui » (cf. Mc 5, 25-34).

Les sacrements de l'Eglise continuent maintenant les œuvres que le Christ avait accomplies durant sa vie terrestre (cf. § 1115). Les sacrements sont comme ces « forces qui sortent » du Corps du Christ pour nous guérir des blessures du péché et pour nous donner la vie nouvelle du Christ (cf. § 1116).

Cette image symbolise donc la puissance divine et salvatrice du Fils de Dieu qui sauve l'homme tout entier, âme et corps, à travers la vie sacramentelle.

Pourquoi la liturgie ?

Dans le Symbole de la foi, l'Eglise confesse le mystère de la Trinité Sainte et son « dessein bienveillant » (Ep 1, 9) sur toute la création : le Père accomplit le « mystère de sa volonté » en donnant son Fils Bien-aimé et son Esprit Saint pour le salut du monde et pour la gloire de son nom. Tel est le mystère du Christ[1], révélé et réalisé dans l'histoire selon un plan, une « disposition » sagement ordonnée que S. Paul appelle « l'économie du mystère » (Ep 3, 9) et que la tradition patristique appelera « l'économie du Verbe incarné » ou « l'économie du salut ». **1066** *50* *236*

« Cette œuvre de la rédemption des hommes et de la parfaite glorification de Dieu, à quoi avaient prélubé les grandes œuvres divines dans le peuple de l'Ancien Testament, le Christ Seigneur l'a accomplie principalement par le mystère pascal de sa bienheureuse passion, de sa résurrection du séjour des morts et de sa glorieuse ascension ; mystère pascal par lequel "en mourant Il a détruit notre mort, et en ressuscitant Il a restauré la vie". Car c'est du côté du Christ endormi sur la Croix qu'est né "l'admirable sacrement de l'Eglise tout entière[2]." » C'est pourquoi, dans la liturgie, l'Eglise célèbre principalement le mystère pascal par lequel le Christ a accompli l'œuvre de notre salut. **1067** *571*

C'est ce mystère du Christ que l'Eglise annonce et célèbre dans sa liturgie, afin que les fidèles en vivent et en témoignent dans le monde : **1068**

En effet, la liturgie, par laquelle, surtout dans le divin sacrifice de l'Eucharistie, « s'exerce l'œuvre de notre rédemption », contribue au plus haut point à ce que les fidèles, par leur vie, expriment et manifestent aux autres le mystère du Christ et la nature authentique de la véritable Eglise[3].

Que signifie le mot liturgie ?

Le mot « liturgie » signifie originellement « œuvre publique », « service de la part/en faveur du peuple ». Dans la tradition chrétienne il veut signifier que le Peuple de Dieu prend part à « l'œuvre de Dieu[4] ». Par la liturgie, le Christ, notre Rédempteur et Grand Prêtre, continue dans son Eglise, avec elle et par elle, l'œuvre de notre rédemption : **1069**

1. Cf. Ep 3, 4. — 2. SC 5. — 3. SC 2. — 4. Cf. Jn 17, 4.

1070   Le mot « liturgie » dans le Nouveau Testament est employé pour désigner non seulement la célébration du culte divin[1], mais aussi l'annonce de l'Evangile[2] et la charité en acte[3]. Dans toutes ces situations, il s'agit du service de Dieu et des hommes. Dans la célébration liturgique, l'Eglise est servante, à l'image de son Seigneur, l'unique « Liturge[4] », participant à son sacerdoce (culte), prophétique (annonce) et royale (service de charité) :

783

> C'est donc à juste titre que la liturgie est considérée comme l'exercice de la fonction sacerdotale de Jésus-Christ, exercice dans lequel la sanctification de l'homme est signifiée par des signes sensibles et est réalisée d'une manière propre à chacun d'eux, dans lequel le culte public intégral est exercé par le Corps mystique de Jésus-Christ, c'est-à-dire par le Chef et par ses membres. Par suite, toute célébration liturgique, en tant qu'œuvre du Christ prêtre et de son Corps qui est l'Eglise, est l'action sacrée par excellence dont nulle autre action de l'Eglise ne peut atteindre l'efficacité au même titre et au même degré[5].

La liturgie comme source de Vie

1071   Œuvre du Christ, la liturgie est aussi une action de son *Eglise*. Elle réalise et manifeste l'Eglise comme signe visible de la communion de Dieu et des hommes par le Christ. Elle engage les fidèles dans la Vie nouvelle de la communauté. Elle implique une participation « consciente, active et fructueuse » de tous[6].

1692

1072   « La liturgie n'épuise pas tout l'agir ecclésial[7] » : elle doit être précédée par l'évangélisation, la foi et la conversion ; elle peut alors porter ses fruits dans la vie des fidèles : la Vie nouvelle selon l'Esprit, l'engagement dans la mission de l'Eglise et le service de son Unité.

Prière et liturgie

1073   La liturgie est aussi participation à la prière du Christ, adressée au Père dans l'Esprit Saint. En elle toute prière chrétienne trouve sa source et son terme. Par la liturgie, l'homme intérieur est enraciné et fondé[8], dans « le grand amour dont le Père nous a aimés » (Ep 2, 4) dans son Fils

---

1. Cf. Ac 13, 2 ; Lc 1, 23. — 2. Cf. Rm 15, 16 ; Ph 2, 14-17 et Ph 2, 30. — 3. Cf. Rm 15, 27 ; 2 Co 9, 12 ; Ph 2, 25. — 4. Cf. He 8, 2 et 6. — 5. SC 7. — 6. SC 11. — 7. SC 9. — 8. Cf. Ep 3, 16-17.

Bien-aimé. C'est la même « merveille de Dieu » qui est vécue et intériorisée par toute prière, « en tout temps, dans l'Esprit » (Ep 6, 18).   *2558*

Catéchèse et liturgie

« La liturgie est le sommet auquel tend l'action de l'Eglise, et en même temps la source d'où découle toute sa vigueur[1]. » Elle est donc le lieu privilégié de la catéchèse du Peuple de Dieu. « La catéchèse est intrinsèquement reliée à toute l'action liturgique et sacramentelle, car c'est dans les sacrements, et surtout dans l'Eucharistie, que le Christ Jésus agit en plénitude pour la transformation des hommes[2]. »   1074

La catéchèse liturgique vise à introduire dans le mystère du Christ (elle est « mystagogie »), en procédant du visible à l'invisible, du signifiant au signifié, des « sacrements » aux « mystères ». Une telle catéchèse est du ressort des caté-chismes locaux et régionaux. Le présent Catéchisme, qui se veut au service de toute l'Eglise, dans la diversité de ses rites et de ses cultures[3], présentera ce qui est fondamental et commun à toute l'Eglise concernant la liturgie comme mys-tère et comme célébration *(première section)* puis les sept sacrements et les sacramentaux *(deuxième section)*.   1075
      426
      774

1. SC 10. — 2. Jean-Paul II, CT 23. — 3. Cf. SC 3-4.

L'économie sacramentelle

Le jour de la Pentecôte, par l'effusion de l'Esprit Saint, 1076
l'Eglise est manifestée au monde[1]. Le don de l'Esprit inaugure un temps nouveau dans la « dispensation du mystère » :
le temps de l'Eglise, durant lequel le Christ manifeste, rend
présent et communique son œuvre de salut par la liturgie de
son Eglise, « jusqu'à ce qu'Il vienne » (1 Co 11, 26). Durant
ce temps de l'Eglise, le Christ vit et agit désormais dans son 739
Eglise et avec elle d'une manière nouvelle, propre à ce
temps nouveau. Il agit par les sacrements ; c'est cela que la
Tradition commune de l'Orient et de l'Occident appelle
« l'économie sacramentelle » ; celle-ci consiste en la communication (ou « dispensation ») des fruits du mystère pascal du Christ dans la célébration de la liturgie « sacramentelle » de l'Eglise.

C'est pourquoi il importe de mettre d'abord en lumière
cette « dispensation sacramentelle » *(chapitre premier)*.
Ainsi apparaîtront plus clairement la nature et les aspects
essentiels de la célébration liturgique *(chapitre deuxième)*.

Le mystère pascal
dans le temps de l'Église

ARTICLE 1
La liturgie – œuvre de la Sainte Trinité

I. Le Père, source et fin de la liturgie

« Béni soit le Dieu et Père de notre Seigneur Jésus-Christ, 1077
qui nous a bénis par toutes sortes de bénédictions spiri- 492
tuelles, aux Cieux, dans le Christ. C'est ainsi qu'Il nous a

1. Cf. SC 6 ; LG 2.

élus en Lui, dès avant la fondation du monde, pour être saints et immaculés en sa présence, dans l'amour, déterminant d'avance que nous serions pour Lui des fils adoptifs par Jésus-Christ. Tel fut le bon plaisir de sa volonté, à la louange de gloire de sa grâce, dont Il nous a gratifiés dans le Bien-Aimé » (Ep 1, 3-6).

1078
2626   Bénir est une action divine qui donne la vie et dont le Père est la source. Sa bénédiction est à la fois parole et don *(bene-dictio, eu-logia)*. Appliqué à l'homme, ce terme signifiera l'adoration et la remise à son Créateur dans l'action de grâces.

1079   Du commencement jusqu'à la consommation des temps, toute l'œuvre de Dieu est *bénédiction*. Du poème liturgique de la première création aux cantiques de la Jérusalem céleste, les auteurs inspirés annoncent le dessein du salut comme une immense bénédiction divine.

1080   Dès le commencement, Dieu bénit les êtres vivants, spécialement l'homme et la femme. L'alliance avec Noé et avec tous les êtres animés renouvelle cette bénédiction de fécondité, malgré le péché de l'homme par lequel le sol est « maudit ». Mais c'est à partir d'Abraham que la bénédiction divine pénètre l'histoire des hommes, qui allait vers la mort, pour la faire remonter à la vie, à sa source : par la foi du « père des croyants » qui accueille la bénédiction est inaugurée l'histoire du salut.

1081   Les bénédictions divines se manifestent en événements étonnants et sauveurs : la naissance d'Isaac, la sortie d'Egypte (Pâque et Exode), le don de la Terre promise, l'élection de David, la Présence de Dieu dans le temple, l'exil purificateur et le retour d'un « petit Reste ». La Loi, les Prophètes et les Psaumes qui tissent la liturgie du Peuple élu, à la fois rappellent ces bénédictions divines et y répondent par les bénédictions de louange et d'action de grâces.

1082   Dans la liturgie de l'Eglise, la bénédiction divine est pleinement révélée et communiquée : le Père est reconnu et adoré comme la Source et la Fin de toutes les bénédictions de la création et du salut ; dans son Verbe, incarné, mort et ressuscité pour nous, Il nous comble de ses bénédictions, et par Lui Il répand en nos cœurs le Don qui contient tous les dons : l'Esprit Saint.

1083
2627   On comprend alors la double dimension de la liturgie chrétienne comme réponse de foi et d'amour aux « bénédictions spirituelles » dont le Père nous gratifie. D'une part,

l'Eglise, unie à son Seigneur et « sous l'action de l'Esprit Saint » (Lc 10, 21), bénit le Père « pour son Don ineffable » (2 Co 9, 15) par l'adoration, la louange et l'action de grâces. D'autre part, et jusqu'à la consommation du dessein de Dieu, l'Eglise ne cesse d'offrir au Père « l'offrande de ses propres dons » et de L'implorer d'envoyer l'Esprit Saint sur *1360* celle-ci, sur elle-même, sur les fidèles et sur le monde entier, afin que, par la communion à la mort et à la résurrection du Christ-Prêtre et par la puissance de l'Esprit, ces bénédictions divines portent des fruits de vie « à la louange de gloire de sa grâce » (Ep 1, 6).

II. L'œuvre du Christ dans la liturgie

Le Christ glorifié...

« Assis à la droite du Père » et répandant l'Esprit Saint en 1084
son Corps qui est l'Eglise, le Christ agit désormais par les *662*
sacrements, institués par Lui pour communiquer sa grâce.
Les sacrements sont des signes sensibles (paroles et actions), accessibles à notre humanité actuelle. Ils réalisent efficacement la grâce qu'ils signifient en vertu de l'action *1127* du Christ et par la puissance de l'Esprit Saint.

Dans la liturgie de l'Eglise, le Christ signifie et réalise 1085 principalement son mystère pascal. Durant sa vie terrestre, Jésus annonçait par son enseignement et anticipait par ses actes son mystère pascal. Quand son Heure est venue[1], Il vit l'unique événement de l'histoire qui ne passe pas : Jésus meurt, est enseveli, ressuscite d'entre les morts et est assis à la droite du Père « une fois pour toutes » (Rm 6, 10 ; He 7, 27 ; 9, 12). C'est un événement réel, advenu dans notre histoire, mais il est unique : tous les autres événements de l'histoire arrivent une fois, puis ils passent, engloutis dans le passé. Le mystère pascal du Christ, par contre, ne peut pas rester seulement dans le passé, puisque par sa Mort il a détruit la mort, et que tout ce que le Christ est, et tout ce *519* qu'Il a fait et souffert pour tous les hommes, participe de l'éternité divine et surplombe ainsi tous les temps et y est rendu présent. L'Evénement de la Croix et de la Résurrection *demeure* et attire tout vers la Vie. *1165*

... dès l'Église des apôtres...

« De même que le Christ fut envoyé par le Père, ainsi 1086
Lui-même envoya ses apôtres, remplis de l'Esprit Saint, non *858*
seulement pour que, prêchant l'Evangile à toute créature, ils

---

1. Cf. Jn 13, 1 ; 17, 1.

annoncent que le Fils de Dieu, par sa mort et par sa résurrection, nous a délivrés du pouvoir de Satan ainsi que de la
mort, et nous a transférés dans le Royaume de son Père,
mais aussi afin qu'ils exercent cette œuvre de salut qu'ils
annonçaient, par le Sacrifice et les sacrements autour desquels gravite toute la vie liturgique[1]. »

1087   Ainsi, le Christ ressuscité, en donnant l'Esprit Saint aux
apôtres, leur confie son pouvoir de sanctification[2] : ils
deviennent signes sacramentels du Christ. Par la puissance
du même Esprit Saint, ils confient ce pouvoir à leurs succes-
861   seurs. Cette « succession apostolique » structure toute la vie
liturgique de l'Eglise ; elle est elle-même sacramentelle,
1536   transmise par le sacrement de l'Ordre.

... est présent dans la liturgie terrestre...

1088   « Pour l'accomplissement d'une si grande œuvre » – la
dispensation ou communication de son œuvre de salut –,
776, 669   « le Christ est toujours là auprès de son Eglise, surtout dans
les actions liturgiques. Il est là présent dans le Sacrifice de
la Messe, et dans la personne du ministre, "le même offrant
maintenant par le ministère des prêtres qui s'offrit alors Lui-
même sur la Croix" et, au plus haut point, sous les espèces
1373   eucharistiques. Il est là présent par sa vertu dans les sacrements, au point que lorsque quelqu'un baptise, c'est le
Christ Lui-même qui baptise. Il est là présent dans sa parole,
car c'est Lui qui parle tandis qu'on lit dans l'Eglise les
Saintes Ecritures. Enfin Il est là présent lorsque l'Eglise prie
et chante les psaumes, Lui qui a promis : "Là où deux ou
trois sont rassemblés en mon nom, je suis là, au milieu
d'eux" (Mt 18, 20)[3]. »

1089   « Pour l'accomplissement de cette grande œuvre par
laquelle Dieu est parfaitement glorifié et les hommes sancti-
796   fiés, le Christ s'associe toujours l'Eglise, son Epouse bien-
aimée, qui L'invoque comme son Seigneur et qui passe par
Lui pour rendre son culte au Père Eternel[4]. »

... qui participe à la liturgie céleste

1090   « Dans la liturgie terrestre nous participons par un avant-
1137-1139   goût à cette liturgie céleste qui se célèbre dans la sainte cité
de Jérusalem à laquelle nous tendons comme des voyageurs,

1. SC 6. — 2. Cf. Jn 20, 21-23. — 3. SC 7. — 4. SC 7.

où le Christ siège à la droite de Dieu, comme ministre du sanctuaire et du vrai tabernacle ; avec toute l'armée de la milice céleste, nous chantons au Seigneur l'hymne de gloire ; en vénérant la mémoire des saints, nous espérons partager leur société ; nous attendons comme Sauveur notre Seigneur Jésus-Christ, jusqu'à ce que Lui-même se manifeste, Lui qui est notre vie, et alors nous serons manifestés avec Lui dans la gloire [1]. »

III. L'Esprit Saint et l'Église dans la liturgie

Dans la liturgie l'Esprit Saint est le pédagogue de la foi du Peuple de Dieu, l'artisan des « chefs-d'œuvre de Dieu » que sont les sacrements de la Nouvelle Alliance. Le désir et l'œuvre de l'Esprit au cœur de l'Eglise est que nous vivions de la vie du Christ ressuscité. Quand Il rencontre en nous la réponse de foi qu'Il a suscitée, il se réalise une véritable coopération. Par elle, la liturgie devient l'œuvre commune de l'Esprit Saint et de l'Eglise.

1091
798

Dans cette dispensation sacramentelle du mystère du Christ, l'Esprit Saint agit de la même manière que dans les autres temps de l'économie du salut : Il prépare l'Eglise à rencontrer son Seigneur ; Il rappelle et manifeste le Christ à la foi de l'assemblée ; Il rend présent et actualise le mystère du Christ par sa puissance transformante ; enfin, l'Esprit de communion unit l'Eglise à la vie et à la mission du Christ.

1092
737

L'Esprit Saint prépare à accueillir le Christ

L'Esprit Saint accomplit dans l'économie sacramentelle les figures de l'*Ancienne Alliance*. Puisque l'Eglise du Christ était « admirablement préparée dans l'histoire du peuple d'Israël et dans l'Ancienne Alliance [2] », la liturgie de l'Eglise garde comme une partie intégrante et irremplaçable, en les faisant siens, des éléments du culte de l'Ancienne Alliance :
– principalement la lecture de l'Ancien Testament ;
– la prière des Psaumes ;
– et surtout la mémoire des événements sauveurs et des réalités significatives qui ont trouvé leur accomplissement dans le mystère du Christ (la promesse et l'alliance, l'Exode et la Pâque, le Royaume et le Temple, l'Exil et le Retour).

1093
762

121
2585
1081

1. SC 8 ; cf. LG 50. — 2. LG 2.

1094   C'est sur cette harmonie des deux Testaments[1] que s'arti-
128-130 cule la catéchèse Pascale du Seigneur[2], puis celle des
apôtres et des Pères de l'Eglise. Cette catéchèse dévoile ce
qui demeurait caché sous la lettre de l'Ancien Testament : le
mystère du Christ. Elle est appelée « typologique » parce
qu'elle révèle la nouveauté du Christ à partir des « figures »
(types) qui l'annonçaient dans les faits, les paroles, et les
symboles de la première alliance. Par cette relecture dans
l'Esprit de Vérité à partir du Christ, les figures sont dévoi-
lées[3]. Ainsi, le déluge et l'arche de Noé préfiguraient le
salut par le Baptême[4], la Nuée et la traversée de la mer
Rouge également, et l'eau du rocher était la figure des dons
spirituels du Christ[5]; la manne au désert préfigurait l'Eucharistie, « le vrai Pain du Ciel » (Jn 6, 32).

1095   C'est pourquoi l'Eglise, spécialement lors des temps de
281 l'Avent, du Carême et surtout dans la nuit de Pâques, relit et
revit tous ces grands événements de l'histoire du salut dans
l'« aujourd'hui » de sa liturgie. Mais cela exige aussi que la
catéchèse aide les fidèles à s'ouvrir à cette intelligence « spi-
117 rituelle » de l'économie du salut, telle que la liturgie de
l'Eglise la manifeste et nous la fait vivre.

1096   *Liturgie juive et liturgie chrétienne.* Une meilleure connaissance
de la foi et de la vie religieuse du peuple juif, telles qu'elles sont
professées et vécues encore maintenant, peut aider à mieux
comprendre certains aspects de la liturgie chrétienne. Pour les juifs
et pour les chrétiens l'Ecriture Sainte est une part essentielle de
leurs liturgies : pour la proclamation de la Parole de Dieu, la
réponse à cette Parole, la prière de louange et d'intercession pour
les vivants et les morts, le recours à la miséricorde divine. La liturgie de la Parole, dans sa structure propre, trouve son origine dans la
1174 prière juive. La prière des Heures et autres textes et formulaires
liturgiques y ont leurs parallèles, ainsi que les formules mêmes de
nos prières les plus vénérables, dont le Pater. Les prières eucharis-
1352 tiques s'inspirent aussi de modèles de la tradition juive. Le rapport
entre liturgie juive et liturgie chrétienne, mais aussi la différence de
leurs contenus, sont particulièrement visibles dans les grandes fêtes
de l'année liturgique, comme la Pâque. Les chrétiens et les juifs
841 célèbrent la Pâque : Pâque de l'histoire, tendue vers l'avenir chez
les juifs ; Pâque accomplie dans la mort et la Résurrection du Christ
chez les chrétiens, bien que toujours en attente de la consommation
définitive.

1097   Dans la *liturgie de la Nouvelle Alliance*, toute action liturgique, spécialement la célébration de l'Eucharistie et des
sacrements, est une rencontre entre le Christ et l'Eglise.

1. Cf. DV 14-16. — 2. Cf. Lc 24, 13-49. — 3. Cf. 2 Co 3, 14-16. — 4. Cf. 1 P 3,
21. — 5. Cf. 1 Co 10, 1-6.

L'assemblée liturgique tient son unité de la « communion de l'Esprit Saint » qui rassemble les enfants de Dieu dans l'unique Corps du Christ. Elle dépasse les affinités humaines, raciales, culturelles et sociales.

L'assemblée doit se *préparer* à rencontrer son Seigneur, être « un peuple bien disposé » (Lc 1, 17). Cette préparation des cœurs est l'œuvre commune de l'Esprit Saint et de l'assemblée, en particulier de ses ministres. La grâce de l'Esprit Saint cherche à éveiller la foi, la conversion du cœur et l'adhésion à la volonté du Père. Ces dispositions sont présupposées à l'accueil des autres grâces offertes dans la célébration elle-même et aux fruits de Vie nouvelle qu'elle est destinée à produire ensuite. 1098

1430

L'Esprit Saint rappelle le mystère du Christ

L'Esprit et l'Eglise coopèrent à manifester le Christ et son œuvre de salut dans la liturgie. Principalement dans l'Eucharistie, et analogiquement dans les autres sacrements, la liturgie est *Mémorial* du mystère du salut. L'Esprit Saint est la mémoire vivante de l'Eglise[1]. 1099

91

La *Parole de Dieu*. L'Esprit Saint rappelle d'abord à l'assemblée liturgique le sens de l'événement du salut en donnant vie à la Parole de Dieu qui est annoncée pour être reçue et vécue : 1100

1134

> Dans la célébration de la liturgie, la Sainte Ecriture a une importance extrême. C'est d'elle que sont tirés les textes que l'on lit et que l'homélie explique, ainsi que les psaumes que l'on chante ; c'est sous son inspiration et dans son élan que les prières, les oraisons et les hymnes liturgiques ont jailli, et c'est d'elle aussi que les actions et les symboles reçoivent leur signification[2].

103, 131

C'est l'Esprit Saint qui donne aux lecteurs et aux auditeurs, selon les dispositions de leurs cœurs, l'intelligence spirituelle de la Parole de Dieu. A travers les paroles, les actions et les symboles qui forment la trame d'une célébration, Il met les fidèles et les ministres en relation vivante avec le Christ, Parole et Image du Père, afin qu'ils puissent faire passer dans leur vie le sens de ce qu'ils entendent, contemplent et font dans la célébration. 1101

117

1. Cf. Jn 14, 26. — 2. SC 24.

1102   « C'est la Parole du salut qui nourrit la foi dans le cœur
des chrétiens : c'est elle qui donne naissance et croissance à
la communion des chrétiens [1]. » L'annonce de la Parole de
Dieu ne s'arrête pas à un enseignement : elle appelle la
143 réponse de foi, comme consentement et engagement, en vue
de l'alliance entre Dieu et son peuple. C'est encore l'Esprit
Saint qui donne la grâce de la foi, la fortifie et la fait croître
dans la communauté. L'assemblée liturgique est d'abord
communion dans la foi.

1103   L'*Anamnèse.* La célébration liturgique se réfère toujours
1362 aux interventions salvifiques de Dieu dans l'histoire.
« L'économie de la révélation se fait par des actions et des
paroles, étroitement liées entre elles (...). Les paroles proclament les œuvres et font découvrir le mystère qui s'y trouve
contenu [2]. » Dans la liturgie de la Parole l'Esprit Saint « rappelle » à l'assemblée tout ce que le Christ a fait pour nous.
Selon la nature des actions liturgiques et les traditions
rituelles des Églises, une célébration « fait mémoire » des
merveilles de Dieu dans une Anamnèse plus ou moins développée. L'Esprit Saint, qui éveille ainsi la mémoire de
l'Église, suscite alors l'action de grâces et la louange (*Doxologie*).

L'Esprit Saint actualise le mystère du Christ

1104   La liturgie chrétienne non seulement rappelle les événements qui nous ont sauvés, mais les actualise, les rend présents. Le mystère pascal du Christ est célébré, il n'est pas
1085 répété ; ce sont les célébrations qui se répètent ; en chacune
d'elle survient l'effusion de l'Esprit Saint qui actualise
l'unique mystère.

1105   L'*Epiclèse* (« invocation-sur ») est l'intercession en
1153 laquelle le prêtre supplie le Père d'envoyer l'Esprit Sanctificateur pour que les offrandes deviennent le corps et le sang
du Christ et qu'en les recevant les fidèles deviennent eux-
même une vivante offrande à Dieu.

1106   Avec l'Anamnèse, l'Epiclèse est au cœur de chaque célébration sacramentelle, plus particulièrement de l'Eucharistie :

1375   Tu demandes comment le pain devient Corps du Christ, et
le vin (...) Sang du Christ ? Moi, je te dis : le Saint-Esprit
fait irruption et accomplit cela qui surpasse toute parole et

1. PO 4. — 2. DV 2.

toute pensée. (...) Qu'il te suffise d'entendre que c'est par le Saint-Esprit, de même que c'est de la Sainte Vierge et par le Saint-Esprit que le Seigneur, par Lui-même et en Lui-même, assuma la chair[1].

La puissance transformante de l'Esprit Saint dans la liturgie hâte la venue du Royaume et la consommation du mystère du salut. Dans l'attente et dans l'espérance il nous fait réellement anticiper la communion plénière de la Trinité Sainte. Envoyé par le Père qui exauce l'Epiclèse de l'Eglise, l'Esprit donne la vie à ceux qui l'accueillent, et constitue pour eux, dès maintenant, les « arrhes » de leur héritage[2]. **1107** *2816*

La communion de l'Esprit Saint

Le terme de la mission de l'Esprit Saint dans toute action liturgique est de nous mettre en communion avec le Christ pour former son Corps. L'Esprit Saint est comme la sève de la Vigne du Père qui porte son fruit dans les sarments[3]. Dans la liturgie se réalise la coopération la plus intime de l'Esprit Saint et de l'Eglise. Lui, l'Esprit de communion, demeure indéfectiblement dans l'Eglise, et c'est pourquoi l'Eglise est le grand sacrement de la communion divine qui rassemble les enfants de Dieu dispersés. Le fruit de l'Esprit dans la liturgie est inséparablement communion avec la Trinité Sainte et communion fraternelle[4]. **1108** *788* *1091* *775*

L'Epiclèse est aussi la prière pour le plein effet de la communion de l'assemblée au mystère du Christ. « La grâce de notre Seigneur Jésus-Christ, l'amour de Dieu le Père et la communion du Saint-Esprit » (2 Co 13, 13) doivent demeurer toujours avec nous et porter des fruits au-delà de la célébration eucharistique. L'Eglise prie donc le Père d'envoyer l'Esprit Saint pour qu'Il fasse de la vie des fidèles une vivante offrande à Dieu par la transformation spirituelle à l'image du Christ, le souci de l'unité de l'Eglise et la participation à sa mission par le témoignage et le service de la charité. **1109** *1368*

EN BREF
Dans la liturgie de l'Eglise, Dieu le Père est béni et adoré comme la source de toutes les bénédictions de la création et du salut, dont Il nous a bénis en son Fils, pour nous donner l'Esprit de l'adoption filiale. **1110**

---

1. S. Jean Damascène, f. o. 4, 13. — 2. Cf. Ep 1, 14 ; 2 Co 1, 22. — 3. Cf. Jn 15, 1-17 ; Ga 5, 22. — 4. Cf. 1 Jn 1, 3-7.

1111   *L'œuvre du Christ dans la liturgie est sacramentelle parce que son mystère de salut y est rendu présent par la puissance de son Esprit Saint; parce que son Corps, qui est l'Eglise, est comme le sacrement (signe et instrument) dans lequel l'Esprit Saint dispense le mystère du salut; parce qu'à travers ses actions liturgiques, l'Eglise pérégrinante participe déjà, en avant-goût, à la liturgie céleste.*

1112   *La mission de l'Esprit Saint dans la liturgie de l'Eglise est de préparer l'assemblée à rencontrer le Christ; de rappeler et de manifester le Christ à la foi de l'assemblée; de rendre présente et d'actualiser l'œuvre salvifique du Christ par sa puissance transformante et de faire fructifier le don de la communion dans l'Eglise.*

Article 2

Le mystère pascal
dans les sacrements de l'Église

1113   Toute la vie liturgique de l'Eglise gravite autour du Sacri-
1210 fice eucharistique et des sacrements[1]. Il y a dans l'Eglise sept sacrements : le Baptême, la Confirmation ou Chrismation, l'Eucharistie, la Pénitence, l'Onction des malades, l'Ordre, le Mariage[2]. Dans cet article, il s'agit de ce qui est commun aux sept sacrements de l'Eglise, du point de vue doctrinal. Ce qui leur est commun sous l'aspect de la célébration sera exposé au chapitre II, et ce qui est propre à chacun d'eux fera l'objet de la section II.

I. Les sacrements du Christ

1114   « Attachés à la doctrine des Saintes Ecritures, aux traditions apostoliques (...) et au sentiment unanime des Pères[3] », nous professons que « les sacrements de la Loi nouvelle ont tous été institués par notre Seigneur Jésus-Christ[4] ».

1115   Les paroles et les actions de Jésus durant sa vie cachée et
512-560 son ministère public étaient déjà salvifiques. Elles anticipaient la puissance de son mystère pascal. Elles annon-

---

1. Cf. SC 6. — 2. Cf. DS 860; 1310; 1601. — 3. DS 1600. — 4. DS 1601.

çaient et préparaient ce qu'il allait donner à l'Eglise lorsque tout serait accompli. Les mystères de la vie du Christ sont les fondements de ce que, désormais, par les ministres de son Eglise, le Christ dispense dans les sacrements, car « ce qui était visible en notre Sauveur est passé dans ses mystères[1] ».

« Forces qui sortent » du Corps du Christ[2], toujours vivant et vivifiant, actions de l'Esprit Saint à l'œuvre dans son Corps qui est l'Eglise, les sacrements sont « les chefs-d'œuvre de Dieu » dans la nouvelle et éternelle alliance.

1116

1504, 774

II. Les sacrements de l'Église

Par l'Esprit qui la conduit « dans la vérité tout entière » (Jn 16, 13), l'Eglise a reconnu peu à peu ce trésor reçu du Christ et en a précisé la « dispensation », comme elle l'a fait pour le canon des Saintes Ecritures et la doctrine de la foi, en fidèle intendante des mystères de Dieu[3]. Ainsi, l'Eglise a discerné au cours des siècles que, parmi ses célébrations liturgiques il y en a sept qui sont, au sens propre du terme, des sacrements institués par le Seigneur.

1117

120

Les sacrements sont « de l'Eglise » en ce double sens qu'ils sont « par elle » et « pour elle ». Ils sont « par l'Eglise » car celle-ci est le sacrement de l'action du Christ opérant en elle grâce à la mission de l'Esprit Saint. Et ils sont « pour l'Eglise », ils sont ces « sacrements qui font l'Eglise[4] », puisqu'ils manifestent et communiquent aux hommes, surtout dans l'Eucharistie, le mystère de la communion du Dieu Amour, Un en trois Personnes.

1118

1396

Formant avec le Christ-Tête « comme une unique personne mystique[5] », l'Eglise agit dans les sacrements comme « communauté sacerdotale », « organiquement structurée[6] » : par le Baptême et la Confirmation, le peuple sacerdotal est rendu apte à célébrer la liturgie ; d'autre part, certains fidèles, « revêtus d'un Ordre sacré, sont établis au nom du Christ pour paître l'Eglise par la parole et la grâce de Dieu[7] ».

1119

792

---

1. S. Léon le Grand, serm. 74, 2. — 2. Cf. Lc 5, 17 ; 6, 19 ; 8, 46. — 3. Cf. Mt 13, 52 ; 1 Co 4, 1. — 4. S. Augustin, civ. 22, 17 ; cf. S. Thomas d'A., s. th. 3, 64, 2, ad 3. — 5. Pie XII, enc. « Mystici Corporis ». — 6. LG 11. — 7. LG 11.

1120   Le ministère ordonné ou sacerdoce *ministériel*[1] est au
1547   service du sacerdoce baptismal. Il garantit que, dans les
sacrements, c'est bien le Christ qui agit par l'Esprit Saint
pour l'Eglise. La mission de salut confiée par le Père à son
Fils incarné est confiée aux apôtres et par eux à leurs successeurs : ils reçoivent l'Esprit de Jésus pour agir en son
nom et en sa personne[2]. Ainsi, le ministre ordonné est le
lien sacramentel qui relie l'action liturgique à ce qu'ont dit
et fait les apôtres, et, par eux, à ce qu'a dit et fait le Christ,
source et fondement des sacrements.

1121   Les trois sacrements du Baptême, de la Confirmation et
de l'Ordre confèrent, en plus de la grâce, un *caractère* sacra-
1272,   mentel ou « sceau » par lequel le chrétien participe au sacer-
1304, 1582   doce du Christ et fait partie de l'Eglise selon des états et des
fonctions diverses. Cette configuration au Christ et à
l'Eglise, réalisée par l'Esprit, est indélébile[3], elle demeure
pour toujours dans le chrétien comme disposition positive
pour la grâce, comme promesse et garantie de la protection
divine et comme vocation au culte divin et au service de
l'Eglise. Ces sacrements ne peuvent donc jamais être réitérés.

III. Les sacrements de la foi

1122   Le Christ a envoyé ses apôtres afin que « en son nom, ils
proclament à toutes les nations la conversion en vue de la
rémission des péchés » (Lc 24, 47). « De toutes les nations
faites des disciples, les baptisant au nom du Père, du Fils et
849   du Saint-Esprit » (Mt 28, 19). La mission de baptiser, donc
la mission sacramentelle, est impliquée dans la mission
d'évangéliser, parce que le sacrement est préparé *par la*
1236   *Parole de Dieu et par la foi* qui est consentement à cette
Parole :

> Le Peuple de Dieu est rassemblé d'abord par la Parole du
> Dieu vivant. (...) La proclamation de la Parole est indispen-
> sable au ministère sacramentel, puisqu'il s'agit des sacre-
> ments de la foi et que celle-ci a besoin de la Parole pour
> naître et se nourrir[4].

1123   « Les sacrements ont pour fin de sanctifier les hommes,
d'édifier le Corps du Christ, enfin de rendre le culte à Dieu ;
mais, à titre de signes, ils ont aussi un rôle d'enseignement.

---

1. LG 10. — 2. Cf. Jn 20, 21-23 ; Lc 24, 47 ; Mt 28, 18-20. — 3. Cc. Trente :
DS 1609. — 4. PO 4.

Non seulement ils supposent la foi, mais encore, par les paroles et par les choses, ils la nourrissent, ils la fortifient, *1154* ils l'expriment ; c'est pourquoi ils sont dits sacrements *de la foi*[1]. »

La foi de l'Eglise est antérieure à la foi du fidèle, qui est *1124* invité à y adhérer. Quand l'Eglise célèbre les sacrements, *166* elle confesse la foi reçue des apôtres. De là, l'adage ancien : « *Lex orandi, lex credendi* » (ou : « *Legem credendi lex statuat supplicandi* », selon Prosper d'Aquitaine[2] [ve siècle]). *1327* La loi de la prière est la loi de la foi, l'Eglise croit comme elle prie. La liturgie est un élément constituant de la sainte et vivante Tradition[3]. *78*

C'est pourquoi aucun rite sacramentel ne peut être modi- *1125* fié ou manipulé au gré du ministre ou de la communauté. *1205* Même l'autorité suprême dans l'Eglise ne peut changer la liturgie à son gré, mais seulement dans l'obéissance de la foi et dans le respect religieux du mystère de la liturgie.

Par ailleurs, puisque les sacrements expriment et déve- *1126* loppent la communion de foi dans l'Eglise, la *lex orandi* est *815* l'un des critères essentiels du dialogue qui cherche à restaurer l'unité des chrétiens[4].

IV. Les sacrements du salut

Célébrés dignement dans la foi, les sacrements confèrent *1127* la grâce qu'ils signifient[5]. Ils sont *efficaces* parce qu'en eux *1084* le Christ Lui-même est à l'œuvre : c'est Lui qui baptise, c'est Lui qui agit dans ses sacrements afin de communiquer la grâce que le sacrement signifie. Le Père exauce toujours la prière de l'Eglise de son Fils qui, dans l'épiclèse de *1105* chaque sacrement, exprime sa foi en la puissance de l'Esprit. Comme le feu transforme en lui tout ce qu'il *696* touche, l'Esprit Saint transforme en Vie divine ce qui est soumis à sa puissance.

C'est là le sens de l'affirmation de l'Eglise[6] : les sacre- *1128* ments agissent *ex opere operato* (littéralement : « par le fait même que l'action est accomplie »), c'est-à-dire en vertu de l'œuvre salvifique du Christ, accomplie une fois pour toutes.

1. SC 59. — 2. Ind. c8 : DS 246. — 3. Cf. DV 8. — 4. Cf. UR 2 et 15. — 5. Cf. Cc. Trente : DS 1605 et 1606. — 6. Cf. Cc. Trente : DS 1608.

Il s'ensuit que « le sacrement n'est pas réalisé par la justice de l'homme qui le donne ou le reçoit, mais par la puissance
1584 de Dieu[1] ». Dès lors qu'un sacrement est célébré conformément à l'intention de l'Eglise, la puissance du Christ et de son Esprit agit en lui et par lui, indépendamment de la sainteté personnelle du ministre. Cependant, les fruits des sacrements dépendent aussi des dispositions de celui qui les reçoit.

1129   L'Eglise affirme que pour les croyants les sacrements de la Nouvelle Alliance sont *nécessaires au salut*[2]. La « grâce
1257, 2003 sacramentelle » est la grâce de l'Esprit Saint donnée par le Christ et propre à chaque sacrement. L'Esprit guérit et transforme ceux qui le reçoivent en les conformant au Fils de Dieu. Le fruit de la vie sacramentelle, c'est que l'Esprit
460 d'adoption déifie[3] les fidèles en les unissant vitalement au Fils unique, le Sauveur.

V. Les sacrements de la vie éternelle

1130   L'Eglise célèbre le mystère de son Seigneur « jusqu'à ce qu'Il vienne » et que « Dieu soit tout en tous » (1 Co 11, 26 ; 15, 28). Dès l'âge apostolique la liturgie est attirée vers son terme par le gémissement de l'Esprit dans l'Eglise :
2817 « *Marana tha!* » (1 Co 16, 22.) La liturgie participe ainsi au désir de Jésus : « J'ai désiré d'un grand désir manger cette Pâque avec vous (...) jusqu'à ce qu'elle s'accomplisse dans le Royaume de Dieu » (Lc 22, 15-16). Dans les sacrements
950 du Christ, l'Eglise reçoit déjà les arrhes de son héritage, elle participe déjà à la vie éternelle, tout en « attendant la bienheureuse espérance et l'avènement de la gloire de notre grand Dieu et Sauveur, le Christ Jésus » (Tt 2, 13). « L'Esprit et l'Epouse disent : Viens ! (...) Viens, Seigneur Jésus ! » (Ap 22, 17. 20.)

> S. Thomas résume ainsi les différentes dimensions du signe sacramentel : « Le sacrement est le signe qui remémore ce qui a précédé, à savoir la passion du Christ ; qui met en évidence ce qui s'opère en nous par la passion du Christ, à savoir, la grâce ; qui pronostique, je veux dire qui annonce à l'avance la Gloire à venir[4]. »

1. S. Thomas d'A., s. th. 3, 68, 8. — 2. Cf. Cc. Trente : DS 1604. — 3. Cf. 2 P 1, 4. — 4. S. th. 3, 60, 3.

EN BREF

Les sacrements sont des signes efficaces de la grâce, insti- 1131
tués par le Christ et confiés à l'Eglise, par lesquels la vie
divine nous est dispensée. Les rites visibles sous lesquels les
sacrements sont célébrés, signifient et réalisent les grâces
propres de chaque sacrement. Ils portent fruit en ceux qui
les reçoivent avec les dispositions requises.

L'Eglise célèbre les sacrements comme communauté sacer- 1132
dotale structurée par le sacerdoce baptismal et celui des
ministres ordonnés.

L'Esprit Saint prépare aux sacrements par la Parole de 1133
Dieu et par la foi qui accueille la Parole dans les cœurs
bien disposés. Alors, les sacrements fortifient et expriment
la foi.

Le fruit de la vie sacramentelle est à la fois personnel et 1134
ecclésial. D'une part ce fruit est pour tout fidèle la vie pour
Dieu dans le Christ Jésus; d'autre part il est pour l'Eglise
croissance dans la charité et dans sa mission de témoi-
gnage.

CHAPITRE DEUXIÈME

La célébration sacramentelle du mystère pascal

La catéchèse de la liturgie implique d'abord l'intelligence 1135
de l'économie sacramentelle *(chapitre premier).* A cette
lumière se révèle la nouveauté de sa *célébration.* Il s'agira
donc, dans ce chapitre, de la célébration des sacrements de
l'Eglise. On envisagera ce qui, à travers la diversité des traditions liturgiques, est commun à la célébration des sept
sacrements; ce qui est propre à chacun d'eux sera présenté
plus loin. Cette catéchèse fondamentale des célébrations
sacramentelles répondra aux questions premières que se
posent les fidèles à ce sujet:

– Qui célèbre?
– Comment célébrer?
– Quand célébrer?
– Où célébrer?

ARTICLE 1
Célébrer la liturgie de l'Église

I. Qui célèbre ?

1136   La liturgie est « action » du « *Christ tout entier* » *(Christus totus)*. Ceux qui dès maintenant la célèbrent au-delà des signes sont déjà dans la liturgie céleste, là où la célébration *795, 1090* est totalement communion et Fête.

2642 **Les célébrants de la liturgie céleste**

1137   L'Apocalypse de S. Jean, lue dans la liturgie de l'Eglise, nous révèle d'abord dans le ciel un trône dressé, et siégeant sur le trône, Quelqu'un[1] : « le Seigneur Dieu » (Is 6, 1)[2]. Puis l'Agneau, « immolé et debout » (Ap 5, 6)[3] : le Christ crucifié et ressuscité, l'unique Grand Prêtre du véritable *662* sanctuaire[4], le même « qui offre et qui est offert, qui donne et qui est donné[5] ». Enfin, « le fleuve de Vie qui jaillit du trône de Dieu et de l'Agneau » (Ap 22, 1), l'un des plus beaux symboles du Saint-Esprit[6].

1138   « Récapitulés » dans le Christ, participent au service de la louange de Dieu et à l'accomplissement de son dessein : les *335* Puissances célestes[7], toute la création (les quatre Vivants), les serviteurs de l'Ancienne et de la Nouvelle Alliance (les vingt-quatre Vieillards), le nouveau Peuple de Dieu (les cent quarante-quatre mille[8]), en particulier les martyrs « égorgés pour la Parole de Dieu » (Ap 6, 9), et la toute Sainte Mère *1370* de Dieu (la Femme[9] ; l'Epouse de l'Agneau[10]), enfin « une foule immense, impossible à dénombrer, de toute nation, race, peuple et langue » (Ap 7, 9).

1139   C'est à cette liturgie éternelle que l'Esprit et l'Eglise nous font participer lorsque nous célébrons le mystère du salut dans les sacrements.

Les célébrants de la liturgie sacramentelle

1140   C'est toute la *Communauté*, le Corps du Christ uni à son *752, 1348* Chef, qui célèbre. « Les actions liturgiques ne sont pas des actions privées, mais des célébrations de l'Eglise, qui est "le

1. Cf. Ap 4, 2. — 2. Cf. Ez 1, 26-28. — 3. Cf. Jn 1, 29. — 4. Cf. He 4, 14-15 ; 10, 19-21 ; etc. — 5. Liturgie de S. Jean Chrysostome, Anaphore. — 6. Cf. Jn 4, 10-14 ; Ap 21, 6. — 7. Cf. Ap 4-5 ; Is 6, 2-3. — 8. Cf. Ap 7, 1-8 ; 14, 1. — 9. Cf. Ap 12. — 10. Cf. Ap 21, 9.

sacrement de l'unité", c'est-à-dire le peuple saint réuni et organisé sous l'autorité des évêques. C'est pourquoi elles appartiennent au Corps tout entier de l'Eglise, elles le manifestent et elles l'affectent ; mais elles atteignent chacun de ses membres, de façon diverse, selon la diversité des ordres, des fonctions et de la participation effective[1]. » C'est pourquoi aussi « chaque fois que les rites, selon la nature propre de chacun, comportent une célébration commune, avec fréquentation et participation active des fidèles, on soulignera que celle-ci, dans la mesure du possible, doit l'emporter sur leur célébration individuelle et quasi privée[2] ».

1372

L'assemblée qui célèbre est la communauté des baptisés qui, « par la régénération et l'onction de l'Esprit Saint, sont consacrés pour être une maison spirituelle et un sacerdoce saint, pour offrir, moyennant toutes les œuvres du chrétien, des sacrifices spirituels[3] ». Ce « sacerdoce commun » est celui du Christ, unique Prêtre, participé par tous ses membres[4] :

1141

1120

> La Mère Eglise désire beaucoup que tous les fidèles soient amenés à cette participation pleine, consciente et active aux célébrations liturgiques, qui est demandée par la nature de la liturgie elle-même et qui est, en vertu de son Baptême, un droit et un devoir pour le peuple chrétien « race élue, peuple royal, nation sainte, peuple racheté (1 P 2, 9)[5, 6] ».

1268

Mais « tous les membres n'ont pas la même fonction » (Rm 12, 4). Certains membres sont appelés par Dieu, dans et par l'Eglise, à un service spécial de la communauté. Ces serviteurs sont choisis et consacrés par le sacrement de l'Ordre, par lequel l'Esprit Saint les rend aptes à agir en la personne du Christ-Tête pour le service de tous les membres de l'Eglise[7]. Le ministre ordonné est comme « l'icône » du Christ Prêtre. Puisque c'est dans l'Eucharistie que se manifeste pleinement le sacrement de l'Eglise, c'est dans la présidence de l'Eucharistie que le ministère de l'évêque apparaît d'abord, et en communion avec lui, celui des prêtres et des diacres.

1142

1549

1561

En vue de servir les fonctions du sacerdoce commun des fidèles, il existe aussi d'autres *ministères particuliers*, non consacrés par le sacrement de l'Ordre, et dont la fonction est déterminée par les évêques selon les traditions liturgiques et

1143

903

---

1. SC 26. — 2. SC 27. — 3. LG 10. — 4. Cf. LG 10 ; 34 ; PO 2. — 5. Cf. 1 P 2, 4-5. — 6. SC 14. — 7. Cf. PO 2 et 15.

les besoins pastoraux. « Même les servants, les lecteurs, les commentateurs et ceux qui appartiennent à la chorale
1672 s'acquittent d'un véritable ministère liturgique[1]. »

1144   Ainsi, dans la célébration des sacrements, c'est toute l'assemblée qui est « liturge », chacun selon sa fonction, mais dans « l'unité de l'Esprit » qui agit en tous. « Dans les célébrations liturgiques, chacun, ministre ou fidèle, en s'acquittant de sa fonction, fera *seulement* et *totalement* ce qui lui revient en vertu de la nature de la chose et des normes liturgiques[2]. »

II. Comment célébrer ?

1333-1340 **Signes et symboles**

1145   Une célébration sacramentelle est tissée de signes et de
53 symboles. Selon la pédagogie divine du salut, leur signification s'enracine dans l'œuvre de la création et dans la culture humaine, se précise dans les événements de l'Ancienne Alliance et se révèle pleinement dans la personne et l'œuvre du Christ.

1146   *Signes du monde des hommes.* Dans la vie humaine, signes et symboles occupent une place importante.
362, 2702 L'homme, étant un être à la fois corporel et spirituel, exprime et perçoit les réalités spirituelles à travers des signes et des symboles matériels. Comme être social, l'homme a besoin de signes et de symboles pour com-
1879 muniquer avec autrui, par le langage, par des gestes, par des actions. Il en est de même pour sa relation à Dieu.

1147   Dieu parle à l'homme à travers la création visible. Le cos-
299 mos matériel se présente à l'intelligence de l'homme pour qu'il y lise les traces de son Créateur[3]. La lumière et la nuit, le vent et le feu, l'eau et la terre, l'arbre et les fruits parlent de Dieu, symbolisent à la fois sa grandeur et sa proximité.

1148   En tant que créatures, ces réalités sensibles peuvent devenir le lieu d'expression de l'action de Dieu qui sanctifie les hommes, et de l'action des hommes qui rendent leur culte à Dieu. Il en est de même des signes et des symboles de la vie

1. SC 29. — 2. SC 28. — 3. Cf. Sg 13, 1 ; Rm 1, 19-20 ; Ac 14, 17.

sociale des hommes : laver et oindre, rompre le pain et partager la coupe peuvent exprimer la présence sanctifiante de Dieu et la gratitude de l'homme devant son Créateur.

Les grandes religions de l'humanité témoignent, souvent de façon impressionnante, de ce sens cosmique et symbolique des rites religieux. La liturgie de l'Eglise présuppose, intègre et sanctifie des éléments de la création et de la culture humaine en leur conférant la dignité de signes de la grâce, de la création nouvelle en Jésus-Christ. **1149** *843*

Signes de l'alliance. Le peuple élu reçoit de Dieu des signes et des symboles distinctifs qui marquent sa vie liturgique : ce ne sont plus seulement des célébrations de cycles cosmiques et des gestes sociaux, mais des signes de l'alliance, des symboles des hauts faits de Dieu pour son peuple. Parmi ces signes liturgiques de l'Ancienne Alliance on peut nommer la circoncision, l'onction et la consécration des rois et des prêtres, l'imposition des mains, les sacrifices, et surtout la Pâque. L'Eglise voit en ces signes une préfiguration des sacrements de la Nouvelle Alliance. **1150** *1334*

Signes assumés par le Christ. Dans sa prédication, le Seigneur Jésus se sert souvent des signes de la création pour faire connaître les mystères du Royaume de Dieu[1]. Il accomplit ses guérisons ou souligne sa prédication avec des signes matériels ou des gestes symboliques[2]. Il donne un sens nouveau aux faits et aux signes de l'Ancienne Alliance, surtout à l'Exode et à la Pâque[3], car Il est Lui-même le sens de tous ces signes. **1151** *1335*

Signes sacramentels. Depuis la Pentecôte, c'est à travers les signes sacramentels de son Eglise que l'Esprit Saint œuvre la sanctification. Les sacrements de l'Eglise n'abolissent pas, mais purifient et intègrent toute la richesse des signes et des symboles du cosmos et de la vie sociale. En outre, ils accomplissent les types et les figures de l'Ancienne Alliance, ils signifient et réalisent le salut opéré par le Christ, et ils préfigurent et anticipent la gloire du ciel. **1152**

Paroles et actions

Une célébration sacramentelle est une rencontre des enfants de Dieu avec leur Père, dans le Christ et l'Esprit Saint, et cette rencontre s'exprime comme un dialogue, à **1153**

1. Cf. Lc 8, 10. — 2. Cf. Jn 9, 6 ; Mc 7, 33-35 ; 8, 22-25. — 3. Cf. Lc 9, 31 ; 22, 7-20.

53 travers des actions et des paroles. Certes, les actions symboliques sont elles-mêmes déjà un langage, mais il faut que la Parole de Dieu et la réponse de foi accompagnent et vivifient ces actions, pour que la semence du Royaume porte son fruit dans la bonne terre. Les actions liturgiques signifient ce que la Parole de Dieu exprime : à la fois l'initiative gratuite de Dieu et la réponse de foi de son peuple.

1154 La *liturgie de la Parole* est partie intégrante des célébrations sacramentelles. Pour nourrir la foi des fidèles, les signes de la Parole de Dieu doivent être mis en valeur : le livre de la Parole (lectionnaire ou évangéliaire), sa vénération (procession, encens, lumière), le lieu de son annonce (ambon), sa lecture audible et intelligible, l'homélie du ministre qui prolonge sa proclamation, les réponses de l'assemblée (acclamations, psaumes de méditation, litanies, confession de foi).

1100

103

1155 Indissociables en tant que signes et enseignement, la parole et l'action liturgiques le sont aussi en tant que réalisant ce qu'ils signifient. L'Esprit Saint ne donne pas seulement l'intelligence de la Parole de Dieu en suscitant la foi ; par les sacrements Il réalise aussi les « merveilles » de Dieu annoncées par la Parole : Il rend présente et communique l'œuvre du Père accomplie par le Fils bien-aimé.

1127

Chant et musique

1156 « La tradition musicale de l'Eglise universelle a créé un trésor d'une valeur inestimable qui l'emporte sur les autres arts, du fait surtout que, chant sacré lié aux paroles, il fait partie nécessaire ou intégrante de la liturgie solennelle[1]. » La composition et le chant des Psaumes inspirés, souvent accompagnés d'instruments de musique, sont déjà étroitement liés aux célébrations liturgiques de l'Ancienne Alliance. L'Eglise continue et développe cette tradition : « Récitez entre vous des psaumes, des hymnes et des cantiques inspirés ; chantez et célébrez le Seigneur de tout votre cœur » (Ep 5, 19)[2]. « Celui qui chante prie deux fois[3]. »

1157 Le chant et la musique remplissent leur fonction de signes d'une manière d'autant plus significative qu'ils sont « en connexion plus étroite avec l'action liturgique[4] », selon trois

1. SC 112. — 2. Cf. Col 3, 16-17. — 3. Cf. S. Augustin, Psal. 72, 1. — 4. SC 112.

critères principaux : la beauté expressive de la prière, la participation unanime de l'assemblée aux moments prévus et le caractère solennel de la célébration. Ils participent ainsi à la finalité des paroles et des actions liturgiques : la Gloire de Dieu et la sanctification des fidèles[1] : *2502*

> Combien j'ai pleuré à entendre vos hymnes, vos cantiques, les suaves accents dont retentissait votre Eglise ! Quelle émotion j'en recueillais ! Ils coulaient dans mon oreille, distillant la vérité dans mon cœur. Un grand élan de piété me soulevait, et les larmes ruisselaient sur ma joue, mais elles me faisaient du bien[2].

L'harmonie des signes (chant, musique, paroles et actions) est ici d'autant plus expressive et féconde qu'elle s'exprime dans la *richesse culturelle* propre au Peuple de Dieu qui célèbre[3]. C'est pourquoi le « chant religieux populaire sera intelligemment favorisé, pour que, dans les exercices pieux et sacrés, et dans les actions liturgiques elles-mêmes », conformément aux normes de l'Eglise, « la voix des fidèles puisse se faire entendre[4] ». Mais, « les textes destinés au chant sacré seront conformes à la doctrine catholique et même seront tirés de préférence des Saintes Ecritures et des sources liturgiques[5] ». *1158* *1201* *1674*

Les saintes images *476-477, 2129-2132*

L'image sacrée, l'Icône liturgique, représente principalement *le Christ*. Elle ne peut pas représenter le Dieu invisible et incompréhensible ; c'est l'Incarnation du Fils de Dieu qui a inauguré une nouvelle « économie » des images : *1159*

> Autrefois Dieu qui n'a ni corps, ni figure, ne pouvait absolument pas être représenté par une image. Mais maintenant qu'Il s'est fait voir dans la chair et qu'Il a vécu avec les hommes, je peux faire une image de ce que j'ai vu de Dieu. (...) Le visage découvert, nous contemplons la gloire du Seigneur[6].

L'iconographie chrétienne transcrit par l'image le message évangélique que l'Ecriture Sainte transmet par la parole. Image et parole s'éclairent mutuellement : *1160*

> Pour dire brièvement notre profession de foi, nous conservons toutes les traditions de l'Eglise écrites ou non écrites qui nous ont été transmises sans changement. L'une d'elles

---

1. Cf. SC 112. — 2. S. Augustin, conf. 9, 6, 14. — 3. Cf. SC 119. — 4. SC 118. — 5. SC 121. — 6. S. Jean Damascène, imag. 1, 16.

est la représentation picturale des images, qui s'accorde avec la prédication de l'histoire évangélique, en croyant que, vraiment et non pas en apparence, le Dieu Verbe s'est fait homme, ce qui est aussi utile et aussi profitable, car les choses qui s'éclairent mutuellement ont indubitablement une signification réciproque[1].

1161   Tous les signes de la célébration liturgique sont relatifs au Christ : les images sacrées de la sainte Mère de Dieu et des saints le sont aussi. Elles signifient en effet le Christ qui est glorifié en eux. Elles manifestent « la nuée de témoins » (He 12, 1) qui continuent à participer au salut du monde et auxquels nous sommes unis, surtout dans la célébration sacramentelle. A travers leurs icônes, c'est l'homme « à l'image de Dieu », enfin transfiguré « à sa ressemblance[2] », qui se révèle à notre foi, et même les anges, eux aussi récapitulés dans le Christ :

> Suivant la doctrine divinement inspirée de nos saints Pères et la tradition de l'Eglise catholique, dont nous savons qu'elle est la tradition de l'Esprit Saint qui habite en elle, nous définissons en toute certitude et justesse que les vénérables et saintes images, tout comme les représentations de la Croix précieuse et vivifiante, qu'elles soient peintes, en mosaïque ou de quelque autre matière appropriée, doivent être placées dans les saintes églises de Dieu, sur les ustensiles et vêtements sacrés, sur les murs et les tableaux, dans les maisons et dans les chemins, aussi bien l'image de notre Seigneur, Dieu et Sauveur, Jésus-Christ, que celle de notre Dame, la toute pure et sainte Mère de Dieu, des saints anges, de tous les saints et des justes[3].

1162   « La beauté et la couleur des images stimulent ma prière.
2502   C'est une fête pour mes yeux, autant que le spectacle de la campagne stimule mon cœur pour rendre gloire à Dieu[4]. » La contemplation des icônes saintes, unie à la méditation de la Parole de Dieu et au chant des hymnes liturgiques, entre dans l'harmonie des signes de la célébration pour que le mystère célébré s'imprime dans la mémoire du cœur et s'exprime ensuite dans la vie nouvelle des fidèles.

III. Quand célébrer ?

Le temps liturgique

1163   « Notre Mère la Sainte Eglise estime qu'il lui appartient de célébrer l'œuvre salvifique de son divin Epoux par une commémoration sacrée, à jours fixes, tout au long de

---

1. Cc. Nicée II, en 787 : COD 135. — 2. Cf. Rm 8, 29 ; 1 Jn 3, 2. — 3. Cc. Nicée II : DS 600. — 4. S. Jean Damascène, imag. 1, 47.

l'année. Chaque semaine, au jour qu'elle a appelé "Jour du Seigneur", elle fait mémoire de la Résurrection du Seigneur, qu'elle célèbre encore une fois par an, en même temps que sa bienheureuse passion, par la grande solennité de Pâques. Et elle déploie tout le mystère du Christ pendant le cycle de l'année. (...) Tout en célébrant ainsi les mystères de la rédemption, elle ouvre aux fidèles les richesses des vertus et des mérites de son Seigneur; de la sorte, ces mystères sont en quelque manière rendus présents tout au long du temps, les fidèles sont mis en contact avec eux et remplis par la grâce du salut[1]. »

512

Le Peuple de Dieu, dès la loi mosaïque, a connu des fêtes fixes à partir de la Pâque, pour commémorer les actions étonnantes du Dieu Sauveur, Lui en rendre grâces, en perpétuer le souvenir et apprendre aux nouvelles générations à y conformer leur conduite. Dans le temps de l'Eglise, situé entre la Pâque du Christ, déjà accomplie une fois pour toutes, et sa consommation dans le Royaume de Dieu, la liturgie célébrée à des jours fixes est tout empreinte de la nouveauté du mystère du Christ.

1164

Lorsque l'Eglise célèbre le mystère du Christ, il est un mot qui scande sa prière : « *Aujourd'hui!* », en écho à la prière que lui a apprise son Seigneur[2] et à l'appel de l'Esprit Saint[3]. Cet « aujourd'hui » du Dieu vivant où l'homme est appelé à entrer est « l'Heure » de la Pâque de Jésus qui traverse et porte toute l'histoire :

1165

2659, 2836

1085

La vie s'est étendue sur tous les êtres et tous sont remplis d'une large lumière; l'Orient des orients envahit l'univers, et Celui qui était « avant l'étoile du matin » et avant les astres, immortel et immense, le grand Christ brille sur tous les êtres plus que le soleil. C'est pourquoi, pour nous qui croyons en Lui, s'instaure un jour de lumière, long, éternel, qui ne s'éteint pas : la Pâque mystique[4].

Le Jour du Seigneur

2174-2188

« L'Eglise célèbre le mystère pascal, en vertu d'une tradition apostolique qui remonte au jour même de la Résurrection du Christ, chaque huitième jour, qui est nommé à bon droit le Jour du Seigneur, ou dimanche[5]. » Le jour de la

1166

1343

---

1. SC 102. — 2. Cf. Mt 6, 11. — 3. Cf. He 3, 7 – 4, 11; Ps 95, 8. — 4. Pseudo-Hippolyte, in sanctum Pasche 1, 1-2. — 5. SC 106.

Résurrection du Christ est à la fois le « premier jour de la semaine », mémorial du premier jour de la création, et le « huitième jour » où le Christ, après son « repos » du grand Sabbat, inaugure le Jour « que fait le Seigneur », le « jour qui ne connaît pas de soir [1] ». Le « repas du Seigneur » est son centre, car c'est ici que toute la communauté des fidèles rencontre le Seigneur ressuscité qui les invite à son banquet [2] :

> Le jour du Seigneur, le jour de la Résurrection, le jour des chrétiens, est notre jour. C'est pour cela qu'il est appelé jour du Seigneur : car c'est ce jour-là que le Seigneur est monté victorieux auprès du Père. Si les païens l'appellent jour du soleil, nous aussi, nous le confessons volontiers : car aujourd'hui s'est levée la lumière du monde, aujourd'hui est apparu le soleil de justice dont les rayons apportent le salut [3].

1167   Le dimanche est le jour par excellence de l'assemblée liturgique, où les fidèles se rassemblent « pour que, entendant la Parole de Dieu et participant à l'Eucharistie, ils fassent mémoire de la passion, de la Résurrection et de la Gloire du Seigneur Jésus, en rendant grâces à Dieu qui les a régénérés pour une vivante espérance par la Résurrection de Jésus-Christ d'entre les morts [4] » :

> Quand nous méditons, ô Christ, les merveilles qui furent accomplies en ce jour du dimanche de ta sainte Résurrection, nous disons : Béni est le jour du dimanche, car c'est en lui que fut le commencement de la création (...) le salut du monde (...) le renouvellement du genre humain (...) C'est en lui que le ciel et la terre se sont réjouis et que l'univers entier fut rempli de lumière. Béni est le jour du dimanche, car c'est en lui que furent ouvertes les portes du paradis pour qu'Adam et tous les bannis y entrent sans crainte [5].

L'année liturgique

1168   A partir du Triduum Pascal, comme de sa source de lumière, le temps nouveau de la Résurrection emplit toute
2698   l'année liturgique de sa clarté. De proche en proche, de part et d'autre de cette source, l'année est transfigurée par la liturgie. Elle est réellement « année de grâce du Seigneur [6] ». L'économie du salut est à l'œuvre dans le cadre du temps,

---

1. Liturgie byzantine. — 2. Cf. Jn 21, 12 ; Lc 24, 30. — 3. S. Jérôme, pasch. — 4. SC 106. — 5. Fanqîth, Office syriaque d'Antioche. Vol. 6, La partie de l'été, p. 193 b. — 6. Cf. Lc 4, 19.

mais depuis son accomplissement dans la Pâque de Jésus et l'effusion de l'Esprit Saint, la fin de l'histoire est anticipée, « en avant-goût », et le Royaume de Dieu entre dans notre temps.

C'est pourquoi *Pâques* n'est pas simplement une fête parmi d'autres : elle est la « Fête des fêtes », « Solennité des solennités », comme l'Eucharistie est le sacrement des sacrements (le Grand sacrement). S. Athanase l'appelle « le Grand dimanche[1] », comme la Semaine Sainte est appelée en Orient la « Grande Semaine ». Le mystère de la Résurrection, dans lequel le Christ a écrasé la mort, pénètre notre vieux temps de sa puissante énergie, jusqu'à ce que tout Lui soit soumis. — 1169, 1330, 560

Au Concile de Nicée (en 325) toutes les Eglises se sont mises d'accord pour que la Pâque chrétienne soit célébrée le dimanche qui suit la pleine lune (14 Nisan) après l'équinoxe de printemps. A cause des différentes méthodes de calcul du 14 Nisan, la date de Pâques dans les Eglises d'Occident et d'Orient ne coïncide pas toujours. C'est pourquoi, ces Eglises cherchent aujourd'hui un accord, afin de parvenir de nouveau à célébrer à une date commune le jour de la Résurrection du Seigneur. — 1170

L'année liturgique est le déploiement des divers aspects de l'unique mystère pascal. Cela vaut tout particulièrement pour le cycle des fêtes autour du mystère de l'Incarnation (Annonciation, Noël, Epiphanie) qui commémorent le commencement de notre salut et nous communiquent les prémices du mystère de Pâques. — 1171, 524

Le Sanctoral dans l'année liturgique

« En célébrant le cycle annuel des mystères du Christ, la Sainte Eglise vénère avec un amour particulier la bienheureuse Marie, Mère de Dieu, qui est unie à son Fils dans l'œuvre du salut par un lien indissoluble. En Marie, l'Eglise admire et exalte le fruit le plus excellent de la rédemption, et, comme dans une image très pure, elle contemple avec joie ce qu'elle-même désire et espère être tout entière[2] » — 1172, 971, 2030

Quand l'Eglise, dans le cycle annuel, fait mémoire des martyrs et des autres saints, elle « proclame le mystère pascal » en ceux et celles « qui ont souffert avec le Christ et sont glorifiés avec Lui, et elle propose aux fidèles leurs — 1173, 957

1. Ep. fest. 1 (en 329), 10. — 2. SC 103.

exemples qui les attirent tous au Père par le Christ, et, par leurs mérites, elle obtient les bienfaits de Dieu[1] ».

La Liturgie des Heures

1174 Le mystère du Christ, son Incarnation et sa Pâque, que nous célébrons dans l'Eucharistie, spécialement dans l'assemblée dominicale, pénètre et transfigure le temps de
2698 chaque jour par la célébration de la Liturgie des Heures, « l'Office divin[2] ». Cette célébration, en fidélité aux recommandations apostoliques de prier sans cesse[3], « s'est constituée de telle façon que le déroulement du jour et de la nuit soit consacré par la louange de Dieu[4] ». Elle est « la prière publique de l'Eglise[5] » dans laquelle les fidèles (clercs, religieux et laïcs) exercent le sacerdoce royal des baptisés. Célébrée « selon la forme approuvée » par l'Eglise, la Liturgie des Heures « est vraiment la voix de l'Epouse elle-même qui s'adresse à son Epoux ; et même aussi, c'est la prière du Christ avec son Corps au Père[6] ».

1175 La Liturgie des Heures est destinée à devenir la prière de tout le Peuple de Dieu. En elle, le Christ Lui-même « continue à exercer sa fonction sacerdotale par son Eglise[7] » ; chacun y participe selon sa place propre dans l'Eglise et les circonstances de sa vie : les prêtres en tant qu'adonnés au ministère pastoral, parce qu'ils sont appelés à rester assidus à la prière et au service de la Parole[8] ; les religieux et religieuses, de par le charisme de leur vie consacrée[9] ; tous les fidèles selon leurs possibilités : « Les pasteurs veilleront à ce que les Heures principales, surtout les Vêpres, les dimanches et jours de fêtes solennelles, soient célébrées en commun dans l'église. On recommande aux laïcs eux-mêmes la récitation de l'office divin, soit avec les prêtres, soit lorsqu'ils sont réunis entre eux, voire individuellement[10]. »

1176 Célébrer la Liturgie des Heures exige non seulement
2700 d'harmoniser la voix avec le cœur qui prie, mais aussi « de se procurer une connaissance plus abondante de la liturgie et de la Bible, principalement des psaumes[11] ».

1177 Les hymnes et les litanies de la Prière des Heures insèrent
2586 la prière des psaumes dans le temps de l'Eglise, exprimant le symbolisme du moment de la journée, du temps liturgique ou de la fête célébrée. De plus, la lecture de la Parole de Dieu à chaque Heure (avec les répons ou les tropaires qui la

1. SC 104 ; cf. SC 108 et 111. — 2. Cf. SC IV. — 3. Cf. 1 Th 5, 15 ; Ep 6, 18. — 4. SC 8. — 5. SC 98. — 6. SC 84. — 7. SC 83. — 8. Cf. SC 86 ; 96 ; PO 5. — 9. Cf. SC 98. — 10. SC 100. — 11. SC 90.

suivent), et, à certaines Heures, les lectures des Pères et
maîtres spirituels, révèlent plus profondément le sens du
mystère célébré, aident à l'intelligence des psaumes et préparent à l'oraison silencieuse. La *lectio divina*, où la Parole
de Dieu est lue et méditée pour devenir prière, est ainsi
enracinée dans la célébration liturgique.

La Liturgie des Heures, qui est comme un prolongement   1178
de la célébration eucharistique, n'exclut pas mais appelle de
manière complémentaire les diverses dévotions du Peuple
de Dieu, particulièrement l'adoration et le culte du Saint
sacrement.   *1378*

IV. Où célébrer ?

Le culte « en esprit et en vérité » (Jn 4, 24) de la Nouvelle   1179
Alliance n'est pas lié à un lieu exclusif. Toute la terre est
sainte et confiée aux enfants des hommes. Ce qui est premier, lorsque les fidèles se rassemblent en un même lieu, ce
sont les « pierres vivantes », assemblées pour « l'édification
d'un édifice spirituel » (1 P 2, 5). Le Corps du Christ ressuscité est le temple spirituel d'où jaillit la source d'eau vive.   *586*
Incorporés au Christ par l'Esprit Saint, « c'est nous qui
sommes le temple du Dieu vivant » (2 Co 6, 16).

Lorsque l'exercice de la liberté religieuse n'est pas   1180
entravé[1], les chrétiens construisent des édifices destinés au   *2106*
culte divin. Ces églises visibles ne sont pas de simples lieux
de rassemblement mais elles signifient et manifestent
l'Eglise vivant en ce lieu, demeure de Dieu avec les
hommes réconciliés et unis dans le Christ.

« La maison de prière où l'Eucharistie est célébrée et   1181
conservée, où les fidèles se rassemblent, où la présence du   *2691*
Fils de Dieu notre Sauveur, offert pour nous sur l'autel du
sacrifice, est honorée pour le soutien et le réconfort des
chrétiens, cette maison doit être belle et adaptée à la prière
et aux célébrations eucharistiques[2]. » Dans cette « maison
de Dieu », la vérité et l'harmonie des signes qui la constituent doivent manifester le Christ qui est présent et agit en
ce lieu[3] :

L'*autel* de la Nouvelle Alliance est la Croix du Seigneur[4] de   1182
laquelle découlent les sacrements du mystère pascal. Sur l'autel,   *617, 1383*
qui est le centre de l'église, est rendu présent le sacrifice de la

---

1. Cf. DH 4. — 2. PO 5 ; cf. SC 122-127. — 3. Cf. SC 7. — 4. Cf. He 13, 10.

Croix sous les signes sacramentels. Il est aussi la Table du Seigneur, à laquelle le Peuple de Dieu est invité[1]. Dans certaines liturgies orientales, l'autel est aussi le symbole du Tombeau (le Christ est vraiment mort et vraiment ressuscité).

1183

1379, 2120

Le *tabernacle* doit être situé « dans les églises en un lieu des plus dignes, avec le plus grand honneur[2] ». La noblesse, la disposition et la sécurité du tabernacle eucharistique[3] doivent favoriser l'adoration du Seigneur réellement présent dans le Saint sacrement de l'autel.

1241

Le *saint chrême* (myron), dont l'onction est le signe sacramentel du sceau du don de l'Esprit Saint, est traditionnellement conservé et vénéré dans un lieu sûr du sanctuaire. On peut y joindre l'huile des catéchumènes et celle des malades.

1184

1348

Le *siège* de l'évêque (cathèdre) ou du prêtre « doit exprimer la fonction de celui qui préside l'assemblée et dirige la prière[4] ».

103

L'*ambon* : « La dignité de la Parole de Dieu requiert qu'il existe dans l'église un lieu qui favorise l'annonce de cette Parole et vers lequel, pendant la liturgie de la Parole, se tourne spontanément l'attention des fidèles[5]. »

1185

Le rassemblement du Peuple de Dieu commence par le Baptême ; l'église doit donc avoir un lieu pour la célébration du *Baptême* (baptistère) et favoriser le souvenir des promesses du Baptême (eau bénite).

Le renouvellement de la vie baptismale exige *la pénitence*. L'église doit donc se prêter à l'expression du repentir et à l'accueil du pardon, ce qui exige un lieu approprié à l'accueil des pénitents.

2717

L'église doit aussi être un espace qui invite au recueillement et à la prière silencieuse qui prolonge et intériorise la grande prière de l'Eucharistie.

1186

1130

Enfin, l'église a une signification eschatologique. Pour entrer dans la maison de Dieu, il faut franchir un *seuil*, symbole du passage du monde blessé par le péché au monde de la Vie nouvelle auquel tous les hommes sont appelés. L'église visible symbolise la maison paternelle vers laquelle le Peuple de Dieu est en marche et où le Père « essuiera toute larme de leurs yeux » (Ap 21, 4). C'est pourquoi aussi l'église est la maison de *tous* les enfants de Dieu, largement ouverte et accueillante.

EN BREF

1187

La liturgie est l'œuvre du Christ tout entier, Tête et Corps. Notre Grand Prêtre la célèbre sans cesse dans la liturgie céleste, avec la sainte Mère de Dieu, les apôtres, tous les

---

1. Cf. IGMR 259. — 2. MF. — 3. Cf. SC 128. — 4. IGMR 271. — 5. IGMR 272.

saints et la multitude des humains qui sont déjà entrés dans le Royaume.

Dans une célébration liturgique, toute l'Assemblée est « liturge », chacun selon sa fonction. Le sacerdoce baptismal est celui de tout le Corps du Christ. Mais certains fidèles sont ordonnés par le sacrement de l'Ordre pour représenter le Christ comme Tête du Corps.   1188

La célébration liturgique comporte des signes et des symboles qui se réfèrent à la création (lumière, eau, feu), à la vie humaine (laver, oindre, rompre le pain) et à l'histoire du salut (les rites de la Pâque). Insérés dans le monde de la foi et assumés par la force de l'Esprit Saint, ces éléments cosmiques, ces rites humains, ces gestes du souvenir de Dieu deviennent porteurs de l'action salvatrice et sanctificatrice du Christ.   1189

La liturgie de la Parole est une partie intégrante de la célébration. Le sens de la célébration est exprimé par la Parole de Dieu qui est annoncée et par l'engagement de la foi qui y répond.   1190

Le chant et la musique sont en connexion étroite avec l'action liturgique. Les critères de leur bon usage : la beauté expressive de la prière, la participation unanime de l'assemblée et le caractère sacré de la célébration.   1191

Les saintes images, présentes dans nos églises et dans nos maisons, sont destinées à éveiller et à nourrir notre foi dans le mystère du Christ. A travers l'Icône du Christ et de ses œuvres de salut, c'est Lui que nous adorons. A travers les saintes images de la sainte Mère de Dieu, des anges et des saints, nous vénérons les personnes qui y sont représentées.   1192

Le dimanche, « Jour du Seigneur », est le principal jour de la célébration de l'Eucharistie parce qu'il est le jour de la Résurrection. Il est le jour de l'assemblée liturgique par excellence, le jour de la famille chrétienne, le jour de la joie et du repos du travail. Il est « le fondement et le noyau de toute l'année liturgique[1] ».   1193

L'Eglise « déploie tout le mystère du Christ pendant le cycle de l'année, de l'Incarnation et la Nativité jusqu'à l'Ascension, jusqu'au jour de la Pentecôte et jusqu'à l'attente de la bienheureuse espérance et de l'Avènement du Seigneur[2] ».   1194

Faisant mémoire des saints, en premier lieu de la sainte Mère de Dieu, puis des apôtres, des martyrs et des autres saints, à des jours fixes de l'année liturgique, l'Eglise de la   1195

---

1. SC 106. — 2. SC 102.

terre manifeste qu'elle est unie à la liturgie céleste; elle glorifie le Christ d'avoir accompli son salut dans ses membres glorifiés; leur exemple la stimule sur son chemin vers le Père.

1196 *Les fidèles qui célèbrent la Liturgie des Heures s'unissent au Christ, notre Souverain Prêtre, par la prière des psaumes, la méditation de la Parole de Dieu, des cantiques et des bénédictions, afin d'être associés à sa prière incessante et universelle qui rend gloire au Père et implore le don de l'Esprit Saint sur le monde entier.*

1197 *Le Christ est le vrai Temple de Dieu, « le lieu où réside sa gloire »; par la grâce de Dieu, les chrétiens deviennent, eux aussi, temples de l'Esprit Saint, les pierres vivantes dont est bâtie l'Eglise.*

1198 *Dans sa condition terrestre, l'Eglise a besoin de lieux où la communauté puisse se rassembler : nos églises visibles, lieux saints, images de la Cité sainte, la Jérusalem céleste vers laquelle nous cheminons en pèlerins.*

1199 *C'est dans ces églises que l'Eglise célèbre le culte public à la gloire de la Trinité Sainte, qu'elle entend la Parole de Dieu et chante ses louanges, qu'elle fait monter sa prière, et qu'elle offre le Sacrifice du Christ, sacramentellement présent au milieu de l'assemblée. Ces églises sont aussi des lieux de recueillement et de prière personnelle.*

ARTICLE 2
Diversité liturgique et unité du mystère

Traditions liturgiques et catholicité de l'Église

1200   De la première Communauté de Jérusalem jusqu'à la Parousie, c'est le même mystère pascal que célèbrent, en tout lieu, les Eglises de Dieu fidèles à la foi apostolique. Le *2625* mystère célébré dans la liturgie est un, mais les formes de sa célébration sont diverses.

1201   La richesse insondable du mystère du Christ est telle *2663* qu'aucune tradition liturgique ne peut en épuiser l'expression. L'histoire de l'éclosion et du développement de ces rites témoigne d'une étonnante complémentarité. Lorsque les Eglises ont vécu ces traditions liturgiques en communion dans la foi et dans les sacrements de la foi, elles se sont enrichies mutuellement et elles grandissent dans la fidélité à la *1158* Tradition et à la mission commune à toute l'Eglise [1].

Les diverses traditions liturgiques sont nées en raison 1202 même de la mission de l'Eglise. Les Eglises d'une même *814* aire géographique et culturelle en sont venues à célébrer le mystère du Christ à travers des expressions particulières, culturellement typées : dans la tradition du dépôt de la foi [2], *1674* dans le symbolisme liturgique, dans l'organisation de la communion fraternelle, dans l'intelligence théologique des mystères et dans des types de sainteté. Ainsi, le Christ, Lumière et Salut de tous les peuples, est manifesté par la vie liturgique d'une Eglise, au peuple et à la culture auxquels elle est envoyée et dans lesquels elle est enracinée. L'Eglise est catholique : elle peut intégrer dans son unité, en les puri- *835* fiant, toutes les vraies richesses des cultures [3]. *1937*

Les traditions liturgiques, ou rites, actuellement en usage dans 1203 l'Eglise sont le rite latin (principalement le rite romain, mais aussi les rites de certaines Eglises locales comme le rite ambrosien, ou de certains ordres religieux) et les rites byzantin, alexandrin ou copte, syriaque, arménien, maronite et chaldéen. « Obéissant fidèlement à la tradition, le saint Concile déclare que la sainte Mère l'Eglise considère comme égaux en droit et en dignité tous les rites légitimement reconnus, et qu'elle veut, à l'avenir, les conserver et les favoriser de toutes manières [4]. »

Liturgie et cultures

La célébration de la liturgie doit donc correspondre au 1204 génie et à la culture des différents peuples [5]. Pour que le *2684* mystère du Christ soit « porté à la connaissance de toutes les nations pour les amener à l'obéissance de la foi » (Rm 16, 26), il doit être annoncé, célébré et vécu dans toutes les cultures, de sorte que celles-ci ne sont pas abolies mais *854, 1232* rachetées et accomplies par lui [6]. C'est avec et par leur culture humaine propre, assumée et transfigurée par le *2527* Christ, que la multitude des enfants de Dieu ont accès auprès du Père, pour Le glorifier, en un seul Esprit.

« Dans la liturgie, surtout celle des sacrements, il existe 1205 une *partie immuable* – parce qu'elle est d'institution divine *1125* –, dont l'Eglise est gardienne, et des parties *susceptibles de*

1. Cf. EN 63-64. — 2. Cf. 2 Tm 1, 14. — 3. Cf. LG 23 ; UR 4. — 4. SC 4. — 5. Cf. SC 37-40. — 6. Cf. CT 53.

changement, qu'elle a le pouvoir, et parfois même le devoir, d'adapter aux cultures des peuples récemment évangélisés[1]. »

1206   « La diversité liturgique peut être source d'enrichissement, elle peut aussi provoquer des tensions, des incompréhensions réciproques et même des schismes. Dans ce domaine, il est clair que la diversité ne doit pas nuire à l'unité. Elle ne peut s'exprimer que dans la fidélité à la foi commune, aux signes sacramentels que l'Eglise a reçus du Christ, et à la communion hiérarchique. L'adaptation aux cultures exige une conversion du cœur, et, s'il le faut, des ruptures avec des habitudes ancestrales incompatibles avec la foi catholique[2]. »

EN BREF

1207   *Il convient que la célébration de la liturgie tende à s'exprimer dans la culture du peuple où se trouve l'Eglise, sans se soumettre à elle. D'autre part, la liturgie est elle-même génératrice et formatrice de cultures.*

1208   *Les diverses traditions liturgiques, ou rites, légitimement reconnues, parce qu'elles signifient et communiquent le même mystère du Christ, manifestent la catholicité de l'Eglise.*

1209   *Le critère qui assure l'unité dans la pluriformité des traditions liturgiques est la fidélité à la Tradition apostolique, c'est-à-dire : la communion dans la foi et les sacrements reçus des apôtres, communion qui est signifiée et garantie par la succession apostolique.*

1. Jean Paul II, l. ap. « Vicesimus quintus annus » 16. Cf. SC 21. — 2. Jean-Paul II, l. ap. « Vicesimus quintus annus » 16.

Les sept sacrements de l'Église

Les sacrements de la Loi nouvelle sont institués par le 1210
Christ et ils sont au nombre de sept, à savoir le Baptême, la *1113*
Confirmation, l'Eucharistie, la Pénitence, l'Onction des
malades, l'Ordre et le Mariage. Les sept sacrements
touchent toutes les étapes et tous les moments importants de
la vie du chrétien : ils donnent naissance et croissance, guérison et mission à la vie de foi des chrétiens. En cela il
existe une certaine ressemblance entre les étapes de la vie
naturelle et les étapes de la vie spirituelle[1].

En suivant cette analogie on exposera d'abord les trois 1211
sacrements de l'initiation chrétienne *(chapitre premier)*,
ensuite les sacrements de guérison *(chapitre deuxième)*,
enfin les sacrements qui sont au service de la communion et
de la mission des fidèles *(chapitre troisième)*. Cet ordre
n'est, certes, pas le seul possible, mais il permet de voir que
les sacrements forment un organisme en lequel chaque
sacrement particulier a sa place vitale. Dans cet organisme,
l'Eucharistie tient une place unique en tant que « sacrement
des sacrements » : « Tous les autres sacrements sont ordon- *1374*
nés à celui-ci comme à leur fin[2]. »

CHAPITRE PREMIER
Les sacrements
de l'initiation chrétienne

Par les sacrements de l'initiation chrétienne, le Baptême, 1212
la Confirmation et l'Eucharistie, sont posés les *fondements*
de toute vie chrétienne. « La participation à la nature divine,
donnée aux hommes par la grâce du Christ, comporte une
certaine analogie avec l'origine, la croissance et le soutien
de la vie naturelle. Nés à une vie nouvelle par le Baptême,
les fidèles sont en effet fortifiés par le sacrement de Confirmation et reçoivent dans l'Eucharistie le pain de la vie éter-

---

1. Cf. S. Thomas d'A., s. th. 3, 65, 1. — 2. S. Thomas d'A., s. th. 3, 65, 3.

nelle. Ainsi, par ces sacrements de l'initiation chrétienne, ils reçoivent toujours davantage les richesses de la vie divine et s'avancent vers la perfection de la charité[1]. »

ARTICLE 1

Le sacrement du Baptême

1213   Le saint Baptême est le fondement de toute la vie chrétienne, le porche de la vie dans l'Esprit (*vitæ spiritualis ianua*) et la porte qui ouvre l'accès aux autres sacrements. Par le Baptême nous sommes libérés du péché et régénérés comme fils de Dieu, nous devenons membres du Christ et nous sommes incorporés à l'Eglise et faits participants à sa mission[2] : « Le Baptême est le sacrement de la régénération par l'eau et dans la parole[3]. »

I. Comment est appelé ce sacrement ?

1214   On l'appelle *Baptême* selon le rite central par lequel il est réalisé : baptiser (en grec *baptizein*) signifie « plonger », « immerger » ; la « plongée » dans l'eau symbolise l'enseve-
628   lissement du catéchumène dans la mort du Christ d'où il sort par la résurrection avec Lui[4], comme « nouvelle créature » (2 Co 5, 17 ; Ga 6, 15).

1215   Ce sacrement est aussi appelé « le *bain de la régénération et de la rénovation* en l'Esprit Saint » (Tt 3, 5), car il signi-
1257   fie et réalise cette naissance de l'eau et de l'Esprit sans laquelle « nul ne peut entrer au Royaume de Dieu » (Jn 3, 5).

1216   « Ce bain est appellé *illumination*, parce que ceux qui reçoivent cet enseignement [catéchétique] ont l'esprit illuminé[5]... » Ayant reçu dans le Baptême le Verbe, « la lumière véritable qui illumine tout homme » (Jn 1, 9), le
1243   baptisé, après avoir été illuminé[6] est devenu fils de lumière[7], et « lumière » lui-même (Ep 5, 8) :

---

1. Paul VI, const. ap. « Divinæ consortium naturæ » ; cf. OICA prænotanda 1-2.
— 2. Cf. Cc. Florence : DS 1314 ; CIC, can. 204, § 1 ; 849 ; CCEO, can. 675, § 1.
— 3. Catech. R. 2, 2, 5. — 4. Cf. Rm 6, 3-4 ; Col 2, 12. — 5. S. Justin, apol. 1, 61.
— 6. Cf. He 10, 32. — 7. Cf. 1 Th 5, 5.

Le Baptême est le plus beau et le plus magnifique des dons de Dieu (...). Nous l'appelons don, grâce, onction, illumination, vêtement d'incorruptibilité, bain de régénération, sceau, et tout ce qu'il y a de plus précieux. *Don*, parce qu'il est conféré à ceux qui n'apportent rien ; *grâce*, parce qu'il est donné même à des coupables ; *baptême*, parce que le péché est enseveli dans l'eau ; *onction*, parce qu'il est sacré et royal (tels sont ceux qui sont oints) ; *illumination*, parce qu'il est lumière éclatante ; *vêtement*, parce qu'il voile notre honte ; *bain*, parce qu'il lave ; *sceau*, parce qu'il nous garde et qu'il est le signe de la seigneurie de Dieu [1].

II. Le Baptême dans l'économie du salut

Les préfigurations du Baptême dans l'Ancienne Alliance

Dans la liturgie de la Nuit Pascale, lors de la *bénédiction de l'eau baptismale*, l'Eglise fait solennellement mémoire des grands événements de l'histoire du salut qui préfiguraient déjà le mystère du Baptême : 1217

> Par ta puissance, Seigneur, tu accomplis des merveilles dans tes sacrements, et au cours de l'histoire du salut tu t'es servi de l'eau, ta créature, pour nous faire connaître la grâce du Baptême [2].

Depuis l'origine du monde, l'eau, cette créature humble et admirable, est la source de la vie et de la fécondité. L'Ecriture Sainte la voit comme « couvée » par l'Esprit de Dieu [3] : 1218
344, 694

> Dès le commencement du monde, c'est ton Esprit qui planait sur les eaux pour qu'elles reçoivent en germe la force qui sanctifie [4].

L'Eglise a vu dans l'Arche de Noé une préfiguration du salut par le Baptême. En effet, par elle « un petit nombre, en tout huit personnes, furent sauvées par l'eau » (1 P 3, 20) : 1219
701, 845

> Par les flots du déluge, tu annonçais le Baptême qui fait revivre, puisque l'eau y préfigurait également la mort du péché et la naissance de toute justice [5].

---

1. S. Grégoire de Naz., or. 40, 3-4. — 2. MR, Vigile pascale 42 : bénédiction de l'eau baptismale. — 3. Cf. Gn 1, 2. — 4. MR, Vigile pascale 42 : bénédiction de l'eau baptismale. — 5. *Ibid.*

1220   Si l'eau de source symbolise la vie, l'eau de la mer est un
1010   symbole de la mort. C'est pourquoi il pouvait figurer le
mystère de la Croix. De par ce symbolisme, le Baptême
signifie la communion avec la mort du Christ.

1221   C'est surtout la traversée de la mer Rouge, véritable libération d'Israël de l'esclavage d'Egypte, qui annonce la libération opérée par le Baptême :

> Aux enfants d'Abraham, tu as fait passer la mer Rouge à
> pied sec pour que la race libérée de la servitude préfigure le
> peuple des baptisés[1].

1222   Enfin, le Baptême est préfiguré dans la traversée du Jourdain, par laquelle le Peuple de Dieu reçoit le don de la Terre
promise à la descendance d'Abraham, image de la vie éternelle. La promesse de cet héritage bienheureux s'accomplit
dans la Nouvelle Alliance.

Le Baptême du Christ

1223   Toutes les préfigurations de l'Ancienne Alliance trouvent
leur achèvement dans le Christ Jésus. Il commence sa vie
publique après s'être fait baptiser par S. Jean le Baptiste
dans le Jourdain[2], et, après sa résurrection, il donne cette
mission aux apôtres : « Allez donc, de toutes les nations
232   faites des disciples, les baptisant au nom du Père et du Fils
et du Saint-Esprit, et leur apprenant à observer tout ce que je
vous ai prescrit » (Mt 28, 19-20)[3].

1224   Notre Seigneur s'est volontairement soumis au Baptême
de S. Jean, destiné aux pécheurs, pour « accomplir toute jus-
536   tice » (Mt 3, 15). Ce geste de Jésus est une manifestation de
son anéantissement[4]. L'Esprit qui planait sur les eaux de la
première création descend alors sur le Christ, en prélude de
la nouvelle création, et le Père manifeste Jésus comme son
« Fils bien-aimé » (Mt 3, 16-17).

1225   C'est dans sa Pâque que le Christ a ouvert à tous les
hommes les sources du Baptême. En effet, Il avait déjà parlé
de sa passion qu'Il allait souffrir à Jérusalem comme d'un
« Baptême » dont Il devait être baptisé[5]. Le Sang et l'eau
766   qui ont coulé du côté transpercé de Jésus crucifié[6] sont des

---

1. *Ibid.* — 2. Cf. Mt 3, 13. — 3. Cf. Mc 16, 15-16. — 4. Cf. Ph 2, 7. — 5. Cf. Mc
10, 38 ; Lc 12, 50. — 6. Cf. Jn 19, 34.

types du Baptême et de l'Eucharistie, sacrements de la vie nouvelle[1] : dès lors, il est possible « de naître de l'eau et de l'Esprit » pour entrer dans le Royaume de Dieu (Jn 3, 5).

> Vois où tu es baptisé, d'où vient le Baptême, sinon de la Croix du Christ, de la mort du Christ. Là est tout le mystère : Il a souffert pour toi. C'est en Lui que tu es racheté, c'est en Lui que tu es sauvé[2].

Le Baptême dans l'Église

Dès le jour de la Pentecôte, l'Eglise a célébré et administré le saint Baptême. En effet, S. Pierre déclare à la foule bouleversée par sa prédication : « Convertissez-vous, et que chacun de vous se fasse baptiser au nom de Jésus-Christ pour obtenir le pardon de ses péchés. Vous recevrez alors le don du Saint-Esprit » (Ac 2, 38). Les apôtres et leurs collaborateurs offrent le Baptême à quiconque croit en Jésus : juifs, craignant-Dieu, païens[3]. Toujours le Baptême apparaît comme lié à la foi : « Crois au Seigneur Jésus ; alors tu seras sauvé, toi et toute ta maison », déclare S. Paul à son geôlier de Philippes. Le récit continue : « Le geôlier reçut le Baptême sur-le-champ, lui et tous les siens » (Ac 16, 31-33).   1226   849

Selon l'apôtre S. Paul, par le Baptême le croyant communie à la mort du Christ ; il est enseveli et il ressuscite avec Lui :   1227   790

> Baptisés dans le Christ Jésus, c'est dans sa mort que tous nous avons été baptisés. Nous avons donc été ensevelis avec Lui par le baptême dans la mort, afin que, comme le Christ est ressuscité des morts par la gloire du Père nous vivions nous aussi dans une vie nouvelle (Rm 6, 3-4)[4].

Les baptisés ont « revêtu le Christ » (Ga 3, 27). Par l'Esprit Saint, le Baptême est un bain qui purifie, sanctifie et justifie[5].

Le Baptême est donc un bain d'eau en lequel « la semence incorruptible » de la Parole de Dieu produit son effet vivificateur[6]. S. Augustin dira du Baptême : « La parole rejoint l'élément matériel et cela devient un sacrement[7]. »   1228

1. Cf. 1 Jn 5, 6-8. — 2. S. Ambroise, sacr. 2, 2, 6. — 3. Cf. Ac 2, 41 ; 8, 12-13 ; 10, 48 ; 16, 15. — 4. Cf. Col 2, 12. — 5. Cf. 1 Co 6, 11 ; 12, 13. — 6. Cf. 1 P 1, 23 ; Ep 5, 26. — 7. Ev. Jo. 80, 3.

III. Comment est célébré le sacrement du Baptême?

L'initiation chrétienne

1229   Devenir chrétien, cela se réalise dès les temps des apôtres par un cheminement et une initiation à plusieurs étapes. Ce chemin peut être parcouru rapidement ou lentement. Il devra toujours comporter quelques éléments essentiels : l'annonce de la Parole, l'accueil de l'Evangile entraînant une conversion, la profession de foi, le Baptême, l'effusion de l'Esprit Saint, l'accès à la communion eucharistique.

1230   Cette initiation a beaucoup varié au cours des siècles et selon les circonstances. Aux premiers siècles de l'Eglise, l'initiation chrétienne a connu un grand déploiement, avec une longue période de
1248 *catéchuménat* et une suite de rites préparatoires qui jalonnaient liturgiquement le chemin de la préparation catéchuménale et qui aboutissaient à la célébration des sacrements de l'initiation chrétienne.

1231   Là où le Baptême des enfants est devenu largement la forme habituelle de la célébration de ce sacrement, celle-ci est devenue un acte unique qui intègre de façon très abrégée les étapes préalables à l'initiation chrétienne. De par sa nature même le Baptême des enfants exige un *catéchuménat postbaptismal*. Il ne s'agit pas seulement du besoin d'une instruction postérieure au baptême, mais de l'épanouissement nécessaire de la grâce baptismale dans la crois-
13   sance de la personne. C'est le lieu propre du *catéchisme*.

1232   Le deuxième Concile du Vatican a restauré, pour l'Eglise latine, « le catéchuménat des adultes, distribué en plusieurs étapes[1] ». On en trouve les rites dans l'*Ordo initiationis christianæ adultorum* (1972). Le Concile a par ailleurs permis que, « outre les éléments d'initiation fournis par la tradition chrétienne », on admette, en terre de mission, « ces autres éléments d'initiation dont on constate
1204 la pratique dans chaque peuple, pour autant qu'on peut les adapter au rite chrétien[2] ».

1233   Aujourd'hui, donc, dans tous les rites latins et orientaux, l'initiation chrétienne des adultes commence dès leur entrée en catéchuménat, pour atteindre son point culminant dans une seule célébration des trois sacrements du Baptême, de la Confirmation et de
1290 l'Eucharistie[3]. Dans les rites orientaux, l'initiation chrétienne des enfants commence au Baptême suivi immédiatement par la Confirmation et l'Eucharistie, tandis que dans le rite romain elle se poursuit durant des années de catéchèse, pour s'achever plus tard avec la Confirmation et l'Eucharistie, sommet de leur initiation chrétienne[4].

1. SC 64. — 2. SC 65; cf. SC 37-40. — 3. Cf. AG 14; CIC, can. 851; 865; 866. — 4. Cf. CIC, can. 851, 2°; 868.

La mystagogie de la célébration

Le sens et la grâce du sacrement du Baptême apparaissent clairement dans les rites de sa célébration. C'est en suivant, avec une participation attentive, les gestes et les paroles de cette célébration que les fidèles sont initiés aux richesses que ce sacrement signifie et réalise en chaque nouveau baptisé.   1234

Le *signe de la Croix*, au seuil de la célébration, marque l'empreinte du Christ sur celui qui va Lui appartenir et signifie la grâce de la rédemption que le Christ nous a acquise par sa Croix.   1235 / 617 / 2157

L'*annonce de la Parole de Dieu* illumine de la vérité révélée les candidats et l'assemblée, et suscite la réponse de la foi, inséparable du Baptême. En effet, le Baptême est d'une façon particulière « le sacrement de la foi » puisqu'il est l'entrée sacramentelle dans la vie de foi.   1236 / 1122

Puisque le Baptême signifie la libération du péché et de son instigateur, le diable, on prononce un (ou plusieurs) *exorcisme(s)* sur le candidat. Il est oint de l'huile des catéchumènes ou bien le célébrant lui impose la main, et il renonce explicitement à Satan. Ainsi préparé, il peut *confesser la foi de l'Eglise* à laquelle il sera « confié » par le Baptême [1].   1237 / 1673 / 189

L'*eau baptismale* est alors consacrée par une prière d'épiclèse (soit au moment même, soit dans la nuit Pascale). L'Eglise demande à Dieu que, par son Fils, la puissance du Saint-Esprit descende dans cette eau, afin que ceux qui y seront baptisés « naissent de l'eau et de l'Esprit » (Jn 3, 5).   1238 / 1217

Suit alors le *rite essentiel* du sacrement : le *Baptême* proprement dit, qui signifie et réalise la mort au péché et l'entrée dans la vie de la Très Sainte Trinité à travers la configuration au mystère pascal du Christ. Le Baptême est accompli de la façon la plus significative par la triple immersion dans l'eau baptismale. Mais depuis l'antiquité il peut aussi être conféré en versant par trois fois l'eau sur la tête du candidat.   1239 / 1214

Dans l'Eglise latine, cette triple infusion est accompagnée par les paroles du ministre : « *N.*, je te baptise au nom du Père, et du Fils, et du Saint-Esprit. » Dans les liturgies orientales, le catéchu-   1240

1. Cf. Rm 6, 17.

mène étant tourné vers l'Orient, le prêtre dit : « Le serviteur de Dieu, *N.*, est baptisé au nom du Père, et du Fils, et du Saint-Esprit. » Et à l'invocation de chaque personne de la Très Sainte Trinité, il le plonge dans l'eau et le relève.

1241   L'*onction du saint chrême*, huile parfumée consacrée par
1294, 1574 l'évêque, signifie le don de l'Esprit Saint au nouveau baptisé. Il est devenu un chrétien, c'est-à-dire « oint » de l'Esprit Saint, incorporé au Christ, qui est oint prêtre, pro-
783   phète et roi[1].

1242   Dans la liturgie des Eglises d'Orient, l'onction post-baptismale est le sacrement de la Chrismation (Confirmation). Dans la liturgie romaine, elle annonce une seconde
1291   onction de saint chrême que donnera l'évêque : le sacrement de la Confirmation qui, pour ainsi dire, « confirme » et achève l'onction baptismale.

1243   Le *vêtement blanc* symbolise que le baptisé a « revêtu le Christ » (Ga 3, 27) : est ressuscité avec le Christ. Le *cierge*,
1216   allumé au cierge Pascal, signifie que le Christ a illuminé le néophyte. Dans le Christ, les baptisés sont « la lumière du monde » (Mt 5, 14)[2].
          Le nouveau baptisé est maintenant enfant de Dieu dans le Fils Unique. Il peut dire la prière des enfants de Dieu : le
2769   Notre Père.

1244   La *première communion eucharistique*. Devenu enfant de Dieu, revêtu de la robe nuptiale, le néophyte est admis « au festin des noces de l'Agneau » et reçoit la nourriture de la vie nouvelle, le Corps et le Sang du Christ. Les Eglises orientales gardent une conscience vive de l'unité de l'initia-
1292   tion chrétienne en donnant la sainte communion à tous les nouveaux baptisés et confirmés, même aux petits enfants, se souvenant de la parole du Seigneur : « Laissez venir à moi les petits enfants, ne les empêchez pas » (Mc 10, 14). L'Eglise latine, qui réserve l'accès à la sainte communion à ceux qui ont atteint l'âge de raison, exprime l'ouverture du Baptême sur l'Eucharistie en approchant de l'autel l'enfant nouveau baptisé pour la prière du Notre Père.

1245   La *bénédiction solennelle* conclut la célébration du Baptême. Lors du Baptême de nouveau-nés la bénédiction de la mère tient une place spéciale.

1. Cf. OBP 62. — 2. Cf. Ph 2, 15.

IV. Qui peut recevoir le Baptême ?

« Tout être humain non encore baptisé, et lui seul, est 1246 capable de recevoir le Baptême[1]. »

Le Baptême des adultes

Depuis les origines de l'Eglise, le Baptême des adultes est 1247 la situation la plus courante là où l'annonce de l'Evangile est encore récente. Le catéchuménat (préparation au Baptême) tient alors une place importante. Initiation à la foi et à la vie chrétienne, il doit disposer à l'accueil du don de Dieu dans le Baptême, la Confirmation et l'Eucharistie.

Le catéchuménat, ou formation des catéchumènes, a pour 1248 but de permettre à ces derniers, en réponse à l'initiative *1230* divine et en union avec une communauté ecclésiale, de mener leur conversion et leur foi à maturité. Il s'agit d'une « formation à la vie chrétienne intégrale (...) par laquelle les disciples sont unis au Christ leur Maître. Les catéchumènes doivent donc être initiés (...) aux mystères du salut et à la pratique d'une vie évangélique, et introduits, par des rites sacrés, célébrés à des époques successives, dans la vie de la foi, de la liturgie et de la charité du Peuple de Dieu[2] ».

Les catéchumènes « sont déjà unis à l'Eglise, ils sont déjà 1249 de la maison du Christ, et il n'est pas rare qu'ils mènent une *1259* vie de foi, espérance et charité[3] ». « La Mère Eglise les enveloppe déjà comme siens dans son amour en prenant soin d'eux[4]. »

Le Baptême des enfants

Naissant avec une nature humaine déchue et entachée par 1250 le péché originel, les enfants eux aussi ont besoin de la nou- *403* velle naissance dans le Baptême[5] afin d'être libérés du pouvoir des ténèbres et d'être transférés dans le domaine de la liberté des enfants de Dieu[6], à laquelle tous les hommes sont *1996* appelés. La pure gratuité de la grâce du salut est particulièrement manifeste dans le Baptême des enfants. L'Eglise et les parents priveraient dès lors l'enfant de la grâce inestimable de devenir enfant de Dieu s'ils ne lui conféraient le Baptême peu après la naissance[7].

---

1. CIC, can. 864; CCEO, can. 679. — 2. AG 14; cf. OICA 19 et 98. — 3. AG 14. — 4. LG 14; cf. CIC, can. 206; 788. — 5. Cf. DS 1514. — 6. Cf. Col 1, 12-14. — 7. Cf. CIC, can. 867; CCEO, can. 686, § 1.

1251   Les parents chrétiens reconnaîtront que cette pratique correspond aussi à leur rôle de nourriciers de la vie que Dieu leur a confié [1].

1252   La pratique de baptiser les petits enfants est une tradition immémoriale de l'Eglise. Elle est attestée explicitement depuis le IIᵉ siècle. Il est cependant bien possible que, dès le début de la prédication apostolique, lorsque des « maisons » entières ont reçu le Baptême [2], on ait aussi baptisé les enfants [3].

Foi et Baptême

1253   Le Baptême est le sacrement de la foi [4]. Mais la foi a
1123   besoin de la communauté des croyants. Ce n'est que dans la foi de l'Eglise que chacun des fidèles peut croire. La foi qui est requise pour le Baptême n'est pas une foi parfaite et mûre, mais un début qui est appelé à se développer. Au caté-
168   chumène ou à son parrain on demande : « Que demandez-vous à l'Eglise de Dieu ? Et il répond : La foi ! »

1254   Chez tous les baptisés, enfants ou adultes, la foi doit croître *après* le Baptême. C'est pour cela que l'Eglise célèbre chaque année, dans la nuit Pascale, le renouvelle-
2101   ment des promesses du Baptême. La préparation au Baptême ne mène qu'au seuil de la vie nouvelle. Le Baptême est la source de la vie nouvelle dans le Christ de laquelle jaillit toute la vie chrétienne.

1255   Pour que la grâce baptismale puisse se déployer, l'aide des parents est importante. C'est là aussi le rôle du *parrain*
1311   ou de la *marraine*, qui doivent être des croyants solides, capables et prêts à aider le nouveau baptisé, enfant ou adulte, sur son chemin dans la vie chrétienne [5]. Leur tâche est une véritable fonction ecclésiale (*officium* [6]). Toute la communauté ecclésiale porte une part de responsabilité dans le déploiement et la garde de la grâce reçue au Baptême.

V. Qui peut baptiser ?

1256   Sont ministres ordinaires du Baptême l'évêque et le prêtre, et, dans l'Eglise latine, aussi le diacre [7]. En cas de nécessité, toute personne, même non baptisée, ayant l'inten-

---

1. Cf. LG 11 ; 41 ; GS 48 ; CIC, can. 774, § 2 ; 1136. — 2. Cf. Ac 16, 15. 33 ; 18, 8 ; 1 Co 1, 16. — 3. Cf. CDF, instr. « Pastoralis actio ». — 4. Cf. Mc 16, 16. — 5. Cf. CIC, can. 872-874. — 6. Cf. SC 67. — 7. Cf. CIC, can. 861, § 1 ; CCEO, can. 677, § 1.

tion requise, peut baptiser, en appliquant la formule baptismale trinitaire[1]. L'intention requise, c'est de vouloir faire ce que fait l'Eglise en baptisant, et appliquer la formule baptismale trinitaire. L'Eglise voit la raison de cette possibilité dans la volonté salvifique universelle de Dieu[2] et dans la nécessité du Baptême pour le salut[3].

1752

1239-1240

VI. La nécessité du Baptême

Le Seigneur Lui-même affirme que le Baptême est nécessaire pour le salut[4]. Aussi a-t-Il commandé à ses disciples d'annoncer l'Evangile et de baptiser toutes les nations[5]. Le Baptême est nécessaire au salut pour ceux auxquels l'Evangile a été annoncé et qui ont eu la possibilité de demander ce sacrement[6]. L'Eglise ne connaît pas d'autre moyen que le Baptême pour assurer l'entrée dans la béatitude éternelle ; c'est pourquoi elle se garde de négliger la mission qu'elle a reçue du Seigneur de faire « renaître de l'eau et de l'Esprit » tous ceux qui peuvent être baptisés. *Dieu a lié le salut au sacrement du Baptême, mais Il n'est pas Lui-même lié à ses sacrements.*

1257

1129

161, 846

Depuis toujours, l'Eglise garde la ferme conviction que ceux qui subissent la mort en raison de la foi, sans avoir reçu le Baptême, sont baptisés par leur mort pour et avec le Christ. Ce *Baptême du sang*, comme le *désir du Baptême*, porte les fruits du Baptême, sans être sacrement.

1258

2473

Pour les *catéchumènes* qui meurent avant leur Baptême, leur désir explicite de le recevoir uni à la repentance de leurs péchés et à la charité, leur assure le salut qu'ils n'ont pas pu recevoir par le sacrement.

1259

1249

« Puisque le Christ est mort pour tous, et que la vocation dernière de l'homme est réellement unique, à savoir divine, nous devons tenir que l'Esprit Saint offre à tous, d'une façon que Dieu connaît, la possibilité d'être associé(s) au mystère pascal[7]. » Tout homme qui, ignorant l'Evangile du Christ et son Eglise, cherche la vérité et fait la volonté de Dieu selon qu'il la connaît, peut être sauvé. On peut supposer que de telles personnes auraient *désiré explicitement le Baptême* si elles en avaient connu la nécessité.

1260

848

1. Cf. CIC, can. 861, § 2. — 2. Cf. 1 Tm 2, 4. — 3. Cf. Mc 16, 16. — 4. Cf. Jn 3, 5. — 5. Cf. Mt 28, 20. Cf. DS 1618 ; LG 14 ; AG 5. — 6. Cf. Mc 16, 16. — 7. GS 22 ; cf. LG 16 AG 7.

1261   Quant aux *enfants morts sans Baptême*, l'Eglise ne peut
1257   que les confier à la miséricorde de Dieu, comme elle le fait
dans le rite des funérailles pour eux. En effet, la grande
miséricorde de Dieu « qui veut que tous les hommes soient
sauvés » (1 Tm 2, 4), et la tendresse de Jésus envers les
enfants, qui Lui a fait dire : « Laissez les enfants venir à
moi, ne les empêchez pas » (Mc 10, 14), nous permettent
d'espérer qu'il y ait un chemin de salut pour les enfants
morts sans Baptême. D'autant plus pressant est aussi l'appel
1250   de l'Eglise à ne pas empêcher les petits enfants de venir au
Christ par le don du saint Baptême.

VII. La grâce du Baptême

1262   Les différents effets du Baptême sont signifiés par les élé-
1234   ments sensibles du rite sacramentel. La plongée dans l'eau
fait appel aux symbolismes de la mort et de la purification,
mais aussi de la régénération et du renouvellement. Les
deux effets principaux sont donc la purification des péchés
et la nouvelle naissance dans l'Esprit Saint[1].

Pour la rémission des péchés...

1263   Par le Baptême, *tous les péchés* sont remis, le péché origi-
977   nel et tous les péchés personnels ainsi que toutes les peines
1425   du péché[2]. En effet, en ceux qui ont été régénérés il ne
demeure rien qui les empêcherait d'entrer dans le Royaume
de Dieu, ni le péché d'Adam, ni le péché personnel, ni les
suites du péché, dont la plus grave est la séparation de Dieu.

1264   Dans le baptisé, certaines conséquences temporelles du
péché demeurent cependant, telles les souffrances, la maladie, la mort, ou les fragilités inhérentes à la vie comme les
faiblesses de caractère, etc., ainsi qu'une inclination au
péché que la Tradition appelle la *concupiscence*, ou, méta-
976, 2514, phoriquement, « le foyer du péché » *(fomes peccati)* :
1426   « Laissée pour nos combats, la concupiscence n'est pas
capable de nuire à ceux qui, n'y consentent pas, résistent
avec courage par la grâce du Christ. Bien plus, "celui qui
405   aura combattu selon les règles sera couronné" (2 Tm 2,
5)[3]. »

« Une créature nouvelle »

1265   Le Baptême ne purifie pas seulement de tous les péchés,
505   il fait aussi du néophyte « une création nouvelle » (2 Co 5,
17), un fils adoptif de Dieu[4] qui est devenu participant de la

1. Cf. Ac 2, 38 ; Jn 3, 5. — 2. Cf. DS 1316. — 3. Cc. Trente : DS 1515. — 4. Cf.
Ga 4, 5-7.

nature divine[1], membre du Christ[2] et cohéritier avec Lui[3], *460*
temple de l'Esprit Saint[4].

La Très Sainte Trinité donne au baptisé la *grâce sancti-* 1266
fiante, la grâce *de la justification* qui :   *1992*
– le rend capable de croire en Dieu, d'espérer en Lui et de
L'aimer par les *vertus théologales* ;   *1812*
– lui donne de pouvoir vivre et agir sous la motion de
l'Esprit Saint par les *dons du Saint-Esprit* ;   *1831*
– lui permet de croître dans le bien par les *vertus morales*. *1810*
Ainsi, tout l'organisme de la vie surnaturelle du chrétien a
sa racine dans le saint Baptême.

Incorporés à l'Église, Corps du Christ

Le Baptême fait de nous des membres du Corps du 1267
Christ. « Dès lors, (...) ne sommes-nous pas membres les *782*
uns des autres ? » (Ep 4, 25.) Le Baptême incorpore *à*
l'Eglise. Des fonts baptismaux naît l'unique Peuple de Dieu
de la Nouvelle Alliance qui dépasse toutes les limites naturelles ou humaines des nations, des cultures, des races et des
sexes : « Aussi bien est-ce en un seul Esprit que nous tous
avons été baptisés pour ne former qu'un seul corps » (1 Co
12, 13).

Les baptisés sont devenus des « pierres vivantes » pour 1268
« l'édification d'un édifice spirituel, pour un sacerdoce
saint » (1 P 2, 5). Par le Baptême ils participent au sacerdoce du Christ, à sa mission prophétique et royale, ils sont
« une race élue, un sacerdoce royal, une nation sainte, un *1141*
peuple acquis pour annoncer les louanges de Celui qui (les)
a appelés des ténèbres à son admirable lumière » (1 P 2, 9).
Le Baptême donne part au sacerdoce commun des fidèles. *784*

Devenu membre de l'Eglise, le baptisé n'appartient plus à 1269
lui-même[5], mais à Celui qui est mort et ressuscité pour
nous[6]. Dès lors il est appelé à se soumettre aux autres[7], à les
servir[8] dans la communion de l'Eglise, et à être « obéissant
et docile » aux chefs de l'Eglise[9] et à les considérer avec
respect et affection[10]. De même que le Baptême est la
source de responsabilités et de devoirs, le baptisé jouit aussi *871*
de droits au sein de l'Eglise : à recevoir les sacrements, à

1. Cf. 2 P 1, 4. — 2. Cf. 1 Co 6, 15 ; 12, 27. — 3. Cf. Rm 8, 17. — 4. Cf. 1 Co 6,
19. — 5. Cf. 1 Co 6, 19. — 6. Cf. 2 Co 5, 15. — 7. Cf. Ep 5, 21 ; 1 Co 16, 15-16.
— 8. Cf. Jn 13, 12-15. — 9. Cf. He 13, 17. — 10. Cf. 1 Th 5, 12-13.

être nourri avec la parole de Dieu et à être soutenu par les autres aides spirituelles de l'Eglise[1].

1270 « Devenus fils de Dieu par la régénération [baptismale],
2472 (les baptisés) sont tenus de professer devant les hommes la foi que par l'Eglise ils ont reçue de Dieu[2] » et de participer à l'activité apostolique et missionnaire du Peuple de Dieu[3].

Le lien sacramentel de l'unité des chrétiens

1271 Le Baptême constitue le fondement de la communion
818, 838 entre tous les chrétiens, aussi avec ceux qui ne sont pas encore en pleine communion avec l'Eglise catholique : « En effet, ceux qui croient au Christ et qui ont reçu valablement le Baptême, se trouvent dans une certaine communion, bien qu'imparfaite, avec l'Eglise catholique. (...) Justifiés par la foi reçue au Baptême, incorporés au Christ, ils portent à juste titre le nom de chrétiens, et les fils de l'Eglise catholique les reconnaissent à bon droit comme des frères dans le Seigneur[4]. » « Le Baptême est donc le *lien sacramentel d'unité* existant entre ceux qui ont été régénérés par lui[5]. »

Une marque spirituelle indélébile...

1272 Incorporé au Christ par le Baptême, le baptisé est configuré au Christ[6]. Le Baptême scelle le chrétien d'une marque
1121 spirituelle indélébile *(character)* de son appartenance au Christ. Cette marque n'est effacée par aucun péché, même si le péché empêche le Baptême de porter des fruits de salut[7]. Donné une fois pour toutes, le Baptême ne peut pas être réitéré.

1273 Incorporés à l'Eglise par le Baptême, les fidèles ont reçu le caractère sacramentel qui les consacre pour le culte religieux chrétien[8]. Le sceau baptismal rend capable et engage les chrétiens à servir Dieu dans une participation vivante à
1070 la sainte liturgie de l'Eglise et à exercer leur sacerdoce baptismal par le témoignage d'une vie sainte et d'une charité efficace[9].

1274 Le « *sceau du Seigneur* » (« *Dominicus character*[10] ») est le sceau dont l'Esprit Saint nous a marqués « pour le jour de la rédemption » (Ep 4, 30)[11]. « Le Baptême, en effet, est le

---

1. Cf. LG 37 ; CIC, can. 208-223 ; CCEO, can. 675, 2. — 2. LG 11. — 3. Cf. LG 17 ; AG 7, 23. — 4. UR 3. — 5. UR 22. — 6. Cf. Rm 8, 29. — 7. Cf. DS 1609-1619. — 8. Cf. LG 11. — 9. Cf. LG 10. — 10. S. Augustin, ep. 98, 5.11. Cf. Ep 1, 13-14 ; 2 Co 1, 21-22.

sceau de la vie éternelle[1]. » Le fidèle qui aura « gardé le
sceau » jusqu'au bout, c'est-à-dire qui sera resté fidèle aux   *197*
exigences de son Baptême, pourra s'en aller « marqué du
signe de la foi[2] », avec la foi de son Baptême, dans l'attente   *2016*
de la vision bienheureuse de Dieu – consommation de la foi
– et dans l'espérance de la résurrection.

EN BREF

L'initiation chrétienne s'accomplit par l'ensemble de trois   1275
sacrements : le Baptême qui est le début de la vie nouvelle ;
la Confirmation qui en est l'affermissement ; et l'Eucharis-
tie qui nourrit le disciple avec le Corps et le Sang du Christ
en vue de sa transformation en Lui.

« Allez donc, de toutes les nations faites des disciples, les   1276
baptisant au nom du Père et du Fils et du Saint-Esprit, et
leur apprenant à observer tout ce que je vous ai prescrit »
(Mt 28, 19-20).

Le Baptême constitue la naissance à la vie nouvelle dans le   1277
Christ. Selon la volonté du Seigneur il est nécessaire pour le
salut, comme l'Eglise elle-même, à laquelle introduit le
Baptême.

Le rite essentiel du Baptême consiste à plonger dans l'eau   1278
le candidat ou à verser de l'eau sur sa tête, en prononçant
l'invocation de la Très Sainte Trinité, c'est-à-dire du Père,
du Fils et du Saint-Esprit.

Le fruit du Baptême ou grâce baptismale est une réalité   1279
riche qui comporte : la rémission du péché originel et de
tous les péchés personnels ; la naissance à la vie nouvelle
par laquelle l'homme devient fils adoptif du Père, membre
du Christ, temple du Saint-Esprit. Par le fait même, le bap-
tisé est incorporé à l'Eglise, Corps du Christ, et rendu par-
ticipant du sacerdoce du Christ.

Le Baptême imprime dans l'âme un signe spirituel indélé-   1280
bile, le caractère, qui consacre le baptisé au culte de la reli-
gion chrétienne. En raison du caractère le Baptême ne peut
pas être réitéré[3].

Ceux qui subissent la mort à cause de la foi, les catéchu-   1281
mènes et tous les hommes qui, sous l'impulsion de la grâce,
sans connaître l'Eglise, cherchent sincèrement Dieu et
s'efforcent d'accomplir sa volonté, peuvent être sauvés
même s'ils n'ont pas reçu le Baptême[4].

1. S. Irénée, dem. 3. — 2. MR, Canon Romain 97. — 3. Cf. DS 1609 et 1624. —
4. Cf. LG 16.

1282   *Depuis les temps les plus anciens, le Baptême est administré aux enfants, car il est une grâce et un don de Dieu qui ne supposent pas des mérites humains ; les enfants sont baptisés dans la foi de l'Eglise. L'entrée dans la vie chrétienne donne accès à la vraie liberté.*

1283   *Quant aux enfants morts sans Baptême, la liturgie de l'Eglise nous invite à avoir confiance en la miséricorde divine, et à prier pour leur salut.*

1284   *En cas de nécessité, toute personne peut baptiser, pourvu qu'elle ait l'intention de faire ce que fait l'Eglise, et qu'elle verse de l'eau sur la tête du candidat en disant : « Je te baptise au nom du Père et du Fils et du Saint-Esprit. »*

ARTICLE 2
Le sacrement de la Confirmation

1285   Avec le Baptême et l'Eucharistie, le sacrement de la Confirmation constitue l'ensemble des « sacrements de l'initiation chrétienne », dont l'unité doit être sauvegardée. Il faut donc expliquer aux fidèles que la réception de ce sacrement est nécessaire à l'accomplissement de la grâce baptismale [1]. En effet, « par le sacrement de Confirmation, le lien des baptisés avec l'Eglise est rendu plus parfait, ils sont enrichis d'une force spéciale de l'Esprit Saint et obligés ainsi plus strictement à répandre et à défendre la foi par la parole et par l'action en vrais témoins du Christ [2] ».

I. La Confirmation dans l'économie du salut

1286   Dans l'*Ancien Testament*, les prophètes ont annoncé que
702-716 l'Esprit du Seigneur reposerait sur le Messie espéré [3] en vue de sa mission salvifique [4]. La descente de l'Esprit Saint sur Jésus lors de son Baptême par Jean fut le signe que c'était Lui qui devait venir, qu'Il était le Messie, le Fils de Dieu [5]. Conçu de l'Esprit Saint, toute sa vie et toute sa mission se réalisent en une communion totale avec l'Esprit Saint que le Père Lui donne « sans mesure » (Jn 3, 34).

---

1. Cf. OCf prænotanda 1. — 2. LG 11 ; cf. OCf prænotanda 2. — 3. Cf. Is 11, 2. — 4. Cf. Lc 4, 16-22 ; Is 61, 1. — 5. Cf. Mt 3, 13-17 ; Jn 1, 33-34.

Or, cette plénitude de l'Esprit ne devait pas rester unique- 1287
ment celle du Messie, elle devait être communiquée à *tout le*
peuple messianique [1]. A plusieurs reprises le Christ a promis 739
cette effusion de l'Esprit [2], promesse qu'Il a réalisée d'abord
le jour de Pâques [3] et ensuite, de manière plus éclatante le
jour de la Pentecôte [4]. Remplis de l'Esprit Saint, les apôtres
commencent à proclamer « les merveilles de Dieu » (Ac 2,
11) et Pierre de déclarer que cette effusion de l'Esprit est le
signe des temps messianiques [5]. Ceux qui ont alors cru à la
prédication apostolique et qui se sont fait baptiser, ont à leur
tour reçu le don du Saint-Esprit [6].

« Depuis ce temps, les apôtres, pour accomplir la volonté 1288
du Christ, communiquèrent aux néophytes, par l'imposition
des mains, le don de l'Esprit qui porte à son achèvement la 699
grâce du Baptême [7]. C'est pourquoi dans l'Epître aux
Hébreux prend place, parmi les éléments de la première instruction chrétienne, la doctrine sur les Baptêmes et aussi sur
l'imposition des mains [8]. L'imposition des mains est à bon
droit reconnue par la tradition catholique comme l'origine
du sacrement de la Confirmation qui perpétue, en quelque
sorte, dans l'Eglise, la grâce de la Pentecôte [9]. »

Très tôt, pour mieux signifier le don du Saint-Esprit, s'est 1289
ajoutée à l'imposition des mains une onction d'huile parfu- 695
mée (chrême). Cette onction illustre le nom de « chrétien »
qui signifie « oint » et qui tire son origine de celui du Christ
Lui-même, Lui que « Dieu a oint de l'Esprit Saint » (Ac 10, 436
38). Et ce rite d'onction existe jusqu'à nos jours, tant en
Orient qu'en Occident. C'est pourquoi, en Orient, on appelle
ce sacrement *chrismation*, onction de chrême, ou *myron*, ce 1297
qui signifie « chrême ». En Occident le nom de *Confirma-*
tion suggère que ce sacrement à la fois confirme le baptême
et affermit la grâce baptismale.

Deux traditions : l'Orient et l'Occident

Aux premiers siècles, la Confirmation constitue généralement 1290
une unique célébration avec le Baptême, formant avec celui-ci,
selon l'expression de S. Cyprien, un « sacrement double [10] ». Parmi
d'autres raisons, la multiplication des Baptêmes d'enfants, et ce en
tout temps de l'année, et la multiplication des paroisses (rurales),

1. Cf. Ez 36, 25-27; Jl 3, 1-2. — 2. Cf. Lc 12, 12; Jn 3, 5-8; 7, 37-39; 16, 7-15;
Ac 1, 8. — 3. Cf. Jn 20, 22. — 4. Cf. Ac 2, 1-4. — 5. Cf. Ac 2, 17-18. — 6. Cf.
Ac 2, 38. — 7. Cf. Ac 8, 15-17; 19, 5-6. — 8. Cf. He 6, 2. — 9. Paul VI, const.
ap. « Divinæ consortium naturæ ». — 10. Cf. S. Cyprien, ep. 73, 21.

agrandissant les diocèses, ne permettent plus la présence de l'évêque à toutes les célébrations baptismales. En Occident, parce que l'on désire réserver à l'évêque l'achèvement du Baptême, *1233* s'instaure la séparation temporelle des deux sacrements. L'Orient a gardé unis les deux sacrements, si bien que la confirmation est donnée par le prêtre qui baptise. Celui-ci cependant ne peut le faire qu'avec le « myron » consacré par un évêque[1].

1291   Une coutume de l'Eglise de Rome a facilité le développement de *1242* la pratique occidentale, grâce à une double onction au saint chrême après le Baptême : accomplie déjà par le prêtre sur le néophyte, au sortir du bain baptismal, elle est achevée par une deuxième onction faite par l'évêque sur le front de chacun des nouveaux baptisés[2]. La première onction au saint chrême, celle que donne le prêtre, est restée rattachée au rite baptismal ; elle signifie la participation du baptisé aux fonctions prophétique, sacerdotale et royale du Christ. Si le Baptême est conféré à un adulte, il n'y a qu'une onction post-baptismale : celle de la Confirmation.

1292   La pratique des Eglises d'Orient souligne davantage l'unité de *1244* l'initiation chrétienne. Celle de l'Eglise latine exprime plus nettement la communion du nouveau chrétien avec son évêque, garant et serviteur de l'unité de son Eglise, de sa catholicité et de son apostolicité, et par là, le lien avec les origines apostoliques de l'Eglise du Christ.

II. Les signes et le rite de la Confirmation

1293   Dans le rite de ce sacrement, il convient de considérer le signe de l'*onction* et ce que l'onction désigne et imprime : le *sceau* spirituel.
     L'*onction*, dans la symbolique biblique et antique, est *695* riche de nombreuses significations : l'huile est signe d'abondance[3] et de joie[4], elle purifie (onction avant et après le bain) et elle rend souple (l'onction des athlètes et des lutteurs) ; elle est signe de guérison, puisqu'elle adoucit les contusions et les plaies[5] et elle rend rayonnant de beauté, de santé et de force.

1294   Toutes ces significations de l'onction d'huile se retrou-*1152* vent dans la vie sacramentelle. L'onction avant le Baptême avec l'huile des catéchumènes signifie purification et fortification ; l'onction des malades exprime la guérison et le réconfort. L'onction du saint chrême après le Baptême, dans la Confirmation et dans l'Ordination, est le signe d'une consécration. Par la Confirmation, les chrétiens, c'est-à-dire

1. Cf. CCEO, cann. 695, 1 ; 696, 1. — 2. Cf. S. Hippolyte, trad. ap. 21. — 3. Cf. Dt 11, 14, etc. — 4. Cf. Ps 23, 5 ; 104, 15. — 5. Cf. Is 1, 6 ; Lc 10, 34.

ceux qui sont oints, participent davantage à la mission de Jésus-Christ et à la plénitude de l'Esprit Saint dont Il est comblé, afin que toute leur vie dégage « la bonne odeur du Christ[1] ».

Par cette onction, le confirmand reçoit « la marque », le *sceau* de l'Esprit Saint. Le sceau est le symbole de la personne[2], signe de son autorité[3], de sa propriété sur un objet[4] – c'est ainsi que l'on marquait les soldats du sceau de leur chef et aussi les esclaves de celui de leur maître – ; il authentifie un acte juridique[5] ou un document[6] et le rend éventuellement secret[7].

1295
698

Le Christ Lui-même se déclare marqué du sceau de son Père[8]. Le chrétien, lui aussi, est marqué d'un sceau : « Celui qui nous affermit avec vous dans le Christ et qui nous a donné l'onction, c'est Dieu, Lui qui nous a marqués de son sceau et a mis dans nos cœurs les arrhes de l'Esprit » (2 Co 1, 21-22)[9]. Ce sceau de l'Esprit Saint, marque l'appartenance totale au Christ, la mise à son service pour toujours, mais aussi la promesse de la protection divine dans la grande épreuve eschatologique[10].

1296
1121

La célébration de la Confirmation

Un moment important qui précède la célébration de la Confirmation, mais qui, d'une certaine façon, en fait partie, est la *consécration du saint chrême*. C'est l'évêque qui, le Jeudi Saint, au cours de la Messe chrismale, consacre le saint chrême pour tout son diocèse. Dans les Eglises d'Orient, cette consécration est même réservée au Patriarche :

1297
1183
1241

> La liturgie d'Antioche exprime ainsi l'épiclèse de la consécration du saint chrême (myron) : « [Père (...) envoie ton Esprit Saint] sur nous et sur cette huile qui est devant nous et consacre-la, afin qu'elle soit pour tous ceux qui en seront oints et marqués : myron saint, myron sacerdotal, myron royal, onction d'allégresse, le vêtement de la lumière, le manteau du salut, le don spirituel, la sanctification des âmes et des corps, le bonheur impérissable, le sceau indélébile, le bouclier de la foi et le casque terrible contre toutes les œuvres de l'Adversaire[11]. »

---

1. Cf. 2 Co 2, 15. — 2. Cf. Gn 38, 18 ; Ct 8, 6. — 3. Cf. Gn 41, 42. — 4. Cf. Dt 32, 34. — 5. Cf. 1 R 21, 8. — 6. Cf. Jr 32, 10. — 7. Cf. Is 29, 11. — 8. Cf. Jn 6, 27. — 9. Cf. Ep 1, 13 ; 4, 30. — 10. Cf. Ap 7, 2-3 ; 9, 4 ; Ez 9, 4-6. — 11. Pontificale iuxta ritum Ecclesiae Syrorum Occidentalium id est Antiochiae, pars I.

1298   Lorsque la Confirmation est célébrée séparément du Baptême, comme c'est le cas dans le rite romain, la liturgie du sacrement commence par le renouvellement des promesses du Baptême et par la profession de foi des confirmands. Ainsi il apparaît clairement que la Confirmation se situe dans la suite du Baptême[1]. Lorsqu'un adulte est baptisé, il reçoit immédiatement la Confirmation et participe à l'Eucharistie[2].

1299   Dans le rite romain, l'évêque étend les mains sur l'ensemble des confirmands, geste qui, depuis le temps des apôtres, est le signe du don de l'Esprit. Et l'évêque d'invoquer l'effusion de l'Esprit :

1831

> Dieu très bon, Père de Jésus, le Christ, notre Seigneur, regarde ces baptisés sur qui nous imposons les mains : par le Baptême, tu les as libérés du péché, tu les as fait renaître de l'eau et de l'Esprit. Comme tu l'as promis, répands maintenant sur eux ton Esprit Saint ; donne-leur en plénitude l'Esprit qui reposait sur ton Fils Jésus : esprit de sagesse et d'intelligence, esprit de conseil et de force, esprit de connaissance et d'affection filiale ; remplis-les de l'esprit de la crainte de Dieu. Par le Christ, notre Seigneur[3].

1300   Suit le *rite essentiel* du sacrement. Dans le rite latin, « le sacrement de Confirmation est conféré par l'onction du saint *699* chrême sur le front, faite en imposant la main, et par ces paroles : "Accipe signaculum doni Spiritus Sancti" ("Sois marqué de l'Esprit Saint, le don de Dieu[4].") » Dans les Eglises orientales, l'onction du myron se fait après une prière d'épiclèse, sur les parties les plus significatives du corps : le front, les yeux, le nez, les oreilles, les lèvres, la poitrine, le dos, les mains et les pieds, chaque onction étant accompagnée de la formule : « Σφραγίς δωρεᾶς Πνεύματος Ἁγίου » (« Signaculum doni Spiritus Sancti », « Sceau du don de l'Esprit Saint[5] »).

1301   Le baiser de paix qui achève le rite du sacrement signifie et manifeste la communion ecclésiale avec l'évêque et avec tous les fidèles[6].

III. Les effets de la Confirmation

1302   Il ressort de la célébration que l'effet du sacrement de Confirmation est l'effusion spéciale de l'Esprit Saint, comme elle fut accordée jadis aux apôtres au jour de la Pen-
731 tecôte.

---

1. Cf. SC 71. — 2. Cf. CIC, can. 866. — 3. OCfr 25. — 4. Cf. Ep 1, 13 ; 4, 30. — 5. Rituale per le chiese orientali di rito bizantino in lingua greco, pars Iᵃ. — 6. Cf. S. Hippolyte, trad. ap. 21.

De ce fait, la Confirmation apporte croissance et appro- 1303
fondissement de la grâce baptismale : *1262-1274*
– elle nous enracine plus profondément dans la filiation
divine qui nous fait dire « *Abba*, Père » (Rm 8, 15);
– elle nous unit plus fermement au Christ;
– elle augmente en nous les dons de l'Esprit Saint;
– elle rend notre lien avec l'Eglise plus parfait[1];
– elle nous accorde une force spéciale de l'Esprit Saint pour
répandre et défendre la foi par la parole et par l'action en
vrais témoins du Christ, pour confesser vaillamment le nom
du Christ et pour ne jamais éprouver de la honte à l'égard de *2044*
la Croix[2] :

> Rappelle-toi donc que tu as reçu le signe spirituel, l'Esprit
> de sagesse et d'intelligence, l'Esprit de conseil et de force,
> l'Esprit de connaissance et de piété, l'Esprit de la sainte
> crainte, et garde ce que tu as reçu. Dieu le Père t'a marqué
> de son signe, le Christ Seigneur t'a confirmé et Il a mis en
> ton cœur le gage de l'Esprit[3].

Comme le Baptême dont elle est l'achèvement, la Confir- 1304
mation est donnée une seule fois. La Confirmation imprime *1121*
en effet dans l'âme une *marque spirituelle indélébile*, le
« caractère[4] », qui est le signe de ce que Jésus-Christ a marqué un chrétien du sceau de son Esprit en le revêtant de la
force d'en haut pour qu'il soit son témoin[5].

Le « caractère » perfectionne le sacerdoce commun des 1305
fidèles, reçu dans le Baptême, et « le confirmé reçoit la puis- *1268*
sance de confesser la foi du Christ publiquement, et comme
en vertu d'une charge (*quasi ex officio*)[6] ».

IV. Qui peut recevoir ce sacrement?

Tout baptisé non encore confirmé peut et doit recevoir le 1306
sacrement de la Confirmation[7]. Puisque Baptême, Confirmation et Eucharistie forment une unité, il s'ensuit que « les *1212*
fidèles sont tenus par l'obligation de recevoir ce sacrement
en temps opportun[8] », car sans la Confirmation et l'Eucharistie, le sacrement du Baptême est, certes, valide et efficace, mais l'initiation chrétienne reste inachevée.

La coutume latine, depuis des siècles, indique « l'âge de la dis- 1307
crétion » comme point de référence pour recevoir la Confirmation.
En danger de mort, on doit cependant confirmer les enfants même
s'ils n'ont pas encore atteint l'âge de la discrétion[9].

1. Cf. LG 11. — 2. Cf. DS 1319; LG 11; 12. — 3. S. Ambroise, myst. 7, 42. —
4. Cf. DS 1609. — 5. Cf. Lc 24, 48-49. — 6. S. Thomas d'A., s. th. 3, 72, 5, ad 2.
— 7. Cf. CIC, can. 889, § 1. — 8. CIC, can. 890. — 9. Cf. CIC, cann. 891; 883, 3.

1308   Si l'on parle parfois de la Confirmation comme du
« sacrement de la maturité chrétienne », il ne faudrait pas
pour autant confondre l'âge adulte de la foi avec l'âge adulte
1250   de la croissance naturelle, ni oublier que la grâce baptismale
est une grâce d'élection gratuite et imméritée qui n'a pas
besoin d'une « ratification » pour devenir effective. S. Thomas le rappelle :

> L'âge du corps ne constitue pas un préjudice pour l'âme.
> Ainsi, même dans l'enfance, l'homme peut recevoir la per-
> fection de l'âge spirituel dont parle la Sagesse (4, 8) : « La
> vieillesse honorable n'est pas celle que donnent de longs
> jours, elle ne se mesure pas au nombre des années. » C'est
> ainsi que de nombreux enfants, grâce à la force du Saint-
> Esprit qu'ils avaient reçue, ont lutté courageusement et
> jusqu'au sang pour le Christ[1].

1309   La *préparation* à la Confirmation doit viser à conduire le
chrétien vers une union plus intime au Christ, vers une familiarité plus vive avec l'Esprit Saint, son action, ses dons et
ses appels, afin de pouvoir mieux assumer les responsabilités apostoliques de la vie chrétienne. Par là, la catéchèse de
la confirmation s'efforcera d'éveiller le sens de l'appartenance à l'Eglise de Jésus-Christ, tant à l'Eglise universelle
qu'à la communauté paroissiale. Cette dernière porte une
responsabilité particulière dans la préparation des confirmands[2].

1310   Pour recevoir la Confirmation il faut être en état de grâce.
Il convient de recourir au sacrement de Pénitence pour être
2670   purifié en vue du don du Saint-Esprit. Une prière plus
intense doit préparer à recevoir avec docilité et disponibilité
la force et les grâces du Saint-Esprit[3].

1311   Pour la Confirmation, comme pour le Baptême, il
convient que les candidats cherchent l'aide spirituelle d'un
1255   *parrain* ou d'une *marraine*. Il convient qu'il soit le même
que pour le Baptême pour bien marquer l'unité des deux
sacrements[4].

V. Le ministre de la Confirmation

1312   Le *ministre originaire* de la Confirmation est l'évêque[5].

En Orient, c'est ordinairement le prêtre qui baptise qui donne
1233   aussi immédiatement la Confirmation dans une seule et même

---

1. S. Thomas d'A., s. th. 3, 72, 8, ad 2. — 2. Cf. OCf prænotanda 3. — 3. Cf. Ac
1, 14. — 4. Cf. OCf prænotanda 5 ; 6 ; CIC, can. 893, § 1. 2. — 5. Cf. LG 26.

célébration. Il le fait cependant avec le saint chrême consacré par le patriarche ou l'évêque, ce qui exprime l'unité apostolique de l'Eglise dont les liens sont renforcés par le sacrement de Confirmation. Dans l'Eglise latine on applique la même discipline dans les baptêmes d'adultes ou lorsqu'est admis à la pleine communion avec l'Eglise un baptisé d'une autre communauté chrétienne qui n'a pas validement le sacrement de confirmation[1].

Dans le rite latin, le ministre ordinaire de la Confirmation est l'évêque[2]. Même si l'évêque peut, en cas de nécessité, concéder la faculté à des prêtres d'administrer la Confirmation[3], il convient qu'il la confère lui-même, n'oubliant pas que c'est pour cette raison que la célébration de la Confirmation a été temporellement séparée du Baptême. Les évêques sont les successeurs des apôtres, ils ont reçu la plénitude du sacrement de l'ordre. L'administration de ce sacrement par eux marque bien qu'il a pour effet d'unir ceux qui le reçoivent plus étroitement à l'Eglise, à ses origines apostoliques et à sa mission de témoigner du Christ. | 1313
1290

1285

Si un chrétien est en danger de mort, tout prêtre peut lui donner la Confirmation[4]. En effet, l'Eglise veut qu'aucun de ses enfants, même tout petit, ne sorte de ce monde sans avoir été parfait par l'Esprit Saint avec le don de la plénitude du Christ. | 1314
1307

En bref

« Apprenant que la Samarie avait accueilli la parole de Dieu, les apôtres qui étaient à Jérusalem y envoyèrent Pierre et Jean. Ceux-ci descendirent donc chez les Samaritains et prièrent pour eux, afin que l'Esprit Saint leur fût donné. Car Il n'était encore tombé sur aucun d'eux; ils avaient seulement été baptisés au nom du Seigneur Jésus. Alors Pierre et Jean se mirent à leur imposer les mains et ils recevaient l'Esprit Saint » (Ac 8, 14-17). | 1315

La Confirmation parfait la grâce baptismale; elle est le sacrement qui donne l'Esprit Saint pour nous enraciner plus profondément dans la filiation divine, nous incorporer plus fermement au Christ, rendre plus solide notre lien avec l'Eglise, nous associer davantage à sa mission et nous aider à rendre témoignage de la foi chrétienne par la parole accompagnée des œuvres. | 1316

1. Cf. CIC, can. 883, § 2. — 2. Cf. CIC, can. 882. — 3. Cf. CIC, can. 884, § 2. — 4. Cf. CIC, can. 883, § 3.

1317   *La Confirmation, comme le Baptême, imprime dans l'âme
du chrétien un signe spirituel ou caractère indélébile ; c'est
pourquoi on ne peut recevoir ce sacrement qu'une seule fois
dans la vie.*

1318   *En Orient, ce sacrement est administré immédiatement
après le Baptême ; il est suivi de la participation à l'Eucharistie, tradition qui met en relief l'unité des trois sacrements
de l'initiation chrétienne. Dans l'Eglise latine, on administre ce sacrement lorsque l'âge de raison est atteint, et on
en réserve ordinairement la célébration à l'évêque, signifiant ainsi que ce sacrement affermit le lien ecclésial.*

1319   *Un candidat pour la Confirmation qui a atteint l'âge de raison doit professer la foi, être en état de grâce, avoir l'intention de recevoir le sacrement et être préparé à assumer son
rôle de disciple et de témoin du Christ, dans la communauté
ecclésiale et dans les affaires temporelles.*

1320   *Le rite essentiel de la Confirmation est l'onction avec le
saint chrême sur le front du baptisé (en Orient également
sur d'autres organes des sens), avec l'imposition de la main
du ministre et les paroles : « Accipe signaculum doni Spiritus Sancti » (« Reçois la marque du don de l'Esprit Saint »),
dans le rite romain, « Signaculum doni Spiritus Sancti »
(« Sceau du don de l'Esprit Saint »), dans le rite byzantin.*

1321   *Lorsque la Confirmation est célébrée séparément du Baptême, son lien avec le Baptême est exprimé entre autres par
le renouvellement des engagements baptismaux. La célébration de la Confirmation au cours de l'Eucharistie contribue
à souligner l'unité des sacrements de l'initiation chrétienne.*

ARTICLE 3
Le sacrement de l'Eucharistie

1322   La Sainte Eucharistie achève l'initiation chrétienne. Ceux
1212   qui ont été élevés à la dignité du sacerdoce royal par le Baptême et configurés plus profondément au Christ par la
confirmation, ceux-là, par le moyen de l'Eucharistie, participent avec toute la communauté au sacrifice même du Seigneur.

1323   « Notre Sauveur, à la dernière Cène, la nuit où Il était
livré, institua le sacrifice eucharistique de son Corps et de
son Sang pour perpétuer le sacrifice de la Croix au long des

siècles, jusqu'à ce qu'Il vienne, et pour confier à l'Eglise, son Epouse bien-aimée, le mémorial de sa mort et de sa résurrection : sacrement de l'amour, signe de l'unité, lien de la charité, banquet Pascal dans lequel le Christ est reçu en nourriture, l'âme est comblée de grâce et le gage de la gloire future nous est donné [1]. »

1402

I. L'Eucharistie – source et sommet de la vie ecclésiale

L'Eucharistie est « source et sommet de toute la vie chrétienne [2] ». « Les autres sacrements ainsi que tous les ministères ecclésiaux et les tâches apostoliques sont tous liés à l'Eucharistie et ordonnés à elle. Car la sainte Eucharistie contient tout le trésor spirituel de l'Eglise, c'est-à-dire le Christ lui-même, notre Pâque [3]. »

1324
864

« La communion de vie avec Dieu et l'unité du Peuple de Dieu, par lesquelles l'Eglise est elle-même, l'Eucharistie les signifie et les réalise. En elle se trouve le sommet à la fois de l'action par laquelle, dans le Christ, Dieu sanctifie le monde, et du culte qu'en l'Esprit Saint les hommes rendent au Christ et, par Lui, au Père [4]. »

1325
775

Enfin, par la célébration eucharistique nous nous unissons déjà à la liturgie du ciel et nous anticipons la vie éternelle quand Dieu sera « tout en tous » (1 Co 15, 28).

1326
1090

Bref, l'Eucharistie est le résumé et la somme de notre foi : « Notre manière de penser s'accorde avec l'Eucharistie, et l'Eucharistie en retour confirme notre manière de penser [5]. »

1327
1124

II. Comment est appelé ce sacrement ?

La richesse inépuisable de ce sacrement s'exprime dans les différents noms qu'on lui donne. Chacun de ces noms en évoque certains aspects. On l'appelle :

1328

Eucharistie parce qu'il est action de grâces à Dieu. Les mots *eucharistein* (Lc 22, 19 ; 1 Co 11, 24) et *eulogein* (Mt 26, 26 ; Mc 14, 22) rappellent les bénédictions juives qui proclament –

2637
1082

---

1. SC 47. — 2. LG 11. — 3. PO 5. — 4. CdR, instr. « Eucharisticum mysterium » 6. — 5. S. Irénée, hær. 4, 18, 5.

1359   surtout pendant le repas – les œuvres de Dieu : la création, la
rédemption et la sanctification.

1329   *Repas du Seigneur* [1] parce qu'il s'agit de la *Cène* que le
1382   Seigneur a prise avec ses disciples la veille de sa passion, et
de l'anticipation du *repas des noces de l'Agneau* [2] dans la
Jérusalem céleste.

Fraction du Pain parce que ce rite, propre au repas juif, a été
utilisé par Jésus lorsqu'Il bénissait et distribuait le pain en
maître de table [3], surtout lors de la dernière Cène [4]. C'est à ce
geste que les disciples Le reconnaîtront après sa résurrection [5],
et c'est de cette expression que les premiers chrétiens désigne-
ront leurs assemblées eucharistiques [6]. Ils signifient par là que
tous ceux qui mangent à l'unique pain rompu, le Christ, entrent
790   en communion avec Lui et ne forment plus qu'un seul corps en
Lui [7].

Assemblée eucharistique (synaxis) parce que l'Eucharistie est
1348   célébrée en l'assemblée des fidèles, expression visible de
l'Eglise [8].

1330   *Mémorial* de la passion et de la résurrection du Seigneur.

Saint Sacrifice, parce qu'il actualise l'unique sacrifice du
Christ Sauveur et qu'il inclut l'offrande de l'Eglise ; ou encore
2643   *saint sacrifice de la messe*, « *sacrifice de louange* » (He 13,
15) [9], *sacrifice spirituel* [10], *sacrifice pur* [11] *et saint*, puisqu'il
614   achève et dépasse tous les sacrifices de l'Ancienne Alliance.

Sainte et divine liturgie, parce que toute la liturgie de
l'Eglise trouve son centre et son expression la plus dense dans
la célébration de ce sacrement ; c'est dans le même sens qu'on
l'appelle aussi célébration des *Saints mystères*. On parle aussi
du *Très Saint Sacrement* parce qu'il est le sacrement des sacre-
1169   ments. On désigne de ce nom les espèces eucharistiques gardées dans le tabernacle.

1331   *Communion*, parce que c'est par ce sacrement que nous
950   nous unissons au Christ qui nous rend participants de son
Corps et de son Sang pour former un seul corps [12] ; on
l'appelle encore *les choses saintes : ta hagia* ; *sancta* [13] –

1. Cf. 1 Co 11, 20. — 2. Cf. Ap 19, 9. — 3. Cf. Mt 14, 19 ; 15, 36 ; Mc 8, 6. 19. —
4. Cf. Mt 26, 26 ; 1 Co 11, 24. — 5. Cf. Lc 24, 13-35. — 6. Cf. Ac 2, 42. 46 ; 20.
7. 11. — 7. Cf. 1 Co 10, 16-17. — 8. Cf. 1 Co 11, 17-34. — 9. Cf. Ps 116, 13. 17.
— 10. Cf. 1 P 2, 5. — 11. Cf. Ml 1, 11. — 12. Cf. 1 Co 10, 16-17. — 13. Cf.
Const. Ap. 8, 13, 12 ; Didaché 9, 5 ; 10, 6.

c'est le sens premier de la « communion des saints » dont *948* parle le Symbole des apôtres –, *pain des anges, pain du ciel, médicament d'immortalité* [1], *viatique*... *1405*

Sainte Messe parce que la liturgie dans laquelle s'est *1332* accompli le mystère du salut, se termine par l'envoi des fidèles *(missio)* afin qu'ils accomplissent la volonté de Dieu *849* dans leur vie quotidienne.

III. L'Eucharistie dans l'économie du salut

Les signes du pain et du vin

Au cœur de la célébration de l'Eucharistie il y a le pain et *1333* le vin qui, par les paroles du Christ et par l'invocation de *1350* l'Esprit Saint, deviennent le Corps et le Sang du Christ. Fidèle à l'ordre du Seigneur l'Eglise continue de faire, en mémoire de Lui, jusqu'à son retour glorieux, ce qu'Il a fait la veille de sa passion : « Il prit du pain... » « Il prit la coupe remplie de vin... » En devenant mystérieusement le Corps et le Sang du Christ, les signes du pain et du vin continuent à signifier aussi la bonté de la création. Ainsi, dans l'Offer- *1147* toire, nous rendons grâce au Créateur pour le pain et le vin [2], fruit « du travail de l'homme », mais d'abord « fruit de la *1148* terre » et « de la vigne », dons du Créateur. L'Eglise voit dans le geste de Melchisédech, roi et prêtre, qui « apporta du pain et du vin » (Gn 14, 18), une préfiguration de sa propre offrande [3].

Dans l'Ancienne Alliance, le pain et le vin sont offerts en *1334* sacrifice parmi les prémices de la terre, en signe de *1150* reconnaissance au Créateur. Mais ils reçoivent aussi une nouvelle signification dans le contexte de l'Exode : Les *1363* pains azymes qu'Israël mange chaque année à la Pâque commémorent la hâte du départ libérateur d'Egypte ; le sou- venir de la manne du désert rappellera toujours à Israël qu'il vit du pain de la Parole de Dieu [4]. Enfin, le pain de tous les jours est le fruit de la Terre promise, gage de la fidélité de Dieu à ses promesses. La « coupe de bénédiction » (1 Co 10, 16), à la fin du repas Pascal des juifs, ajoute à la joie fes- tive du vin une dimension eschatologique, celle de l'attente messianique du rétablissement de Jérusalem. Jésus a institué

---

1. S. Ignace d'Antioche, Eph. 20, 2. — 2. Cf. Ps 104, 13-15. — 3. Cf. MR, Canon Romain 95 : « Supra quæ ». — 4. Cf. Dt 8, 3.

son Eucharistie en donnant un sens nouveau et définitif à la bénédiction du pain et de la coupe.

1335 Les miracles de la multiplication des pains, lorsque le
1151 Seigneur dit la bénédiction, rompit et distribua les pains par ses disciples pour nourrir la multitude, préfigurent la surabondance de cet unique pain de son Eucharistie[1]. Le signe de l'eau changée en vin à Cana[2] annonce déjà l'Heure de la glorification de Jésus. Il manifeste l'accomplissement du repas des noces dans le Royaume du Père, où les fidèles boiront le vin nouveau[3] devenu le Sang du Christ.

1336 La première annonce de l'Eucharistie a divisé les disciples, tout comme l'annonce de la passion les a scandalisés : « Ce langage-là est trop fort ! Qui peut l'écouter ? » (Jn 6, 60.) L'Eucharistie et la Croix sont des pierres d'achoppement. C'est le même mystère, et il ne cesse d'être occasion de division. « Voulez-vous partir, vous aussi ? » (Jn 6, 67) : cette question du Seigneur retentit à travers les âges, invitation de son amour à découvrir que c'est Lui seul qui a « les paroles de la vie éternelle » (Jn 6, 68) et qu'accueillir dans
1327 la foi le don de son Eucharistie, c'est L'accueillir Lui-même.

L'institution de l'Eucharistie

1337 Le Seigneur, ayant aimé les siens, les aima jusqu'à la fin.
610 Sachant que l'heure était venue de partir de ce monde pour retourner à son Père, au cours d'un repas, Il leur lava les pieds et leur donna le commandement de l'amour[4]. Pour leur laisser un gage de cet amour, pour ne jamais s'éloigner des siens et pour les rendre participants de sa Pâque, Il institua l'Eucharistie comme mémorial de sa mort et de sa résurrection, et Il ordonna à ses apôtres de le célébrer jusqu'à son retour, « les établissant alors prêtres du Nouveau Testa-
611 ment[5] ».

1338 Les trois Evangiles synoptiques et S. Paul nous ont transmis le récit de l'institution de l'Eucharistie ; de son côté, S. Jean rapporte les paroles de Jésus dans la synagogue de Capharnaüm, paroles qui préparent l'institution de l'Eucharistie : le Christ se désigne comme le pain de vie, descendu du ciel[6].

1339 Jésus a choisi le temps de la Pâque pour accomplir ce
1169 qu'Il avait annoncé à Capharnaüm : donner à ses disciples son Corps et son Sang :

1. Cf. Mt 14, 13-21 ; 15, 32-39. — 2. Cf. Jn 2, 11. — 3. Cf. Mc 14, 25. — 4. Cf. Jn 13, 1-17. — 5. Cc. Trente : DS 1740. — 6. Cf. Jn 6.

Vint le jour des Azymes, où l'on devait immoler la Pâque. [Jésus] envoya alors Pierre et Jean : « Allez, dit-Il, nous préparer la Pâque, que nous la mangions. » (...) Ils s'en allèrent donc (...) et préparèrent la Pâque. L'heure venue, Il se mit à table avec ses apôtres et leur dit : « J'ai désiré avec ardeur manger cette Pâque avec vous avant de souffrir ; car Je vous le dis, Je ne la mangerai jamais plus jusqu'à ce qu'elle s'accomplisse dans le Royaume de Dieu. » (...) Puis, prenant du pain et rendant grâces, Il le rompit et le leur donna, en disant : « Ceci est mon Corps, qui va être donné pour vous ; faites ceci en mémoire de moi. » Il fit de même pour la coupe après le repas, disant : « Cette coupe est la Nouvelle Alliance en mon Sang, qui va être versé pour vous » (Lc 22, 7-20) [1].

En célébrant la dernière Cène avec ses apôtres au cours du repas Pascal, Jésus a donné son sens définitif à la Pâque juive. En effet, le passage de Jésus à son Père par sa mort et sa résurrection, la Pâque nouvelle, est anticipée dans la Cène et célébrée dans l'Eucharistie qui accomplit la Pâque juive et anticipe la Pâque finale de l'Eglise dans la gloire du Royaume.   1340   1151   677

« Faites ceci en mémoire de moi »

Le commandement de Jésus de répéter ses gestes et ses paroles « jusqu'à ce qu'Il vienne » ne demande pas seulement de se souvenir de Jésus et de ce qu'Il a fait. Il vise la célébration liturgique, par les apôtres et leurs successeurs, du *mémorial* du Christ, de sa vie, de sa mort, de sa résurrection et de son intercession auprès du Père.   1341   611

Dès le commencement l'Eglise a été fidèle à l'ordre du Seigneur. De l'Eglise de Jérusalem il est dit :   1342   2624

Ils se montraient assidus à l'enseignement des apôtres, fidèles à la communion fraternelle, à la fraction du pain et aux prières. (...) Jour après jour, d'un seul cœur, ils fréquentaient assidûment le Temple et rompaient le pain dans leurs maisons, prenant leur nourriture avec joie et simplicité de cœur (Ac 2, 42. 46).

C'était surtout « le premier jour de la semaine », c'est-à-dire le jour du dimanche, le jour de la résurrection de Jésus, que les chrétiens se réunissaient « pour rompre le pain » (Ac 20, 7). Depuis ces temps-là jusqu'à nos jours la célébration   1343   1166, 2177

1. Cf. Mt 26, 17-29 ; Mc 14, 12-25 ; 1 Co 11, 23-25.

de l'Eucharistie s'est perpétuée, de sorte qu'aujourd'hui nous la rencontrons partout dans l'Eglise, avec la même structure fondamentale. Elle demeure le centre de la vie de l'Eglise.

1344   Ainsi, de célébration en célébration, annonçant le mystère
1404   pascal de Jésus « jusqu'à ce qu'Il vienne » (1 Co 11, 26), le Peuple de Dieu en pèlerinage « s'avance par la porte étroite de la Croix [1] » vers le banquet céleste, quand tous les élus s'assiéront à la table du Royaume.

IV. La célébration liturgique de l'Eucharistie

La messe de tous les siècles

1345   Dès le IIe siècle, nous avons le témoignage de S. Justin le Martyr sur les grandes lignes du déroulement de la célébration eucharistique. Elles sont restées les mêmes jusqu'à nos jours pour toutes les grandes familles liturgiques. Voici ce qu'il écrit, vers 155, pour expliquer à l'empereur païen Antonin le Pieux (138-161) ce que font les chrétiens :

> « Le jour qu'on appelle jour du soleil, a lieu le rassemblement en un même endroit de tous ceux qui habitent la ville ou la campagne.
>
> On lit les mémoires des apôtres et les écrits des prophètes, autant que le temps le permet.
>
> Quand le lecteur a fini, celui qui préside prend la parole pour inciter et exhorter à l'imitation de ces belles choses.
>
> Ensuite, nous nous levons tous ensemble et nous faisons des prières [2] » « pour nous-mêmes (...) et pour tous les autres, où qu'ils soient, afin que nous soyons trouvés justes par notre vie et nos actions et fidèles aux commandements, pour obtenir ainsi le salut éternel.
>
> Quand les prières sont terminées, nous nous donnons un baiser les uns aux autres.
>
> Ensuite, on apporte à celui qui préside les frères du pain et une coupe d'eau et de vin mélangés.
>
> Il les prend et fait monter louange et gloire vers le Père de l'univers, par le nom du Fils et du Saint-Esprit et il rend grâces (en grec : *eucharistian*) longuement de ce que nous avons été jugés dignes de ces dons.

1. AG 1. — 2. S. Justin, apol. 1, 67.

Quand il a terminé les prières et les actions de grâces, tout le peuple présent pousse une acclamation en disant : Amen.

Lorsque celui qui préside a fait l'action de grâces et que le peuple a répondu, ceux que chez nous on appelle diacres distribuent à tous ceux qui sont présents du pain, du vin et de l'eau "eucharistiés" et ils en apportent aux absents [1]. »

La liturgie de l'Eucharistie se déroule selon une structure fondamentale qui s'est conservée à travers les siècles jusqu'à nous. Elle se déploie en deux grands moments qui forment une unité foncière :   1346
– le rassemblement, la *liturgie de la Parole*, avec les lectures, l'homélie et la prière universelle ;
– la *liturgie eucharistique*, avec la présentation du pain et du vin, l'action de grâces consécratoire et la communion.

Liturgie de la Parole et liturgie eucharistique constituent ensemble « un seul et même acte du culte [2] » ; en effet, la table   103
dressée pour nous dans l'Eucharistie est à la fois celle de la Parole de Dieu et celle du Corps du Seigneur [3].

N'est-ce pas là le mouvement même du repas Pascal de Jésus ressuscité avec ses disciples ? Chemin faisant, Il leur expliquait les Ecritures, puis, se mettant à table avec eux, Il prit le pain, dit la bénédiction, le rompit et le leur donna [4].   1347

Le mouvement de la célébration

Tous se rassemblent. Les chrétiens accourent dans un même lieu pour l'assemblée eucharistique. A sa tête le   1348
Christ Lui-même qui est l'acteur principal de l'Eucharistie.   1140
Il est le grand prêtre de la Nouvelle Alliance. C'est Lui-même qui préside invisiblement toute célébration eucharistique. C'est en Le représentant que l'évêque ou le prêtre (agissant *en la personne du Christ-Tête*) préside l'assem-   1548
blée, prend la parole après les lectures, reçoit les offrandes et dit la prière eucharistique. *Tous* ont leur part active dans la célébration, chacun à sa manière : les lecteurs, ceux qui apportent les offrandes, ceux qui donnent la communion, et le peuple tout entier dont l'Amen manifeste la participation.

La *liturgie de la Parole* comporte « les écrits des prophètes », c'est-à-dire l'Ancien Testament, et « les mémoires   1349
des apôtres », c'est-à-dire leurs épîtres et les Evangiles ;   1184

. S. Justin, apol. 1, 65. — 2. SC 56. — 3. Cf. DV 21. — 4. Cf. Lc 24, 13-35.

après l'homélie qui exhorte à accueillir cette Parole comme ce qu'elle est vraiment, Parole de Dieu[1], et à la mettre en pratique, viennent les intercessions pour tous les hommes, selon la parole de l'apôtre : « Je recommande donc, avant tout, qu'on fasse des demandes, des prières, des supplications, des actions de grâces pour tous les hommes, pour les rois et tous les dépositaires de l'autorité » (1 Tm 2, 1-2).

1350   La *présentation des oblats* (l'offertoire) : on apporte alors, parfois en procession, le pain et le vin à l'autel qui seront offerts par le prêtre au nom du Christ dans le sacrifice eucharistique où ils deviendront le corps et le sang de Celui-ci. C'est le geste même du Christ à la dernière Cène, *1359* « prenant du pain et une coupe ». « Cette oblation, l'Eglise seule l'offre, pure, au Créateur, en lui offrant avec action de grâces ce qui provient de sa création[2]. » La présentation des oblats à l'autel assume le geste de Melchisédech et confie les dons du créateur entre les mains du Christ. C'est Lui qui, *614* dans son sacrifice, mène à la perfection toutes les tentatives humaines d'offrir des sacrifices.

1351   Dès le début, les chrétiens apportent, avec le pain et le vin pour l'Eucharistie, leurs dons pour le partage avec ceux qui *1397* sont dans le besoin. Cette coutume de la *collecte*[3], toujours *2186* actuelle, s'inspire de l'exemple du Christ qui s'est fait pauvre pour nous enrichir[4] :

> Ceux qui sont riches et qui veulent, donnent, chacun selon ce qu'il s'est lui-même imposé ; ce qui est recueilli est remis à celui qui préside et lui, il assiste les orphelins et les veuves, ceux que la maladie ou toute autre cause prive de ressources, les prisonniers, les immigrés et, en un mot, il secourt tous ceux qui sont dans le besoin[5].

1352   L'*anaphore* : avec la prière eucharistique, prière d'action de grâces et de consécration, nous arrivons au cœur et au sommet de la célébration :

> Dans la *préface* l'Eglise rend grâces au Père, par le Christ, dans l'Esprit Saint, pour toutes ses œuvres, pour la création, la rédemption et la sanctification. Toute la communauté rejoint alors cette louange incessante que l'Eglise céleste, les anges et tous les saints, *559* chantent au Dieu trois fois Saint.

1353   Dans l'*épiclèse* elle demande au Père d'envoyer son Esprit Saint *1105* (ou la puissance de sa bénédiction[6]) sur le pain et le vin, afin qu'ils deviennent, par sa puissance, le Corps et le Sang de Jésus-Christ, et

---

1. Cf. 1 Th 2, 13. — 2. S. Irénée, hær. 4, 18, 4 ; cf. Ml 1, 11. — 3. Cf. 1 Co 16, 1. — 4. Cf. 2 Co 8, 9. — 5. S. Justin, apol. 1, 67. — 6. Cf. MR, Canon Romain 90.

que ceux qui prennent part à l'Eucharistie soient un seul corps et un seul esprit (certaines traditions liturgiques placent l'épiclèse après l'anamnèse).

Dans le *récit de l'institution* la force des paroles et de l'action du Christ, et la puissance de l'Esprit Saint, rendent sacramentellement présents sous les espèces du pain et du vin son Corps et son Sang, son sacrifice offert sur la Croix une fois pour toutes.   *1375*

Dans l'*anamnèse* qui suit, l'Eglise fait mémoire de la passion, de la résurrection et du retour glorieux du Christ Jésus ; elle présente au Père l'offrande de son Fils qui nous réconcilie avec Lui.   **1354**
1103

Dans les *intercessions*, l'Eglise exprime que l'Eucharistie est célébrée en communion avec toute l'Eglise du ciel et de la terre, des vivants et des défunts, et dans la communion avec les pasteurs de l'Eglise, le Pape, l'évêque du diocèse, son presbyterium et ses diacres, et tous les évêques du monde entier avec leurs Églises.   *954*

Dans la *communion*, précédée de la prière du Seigneur et de la fraction du pain, les fidèles reçoivent « le pain du ciel » et « la coupe du salut », le Corps et le Sang du Christ qui s'est livré « pour la vie du monde » (Jn 6, 51) :   **1355**
1382

Parce que ce pain et ce vin ont été, selon l'expression ancienne, « eucharistiés [1] », « nous appelons cette nourriture *Eucharistie* et personne ne peut y prendre part s'il ne croit pas à la vérité de ce qu'on enseigne chez nous, s'il n'a reçu le bain pour la rémission des péchés et la nouvelle naissance et s'il ne vit selon les préceptes du Christ [2] ».   *1327*

V. Le sacrifice sacramentel : action de grâces, mémorial, présence

Si les chrétiens célèbrent l'Eucharistie depuis les origines, et sous une forme qui, dans sa substance, n'a pas changé à travers la grande diversité des âges et des liturgies, c'est parce que nous nous savons liés par l'ordre du Seigneur, donné la veille de sa passion : « Faites ceci en mémoire de Moi » (1 Co 11, 24-25).   **1356**

Cet ordre du Seigneur, nous l'accomplissons en célébrant le *mémorial de son sacrifice*. Ce faisant, *nous offrons au Père* ce qu'Il nous a Lui-même donné : les dons de sa création, le pain et le vin, devenus, par la puissance de l'Esprit   **1357**

1. Cf. S. Justin, apol. 1, 65. — 2. S. Justin, apol. 1, 66.

Saint et par les paroles du Christ, le Corps et le Sang du Christ : le Christ est ainsi rendu réellement et mystérieusement *présent*.

1358   Il nous faut donc considérer l'Eucharistie :
– comme action de grâces et louange au *Père* ;
– comme mémorial sacrificiel du *Christ* et de son Corps ;
– comme présence du Christ par la puissance de sa Parole et de son *Esprit*.

L'action de grâces et la louange au Père

1359   L'Eucharistie, sacrement de notre salut accompli par le Christ sur la Croix, est aussi un sacrifice de louange en
293   action de grâces pour l'œuvre de la création. Dans le sacrifice eucharistique, toute la création aimée par Dieu est présentée au Père à travers la mort et la résurrection du Christ. Par le Christ, l'Eglise peut offrir le sacrifice de louange en action de grâces pour tout ce que Dieu a fait de bon, de beau et de juste dans la création et dans l'humanité.

1360   L'Eucharistie est un sacrifice d'action de grâces au Père,
1083   une bénédiction par laquelle l'Eglise exprime sa reconnaissance à Dieu pour tous ses bienfaits, pour tout ce qu'Il a accompli par la création, la rédemption et la sanctification. Eucharistie signifie d'abord « action de grâces ».

1361   L'Eucharistie est aussi le sacrifice de louange, par lequel l'Eglise chante la Gloire de Dieu au nom de toute la créa-
294   tion. Ce sacrifice de louange n'est possible qu'à travers le Christ : Il unit les fidèles à sa personne, à sa louange et à son intercession, en sorte que le sacrifice de louange au Père est offert *par* le Christ et *avec* Lui pour être accepté *en* Lui.

Le mémorial sacrificiel du Christ et de son Corps, l'Église

1362   L'Eucharistie est le mémorial de la Pâque du Christ, l'actualisation et l'offrande sacramentelle de son unique sacrifice, dans la liturgie de l'Eglise qui est son Corps. Dans toutes les prières eucharistiques nous trouvons, après les
1103   paroles de l'institution, une prière appelée *anamnèse* ou mémorial.

1363   Dans le sens de l'Ecriture Sainte *le mémorial* n'est pas
1099   seulement le souvenir des événements du passé, mais la proclamation des merveilles que Dieu a accomplies pour les

hommes [1]. Dans la célébration liturgique de ces événements, ils deviennent d'une certaine façon présents et actuels. C'est de cette manière qu'Israël comprend sa libération d'Egypte : chaque fois qu'est célébrée la Pâque, les événements de l'Exode sont rendus présents à la mémoire des croyants afin qu'ils y conforment leur vie.

Le mémorial reçoit un sens nouveau dans le Nouveau Testament. Quand l'Eglise célèbre l'Eucharistie, elle fait mémoire de la Pâque du Christ, et celle-ci devient présente : le sacrifice que le Christ a offert une fois pour toutes sur la Croix demeure toujours actuel [2] : « Toutes les fois que le sacrifice de la Croix par lequel le Christ notre Pâque a été immolé se célèbre sur l'autel, l'œuvre de notre rédemption s'opère [3]. »   **1364** *611* *1085*

Parce qu'elle est mémorial de la Pâque du Christ, *l'Eucharistie est aussi un sacrifice.* Le caractère sacrificiel de l'Eucharistie est manifesté dans les paroles mêmes de l'institution : « Ceci est mon Corps qui va être donné pour vous » et « Cette coupe est la Nouvelle Alliance en mon Sang, qui va être versé pour vous » (Lc 22, 19-20). Dans l'Eucharistie le Christ donne ce corps même qu'Il a livré pour nous sur la Croix, le sang même qu'Il a « répandu pour une multitude en rémission des péchés » (Mt 26, 28).   **1365** *2100* *1846*

L'Eucharistie est donc un sacrifice parce qu'elle *représente* (rend présent) le sacrifice de la Croix, parce qu'elle en est le *mémorial* et parce qu'elle en *applique* le fruit :   **1366** *613*

> [Le Christ] notre Dieu et Seigneur, s'offrit Lui-même à Dieu le Père une fois pour toutes, mourant en intercesseur sur l'autel de la Croix, afin de réaliser pour eux (les hommes) une rédemption éternelle. Cependant, comme sa mort ne devait pas mettre fin à son sacerdoce (He 7, 24. 27), à la dernière Cène, « la nuit où Il fut livré » (1 Co 11, 23), Il voulait laisser à l'Eglise, son épouse bien-aimée, un sacrifice visible (comme le réclame la nature humaine), où serait représenté le sacrifice sanglant qui allait s'accomplir une unique fois sur la Croix, dont la mémoire se perpétuerait jusqu'à la fin des siècles (1 Co 11, 23) et dont la vertu salutaire s'appliquerait à la rédemption des péchés que nous commettons chaque jour [4].

Le sacrifice du Christ et le sacrifice de l'Eucharistie sont *un unique sacrifice* : « C'est une seule et même victime, c'est le même qui offre maintenant par le ministère des   **1367** *1545*

---

1. Cf. Ex 13, 3. — 2. Cf. He 7, 25-27. — 3. LG 3. — 4. Cc. Trente : DS 1740.

prêtres, qui s'est offert Lui-même alors sur la Croix. Seule la manière d'offrir diffère[1] » : « Et puisque dans ce divin sacrifice qui s'accomplit à la messe, ce même Christ, qui s'est offert Lui-même une fois de manière sanglante sur l'autel de la Croix, est contenu et immolé de manière non sanglante, ce sacrifice est vraiment propitiatoire[2]. »

1368   *L'Eucharistie est également le sacrifice de l'Eglise.* L'Eglise, qui est le Corps du Christ, participe à l'offrande de son Chef. Avec Lui, elle est offerte elle-même tout entière. Elle s'unit à son intercession auprès du Père pour tous les
618, 2031   hommes. Dans l'Eucharistie, le sacrifice du Christ devient aussi le sacrifice des membres de son Corps. La vie des fidèles, leur louange, leur souffrance, leur prière, leur tra-
1109   vail, sont unis à ceux du Christ et à sa totale offrande, et acquièrent ainsi une valeur nouvelle. Le sacrifice du Christ présent sur l'autel donne à toutes les générations de chrétiens la possibilité d'être unis à son offrande.

Dans les catacombes, l'Eglise est souvent représentée comme une femme en prière, les bras largement ouverts en attitude d'orante. Comme le Christ qui a étendu les bras sur la Croix, par Lui, avec Lui et en Lui, elle s'offre et intercède pour tous les hommes.

1369   *Toute l'Eglise est unie à l'offrande et à l'intercession du*
834, 882   *Christ.* Chargé du ministère de Pierre dans l'Eglise, le *Pape* est associé à toute célébration de l'Eucharistie où il est nommé comme signe et serviteur de l'unité de l'Eglise Uni-
1561   verselle. L'*évêque* du lieu est toujours responsable de
1566   l'Eucharistie, même lorsqu'elle est présidée par un *prêtre* ; son nom y est prononcé pour signifier sa présidence de l'Eglise particulière, au milieu du presbyterium et avec l'assistance des *diacres*. La communauté intercède aussi pour tous les ministres qui, pour elle et avec elle, offrent le sacrifice Eucharistique :

Que cette Eucharistie seule soit regardée comme légitime, qui se fait sous la présidence de l'évêque ou de celui qu'il en a chargé[3].

C'est par le ministère des prêtres que se consomme le sacrifice spirituel des chrétiens, en union avec le sacrifice du Christ, unique Médiateur, offert au nom de toute l'Eglise dans l'Eucharistie par les mains des prêtres, de manière non

---

1. Cc. Trente : DS 1743. — 2. *Ibid.* — 3. S. Ignace d'Antioche, Smyrn. 8, 1.

sanglante et sacramentelle, jusqu'à ce que vienne le Seigneur Lui-même[1].

A l'offrande du Christ s'unissent non seulement les **1370** membres qui sont encore ici-bas, mais aussi ceux qui sont déjà *dans la gloire du ciel* : c'est en communion avec la *956* Très Sainte Vierge Marie et en faisant mémoire d'elle, ainsi *969* que de tous les saints et toutes les saintes, que l'Eglise offre le sacrifice eucharistique. Dans l'Eucharistie l'Eglise, avec Marie, est comme au pied de la Croix, unie à l'offrande et à l'intercession du Christ.

Le sacrifice eucharistique est aussi offert *pour les fidèles* **1371** *défunts* « qui sont morts dans le Christ et ne sont pas encore pleinement purifiés[2] », pour qu'ils puissent entrer dans la *958, 1689* lumière et la paix du Christ : *1032*

> Enterrez ce corps n'importe où ! Ne vous troublez pas pour lui d'aucun souci ! Tout ce que je vous demande, c'est de vous souvenir de moi à l'autel du Seigneur où que vous soyez[3].

> Ensuite, nous prions [dans l'anaphore] pour les saints pères et évêques endormis, et en général pour tous ceux qui se sont endormis avant nous, en croyant qu'il y aura très grand profit pour les âmes, en faveur desquelles la supplication est offerte, tandis que se trouve présente la sainte et si redoutable victime. (...) En présentant à Dieu nos supplications pour ceux qui se sont endormis, fussent-ils pécheurs, nous (...) présentons le Christ immolé pour nos péchés, rendant propice, pour eux et pour nous, le Dieu ami des hommes[4].

S. Augustin a admirablement résumé cette doctrine qui **1372** nous incite à une participation de plus en plus complète au *1140* sacrifice de notre Rédempteur que nous célébrons dans l'Eucharistie :

> Cette cité rachetée tout entière, c'est-à-dire l'assemblée et la société des saints, est offerte à Dieu comme un sacrifice universel par le Grand Prêtre qui, sous la forme d'esclave, est allé jusqu'à s'offrir pour nous dans sa passion, pour faire de nous le corps d'un si grand Chef. (...) Tel est le sacrifice des chrétiens : « A plusieurs, n'être qu'un seul corps dans le Christ » (Rm 12, 5). Et ce sacrifice, l'Eglise ne cesse de le reproduire dans le sacrement de l'autel bien connu des fidèles, où il lui est montré que dans ce qu'elle offre, elle est elle-même offerte[5].

1. PO 2. — 2. Cc. Trente : DS 1743. — 3. Ste Monique, avant sa mort, à S. Augustin et son frère ; conf. 9, 11, 27. — 4. S. Cyrille de Jérusalem, catech. myst. 5, 9. 10. — 5. Civ. 10, 6.

La présence du Christ par la puissance de sa Parole et de l'Esprit Saint

1373   « Le Christ Jésus qui est mort, qui est ressuscité, qui est à la droite de Dieu, qui intercède pour nous » (Rm 8, 34), est présent de multiples manières à son Eglise[1] : dans sa Parole, dans la prière de son Eglise, là où « deux ou trois sont rassemblés en mon nom » (Mt 18, 20), dans les pauvres, les malades, les prisonniers[2], dans ses sacrements dont Il est l'auteur, dans le sacrifice de la messe et en la personne du ministre. Mais « *au plus haut point* Il est présent *sous les*
1088   *espèces eucharistiques*[3] ».

1374   Le mode de présence du Christ sous les espèces eucharistiques est unique. Il élève l'Eucharistie au-dessus de tous les sacrements et en fait « comme la perfection de la vie spiri-
1211   tuelle et la fin à laquelle tendent tous les sacrements[4] ». Dans le très saint sacrement de l'Eucharistie sont « contenus *vraiment, réellement et substantiellement* le Corps et le Sang conjointement avec l'âme et la divinité de notre Seigneur Jésus-Christ, et, par conséquent, *le Christ tout entier*[5] ». « Cette présence, on la nomme "réelle", non à titre exclusif, comme si les autres présences n'étaient pas "réelles", mais par excellence parce qu'elle est *substantielle*, et que par elle le Christ, Dieu et homme, se rend présent tout entier[6]. »

1375   C'est par la *conversion* du pain et du vin au Corps et au Sang du Christ que le Christ devient présent en ce sacrement. Les Pères de l'Eglise ont fermement affirmé la foi de
1105   l'Eglise en l'efficacité de la Parole du Christ et de l'action de l'Esprit Saint pour opérer cette conversion. Ainsi, S. Jean Chrysostome déclare :

> Ce n'est pas l'homme qui fait que les choses offertes deviennent Corps et Sang du Christ, mais le Christ Lui-même qui a été crucifié pour nous. Le prêtre, figure du
> *1128*   Christ, prononce ces paroles, mais leur efficacité et la grâce sont de Dieu. *Ceci est mon Corps*, dit-Il. Cette parole transforme les choses offertes[7].

Et S. Ambroise dit au sujet de cette conversion :

> Soyons bien persuadés que ceci n'est pas ce que la nature a formé, mais ce que la bénédiction a consacré, et que la force de la bénédiction l'emporte sur celle de la nature, parce que

---

1. Cf. LG 48. — 2. Cf. Mt 25, 31-46. — 3. SC 7. — 4. S. Thomas d'A., s. th. 3, 73, 3. — 5. Cc Trente : DS 1651. — 6. MF. — 7. Prod. Jud. 1, 6.

par la bénédiction la nature elle-même se trouve changée
(...). La parole du Christ, qui a pu faire de rien ce qui n'existait pas, ne pourrait donc changer les choses existantes en ce   *298*
qu'elles n'étaient pas encore ? Car ce n'est pas moins de
donner aux choses leur nature première que de la leur changer[1].

Le Concile de Trente résume la foi catholique en décla-   1376
rant : « Parce que le Christ, notre Rédempteur, a dit que ce
qu'Il offrait sous l'espèce du pain était vraiment son Corps,
on a toujours eu dans l'Eglise cette conviction, que déclare
le saint Concile de nouveau : par la consécration du pain et
du vin s'opère le changement de toute la substance du pain
en la substance du Corps du Christ notre Seigneur et de
toute la substance du vin en la substance de son Sang ; ce
changement, l'Eglise catholique l'a justement et exactement
appelé *transsubstantiation*[2]. »

La présence eucharistique du Christ commence au   1377
moment de la consécration et dure aussi longtemps que les
espèces eucharistiques subsistent. Le Christ est tout entier
présent dans chacune des espèces et tout entier dans chacune
de leurs parties, de sorte que la fraction du pain ne divise
pas le Christ[3].

Le culte de l'Eucharistie. Dans la liturgie de la messe,   1378
nous exprimons notre foi en la présence réelle du Christ   *1178*
sous les espèces du pain et du vin, entre autres, en flé-
chissant les genoux, ou en nous inclinant profondément en
signe d'adoration du Seigneur. « L'Eglise catholique a
rendu et continue de rendre ce culte d'adoration qui est dû   *103, 2628*
au sacrement de l'Eucharistie non seulement durant la
messe, mais aussi en dehors de sa célébration : en conser-
vant avec le plus grand soin les hosties consacrées, en les
présentant aux fidèles pour qu'ils les vénèrent avec solennité, en les portant en procession[4]. »

La sainte réserve (tabernacle) était d'abord destinée à garder   1379
dignement l'Eucharistie pour qu'elle puisse être portée aux malades   *1183*
et aux absents en dehors de la messe. Par l'approfondissement de la
foi en la présence réelle du Christ dans son Eucharistie, l'Eglise a
pris conscience du sens de l'adoration silencieuse du Seigneur
présent sous les espèces eucharistiques. C'est pour cela que le
tabernacle doit être placé à un endroit particulièrement digne de   *2691*
l'église ; il doit être construit de telle façon qu'il souligne et manifeste la vérité de la présence réelle du Christ dans le saint sacrement.

---

1. Myst. 9, 50. — 2. DS 1642. — 3. Cf. Cc. Trente : DS 1641. — 4. MF 56.

1380   Il est hautement convenable que le Christ ait voulu rester présent à son Eglise de cette façon unique. Puisque le Christ allait quitter les siens sous sa forme visible, Il voulait nous 669 donner sa présence sacramentelle ; puisqu'Il allait s'offrir sur la Croix pour nous sauver, Il voulait que nous ayons le mémorial de l'amour dont Il nous a aimés « jusqu'à la fin » (Jn 13, 1), jusqu'au don de sa vie. En effet, dans sa présence eucharistique Il reste mystérieusement au milieu de nous 478 comme celui qui nous a aimés et qui s'est livré pour nous [1], et Il le reste sous les signes qui expriment et communiquent cet amour :

> L'Eglise et le monde ont un grand besoin du culte eucharistique. Jésus nous attend dans ce sacrement de l'amour. Ne refusons pas le temps pour aller Le rencontrer dans l'adora-2715 tion, dans la contemplation pleine de foi et ouverte à réparer les fautes graves et les délits du monde. Que ne cesse jamais notre adoration [2].

1381   « La présence du véritable Corps du Christ et du véritable Sang du Christ dans ce sacrement, "on ne l'apprend point 156 par les sens, dit S. Thomas, mais *par la foi seule*, laquelle s'appuie sur l'autorité de Dieu". C'est pourquoi, commentant le texte de S. Luc, 22, 19 : "Ceci est mon Corps qui sera livré pour vous", saint Cyrille déclare : "Ne va pas te demander si c'est vrai, mais accueille plutôt avec foi les paroles du Seigneur, parce que Lui, qui est la Vérité, ne 215 ment pas [3]" » :

> Je T'adore profondément, divinité cachée,
> vraiment présente sous ces apparences ;
> à Toi mon cœur se soumet tout entier
> parce qu'à Te contempler, tout entier il défaille.
>
> La vue, le goût, le toucher ne T'atteignent pas :
> à ce qu'on entend dire seulement il faut se fier ;
> je crois tout ce qu'a dit le Fils de Dieu ;
> rien de plus vrai que cette parole de la Vérité [4].

VI. Le banquet Pascal

1382   La messe est à la fois et inséparablement le mémorial sacrificiel dans lequel se perpétue le sacrifice de la Croix, et le banquet sacré de la communion au Corps et au Sang du

1. Cf. Ga 2, 20. — 2. Jean Paul II, l. « Dominicæ cenæ » 3. — 3. Paul VI, MF ; cf. Thomas d'A., s. th. 3, 75, 1 ; S. Cyrille d'Alexandrie, Luc. 22, 19. — 4. AHMA 50, 589.

Seigneur. Mais la célébration du sacrifice eucharistique est tout orientée vers l'union intime des fidèles au Christ par la communion. Communier, c'est recevoir le Christ Lui-même *950* qui s'est offert pour nous.

L'*autel*, autour duquel l'Eglise est rassemblée dans la *1383* célébration de l'Eucharistie, représente les deux aspects *1182* d'un même mystère : l'autel du sacrifice et la table du Seigneur, et ceci d'autant plus que l'autel chrétien est le symbole du Christ Lui-même, présent au milieu de l'assemblée de ses fidèles, à la fois comme la victime offerte pour notre réconciliation et comme aliment céleste qui se donne à nous. « Qu'est-ce en effet que l'autel du Christ sinon l'image du Corps du Christ ? » dit S. Ambroise [1], et ailleurs : « L'autel représente le Corps [du Christ], et le Corps du Christ est sur l'autel [2]. » La liturgie exprime cette unité du sacrifice et de la communion dans de nombreuses prières. Ainsi, l'Eglise de Rome prie dans son anaphore :

> Nous T'en supplions, Dieu Tout-Puissant : que [cette offrande] soit portée par ton ange en présence de ta gloire, sur ton autel céleste, afin qu'en recevant ici, par notre communion à l'autel, le corps et le sang de ton Fils, nous soyons comblés de ta grâce et de tes bénédictions [3].

« Prenez et mangez-en tous » : la communion

Le Seigneur nous adresse une invitation pressante à Le *1384* recevoir dans le sacrement de l'Eucharistie : « En vérité, en *2835* vérité, je vous le dis, si vous ne mangez la Chair du Fils de l'homme et ne buvez son Sang, vous n'aurez pas la vie en vous » (Jn 6, 53).

Pour répondre à cette invitation, nous devons *nous prépa-* *1385* *rer* à ce moment si grand et si saint. S. Paul exhorte à un examen de conscience : « Quiconque mange ce pain ou boit cette coupe du Seigneur indignement aura à répondre du Corps et du Sang du Seigneur. Que chacun donc s'éprouve soi-même et qu'il mange alors de ce pain et boive de cette coupe ; car celui qui mange et boit, mange et boit sa propre condamnation, s'il n'y discerne le Corps » (1 Co 11, 27-29). Celui qui est conscient d'un péché grave doit recevoir le *1457* sacrement de la Réconciliation avant d'accéder à la communion.

---

1. Sacr. 5, 7. — 2. Sacr. 4, 7. — 3. Prex eucharistica I seu Canon Romanus, 96.

1386   Devant la grandeur de ce sacrement, le fidèle ne peut que reprendre humblement et avec une foi ardente la parole du Centurion[1] : « *Domine, non sum dignus, ut intres sub tectum meum, sed tantum dic verbum, et sanabitur anima mea* » (« Seigneur, je ne suis pas digne de te recevoir, mais dis seulement une parole et je serai guéri[2] »). Et dans la Divine liturgie de S. Jean Chrysostome, les fidèles prient dans le même esprit :

732   A ta cène mystique fais-moi communier aujourd'hui, ô Fils de Dieu. Car je ne dirai pas le Secret à tes ennemis, ni ne Te donnerai le baiser de Judas. Mais, comme le larron, je Te crie : Souviens-Toi de moi, Seigneur, dans ton royaume[3].

1387   Pour se préparer convenablement à recevoir ce sacrement, les
2043   fidèles observeront le jeûne prescrit dans leur Eglise[4]. L'attitude corporelle (gestes, vêtement) traduira le respect, la solennité, la joie de ce moment où le Christ devient notre hôte.

1388   Il est conforme au sens même de l'Eucharistie que les fidèles, s'ils ont les dispositions requises[5], *communient quand* ils participent à la messe[6] : « Il est vivement recommandé aux fidèles de participer à la Messe de façon plus parfaite en recevant aussi, après la communion du prêtre, le corps du Seigneur du même sacrifice[7]. »

1389   L'Eglise fait obligation aux fidèles de participer les
2042   dimanches et les jours de fête à la divine liturgie[8] et de recevoir au moins une fois par an l'Eucharistie, si possible au temps Pascal[9], préparés par le sacrement de la Réconciliation. Mais l'Eglise recommande vivement aux fidèles de recevoir la sainte Eucharistie les dimanches et les jours de
2837   fête, ou plus souvent encore, même tous les jours.

1390   Grâce à la présence sacramentelle du Christ sous chacune des espèces, la communion à la seule espèce du pain permet de recevoir tout le fruit de grâce de l'Eucharistie. Pour des raisons pastorales, cette manière de communier s'est légitimement établie comme la plus habituelle dans le rite latin. « La sainte communion réalise plus pleinement sa forme de signe lorsqu'elle se fait sous les deux espèces. Car, sous

1. Cf. Mt 8, 8. — 2. Ritus communionis, 133. — 3. Liturgia byzantina Anaphora Iohannis chrysostomi. — 4. Cf. CIC, can. 919. — 5. Cf. CIC, can. 916-917. — 6. « Dans la même journée, les fidèles peuvent recevoir la très Sainte Communion deux fois, et seulement deux fois » (Pontifica Commissio Codicis Iuris Canonici Anthentiæ interpretando, Responsa ed proposite dubio 1). — 7. SC 55. — 8. Cf. OE 15. — 9. Cf. CIC, can. 920.

cette forme, le signe du banquet eucharistique est mis plus pleinement en lumière[1]. » C'est la forme habituelle de communier dans les rites orientaux.

Les fruits de la communion

La communion accroît notre union au Christ. Recevoir l'Eucharistie dans la communion porte comme fruit principal l'union intime au Christ Jésus. Le Seigneur dit en effet : « Qui mange ma Chair et boit mon Sang demeure en Moi et Moi en lui » (Jn 6, 56). La vie en Christ trouve son fondement dans le banquet eucharistique : « De même qu'envoyé par le Père, qui est vivant, Moi, Je vis par le Père, de même, celui qui Me mange, vivra, lui aussi, par Moi » (Jn 6, 57) : 1391

460

521

> Lorsque dans les fêtes du Seigneur les fidèles reçoivent le Corps du Fils, ils proclament les uns aux autres la Bonne Nouvelle que les arrhes de la vie sont données, comme lorsque l'ange dit à Marie de Magdala : « Le Christ est ressuscité ! » Voici que maintenant aussi la vie et la résurrection sont conférées à celui qui reçoit le Christ[2].

Ce que l'aliment matériel produit dans notre vie corporelle, la communion le réalise de façon admirable dans notre vie spirituelle. La communion à la Chair du Christ ressuscité, « vivifiée par l'Esprit Saint et vivifiante[3] », conserve, accroît et renouvelle la vie de grâce reçue au Baptême. Cette croissance de la vie chrétienne a besoin d'être nourrie par la communion eucharistique, pain de notre pèlerinage, jusqu'au moment de la mort, où il nous sera donné comme viatique. 1392

1212

1524

La communion nous sépare du péché. Le Corps du Christ que nous recevons dans la communion est « livré pour nous », et le Sang que nous buvons, est « versé pour la multitude en rémission des péchés ». C'est pourquoi l'Eucharistie ne peut pas nous unir au Christ sans nous purifier en même temps des péchés commis et nous préserver des péchés futurs : 1393

613

> « Chaque fois que nous Le recevons, nous annonçons la mort du Seigneur[4]. » Si nous annonçons la mort du Seigneur, nous annonçons la rémission des péchés. Si, chaque

1. IGMR 240. — 2. Fanqîth, Office syriaque d'Antioche, volume 1, Commun, 237a-b. — 3. PO 5. — 4. Cf. 1 Co 11, 26.

> fois que son Sang est répandu, il est répandu pour la rémission des péchés, je dois toujours le recevoir, pour que toujours il remette mes péchés. Moi qui pèche toujours, je dois avoir toujours un remède[1].

1394 Comme la nourriture corporelle sert à restaurer la perte des forces, l'Eucharistie fortifie la charité qui, dans la vie
1863 quotidienne, tend à s'affaiblir ; et cette charité vivifiée *efface les péchés véniels*[2]. En se donnant à nous, le Christ ravive
1436 notre amour et nous rend capables de rompre les attachements désordonnés aux créatures et de nous enraciner en Lui :

> Puisque le Christ est mort pour nous par amour, lorsque nous faisons mémoire de sa mort au moment du sacrifice, nous demandons que l'amour nous soit accordé par la venue du Saint-Esprit ; nous prions humblement qu'en vertu de cet amour, par lequel le Christ a voulu mourir pour nous, nous aussi, en recevant la grâce du Saint-Esprit, nous puissions considérer le monde comme crucifié pour nous, et être nous-mêmes crucifiés pour le monde. (...) Ayant reçu le don de l'amour, mourons au péché et vivons pour Dieu[3].

1395 Par la même charité qu'elle allume en nous, l'Eucharistie
1855 nous *préserve des péchés mortels* futurs. Plus nous participons à la vie du Christ et plus nous progressons dans son amitié, plus il nous est difficile de rompre avec Lui par le péché mortel. L'Eucharistie n'est pas ordonnée au pardon des péchés mortels. Ceci est propre au sacrement de la
1446 Réconciliation. Le propre de l'Eucharistie est d'être le sacrement de ceux qui sont dans la pleine communion de l'Eglise.

1396 *L'unité du Corps mystique : l'Eucharistie fait l'Eglise.*
1118 Ceux qui reçoivent l'Eucharistie sont unis plus étroitement au Christ. Par là même, le Christ les unit à tous les fidèles en un seul corps : l'Eglise. La communion renouvelle, fortifie, approfondit cette incorporation à l'Eglise déjà réalisée par le
1267 Baptême. Dans le Baptême nous avons été appelés à ne faire qu'un seul corps[4]. L'Eucharistie réalise cet appel : « La coupe de bénédiction que nous bénissons n'est-elle pas communion au Sang du Christ ? Le pain que nous rompons, n'est-il pas communion au Corps du Christ ? Puisqu'il n'y a
790 qu'un pain, à nous tous nous ne formons qu'un corps, car tous nous avons part à ce pain unique » (1 Co 10, 16-17) :

---

1. S. Ambroise, sacr. 4, 28. — 2. Cf. Cc. Trente : DS 1638. — 3. S. Fulgence de Ruspe, Fab. 28, 17. — 4. Cf. 1 Co 12, 13.

Si vous êtes le Corps du Christ et ses membres, c'est votre sacrement qui est placé sur la table du Seigneur, vous recevez votre sacrement. Vous répondez « Amen » (« Oui, c'est vrai ! ») à ce que vous recevez, et vous y souscrivez en répondant. Tu entends ce mot : « Le Corps du Christ » et tu réponds : « Amen. » Sois donc un membre du Christ pour que soit vrai ton Amen [1].

1064

L'Eucharistie engage envers les pauvres. Pour recevoir dans la vérité le Corps et le Sang du Christ livrés pour nous, nous devons reconnaître le Christ dans les plus pauvres, ses frères [2] :

1397

2449

Tu as goûté au Sang du Seigneur et tu ne reconnais pas même ton frère. Tu déshonores cette table même, en ne jugeant pas digne de partager ta nourriture celui qui a été jugé digne de prendre part à cette table. Dieu t'a libéré de tous tes péchés et t'y a invité. Et toi, pas même alors, tu n'es devenu plus miséricordieux [3].

L'Eucharistie et l'unité des chrétiens. Devant la grandeur de ce mystère, S. Augustin s'écrie : *« O sacrement de la piété ! O signe de l'unité ! O lien de la charité [4] ! »* D'autant plus douloureuses se font ressentir les divisions de l'Eglise qui rompent la commune participation à la table du Seigneur, d'autant plus pressantes sont les prières au Seigneur pour que reviennent les jours de l'unité complète de tous ceux qui croient en Lui.

1398

817

Les Eglises orientales qui ne sont pas en pleine communion avec l'Eglise catholique célèbrent l'Eucharistie avec un grand amour. « Ces Eglises, bien que séparées, ont de vrais sacrements, – principalement, en vertu de la succession apostolique : le Sacerdoce et l'Eucharistie, – qui les unissent intimement à nous [5]. » Une certaine communion *in sacris*, donc dans l'Eucharistie, est « non seulement possible, mais même recommandée, lors de circonstances favorables et avec l'approbation de l'autorité ecclésiastique [6] ».

1399

838

Les communautés ecclésiales issues de la Réforme, séparées de l'Eglise catholique, « en raison surtout de l'absence du sacrement de l'Ordre, n'ont pas conservé la substance propre et intégrale du mystère eucharistique [7] ». C'est pour cette raison que, pour l'Eglise catholique, l'intercommunion eucharistique avec ces communautés n'est pas possible. Cependant, ces communautés ecclésiales, « lorsqu'elles font mémoire dans la sainte Cène de la mort et de la résurrection du Seigneur, professent que la vie consiste dans la communion au Christ et attendent son retour glorieux [8] ».

1400

1536

1. S. Augustin, serm. 272. — 2. Cf. Mt 25, 40. — 3. S. Jean Chrysostome, hom. in 1 Cor. 27, 5. — 4. Ev. Jo. 26, 13 ; cf. SC 47. — 5. UR 15. — 6. UR 15 ; cf. CIC, can. 844, § 3. — 7. UR 22. — 8. UR 22.

1401 Lorsqu'une nécessité grave se fait pressante, selon le
1483 jugement de l'ordinaire, les ministres catholiques peuvent
donner les sacrements (Eucharistie, Pénitence, Onction des
malades) aux autres chrétiens qui ne sont pas en pleine communion avec l'Eglise catholique, mais qui les demandent de
leur plein gré : il faut alors qu'ils manifestent la foi catholique concernant ces sacrements et qu'ils se trouvent dans
1385 les dispositions requises[1].

VII. L'Eucharistie – « gage de la gloire à venir »

1402 Dans une antique prière, l'Eglise acclame le mystère de
1323 l'Eucharistie : « O banquet sacré où le Christ est notre aliment, où est ravivé le souvenir de sa passion, où la grâce
emplit notre âme, où nous est donné le gage de la vie à
venir[2]. » Si l'Eucharistie est le mémorial de la Pâque du Seigneur, si par notre communion à l'autel, nous sommes
comblés « de toute bénédiction céleste et grâce[3] », l'Eucha-
1130 ristie est aussi l'anticipation de la gloire céleste.

1403 Lors de la dernière Cène, le Seigneur a Lui-même tourné
le regard de ses disciples vers l'accomplissement de la
Pâque dans le royaume de Dieu : « Je vous le dis, je ne boirai plus désormais de ce produit de la vigne jusqu'au jour où
je boirai avec vous le vin nouveau dans le Royaume de mon
Père » (Mt 26, 29)[4]. Chaque fois que l'Eglise célèbre
l'Eucharistie, elle se souvient de cette promesse et son
regard se tourne vers Celui « qui vient » (Ap 1, 4). Dans sa
prière, elle appelle sa venue : « Marana tha » (1 Co 16, 22),
671 « Viens, Seigneur Jésus » (Ap 22, 20), « Que ta grâce
vienne et que ce monde passe[5] ! »

1404 L'Eglise sait que, dès maintenant, le Seigneur vient dans
son Eucharistie, et qu'Il est là, au milieu de nous. Cependant, cette présence est voilée. C'est pour cela que nous
célébrons l'Eucharistie en « attendant la bienheureuse espé-
1041 rance et l'avènement de notre Sauveur Jésus-Christ[6] », en
demandant « d'être comblés de ta gloire, dans ton Royaume,
tous ensemble et pour l'éternité, quand Tu essuieras toute
1028 larme de nos yeux ; en Te voyant, Toi notre Dieu, tel que Tu

---

1. Cf. CIC, can. 844, § 4. — 2. In solemnitate SS. mi corporis et sanguinis christi.
— 3. MR, Canon Romain 96 : « Supplices te rogamus ». — 4. Cf. Lc 22, 18 ; Mc
14, 25. — 5. Didaché 10, 6. — 6. Embolisme après le Notre Père ; cf. Tt 2, 13.

es, nous Te serons semblables éternellement, et sans fin nous chanterons ta louange, par le Christ, notre Seigneur[1] ».

De cette grande espérance, celle des cieux nouveaux et de la terre nouvelle en lesquels habitera la justice[2], nous n'avons pas de gage plus sûr, de signe plus manifeste que l'Eucharistie. En effet, chaque fois qu'est célébré ce mystère, « l'œuvre de notre rédemption s'opère[3] » et nous « rompons un même pain qui est remède d'immortalité, antidote pour ne pas mourir, mais pour vivre en Jésus-Christ pour toujours[4] ».

1405
1042

1000

EN BREF

Jésus dit : « Je suis le pain vivant, descendu du ciel. Qui mangera ce pain vivra à jamais (...). Qui mange ma Chair et boit mon Sang a la vie éternelle (...) il demeure en Moi et Moi en lui » (Jn 6, 51. 54. 56).   1406

L'Eucharistie est le cœur et le sommet de la vie de l'Eglise car en elle le Christ associe son Eglise et tous ses membres à son sacrifice de louange et d'action de grâces offert une fois pour toutes sur la Croix à son Père ; par ce sacrifice Il répand les grâces du salut sur son Corps, qui est l'Eglise.   1407

La célébration eucharistique comporte toujours : la proclamation de la Parole de Dieu, l'action de grâces à Dieu le Père pour tous ses bienfaits, surtout pour le don de son Fils, la consécration du pain et du vin et la participation au banquet liturgique par la réception du Corps et du Sang du Seigneur. Ces éléments constituent un seul et même acte de culte.   1408

L'Eucharistie est le mémorial de la Pâque du Christ : c'est-à-dire de l'œuvre du salut accomplie par la vie, la mort et la résurrection du Christ, œuvre rendue présente par l'action liturgique.   1409

C'est le Christ Lui-même, grand prêtre éternel de la Nouvelle Alliance, qui, agissant par le ministère des prêtres, offre le sacrifice eucharistique. Et c'est encore le même Christ, réellement présent sous les espèces du pain et du vin, qui est l'offrande du sacrifice eucharistique.   1410

Seuls les prêtres validement ordonnés peuvent présider l'Eucharistie et consacrer le pain et le vin pour qu'ils deviennent le Corps et le Sang du Seigneur.   1411

---

1. MR, prière eucharistique III, 116 : prière pour les défunts. — 2. Cf. 2 P 3, 13. — 3. LG 3. — 4. S. Ignace d'Antioche, Eph. 20, 2.

1412   *Les signes essentiels du sacrement eucharistique sont le pain de blé et le vin du vignoble, sur lesquels est invoquée la bénédiction de l'Esprit Saint et le prêtre prononce les paroles de la consécration dites par Jésus pendant la dernière cène : « Ceci est mon Corps livré pour vous. (...) Ceci est la coupe de mon Sang... »*

1413   *Par la consécration s'opère la transsubstantiation du pain et du vin dans le Corps et le Sang du Christ. Sous les espèces consacrées du pain et du vin, le Christ Lui-même, vivant et glorieux, est présent de manière vraie, réelle et substantielle, son Corps et son Sang, avec son âme et sa divinité[1].*

1414   *En tant que sacrifice, l'Eucharistie est aussi offerte en réparation des péchés des vivants et des défunts, et pour obtenir de Dieu des bienfaits spirituels ou temporels.*

1415   *Celui qui veut recevoir le Christ dans la communion eucharistique doit se trouver en état de grâce. Si quelqu'un a conscience d'avoir péché mortellement, il ne doit pas accéder à l'Eucharistie sans avoir reçu préalablement l'absolution dans le sacrement de Pénitence.*

1416   *La sainte communion au Corps et au Sang du Christ accroît l'union du communiant avec le Seigneur, lui remet les péchés véniels et le préserve des péchés graves. Puisque les liens de charité entre le communiant et le Christ sont renforcés, la réception de ce sacrement renforce l'unité de l'Eglise, Corps mystique du Christ.*

1417   *L'Eglise recommande vivement aux fidèles de recevoir la sainte communion quand ils participent à la célébration de l'Eucharistie; elle leur en fait obligation au moins une fois par an.*

1418   *Puisque le Christ Lui-même est présent dans le sacrement de l'autel, il faut L'honorer d'un culte d'adoration. « La visite au Très Saint Sacrement est une preuve de gratitude, un signe d'amour et un devoir d'adoration envers le Christ, notre Seigneur[2]. »*

1419   *Le Christ, ayant passé de ce monde au Père, nous donne dans l'Eucharistie le gage de la gloire auprès de Lui : la participation au Saint Sacrifice nous identifie avec son Cœur, soutient nos forces au long du pèlerinage de cette vie, nous fait souhaiter la Vie éternelle et nous unit déjà à l'Eglise du Ciel, à la Sainte Vierge Marie et à tous les Saints.*

1. Cf. Cc. Trente : DS 1640 ; 1651. — 2. MF.

Chapitre deuxième
Les sacrements de guérison

Par les sacrements de l'initiation chrétienne, l'homme 1420
reçoit la vie nouvelle du Christ. Or, cette vie, nous la portons « en des vases d'argile » (2 Co 4, 7). Maintenant, elle
est encore « cachée avec le Christ en Dieu » (Col 3, 3).
Nous sommes encore dans notre demeure terrestre[1] soumise
à la souffrance, à la maladie et à la mort. Cette vie nouvelle
d'enfant de Dieu peut être affaiblie et même perdue par le
péché.

Le Seigneur Jésus-Christ, médecin de nos âmes et de nos 1421
corps, Lui qui a remis les péchés au paralytique et lui a
rendu la santé du corps[2], a voulu que son Eglise continue,
dans la force de l'Esprit Saint, son œuvre de guérison et de
salut, même auprès de ses propres membres. C'est le but des
deux sacrements de guérison : le sacrement de Pénitence et
l'Onction des malades.

Article 4
Le sacrement de Pénitence
et de Réconciliation

« Ceux qui s'approchent du sacrement de Pénitence y 1422
reçoivent de la miséricorde de Dieu le pardon de l'offense *980*
qu'ils Lui ont faite et du même coup sont réconciliés avec
l'Eglise que leur péché a blessée et qui, par la charité,
l'exemple, les prières, travaille à leur conversion[3]. »

I. Comment est appelé ce sacrement ?

Il est appelé *sacrement de conversion* puisqu'il réalise 1423
sacramentellement l'appel de Jésus à la conversion[4], la *1989*
démarche de revenir au Père[5] dont on s'est éloigné par le
péché.

1. Cf. 2 Co 5, 1. — 2. Cf. Mc 2, 1-12. — 3. LG 11. — 4. Cf. Mc 1, 15. — 5. Cf. Lc 15, 18.

1440   Il est appelé *sacrement de Pénitence* puisqu'il consacre une démarche personnelle et ecclésiale de conversion, de repentir et de satisfaction du chrétien pécheur.

1424   Il est appelé *sacrement de la confession* puisque l'aveu, la
1456   confession des péchés devant le prêtre est un élément essentiel de ce sacrement. Dans un sens profond ce sacrement est aussi une « confession », reconnaissance et louange de la sainteté de Dieu et de sa miséricorde envers l'homme pécheur.

1449   Il est appelé *sacrement du pardon* puisque par l'absolution sacramentelle du prêtre, Dieu accorde au pénitent « le pardon et la paix [1] ».

1442   Il est appelé *sacrement de Réconciliation* car il donne au pécheur l'amour de Dieu qui réconcilie : « Laissez-vous réconcilier avec Dieu » (2 Co 5, 20). Celui qui vit de l'amour miséricordieux de Dieu est prêt à répondre à l'appel du Seigneur : « Va d'abord te réconcilier avec ton frère » (Mt 5, 24).

II. Pourquoi un sacrement de la Réconciliation après le Baptême ?

1425   « Vous avez été lavés, vous avez été sanctifiés, vous avez
1263   été justifiés au nom du Seigneur Jésus-Christ et par l'Esprit de notre Dieu » (1 Co 6, 11). Il faut se rendre compte de la grandeur du don de Dieu qui nous est fait dans les sacrements de l'initiation chrétienne pour saisir à quel point le péché est une chose exclue pour celui qui a « revêtu le Christ » (Ga 3, 27). Mais l'apôtre S. Jean dit aussi : « Si nous disons que nous sommes sans péché, nous nous abusons nous-mêmes, et la vérité n'est point en nous » (1 Jn 1, 8). Et le Seigneur Lui-même nous a enseigné de prier :
2838   « Pardonne-nous nos offenses » (Lc 11, 4) en liant le pardon mutuel de nos offenses au pardon que Dieu accordera à nos péchés.

1426   La *conversion* au Christ, la nouvelle naissance du Baptême, le don de l'Esprit Saint, le Corps et le Sang du Christ reçus en nourriture, nous ont rendus « saints et immaculés » devant Lui (Ep 1, 4), comme l'Eglise elle-même, épouse du Christ, est « sainte et immaculée » devant Lui (Ep 5, 27).

1. OP, formule de l'absolution.

Cependant, la vie nouvelle reçue dans l'initiation chrétienne n'a pas supprimé la fragilité et la faiblesse de la nature humaine, ni l'inclination au péché que la tradition appelle la *concupiscence*, qui demeure dans les baptisés pour qu'ils *405, 978* fassent leurs preuves dans le combat de la vie chrétienne *1264* aidés par la grâce du Christ [1]. Ce combat est celui de la *conversion* en vue de la sainteté et de la vie éternelle à laquelle le Seigneur ne cesse de nous appeler [2].

III. La conversion des baptisés

Jésus appelle à la conversion. Cet appel est une partie *1427* essentielle de l'annonce du Royaume : « Les temps sont *541* accomplis et le Royaume de Dieu est tout proche ; repentez-vous et croyez à la Bonne Nouvelle » (Mc 1, 15). Dans la prédication de l'Eglise cet appel s'adresse d'abord à ceux qui ne connaissent pas encore le Christ et son Evangile. Aussi, le Baptême est-il le lieu principal de la conversion première et fondamentale. C'est par la foi en la Bonne Nouvelle et par le Baptême [3] que l'on renonce au mal et qu'on acquiert le salut, c'est-à-dire la rémission de tous les péchés et le don de la vie nouvelle.

Or l'appel du Christ à la conversion continue à retentir *1428* dans la vie des chrétiens. Cette *seconde conversion* est une *1036* tâche ininterrompue pour toute l'Eglise qui « enferme des pécheurs dans son propre sein » et qui « est donc à la fois sainte et appelée à se purifier, et qui poursuit constamment son effort de pénitence et de renouvellement [4] ». Cet effort *853* de conversion n'est pas seulement une œuvre humaine. Il est le mouvement du cœur contrit [5] attiré et mû par la grâce [6] à *1996* répondre à l'amour miséricordieux de Dieu qui nous a aimés le premier [7].

En témoigne la conversion de S. Pierre après le triple *1429* reniement de son Maître. Le regard d'infinie miséricorde de Jésus provoque les larmes du repentir [8] et, après la résurrection du Seigneur, la triple affirmation de son amour envers Lui [9]. La seconde conversion a aussi une dimension *communautaire*. Cela apparaît dans l'appel du Seigneur à toute une Eglise : « Repens-toi ! » (Ap 2, 5. 16).

S. Ambroise dit des deux conversions que, dans l'Eglise, « il y a l'eau et les larmes : l'eau du Baptême et les larmes de la Pénitence [10] ».

1. Cf. DS 1515. — 2. Cf. DS 1545 ; LG 40. — 3. Cf. Ac 2, 38. — 4. LG 8. — 5. Cf. Ps 51, 19. — 6. Cf. Jn 6, 44 ; 12, 32. — 7. Cf. 1 Jn 4, 10. — 8. Cf. Lc 22, 61-62. — 9. Cf. Jn 21, 15-17. — 10. Ep. 41, 12.

IV. La pénitence intérieure

1430 Comme déjà chez les prophètes, l'appel de Jésus à la conversion et à la pénitence ne vise pas d'abord des œuvres extérieures, « le sac et la cendre », les jeûnes et les mortifi-
1098 cations, mais *la conversion du cœur, la pénitence intérieure.* Sans elle, les œuvres de pénitence restent stériles et menson-gères ; par contre, la conversion intérieure pousse à l'expres-sion de cette attitude en des signes visibles, des gestes et des œuvres de pénitence [1].

1431 La pénitence intérieure est une réorientation radicale de toute la vie, un retour, une conversion vers Dieu de tout
1451 notre cœur, une cessation du péché, une aversion du mal, avec une répugnance envers les mauvaises actions que nous avons commises. En même temps, elle comporte le désir et la résolution de changer de vie avec l'espérance de la misé-ricorde divine et la confiance en l'aide de sa grâce. Cette conversion du cœur est accompagnée d'une douleur et d'une tristesse salutaires que les Pères ont appelées *animi crucia-tus* (affliction de l'esprit), *compunctio cordis* (repentir du
368 cœur) [2].

1432 Le cœur de l'homme est lourd et endurci. Il faut que Dieu
1989 donne à l'homme un cœur nouveau [3]. La conversion est d'abord une œuvre de la grâce de Dieu qui fait revenir nos cœurs à Lui : « Convertis-nous, Seigneur, et nous serons convertis » (Lm 5, 21). Dieu nous donne la force de com-mencer à nouveau. C'est en découvrant la grandeur de l'amour de Dieu que notre cœur est ébranlé par l'horreur et le poids du péché et qu'il commence à craindre d'offenser Dieu par le péché et d'être séparé de Lui. Le cœur humain se convertit en regardant vers Celui que nos péchés ont transpercé [4] :

> Ayons les yeux fixés sur le sang du Christ et comprenons combien il est précieux à son Père car, répandu pour notre salut, il a ménagé au monde entier la grâce du repentir [5].

1433 Depuis Pâques, c'est l'Esprit Saint qui confond le monde
729 en matière de péché [6], à savoir que le monde n'a pas cru en Celui que le Père a envoyé. Mais ce même Esprit, qui
692, 1848 dévoile le péché, est le Consolateur [7] qui donne au cœur de l'homme la grâce du repentir et de la conversion [8].

---

1. Cf. Jl 2, 12-13 ; Is 1, 16-17 ; Mt 6, 1-6. 16-18. — 2. Cf. Cc. Trente : DS 1677-1678 ; 1705 ; Catech. R. 2, 5, 4. — 3. Cf. Ez 36, 26-27. — 4. Cf. Jn 19, 37 ; Za 12, 10. — 5. S. Clément de Rome, Cor. 7,4. — 6. Cf. Jn 16, 8-9. — 7. Cf. Jn 15, 26. — 8. Cf. Ac 2, 36-38 ; cf. Jean Paul II, DV 27-48.

V. Les multiples formes de la pénitence dans la vie chrétienne

La pénitence intérieure du chrétien peut avoir des expressions très variées. L'Écriture et les Pères insistent surtout sur trois formes : *le jeûne, la prière, l'aumône*[1], qui expriment la conversion par rapport à soi-même, par rapport à Dieu et par rapport aux autres. A côté de la purification radicale opérée par le Baptême ou par le martyre, ils citent, comme moyen d'obtenir le pardon des péchés, les efforts accomplis pour se réconcilier avec son prochain, les larmes de pénitence, le souci du salut du prochain[2], l'intercession des saints et la pratique de la charité qui « couvre une multitude de péchés » (1 P 4, 8). **1434** *1969*

La conversion se réalise dans la vie quotidienne par des gestes de réconciliation, par le souci des pauvres, l'exercice et la défense de la justice et du droit[3] par l'aveu des fautes aux frères, la correction fraternelle, la révision de vie, l'examen de conscience, la direction spirituelle, l'acceptation des souffrances, l'endurance de la persécution à cause de la justice. Prendre sa Croix, chaque jour, et suivre Jésus est le chemin le plus sûr de la pénitence[4]. **1435**

Eucharistie et Pénitence. La conversion et la pénitence quotidiennes trouvent leur source et leur nourriture dans l'Eucharistie, car en elle est rendu présent le sacrifice du Christ qui nous a réconciliés avec Dieu ; par elle sont nourris et fortifiés ceux qui vivent de la vie du Christ ; « elle est l'antidote qui nous libère de nos fautes quotidiennes et nous préserve des péchés mortels[5] ». **1436** *1394*

La lecture de l'Écriture Sainte, la prière de la Liturgie des Heures et du Notre Père, tout acte sincère de culte ou de piété ravive en nous l'esprit de conversion et de pénitence et contribue au pardon de nos péchés. **1437**

Les temps et les jours de pénitence au cours de l'année liturgique (le temps du carême, chaque vendredi en mémoire de la mort du Seigneur) sont des moments forts de la pratique pénitentielle de l'Église[6]. Ces temps sont particulièrement appropriés pour les exercices spirituels, les liturgies pénitentielles, les pèlerinages en signe de pénitence, les privations volontaires comme le jeûne et l'aumône, le partage fraternel (œuvres caritatives et missionnaires). **1438** *540* *2043*

Le *mouvement de la conversion et de la pénitence* a été merveilleusement décrit par Jésus dans la parabole dite du fils prodigue dont le centre est le père miséricordieux[7] : la fascination d'une liberté illusoire, l'abandon de la maison paternelle ; la misère extrême dans laquelle le fils se trouve après avoir dilapidé sa fortune ; l'humiliation profonde de se voir obligé de paître des porcs, et pire encore, celle de désirer se nourrir des caroubes que man- **1439** *545*

---

1. Cf. Tb 12, 8 ; Mt 6, 1-18. — 2. Cf. Jc 5, 20. — 3. Cf. Am 5, 24 ; Is 1, 17. — 4. Cf. Lc 9, 23. — 5. Cc. Trente : DS 1638. — 6. Cf. SC 109-110 ; CIC, can. 1249-1253 ; CCEO, can. 880-883. — 7. Cf. Lc 15, 11-24.

geaient les cochons ; la réflexion sur les biens perdus ; le repentir et la décision de se déclarer coupable devant son père ; le chemin du retour ; l'accueil généreux par le père ; la joie du père : ce sont là des traits propres au processus de conversion. La belle robe, l'anneau et le banquet de fête sont des symboles de cette vie nouvelle, pure, digne, pleine de joie qu'est la vie de l'homme qui revient à Dieu et au sein de sa famille, qui est l'Eglise. Seul le cœur du Christ, qui connaît les profondeurs de l'amour de son Père, a pu nous révéler l'abîme de sa miséricorde d'une manière si pleine de simplicité et de beauté.

VI. Le sacrement de la Pénitence et de la Réconciliation

1440
1850
Le péché est avant tout offense à Dieu, rupture de la communion avec Lui. Il porte en même temps atteinte à la communion avec l'Eglise. C'est pourquoi la conversion apporte à la fois le pardon de Dieu et la réconciliation avec l'Eglise, ce qu'exprime et réalise liturgiquement le sacrement de la Pénitence et de la Réconciliation[1].

Dieu seul pardonne le péché

1441
270, 431

589
Dieu seul pardonne les péchés[2]. Parce que Jésus est le Fils de Dieu, Il dit de Lui-même : « Le Fils de l'Homme a le pouvoir de remettre les péchés sur la terre » (Mc 2, 10) et Il exerce ce pouvoir divin : « Tes péchés sont pardonnés ! » (Mc 2, 5)[3]. Plus encore : en vertu de sa divine autorité, Il donne ce pouvoir aux hommes[4] pour qu'ils l'exercent en son nom.

1442

983
Le Christ a voulu que son Eglise soit tout entière, dans sa prière, sa vie et son agir, le signe et l'instrument du pardon et de la réconciliation qu'Il nous a acquis au prix de son sang. Il a cependant confié l'exercice du pouvoir d'absolution au ministère apostolique. Celui-ci est chargé du « ministère de la réconciliation » (2 Co 5, 18). L'apôtre est envoyé « au nom du Christ », et c'est Dieu Lui-même qui, à travers lui, exhorte et supplie : « Laissez-vous réconcilier avec Dieu » (2 Co 5, 20).

Réconciliation avec l'Église

1443
Durant sa vie publique, Jésus n'a pas seulement pardonné les péchés, Il a aussi manifesté l'effet de ce pardon : Il a réintégré les pécheurs pardonnés dans la communauté du

1. Cf. LG 11. — 2. Cf. Mc 2, 7. — 3. Cf. Lc 7, 48. — 4. Cf. Jn 20, 21-23.

Peuple de Dieu d'où le péché les avait éloignés ou même exclus. Un signe éclatant en est le fait que Jésus admet les pécheurs à sa table, plus encore, qu'Il se met Lui-même à leur table, geste qui exprime de façon bouleversante à la fois le pardon de Dieu [1] et le retour au sein du Peuple de Dieu [2].   *545*

En donnant part aux apôtres de son propre pouvoir de pardonner les péchés, le Seigneur leur donne aussi l'autorité de réconcilier les pécheurs avec l'Eglise. Cette dimension ecclésiale de leur tâche s'exprime notamment dans la parole solennelle du Christ à Simon Pierre : « Je te donnerai les clefs du Royaume des cieux ; tout ce que tu lieras sur la terre sera lié aux cieux, et tout ce que tu délieras sur la terre sera délié aux cieux » (Mt 16, 19). « Cette même charge de lier et de délier qui a été donnée à Pierre a été aussi donnée au collège des apôtres unis à leur chef (Mt 18, 18 ; 28, 16-20) [3]. »   **1444** *981*

Les mots *lier* et *délier* signifient : celui que vous exclurez de votre communion, celui-là sera exclu de la communion avec Dieu ; celui que vous recevrez de nouveau dans votre communion, Dieu l'accueillera aussi dans la sienne. *La réconciliation avec l'Eglise est inséparable de la réconciliation avec Dieu.*   **1445** *553*

Le sacrement du pardon

Le Christ a institué le sacrement de Pénitence pour tous les membres pécheurs de son Eglise, avant tout pour ceux qui, après le baptême, sont tombés dans le péché grave et qui ont ainsi perdu la grâce baptismale et blessé la communion ecclésiale. C'est à eux que le sacrement de Pénitence offre une nouvelle possibilité de se convertir et de retrouver la grâce de la justification. Les Pères de l'Eglise présentent ce sacrement comme « la seconde planche [de salut] après le naufrage qu'est la perte de la grâce [4] ».   **1446** *979* *1856* *1990*

Au cours des siècles, la forme concrète, selon laquelle l'Eglise a exercé ce pouvoir reçu du Seigneur, a beaucoup varié. Durant les premiers siècles, la réconciliation des chrétiens qui avaient commis des péchés particulièrement graves après leur Baptême (par exemple l'idolâtrie, l'homicide ou l'adultère), était liée à une discipline très rigoureuse, selon laquelle les pénitents devaient faire pénitence publique pour leurs péchés, souvent durant de longues   **1447**

1. Cf. Lc 15. — 2. Cf. Lc 19, 9. — 3. LG 22. — 4. Cc. Trente : DS 1542 ; cf. Tertullien, pæn. 4, 2.

années, avant de recevoir la réconciliation. A cet « ordre des pénitents » (qui ne concernait que certains péchés graves) on n'était
admis que rarement et, dans certaines régions, une seule fois dans
sa vie. Pendant le VIIᵉ siècle, inspirés par la tradition monastique
d'Orient, les missionnaires irlandais apportèrent en Europe conti-
nentale la pratique « privée » de la pénitence qui n'exige pas la réalisation publique et prolongée d'œuvres de pénitence avant de recevoir la réconciliation avec l'Eglise. Le sacrement se réalise
désormais d'une manière plus secrète entre le pénitent et le prêtre.
Cette nouvelle pratique prévoyait la possibilité de la réitération et
ouvrait ainsi le chemin à une fréquentation régulière de ce sacrement. Elle permettait d'intégrer dans une seule célébration sacramentelle le pardon des péchés graves et des péchés véniels. C'est,
dans les grandes lignes, cette forme de la pénitence que l'Eglise
pratique jusqu'à nos jours.

1448   A travers les changements que la discipline et la célébration de ce sacrement ont connus au cours des siècles, on discerne la même *structure fondamentale*. Elle comporte deux
éléments également essentiels ; d'une part, les actes de
l'homme qui se convertit sous l'action de l'Esprit Saint : à
savoir la contrition, l'aveu et la satisfaction ; d'autre part,
l'action de Dieu par l'intervention de l'Eglise. L'Eglise qui,
par l'évêque et ses prêtres, donne au nom de Jésus-Christ le
pardon des péchés et fixe la modalité de la satisfaction, prie
aussi pour le pécheur et fait pénitence avec lui. Ainsi le
pécheur est guéri et rétabli dans la communion ecclésiale.

1449   La formule d'absolution en usage dans l'Eglise latine
1481 exprime les éléments essentiels de ce sacrement : le Père des
miséricordes est la source de tout pardon. Il réalise la
234   réconciliation des pécheurs par la Pâque de son Fils et le
don de son Esprit, à travers la prière et le ministère de
l'Eglise :

> Que Dieu notre Père vous montre sa miséricorde ; par la
> mort et la résurrection de son Fils, Il a réconcilié le monde
> avec Lui et Il a envoyé l'Esprit Saint pour la rémission des
> péchés : par le ministère de l'Eglise, qu'Il vous donne le
> pardon et la paix. Et moi, au nom du Père et du Fils et du
> Saint-Esprit, je vous pardonne tous vos péchés[1].

VII. Les actes du pénitent

1450   « La Pénitence oblige le pécheur à accepter volontiers
tous ses éléments : dans son cœur, la contrition ; dans sa
bouche, la confession ; dans son comportement, une totale
humilité ou une fructueuse satisfaction[2]. »

---

1. OP 46-55. — 2. Catech. R. 2, 5, 21 ; cf. Cc. Trente : DS 1673.

La contrition

Parmi les actes du pénitent, la contrition vient en premier lieu. Elle est « une douleur de l'âme et une détestation du péché commis avec la résolution de ne plus pécher à l'avenir [1] ».   1451
431

Quand elle provient de l'amour de Dieu aimé plus que tout, la contrition est appelée « parfaite » (contrition de charité). Une telle contrition remet les fautes vénielles ; elle obtient aussi le pardon des péchés mortels, si elle comporte la ferme résolution de recourir dès que possible à la confession sacramentelle [2].   1452
1822

La contrition dite « imparfaite » (ou « attrition ») est, elle aussi, un don de Dieu, une impulsion de l'Esprit Saint. Elle naît de la considération de la laideur du péché ou de la crainte de la damnation éternelle et des autres peines dont est menacé le pécheur (contrition par crainte). Un tel ébranlement de la conscience peut amorcer une évolution intérieure qui sera parachevée sous l'action de la grâce, par l'absolution sacramentelle. Par elle-même, cependant, la contrition imparfaite n'obtient pas le pardon des péchés graves, mais elle dispose à l'obtenir dans le sacrement de la Pénitence [3].   1453

Il convient de préparer la réception de ce sacrement par un *examen de conscience* fait à la lumière de la Parole de Dieu. Les textes les plus adaptés à cet effet sont à chercher dans le Décalogue et dans la catéchèse morale des Evangiles et des lettres apostoliques : sermon sur la Montagne, les enseignements apostoliques [4].   1454

La confession des péchés

La confession des péchés (l'aveu), même d'un point de vue simplement humain, nous libère et facilite notre réconciliation avec les autres. Par l'aveu, l'homme regarde en face les péchés dont il s'est rendu coupable ; il en assume la responsabilité et par là, il s'ouvre de nouveau à Dieu et à la communion de l'Eglise afin de rendre possible un nouvel avenir.   1455
1424
1734

L'aveu au prêtre constitue une partie essentielle du sacrement de Pénitence : « Les pénitents doivent, dans la confession, énumérer tous les péchés mortels dont ils ont   1456
1855

---

1. Cc. Trente : DS 1676. — 2. Cf. Cc. Trente : DS 1677. — 3. Cf. Cc. Trente : DS 1678 ; 1705. — 4. Cf. Rm 12-15 ; 1 Co 12-13 ; Ga 5 ; Ep 4-6.

conscience après s'être examinés sérieusement, même si ces péchés sont très secrets et s'ils ont été commis seulement contre les deux derniers préceptes du Décalogue[1], car parfois ces péchés blessent plus grièvement l'âme et sont plus dangereux que ceux qui ont été commis au su de tous[2] » :

1505
> Lorsque les fidèles du Christ s'efforcent de confesser tous les péchés qui leur viennent à la mémoire, on ne peut pas douter qu'ils les présentent tous au pardon de la miséricorde divine. Ceux qui agissent autrement et qui en cachent sciemment quelques-uns ne proposent à la bonté divine rien qu'elle puisse remettre par l'intermédiaire du prêtre. Car « si le malade rougit de découvrir sa plaie au médecin, la médecine ne soigne pas ce qu'elle ignore[3] ».

1457
2042 D'après le commandement de l'Eglise, « tout fidèle parvenu à l'âge de la discrétion doit confesser, au moins une fois par an, les péchés graves dont il a conscience[4] ». Celui qui a conscience d'avoir commis un péché mortel ne doit pas recevoir la Sainte communion,
1385 même s'il éprouve une grande contrition, sans avoir préalablement reçu l'absolution sacramentelle[5], à moins qu'il n'ait un motif grave pour communier et qu'il ne lui soit possible d'accéder à un confesseur[6]. Les enfants doivent accéder au sacrement de la Pénitence avant de recevoir pour la première fois la Sainte communion[7].

1458 Sans être strictement nécessaire, la confession des fautes quotidiennes (péchés véniels) est néanmoins vivement recommandée par l'Eglise[8]. En effet, la confession régulière
1783 de nos péchés véniels nous aide à former notre conscience, à lutter contre nos penchants mauvais, à nous laisser guérir par le Christ, à progresser dans la vie de l'Esprit. En recevant plus fréquemment, par ce sacrement, le don de la miséricorde du Père, nous sommes poussés à être miséricordieux comme Lui[9] :

> Celui qui confesse ses péchés agit déjà avec Dieu. Dieu accuse tes péchés; si tu les accuses toi aussi, tu te joins à Dieu. L'homme et le pécheur sont pour ainsi dire deux réalités : quand tu entends parler de l'homme, c'est Dieu qui l'a fait; quand tu entends parler du pécheur, c'est l'homme lui-même qui l'a fait. Détruis ce que tu as fait pour que Dieu sauve ce qu'il a fait (...). Quand tu commences à détester ce que tu as fait, c'est alors que tes œuvres bonnes commencent parce que tu accuses tes œuvres mauvaises. Le

1. Cf. Ex 20, 17; Mt 5, 28. — 2. Cc. Trente : DS 1680. — 3. Cc. Trente : DS 1680; cf. S. Jérôme, Eccl. 10, 11. — 4. Cc., can. 989 ; cf DS 1683, 1708. — 5. Cf. Cc. Trente : DS 1647; 1661. — 6. Cf. CIC, can. 916; CCEO, can. 711. — 7. Cf. CIC, can. 914. — 8. Cf. Cc. Trente : DS 1680; CIC, can. 988, § 2. — 9. Cf. Lc 6, 36.

commencement des œuvres bonnes, c'est la confession des œuvres mauvaises. Tu fais la vérité et tu viens à la Lumière[1]. *2468*

La satisfaction

Beaucoup de péchés causent du tort au prochain. Il faut faire le possible pour le réparer (par exemple restituer des choses volées, rétablir la réputation de celui qui a été calomnié, compenser des blessures). La simple justice exige cela. Mais en plus, le péché blesse et affaiblit le pécheur lui-même, ainsi que ses relations avec Dieu et avec le prochain. L'absolution enlève le péché, mais elle ne remédie pas à tous les désordres que le péché a causés[2]. Relevé du péché, le pécheur doit encore recouvrer la pleine santé spirituelle. Il doit donc faire quelque chose de plus pour réparer ses péchés : il doit « satisfaire » de manière appropriée ou « expier » ses péchés. Cette satisfaction s'appelle aussi « pénitence ».   *1459* *2412* *2487* *1473*

La *pénitence* que le confesseur impose doit tenir compte de la situation personnelle du pénitent et doit chercher son bien spirituel. Elle doit correspondre autant que possible à la gravité et à la nature des péchés commis. Elle peut consister dans la prière, une offrande, dans les œuvres de miséricorde, le service du prochain, dans des privations volontaires, des sacrifices, et surtout dans l'acceptation patiente de la Croix que nous devons porter. De telles pénitences aident à nous configurer au Christ qui, seul, a expié pour nos péchés[3] une fois pour toutes. Elles nous permettent de devenir les cohéritiers du Christ ressuscité, « puisque nous souffrons avec Lui » (Rm 8, 17)[4] :   *1460* *2447* *618*

> Mais notre satisfaction, celle que nous acquittons pour nos péchés, n'est que par Jésus-Christ : nous qui, de nous-mêmes comme tels, ne pouvons rien nous-mêmes, avec l'aide « de Celui qui nous fortifie, nous pouvons tout[5] ». Ainsi l'homme n'a rien dont il puisse se glorifier, mais toute notre « gloire » est dans le Christ (...) en qui nous satisfaisons, « en faisant de dignes fruits de pénitence[6] », qui en Lui puisent leur force, par Lui sont offerts au Père et grâce à Lui sont acceptés par le Père[7].   *2011*

1. S. Augustin, ev. Jo. 12, 13. — 2. Cf. Cc. Trente : DS 1712. — 3. Cf. Rm 3, 25 ; 1 Jn 2, 1-2. — 4. Cf. Cc. Trente : DS 1690. — 5. Cf. Ph 4, 13. — 6. Cf. Lc 3, 8. — 7. Cc. Trente : DS 1691.

VIII. Le ministre de ce sacrement

1461 Puisque le Christ a confié à ses apôtres le ministère de la
981 réconciliation[1], les évêques, leurs successeurs, et les presbytres, collaborateurs des évêques, continuent à exercer ce
ministère. En effet, ce sont les évêques et les presbytres, qui
ont, en vertu du sacrement de l'Ordre, le pouvoir de pardonner tous les péchés « au nom du Père et du Fils et du Saint-
Esprit ».

1462 Le pardon des péchés réconcilie avec Dieu mais aussi
886 avec l'Eglise. L'évêque, chef visible de l'Eglise particulière,
est donc considéré à juste titre, depuis les temps anciens,
comme celui qui a principalement le pouvoir et le ministère
de la réconciliation : il est le modérateur de la discipline
1567 pénitentielle[2]. Les presbytres, ses collaborateurs, l'exercent
dans la mesure où ils en ont reçu la charge soit de leur
évêque (ou d'un supérieur religieux) soit du Pape, à travers
le droit de l'Eglise[3].

1463 Certains péchés particulièrement graves sont frappés de
l'excommunication, la peine ecclésiastique la plus sévère, qui
empêche la réception des sacrements et l'exercice de certains actes
ecclésiastiques[4], et dont l'absolution, par conséquent, ne peut être
accordée, selon le droit de l'Eglise, que par le Pape, l'évêque du
lieu ou des prêtres autorisés par eux[5]. En cas de danger de mort tout
prêtre, même dépourvu de la faculté d'entendre les confessions,
982 peut absoudre de tout péché[6] et de toute excommunication.

1464 Les prêtres doivent encourager les fidèles à accéder au
sacrement de la Pénitence et doivent se montrer disponibles
à célébrer ce sacrement chaque fois que les chrétiens le
demandent de manière raisonnable[7].

1465 En célébrant le sacrement de la Pénitence, le prêtre
983 accomplit le ministère du Bon Pasteur qui cherche la brebis
perdue, celui du Bon Samaritain qui panse les blessures, du
Père qui attend le Fils prodigue et l'accueille à son retour,
du juste juge qui ne fait pas acception de personne et dont le
jugement est à la fois juste et miséricordieux. Bref, le prêtre
est le signe et l'instrument de l'amour miséricordieux de
Dieu envers le pécheur.

1466 Le confesseur n'est pas le maître, mais le serviteur du
1551 pardon de Dieu. Le ministre de ce sacrement doit s'unir à
l'intention et à la charité du Christ[8]. Il doit avoir une

---

1. Cf. Jn 20, 23 ; 2 Co 5, 18. — 2. LG 26. — 3. Cf. CIC, can. 844 ; 967-969 ; 972 ;
CCEO, can. 722, §§ 3-4. — 4. Cf. CIC, can. 1331 ; CCEO, can. 1431 ; 1434. —
5. Cf. CIC, can. 1354-1357 ; CCEO, can. 1420. — 6. Cf. CIC, can. 976 ; CCEO,
can. 725. — 7. Cf. CIC, can. 986 ; CCEO, can. 735 ; PO 13. — 8. Cf. PO 13.

connaissance éprouvée du comportement chrétien, l'expé-   2690
rience des choses humaines, le respect et la délicatesse
envers celui qui est tombé ; il doit aimer la vérité, être fidèle
au Magistère de l'Eglise et conduire le pénitent avec
patience vers la guérison et la pleine maturité. Il doit prier et
faire pénitence pour lui en le confiant à la miséricorde du
Seigneur.

Etant donné la délicatesse et la grandeur de ce ministère   1467
et le respect dû aux personnes, l'Eglise déclare que tout
prêtre qui entend des confessions est obligé de garder un   2490
secret absolu au sujet des péchés que ses pénitents lui ont
confessés, sous des peines très sévères[1]. Il ne peut pas non
plus faire état des connaissances que la confession lui donne
sur la vie des pénitents. Ce secret, qui n'admet pas d'excep-
tions, s'appelle le « sceau sacramentel », car ce que le
pénitent a manifesté au prêtre reste « scellé » par le sacrement.

IX. Les effets de ce sacrement

« Toute l'efficacité de la Pénitence consiste à nous réta-   1468
blir dans la grâce de Dieu et à nous unir à Lui dans une souveraine amitié[2]. » Le but et l'effet de ce sacrement sont
donc la *réconciliation avec Dieu*. Chez ceux qui reçoivent le
sacrement de Pénitence avec un cœur contrit et dans une
disposition religieuse, « il est suivi de la paix et de la tran-   2305
quillité de la conscience, qu'accompagne une forte consolation spirituelle[3] ». En effet, le sacrement de la réconciliation
avec Dieu apporte une véritable « résurrection spirituelle »,
une restitution de la dignité et des biens de la vie des enfants
de Dieu dont le plus précieux est l'amitié de Dieu[4].

Ce sacrement nous *réconcilie avec l'Eglise*. Le péché   1469
ébrèche ou brise la communion fraternelle. Le sacrement de   953
Pénitence la répare ou la restaure. En ce sens, il ne guérit
pas seulement celui qui est rétabli dans la communion ecclésiale, il a aussi un effet vivifiant sur la vie de l'Eglise qui a
souffert du péché d'un de ses membres[5]. Rétabli ou affermi
dans la communion des saints, le pécheur est fortifié par
l'échange des biens spirituels entre tous les membres   949
vivants du Corps du Christ, qu'ils soient encore dans l'état
de pèlerinage ou qu'ils soient déjà dans la patrie céleste[6] :

---

1. CIC, can. 973-974 ; 1388, §1 ; CCEO, can. 1456. — 2. Catech. R. 2, 5, 18. — 3. Cc.
Trente : DS 1674. — 4. Cf. Lc 15, 32. — 5. Cf. 1 Co 12, 26. — 6. Cf. LG 48-50.

Il faut rappeler que la réconciliation avec Dieu a comme conséquence, pour ainsi dire, d'autres réconciliations qui porteront remède à d'autres ruptures produites par le péché : le pénitent pardonné se réconcilie avec lui-même dans la profondeur de son être, où il récupère la propre vérité intérieure ; il se réconcilie avec les frères que de quelque manière il a offensés et blessés ; il se réconcilie avec l'Eglise ; il se réconcilie avec la création tout entière[1].

1470   Dans ce sacrement, le pécheur, en se remettant au jugement miséricordieux de Dieu, *anticipe* d'une certaine façon *678, 1039*   *le jugement* auquel il sera soumis à la fin de cette vie terrestre. Car c'est maintenant, dans cette vie-ci, que nous est offert le choix entre la vie et la mort, et ce n'est que par le chemin de la conversion que nous pouvons entrer dans le Royaume d'où exclut le péché grave[2]. En se convertissant au Christ par la pénitence et la foi, le pécheur passe de la mort à la vie et il « n'est pas soumis au jugement » (Jn 5, 24).

X. Les indulgences

1471   La doctrine et la pratique des indulgences dans l'Eglise sont étroitement liées aux effets du sacrement de Pénitence.

Qu'est-ce que l'indulgence ?

« L'indulgence est la rémission devant Dieu de la peine temporelle due pour les péchés dont la faute est déjà effacée, rémission que le fidèle bien disposé obtient à certaines conditions déterminées, par l'action de l'Eglise, laquelle, en tant que dispensatrice de la rédemption, distribue et applique par son autorité le trésor des satisfactions du Christ et des saints[3]. »

« L'indulgence est partielle ou plénière, selon qu'elle libère partiellement ou totalement de la peine temporelle due pour le péché[4]. » « Tout fidèle peut gagner des indulgences pour soi-même ou les appliquer aux défunts[5]. »

Les peines du péché

1472   Pour comprendre cette doctrine et cette pratique de l'Eglise il *1861*   faut voir que le péché *a une double conséquence*. Le péché grave nous prive de la communion avec Dieu, et par là il nous rend inca-

---

1. RP 31. — 2. Cf. 1 Co 5, 11 ; Ga 5, 19-21 ; Ap 22, 15. — 3. Paul VI, const. ap. « Indulgentiarum doctrina », Normae 1. — 4. *Ibid.*, Normae 2. — 5. CIC, can. 994.

pables de la vie éternelle, dont la privation s'appelle la « peine éternelle » du péché. D'autre part, tout péché, même véniel, entraîne un
attachement malsain aux créatures, qui a besoin de purification, soit
ici-bas, soit après la mort, dans l'état qu'on appelle Purgatoire.   *1031*
Cette purification libère de ce qu'on appelle la « peine temporelle »
du péché. Ces deux peines ne doivent pas être conçues comme une
espèce de vengeance, infligée par Dieu de l'extérieur, mais bien
comme découlant de la nature même du péché. Une conversion qui
procède d'une fervente charité peut arriver à la totale purification
du pécheur, de sorte qu'aucune peine ne subsisterait[1].

Le pardon du péché et la restauration de la communion avec   **1473**
Dieu entraînent la remise des peines éternelles du péché. Mais des
peines temporelles du péché demeurent. Le chrétien doit s'efforcer,
en supportant patiemment les souffrances et les épreuves de toute
sorte et, le jour venu, en faisant sereinement face à la mort,
d'accepter comme une grâce ces peines temporelles du péché ; il
doit s'appliquer, par les œuvres de miséricorde et de charité, ainsi   *2447*
que par la prière et les différentes pratiques de la pénitence, à se
dépouiller complètement du « vieil homme » et à revêtir « l'homme
nouveau[2] ».

Dans la communion des saints

Le chrétien qui cherche à se purifier de son péché et à se sancti-   **1474**
fier avec l'aide de la grâce de Dieu ne se trouve pas seul. « La vie   *946-959*
de chacun des enfants de Dieu se trouve liée d'une façon admi-
rable, dans le Christ et par le Christ, avec la vie de tous les autres
frères chrétiens, dans l'unité surnaturelle du Corps mystique du
Christ, comme dans une personne mystique[3]. »   *795*

Dans la communion des saints « il existe donc entre les fidèles –   **1475**
ceux qui sont en possession de la patrie céleste, ceux qui ont été
admis à expier au purgatoire ou ceux qui sont encore en pèlerinage
sur la terre – un constant lien d'amour et un abondant échange de
tous biens[4] ». Dans cet échange admirable, la sainteté de l'un profite aux autres, bien au-delà du dommage que le péché de l'un a pu
causer aux autres. Ainsi, le recours à la communion des saints permet au pécheur contrit d'être plus tôt et plus efficacement purifié
des peines du péché.

Ces biens spirituels de la communion des saints, nous les appe-   **1476**
lons aussi le *trésor de l'Église*, « qui n'est pas une somme de biens,
ainsi qu'il en est des richesses matérielles accumulées au cours des
siècles, mais qui est le prix infini et inépuisable qu'ont auprès de
Dieu les expiations et les mérites du Christ notre Seigneur, offerts   *617*
pour que l'humanité soit libérée du péché et parvienne à la communion avec le Père. C'est dans le Christ, notre Rédempteur, que
se trouvent en abondance les satisfactions et les mérites de sa
rédemption[5]. »

---

1. Cf. Cc. Trente : DS 1712-1713 ; 1820. — 2. Cf. Ep 4, 24. — 3. Paul VI, const.
ap. « Indulgentiarum doctrina » 5. — 4. *Ibid.* — 5. *Ibid.*

1477   « Appartient également à ce trésor le prix vraiment immense,
        incommensurable et toujours nouveau qu'ont auprès de Dieu les
969   prières et les bonnes œuvres de la bienheureuse Vierge Marie et de
        tous les saints qui se sont sanctifiés par la grâce du Christ, en mar-
        chant sur ses traces, et ont accompli une œuvre agréable au Père, de
        sorte qu'en travaillant à leur propre salut, ils ont coopéré également
        au salut de leurs frères dans l'unité du Corps mystique [1]. »

Obtenir l'indulgence de Dieu par l'Église

1478   L'indulgence s'obtient par l'Eglise qui, en vertu du pouvoir de
981   lier et de délier qui lui a été accordé par le Christ Jésus, intervient
        en faveur d'un chrétien et lui ouvre le trésor des mérites du Christ
        et des saints pour obtenir du Père des miséricordes la remise des
        peines temporelles dues pour ses péchés. C'est ainsi que l'Eglise ne
        veut pas seulement venir en aide à ce chrétien, mais aussi l'inciter à
        des œuvres de piété, de pénitence et de charité [2].

1479   Puisque les fidèles défunts en voie de purification sont aussi
        membres de la même communion des saints, nous pouvons les
1032   aider entre autres en obtenant pour eux des indulgences, de sorte
        qu'ils soient acquittés des peines temporelles dues pour leurs
        péchés.

XI. La célébration du sacrement de Pénitence

1480   Comme tous les sacrements, la Pénitence est une action
        liturgique. Tels sont ordinairement les éléments de la célé-
        bration : salutation et bénédiction du prêtre, lecture de la
        Parole de Dieu pour éclairer la conscience et susciter la
        contrition, et exhortation à la repentance ; la confession qui
        reconnaît les péchés et les manifeste au prêtre ; l'imposition
        et acceptation de la pénitence ; l'absolution du prêtre ;
        louange d'action de grâces et envoi avec la bénédiction du
        prêtre.

1481   La liturgie byzantine connaît plusieurs formules d'absolution, de
1449   forme déprécative, qui expriment admirablement le mystère du par-
        don : « Que le Dieu, qui par le prophète Nathan, a pardonné à
        David lorsqu'il eut confessé ses propres péchés, et à Pierre lorsqu'il
        eut pleuré amèrement, et à la courtisane lorsqu'elle eut répandu ses
        larmes sur ses pieds, et au Pharisien, et au prodigue, que ce même
        Dieu vous pardonne, par moi, pécheur, en cette vie et dans l'autre
        et qu'Il vous fasse comparaître sans vous condamner à son redou-
        table tribunal, Lui qui est béni dans les siècles des siècles.
        Amen [3]. »

1482   Le sacrement de la Pénitence peut aussi avoir lieu dans le cadre
        d'une *célébration communautaire*, dans laquelle on se prépare
        ensemble à la confession et on rend grâces ensemble pour le pardon

---

1. *Ibid.* — 2. Cf. Paul VI, *loc. cit.* 8 ; Cc. Trente : DS 1835. — 3. Euxologia tò mèga.

reçu. Ici, la confession personnelle des péchés et l'absolution individuelle sont insérées dans une liturgie de la Parole de Dieu, avec homélies et homélie, examen de conscience mené en commun, demande communautaire du pardon, prière du Notre Père et action de grâces en commun. Cette célébration communautaire exprime plus clairement le caractère ecclésial de la pénitence. Quelle que soit cependant la manière de sa célébration, le sacrement de Pénitence est toujours, d'après sa nature même, une action liturgique, donc ecclésiale et publique [1].   *1140*

En des cas de nécessité grave on peut recourir à la *célébration*   **1483**
communautaire de la réconciliation avec confession générale et   *1401*
absolution générale. Une telle nécessité grave peut se présenter lorsqu'il y a un danger imminent de mort sans que le ou les prêtres aient le temps suffisant pour entendre la confession de chaque pénitent. La nécessité grave peut exister aussi lorsque, compte tenu du nombre des pénitents, il n'y a pas assez de confesseurs pour entendre dûment les confessions individuelles dans un temps raisonnable, de sorte que les pénitents, sans faute de leur part, se verraient privés pendant longtemps de la grâce sacramentelle ou de la sainte communion. Dans ce cas les fidèles doivent avoir, pour la validité de l'absolution, le propos de confesser individuellement leurs péchés graves en temps voulu [2]. C'est à l'évêque diocésain de juger si les conditions requises pour l'absolution générale existent [3]. Un grand concours de fidèles à l'occasion de grandes fêtes ou de pèlerinages ne constitue pas un cas d'une telle grave nécessité [4].

« La confession individuelle et intégrale suivie de l'absolution demeure le seul mode ordinaire par lequel les fidèles se réconcilient avec Dieu et l'Eglise, sauf si une impossibilité physique ou morale dispense d'une telle confession [5]. »   **1484**
Ceci n'est pas sans raisons profondes. Le Christ agit en chacun des sacrements. Il s'adresse personnellement à chacun des pécheurs : « Mon enfant, tes péchés sont remis » (Mc 2, 5) ; Il est le médecin qui se penche sur chacun des malades qui ont besoin de lui [6] pour les guérir ; Il les relève et les réintègre dans la communion fraternelle. La confession personnelle est donc la forme la plus significative de la réconciliation avec Dieu et avec l'Eglise.   *878*

EN BREF

« Le soir de Pâques, le Seigneur Jésus se montra à ses   **1485**
apôtres et leur dit : "Recevez l'Esprit Saint. Ceux à qui
vous remettrez les péchés, ils leur seront remis. Ceux à qui
vous les retiendrez, ils leur seront retenus" » (Jn 20, 22-23).

Le pardon des péchés commis après le Baptême est accordé   **1486**
par un sacrement propre appelé sacrement de la conversion, de la confession, de la Pénitence ou de la Réconciliation.

1. Cf. SC 26-27. — 2. Cf. CIC, can. 962, § 1. — 3. Cf. CIC, can. 961, § 2. — 4. Cf. CIC, can. 961, § 1. — 5. OP 31. — 6. Cf. Mc 2, 17.

1487   *Qui pèche blesse l'honneur de Dieu et son amour, sa propre dignité d'homme appelé à être fils de Dieu et le bien-être spirituel de l'Eglise dont chaque chrétien doit être une pierre vivante.*

1488   *Aux yeux de la foi, aucun mal n'est plus grave que le péché et rien n'a de pires conséquences pour les pécheurs eux-mêmes, pour l'Eglise et pour le monde entier.*

1489   *Revenir à la communion avec Dieu après l'avoir perdue par le péché est un mouvement né de la grâce du Dieu plein de miséricorde et soucieux du salut des hommes. Il faut demander ce don précieux pour soi-même comme pour autrui.*

1490   *Le mouvement de retour à Dieu, appelé conversion et repentir, implique une douleur et une aversion vis-à-vis des péchés commis, et le propos ferme de ne plus pécher à l'avenir. La conversion touche donc le passé et l'avenir; elle se nourrit de l'espérance en la miséricorde divine.*

1491   *Le sacrement de la Pénitence est constitué par l'ensemble des trois actes posés par le pénitent, et par l'absolution du prêtre. Les actes du pénitent sont : le repentir, la confession ou manifestation des péchés au prêtre et le propos d'accomplir la réparation et les œuvres de réparation.*

1492   *Le repentir (appelé aussi contrition) doit être inspiré par des motifs qui relèvent de la foi. Si le repentir est conçu par amour de charité envers Dieu, on le dit « parfait »; s'il est fondé sur d'autres motifs, on l'appelle « imparfait ».*

1493   *Celui qui veut obtenir la réconciliation avec Dieu et avec l'Eglise doit confesser au prêtre tous les péchés graves qu'il n'a pas encore confessés et dont il se souvient après avoir examiné soigneusement sa conscience. Sans être en soi nécessaire, la confession des fautes vénielles est néanmoins vivement recommandée par l'Eglise.*

1494   *Le confesseur propose au pénitent l'accomplissement de certains actes de « satisfaction » ou de « pénitence », en vue de réparer le dommage causé par le péché et de rétablir les habitudes propres au disciple du Christ.*

1495   *Seuls les prêtres qui ont reçu de l'autorité de l'Eglise la faculté d'absoudre peuvent pardonner les péchés au nom du Christ.*

1496   *Les effets spirituels du sacrement de Pénitence sont :*
       – la réconciliation avec Dieu par laquelle le pénitent recouvre la grâce;
       – la réconciliation avec l'Eglise;

– la remise de la peine éternelle encourue par les péchés
mortels ;
– la remise, au moins en partie, des peines temporelles,
suites du péché ;
– la paix et la sérénité de la conscience, et la consolation
spirituelle ;
– l'accroissement des forces spirituelles pour le combat
chrétien.

La confession individuelle et intégrale des péchés graves   1497
suivie de l'absolution demeure le seul moyen ordinaire pour
la réconciliation avec Dieu et avec l'Eglise.

Par les indulgences les fidèles peuvent obtenir pour eux-   1498
mêmes, et aussi pour les âmes du Purgatoire, la rémission
des peines temporelles, suites des péchés.

ARTICLE 5
L'onction des malades

« Par l'onction sacrée des malades et la prière des prêtres,   1499
c'est l'Eglise tout entière qui recommande les malades au
Seigneur souffrant et glorifié, pour qu'Il les soulage et les
sauve ; bien mieux, elle les exhorte, en s'associant librement
à la passion et à la mort du Christ à apporter leur part pour
le bien du Peuple de Dieu[1]. »

I. Ses fondements dans l'économie du salut

La maladie dans la vie humaine

La maladie et la souffrance ont toujours été parmi les pro-   1500
blèmes les plus graves qui éprouvent la vie humaine. Dans
la maladie, l'homme fait l'expérience de son impuissance,
de ses limites et de sa finitude. Toute maladie peut nous
faire entrevoir la mort.   *1006*

La maladie peut conduire à l'angoisse, au repliement sur   1501
soi, parfois même au désespoir et à la révolte contre Dieu.
Elle peut aussi rendre la personne plus mûre, l'aider à dis-

1. LG 11.

cerner dans sa vie ce qui n'est pas essentiel pour se tourner vers ce qui l'est. Très souvent, la maladie provoque une recherche de Dieu, un retour à Lui.

Le malade devant Dieu

1502   L'homme de l'Ancien Testament vit la maladie en face de Dieu. C'est devant Dieu qu'il déverse sa plainte sur sa maladie[1] et c'est de Lui, le Maître de la vie et de la mort, qu'il implore la guérison[2]. La maladie devient chemin de conversion[3] et le pardon de Dieu inaugure la guérison[4]. Israël fait
164 l'expérience que la maladie est, d'une façon mystérieuse,
376 liée au péché et au mal, et que la fidélité à Dieu, selon sa loi, rend la vie : « Car c'est moi, le Seigneur, qui suis ton médecin » (Ex 15, 26). Le prophète entrevoit que la souffrance peut aussi avoir un sens rédempteur pour les péchés des autres[5]. Enfin, Isaïe annonce que Dieu amènera un temps pour Sion où Il pardonnera toute faute et guérira toute maladie[6].

Le Christ-médecin

1503   La compassion du Christ envers les malades et ses nom-
549 breuses guérisons d'infirmes de toute sorte[7] sont un signe éclatant de ce que « Dieu a visité son peuple » (Lc 7, 16) et que le Royaume de Dieu est tout proche. Jésus n'a pas seulement pouvoir de guérir, mais aussi de pardonner les péchés[8] : Il est venu guérir l'homme tout entier, âme et
1421 corps ; Il est le médecin dont les malades ont besoin[9]. Sa compassion envers tous ceux qui souffrent va si loin qu'il s'identifie avec eux : « J'ai été malade et vous m'avez visité » (Mt 25, 36). Son amour de prédilection pour les infirmes n'a cessé, tout au long des siècles, d'éveiller
2288 l'attention toute particulière des chrétiens envers tous ceux qui souffrent dans leur corps et dans leur âme. Elle est à l'origine des efforts inlassables pour les soulager.

1504   Souvent Jésus demande aux malades de croire[10]. Il se sert de signes pour guérir : salive et imposition des mains[11], boue et ablution[12]. Les malades cherchent à Le toucher[13] car « une force sortait de Lui et les guérissait tous » (Lc 6, 19).

---

1. Cf. Ps 38. — 2. Cf. Ps 6, 3. ; Is 38. — 3. Cf. Ps 38, 5 ; 39, 9. 12. — 4. Cf. Ps 32, 5 ; 107, 20 ; Mc 2, 5-12. — 5. Cf. Is 53, 11. — 6. Cf. Is 33, 24. — 7. Cf. Mt 4, 24. — 8. Cf. Mc 2, 5-12. — 9. Cf. Mc 2, 17. — 10. Cf. Mc 5, 34. 36 ; 9, 23. — 11. Cf. Mc 7, 32-36 ; 8, 22-25. — 12. Cf. Jn 9, 6-15. — 13. Cf. Mc 1, 41 ; 3, 10 ; 6, 56.

Ainsi, dans les sacrements, le Christ continue à nous « toucher » pour nous guérir. 695

Emu par tant de souffrances, le Christ non seulement se laisse toucher par les malades, mais Il fait siennes leurs misères : « Il a pris nos infirmités et s'est chargé de nos maladies » (Mt 8, 17)[1]. Il n'a pas guéri tous les malades. Ses guérisons étaient des signes de la venue du Royaume de Dieu. Ils annonçaient une guérison plus radicale : la victoire sur le péché et la mort par sa Pâque. Sur la Croix, le Christ a pris sur Lui tout le poids du mal[2] et a enlevé le « péché du monde » (Jn 1, 29), dont la maladie n'est qu'une conséquence. Par sa passion et sa mort sur la Croix, le Christ a donné un sens nouveau à la souffrance : elle peut désormais nous configurer à Lui et nous unir à sa passion rédemptrice. 307 1505 440

« Guérissez les malades... »

Le Christ invite ses disciples à Le suivre en prenant à leur tour leur Croix[3]. En Le suivant, ils acquièrent un nouveau regard sur la maladie et sur les malades. Jésus les associe à sa vie pauvre et servante. Il les fait participer à son ministère de compassion et de guérison : « Ils s'en allèrent prêcher qu'on se repentît ; et ils chassaient beaucoup de démons et faisaient des onctions d'huile à de nombreux malades et les guérissaient » (Mc 6, 12-13). 1506

Le Seigneur ressuscité renouvelle cet envoi (« Par mon nom [...] ils imposeront les mains aux malades et ceux-ci seront guéris » : Mc 16, 17-18) et le confirme par les signes que l'Eglise accomplit en invoquant son nom[4]. Ces signes manifestent d'une manière spéciale que Jésus est vraiment « Dieu qui sauve[5] ». 1507 430

L'Esprit Saint donne à certains un charisme spécial de guérison[6] pour manifester la force de la grâce du Ressuscité. Même les prières les plus intenses n'obtiennent toutefois pas la guérison de toutes les maladies. Ainsi S. Paul doit apprendre du Seigneur que « ma grâce te suffit : car ma puissance se déploie dans la faiblesse » (2 Co 12, 9), et que les souffrances à endurer peuvent avoir comme sens que « je complète dans ma chair ce qui manque aux épreuves du Christ pour son Corps qui est l'Eglise » (Col 1, 24). 1508 798

. Cf. Is 53, 4. — 2. Cf. Is 53, 4-6. — 3. Cf. Mt 10, 38. — 4. Cf. Ac 9, 34 ; 14, 3. — 5. Cf. Mt 1, 21 ; Ac 4, 12. — 6. Cf. 1 Co 12, 9. 28. 30.

1509   « Guérissez les malades ! » (Mt 10, 8.) Cette charge,
l'Eglise l'a reçue du Seigneur et tâche de la réaliser autant
par les soins qu'elle apporte aux malades que par la prière
d'intercession avec laquelle elle les accompagne. Elle croit
en la présence vivifiante du Christ, médecin des âmes et des
corps. Cette présence est particulièrement agissante à travers
les sacrements, et de manière toute spéciale par l'Eucharis-
1405 tie, pain qui donne la vie éternelle [1] et dont S. Paul insinue le
lien avec la santé corporelle [2].

1510   L'Eglise apostolique connaît cependant un rite propre en
faveur des malades, attesté par S. Jacques : « Quelqu'un
parmi vous est malade ? Qu'il appelle les presbytres de
l'Eglise et qu'ils prient sur lui, après l'avoir oint d'huile au
nom du Seigneur. La prière de la foi sauvera le patient, et le
Seigneur le relèvera. S'il a commis des péchés, ils lui seront
1117 remis » (Jc 5, 14-15). La Tradition a reconnu dans ce rite un
des sept sacrements de l'Eglise [3].

Un sacrement des malades

1511   L'Eglise croit et confesse qu'il existe, parmi les sept
sacrements, un sacrement spécialement destiné à réconforter
ceux qui sont éprouvés par la maladie : l'onction des
malades :

> Cette onction sainte des malades a été instituée par le Christ
> notre Seigneur comme un sacrement du Nouveau Testa-
> ment, véritablement et proprement dit, insinué par Marc [4],
> mais recommandé aux fidèles et promulgué par Jacques,
> apôtre et frère du Seigneur [5].

1512   Dans la tradition liturgique, tant en Orient qu'en Occident, on
possède dès l'antiquité des témoignages d'onctions de malades pratiquées avec de l'huile bénite. Au cours des siècles, l'onction des
malades a été conférée de plus en plus exclusivement à ceux qui
étaient sur le point de mourir. A cause de cela elle avait reçu le nom
d' « Extrême-Onction ». Malgré cette évolution la liturgie n'a
jamais omis de prier le Seigneur afin que le malade recouvre sa
santé si cela est convenable à son salut [6].

1513   La constitution apostolique « Sacram unctionem infirmo-
rum » du 30 novembre 1972, à la suite du deuxième Concile
du Vatican [7], a établi que désormais, dans le rite romain, on
observe ce qui suit :

1. Cf. Jn 6, 54. 58. — 2. Cf. 1 Co 11, 30. — 3. Cf. DS 216 ; 1324-1325 ; 1695-
1696 ; 1716-1717. — 4. Cf. Mc 6, 13. — 5. Cc. Trente : DS 1695 ; cf. Jc 5, 14-15.
— 6. Cf. DS 1696. — 7. Cf. SC 73.

Le sacrement de l'onction des malades est conféré aux personnes dangereusement malades en les oignant sur le front et sur les mains avec de l'huile dûment bénite – huile d'olive ou autre huile extraite de plantes – en disant une seule fois : « Par cette onction sainte, que le Seigneur, en sa grande bonté vous réconforte par la grâce de l'Esprit Saint. Ainsi, vous ayant libéré de tous péchés, qu'Il vous sauve et vous relève [1]. »

II. Qui reçoit et qui administre ce sacrement ?

En cas de maladie grave...

L'onction des malades « n'est pas seulement le sacrement de ceux qui se trouvent à toute extrémité. Aussi, le temps opportun pour la recevoir est-il certainement déjà arrivé lorsque le fidèle commence à être en danger de mort à cause de la maladie par suite d'affaiblissement physique ou de vieillesse [2]. »   1514

Si un malade qui a reçu l'onction recouvre la santé, il peut, en cas de nouvelle maladie grave, recevoir de nouveau ce sacrement. Au cours de la même maladie, ce sacrement peut être réitéré si la maladie s'aggrave. Il est approprié de recevoir l'onction des malades au seuil d'une opération importante. Il en va de même pour les personnes âgées dont la fragilité s'accentue.   1515

« ... qu'il appelle les presbytres de l'Église »

Seuls les prêtres (évêques et presbytres) sont les ministres de l'onction des malades [3]. C'est le devoir des pasteurs d'instruire les fidèles des bienfaits de ce sacrement. Que les fidèles encouragent les malades à faire appel au prêtre pour recevoir ce sacrement. Que les malades se préparent pour le recevoir dans les bonnes dispositions, avec l'aide de leur pasteur et de toute la communauté ecclésiale qui est invitée à entourer tout spécialement les malades de ses prières et de ses attentions fraternelles.   1516

III. Comment est célébré ce sacrement ?

Comme tous les sacrements, l'onction des malades est une célébration liturgique et communautaire [4], qu'elle ait lieu en famille, à l'hôpital ou à l'Eglise, pour un seul malade   1517
1140

. Cf. CIC, can. 847, § 1. — 2. SC 73; cf. CIC, can. 1004, § 1; 1005; 1007; CCEO, can. 738. — 3. Cf. Cc. Trente : DS 1697; 1719; CIC, can. 1003; CCEO, an. 739, § 1. — 4. Cf. SC 27.

ou pour tout un groupe d'infirmes. Il est très convenable qu'elle soit célébrée au sein de l'Eucharistie, mémorial de la Pâque du Seigneur. Si les circonstances y invitent, la célébration du sacrement peut être précédée du sacrement de Pénitence et suivie du sacrement de l'Eucharistie. En tant que sacrement de la Pâque du Christ, l'Eucharistie devrait toujours être le dernier sacrement de la pérégrination terrestre, le « viatique » pour le « passage » vers la vie éternelle.

1524

1518   Parole et sacrement forment un tout inséparable. La liturgie de la Parole, précédée d'un acte de pénitence, ouvre la célébration. Les paroles du Christ, le témoignage des apôtres éveillent la foi du malade et de la communauté pour demander au Seigneur la force de son Esprit.

1519   La célébration du sacrement comprend principalement les éléments suivants : les prêtres de l'Eglise [1] imposent – en silence – les mains aux malades ; ils prient sur les malades dans la foi de l'Eglise [2] ; c'est l'épiclèse propre de ce sacrement ; ils donnent alors l'onction avec l'huile bénite, si possible, par l'évêque.

Ces actions liturgiques indiquent quelle grâce ce sacrement confère aux malades.

IV. Les effets de la célébration de ce sacrement

1520   Un *don particulier de l'Esprit Saint.* La grâce première de
733   ce sacrement est une grâce de réconfort, de paix et de courage pour vaincre les difficultés propres à l'état de maladie grave ou à la fragilité de la vieillesse. Cette grâce est un don du Saint-Esprit qui renouvelle la confiance et la foi en Dieu et fortifie contre les tentations du malin, tentation de découragement et d'angoisse de la mort [3]. Cette assistance du Seigneur par la force de son Esprit veut conduire le malade à la guérison de l'âme, mais aussi à celle du corps, si telle est la volonté de Dieu [4]. En outre, « s'il a commis des péchés, ils lui seront remis » (Jc 5, 15) [5].

1521   L'*union à la passion du Christ.* Par la grâce de ce sacrement, le malade reçoit la force et le don de s'unir plus intimement à la passion du Christ : il est d'une certaine façon

1. Cf. Jc 5, 14. — 2. Cf. Jc 5, 15. — 3. Cf. He 2, 15. — 4. Cf. Cc. Florence : DS 1325. — 5. Cf. Cc. Trente : DS 1717.

consacré pour porter du fruit par la configuration à la passion rédemptrice du Sauveur. La souffrance, séquelle du péché originel, reçoit un sens nouveau : elle devient participation à l'œuvre salvifique de Jésus. *1535*

1499

Une *grâce ecclésiale*. Les malades qui reçoivent ce sacrement, « en s'associant librement à la passion et à la mort du Christ », apportent « leur part pour le bien du Peuple de Dieu[1] ». En célébrant ce sacrement, l'Eglise, dans la communion des saints, intercède pour le bien du malade. Et le malade, à son tour, par la grâce de ce sacrement, contribue à la sanctification de l'Eglise et au bien de tous les hommes pour lesquels l'Eglise souffre et s'offre, par le Christ, à Dieu le Père. *1522*

953

Une *préparation au dernier passage*. Si le sacrement de l'Onction des malades est accordé à tous ceux qui souffrent de maladies et d'infirmités graves, il l'est à plus forte raison à ceux qui sont sur le point de sortir de cette vie[2], de sorte qu'on l'a aussi appelé *sacramentum exeuntium*[3]. L'onction des malades achève de nous conformer à la mort et à la Résurrection du Christ, comme le Baptême avait commencé de le faire. Elle parachève les onctions saintes qui jalonnent toute la vie chrétienne ; celle du Baptême avait scellé en nous la vie nouvelle ; celle de la Confirmation nous avait fortifiés pour le combat de cette vie. Cette dernière onction munit la fin de notre vie terrestre comme d'un solide rempart en vue des dernières luttes avant l'entrée dans la Maison du Père[4]. *1523*

1020

1294

1020

V. Le Viatique, dernier sacrement du chrétien

A ceux qui vont quitter cette vie, l'Eglise offre, en plus de l'onction des malades, l'Eucharistie comme viatique. Reçue à ce moment de passage vers le Père, la communion au Corps et au Sang du Christ a une signification et une importance particulières. Elle est semence de vie éternelle et puissance de résurrection, selon les paroles du Seigneur : « Celui qui mange ma chair et boit mon sang a la vie éternelle et moi, je le ressusciterai au dernier jour » (Jn 6, 54). Sacrement du Christ mort et ressuscité, l'Eucharistie est ici sacrement du passage de la mort à la vie, de ce monde vers le Père[5]. *1524*

1392

1. LG 11. — 2. « *In exitu vitæ constituti* » : Cc. Trente : DS 1698. — 3. *Ibid.* — 4. *Ibid.* : DS 1694. — 5. Cf. Jn 13, 1.

1525   Ainsi, comme les sacrements du Baptême, de la Confir-
1680 mation et de l'Eucharistie constituent une unité appelée « les
sacrements de l'initiation chrétienne », on peut dire que la
Pénitence, la Sainte Onction et l'Eucharistie, en tant que
viatiques, constituent, quand la vie chrétienne touche à son
2299 terme, « les sacrements qui préparent à la Patrie » ou les
sacrements qui achèvent la pérégrination.

EN BREF

1526   *« Quelqu'un parmi vous est-il malade ? Qu'il appelle les
presbytres de l'Eglise et qu'ils prient sur lui, après l'avoir
oint d'huile au nom du Seigneur. La prière de la foi sauvera
le patient, et le Seigneur le relèvera. S'il a commis des
péchés, ils lui seront remis » (Jc 5, 14-15).*

1527   *Le sacrement de l'Onction des malades a pour but de conférer une grâce spéciale au chrétien qui éprouve les difficultés inhérentes à l'état de maladie grave ou à la vieillesse.*

1528   *Le temps opportun pour recevoir la Sainte Onction est certainement arrivé lorsque le fidèle commence à se trouver en
danger de mort pour cause de maladie ou de vieillesse.*

1529   *Chaque fois qu'un chrétien tombe gravement malade, il
peut recevoir la Sainte Onction, de même lorsque, après
l'avoir reçue, la maladie s'aggrave.*

1530   *Seuls les prêtres (presbytres et évêques) peuvent donner le
sacrement de l'Onction des malades ; pour le conférer ils
emploient de l'huile bénite par l'évêque, ou, au besoin, par
le presbytre célébrant lui-même.*

1531   *L'essentiel de la célébration de ce sacrement consiste en
l'onction sur le front et les mains du malade (dans le rite
romain) ou sur d'autres parties du corps (en Orient), onction accompagnée de la prière liturgique du prêtre célébrant qui demande la grâce spéciale de ce sacrement.*

1532   *La grâce spéciale du sacrement de l'Onction des malades a
comme effets :
– l'union du malade à la passion du Christ, pour son bien
et pour celui de toute l'Eglise ;
– le réconfort, la paix et le courage pour supporter chrétiennement les souffrances de la maladie ou de la vieillesse ;
– le pardon des péchés si le malade n'a pas pu l'obtenir
par le sacrement de la Pénitence ;
– le rétablissement de la santé, si cela convient au salut
spirituel ;
– la préparation au passage à la vie éternelle.*

CHAPITRE TROISIÈME
Les sacrements du service de la communion

Le Baptême, la Confirmation et l'Eucharistie sont les **1533** sacrements de l'initiation chrétienne. Ils fondent la vocation *1212* commune de tous les disciples du Christ, vocation à la sainteté et à la mission d'évangéliser le monde. Ils confèrent les grâces nécessaires pour la vie selon l'Esprit en cette vie de pèlerins en marche vers la patrie.

Deux autres sacrements, l'Ordre et le Mariage, sont **1534** ordonnés au salut d'autrui. S'ils contribuent également au salut personnel, c'est à travers le service des autres qu'ils le font. Ils confèrent une mission particulière dans l'Eglise et servent à l'édification du Peuple de Dieu.

En ces sacrements, ceux qui ont été déjà *consacrés* par le **1535** Baptême et la Confirmation[1] pour le sacerdoce commun de *784* tous les fidèles peuvent recevoir des *consécrations* particulières. Ceux qui reçoivent le sacrement de l'Ordre sont *consacrés* pour être, au nom du Christ, « par la parole et la grâce de Dieu les pasteurs de l'Eglise[2] ». De leur côté, « les époux chrétiens, pour accomplir dignement les devoirs de leur état, sont fortifiés et comme *consacrés* par un sacrement spécial[3] ».

ARTICLE 6
Le sacrement de l'Ordre

L'Ordre est le sacrement grâce auquel la mission confiée **1536** par le Christ à ses apôtres continue à être exercée dans *860* l'Eglise jusqu'à la fin des temps : il est donc le sacrement du ministère apostolique. Il comporte trois degrés : l'épiscopat, le presbytérat et le diaconat.

[Sur l'institution et la mission du ministère apostolique par le Christ, voir p. 227 *sq*. Ici, il n'est question que de la voie sacramentelle par laquelle est transmis ce ministère.]

1. Cf. LG 10. — 2. LG 11. — 3. GS 48, 2.

I. Pourquoi ce nom de sacrement de l'Ordre ?

1537   Le mot *Ordre*, dans l'antiquité romaine, désignait des corps constitués au sens civil, surtout le corps de ceux qui gouvernent. *Ordinatio* désigne l'intégration dans un *ordo*. Dans l'Eglise, il y a des corps constitués que la Tradition, non sans fondements dans l'Ecriture Sainte [1], appelle dès les temps anciens du nom de *taxeis* (en grec), d'*ordines* : ainsi la liturgie parle de l'*ordo episcoporum*, de l'*ordo pres-*

922   *byterorum*, de l'*ordo diaconorum*. D'autres groupes reçoivent aussi ce nom d'*ordo* : les catéchumènes, les

923; 1631   vierges, les époux, les veuves...

1538   L'intégration dans un de ces corps de l'Eglise se faisait par un rite appelé *ordinatio*, acte religieux et liturgique, qui était une consécration, une bénédiction ou un sacrement. Aujourd'hui le mot *ordinatio* est réservé à l'acte sacramentel qui intègre dans l'ordre des évêques, des presbytres et des diacres et qui va au-delà d'une simple *élection*, *désignation*, *délégation* ou *institution* par la communauté, car elle confère un don du Saint-Esprit permettant d'exercer un

875   « pouvoir sacré » (*sacra potestas* [2]) qui ne peut venir que du Christ Lui-même, par son Eglise. L'ordination est aussi appelée *consecratio* car elle est une mise à part et une investiture par le Christ Lui-même, pour son Eglise. L'*imposition*

699   *des mains* de l'évêque, avec la prière consécratoire, constitue le signe visible de cette consécration.

II. Le sacrement de l'Ordre dans l'économie du salut

Le sacerdoce de l'Ancienne Alliance

1539   Le peuple élu fut constitué par Dieu comme « un royaume de prêtres et une nation consacrée » (Ex 19, 6) [3]. Mais au-dedans du peuple d'Israël, Dieu choisit l'une des douze tribus, celle de Lévi, mise à part pour le service liturgique [4] ; Dieu Lui-même est sa part d'héritage [5]. Un rite propre a consacré les origines du sacerdoce de l'Ancienne Alliance [6]. Les prêtres y sont « établis pour intervenir en faveur des hommes dans leurs relations avec Dieu, afin d'offrir dons et sacrifices pour les péchés [7] ».

1. Cf. He 5, 6 ; 7, 11 ; Ps 110, 4. — 2. Cf. LG 10. — 3. Cf. Is 61, 6. — 4. Cf. Nb 1, 48-53. — 5. Cf. Jos 13, 33. — 6. Cf. Ex 29, 1-30 ; Lv 8. — 7. Cf. He 5, 1.

Institué pour annoncer la parole de Dieu [1] et pour rétablir la communion avec Dieu par les sacrifices et la prière, ce sacerdoce reste pourtant impuissant à opérer le salut, ayant besoin de répéter sans cesse les sacrifices, et ne pouvant aboutir à une sanctification définitive [2], que seul devait opérer le sacrifice du Christ.   1540
2099

La liturgie de l'Eglise voit cependant dans le sacerdoce d'Aaron et le service des lévites, tout comme dans l'institution des soixante-dix « Anciens [3] », des préfigurations du ministère ordonné de la Nouvelle Alliance. Ainsi, dans le rite latin, l'Eglise prie dans la préface consécratoire de l'ordination des évêques :   1541

> Dieu et Père de Jésus-Christ notre Seigneur, (...) tout au long de l'Ancienne Alliance tu commençais à donner forme à ton Eglise ; dès l'origine, tu as destiné le peuple issu d'Abraham à devenir un peuple saint ; tu as institué des chefs et des prêtres et toujours pourvu au service de ton sanctuaire [4]...

Lors de l'ordination des prêtres, l'Eglise prie :   1542

> Seigneur, Père très saint, (...) déjà dans l'Ancienne Alliance, et comme pour annoncer les sacrements à venir, tu avais mis à la tête du peuple des grands prêtres chargés de le conduire, mais tu as aussi choisi d'autres hommes que tu as associés à leur service et qui les ont secondés dans leur tâche. C'est ainsi que tu as communiqué à soixante-dix hommes, pleins de sagesse, l'esprit que tu avais donné à Moïse, et tu as fait participer les fils d'Aaron à la consécration que leur père avait reçue [5].

Et dans la prière consécratoire pour l'ordination des diacres, l'Eglise confesse :   1543

> Père très saint (...), pour l'édification de ce temple nouveau (l'Eglise), tu as établi des ministres des trois ordres différents, les évêques, les prêtres et les diacres, chargés, les uns et les autres, de te servir, comme autrefois, dans l'Ancienne Alliance, pour le service de ta demeure, tu avais mis à part les fils de la tribu de Lévi et tu étais leur héritage [6].

L'unique sacerdoce du Christ

Toutes les préfigurations du sacerdoce de l'Ancienne Alliance trouvent leur accomplissement dans le Christ Jésus « unique médiateur entre Dieu et les hommes » (1 Tm 2, 5).   1544

1. Cf. Ml 2, 7-9. — 2. Cf. He 5, 3 ; 7, 27 ; 10, 1-4. — 3. Cf. Nb 11, 24-25. — 4. Pontificale Romanum. De Ordinatione Episcopi, presbyterorum et diaconorum, 47. — 5. Ibid. 159. — 6. Ibid. 207.

Melchisédech, « prêtre du Dieu Très Haut » (Gn 14, 18), est
considéré par la Tradition chrétienne comme une préfigura-
874 tion du sacerdoce du Christ, unique « Grand prêtre selon
l'ordre de Melchisédech » (He 5, 10 ; 6, 20), « saint,
innocent, immaculé » (He 7, 26), qui, « par une oblation
unique, a rendu parfaits pour toujours ceux qu'Il sanctifie »
(He 10, 14), c'est-à-dire par l'unique sacrifice de sa Croix.

1545   Le sacrifice rédempteur du Christ est unique, accompli
1367 une fois pour toutes. Et pourtant, il est rendu présent dans le
sacrifice eucharistique de l'Eglise. Il en est de même de
662 l'unique sacerdoce du Christ : il est rendu présent par le
sacerdoce ministériel sans que soit diminuée l'unicité du
sacerdoce du Christ : « Aussi le Christ est-Il le seul vrai
prêtre, les autres n'étant que ses ministres[1]. »

Deux participations à l'unique sacerdoce du Christ

1546   Le Christ, grand prêtre et unique médiateur, a fait de
l'Eglise « un Royaume de prêtres pour son Dieu et Père »
(Ap 1, 6)[2]. Toute la communauté des croyants est, comme
telle, sacerdotale. Les fidèles exercent leur sacerdoce baptis-
1268 mal à travers leur participation, chacun selon sa vocation
propre, à la mission du Christ, Prêtre, Prophète et Roi. C'est
par les sacrements du Baptême et de la Confirmation que les
fidèles sont « consacrés pour être (...) un sacerdoce saint[3] ».

1547   Le sacerdoce ministériel ou hiérarchique des évêques et
1142 des prêtres, et le sacerdoce commun de tous les fidèles, bien
que « l'un et l'autre, chacun selon son mode propre, participent de l'unique sacerdoce du Christ[4] », diffèrent cependant essentiellement, tout en étant « ordonnés l'un à
l'autre[5] ». En quel sens ? Alors que le sacerdoce commun
des fidèles se réalise dans le déploiement de la grâce baptismale, vie de foi, d'espérance et de charité, vie selon l'Esprit,
le sacerdoce ministériel est au service du sacerdoce com-
1120 mun, il est relatif au déploiement de la grâce baptismale de
tous les chrétiens. Il est un des *moyens* par lesquels le Christ
ne cesse de construire et de conduire son Eglise. C'est pour
cela qu'il est transmis par un sacrement propre, le sacrement
de l'Ordre.

En la personne du Christ-Tête...

1548   Dans le service ecclésial du ministre ordonné, c'est le
Christ Lui-même qui est présent à son Eglise en tant que
875, 792 Tête de son Corps, Pasteur de son troupeau, grand prêtre du

1. S. Thomas d'A., Hebr. 7, 4. — 2. Cf. Ap 5, 9-10 ; 1 P 2, 5. 9. — 3. LG 10. —
4. LG 10. — 5. LG 10.

sacrifice rédempteur, Maître de la Vérité. C'est ce que l'Eglise exprime en disant que le prêtre, en vertu du sacrement de l'Ordre, agit *in persona Christi Capitis*[1] :

> C'est le même Prêtre, le Christ Jésus, dont en vérité le ministre tient le rôle. Si, en vérité, celui-ci est assimilé au Souverain Prêtre, à cause de la consécration sacerdotale qu'il a reçue, il jouit du pouvoir d'agir par la puissance du Christ Lui-même qu'il représente *(virtute ac persona ipsius Christi)*[2].

> Le Christ est la source de tout le sacerdoce : car le prêtre de l'ancienne loi était figure du Christ et le prêtre de la nouvelle agit en la personne du Christ[3].

Par le ministère ordonné, spécialement des évêques et des prêtres, la présence du Christ comme chef de l'Eglise est rendue visible au milieu de la communauté des croyants[4]. Selon la belle expression de S. Ignace d'Antioche, l'évêque est *typos tou Patros*, il est comme l'image vivante de Dieu le Père[5]. 1549 1142

Cette présence du Christ dans le ministre ne doit pas être comprise comme si celui-ci était prémuni contre toutes les faiblesses humaines, l'esprit de domination, les erreurs, voire le péché. La force de l'Esprit Saint ne garantit pas de la même manière tous les actes des ministres. Tandis que dans les sacrements cette garantie est donnée, de sorte que même le péché du ministre ne peut empêcher le fruit de grâce, il existe beaucoup d'autres actes où l'empreinte humaine du ministre laisse des traces qui ne sont pas toujours le signe de la fidélité à l'Evangile, et qui peuvent nuire par conséquent à la fécondité apostolique de l'Eglise. 1550 896 1128 1584

Ce sacerdoce est *ministériel*. « Cette charge, confiée par le Seigneur aux pasteurs de son peuple, est un véritable *service*[6]. » Il est entièrement référé au Christ et aux hommes. Il dépend entièrement du Christ et de son sacerdoce unique, et il a été institué en faveur des hommes et de la communauté de l'Eglise. Le sacrement de l'Ordre communique « un pouvoir sacré », qui n'est autre que celui du Christ. L'exercice de cette autorité doit donc se mesurer d'après le modèle du Christ qui par amour s'est fait le dernier et le serviteur de tous[7]. « Le Seigneur a dit clairement que le soin apporté à son troupeau était une preuve d'amour pour Lui[8]. » 1551 876 1538 608

1. Cf. LG 10 ; 28 ; SC 33 ; CD 11 ; PO 2 ; 6. — 2. Pie XII, enc. « Mediator Dei ». — 3. S. Thomas d'A., s. th. 3, 22, 4. — 4. Cf. LG 21. — 5. Trall. 3, 1 ; cf. Magn. 6, 1. — 6. LG 24. — 7. Cf. Mc 10, 43-45 ; 1 P 5, 3. — 8. S. Jean Chrysostome, sac. 2, 4 ; cf. Jn 21, 15-17.

... « Au nom de toute l'Église »

1552   Le sacerdoce ministériel n'a pas seulement pour tâche de représenter le Christ – Tête de l'Eglise – face à l'assemblée des fidèles, il agit aussi au nom de toute l'Eglise lorsqu'il présente à Dieu la prière de l'Eglise[1] et surtout lorsqu'il offre le sacrifice eucharistique[2].

1553   « Au nom de *toute* l'Eglise », cela ne veut pas dire que les prêtres soient les délégués de la communauté. La prière et l'offrande de l'Eglise sont inséparables de la prière et de l'offrande du Christ, son Chef. C'est toujours le culte du Christ dans et par son Eglise. C'est toute l'Eglise, Corps du Christ, qui prie et qui s'offre, « par Lui, avec Lui et en Lui », dans l'unité du Saint-Esprit, à Dieu le Père. Tout le

795 Corps, *caput et membra*, prie et s'offre, et c'est pourquoi ceux qui, dans le Corps, en sont spécialement les ministres, sont appelés ministres non seulement du Christ, mais aussi de l'Eglise. C'est parce que le sacerdoce ministériel représente le Christ qu'il peut représenter l'Eglise.

III. Les trois degrés du sacrement de l'Ordre

1554   « Le ministère ecclésiastique, institué par Dieu, est exercé
1536 dans la diversité des ordres par ceux que déjà depuis l'antiquité on appelle évêques, prêtres, diacres[3]. » La doctrine catholique, exprimée dans la liturgie, le Magistère et la pratique constante de l'Eglise, reconnaît qu'il existe deux degrés de participation ministérielle au sacerdoce du Christ : l'épiscopat et le presbytérat. Le diaconat est destiné à les aider et à les servir. C'est pourquoi le terme *sacerdos* désigne, dans l'usage actuel, les évêques et les prêtres, mais non pas les diacres. Néanmoins, la doctrine catholique enseigne que les degrés de participation sacerdotale (épiscopat et presbytérat) et le degré de service (diaconat) sont tous les trois conférés par un acte sacramentel appelé « ordina-
1538 tion », c'est-à-dire par le sacrement de l'Ordre :

> Que tous révèrent les diacres comme Jésus-Christ, comme aussi l'évêque, qui est l'image du Père, et les presbytres comme le sénat de Dieu et comme l'assemblée des apôtres : sans eux on ne peut parler d'Eglise[4].

1. Cf. SC 33. — 2. Cf. LG 10. — 3. LG 28. 4. S. Ignace d'Antioche, Trall. 3, 1.

L'ordination épiscopale – plénitude du sacrement de l'Ordre

« Parmi les différents ministères qui s'exercent dans l'Eglise depuis les premiers temps, la première place, au témoignage de la Tradition, appartient à la fonction de ceux qui, établis dans l'épiscopat, dont la ligne se continue depuis les origines, sont les sarments par lesquels se transmet la semence apostolique[1]. »   1555

861

Pour remplir leur haute mission, « les apôtres furent enrichis par le Christ d'une effusion spéciale de l'Esprit Saint descendant sur eux ; eux-mêmes, par l'imposition des mains, transmirent à leurs collaborateurs le don spirituel qui s'est communiqué jusqu'à nous à travers la consécration épiscopale[2] ».   1556

862

Le deuxième Concile du Vatican « enseigne que, par la consécration épiscopale, est conférée *la plénitude du sacrement de l'Ordre*, que la coutume liturgique de l'Eglise et la voix des saints Pères désignent en effet sous le nom de sacerdoce suprême, de réalité totale (*summa*) du ministère sacré[3] ».   1557

« La consécration épiscopale, en même temps que la charge de sanctifier, confère aussi des charges d'enseigner et de gouverner. (...) En effet (...) par l'imposition des mains et par les paroles de la consécration, la grâce de l'Esprit Saint est donnée et le caractère sacré imprimé, de telle sorte que les évêques, d'une façon éminente et visible, tiennent la place du Christ Lui-même, Maître, Pasteur et Pontife et jouent son rôle (*in Eius persona agant*)[4]. » « Aussi, par l'Esprit Saint qui leur a été donné, les évêques ont-ils été constitués de vrais et authentiques maîtres de la foi, pontifes et pasteurs[5]. »   1558

895

1121

« C'est en vertu de la consécration sacramentelle et par la communion hiérarchique avec le chef du collège et ses membres que quelqu'un est fait membre du corps épiscopal[6]. » Le caractère et la *nature collégiale* de l'ordre épiscopal se manifestent entre autres dans l'antique pratique de l'Eglise qui veut que pour la consécration d'un nouvel évêque plusieurs évêques participent au sacre[7]. Pour l'ordination légitime d'un évêque, une intervention spéciale de   1559

877

1. LG 20. — 2. LG 21. — 3. *Ibid.* — 4. *Ibid.* — 5. CD 2. — 6. LG 22. — 7. Cf. LG 22.

882 l'évêque de Rome est requise aujourd'hui, en raison de sa qualité de lien suprême visible de la communion des Eglises particulières dans l'Eglise une et de garant de leur liberté.

1560
833, 886 Chaque évêque a, comme vicaire du Christ, la charge pastorale de l'Eglise particulière qui lui a été confiée, mais en même temps il porte collégialement avec tous ses frères dans l'épiscopat la *sollicitude pour toutes les Eglises* : « Si chaque évêque n'est pasteur propre que de la portion du troupeau confiée à ses soins, sa qualité de légitime successeur des apôtres par institution divine le rend solidairement responsable de la mission apostolique de l'Eglise[1]. »

1561
1369 Tout ce qu'on vient de dire explique pourquoi l'Eucharistie célébrée par l'évêque a une signification toute spéciale comme expression de l'Eglise réunie autour de l'autel sous la présidence de celui qui représente visiblement le Christ, Bon Pasteur et Tête de son Eglise[2].

L'ordination des presbytres – coopérateurs des évêques

1562 « Le Christ, que le Père a consacré et envoyé dans le monde, a, par les apôtres, fait leurs successeurs, c'est-à-dire les évêques, participants de sa consécration et de sa mission. A leur tour, les évêques ont légitimement transmis, à divers membres de l'Eglise, et suivant des degrés divers, la charge de leur ministère[3]. » « Leur fonction ministérielle a été transmise aux prêtres à un degré subordonné : ceux-ci sont établis dans l'Ordre du presbytérat pour être les *coopérateurs de l'Ordre épiscopal* dans l'accomplissement de la mission apostolique confiée par le Christ[4]. »

1563 « La fonction des prêtres, en tant qu'elle est unie à l'Ordre épiscopal, participe à l'autorité par laquelle le Christ lui-même construit, sanctifie et gouverne son Corps. C'est pourquoi le sacerdoce des prêtres, s'il suppose les sacrements de l'initiation chrétienne, est cependant conféré au moyen du sacrement particulier qui, par l'onction du Saint-
1121 Esprit, les marque d'un caractère spécial, et les configure ainsi au Christ-Prêtre pour les rendre capables d'agir au nom du Christ-Tête en personne[5]. »

1564 « Tout en n'ayant pas charge suprême du pontificat et tout en dépendant des évêques dans l'exercice de leur pouvoir, les prêtres leur sont cependant unis dans la dignité

1. Pie XII, enc. « Fidei donum »; cf. LG 23; CD 4; 36; 37; AG 5; 6; 38. — 2. Cf. SC 41; LG 26. — 3. LG 28. — 4. PO 2. — 5. PO 2.

sacerdotale ; et par la vertu du sacrement de l'Ordre, à l'image du Christ prêtre suprême et éternel[1] ils sont consacrés pour prêcher l'Evangile, pour être les pasteurs des fidèles et pour célébrer le culte divin *en vrais prêtres du Nouveau Testament*[2]. »

611

En vertu du sacrement de l'Ordre les prêtres participent aux dimensions universelles de la mission confiée par le Christ aux apôtres. Le don spirituel qu'ils ont reçu dans l'ordination les prépare, non pas à une mission limitée et restreinte, « mais à une mission de salut d'ampleur universelle, "jusqu'aux extrémités de la terre[3]" », « prêts au fond du cœur à prêcher l'Evangile en quelque lieu que ce soit[4] ».

1565

849

« C'est dans le culte ou *synaxe eucharistique* que s'exerce par excellence leur charge sacrée : là, tenant la place du Christ et proclamant son mystère, ils joignent les demandes des fidèles au sacrifice de leur chef, rendant présent et appliquant dans le sacrifice de la messe, jusqu'à ce que le Seigneur vienne, l'unique sacrifice du Nouveau Testament, celui du Christ S'offrant une fois pour toutes à son Père en victime immaculée[5]. » De ce sacrifice unique, tout leur ministère sacerdotal tire sa force[6].

1566

1369

611

« Coopérateurs avisés de l'ordre épiscopal dont ils sont l'aide et l'instrument, appelés à servir le Peuple de Dieu, les prêtres constituent, avec leur évêque, un seul *presbyterium* aux fonctions diverses. En chaque lieu où se trouve une communauté de fidèles, ils rendent d'une certaine façon présent l'évêque auquel ils sont associés d'un cœur confiant et généreux, assumant pour leur part ses charges et sa sollicitude, et les mettant en œuvre dans leur souci quotidien des fidèles[7]. » Les prêtres ne peuvent exercer leur ministère qu'en dépendance de l'évêque et en communion avec lui. La promesse d'obéissance qu'ils font à l'évêque au moment de l'ordination et le baiser de paix de l'évêque à la fin de la liturgie de l'ordination signifient que l'évêque les considère comme ses collaborateurs, ses fils, ses frères et ses amis, et qu'en retour ils lui doivent amour et obéissance.

1567

1462

2179

« Du fait de leur ordination, qui les a fait entrer dans l'ordre du presbytérat, les prêtres sont tous intimement liés entre eux par la fraternité sacramentelle ; mais, du fait de

1568

1537

1. Cf. He 5, 1-10 ; 7, 24 ; 9, 11-28. — 2. LG 28. — 3. PO 10. — 4. OT 20. — 5. LG 28. — 6. Cf. PO 2. — 7. LG 28.

leur affectation au service d'un diocèse en dépendance de l'évêque local, ils forment tout spécialement à ce niveau un presbyterium unique[1]. » L'unité du presbyterium trouve une expression liturgique dans l'usage qui veut que les presbytres imposent à leur tour les mains, après l'évêque, pendant le rite de l'ordination.

L'ordination des diacres – « en vue du service »

1569   « Au degré inférieur de la hiérarchie, se trouvent les diacres auxquels on a imposé les mains "non pas en vue du sacerdoce, mais en vue du service[2]." » Pour l'ordination au diaconat, seul l'évêque impose les mains, signifiant ainsi que le diacre est spécialement rattaché à l'évêque dans les tâches de sa « diaconie[3] ».

1570   Les diacres participent d'une façon spéciale à la mission et à la grâce du Christ[4]. Le sacrement de l'Ordre les marque
1121   d'une *empreinte* (« caractère ») que nul ne peut faire disparaître et qui les configure au Christ qui s'est fait le « diacre », c'est-à-dire le serviteur de tous[5]. Il appartient entre autres aux diacres d'assister l'évêque et les prêtres dans la célébration des divins mystères, surtout de l'Eucharistie, de la distribuer, d'assister au mariage et de le bénir, de proclamer l'Evangile et de prêcher, de présider aux funérailles et de se consacrer aux divers services de la charité[6].

1571   Depuis le deuxième Concile du Vatican, l'Eglise latine a rétabli le diaconat « en tant que degré propre et permanent de la hiérarchie[7] », alors que les Eglises d'Orient l'avaient toujours maintenu.
1579   Ce *diaconat permanent*, qui peut être conféré à des hommes mariés, constitue un enrichissement important pour la mission de l'Eglise. En effet, il est approprié et utile que des hommes qui accomplissent dans l'Eglise un ministère vraiment diaconal, soit dans la vie liturgique et pastorale, soit dans les œuvres sociales et caritatives « soient fortifiés par l'imposition des mains transmise depuis les apôtres et plus étroitement unis à l'autel, pour qu'ils s'acquittent de leur ministère plus efficacement, au moyen de la grâce sacramentelle du diaconat[8] ».

IV. La célébration de ce sacrement

1572   La célébration de l'ordination d'un évêque, de prêtres ou de diacres, de par son importance pour la vie de l'Eglise particulière, réclame le concours du plus grand nombre pos-

---

1. PO 8. — 2. LG 29 ; cf. CD 15. — 3. Cf. S. Hippolyte, trad. ap. 8. — 4. Cf. LG 41 ; AG 16.5. Cf. Mc 10, 45 ; Lc 22, 27 ; S. Polycarpe, ep. 5, 2. — 6. Cf. LG 29 ; SC 35, § 4 ; AG 16. — 7. LG 29. — 8. AG 16.

sible de fidèles. Elle aura lieu de préférence le dimanche et à la cathédrale, avec une solennité adaptée à la circonstance. Les trois ordinations, de l'évêque, du prêtre et du diacre, suivent le même mouvement. Leur place est au sein de la liturgie eucharistique.

Le *rite essentiel* du sacrement de l'Ordre est constitué, pour les trois degrés, de l'imposition des mains par l'évêque sur la tête de l'ordinand ainsi que de la prière consécratoire spécifique qui demande à Dieu l'effusion de l'Esprit Saint et de ses dons appropriés au ministère pour lequel le candidat est ordonné[1]. 1573

699

1585

Comme dans tous les sacrements, des rites annexes entourent la célébration. Variant fortement dans les différentes traditions liturgiques, ils ont en commun d'exprimer les multiples aspects de la grâce sacramentelle. Ainsi, les rites initiaux, dans le rite latin – la présentation et l'élection de l'ordinand, l'allocution de l'évêque, l'interrogatoire de l'ordinand, les litanies des saints – attestent que le choix du candidat s'est fait conformément à l'usage de l'Eglise et préparent l'acte solennel de la consécration, après laquelle plusieurs rites viennent exprimer et achever d'une manière symbolique le mystère qui s'est accompli : pour l'évêque et le prêtre l'onction du saint chrême, signe de l'onction spéciale du Saint-Esprit qui rend fécond leur ministère ; remise du livre des Evangiles, de l'anneau, de la mitre et de la crosse à l'évêque en signe de sa mission apostolique d'annonce de la Parole de Dieu, de sa fidélité à l'Eglise, épouse du Christ, de sa charge de pasteur du troupeau du Seigneur ; remise au prêtre de la patène et du calice, « l'offrande du peuple saint[2] » qu'il est appelé à présenter à Dieu ; remise du livre des Evangiles au diacre qui vient de recevoir mission d'annoncer l'Evangile du Christ. 1574

1294

769

V. Qui peut conférer ce sacrement ?

C'est le Christ qui a choisi les apôtres et leur a donné part à sa mission et à son autorité. Elevé à la droite du Père, il n'abandonne pas son troupeau, mais le garde par les apôtres sous sa constante protection et le dirige encore par ces mêmes pasteurs qui continuent aujourd'hui son œuvre[3]. C'est donc le Christ « qui donne » aux uns d'être apôtres, aux autres, pasteurs[4]. Il continue d'agir par les évêques[5]. 1575

857

Puisque le sacrement de l'Ordre est le sacrement du ministère apostolique, il revient aux évêques en tant que successeurs des apôtres, de transmettre le « don spirituel[6] », 1576

1536

---

1. Cf. Pie XII, const. ap. « Sacramentum Ordinis » : DS 3858. — 2. Pontificale Romanum. De ordinatione Episcopi, presbyterorum et diaconorum, 163. — 3. Cf. MR, Préface des Apôtres I. — 4. Cf. Ep 4, 11. — 5. Cf. LG 21. — 6. LG 21.

la « semence apostolique [1] ». Les évêques validement ordonnés, c'est-à-dire qui sont dans la ligne de la succession apostolique, confèrent validement les trois degrés du sacrement de l'Ordre [2].

VI. Qui peut recevoir ce sacrement ?

1577   « Seul un homme (*vir*) baptisé reçoit validement l'ordination sacrée [3]. » Le Seigneur Jésus a choisi des hommes (*viri*)
551   pour former le collège des douze apôtres [4], et les apôtres ont fait de même lorsqu'ils ont choisi les collaborateurs [5] qui
861   leur succéderaient dans leur tâche [6]. Le collège des évêques, avec qui les prêtres sont unis dans le sacerdoce, rend présent
862   et actualise jusqu'au retour du Christ le collège des douze. L'Eglise se reconnaît liée par ce choix du Seigneur lui-même. C'est pourquoi l'ordination des femmes n'est pas possible [7].

1578   Nul n'a un *droit* à recevoir le sacrement de l'Ordre. En
2121   effet, nul ne s'arroge à soi-même cette charge. On y est appelé par Dieu [8]. Celui qui croit reconnaître les signes de l'appel de Dieu au ministère ordonné doit soumettre humblement son désir à l'autorité de l'Eglise à laquelle revient la responsabilité et le droit d'appeler quelqu'un à recevoir les ordres. Comme toute grâce, ce sacrement ne peut être *reçu* que comme un don immérité.

1579   Tous les ministres ordonnés de l'Eglise latine, à l'exception des diacres permanents, sont normalement choisis parmi les hommes croyants qui vivent en célibataires et qui
1618   ont la volonté de garder le *célibat* « en vue du Royaume des cieux » (Mt 19, 12). Appelés à se consacrer sans partage au Seigneur et à « ses affaires [9] », ils se donnent tout entiers à Dieu et aux hommes. Le célibat est un signe de cette vie nouvelle au service de laquelle le ministre de l'Eglise est
2233   consacré ; accepté d'un cœur joyeux, il annonce de façon rayonnante le Règne de Dieu [10].

1580   Dans les Eglises orientales, depuis des siècles, une discipline différente est en vigueur : alors que les évêques sont choisis uniquement parmi les célibataires, des hommes

---

1. LG 20. — 2. Cf. DS 794 et 802 ; CIC, can. 1012 ; CCEO, can. 744 ; 747. — 3. CIC, can. 1024. — 4. Cf. Mc 3, 14-19 ; Lc 6, 12-16. — 5. Cf. 1 Tm 3, 1-13 ; 2 Tm 1, 6 ; Tt 1, 5-9. — 6. S. Clément de Rome, Cor. 42, 4 ; 44, 3. — 7. Cf. MD 26-27 ; Ordinatio sacerdotalis ; CDF, décl. « Inter insigniores » Responsum ad dubium cired doc trinam in Epist. Ap. « Ordinatio Sacerdotalis » traditam. — 8. Cf. He 5, 4. — 9. Cf. 1 Co 7, 32. — 10. Cf. PO 16.

mariés peuvent être ordonnés diacres et prêtres. Cette pratique est depuis longtemps considérée comme légitime ; ces prêtres exercent un ministère fructueux au sein de leurs communautés[1]. D'ailleurs, le célibat des prêtres est très en honneur dans les Eglises orientales, et nombreux sont les prêtres qui l'ont choisi librement, pour le Royaume de Dieu. En Orient comme en Occident, celui qui a reçu le sacrement de l'Ordre ne peut plus se marier.

VII. Les effets du sacrement de l'Ordre

Le caractère indélébile

Ce sacrement configure au Christ par une grâce spéciale de l'Esprit Saint, en vue de servir d'instrument du Christ pour son Eglise. Par l'ordination l'on est habilité à agir comme représentant du Christ, Tête de l'Eglise, dans sa triple fonction de prêtre, prophète et roi.

1581
1548

Comme dans le cas du Baptême et de la Confirmation, cette participation à la fonction du Christ est accordée une fois pour toutes. Le sacrement de l'Ordre confère, lui aussi, un *caractère spirituel indélébile* et il ne peut pas être réitéré ni être conféré temporairement[2].

1582
1121

Un sujet validement ordonné peut, certes, pour de graves motifs, être déchargé des obligations et des fonctions liées à l'ordination ou être interdit de les exercer[3], mais il ne peut plus redevenir laïc au sens strict[4] car le caractère imprimé par l'ordination l'est pour toujours. La vocation et la mission reçues au jour de son ordination le marquent d'une façon permanente.

1583

Puisqu'en fin de compte c'est le Christ qui agit et opère le salut à travers le ministre ordonné, l'indignité de celui-ci n'empêche pas le Christ d'agir[5]. S. Augustin le dit avec force :

1584
1128

Quant au ministre orgueilleux, il est à ranger avec le diable. Le don du Christ n'en est pas pour autant profané, ce qui s'écoule à travers lui garde sa pureté, ce qui passe par lui reste limpide et vient jusqu'à la terre fertile (...) La vertu spirituelle du sacrement est en effet pareille à la lumière :

1550

1. Cf. PO 16. — 2. Cf. Cc. Trente : DS 1767 ; LG 21 ; 28 ; 29 ; PO 2. — 3. Cf. CIC, can. 290-293 ; 1336, § 1, 3°. 5° ; 1338, § 2. — 4. Cf. Cc. Trente : DS 1774. — 5. Cf. Cc. Trente : DS 1612 ; DS 1154.

ceux qui doivent être éclairés la reçoivent dans sa pureté et, si elle traverse des êtres souillés, elle ne se souille pas[1].

La grâce du Saint-Esprit

1585   La grâce du Saint-Esprit propre à ce sacrement est celle d'une configuration au Christ Prêtre, Maître et Pasteur dont l'ordonné est constitué le ministre.

1586   Pour l'évêque, c'est d'abord une grâce de force (« L'Esprit qui fait chefs » : prière de consécration de l'évêque du rite latin[2]) : celle de guider et de défendre avec force et prudence son Eglise comme un père et un pasteur, avec un amour gratuit pour tous et une prédilection pour les *2448* pauvres, les malades et les nécessiteux[3]. Cette grâce le pousse à annoncer l'Evangile à tous, à être le modèle de son troupeau, à le précéder sur le chemin de la sanctification en s'identifiant dans l'Eucharistie avec le Christ Prêtre et Victime, sans craindre de donner sa vie pour ses brebis :

1558   Accorde, Père qui connais les cœurs, à ton serviteur que Tu as choisi pour l'épiscopat, qu'il fasse paître ton saint troupeau et qu'il exerce à ton égard le souverain sacerdoce sans reproche, en Te servant nuit et jour ; qu'il rende sans cesse ton visage propice et qu'il offre les dons de ta sainte Eglise ; qu'il ait en vertu de l'esprit du souverain sacerdoce le pouvoir de remettre les péchés suivant ton commandement, qu'il distribue les charges suivant ton ordre et qu'il délie de tout lien en vertu du pouvoir que Tu as donné aux apôtres ; qu'il Te plaise par sa douceur et son cœur pur, en T'offrant un parfum agréable, par ton Enfant Jésus-Christ[4]...

1587   Le don spirituel que confère l'ordination presbytérale est *1564* exprimé par cette prière propre au rite byzantin. L'évêque, en imposant la main, dit entre autres :

Seigneur, remplis du don du Saint-Esprit celui que Tu as daigné élever au degré du sacerdoce afin qu'il soit digne de se tenir sans reproche devant ton autel, d'annoncer l'Evangile de ton Royaume, d'accomplir le ministère de ta parole de vérité, de T'offrir des dons et des sacrifices spirituels, de renouveler ton peuple par le bain de la régénération ; de sorte que lui-même aille à la rencontre de notre grand Dieu et Sauveur Jésus-Christ, ton Fils unique, au jour de son second avènement, et qu'Il reçoive de ton immense bonté la récompense d'une fidèle administration de son ordre[5].

1. Ev. Jo. 5, 15. — 2. Pontificale Romanum. De ordinatione episcopi, presbyterorum et diaconorum, 47. — 3. Cf. CD 13 et 16. — 4. S. Hippolyte, trad. ap. 3. — 5. Euchologion.

Quant aux diacres, « la grâce sacramentelle leur donne la   **1588**
force nécessaire de servir le Peuple de Dieu dans la "dia-   *1569*
conie" de la liturgie, de la parole et de la charité, en communion avec l'évêque et son presbyterium[1] ».

Devant la grandeur de la grâce et de la charge sacerdo-   **1589**
tales, les saints docteurs ont ressenti l'urgent appel à la
conversion afin de correspondre par toute leur vie à Celui
dont le sacrement les constitue les ministres. Ainsi, S. Grégoire de Nazianze, tout jeune prêtre, s'écrie :

> Il faut commencer par se purifier avant de purifier les
> autres ; il faut être instruit pour pouvoir instruire ; il faut
> devenir lumière pour éclairer, s'approcher de Dieu pour en
> rapprocher les autres, être sanctifié pour sanctifier, conduire
> par la main et conseiller avec intelligence[2]. Je sais de qui
> nous sommes les ministres, à quel niveau nous nous trou-
> vons et quel est Celui vers lequel nous nous dirigeons. Je
> connais la hauteur de Dieu et la faiblesse de l'homme, mais
> aussi sa force[3]. [Qui est donc le prêtre ? Il est] le défenseur
> de la vérité, il se dresse avec les anges, il glorifie avec les
> archanges, il fait monter sur l'autel d'en haut les victimes
> des sacrifices, il partage le sacerdoce du Christ, il remodèle
> la créature, il rétablit [en elle] l'image [de Dieu], il la recrée
> pour le monde d'en haut, et, pour dire ce qu'il y a de plus
> grand, *il est divinisé et il divinise*[4].   *460*

Et le saint Curé d'Ars : « C'est le prêtre qui continue
l'œuvre de rédemption sur la terre... » « Si l'on comprenait
bien le prêtre sur la terre, on mourrait non de frayeur, mais
d'amour... » « Le Sacerdoce, c'est l'amour du cœur de
Jésus[5]. »   *1551*

EN BREF

S. Paul dit à son disciple Timothée : « Je t'invite à raviver   **1590**
le don que Dieu a déposé en toi par l'imposition de mes
mains » (2 Tm 1, 6), et « celui qui aspire à la charge
d'évêque désire une noble fonction » (1 Tm 3, 1). A Tite, il
disait : « Si je t'ai laissé en Crète, c'est pour y achever
l'organisation, et pour établir dans chaque ville des pres-
bytres, conformément à mes instructions » (Tt 1, 5).

Toute l'Eglise est un peuple sacerdotal. Grâce au Baptême,   **1591**
tous les fidèles participent au sacerdoce du Christ. Cette
participation s'appelle « sacerdoce commun des fidèles ».
Sur sa base et à son service existe une autre participation à
la mission du Christ ; celle du ministère conféré par le

1. LG 29. — 2. Or. 2, 71. — 3. *Ibid.*, 74. — 4. *Ibid.*, 73. — 5. Nodet, Jean-Marie
Vianney 100.

sacrement de l'Ordre, dont la tâche est de servir au nom et en la personne du Christ-Tête au milieu de la communauté.

1592   *Le sacerdoce ministériel diffère essentiellement du sacerdoce commun des fidèles parce qu'il confère un pouvoir sacré pour le service des fidèles. Les ministres ordonnés exercent leur service auprès du Peuple de Dieu par l'enseignement* (munus docendi), *le culte divin* (munus liturgicum) *et par le gouvernement pastoral* (munus regendi).

1593   *Depuis les origines, le ministère ordonné a été conféré et exercé à trois degrés : celui des évêques, celui des presbytres et celui des diacres. Les ministères conférés par l'ordination sont irremplaçables pour la structure organique de l'Eglise : sans l'évêque, les presbytres et les diacres, on ne peut parler d'Eglise* [1].

1594   *L'évêque reçoit la plénitude du sacrement de l'Ordre qui l'insère dans le Collège épiscopal et fait de lui le chef visible de l'Eglise particulière qui lui est confiée. Les évêques, en tant que successeurs des apôtres et membres du Collège, ont part à la responsabilité apostolique et à la mission de toute l'Eglise sous l'autorité du Pape, successeur de S. Pierre.*

1595   *Les presbytres sont unis aux évêques dans la dignité sacerdotale et en même temps dépendent d'eux dans l'exercice de leurs fonctions pastorales ; ils sont appelés à être les coopérateurs avisés des évêques ; ils forment autour de leur évêque le presbyterium qui porte avec lui la responsabilité de l'Eglise particulière. Ils reçoivent de l'évêque la charge d'une communauté paroissiale ou d'une fonction ecclésiale déterminée.*

1596   *Les diacres sont des ministres ordonnés pour les tâches de service de l'Eglise ; ils ne reçoivent pas le sacerdoce ministériel, mais l'ordination leur confère des fonctions importantes dans le ministère de la Parole, du culte divin, du gouvernement pastoral et du service de la charité, tâches qu'ils doivent accomplir sous l'autorité pastorale de leur évêque.*

1597   *Le sacrement de l'Ordre est conféré par l'imposition des mains suivie d'une prière consécratoire solennelle qui demande à Dieu pour l'ordinand les grâces du Saint-Esprit requises pour son ministère. L'ordination imprime un caractère sacramentel indélébile.*

1598   *L'Eglise confère le sacrement de l'Ordre seulement à des hommes* (viris) *baptisés, dont les aptitudes pour l'exercice du ministère ont été dûment reconnues. C'est à l'autorité de*

1. Cf. S. Ignace d'Antioche, Trall. 3,1.

l'Eglise que revient la responsabilité et le droit d'appeler quelqu'un à recevoir les ordres.

Dans l'Eglise latine, le sacrement de l'Ordre pour le pres- 1599
bytérat n'est conféré normalement qu'à des candidats qui sont prêts à embrasser librement le célibat et qui manifestent publiquement leur volonté de le garder pour l'amour du Royaume de Dieu et du service des hommes.

Il revient aux évêques de conférer le sacrement de l'Ordre 1600
dans les trois degrés.

ARTICLE 7
Le sacrement du Mariage

« L'alliance matrimoniale, par laquelle un homme et une 1601
femme constituent entre eux une communauté de toute la vie, ordonnée par son caractère naturel au bien des conjoints ainsi qu'à la génération et à l'éducation des enfants, a été élevée entre baptisés par le Christ Seigneur à la dignité de sacrement [1]. »

I. Le mariage dans le dessein de Dieu

L'Ecriture Sainte s'ouvre sur la création de l'homme et de 1602
la femme à l'image et à la ressemblance de Dieu [2] et
s'achève sur la vision des « noces de l'Agneau » (Ap 19,   369, 796
9) [3]. D'un bout à l'autre l'Ecriture parle du mariage et de son « mystère », de son institution et du sens que Dieu lui a donné, de son origine et de sa fin, de ses réalisations diverses tout au long de l'histoire du salut, de ses difficultés issues du péché et de son renouvellement « dans le Seigneur » (1 Co 7, 39), dans l'alliance nouvelle du Christ et de l'Eglise [4].

Le mariage dans l'ordre de la création

« La communauté profonde de vie et d'amour que forme 1603
le couple a été fondée et dotée de ses lois propres par le
Créateur. Dieu Lui-même est l'auteur du mariage [5]. » La   371

1. CIC, can. 1055, § 1. — 2. Cf. Gn 1, 26-27. — 3. Cf. Ap 19, 7. — 4. Cf. Ep 5, 31-32. — 5. GS 48, § 1.

2331 vocation au mariage est inscrite dans la nature même de l'homme et de la femme, tels qu'ils sont issus de la main du Créateur. Le mariage n'est pas une institution purement humaine, malgré les variations nombreuses qu'il a pu subir au cours des siècles, dans les différentes cultures, structures sociales et attitudes spirituelles. Ces diversités ne doivent pas faire oublier les traits communs et permanents. Bien que la dignité de cette institution ne transparaisse pas partout avec la même clarté[1], il existe cependant dans toutes les cultures un certain sens pour la grandeur de l'union matri-

2210 moniale. « Car le bien-être de la personne et de la société est étroitement lié à la prospérité de la communauté conjugale et familiale[2]. »

1604   Dieu, qui a créé l'homme par amour, l'a aussi appelé à l'amour, vocation fondamentale et innée de tout être

355 humain. Car l'homme est créé à l'image et à la ressemblance du Dieu[3] qui est Lui-même Amour[4]. Dieu l'ayant créé homme et femme, leur amour mutuel devient une image de l'amour absolu et indéfectible dont Dieu aime l'homme. Il est bon, très bon, aux yeux du Créateur[5]. Et cet amour que Dieu bénit est destiné à être fécond et à se réaliser dans l'œuvre commune de la garde de la création : « Et Dieu les bénit et Il leur dit : "Soyez féconds, multipliez-vous, remplissez la terre et soumettez-la" » (Gn 1, 28).

1605   Que l'homme et la femme soient créés l'un pour l'autre,

372 l'Écriture Sainte l'affirme : « Il n'est pas bon que l'homme soit seul » (Gn 2, 18). La femme, « chair de sa chair[6] », son égale, toute proche de lui, lui est donnée par Dieu comme un secours[7], représentant ainsi le Dieu en qui est notre secours[8]. « C'est pour cela que l'homme quittera son père et sa mère et s'attachera à sa femme, et les deux deviennent une seule chair » (Gn 2, 24). Que cela signifie une unité

1614 indéfectible de leurs deux vies, le Seigneur Lui-même le montre en rappelant quel a été, « à l'origine », le dessein du Créateur[9] : « Ainsi, ils ne sont plus deux, mais une seule chair » (Mt 19, 6).

Le mariage sous le régime du péché

1606   Tout homme fait l'expérience du mal, autour de lui et en lui-même. Cette expérience se fait aussi sentir dans les relations entre l'homme et la femme. De tout temps, leur union

1. Cf. GS 47, § 2. — 2. GS 47, § 1. — 3. Cf. Gn 1, 27. — 4. Cf. 1 Jn 4, 8. 16. — 5. Cf. Gn 1, 31. — 6. Cf. Gn 2, 23. — 7. Cf. Gn 2, 18. — 8. Cf. Ps 121, 2. — 9. Cf. Mt 19, 4.

a été menacée par la discorde, l'esprit de domination, l'infidélité, la jalousie et par des conflits qui peuvent aller jusqu'à la haine et la rupture. Ce désordre peut se manifester de façon plus ou moins aiguë, et il peut être plus ou moins surmonté, selon les cultures, les époques, les individus, mais il semble bien avoir un caractère universel.

Selon la foi ce désordre, que nous constatons douloureusement, ne vient pas de la *nature* de l'homme et de la femme, ni de la nature de leurs relations, mais du *péché*. Rupture avec Dieu, le premier péché a comme première conséquence la rupture de la communion originelle de l'homme et de la femme. Leurs relations sont distordues par des griefs réciproques[1]; leur attrait mutuel, don propre du créateur[2], se change en rapports de domination et de convoitise[3]; la belle vocation de l'homme et de la femme d'être féconds, de se multiplier et de soumettre la terre[4] est grevée des peines de l'enfantement et du gagne-pain[5]. **1607** *1849* *400*

Pourtant, l'ordre de la création subsiste, même s'il est gravement perturbé. Pour guérir les blessures du péché, l'homme et la femme ont besoin de l'aide de la grâce que Dieu, dans sa miséricorde infinie, ne leur a jamais refusée[6]. Sans cette aide, l'homme et la femme ne peuvent parvenir à réaliser l'union de leurs vies en vue de laquelle Dieu les a créés « au commencement ». **1608** *55*

Le mariage sous la pédagogie de la loi

Dans sa miséricorde, Dieu n'a pas abandonné l'homme pécheur. Les peines qui suivent le péché, les douleurs de l'enfantement[7], le travail « à la sueur de ton front » (Gn 3, 19) constituent aussi des remèdes qui limitent les méfaits du péché. Après la chute, le mariage aide à vaincre le repliement sur soi-même, l'égoïsme, la quête du propre plaisir, et à s'ouvrir à l'autre, à l'aide mutuelle, au don de soi. **1609** *410*

La conscience morale concernant l'unité et l'indissolubilité du mariage s'est développée sous la pédagogie de la loi ancienne. La polygamie des patriarches et des rois n'est pas encore explicitement repoussée. Cependant, la loi donnée à Moïse vise à protéger la femme contre l'arbitraire d'une domination par l'homme, même si elle porte aussi, selon la **1610** *1963, 2387*

1. Cf. Gn 3, 12. — 2. Cf. Gn 2, 22. — 3. Cf. Gn 3, 16 b. — 4. Cf. Gn 1, 28. — 5. Cf. Gn 3, 16-19. — 6. Cf. Gn 3, 21. — 7. Cf. Gn 3, 16.

parole du Seigneur, les traces de « la dureté du cœur » de l'homme en raison de laquelle Moïse a permis la répudiation de la femme[1].

1611   En voyant l'alliance de Dieu avec Israël sous l'image
219, 2380   d'un amour conjugal exclusif et fidèle[2], les prophètes ont préparé la conscience du Peuple élu à une intelligence approfondie de l'unicité et de l'indissolubilité du mariage[3].
2361   Les livres de Ruth et de Tobie donnent des témoignages émouvants du sens élevé du mariage, de la fidélité et de la tendresse des époux. La Tradition a toujours vu dans le Cantique des Cantiques une expression unique de l'amour humain, en tant qu'il est reflet de l'amour de Dieu, amour « fort comme la mort » que « les torrents d'eau ne peuvent éteindre » (Ct 8, 6-7).

Le mariage dans le Seigneur

1612   L'alliance nuptiale entre Dieu et son peuple Israël avait préparé l'Alliance nouvelle et éternelle dans laquelle le Fils
521   de Dieu, en s'incarnant et en se donnant sa vie, s'est uni d'une certaine façon toute l'humanité sauvée par Lui[4], préparant ainsi les « noces de l'Agneau » (Ap 19, 7. 9).

1613   Au seuil de sa vie publique, Jésus opère son premier signe – à la demande de sa Mère – lors d'une fête de mariage[5]. L'Eglise accorde une grande importance à la présence de Jésus aux noces de Cana. Elle y voit la confirmation de la bonté du mariage et l'annonce que désormais le mariage sera un signe efficace de la présence du Christ.

1614   Dans sa prédication, Jésus a enseigné sans équivoque le
2336   sens originel de l'union de l'homme et de la femme, telle que le Créateur l'a voulue au commencement : la permis-
2382   sion, donnée par Moïse, de répudier sa femme, était une concession à la dureté du cœur[6] ; l'union matrimoniale de l'homme et de la femme est indissoluble : Dieu lui-même l'a conclue : « Que l'homme ne sépare donc pas ce que Dieu a uni » (Mt 19, 6).

1615   Cette insistance sans équivoque sur l'indissolubilité du
2364   lien matrimonial a pu laisser perplexe et apparaître comme une exigence irréalisable[7]. Pourtant Jésus n'a pas chargé les

---

1. Cf. Mt 19, 8 ; Dt 24, 1. — 2. Cf. Os 1-3 ; Is 54 ; 62 ; Jr 2-3 ; 31 ; Ez 16 ; 23. — 3. Cf. Ml 2, 13-17. — 4. Cf. GS 22. — 5. Cf. Jn 2, 1-11. — 6. Cf. Mt 19, 8. — 7. Cf. Mt 19, 10.

époux d'un fardeau impossible à porter et trop lourd[1], plus pesant que la Loi de Moïse. En venant rétablir l'ordre initial de la création perturbé par le péché, Il donne Lui-même la force et la grâce pour vivre le mariage dans la dimension nouvelle du Règne de Dieu. C'est en suivant le Christ, en renonçant à eux-mêmes, en prenant leurs Croix sur eux[2] que les époux pourront « comprendre[3] » le sens originel du mariage et le vivre avec l'aide du Christ. Cette grâce du mariage chrétien est un fruit de la Croix du Christ, source de toute vie chrétienne.

1642

C'est ce que l'apôtre Paul fait saisir en disant : « Maris, aimez vos femmes, comme le Christ a aimé l'Église ; Il s'est livré pour elle, afin de la sanctifier » (Ep 5, 25-26), en ajoutant aussitôt : « "Voici donc que l'homme quittera son père et sa mère pour s'attacher à sa femme, et les deux ne feront qu'une seule chair" : ce mystère est de grande portée ; je veux dire qu'il s'applique au Christ et à l'Église » (Ep 5, 31-32).

1616

Toute la vie chrétienne porte la marque de l'amour sponsal du Christ et de l'Église. Déjà le Baptême, entrée dans le Peuple de Dieu, est un mystère nuptial : il est, pour ainsi dire, le bain de noces[4] qui précède le repas de noces, l'Eucharistie. Le mariage chrétien devient à son tour signe efficace, sacrement de l'alliance du Christ et de l'Église. Puisqu'il en signifie et communique la grâce, le mariage entre baptisés est un vrai sacrement de la Nouvelle Alliance[5].

1617
796

La virginité pour le Royaume

Le Christ est le centre de toute vie chrétienne. Le lien avec Lui prend la première place devant tous les autres liens, familiaux ou sociaux[6]. Dès le début de l'Église, il y a eu des hommes et des femmes qui ont renoncé au grand bien du mariage pour suivre l'Agneau partout où Il va[7], pour se soucier des choses du Seigneur, pour chercher à Lui plaire[8], pour aller au-devant de l'Époux qui vient[9]. Le Christ Lui-même a invité certains à Le suivre en ce mode de vie dont Il demeure le modèle :

1618
2232

1579

Il y a des eunuques qui le sont de naissance, dès le sein de leur mère ; il y a aussi des eunuques qui le sont devenus par la main des hommes ; et il y en a qui se sont faits eunuques

1. Cf. Mt 11, 29-30. — 2. Cf. Mc 8, 34. — 3. Cf. Mt 19, 11. — 4. Cf. Ep 5, 26-27. — 5. Cf. DS 1800 ; CIC, can. 1055, § 1. — 6. Cf. Lc 14, 26 ; Mc 10, 28-31. — 7. Cf. Ap 14, 4. — 8. Cf. 1 Co 7, 32. — 9. Cf. Mt 25, 6.

> eux-mêmes à cause du Royaume des cieux. Que celui qui
> peut comprendre, comprenne (Mt 19, 12).

1619
922-924
La virginité pour le Royaume des cieux est un déploiement de la grâce baptismale, un signe puissant de la prééminence du lien au Christ, de l'attente ardente de son retour, un signe qui rappelle aussi que le mariage est une réalité de l'éon présent qui passe[1].

1620
2349
Les deux, le sacrement du Mariage et la virginité pour le Royaume de Dieu, viennent du Seigneur Lui-même. C'est Lui qui leur donne sens et leur accorde la grâce indispensable pour les vivre conformément à sa volonté[2]. L'estime de la virginité pour le Royaume[3] et le sens chrétien du mariage sont inséparables et se favorisent mutuellement :

> Dénigrer le mariage, c'est amoindrir du même coup la gloire de la virginité; en faire l'éloge, c'est rehausser l'admiration qui est due à la virginité. (...) Car enfin, ce qui ne paraît un bien que par comparaison avec un mal ne peut être vraiment un bien, mais ce qui est mieux encore que des biens incontestés est le bien par excellence[4].

II. La célébration du mariage

1621
1323
Dans le rite latin, la célébration du mariage entre deux fidèles catholiques a normalement lieu au cours de la Sainte Messe, en raison du lien de tous les sacrements avec le mystère pascal du Christ[5]. Dans l'Eucharistie se réalise le mémorial de la Nouvelle Alliance, en laquelle le Christ s'est uni pour toujours à l'Eglise, son épouse bien-aimée pour laquelle Il s'est livré[6]. Il est donc convenable que les époux scellent leur consentement à se donner l'un à l'autre par l'offrande de leurs propres vies, en l'unissant à l'offrande du Christ pour son Eglise, rendue présente dans le sacrifice eucharistique, et en recevant l'Eucharistie, afin que, communiant au même Corps et au même Sang du Christ, ils « ne forment qu'un corps » dans le Christ[7].

1622
« En tant que geste sacramentel de sanctification, la célébration liturgique du mariage (...) doit être par elle-même valide, digne et fructueuse[8]. » Il convient donc que les

1368

---

1. Cf. Mc 12, 25; 1 Co 7, 31. — 2. Cf. Mt 19, 3-12. — 3. Cf. LG 42; PC 12; OT 10. — 4. S. Jean Chrysostome, virg. 10, 1; cf. FC 16. — 5. Cf. SC 61. — 6. Cf. LG 6. — 7. Cf. 1 Co 10, 17. — 8. FC 67.

futurs époux se disposent à la célébration de leur mariage en recevant le sacrement de pénitence.   *1422*

Selon la tradition latine ce sont les époux qui, comme ministres de la grâce du Christ, se confèrent mutuellement le sacrement du Mariage en exprimant devant l'Eglise leur consentement. Dans la tradition des Eglises orientales, les prêtres ou évêques qui officient sont les témoins du consentement mutuel échangé par les époux[1], mais leur bénédiction est nécessaire aussi à la validité du sacrement[2].   1623

Les diverses liturgies sont riches en prières de bénédiction et d'épiclèse demandant à Dieu sa grâce et la bénédiction sur le nouveau couple, spécialement sur l'épouse. Dans l'épiclèse de ce sacrement les époux reçoivent l'Esprit Saint comme communion d'amour du Christ et de l'Eglise[3]. C'est Lui le sceau de leur alliance, la source toujours offerte de leur amour, la force où se renouvellera leur fidélité.   1624

736

III. Le consentement matrimonial

Les protagonistes de l'alliance matrimoniale sont un homme et une femme baptisés, libres de contracter le mariage et qui expriment librement leur consentement. « Etre libre » veut dire :
– ne pas subir de contrainte ;
– ne pas être empêché par une loi naturelle ou ecclésiastique.   1625

1734

L'Eglise considère l'échange des consentements entre les époux comme l'élément indispensable « qui fait le mariage[4] ». Si le consentement manque, il n'y a pas de mariage.   1626

2201

Le consentement consiste en un « acte humain par lequel les époux se donnent et se reçoivent mutuellement[5] » : « Je te prends comme ma femme. Je te prends comme mon mari[6]. » Ce consentement qui lie les époux entre eux trouve son accomplissement en ce que les deux « deviennent une seule chair[7] ».   1627

1735

Le consentement doit être un acte de la volonté de chacun des contractants, libre de violence ou de crainte grave externe[8]. Aucun pouvoir humain ne peut se substituer à ce   1628

---

1. Cf. CCEO, can. 817. — 2. Cf. CCEO, can. 828. — 3. Cf. Ep 5, 32. — 4. CIC, can. 1057, § 1. — 5. GS 48, § 1 ; cf. CIC, can. 1057, § 2. — 6. OcM 45. — 7. Cf. Gn 2, 24 ; Mc 10, 8 ; Ep 5, 31. — 8. Cf. CIC, can. 1103.

consentement[1]. Si cette liberté manque, le mariage est invalide.

1629   Pour cette raison (ou pour d'autres raisons qui rendent nul et non avenu le mariage[2]), l'Eglise peut, après examen de la situation par le tribunal ecclésiastique compétent, déclarer « la nullité du mariage », c'est-à-dire que le mariage n'a jamais existé. En ce cas, les contractants sont libres de se marier, quitte à se tenir aux obligations naturelles d'une union antérieure[3].

1630   Le prêtre (ou le diacre) qui assiste à la célébration du mariage, accueille le consentement des époux au nom de l'Eglise et donne la bénédiction de l'Eglise. La présence du ministre de l'Eglise (et aussi des témoins) exprime visiblement que le mariage est une réalité ecclésiale.

1631   C'est pour cette raison que l'Eglise demande normalement pour ses fidèles la *forme ecclésiastique* de la conclusion du mariage[4]. Plusieurs raisons concourent à expliquer cette détermination :
1069   – le mariage sacramentel est un acte *liturgique*. Il est dès lors convenable qu'il soit célébré dans la liturgie publique de l'Eglise ;
1537   – le mariage est introduit dans un *ordo* ecclésial, il crée des droits et des devoirs dans l'Eglise, entre les époux et envers les enfants ;
       – puisque le mariage est un état de vie dans l'Eglise, il faut qu'il y ait certitude sur le mariage (d'où l'obligation d'avoir des témoins) ;
2365   – le caractère public du consentement protège le « Oui » une fois donné et aide à y rester fidèle.

1632   Pour que le « Oui » des époux soit un acte libre et responsable, et pour que l'alliance matrimoniale ait des assises humaines et chrétiennes solides et durables, la *préparation au mariage* est de première importance :

2206   L'exemple et l'enseignement donnés par les parents et par les familles restent le chemin privilégié de cette préparation.

       Le rôle des pasteurs et de la communauté chrétienne comme « famille de Dieu » est indispensable pour la transmission des valeurs humaines et chrétiennes du mariage et de la famille[5], et ceci d'autant plus qu'à notre époque beaucoup de jeunes connaissent l'expérience des foyers brisés qui n'assurent plus suffisamment cette initiation :

1. CIC, can. 1057, § 1. — 2. Cf. CIC, can. 1083-1108. — 3. Cf. CIC, can. 1071, § 1, 3. — 4. Cf. Cc. Trente : DS 1813-1816 ; CIC, can. 1108. — 5. Cf. CIC, can. 1063.

Il faut instruire à temps les jeunes, et de manière appropriée, de préférence au sein de la famille, sur la dignité de l'amour conjugal, sa fonction, son exercice : ainsi formés à la chasteté, ils pourront, le moment venu, s'engager dans le mariage après des fiançailles vécues dans la dignité[1].

2350

Les mariages mixtes et la disparité de culte

Dans de nombreux pays, la situation du *mariage mixte* (entre catholique et baptisé non catholique) se présente de façon assez fréquente. Elle demande une attention particulière des conjoints et des pasteurs ; le cas des mariages avec *disparité de culte* (entre catholique et non-baptisé) une circonspection plus grande encore.

1633

La différence de confession entre les conjoints ne constitue pas un obstacle insurmontable pour le mariage, lorsqu'ils parviennent à mettre en commun ce que chacun d'eux a reçu dans sa communauté, et à apprendre l'un de l'autre la façon dont chacun vit sa fidélité au Christ. Mais les difficultés des mariages mixtes ne doivent pas non plus être sous-estimées. Elles sont dues au fait que la séparation des chrétiens n'est pas encore surmontée. Les époux risquent de ressentir le drame de la désunion des chrétiens au sein même de leur foyer. La disparité de culte peut encore aggraver ces difficultés. Des divergences concernant la foi, la conception même du mariage, mais aussi des mentalités religieuses différentes, peuvent constituer une source de tensions dans le mariage, principalement à propos de l'éducation des enfants. Une tentation peut se présenter alors : l'indifférence religieuse.

1634

817

D'après le droit en vigueur dans l'Eglise latine, un mariage mixte a besoin, pour sa licéité, de la *permission expresse* de l'autorité ecclésiastique[2]. En cas de disparité de culte une *dispense expresse* de l'empêchement est requise pour la validité du mariage[3]. Cette permission ou cette dispense supposent que les deux parties connaissent et n'excluent pas les fins et les propriétés essentielles du mariage et aussi que la partie catholique confirme ses engagements, portés aussi à la connaissance explicite de la partie non catholique, de conserver sa foi et d'assurer le baptême et l'éducation des enfants dans l'Eglise catholique[4].

1635

Dans beaucoup de régions, grâce au dialogue œcuménique, les communautés chrétiennes concernées ont pu mettre sur pied une *pastorale commune pour les mariages mixtes*. Sa tâche est d'aider ces couples à vivre leur situation particulière à la lumière de la foi. Elle doit aussi les aider à surmonter les tensions entre les obligations des conjoints l'un envers l'autre et envers leurs communautés ecclésiales. Elle doit encourager l'épanouissement de ce qui leur est commun dans la foi, et le respect de ce qui les sépare.

1636

821

Dans les mariages avec disparité de culte l'époux catholique a une tâche particulière : « Car le mari non croyant se trouve sanctifié par sa femme, et la femme non croyante se trouve sanctifiée par le

1637

1. GS 49, § 3. — 2. Cf. CIC, can. 1124. — 3. Cf. CIC, can. 1086. — 4. Cf. CIC, can. 1125.

mari croyant » (1 Co 7, 14). C'est une grande joie pour le conjoint chrétien et pour l'Eglise si cette « sanctification » conduit à la conversion libre de l'autre conjoint à la foi chrétienne[1]. L'amour conjugal sincère, la pratique humble et patiente des vertus familiales et la prière persévérante peuvent préparer le conjoint non croyant à accueillir la grâce de la conversion.

IV. Les effets du sacrement du Mariage

1638   « Du mariage valide naît entre les conjoints *un lien* de par sa nature perpétuel et exclusif ; en outre, dans le mariage chrétien, les conjoints sont fortifiés et comme consacrés par *un sacrement spécial* pour les devoirs et la dignité de leur état[2]. »

Le lien matrimonial

1639   Le consentement par lequel les époux se donnent et s'accueillent mutuellement est scellé par Dieu Lui-même[3]. De leur alliance « une institution, que la loi divine confirme, naît ainsi, au regard même de la société[4] ». L'alliance des époux est intégrée dans l'alliance de Dieu avec les hommes : « L'authentique amour conjugal est assumé dans l'amour divin[5]. »

1640   Le *lien matrimonial* est donc établi par Dieu Lui-même, de sorte que le mariage conclu et consommé entre baptisés ne peut jamais être dissous. Ce lien, qui résulte de l'acte humain libre des époux et de la consommation du mariage, est une réalité désormais irrévocable et donne origine à une
2365   alliance garantie par la fidélité de Dieu. Il n'est pas au pouvoir de l'Eglise de se prononcer contre cette disposition de la sagesse divine[6].

La grâce du sacrement du Mariage

1641   « En leur état de vie et dans leur ordre, [les époux chrétiens] ont dans le Peuple de Dieu leurs dons propres[7]. » Cette grâce propre du sacrement du Mariage est destinée à perfectionner l'amour des conjoints, à fortifier leur unité indissoluble. Par cette grâce « ils s'aident mutuellement à se sanctifier dans la vie conjugale, dans l'accueil et l'éducation des enfants[8] ».

1. Cf. 1 Co 7, 16. — 2. CIC, can. 1134. — 3. Cf. Mc 10, 9. — 4. GS 48, § 1. — 5. GS 48, § 2. — 6. Cf. CIC, can. 1141. — 7. LG 11. — 8. LG 11 ; cf. LG 41.

Le Christ est la source de cette grâce. « De même que Dieu prit autrefois l'initiative d'une alliance d'amour et de fidélité avec son peuple, ainsi, maintenant, le Sauveur des hommes, Epoux de l'Eglise, vient à la rencontre des époux chrétiens par le sacrement du Mariage[1]. » Il reste avec eux, Il leur donne la force de le suivre en prenant leur Croix sur eux, de se relever après leurs chutes, de se pardonner mutuellement, de porter les uns les fardeaux des autres[2], d'être « soumis les uns aux autres dans la crainte du Christ » (Ep 5, 21) et de s'aimer d'un amour surnaturel, délicat et fécond. Dans les joies de leur amour et de leur vie familiale il leur donne, dès ici-bas, un avant-goût du festin des noces de l'Agneau : 1642
1615
796

> Où vais-je puiser la force de décrire de manière satisfaisante le bonheur du mariage que l'Eglise ménage, que confirme l'offrande, que scelle la bénédiction; les anges le proclament, le Père céleste le ratifie. (...) Quel couple que celui de deux chrétiens, unis par une seule espérance, un seul désir, une seule discipline, un même service! Tous deux enfants d'un même Père, serviteurs d'un même Maître; rien ne les sépare, ni dans l'esprit ni dans la chair; au contraire, ils sont vraiment deux en une seule chair. Là où la chair est une, un aussi est l'esprit[3].

V. Les biens et les exigences de l'amour conjugal

« L'amour conjugal comporte une totalité où entrent toutes les composantes de la personne – appel du corps et de l'instinct, force du sentiment et de l'affectivité, aspiration de l'esprit et de la volonté – ; il vise une unité profondément personnelle, celle qui, au-delà de l'union en une seule chair, conduit à ne faire qu'un cœur et qu'une âme; il exige l'*indissolubilité* et la *fidélité* dans la donation réciproque définitive; et il s'ouvre sur la *fécondité*. Il s'agit bien des caractéristiques normales de tout amour conjugal naturel, mais avec une signification nouvelle qui, non seulement les purifie et les consolide, mais les élève au point d'en faire l'expression de valeurs proprement chrétiennes[4]. » 1643
2361

L'unité et l'indissolubilité du mariage

L'amour des époux exige, par sa nature même, l'unité et l'indissolubilité de leur communauté de personnes qui englobe toute leur vie : « Ainsi ils ne sont plus deux, mais 1644

1. GS 48, § 2. — 2. Cf. Ga 6, 2. — 3. Tertullien, ux. 2, 8, 6-7; cf. FC 13. — 4. FC 13.

une seule chair » (Mt 19, 6)[1]. « Ils sont appelés à grandir sans cesse dans leur communion à travers la fidélité quotidienne à la promesse du don mutuel total que comporte le mariage[2]. » Cette communion humaine est confirmée, purifiée et parachevée par la communion en Jésus-Christ donnée par le sacrement de mariage. Elle s'approfondit par la vie de la foi commune et par l'Eucharistie reçue en commun.

1645   « L'égale dignité personnelle qu'il faut reconnaître à la
369   femme et à l'homme dans l'amour plénier qu'ils se portent l'un à l'autre fait clairement apparaître l'unité du mariage, confirmée par le Seigneur[3]. » La *polygamie* est contraire à cette égale dignité et à l'amour conjugal qui est unique et exclusif[4].

2364-2365   La fidélité de l'amour conjugal

1646   L'amour conjugal exige des époux, de par sa nature même, une fidélité inviolable. Ceci est la conséquence du don d'eux-mêmes que se font l'un à l'autre les époux. L'amour veut être définitif. Il ne peut être « jusqu'à nouvel ordre ». « Cette union intime, don réciproque de deux personnes, non moins que le bien des enfants, exigent l'entière fidélité des époux et requièrent leur indissoluble unité[5]. »

1647   Le motif le plus profond se trouve dans la fidélité de Dieu à son alliance, du Christ à son Eglise. Par le sacrement de Mariage les époux sont habilités à représenter cette fidélité et à en témoigner. Par le sacrement, l'indissolubilité du mariage reçoit un sens nouveau et plus profond.

1648   Il peut paraître difficile, voire impossible, de se lier pour la vie à un être humain. Il est d'autant plus important d'annoncer la Bonne Nouvelle que Dieu nous aime d'un amour définitif et irrévocable, que les époux ont part à cet amour, qu'il les porte et les soutient, et que par leur fidélité ils peuvent être les témoins de l'amour fidèle de Dieu. Les époux qui, avec la grâce de Dieu, donnent ce témoignage, souvent dans des conditions bien difficiles, méritent la gratitude et le soutien de la communauté ecclésiale[6].

1649   Il existe cependant des situations où la cohabitation matrimo-
2383   niale devient pratiquement impossible pour des raisons très diverses. En de tels cas, l'Eglise admet la *séparation* physique des

1. Cf. Gn 2, 24. — 2. FC 19. — 3. GS 49, § 2. — 4. Cf. FC 19. — 5. GS 48, § 1. — 6. Cf. FC 20.

époux et la fin de la cohabitation. Les époux ne cessent pas d'être mari et femme devant Dieu ; ils ne sont pas libres de contracter une nouvelle union. En cette situation difficile, la solution la meilleure serait, si possible, la réconciliation. La communauté chrétienne est appelée à aider ces personnes à vivre chrétiennement leur situation, dans la fidélité au lien de leur mariage qui reste indissoluble[1].

Nombreux sont aujourd'hui, dans bien des pays, les catholiques qui ont recours au *divorce* selon les lois civiles et qui contractent civilement une nouvelle union. L'Eglise maintient, par fidélité à la parole de Jésus-Christ (« Quiconque répudie sa femme et en épouse une autre commet un adultère à l'égard de la première ; et si une femme répudie son mari et en épouse un autre, elle commet un adultère » : Mc 10, 11-12), qu'elle ne peut reconnaître comme valide une nouvelle union, si le premier mariage l'était. Si les divorcés sont remariés civilement, ils se trouvent dans une situation qui contrevient objectivement à la loi de Dieu. Dès lors ils ne peuvent pas accéder à la communion eucharistique, aussi long-temps que persiste cette situation. Pour la même raison ils ne peuvent pas exercer certaines responsabilités ecclésiales. La réconciliation par le sacrement de Pénitence ne peut être accordée qu'à ceux qui se sont repentis d'avoir violé le signe de l'alliance et de la fidélité au Christ, et se sont engagés à vivre dans une conti-nence complète. *1650 2384*

A l'égard des chrétiens qui vivent en cette situation et qui souvent gardent la foi et désirent élever chrétiennement leurs enfants, les prêtres et toute la communauté doivent faire preuve d'une sollicitude attentive, afin qu'ils ne se considèrent pas comme séparés de l'Eglise, à la vie de laquelle ils peuvent et doivent parti-ciper en tant que baptisés : *1651*

On les invitera à écouter la Parole de Dieu, à assister au Sacrifice de la messe, à persévérer dans la prière, à apporter leur contribution aux œuvres de charité et aux initiatives de la communauté en faveur de la justice, à élever leurs enfants dans la foi chrétienne, à cultiver l'esprit de pénitence et à en accomplir les actes, afin d'implorer, jour après jour, la grâce de Dieu[2].

L'ouverture à la fécondité *2366-2367*

« C'est par leur nature même que l'institution du mariage et l'amour conjugal sont ordonnés à la procréation et à l'éducation qui, tel un sommet, en constituent le couronne-ment[3] » : *1652 972*

Les enfants sont le don le plus excellent du mariage et ils contribuent grandement au bien des parents eux-mêmes. Dieu Lui-même qui a dit : « Il n'est pas bon que l'homme

1. Cf. FC 83 ; CIC, can. 1151-1155. — 2. FC 84. — 3. GS 48, § 1.

soit seul » (Gn 2, 18) et qui « dès l'origine [a fait l'être humain] homme et femme » (Mt 19, 4), a voulu lui donner une participation spéciale dans son œuvre créatrice ; aussi a-t-Il béni l'homme et la femme, disant : « Soyez féconds et multipliez-vous » (Gn 1, 28). Dès lors, un amour conjugal vrai et bien compris, comme toute la structure de la vie familiale qui en découle, tendent, sans sous-estimer pour autant les autres fins du mariage, à rendre les époux disponibles pour coopérer courageusement à l'amour du Créateur et du Sauveur qui, par eux, veut sans cesse agrandir et enrichir sa propre famille[1].

1653   La fécondité de l'amour conjugal s'étend aux fruits de la vie morale, spirituelle et surnaturelle que les parents transmettent à leurs enfants par l'éducation. Les parents sont les principaux et premiers éducateurs de leurs enfants[2]. En ce *2231*   sens, la tâche fondamentale du mariage et de la famille est d'être au service de la vie[3].

1654   Les époux auxquels Dieu n'a pas donné d'avoir des enfants peuvent néanmoins avoir une vie conjugale pleine de sens, humainement et chrétiennement. Leur mariage peut rayonner d'une fécondité de charité, d'accueil et de sacrifice.

VI. L'Église domestique

1655   Le Christ a voulu naître et grandir au sein de la Sainte Famille de Joseph et de Marie. L'Eglise n'est autre que la *759*   « famille de Dieu ». Dès ses origines, le noyau de l'Eglise était souvent constitué par ceux qui, « avec toute leur maison », étaient devenus croyants[4]. Lorsqu'ils se convertissaient, ils désiraient aussi que « toute leur maison » soit sauvée[5]. Ces familles devenues croyantes étaient des îlots de vie chrétienne dans un monde incroyant.

1656   De nos jours, dans un monde souvent étranger et même hostile à la foi, les familles croyantes sont de première importance, comme foyers de foi vivante et rayonnante. C'est pour cela que le deuxième Concile du Vatican appelle *2204*   la famille, avec une vieille expression, *Ecclesia domestica*[6]. C'est au sein de la famille que les parents sont « par la parole et par l'exemple (...) pour leurs enfants les premiers

---

1. GS 50, § 1. — 2. Cf. GE 3. — 3. Cf. FC 28. — 4. Cf. Ac 18, 8. — 5. Cf. Ac 16, 31 et 11, 14. — 6. LG 11 ; cf. FC 21.

hérauts de la foi, au service de la vocation propre de chacun et tout spécialement de la vocation sacrée[1] ».

C'est ici que s'exerce de façon privilégiée le *sacerdoce baptismal* du père de famille, de la mère, des enfants, de tous les membres de la famille, « par la réception des sacrements, la prière et l'action de grâces, le témoignage d'une vie sainte, et par leur renoncement et leur charité effective[2] ». Le foyer est ainsi la première école de vie chrétienne et « une école d'enrichissement humain[3] ». C'est ici que l'on apprend l'endurance et la joie du travail, l'amour fraternel, le pardon généreux, même réitéré, et surtout le culte divin par la prière et l'offrande de sa vie.

1657
1268

2214

2685

Il faut encore faire mémoire de certaines personnes qui sont, à cause des conditions concrètes dans lesquelles elles doivent vivre – et souvent sans l'avoir voulu – particulièrement proches du cœur de Jésus et qui méritent donc affection et sollicitude empressée de l'Eglise et notamment des pasteurs : le grand nombre de *personnes célibataires*. Beaucoup d'entre elles restent *sans famille humaine*, souvent à cause des conditions de pauvreté. Il y en a qui vivent leur situation dans l'esprit des béatitudes, servant Dieu et le prochain de façon exemplaire. A elles toutes il faut ouvrir les portes des foyers, « Eglises domestiques », et de la grande famille qu'est l'Eglise. « Personne n'est sans famille en ce monde : l'Eglise est la maison et la famille de tous, en particulier de ceux qui "peinent et ploient sous le fardeau" (Mt 11, 28)[4]. »

1658

2231

2233

EN BREF

S. Paul dit : « Maris, aimez vos femmes, comme le Christ a aimé l'Eglise. (...) Ce mystère est de grande portée ; je veux dire qu'il s'applique au Christ et à l'Eglise » (Ep 5, 25. 32).

1659

L'alliance matrimoniale, par laquelle un homme et une femme constituent entre eux une intime communauté de vie et d'amour, a été fondée et dotée de ses lois propres par le Créateur. De par sa nature elle est ordonnée au bien des conjoints ainsi qu'à la génération et à l'éducation des enfants. Elle a été élevée entre baptisés par le Christ Seigneur à la dignité de sacrement[5].

1660

Le sacrement du Mariage signifie l'union du Christ et de l'Eglise. Il donne aux époux la grâce de s'aimer de l'amour dont le Christ a aimé son Eglise ; la grâce du sacrement

1661

perfectionne ainsi l'amour humain des époux, affermit leur unité indissoluble et les sanctifie sur le chemin de la vie éternelle[1].

1662 *Le mariage se fonde sur le consentement des contractants, c'est-à-dire sur la volonté de se donner mutuellement et définitivement dans le but de vivre une alliance d'amour fidèle et fécond.*

1663 *Puisque le mariage établit les conjoints dans un état public de vie dans l'Eglise, il convient que sa célébration soit publique, dans le cadre d'une célébration liturgique, devant le prêtre (ou le témoin qualifié de l'Eglise), les témoins et l'assemblée des fidèles.*

1664 *L'unité, l'indissolubilité et l'ouverture à la fécondité sont essentielles au mariage. La polygamie est est incompatible avec l'unité du mariage; le divorce sépare ce que Dieu a uni; le refus de la fécondité détourne la vie conjugale de son « don le plus excellent », l'enfant*[2].

1665 *Le remariage des divorcés du vivant du conjoint légitime contrevient au dessein et à la loi de Dieu enseignés par le Christ. Ils ne sont pas séparés de l'Eglise, mais ils ne peuvent accéder à la communion eucharistique. Ils mèneront leur vie chrétienne notamment en éduquant leurs enfants dans la foi.*

1666 *Le foyer chrétien est le lieu où les enfants reçoivent la première annonce de la foi. Voilà pourquoi la maison familiale est appelée à bon droit l'« Eglise domestique », communauté de grâce et de prière, école des vertus humaines et de la charité chrétienne.*

CHAPITRE QUATRIÈME
Les autres célébrations liturgiques

ARTICLE 1
Les sacramentaux

1667 « La Sainte Mère Eglise a institué des sacramentaux, qui sont des signes sacrés par lesquels, selon une certaine imitation des sacrements, des effets surtout spirituels sont signifiés et sont obtenus par la prière de l'Eglise. Par eux, les hommes sont disposés à recevoir l'effet principal des sacre-

1. Cf. Cc. Trente : DS 1799. — 2. GS 50, § 1.

ments, et les diverses circonstances de la vie sont sanctifiées [1]. »

Les traits caractéristiques des sacramentaux

Ils sont institués par l'Eglise en vue de la sanctification de
certains ministères de l'Eglise, de certains états de vie, de
circonstances très variées de la vie chrétienne, ainsi que de
l'usage des choses utiles à l'homme. Selon les décisions
pastorales des évêques, ils peuvent aussi répondre aux
besoins, à la culture et à l'histoire propres au peuple chrétien
d'une région ou d'une époque. Ils comportent toujours une
prière, souvent accompagnée d'un signe déterminé, comme
l'imposition de la main, le signe de la Croix, l'aspersion
d'eau bénite (qui rappelle le Baptême).

1668

699; 2157

Ils relèvent du sacerdoce baptismal : tout baptisé est
appelé à être une « bénédiction [2] » et à bénir [3]. C'est pourquoi des laïcs peuvent présider certaines bénédictions [4] ; plus
une bénédiction concerne la vie ecclésiale et sacramentelle,
plus sa présidence est réservée au ministère ordonné
(évêques, prêtres ou diacres [5]).

1669

784
2626

Les sacramentaux ne confèrent pas la grâce de l'Esprit
Saint à la manière des sacrements, mais par la prière de
l'Eglise ils préparent à recevoir la grâce et disposent à y
coopérer. « Chez les fidèles bien disposés, presque tous les
événements de la vie sont sanctifiés par la grâce divine qui
découle du mystère pascal de la passion, de la mort et de la
Résurrection du Christ, car c'est de Lui que tous les sacrements et sacramentaux tirent leur vertu ; et il n'est à peu près
aucun usage honorable des choses matérielles qui ne puisse
être dirigé vers cette fin : la sanctification de l'homme et la
louange de Dieu [6]. »

1670

1128, 2001

Les formes variées des sacramentaux

Parmi les sacramentaux figurent d'abord les *bénédictions* (de
personnes, de la table, d'objets, de lieux). Toute bénédiction est
louange de Dieu et prière pour obtenir ses dons. Dans le Christ, les
chrétiens sont bénis par Dieu le Père de « toutes sortes de bénédictions spirituelles » (Ep 1, 3). C'est pourquoi l'Eglise donne la bénédiction en invoquant le nom de Jésus et en faisant habituellement le
signe saint de la Croix du Christ.

1671

1078

---

1. SC 60 ; cf. CIC, can. 1166 ; CCEO, can. 867. — 2. Cf. Gn 12, 2. — 3. Cf. Lc 6,
28 ; Rm 12, 14 ; 1 P 3, 9. — 4. Cf. SC 79 ; CIC, can. 1168. — 5. Cf. Ben 16 ; 18.
— 6. SC 61.

1672   Certaines bénédictions ont une portée durable : elles ont pour effet de *consacrer* des personnes à Dieu et de réserver à l'usage liturgique des objets et des lieux. Parmi celles qui sont destinées à des personnes – à ne pas confondre avec l'ordination sacramentelle – figurent la bénédiction de l'abbé ou de l'abbesse d'un monastère,
923 la consécration des vierges et des veuves, le rite de la profession
925, 903 religieuse et les bénédictions pour certains ministères d'Eglise (lecteurs, acolytes, catéchistes, etc.). Comme exemple de celles qui concernent des objets, on peut signaler la dédicace ou la bénédiction d'une église ou d'un autel, la bénédiction des saintes huiles, des vases et des vêtements sacrés, des cloches, etc.

1673   Quand l'Eglise demande publiquement et avec autorité, au nom de Jésus-Christ, qu'une personne ou un objet soit protégé contre
395 l'emprise du Malin et soustrait à son empire, on parle d'*exorcisme*.
550 Jésus l'a pratiqué[1], c'est de Lui que l'Eglise tient le pouvoir et la charge d'exorciser[2]. Sous une forme simple, l'exorcisme est prati-
1237 qué lors de la célébration du Baptême. L'exorcisme solennel, appelé « grand exorcisme », ne peut être pratiqué que par un prêtre et avec la permission de l'évêque. Il faut y procéder avec prudence, en observant strictement les règles établies par l'Eglise[3]. L'exorcisme vise à expulser les démons ou à libérer de l'emprise démoniaque et cela par l'autorité spirituelle que Jésus a confiée à son Eglise. Très différent est le cas des maladies, surtout psychiques, dont le soin relève de la science médicale. Il est important, donc, de s'assurer, avant de célébrer l'exorcisme, qu'il s'agit d'une présence du Malin, et non pas d'une maladie.

La religiosité populaire

1674   Hors de la liturgie sacramentelle et des sacramentaux, la catéchèse doit tenir compte des formes de la piété des
2688 fidèles et de la religiosité populaire. Le sens religieux du peuple chrétien a, de tout temps, trouvé son expression dans des formes variées de piété qui entourent la vie sacramentelle de l'Eglise, telles que la vénération des reliques, les visites aux sanctuaires, les pèlerinages, les processions,
2669 le chemin de Croix, les danses religieuses, le rosaire, les
2678 médailles[4], etc.

1675   Ces expressions prolongent la vie liturgique de l'Eglise, mais ne la remplacent pas : « [Elles] doivent être réglées en tenant compte des temps liturgiques et de façon à s'harmoniser avec la liturgie, à en découler d'une certaine manière et à y introduire le peuple, parce que la liturgie, de sa nature, leur est de loin supérieure[5]. »

1. Cf. Mc 1, 25-26. — 2. Cf. Mc 3, 15 ; 6, 7. 13 ; 16, 17. — 3. Cf. CIC, can. 1172. — 4. Cf. Cc. Nicée II : DS 601 ; 603 ; Cc. Trente : DS 1822. — 5. SC 13.

Un discernement pastoral est nécessaire pour soutenir et appuyer   1676
la religiosité populaire et, le cas échéant, pour purifier et rectifier le
sens religieux qui sous-tend ces dévotions et pour faire progresser   *426*
dans la connaissance du mystère du Christ. Leur exercice est soumis au soin et au jugement des évêques et aux normes générales de
l'Eglise [1].

La religiosité populaire, pour l'essentiel, est un ensemble de
valeurs qui, avec sagesse chrétienne, répond aux grandes
interrogations de l'existence. Le bon sens populaire catholique est fait de capacité de synthèse pour l'existence. C'est
ainsi qu'il fait aller ensemble, de façon créative, le divin et
l'humain, le Christ et Marie, l'esprit et le corps, la communion et l'institution, la personne et la communauté, la foi
et la patrie, l'intelligence et le sentiment. Cette sagesse est
un humanisme chrétien qui affirme radicalement la dignité
de tout être comme fils de Dieu, instaure une fraternité fondamentale, apprend à rencontrer la nature comme à
comprendre le travail, et donne des raisons de vivre dans la
joie et la bonne humeur, même au milieu des duretés de
l'existence. Cette sagesse est aussi pour le peuple un principe de discernement, un instinct évangélique qui lui fait
percevoir spontanément quand l'Evangile est le premier
servi dans l'Eglise, ou quand il est vidé de son contenu et
asphyxié par d'autres intérêts [2].

EN BREF

On appelle sacramentaux les signes sacrés institués par   1677
l'Eglise dont le but est de préparer les hommes à recevoir le
fruit des sacrements et de sanctifier les différentes cir-
constances de la vie.

Parmi les sacramentaux, les bénédictions occupent une   1678
place importante. Elles comportent à la fois la louange de
Dieu pour ses œuvres et ses dons, et l'intercession de
l'Eglise afin que les hommes puissent faire usage des dons
de Dieu selon l'esprit de l'Evangile.

En plus de la liturgie, la vie chrétienne se nourrit des   1679
formes variées de piété populaire, enracinées dans les dif-
férentes cultures. Tout en veillant à les éclairer par la
lumière de la foi, l'Eglise favorise les formes de religiosité
populaire qui expriment un instinct évangélique et une
sagesse humaine et qui enrichissent la vie chrétienne.

1. Cf. CT 54. — 2. Document de Puebla ; cf. EN 48.

ARTICLE 2
Les funérailles chrétiennes

1680 Tous les sacrements, et principalement ceux de l'initia-
1525 tion chrétienne, avaient pour but la dernière Pâque de
l'enfant de Dieu, celle qui, par la mort, Le fait entrer dans la
Vie du Royaume. Alors s'accomplit ce qu'Il confessait dans
la foi et dans l'espérance : « J'attends la Résurrection des
morts et la Vie du monde à venir[1]. »

I. La dernière Pâque du chrétien

1681 Le sens chrétien de la mort est révélé dans la lumière du
1010-1014 *mystère pascal* de la mort et de la résurrection du Christ, en
qui repose notre unique espérance. Le chrétien qui meurt
dans le Christ Jésus quitte ce corps pour aller demeurer
auprès du Seigneur[2].

1682 Le jour de la mort inaugure pour le chrétien, au *terme de
sa vie sacramentelle*, l'achèvement de sa nouvelle naissance
commencée au Baptême, la « ressemblance » définitive à
« l'image du Fils » conférée par l'onction de l'Esprit Saint
et la participation au Festin du Royaume qui était anticipée
dans l'Eucharistie, même si d'ultimes purifications lui sont
encore nécessaires pour revêtir la robe nuptiale.

1683 L'Eglise qui, comme Mère, a porté sacramentellement en
son sein le chrétien durant son pèlerinage terrestre,
1020 l'accompagne au terme de son cheminement pour le
remettre « entre les mains du Père ». Elle offre au Père, dans
627 le Christ, l'enfant de sa grâce, et elle dépose en terre, dans
l'espérance, le germe du corps qui ressuscitera dans la
gloire[3]. Cette offrande est pleinement célébrée par le Sacrifice eucharistique ; les bénédictions qui précèdent et qui
suivent sont des sacramentaux.

II. La célébration des funérailles

1684 Les funérailles chrétiennes sont une célébration liturgique de
l'Eglise. Par celles-ci, le ministère de l'Eglise a en vue dans ce cas
aussi bien d'exprimer la communion efficace avec *le défunt* que d'y

---

1. Symbole de Nicée-Constantinople. — 2. Cf. 2 Co 5, 8. — 3. Cf. 1 Co 15,
42-44.

faire participer *la communauté* rassemblée pour les obsèques et de lui annoncer la vie éternelle.

Les différents rites des funérailles expriment le *caractère Pascal* **1685**
de la mort chrétienne et répondent aux situations et aux traditions de chaque région, même en ce qui concerne la couleur liturgique[1].

L'*Ordo exsequiarum* (OEx) de la liturgie romaine propose trois **1686**
types de célébration des funérailles, correspondant aux trois lieux de son déroulement (la maison, l'église, le cimetière), et selon l'importance qu'y attachent la famille, les coutumes locales, la culture et la piété populaire. Ce déroulement est d'ailleurs commun à toutes les traditions liturgiques et il comprend quatre moments principaux :

L'*accueil de la communauté*. Une salutation de foi ouvre la célé- **1687**
bration. Les proches du défunt sont accueillis par une parole de « consolation » (au sens du Nouveau Testament : la force de l'Esprit Saint dans l'espérance[2]. La communauté priante qui se rassemble attend aussi « les paroles de la vie éternelle ». La mort d'un membre de la communauté (ou le jour anniversaire, le septième ou le trentième jour) est un événement qui doit faire dépasser les perspectives de « ce monde-ci » et attirer les fidèles dans les véritables perspectives de la foi au Christ ressuscité.

La *liturgie de la Parole*, lors de funérailles, exige une prépara- **1688**
tion d'autant plus attentive que l'assemblée alors présente peut comprendre des fidèles peu assidus à la liturgie et des amis du défunt qui ne sont pas chrétiens. L'homélie, en particulier, doit « éviter le genre littéraire de l'éloge funèbre[3] » et illuminer le mystère de la mort chrétienne dans la lumière du Christ ressuscité.

Le *Sacrifice eucharistique*. Lorsque la célébration a lieu dans **1689**
l'Eglise, l'Eucharistie est le cœur de la réalité Pascale de la mort *1371*
chrétienne[4]. C'est alors que l'Eglise exprime sa communion efficace avec le défunt : offrant au Père, dans l'Esprit Saint, le sacrifice de la mort et de la résurrection du Christ, elle lui demande que son enfant soit purifié de ses péchés et de ses conséquences et qu'il soit admis à la plénitude Pascale de la table du Royaume[5]. C'est par l'Eucharistie ainsi célébrée que la communauté des fidèles, spécialement la famille du défunt, apprend à vivre en communion avec *958*
celui qui « s'est endormi dans le Seigneur », en communiant au Corps du Christ dont il est membre vivant et en priant ensuite pour lui et avec lui.

L'*adieu* (« à-Dieu ») au défunt est sa « recommandation à **1690**
Dieu » par l'Eglise. C'est « le dernier adieu par lequel la communauté chrétienne salue un de ses membres avant que le corps de celui-ci ne soit porté à sa tombe[6] ». La tradition byzantine *2300*
l'exprime par le baiser d'adieu au défunt :

---

1. Cf. SC 81. — 2. Cf. 1 Th 4, 18. — 3. OEx 41. — 4. Cf. OEx 1. — 5. Cf. OEx 56. — 6. OEx 10.

Par ce salut final « on chante pour son départ de cette vie et pour sa séparation, mais aussi parce qu'il y a une communion et une réunion. En effet, morts nous ne sommes nullement séparés les uns des autres, car tous nous parcourons le même chemin et nous nous retrouverons dans le même lieu. Nous ne serons jamais séparés, car nous vivons pour le Christ, et maintenant nous sommes unis au Christ, allant vers Lui (...) nous serons tous ensemble dans le Christ [1] ».

1. S. Syméon de Thessalonique, sep.

Troisième partie
La vie dans le Christ

Partie centrale du sarcophage de Iunius Bassus trouvé sous la Confessio *de la Basilique de S. Pierre de Rome et daté de l'an 359.*

Le Christ en gloire, représenté tout jeune (signe de sa divinité) est assis sur le trône céleste, les pieds sur le dieu païen du ciel, Ouranos. Il est entouré des apôtres Pierre et Paul qui reçoivent du Christ, vers lequel ils se tournent, deux rouleaux : la Loi nouvelle.

De même que Moïse avait reçu la Loi ancienne de Dieu sur la montagne du Sinaï, maintenant les apôtres, représentés par leurs deux chefs, reçoivent du Christ, le Fils de Dieu, le Seigneur du ciel et de la terre, la Loi nouvelle, non plus écrite sur des tables de pierre, mais gravée par l'Esprit Saint dans le cœur des croyants. Le Christ donne la force de vivre selon la « vie nouvelle » (§ 1697). Il vient accomplir en nous ce qu'il a commandé pour notre bien (cf. § 2074).

« Chrétien, reconnais ta dignité. Puisque tu participes 1691
maintenant à la nature divine, ne dégénère pas en revenant à
la déchéance de ta vie passée. Rappelle-toi à quel Chef tu
appartiens et de quel Corps tu es membre. Souviens-toi que *790*
tu as été arraché au pouvoir des ténèbres pour être transféré
dans la lumière et le Royaume de Dieu[1]. »

Le Symbole de la foi a professé la grandeur des dons de 1692
Dieu à l'homme dans l'œuvre de sa création, et plus encore
par la rédemption et la sanctification. Ce que la foi confesse,
les sacrements le communiquent : par « les sacrements qui
les ont fait renaître », les chrétiens sont devenus « enfants de
Dieu » (Jn 1, 12 ; 1 Jn 3, 1), « participants de la nature
divine » (2 P 1, 4). En reconnaissant dans la foi leur dignité
nouvelle, les chrétiens sont appelés à mener désormais une
« vie digne de l'Evangile du Christ » (Ph 1, 27). Par les
sacrements et la prière, ils reçoivent la grâce du Christ et les
dons de son Esprit qui les en rendent capables.

Le Christ Jésus a toujours fait ce qui plaisait au *Père*[2]. Il a 1693
toujours vécu en parfaite communion avec Lui. De même
ses disciples sont-ils invités à vivre sous le regard du Père
« qui voit dans le secret » (Mt 6, 6) pour devenir « parfaits
comme le Père céleste est parfait » (Mt 5, 47).

Incorporés au *Christ* par le Baptême[3], les chrétiens sont 1694
« morts au péché et vivants à Dieu dans le Christ Jésus » *1267*
(Rm 6, 11), participant ainsi à la vie du Ressuscité[4]. A la
suite du Christ et en union avec Lui[5], les chrétiens peuvent
chercher à imiter Dieu comme des enfants bien-aimés et
suivre la voie de l'amour[6], en conformant leurs pensées,
leurs paroles et leurs actions aux « sentiments qui sont dans
le Christ Jésus » (Ph 2, 5) et en suivant ses exemples[7].

« Justifiés par le nom du Seigneur Jésus-Christ et par 1695
l'Esprit de notre Dieu » (1 Co 6, 11), sanctifiés et appelés à
être saints[8], les chrétiens sont devenus « le Temple de
l'*Esprit Saint* » (1 Co 6, 19). Cet « Esprit du Fils » leur
apprend à prier le Père[9] et, étant devenu leur vie, les fait
agir[10] pour « porter les fruits de l'Esprit[11] » par la charité en
œuvre. Guérissant les blessures du péché, l'Esprit Saint
nous renouvelle intérieurement par une transformation spiri-

1. S. Léon le Grand, serm. 21, 3. — 2. Cf. Jn 8, 29. — 3. Cf. Rm 6, 5. — 4. Cf.
Col 2, 12. — 5. Cf. Jn 15, 5. — 6. Cf. Ep 5, 1-2. — 7. Cf. Jn 13, 12-16. — 8. Cf. 1
Co 1, 2. — 9. Cf. Ga 4, 6. — 10. Cf. Ga 5, 25. — 11. Cf. Ga 5, 22.

428 LA VIE DANS LE CHRIST

tuelle[1], Il nous éclaire et nous fortifie pour vivre en « enfants de lumière » (Ep 5, 8) par « la bonté, la justice et la vérité » en toute chose (Ep 5, 9).

1696
1970 La voie du Christ « mène à la vie » (Mt 7, 14), une voie contraire « mène à la perdition » (Mt 7, 13)[2]. La parabole évangélique des *deux voies* reste toujours présente dans la catéchèse de l'Eglise. Elle signifie l'importance des décisions morales pour notre salut. « Il y a deux voies, l'une de la vie, l'autre de la mort ; mais entre les deux, une grande différence[3]. »

1697 Dans la *catéchèse*, il importe de révéler en toute clarté la joie et les exigences de la voie du Christ[4]. La catéchèse de la « vie nouvelle » (Rm 6, 4) en Lui sera :

737 ss. – *une catéchèse du Saint-Esprit*, Maître intérieur de la vie selon le Christ, doux hôte et ami qui inspire, conduit, rectifie et fortifie cette vie ;

1938 ss. – *une catéchèse de la grâce*, car c'est par la grâce que nous sommes sauvés, et c'est encore par la grâce que nos œuvres peuvent porter du fruit pour la vie éternelle ;

1716 ss. – *une catéchèse des béatitudes*, car la voie du Christ est résumée dans les béatitudes, seul chemin vers le bonheur éternel auquel le cœur de l'homme aspire ;

184 ss. – *une catéchèse du péché et du pardon*, car sans se reconnaître pécheur, l'homme ne peut connaître la vérité sur lui-même, condition de l'agir juste, et sans l'offre du pardon il ne pourrait supporter cette vérité ;

1803 ss. – *une catéchèse des vertus humaines* qui fait saisir la beauté et l'attrait des droites dispositions pour le bien ;

1812 ss. – *une catéchèse des vertus chrétiennes* de foi, d'espérance et de charité qui s'inspire magnanimement de l'exemple des saints ;

2067 – *une catéchèse du double commandement de la charité* déployé dans le Décalogue ;

946 ss. – *une catéchèse ecclésiale*, car c'est dans les multiples échanges des « biens spirituels » dans la « communion des saints » que la vie chrétienne peut croître, se déployer et se communiquer.

1698
426 La référence première et ultime de cette catéchèse sera toujours Jésus-Christ Lui-même qui est « le chemin, la vérité et la vie » (Jn 14, 6). C'est en Le regardant dans la foi que les fidèles du Christ peuvent espérer qu'Il réalise Lui-

1. Cf. Ep 4, 23. — 2. Cf. Dt 30, 15-20. — 3. Didaché 1, 1. — 4. Cf. CT 29.

même en eux ses promesses, et qu'en L'aimant de l'amour dont Il les a aimés, ils fassent les œuvres qui correspondent à leur dignité :

> Je vous prie de considérer que Jésus-Christ notre Seigneur est votre véritable Chef, et que vous êtes un de ses membres. Il est à vous comme le chef est à ses membres ; tout ce qui est à Lui est à vous, son esprit, son Cœur, son corps, son âme, et toutes ses facultés, et vous devez en faire usage comme de choses qui sont vôtres, pour servir, louer, aimer et glorifier Dieu. Vous êtes à Lui, comme les membres sont à leur chef. Aussi désire-t-Il ardemment faire usage de tout ce qui est en vous, pour le service et la gloire de son Père, comme des choses qui sont à Lui[1].
> Ma vie, c'est le Christ (Ph 1, 21).

1. S. Jean Eudes, cord. 1, 5.

La vocation de l'homme : la vie dans l'esprit

La vie dans l'Esprit Saint accomplit la vocation de **1699** l'homme *(chapitre premier)*. Elle est faite de charité divine et de solidarité humaine *(chapitre deuxième)*. Elle est gracieusement accordée comme un Salut *(chapitre troisième)*.

CHAPITRE PREMIER
La dignité de la personne humaine

La dignité de la personne humaine s'enracine dans sa **1700** création à l'image et à la ressemblance de Dieu *(article 1)*; *356* elle s'accomplit dans sa vocation à la béatitude divine *(article 2)*. Il appartient à l'être humain de se porter librement à cet achèvement *(article 3)*. Par ses actes délibérés *(article 4)*, la personne humaine se conforme, ou non, au bien promis par Dieu et attesté par la conscience morale *(article 5)*. Les êtres humains s'édifient eux-mêmes et grandissent de l'intérieur : ils font de toute leur vie sensible et spirituelle un matériau de leur croissance *(article 6)*. Avec l'aide de la grâce ils grandissent dans la vertu *(article 7)*, évitent le péché et s'ils l'ont commis, s'en remettent comme l'enfant prodigue[1] à la miséricorde de notre Père des cieux *1439* *(article 8)*. Ils accèdent ainsi à la perfection de la charité.

ARTICLE 1
L'homme image de Dieu

« Le Christ, dans la révélation du mystère du Père et de **1701** son Amour, manifeste pleinement l'homme à lui-même et *359* lui découvre la sublimité de sa vocation[2]. » C'est dans le Christ, « image du Dieu invisible » (Col 1, 15)[3], que l'homme a été créé à « l'image et à la ressemblance » du

1. Cf. Lc 15, 11-31. — 2. GS 22. — 3. Cf. 2 Co 4, 4.

Créateur. C'est dans le Christ, rédempteur et sauveur, que l'image divine, altérée dans l'homme par le premier péché, a été restaurée dans sa beauté originelle et ennoblie de la grâce de Dieu[1].

1702
1878   L'image divine est présente en chaque homme. Elle resplendit dans la communion des personnes, à la ressemblance de l'unité des personnes divines entre elles (cf. chapitre deuxième).

1703
363, 2258   Dotée d'une âme « spirituelle et immortelle[2] », la personne humaine est « la seule créature sur la terre que Dieu a voulue pour elle-même[3] ». Dès sa conception, elle est destinée à la béatitude éternelle.

1704
339
30   La personne humaine participe à la lumière et à la force de l'Esprit divin. Par la raison, elle est capable de comprendre l'ordre des choses établi par le Créateur. Par sa volonté, elle est capable de se porter d'elle-même vers son bien véritable. Elle trouve sa perfection dans « la recherche et l'amour du vrai et du bien[4] ».

1705
1730   En vertu de son âme et de ses puissances spirituelles d'intelligence et de volonté l'homme est doté de liberté, « signe privilégié de l'image divine[5] ».

1706
1776   Par sa raison, l'homme connaît la voix de Dieu qui le presse « d'accomplir le bien et d'éviter le mal[6] ». Chacun est tenu de suivre cette loi qui résonne dans la conscience et qui s'accomplit dans l'amour de Dieu et du prochain. L'exercice de la vie morale atteste la dignité de la personne.

1707
397   « Séduit par le Malin, dès le début de l'histoire, l'homme a abusé de sa liberté[7]. » Il a succombé à la tentation et commis le mal. Il conserve le désir du bien, mais sa nature porte la blessure du péché originel. Il est devenu enclin au mal et sujet à l'erreur :

> C'est en lui-même que l'homme est divisé. Voici que toute la vie des hommes, individuelle et collective, se manifeste comme une lutte, combien dramatique, entre le bien et le mal, entre la lumière et les ténèbres[8].

1708
617   Par sa passion, le Christ nous a délivrés de Satan et du péché. Il nous a mérité la vie nouvelle dans l'Esprit Saint. Sa grâce restaure ce que le péché avait détérioré en nous.

---

1. Cf. GS 22. — 2. GS 14. — 3. GS 24, § 3. — 4. GS 15, § 2. — 5. GS 17. — 6. GS 16. — 7. GS 13, § 1. — 8. GS 13, § 2.

Celui qui croit au Christ devient fils de Dieu. Cette adop- 1709
tion filiale le transforme en lui donnant de suivre l'exemple *1265*
du Christ. Elle le rend capable d'agir droitement et de pratiquer le bien. Dans l'union avec son Sauveur, le disciple
atteint la perfection de la charité, la sainteté. Mûrie dans la
grâce, la vie morale s'épanouit en vie éternelle, dans la *1050*
gloire du ciel.

EN BREF

« Le Christ manifeste pleinement l'homme à lui-même et lui 1710
découvre la sublimité de sa vocation[1]. »

Dotée d'une âme spirituelle, d'intelligence et de volonté, la 1711
personne humaine est dès sa conception ordonnée à Dieu et
destinée à la béatitude éternelle. Elle poursuit sa perfection
dans « la recherche et l'amour du vrai et du bien[2] ».

La liberté véritable est en l'homme le « signe privilégié de 1712
l'image divine[3] ».

L'homme est tenu de suivre la loi morale qui le presse 1713
d'« accomplir le bien et d'éviter le mal[4] ». Cette loi résonne
dans sa conscience.

L'homme blessé dans sa nature par le péché originel est 1714
sujet à l'erreur et enclin au mal dans l'exercice de sa
liberté.

Celui qui croit au Christ a la vie nouvelle dans l'Esprit 1715
Saint. La vie morale, grandie et mûrie dans la grâce, doit
s'accomplir dans la gloire du ciel.

ARTICLE 2
Notre vocation à la béatitude

I. Les béatitudes

Les béatitudes sont au cœur de la prédication de Jésus. 1716
Leur annonce reprend les promesses faites au peuple élu
depuis Abraham. Elle les accomplit en les ordonnant non
plus à la seule jouissance d'une terre, mais au Royaume des
cieux :

Bienheureux ceux qui ont une âme de pauvre, car le
Royaume des cieux est à eux.

1. GS 22, § 1. — 2. GS 15, § 2. — 3. GS 17. — 4. GS 16.

434   LA VIE DANS LE CHRIST

Bienheureux les doux, car ils posséderont la terre.
Bienheureux les affligés, car ils seront consolés.
Bienheureux les affamés et assoiffés de la justice, car ils
seront rassasiés.
Bienheureux les miséricordieux, car ils obtiendront miséri-
corde.
Bienheureux les cœurs purs, car ils verront Dieu.
Bienheureux les artisans de paix, car ils seront appelés fils
de Dieu.
Bienheureux les persécutés pour la justice, car le Royaume
de Dieu est à eux.
Bienheureux êtes-vous quand on vous insultera, qu'on vous
persécutera et qu'on dira faussement contre vous toute sorte
d'infamies à cause de moi.
Soyez dans la joie et l'allégresse, car votre récompense sera
grande dans les cieux.

(Mt 5, 3-12.)

1717 Les béatitudes dépeignent le visage de Jésus-Christ et en
459 décrivent la charité; elles expriment la vocation des fidèles
associés à la gloire de sa passion et de sa Résurrection; elles
éclairent les actions et les attitudes caractéristiques de la vie
chrétienne; elles sont les promesses paradoxales qui sou-
1820 tiennent l'espérance dans les tribulations; elles annoncent
les bénédictions et les récompenses déjà obscurément
acquises aux disciples; elles sont inaugurées dans la vie de
la Vierge Marie et de tous les saints.

II. Le désir de bonheur

1718 Les béatitudes répondent au désir naturel de bonheur. Ce
27, 1024 désir est d'origine divine; Dieu l'a mis dans le cœur de
l'homme afin de l'attirer à Lui qui seul peut le combler:

Tous certainement nous voulons vivre heureux, et dans le
genre humain il n'est personne qui ne donne son assentiment à cette proposition avant même qu'elle ne soit pleinement énoncée[1].

2541 Comment est-ce donc que je te cherche, Seigneur? Puisqu'en te cherchant, mon Dieu, je cherche la vie heureuse, fais que je te cherche pour que vive mon âme, car
mon corps vit de mon âme et mon âme vit de toi[2].

Dieu seul rassasie[3].

1. S. Augustin, mor. eccl. 1, 3, 4. — 2. S. Augustin, conf. 10, 20, 29. — 3. S. Thomas d'A., symb. 15.

Les béatitudes découvrent le but de l'existence humaine, la fin ultime des actes humains : Dieu nous appelle à sa propre béatitude. Cette vocation s'adresse à chacun personnellement, mais aussi à l'ensemble de l'Eglise, peuple nouveau de ceux qui ont accueilli la promesse et en vivent dans la foi.

1719
1950

III. La béatitude chrétienne

Le Nouveau Testament utilise plusieurs expressions pour caractériser la béatitude à laquelle Dieu appelle l'homme : l'avènement du Royaume de Dieu[1] ; la vision de Dieu : « Heureux les cœurs purs, car ils verront Dieu » (Mt 5, 8)[2] ; l'entrée dans la joie du Seigneur[3] ; l'entrée dans le Repos de Dieu[4] :

1720
1027

> Là nous reposerons et nous verrons ; nous verrons et nous aimerons ; nous aimerons et nous louerons. Voilà ce qui sera à la fin sans fin. Et quelle autre fin avons-nous, sinon de parvenir au royaume qui n'aura pas de fin[5] ?

Car Dieu nous a mis au monde pour Le connaître, Le servir et L'aimer et ainsi parvenir en Paradis. La béatitude nous fait participer à la nature divine (2 P 1, 4) et à la Vie éternelle[6]. Avec elle, l'homme entre dans la gloire du Christ[7] et dans la jouissance de la vie trinitaire.

1721

260

Une telle béatitude dépasse l'intelligence et les seules forces humaines. Elle résulte d'un don gratuit de Dieu. C'est pourquoi on la dit surnaturelle, ainsi que la grâce qui dispose l'homme à entrer dans la jouissance divine.

1722
1028

> « Bienheureux les cœurs purs parce qu'ils verront Dieu. » Certes, selon sa grandeur et son inexprimable gloire, « nul ne verra Dieu et vivra », car le Père est insaisissable ; mais selon son amour, sa bonté envers les hommes et sa Toute-Puissance, Il va jusqu'à accorder à ceux qui L'aiment le privilège de voir Dieu (...) « car ce qui est impossible aux hommes est possible à Dieu[8] ».

294

La béatitude promise nous place devant les choix moraux décisifs. Elle nous invite à purifier notre cœur de ses instincts mauvais et à rechercher l'amour de Dieu par-dessus

1723
2519

---

1. Cf. Mt 4, 17. — 2. Cf. 1 Jn 3, 2 ; 1 Co 13, 12. — 3. Cf. Mt 25, 21. 23. — 4. Cf. He 4, 7-11. — 5. S. Augustin, civ. 22, 30. — 6. Cf. Jn 17, 3. — 7. Cf. Rm 8, 18. — 8. S. Irénée, hær. 4, 20, 5.

tout. Elle nous enseigne que le vrai bonheur ne réside ni dans la richesse ou le bien-être, ni dans la gloire humaine ou le pouvoir, ni dans aucune œuvre humaine, si utile soit-elle, comme les sciences, les techniques et les arts, ni dans
227 aucune créature, mais en Dieu seul, source de tout bien et de tout amour :

> La richesse est la grande divinité du jour ; c'est à elle que la multitude, toute la masse des hommes, rend un instinctif hommage. Ils mesurent le bonheur d'après la fortune, et d'après la fortune aussi ils mesurent l'honorabilité. (...) Tout cela vient de cette conviction qu'avec la richesse on peut tout. La richesse est donc une des idoles du jour et la notoriété en est une autre. (...) La notoriété, le fait d'être connu et de faire du bruit dans le monde (ce qu'on pourrait nommer une renommée de presse), en est venue à être considérée comme un bien en elle-même, un souverain bien, un objet, elle aussi, de véritable vénération [1].

1724   Le Décalogue, le sermon sur la Montagne et la catéchèse apostolique nous décrivent les chemins qui conduisent au Royaume des cieux. Nous nous y engageons pas à pas, par des actes quotidiens, soutenus par la grâce de l'Esprit Saint. Fécondés par la Parole du Christ, lentement nous portons des fruits dans l'Eglise pour la Gloire de Dieu [2].

EN BREF

1725   *Les béatitudes reprennent et accomplissent les promesses de Dieu depuis Abraham en les ordonnant au Royaume des cieux. Elles répondent au désir de bonheur que Dieu a placé dans le cœur de l'homme.*

1726   *Les béatitudes nous enseignent la fin ultime à laquelle Dieu nous appelle : le Royaume, la vision de Dieu, la participation à la nature divine, la vie éternelle, la filiation, le repos en Dieu.*

1727   *La béatitude de la vie éternelle est un don gratuit de Dieu ; elle est surnaturelle comme la grâce qui y conduit.*

1728   *Les béatitudes nous placent devant des choix décisifs concernant les biens terrestres ; elles purifient notre cœur pour nous apprendre à aimer Dieu par-dessus tout.*

1729   *La béatitude du ciel détermine les critères de discernement dans l'usage des biens terrestres conformément à la Loi de Dieu.*

---

1. Newman, mix. 5, sur la sainteté. — 2. Cf. la parabole du semeur : Mt 13, 3-23.

ARTICLE 3
La liberté de l'homme

Dieu a créé l'homme raisonnable en lui conférant la 1730
dignité d'une personne douée de l'initiative et de la maîtrise
de ses actes. « Dieu a "laissé l'homme à son propre conseil"
(Si 15, 14) pour qu'il puisse de lui-même chercher son Créateur et, en adhérant librement à Lui, parvenir à la pleine et
bienheureuse perfection [1] » :

30

> L'homme est raisonnable, et par là semblable à Dieu, créé
> libre et maître de ses actes [2].

I. Liberté et responsabilité

La liberté est le pouvoir, enraciné dans la raison et la 1731
volonté, d'agir ou de ne pas agir, de faire ceci ou cela, de
poser ainsi par soi-même des actions délibérées. Par le libre
arbitre chacun dispose de soi. La liberté est en l'homme une
force de croissance et de maturation dans la vérité et la
bonté. La liberté atteint sa perfection quand elle est ordonnée à Dieu, notre béatitude.

1721

Tant qu'elle ne s'est pas fixée définitivement dans son 1732
bien ultime qu'est Dieu, la liberté implique la possibilité de 396
choisir entre le bien et le mal, donc celle de grandir en perfection ou de défaillir et de pécher. Elle caractérise les actes 1849
proprement humains. Elle devient source de louange ou de
blâme, de mérite ou de démérite.

2006

Plus on fait le bien, plus on devient libre. Il n'y a de 1733
liberté vraie qu'au service du bien et de la justice. Le choix 1803
de la désobéissance et du mal est un abus de la liberté et
conduit à « l'esclavage du péché [3] ».

La liberté rend l'homme *responsable* de ses actes dans la 1734
mesure où ils sont volontaires. Le progrès dans la vertu, la 1036, 1804
connaissance du bien et l'ascèse accroissent la maîtrise de la
volonté sur ses actes.

L'*imputabilité* et la responsabilité d'une action peuvent 1735
être diminuées voire supprimées par l'ignorance, l'inad- 597
vertance, la violence, la crainte, les habitudes, les affections
immodérées et d'autres facteurs psychiques ou sociaux.

1. GS 17. — 2. S. Irénée, hær. 4, 4, 3. — 3. Cf. Rm 6, 17.

1736   Tout acte directement voulu est imputable à son auteur :

2568   Ainsi le Seigneur demande à Adam après le péché dans le jardin : « Qu'as-tu fait là ? » (Gn 3, 13.) De même à Caïn[1]. Ainsi encore le prophète Nathan au roi David après l'adultère avec la femme d'Urie et le meurtre de celui-ci[2].

Une action peut être indirectement volontaire quand elle résulte d'une négligence à l'égard de ce qu'on aurait dû connaître ou faire, par exemple un accident provenant d'une ignorance du code de la route.

1737   Un effet peut être toléré sans être voulu par l'agent, par exemple
2263   l'épuisement d'une mère au chevet de son enfant malade. L'effet mauvais n'est pas imputable s'il n'a été voulu ni comme fin ni comme moyen de l'action, ainsi la mort reçue en portant secours à une personne en danger. Pour que l'effet mauvais soit imputable, il faut qu'il soit prévisible et que celui qui agit ait la possibilité de l'éviter, par exemple dans le cas d'un homicide commis par un conducteur en état d'ivresse.

1738   La liberté s'exerce dans les rapports entre les êtres humains. Chaque personne humaine, créée à l'image de Dieu, a le droit naturel d'être reconnue comme un être libre et responsable. Tous doivent à chacun ce devoir du respect. Le *droit à l'exercice de la liberté* est une exigence inséparable de la dignité de la personne humaine, notamment en
2106   matière morale et religieuse[3]. Ce droit doit être civilement
210   reconnu et protégé dans les limites du bien commun et de l'ordre public[4].

II. La liberté humaine dans l'économie du salut

1739   *Liberté et péché*. La liberté de l'homme est finie et fail
387   lible. De fait, l'homme a failli. Librement, il a péché. En refusant le projet d'amour de Dieu, il s'est trompé lui-même ; il est devenu esclave du péché. Cette aliénation première en a engendré une multitude d'autres. L'histoire de
401   l'humanité, depuis ses origines, témoigne des malheurs et des oppressions nés du cœur de l'homme, par suite d'un mauvais usage de la liberté.

1740   *Menaces pour la liberté*. L'exercice de la liberté
2108   n'implique pas le droit de tout dire et de tout faire. Il est faux de prétendre que « l'homme, sujet de la liberté, se suf-

1. Cf. Gn 4, 10. — 2. Cf. 2 S 12, 7-15. — 3. Cf. DH 2. — 4. Cf. DH 7.

fit à lui-même en ayant pour fin la satisfaction de son intérêt propre dans la jouissance des biens terrestres [1] ». Par ailleurs, les conditions d'ordre économique et social, politique et culturel requises pour un juste exercice de la liberté sont trop souvent méconnues et violées. Ces situations d'aveuglement et d'injustice grèvent la vie morale et placent aussi bien les forts que les faibles en tentation de pécher contre la charité. En s'écartant de la loi morale, l'homme porte atteinte à sa propre liberté, il s'enchaîne à lui-même, rompt la fraternité de ses semblables et se rebelle contre la vérité divine.

1887

Libération et salut. Par sa Croix glorieuse, le Christ a obtenu le salut de tous les hommes. Il les a rachetés du péché qui les détenait en esclavage. « C'est pour la liberté que le Christ nous a libérés » (Ga 5, 1). En Lui, nous communions à la vérité qui nous rend libres [2]. L'Esprit Saint nous a été donné et, comme l'enseigne l'apôtre, « là où est l'Esprit, là est la liberté » (2 Co 3, 17). Dès maintenant, nous nous glorifions de la liberté des enfants de Dieu [3].

1741

782

Liberté et grâce. La grâce du Christ ne se pose nullement en concurrente de notre liberté, quand celle-ci correspond au sens de la vérité et du bien que Dieu a placé dans le cœur de l'homme. Au contraire, comme l'expérience chrétienne en témoigne notamment dans la prière, plus nous sommes dociles aux impulsions de la grâce, plus s'accroissent notre liberté intime et notre assurance dans les épreuves, comme devant les pressions et les contraintes du monde extérieur. Par le travail de la grâce, l'Esprit Saint nous éduque à la liberté spirituelle pour faire de nous de libres collaborateurs de son œuvre dans l'Eglise et dans le monde :

1742

2002

1784

Dieu qui es bon et Tout-Puissant, éloigne de nous ce qui nous arrête, afin que sans aucune entrave, ni d'esprit ni de corps, nous soyons libres pour accomplir ta volonté [4].

EN BREF

Dieu « a laissé l'homme à son propre conseil » (Si 15, 14) pour qu'il puisse librement adhérer à son Créateur et parvenir ainsi à la bienheureuse perfection [5].

1743

La liberté est le pouvoir d'agir ou de ne pas agir et de poser ainsi par soi-même des actions délibérées. Elle atteint la perfection de son acte quand elle est ordonnée à Dieu, le souverain Bien.

1744

---

1. CDF, instr. « Libertatis conscientia » 13. — 2. Cf. Jn 8, 32. — 3. Cf. Rm 8, 21. — 4. MR, collecte du 32e dimanche. — 5. Cf. GS 17, § 1.

1745   *La liberté caractérise les actes proprement humains. Elle rend l'être humain responsable des actes dont il est volontairement l'auteur. Son agir délibéré lui appartient en propre.*

1746   *L'imputabilité ou la responsabilité d'une action peut être diminuée ou supprimée par l'ignorance, la violence, la crainte et d'autres facteurs psychiques ou sociaux.*

1747   *Le droit à l'exercice de la liberté est une exigence inséparable de la dignité de l'homme, notamment en matière religieuse et morale. Mais l'exercice de la liberté n'implique pas le droit supposé de tout dire ni de tout faire.*

1748   *« C'est pour la liberté que le Christ nous a libérés » (Ga 5, 1).*

ARTICLE 4
La moralité des actes humains

1749   La liberté fait de l'homme un sujet moral. Quand il agit de manière délibérée, l'homme est, pour ainsi dire, le *père de ses actes*. Les actes humains, c'est-à-dire librement choisis par suite d'un jugement de conscience, sont moralement qualifiables. Ils sont bons ou mauvais.

1732

I. Les sources de la moralité

1750   La moralité des actes humains dépend :
– de l'objet choisi ;
– de la fin visée ou de l'intention ;
– des circonstances de l'action.

    L'objet, l'intention et les circonstances forment les « sources », ou éléments constitutifs, de la moralité des actes humains.

1751   L'*objet* choisi est un bien vers lequel se porte délibérément la volonté. Il est la matière d'un acte humain. L'objet choisi spécifie moralement l'acte du vouloir, selon que la raison le reconnaît et le juge conforme ou non au bien véritable. Les règles objectives de la moralité énoncent l'ordre rationnel du bien et du mal, attesté par la conscience.

1794

Face à l'objet, l'*intention* se place du côté du sujet agissant. Parce qu'elle se tient à la source volontaire de l'action et la détermine par la fin, l'intention est un élément essentiel dans la qualification morale de l'action. La fin est le terme premier de l'intention et désigne le but poursuivi dans l'action. L'intention est un mouvement de la volonté vers la fin ; elle regarde le terme de l'agir. Elle est la visée du bien attendu de l'action entreprise. Elle ne se limite pas à la direction de nos actions singulières, mais peut ordonner vers un même but des actions multiples ; elle peut orienter toute la vie vers la fin ultime. Par exemple, un service rendu a pour fin d'aider le prochain, mais peut être inspiré en même temps par l'amour de Dieu comme fin ultime de toutes nos actions. Une même action peut aussi être inspirée par plusieurs intentions, comme de rendre service pour obtenir une faveur ou pour en tirer vanité. **1752** *2520* *1731*

Une intention bonne (par exemple : aider le prochain) ne rend ni bon ni juste un comportement en lui-même désordonné (comme le mensonge et la médisance). La fin ne justifie pas les moyens. Ainsi ne peut-on pas justifier la condamnation d'un innocent comme un moyen légitime de sauver le peuple. Par contre, une intention mauvaise surajoutée (ainsi la vaine gloire) rend mauvais un acte qui, de soi, peut être bon (comme l'aumône[1]). **1753** *2479* *596*

Les *circonstances*, y compris les conséquences, sont les éléments secondaires d'un acte moral. Elles contribuent à aggraver ou à diminuer la bonté ou la malice morale des actes humains (par exemple le montant d'un vol). Elles peuvent aussi atténuer ou augmenter la responsabilité de l'agent (ainsi agir par crainte de la mort). Les circonstances ne peuvent de soi modifier la qualité morale des actes eux-mêmes ; elles ne peuvent rendre ni bonne, ni juste une action en elle-même mauvaise. **1754** *1735*

II. Les actes bons et les actes mauvais

L'acte *moralement bon* suppose à la fois la bonté de l'objet, de la fin et des circonstances. Une fin mauvaise corrompt l'action, même si son objet est bon en soi (comme de prier et de jeûner « pour être vu des hommes »). **1755**

L'*objet du choix* peut à lui seul vicier l'ensemble d'un agir. Il y a des comportements concrets – comme la fornication – qu'il est toujours erroné de choisir, parce que leur choix comporte un désordre de la volonté, c'est-à-dire un mal moral.

1. Cf. Mt 6, 2-4.

1756   Il est donc erroné de juger de la moralité des actes
humains en ne considérant que l'intention qui les inspire, ou
les circonstances (milieu, pression sociale, contrainte ou
nécessité d'agir, etc.) qui en sont le cadre. Il y a des actes
qui par eux-mêmes et en eux-mêmes, indépendamment des
circonstances et des intentions, sont toujours gravement illicites en raison de leur objet ; ainsi le blasphème et le parjure,
1789 l'homicide et l'adultère. Il n'est pas permis de faire le mal
pour qu'il en résulte un bien.

EN BREF

1757   *L'objet, l'intention et les circonstances constituent les trois*
« sources » de la moralité des actes humains.

1758   *L'objet choisi spécifie moralement l'acte du vouloir selon*
que la raison le reconnaît et le juge bon ou mauvais.

1759   *« On ne peut justifier une action mauvaise faite avec une*
bonne intention[1]. » La fin ne justifie pas les moyens.

1760   *L'acte moralement bon suppose à la fois la bonté de l'objet,*
de la fin et des circonstances.

1761   *Il y a des comportements concrets qu'il est toujours erroné*
de choisir parce que leur choix comporte un désordre de la
volonté, c'est-à-dire un mal moral. Il n'est pas permis de
faire le mal pour qu'il en résulte un bien.

ARTICLE 5
La moralité des passions

1762   La personne humaine s'ordonne à la béatitude par ses
actes délibérés : les passions ou sentiments qu'elle éprouve
peuvent l'y disposer et y contribuer.

I. Les passions

1763   Le terme de « passions » appartient au patrimoine chrétien. Les sentiments ou passions désignent les émotions ou
mouvements de la sensibilité, qui inclinent à agir ou à ne

1. S. Thomas d'A., dec. præc. 6.

pas agir en vue de ce qui est ressenti ou imaginé comme bon ou comme mauvais.

Les passions sont des composantes naturelles du psychisme humain, elles forment le lieu de passage et assurent le lien entre la vie sensible et la vie de l'esprit. Notre Seigneur désigne le cœur de l'homme comme la source d'où jaillit le mouvement des passions [1].   1764

Les passions sont nombreuses. La passion la plus fondamentale est l'amour provoqué par l'attrait du bien. L'amour cause le désir du bien absent et l'espoir de l'obtenir. Ce mouvement s'achève dans le plaisir et la joie du bien possédé. L'appréhension du mal cause la haine, l'aversion et la crainte du mal à venir. Ce mouvement s'achève dans la tristesse du mal présent ou la colère qui s'y oppose.   1765

« Aimer, c'est vouloir du bien à quelqu'un [2]. » Toutes les autres affections ont leur source dans ce mouvement originel du cœur de l'homme vers le bien. Il n'y a que le bien qui soit aimé [3]. « Les passions sont mauvaises si l'amour est mauvais, bonnes s'il est bon [4]. »   1766   *1704*

II. Passions et vie morale

En elles-mêmes, les passions ne sont ni bonnes ni mauvaises. Elles ne reçoivent de qualification morale que dans la mesure où elles relèvent effectivement de la raison et de la volonté. Les passions sont dites volontaires, « ou bien parce qu'elles sont commandées par la volonté, ou bien parce que la volonté n'y fait pas obstacle [5] ». Il appartient à la perfection du bien moral ou humain que les passions soient réglées par la raison [6].   1767   *1860*

Les grands sentiments ne décident ni de la moralité, ni de la sainteté des personnes ; ils sont le réservoir inépuisable des images et des affections où s'exprime la vie morale. Les passions sont moralement bonnes quand elles contribuent à une action bonne, et mauvaises dans le cas contraire. La volonté droite ordonne au bien et à la béatitude les mouvements sensibles qu'elle assume ; la volonté mauvaise suc-   1768

1. Cf. Mc 7, 21. — 2. S. Thomas d'A., s. th. 1-2, 26, 4. — 3. Cf. S. Augustin, Trin. 8, 3, 4. — 4. S. Augustin, civ. 14, 7. — 5. S. Thomas d'A., s. th. 1-2, 24, 1. — 6. Cf. s. th. 1-2, 24, 3.

combe aux passions désordonnées et les exacerbe. Les émo-
1803   tions et sentiments peuvent être assumés dans les *vertus*, ou
1865   pervertis dans les *vices*.

1769   Dans la vie chrétienne, l'Esprit Saint Lui-même
accomplit son œuvre en mobilisant l'être tout entier y
compris ses douleurs, craintes et tristesses, comme il apparaît dans l'Agonie et la passion du Seigneur. Dans le Christ,
les sentiments humains peuvent recevoir leur consommation
dans la charité et la béatitude divine.

1770   La perfection morale est que l'homme ne soit pas mû au
30   bien par sa volonté seulement, mais aussi par son appétit
sensible selon cette parole du psaume : « Mon cœur et ma
chair crient de joie vers le Dieu vivant » (Ps 84, 3).

EN BREF
1771   *Le terme « passions » désigne les affections ou les senti-*
ments. A travers ses émotions, l'homme pressent le bien et
soupçonne le mal.

1772   *Les principales passions sont l'amour et la haine, le désir et*
la crainte, la joie, la tristesse et la colère.

1773   *Dans les passions comme mouvements de la sensibilité, il*
n'y a ni bien ni mal moral. Mais selon qu'elles relèvent ou
non de la raison et de la volonté, il y a en elles bien ou mal
moral.

1774   *Les émotions et les sentiments peuvent être assumés dans*
les vertus, ou pervertis dans les vices.

1775   *La perfection du bien moral est que l'homme ne soit pas mû*
au bien par sa seule volonté mais aussi par son « cœur ».

ARTICLE 6
La conscience morale

1776   « Au fond de sa conscience, l'homme découvre la pré-
1954   sence d'une loi qu'il ne s'est pas donnée lui-même, mais à
laquelle il est tenu d'obéir. Cette voix qui ne cesse de le
presser d'aimer et d'accomplir le bien et d'éviter le mal, au
moment opportun résonne dans l'intimité de son cœur. (...)
C'est une loi inscrite par Dieu au cœur de l'homme. La

conscience est le centre le plus intime et le plus secret de l'homme, le sanctuaire où il est seul avec Dieu et où sa voix se fait entendre[1]. »

I. Le jugement de conscience

Présente au cœur de la personne, la conscience morale[2] lui enjoint, au moment opportun, d'accomplir le bien et d'éviter le mal. Elle juge aussi les choix concrets, approuvant ceux qui sont bons, dénonçant ceux qui sont mauvais[3]. Elle atteste l'autorité de la vérité en référence au Bien suprême dont la personne humaine reçoit l'attirance et accueille les commandements. Quand il écoute la conscience morale, l'homme prudent peut entendre Dieu qui parle. 1777 1766 2071

La conscience morale est un jugement de la raison par lequel la personne humaine reconnaît la qualité morale d'un acte concret qu'elle va poser, est en train d'exécuter ou a accompli. En tout ce qu'il dit et fait, l'homme est tenu de suivre fidèlement ce qu'il sait être juste et droit. C'est par le jugement de sa conscience que l'homme perçoit et reconnaît les prescriptions de la loi divine : 1778 1749

> La conscience est une loi de notre esprit, mais qui dépasse notre esprit, qui nous fait des injonctions, qui signifie responsabilité et devoir, crainte et espérance. (...) Elle est la messagère de Celui qui, dans le monde de la nature comme dans celui de la grâce, nous parle à travers le voile, nous instruit et nous gouverne. La conscience est le premier de tous les vicaires du Christ[4].

Il importe à chacun d'être assez présent à lui-même pour entendre et suivre la voix de sa conscience. Cette requête d'intériorité est d'autant plus nécessaire que la vie nous expose souvent à nous soustraire à toute réflexion, examen ou retour sur soi : 1779 1886

> Fais retour à ta conscience, interroge-la. (...) Retournez, frères, à l'intérieur et en tout ce que vous faites, regardez le Témoin, Dieu[5].

La dignité de la personne humaine implique et exige la rectitude de la conscience morale. La conscience morale comprend la perception des principes de la moralité (syndé- 1780

---

1. GS 16. — 2. Cf. Rm 2, 14-16. — 3. Cf. Rm 1, 32. — 4. Newman, lettre au duc de Norfolk 5. — 5. S. Augustin, ep. Jo. 8, 9.

rèse), leur application dans les circonstances données par un
discernement pratique des raisons et des biens et, en conclusion, le jugement porté sur les actes concrets à poser ou déjà
posés. La vérité sur le bien moral, déclarée dans la loi de la
raison, est reconnue pratiquement et concrètement par le
1806 *jugement prudent* de la conscience. On appelle prudent
l'homme qui choisit conformément à ce jugement.

1781   La conscience permet d'assumer la *responsabilité* des
1731 actes posés. Si l'homme commet le mal, le juste jugement
de la conscience peut demeurer en lui le témoin de la vérité
universelle du bien, en même temps que de la malice de son
choix singulier. Le verdict du jugement de conscience
demeure un gage d'espérance et de miséricorde. En attestant
la faute commise, il rappelle le pardon à demander, le bien à
pratiquer encore et la vertu à cultiver sans cesse avec la
grâce de Dieu :

> Devant Lui, nous apaisons notre cœur, parce que, si notre
> cœur nous condamne, Dieu est plus grand que notre cœur et
> Il connaît tout (1 Jn 3, 19-20).

1782   L'homme a le droit d'agir en conscience et en liberté afin
de prendre personnellement les décisions morales.
« L'homme ne doit pas être contraint d'agir contre sa
conscience. Mais il ne doit pas être empêché non plus d'agir
2106 selon sa conscience, surtout en matière religieuse[1]. »

II. La formation de la conscience

1783   La conscience doit être informée et le jugement moral
éclairé. Une conscience bien formée est droite et véridique.
Elle formule ses jugements suivant la raison, conformément
au bien véritable voulu par la sagesse du Créateur. L'éducation de la conscience est indispensable à des êtres humains
soumis à des influences négatives et tentés par le péché de
préférer leur jugement propre et de récuser les enseigne-
2039 ments autorisés.

1784   L'éducation de la conscience est une tâche de toute la vie.
Dès les premières années, elle éveille l'enfant à la connaissance et à la pratique de la loi intérieure reconnue par la
conscience morale. Une éducation prudente enseigne la

1. DH 3.

vertu ; elle préserve ou guérit de la peur, de l'égoïsme et de l'orgueil, des ressentiments de la culpabilité et des mouvements de complaisance, nés de la faiblesse et des fautes humaines. L'éducation de la conscience garantit la liberté et engendre la paix du cœur.   *1742*

Dans la formation de la conscience, la Parole de Dieu est   1785
la lumière sur notre route ; il nous faut l'assimiler dans la foi
et la prière, et la mettre en pratique. Il nous faut encore examiner notre conscience au regard de la Croix du Seigneur.
Nous sommes assistés des dons de l'Esprit Saint, aidés par
le témoignage ou les conseils d'autrui et guidés par l'enseignement autorisé de l'Eglise [1].   *890*

III. Choisir selon la conscience

Mise en présence d'un choix moral, la conscience peut   1786
porter soit un jugement droit en accord avec la raison et
avec la loi divine, soit au contraire, un jugement erroné qui
s'en éloigne.

L'homme est quelquefois affronté à des situations qui   1787
rendent le jugement moral moins assuré et la décision difficile. Mais il doit toujours rechercher ce qui est juste et bon
et discerner la volonté de Dieu exprimée dans la loi divine.   *1955*

A cet effet, l'homme s'efforce d'interpréter les données   1788
de l'expérience et les signes des temps grâce à la vertu de
prudence, aux conseils des personnes avisées et à l'aide de   *1806*
l'Esprit Saint et de ses dons.

Quelques règles s'appliquent dans tous les cas :   1789
– Il n'est jamais permis de faire le mal pour qu'il en résulte *1756*
un bien.
– La « règle d'or » : « Tout ce que vous désirez que les   *1970*
autres fassent pour vous, faites-le vous-mêmes pour eux »
(Mt 7, 12) [2].
– La charité passe toujours par le respect du prochain et de *1827*
sa conscience : « En parlant contre les frères et en blessant
leur conscience (...), c'est contre le Christ que vous péchez » *1971*
(1 Co 8, 12). « Ce qui est bien, c'est de s'abstenir (...) de
tout ce qui fait buter ou tomber ou faiblir ton frère » (Rm
14, 21).

1. Cf. DH 14. — 2. Cf. Lc 6, 31 ; Tb 4, 15.

IV. Le jugement erroné

1790   L'être humain doit toujours obéir au jugement certain de sa conscience. S'il agissait délibérément contre ce dernier, il se condamnerait lui-même. Mais il arrive que la conscience morale soit dans l'ignorance et porte des jugements erronés sur des actes à poser ou déjà commis.

1791   Cette ignorance peut souvent être imputée à la responsa-bilité personnelle. Il en va ainsi, « lorsque l'homme se sou-
1704   cie peu de rechercher le vrai et le bien et lorsque l'habitude du péché rend peu à peu la conscience presque aveugle [1] ». En ces cas, la personne est coupable du mal qu'elle commet.

1792   L'ignorance du Christ et de son Evangile, les mauvais
133   exemples donnés par autrui, la servitude des passions, la prétention à une autonomie mal entendue de la conscience, le refus de l'autorité de l'Eglise et de son enseignement, le manque de conversion et de charité peuvent être à l'origine des déviations du jugement dans la conduite morale.

1793   Si – au contraire – l'ignorance est invincible, ou le juge-
1860   ment erroné sans responsabilité du sujet moral, le mal commis par la personne ne peut lui être imputé. Il n'en demeure pas moins un mal, une privation, un désordre. Il faut donc travailler à corriger la conscience morale de ses erreurs.

1794   La conscience bonne et pure est éclairée par la foi véri-table. Car la charité procède en même temps « d'un cœur pur, d'une bonne conscience et d'une foi sans détours » (1 Tm 1, 5) [2] :

         Plus la conscience droite l'emporte, plus les personnes et les groupes s'éloignent d'une décision aveugle et tendent à se
1751   conformer aux règles objectives de la moralité [3].

         EN BREF
1795   « *La conscience est le centre le plus intime et le plus secret de l'homme, le sanctuaire où il est le seul avec Dieu et où sa voix se fait entendre* [4]. »

1796   *La conscience morale est un jugement de la raison par lequel la personne humaine reconnaît la qualité morale d'un acte concret.*

1. GS 16. — 2. Cf. 1 Tm 3, 9 ; 2 Tm 1, 3 ; 1 P 3, 21 ; Ac 24, 16. — 3. GS 16. — 4. GS 16.

Pour l'homme qui a commis le mal, le verdict de sa 1797
conscience demeure un gage de conversion et d'espérance.

Une conscience bien formée est droite et véridique. Elle for- 1798
mule ses jugements suivant la raison, conformément au bien
véritable voulu par la sagesse du Créateur. Chacun doit
prendre les moyens de former sa conscience.

Mise en présence d'un choix moral, la conscience peut por- 1799
ter soit un jugement droit en accord avec la raison et avec
la loi divine, soit au contraire, un jugement erroné qui s'en
éloigne.

L'être humain doit toujours obéir au jugement certain de sa 1800
conscience.

La conscience morale peut rester dans l'ignorance ou por- 1801
ter des jugements erronés. Ces ignorances et ces erreurs ne
sont pas toujours exemptes de culpabilité.

La Parole de Dieu est une lumière sur nos pas. Il nous faut 1802
l'assimiler dans la foi et dans la prière, et la mettre en pra-
tique. Ainsi se forme la conscience morale.

ARTICLE 7
Les vertus

« Tout ce qui est vrai, tout ce qui est digne, tout ce qui est 1803
juste, tout ce qui est pur, tout ce qui est aimable, tout ce qui
a bon renom, s'il est quelque vertu et s'il est quelque chose
de louable, que ce soit pour vous ce qui compte » (Ph 4, 8).

La vertu est une disposition habituelle et ferme à faire le 1733
bien. Elle permet à la personne, non seulement d'accomplir des
actes bons, mais de donner le meilleur d'elle-même. De toutes
ses forces sensibles et spirituelles, la personne vertueuse tend 1768
vers le bien ; elle le poursuit et le choisit en des actions
concrètes.

Le but d'une vie vertueuse consiste à devenir semblable à
Dieu[1].

I. Les vertus humaines

Les *vertus humaines* sont des attitudes fermes, des dispo- 1804
sitions stables, des perfections habituelles de l'intelligence
et de la volonté qui règlent nos actes, ordonnent nos pas-

1. S. Grégoire de Nysse, beat. 1.

sions et guident notre conduite selon la raison et la foi. Elles
2500 procurent facilité, maîtrise et joie pour mener une vie moralement bonne. L'homme vertueux, c'est celui qui librement
pratique le bien.

Les vertus morales sont humainement acquises. Elles sont les
fruits et les germes des actes moralement bons ; elles disposent
toutes les puissances de l'être humain à communier à l'amour
1827 divin.

Distinction des vertus cardinales

1805   Quatre vertus jouent un rôle charnière. Pour cette raison
on les appelle « cardinales » ; toutes les autres se regroupent
autour d'elles. Ce sont la prudence, la justice, la force et la
tempérance. « Aime-t-on la rectitude ? Les vertus sont les
fruits de ses travaux, car elle enseigne tempérance et prudence, justice et courage » (Sg 8, 7). Sous d'autres noms,
ces vertus sont louées dans de nombreux passages de l'Ecriture.

1806   La *prudence* est la vertu qui dispose la raison pratique à
discerner en toute circonstance notre véritable bien et à
choisir les justes moyens de l'accomplir. « L'homme avisé
surveille ses pas » (Pr 14, 15). « Soyez sages et sobres en
vue de la prière » (1 P 4, 7). La prudence est la « droite règle
1788 de l'action », écrit S. Thomas[1] après Aristote. Elle ne se
confond ni avec la timidité ou la peur, ni avec la duplicité ou
la dissimulation. Elle est dite *auriga virtutum* : elle conduit
les autres vertus en leur indiquant règle et mesure. C'est la
prudence qui guide immédiatement le jugement de
1780 conscience. L'homme prudent décide et ordonne sa conduite
suivant ce jugement. Grâce à cette vertu, nous appliquons
sans erreur les principes moraux aux cas particuliers et nous
surmontons les doutes sur le bien à accomplir et le mal à
éviter.

1807   La *justice* est la vertu morale qui consiste dans la
constante et ferme volonté de donner à Dieu et au prochain
ce qui leur est dû. La justice envers Dieu est appelée « vertu
2095 de religion ». Envers les hommes, elle dispose à respecter
les droits de chacun et à établir dans les relations humaines
2401 l'harmonie qui promeut l'équité à l'égard des personnes et

1. S. th. 2-2, 47, 2.

du bien commun. L'homme juste, souvent évoqué dans les Livres saints, se distingue par la droiture habituelle de ses pensées et la rectitude de sa conduite envers le prochain. « Tu n'auras ni faveur pour le petit, ni complaisance pour le grand ; c'est avec justice que tu jugeras ton prochain » (Lv 19, 15). « Maîtres, accordez à vos esclaves le juste et l'équitable, sachant que, vous aussi, vous avez un Maître au ciel » (Col 4, 1).

La *force* est la vertu morale qui assure dans les difficultés 1808 la fermeté et la constance dans la poursuite du bien. Elle affermit la résolution de résister aux tentations et de surmonter les obstacles dans la vie morale. La vertu de force rend capable de vaincre la peur, même de la mort, d'affronter l'épreuve et les persécutions. Elle dispose à aller 2848 jusqu'au renoncement et au sacrifice de sa vie pour défendre 2473 une juste cause. « Ma force et mon chant, c'est le Seigneur » (Ps 118, 14). « Dans le monde, vous aurez de l'affliction, mais courage, Moi J'ai vaincu le monde » (Jn 16, 33).

La *tempérance* est la vertu morale qui modère l'attrait des 1809 plaisirs et procure l'équilibre dans l'usage des biens créés. Elle assure la maîtrise de la volonté sur les instincts et main- 2341 tient les désirs dans les limites de l'honnêteté. La personne tempérante oriente vers le bien ses appétits sensibles, garde une saine discrétion et ne se laisse pas entraîner pour suivre les passions de son cœur[1]. La tempérance est souvent louée dans l'Ancien Testament : « Ne te laisse pas aller à tes convoitises, réprime tes appétits » (Si 18, 30). Dans le Nou- 2517 veau Testament, elle est appelée « modération » ou « sobriété ». Nous devons « vivre avec modération, justice et piété dans le monde présent » (Tt 2, 12).

> Bien vivre n'est autre chose qu'aimer Dieu de tout son cœur, de toute son âme et de tout son agir. On Lui conserve un amour entier (par la tempérance) que nul malheur ne peut ébranler (ce qui relève de la force), qui n'obéit qu'à Lui seul (et ceci est la justice), qui veille pour discerner toutes choses de peur de se laisser surprendre par la ruse et le mensonge (et ceci est la prudence)[2].

Les vertus et la grâce

Les vertus humaines acquises par l'éducation, par des 1810 actes délibérés et par une persévérance toujours reprise dans l'effort, sont purifiées et élevées par la grâce divine. Avec 1266

1. Cf. Si 5, 2 ; 37, 27-31. — 2. S. Augustin, mor. eccl. 1, 25, 46.

l'aide de Dieu, elles forgent le caractère et donnent aisance dans la pratique du bien. L'homme vertueux est heureux de les pratiquer.

1811   Il n'est pas facile pour l'homme blessé par le péché de garder l'équilibre moral. Le don du salut par le Christ nous accorde la grâce nécessaire pour persévérer dans la recherche des vertus. Chacun doit toujours demander cette *2015* grâce de lumière et de force, recourir aux sacrements, coopérer avec le Saint-Esprit, suivre ses appels à aimer le bien et à se garder du mal.

2086-2094,
2656-2658
II. Les vertus théologales

1812   Les vertus humaines s'enracinent dans les vertus théologales qui adaptent les facultés de l'homme à la participation de la nature divine[1]. Car les vertus théologales se réfèrent directement à Dieu. Elles disposent les chrétiens à vivre en *1266* relation avec la Sainte Trinité. Elles ont Dieu Un et Trine pour origine, pour motif et pour objet.

1813   Les vertus théologales fondent, animent et caractérisent l'agir moral du chrétien. Elles informent et vivifient toutes les vertus morales. Elles sont infusées par Dieu dans l'âme des fidèles pour les rendre capables d'agir comme ses *2008* enfants et de mériter la vie éternelle. Elles sont le gage de la présence et de l'action du Saint-Esprit dans les facultés de l'être humain. Il y a trois vertus théologales : la foi, l'espérance et la charité[2].

142-175 ### La foi

1814   La foi est la vertu théologale par laquelle nous croyons en Dieu et à tout ce qu'Il nous a dit et révélé, et que la Sainte Eglise nous propose à croire, parce qu'Il est la vérité même. *506* Par la foi « l'homme s'en remet tout entier librement à Dieu[3] ». C'est pourquoi le croyant cherche à connaître et à faire la volonté de Dieu. « Le juste vivra de la foi » (Rm 1, 17). La foi vivante « agit par la charité » (Ga 5, 6).

1815   Le don de la foi demeure en celui qui n'a pas péché contre elle[4]. Mais « sans les œuvres, la foi est morte » (Jc 2, 26) : privée de l'espérance et de l'amour, la foi n'unit pas

---

1. Cf. 2 P 1, 4. — 2. Cf. 1 Co 13, 13. — 3. DV 5. — 4. Cf. Cc. Trente : DS 1544.

pleinement le fidèle au Christ et n'en fait pas un membre vivant de son Corps.

Le disciple du Christ ne doit pas seulement garder la foi 1816 et en vivre, mais encore la professer, en témoigner avec assurance et la répandre : « Tous doivent être prêts à confes- *2471* ser le Christ devant les hommes et à Le suivre sur le chemin de la Croix, au milieu des persécutions qui ne manquent jamais à l'Eglise [1]. » Le service et le témoignage de la foi sont requis pour le salut : « Quiconque se déclarera pour Moi devant les hommes, Je Me déclarerai, Moi aussi, pour lui devant mon Père qui est aux cieux ; mais celui qui Me reniera devant les hommes, Je le renierai, Moi aussi, devant mon Père qui est aux cieux » (Mt 10, 32-33).

L'espérance

L'espérance est la vertu théologale par laquelle nous dési- 1817 rons comme notre bonheur le Royaume des cieux et la vie éternelle, en mettant notre confiance dans les promesses du *1024* Christ et en prenant appui, non sur nos forces, mais sur le secours de la grâce du Saint-Esprit. « Gardons indéfectible la confession de l'espérance, car celui qui a promis est fidèle » (He 10, 23). « Cet Esprit, Il l'a répandu sur nous à profusion, par Jésus-Christ notre Sauveur, afin que, justifiés par la grâce du Christ, nous obtenions en espérance l'héri- tage de la vie éternelle » (Tt 3, 6-7).

La vertu d'espérance répond à l'aspiration au bonheur 1818 placée par Dieu dans le cœur de tout homme ; elle assume *27* les espoirs qui inspirent les activités des hommes ; elle les purifie pour les ordonner au Royaume des cieux ; elle pro- tège du découragement ; elle soutient en tout délaissement ; elle dilate le cœur dans l'attente de la béatitude éternelle. L'élan de l'espérance préserve de l'égoïsme et conduit au bonheur de la charité.

L'espérance chrétienne reprend et accomplit l'espérance 1819 du peuple élu qui trouve son origine et son modèle dans l'*espérance d'Abraham* comblé en Isaac des promesses de *146* Dieu et purifié par l'épreuve du sacrifice [2]. « Espérant contre toute espérance, il crut et devint ainsi père d'une multitude de peuples » (Rm 4, 18).

---

1. LG 42 ; cf. DH 14. — 2. Cf. Gn 17, 4-8 ; 22, 1-18.

1820   L'espérance chrétienne se déploie dès le début de la prédication de Jésus dans l'annonce des béatitudes. Les *Béati-*
1716 *tudes* élèvent notre espérance vers le Ciel comme vers la
nouvelle Terre promise ; elles en tracent le chemin à travers
les épreuves qui attendent les disciples de Jésus. Mais par
les mérites de Jésus-Christ et de sa passion, Dieu nous garde
dans « l'espérance qui ne déçoit pas » (Rm 5, 5). L'espérance est « l'ancre de l'âme », sûre et ferme, qui pénètre « là
où est entré pour nous, en précurseur, Jésus » (He 6, 19-20).
Elle est aussi une arme qui nous protège dans le combat du
salut : « Revêtons la cuirasse de la foi et de la charité, avec
le casque de l'espérance du salut » (1 Th 5, 8). Elle nous
procure la joie dans l'épreuve même : « Avec la joie de
l'espérance, constants dans la tribulation » (Rm 12, 12). Elle
s'exprime et se nourrit dans la prière, tout particulièrement
2772 dans celle du Pater, résumé de tout ce que l'espérance nous
fait désirer.

1821   Nous pouvons donc espérer la gloire du ciel promise par
Dieu à ceux qui L'aiment [1] et font sa volonté [2]. En toute circonstance, chacun doit espérer, avec la grâce de Dieu, « per-
2016 sévérer jusqu'à la fin [3] » et obtenir la joie du ciel, comme
l'éternelle récompense de Dieu pour les bonnes œuvres
accomplies avec la grâce du Christ. Dans l'espérance
1037 l'Eglise prie que « tous les hommes soient sauvés »
(1 Tm 2, 4). Elle aspire à être, dans la gloire du ciel, unie au
Christ, son Epoux :

> Espère, ô mon âme, espère. Tu ignores le jour et l'heure.
> Veille soigneusement, tout passe avec rapidité, quoique ton
> impatience rende douteux ce qui est certain, et long un
> temps bien court. Songe que plus tu combattras, plus tu
> prouveras l'amour que tu portes à ton Dieu, et plus tu te
> réjouiras un jour avec ton Bien-Aimé, dans un bonheur et
> un ravissement qui ne pourront jamais finir [4].

La charité

1822   La charité est la vertu théologale par laquelle nous aimons
1723 Dieu par-dessus toute chose pour Lui-même, et notre prochain comme nous-mêmes pour l'amour de Dieu.

1823   Jésus fait de la charité le *commandement nouveau* [5]. En
1370 aimant les siens « jusqu'à la fin » (Jn 13, 1), Il manifeste
l'amour du Père qu'Il reçoit. En s'aimant les uns les autres,

---

1. Cf. Rm 8, 28-30. — 2. Cf. Mt 7, 21. — 3. Cf. Mt 10, 22 ; cf. Cc. Trente : DS
1541. — 4. Ste Thérèse de Jésus, excl. 15, 3. — 5. Cf. Jn 13, 34.

les disciples imitent l'amour de Jésus qu'ils reçoivent aussi en eux. C'est pourquoi Jésus dit : « Comme le Père M'a aimé, Moi aussi Je vous ai aimés. Demeurez en mon amour » (Jn 15, 9). Et encore : « Voici mon commandement : Aimez-vous les uns les autres comme Je vous ai aimés » (Jn 15, 12).

Fruit de l'Esprit et plénitude de la Loi, la charité garde *les* **1824** *commandements* de Dieu et de son Christ : « Demeurez en *735* mon amour. Si vous gardez mes commandements, vous demeurerez en mon amour » (Jn 15, 9-10)[1].

Le Christ est mort par amour pour nous alors que nous **1825** étions encore « ennemis » (Rm 5, 10). Le Seigneur nous *604* demande d'aimer comme Lui jusqu'à nos *ennemis*[2], de nous faire le prochain du plus lointain[3], d'aimer les enfants[4] et les pauvres comme Lui-même[5].

L'apôtre S. Paul a donné un incomparable tableau de la charité : « La charité prend patience, la charité rend service, elle ne jalouse pas, elle ne plastronne pas, elle ne s'enfle pas d'orgueil, elle ne fait rien de laid, elle ne cherche pas son intérêt, elle ne s'irrite pas, elle n'entretient pas de rancune, elle ne se réjouit pas de l'injustice, mais elle trouve sa joie dans la vérité. Elle excuse tout, elle croit tout, elle espère tout, elle endure tout » (1 Co 13, 4-7).

« Sans la charité, dit encore l'apôtre, je ne suis rien... » Et **1826** tout ce qui est privilège, service, vertu même... « sans la charité, cela ne me sert de rien » (1 Co 13, 1-4). La charité est supérieure à toutes les vertus. Elle est la première des vertus théologales : Les trois demeurent : la foi, l'espérance et la charité. Mais *la charité est la plus grande*[6].

L'exercice de toutes les vertus est animé et inspiré par la **1827** charité. Celle-ci est le lien de la « perfection » (Col 3, 14) ; *815* elle est la *forme des vertus* ; elle les articule et les ordonne entre elles ; elle est source et terme de leur pratique chrétienne. La charité assure et purifie notre puissance humaine *826* d'aimer. Elle l'élève à la perfection surnaturelle de l'amour divin.

La pratique de la vie morale animée par la charité donne **1828** au chrétien la liberté spirituelle des enfants de Dieu. Il ne se tient plus devant Dieu comme un esclave, dans la crainte *1972*

1. Cf. Mt 22, 40 ; Rm 13, 8-10. — 2. Cf. Mt 5, 44. — 3. Cf. Lc 10, 27-37. — 4. Cf. Mc 9, 37. — 5. Cf. Mt 25, 40. 45. — 6. Cf. 1 Co 13, 1-3.

servile, ni comme le mercenaire en quête de salaire, mais comme un fils qui répond à l'amour de Celui qui « nous a aimés le premier » (1 Jn 4, 19) :

> Ou bien nous nous détournons du mal par crainte du châtiment, et nous sommes dans la disposition de l'esclave. Ou bien nous poursuivons l'appât de la récompense et nous ressemblons aux mercenaires. Ou enfin c'est pour le bien lui-même et l'amour de celui qui commande que nous obéissons (...) et nous sommes alors dans la disposition des enfants[1].

1829 La charité a pour *fruits* la joie, la paix et la miséricorde ; elle exige la bienfaisance et la correction fraternelle ; elle est
2540 bienveillance ; elle suscite la réciprocité, demeure désintéressée et libérale ; elle est amitié et communion :

> L'achèvement de toutes nos œuvres, c'est la dilection. Là est la fin ; c'est pour l'obtenir que nous courons, c'est vers elle que nous courons ; une fois arrivés, c'est en elle que nous nous reposerons[2].

III. Les dons et les fruits du Saint-Esprit

1830 La vie morale des chrétiens est soutenue par les dons du Saint-Esprit. Ceux-ci sont des dispositions permanentes qui rendent l'homme docile à suivre les impulsions de l'Esprit Saint.

1831 Les sept *dons* du Saint-Esprit sont la sagesse, l'intelligence, le conseil, la force, la science, la piété et la crainte de Dieu. Ils appartiennent en leur plénitude au Christ, Fils de David[3]. Ils complètent et mènent à leur perfection les
1266, 1299 vertus de ceux qui les reçoivent. Ils rendent les fidèles dociles à obéir avec promptitude aux inspirations divines.

> Que ton Esprit bon me conduise sur une terre unie (Ps 143, 10).

> Tout ceux qu'anime l'Esprit de Dieu sont fils de Dieu (...). Enfants et donc héritiers ; héritiers de Dieu et cohéritiers du Christ (Rm 8, 14. 17).

1832 Les *fruits* de l'Esprit sont des perfections que forme en
736 nous le Saint-Esprit comme des prémices de la gloire éternelle. La tradition de l'Eglise en énumère douze : « charité,

1. S. Basile, reg. fus. prol. 3. — 2. S. Augustin, ep. Jo. 10, 4. — 3. Cf. Is 11, 1-2.

joie, paix, patience, longanimité, bonté, bénignité, mansué-
tude, fidélité, modestie, continence, chasteté » (Ga 5, 22-23
vulg.).

EN BREF

*La vertu est une disposition habituelle et ferme à faire le   1833
bien.*

*Les vertus humaines sont des dispositions stables de l'intel-   1834
ligence et de la volonté, qui règlent nos actes, ordonnent
nos passions et guident notre conduite selon la raison et la
foi. Elles peuvent être regroupées autour de quatre vertus
cardinales : la prudence, la justice, la force et la tempérance.*

*La prudence dispose la raison pratique à discerner, en toute   1835
circonstance, notre véritable bien et à choisir les justes
moyens de l'accomplir.*

*La justice consiste dans la constante et ferme volonté de   1836
donner à Dieu et au prochain ce qui lui est dû.*

*La force assure, dans les difficultés, la fermeté et la   1837
constance dans la poursuite du bien.*

*La tempérance modère l'attrait des plaisirs sensibles et pro-   1838
cure l'équilibre dans l'usage des biens créés.*

*Les vertus morales grandissent par l'éducation, par des   1839
actes délibérés et par la persévérance dans l'effort. La
grâce divine les purifie et les élève.*

*Les vertus théologales disposent les chrétiens à vivre en   1840
relation avec la Sainte Trinité. Elles ont Dieu pour origine,
pour motif et pour objet, Dieu connu par la foi, espéré et
aimé pour Lui-même.*

*Il y a trois vertus théologales : la foi, l'espérance et la cha-   1841
rité[1]. Elles informent et vivifient toutes les vertus morales.*

*Par la foi nous croyons en Dieu et nous croyons tout ce   1842
qu'Il nous a révélé et que la Sainte Eglise nous propose à
croire.*

*Par l'espérance nous désirons et attendons de Dieu avec   1843
une ferme confiance la vie éternelle et les grâces pour la
mériter.*

*Par la charité nous aimons Dieu par-dessus toute chose et   1844
notre prochain comme nous-même pour l'amour de Dieu.
Elle est le « lien de la perfection » (Col 3, 14) et la forme de
toutes les vertus.*

1. Cf. 1 Co 13, 13.

1845   *Les sept dons du Saint-Esprit accordés aux chrétiens sont la*
         sagesse, l'intelligence, le conseil, la force, la science, la
         piété et la crainte de Dieu.

ARTICLE 8
Le péché

I. La miséricorde et le péché

1846   L'Evangile est la révélation, en Jésus-Christ, de la miséricorde de Dieu pour les pécheurs[1]. L'ange l'annonce à
430 Joseph : « Tu lui donneras le nom de Jésus : car c'est Lui
qui sauvera son peuple de ses péchés » (Mt 1, 21). Il en va
de même de l'Eucharistie, sacrement de la Rédemption :
1365 « Ceci est mon sang, le sang de l'alliance, qui va être
répandu pour une multitude en rémission des péchés » (Mt
26, 28).

1847   « Dieu nous a créés sans nous, Il n'a pas voulu nous sauver sans nous[2]. » L'accueil de sa miséricorde réclame de
387, 1455 nous l'aveu de nos fautes. « Si nous disons : "Nous n'avons
pas de péché", nous nous abusons, la vérité n'est pas en
nous. Si nous confessons nos péchés, Il est assez fidèle et
juste pour remettre nos péchés et nous purifier de toute
injustice » (1 Jn 1, 8-9).

1848   Comme l'affirme S. Paul : « Où le péché s'est multiplié,
la grâce a surabondé » (Rm 5, 20). Mais pour faire son
385 œuvre, la grâce doit découvrir le péché pour convertir notre
cœur et nous conférer « la justice pour la vie éternelle par
Jésus-Christ notre Seigneur » (Rm 5, 21). Tel un médecin
qui sonde la plaie avant de la panser, Dieu, par sa Parole et
par son Esprit, projette une lumière vive sur le péché :

> La conversion *requiert la mise en lumière du péché*, elle
> contient en elle-même le jugement intérieur de la
> conscience. On peut y voir la preuve de l'action de l'Esprit
> de vérité au plus profond de l'homme, et cela devient en
> même temps le commencement d'un nouveau don de la
> grâce et de l'amour : « Recevez l'Esprit Saint. » Ainsi, dans
> cette « mise en lumière du péché » nous découvrons *un*

---

1. Cf. Lc 15. — 2. S. Augustin, serm. 169, 11, 13.

double don : le don de la vérité de la conscience et le don de
la certitude de la rédemption. L'Esprit de vérité est le
Consolateur[1].

1433

II. La définition du péché

Le péché est une faute contre la raison, la vérité, la   *1849*
conscience droite ; il est un manquement à l'amour véritable,   *311*
envers Dieu et envers le prochain, à cause d'un attachement
pervers à certains biens. Il blesse la nature de l'homme et
porte atteinte à la solidarité humaine. Il a été défini comme
« une parole, un acte ou un désir contraires à la loi éternelle[2] ».

1952

Le péché est une offense à l'égard de Dieu : « Contre Toi,   *1850*
Toi seul, j'ai péché. Ce qui est mal à tes yeux, je l'ai fait »   *1440*
(Ps 51, 6). Le péché se dresse contre l'amour de Dieu pour
nous et en détourne nos cœurs. Comme le péché premier, il
est une désobéissance, une révolte contre Dieu, par la   *397*
volonté de devenir « comme des dieux », connaissant et
déterminant le bien et le mal (Gn 3, 5). Le péché est ainsi
« amour de soi jusqu'au mépris de Dieu[3] ». Par cette exaltation orgueilleuse de soi, le péché est diamétralement
contraire à l'obéissance de Jésus qui accomplit le salut[4].   *615*

C'est précisément dans la passion, où la miséricorde du   *1851*
Christ va le vaincre, que le péché manifeste le mieux sa violence et sa multiplicité : incrédulité, haine meurtrière, rejet   *598*
et moqueries de la part des chefs et du peuple, lâcheté de
Pilate et cruauté des soldats, trahison de Judas si dure à
Jésus, reniement de Pierre et abandon des disciples. Cependant, à l'heure même des ténèbres et du Prince de ce   *2746, 616*
monde[5], le sacrifice du Christ devient secrètement la source
de laquelle jaillira intarissablement le pardon de nos péchés.

III. La diversité des péchés

La variété des péchés est grande. L'Écriture en fournit   *1852*
plusieurs listes. L'épître aux Galates oppose les œuvres de
la chair au fruit de l'Esprit : « On sait bien tout ce que produit la chair : fornication, impureté, débauche, idolâtrie,

---

1. DeV 31. — 2. S. Augustin, Faust. 22 ; S. Thomas d'A., s. th. 1-2, 71, 6. — 3. S.
Augustin, civ. 14, 28. — 4. Cf. Ph 2, 6-9. — 5. Cf. Jn 14, 30.

magie, haines, discorde, jalousie, emportements, disputes, dissensions, scissions, sentiments d'envie, orgies, ripailles et choses semblables – et je vous préviens, comme je l'ai déjà fait, que ceux qui commettent ces fautes-là n'hériteront pas du Royaume de Dieu » (5, 19-21)[1].

1853
1751   On peut distinguer les péchés selon leur objet, comme pour tout acte humain, ou selon les vertus auxquelles ils s'opposent, par excès ou par défaut, ou selon les commandements qu'ils contrarient. On peut les ranger aussi selon qu'ils concernent Dieu, le pro-
2067   chain ou soi-même ; on peut les diviser en péchés spirituels et charnels, ou encore en péchés en pensée, en parole, par action ou par
368   omission. La racine du péché est dans le cœur de l'homme, dans sa libre volonté, selon l'enseignement du Seigneur : « Du cœur en effet procèdent mauvais desseins, meurtres, adultères, débauches, vols, faux témoignages, diffamations. Voilà les choses qui rendent l'homme impur » (Mt 15, 19-20). Dans le cœur réside aussi la charité, principe des œuvres bonnes et pures, que blesse le péché.

IV. La gravité du péché : péché mortel et véniel

1854   Il convient d'apprécier les péchés selon leur gravité. Déjà perceptible dans l'Ecriture[2], la distinction entre péché mortel et péché véniel s'est imposée dans la tradition de l'Eglise. L'expérience des hommes la corrobore.

1855   Le *péché mortel* détruit la charité dans le cœur de
1395   l'homme par une infraction grave à la Loi de Dieu ; il détourne l'homme de Dieu, qui est sa fin ultime et sa béatitude en Lui préférant un bien inférieur.

Le *péché véniel* laisse subsister la charité, même s'il l'offense et la blesse.

1856   Le péché mortel, attaquant en nous le principe vital qu'est
1446   la charité, nécessite une nouvelle initiative de la miséricorde de Dieu et une conversion du cœur qui s'accomplit normalement dans le cadre du sacrement de la Réconciliation :

> Lorsque la volonté se porte à une chose de soi contraire à la charité par laquelle on est ordonné à la fin ultime, le péché par son objet même a de quoi être mortel (...) qu'il soit contre l'amour de Dieu, comme le blasphème, le parjure, etc., ou contre l'amour du prochain, comme l'homicide,

1. Cf. Rm 1, 28-32 ; 1 Co 6, 9-10 ; Ep 5, 3-5 ; Col 3, 5-9 ; 1 Tm 1, 9-10 ; 2 Tm 3, 2-5. — 2. Cf. 1 Jn 5, 16-17.

l'adultère, etc. (...) En revanche, lorsque la volonté du pécheur se porte quelquefois à une chose qui contient en soi un désordre mais n'est cependant pas contraire à l'amour de Dieu et du prochain, tel que parole oiseuse, rire superflu, etc., de tels péchés sont véniels [1].

Pour qu'un *péché* soit *mortel* trois conditions sont ensemble requises : « Est péché mortel tout péché qui a pour objet une matière grave, et qui est commis en pleine conscience et de propos délibéré [2]. »   1857

La *matière grave* est précisée par les dix commandements selon la réponse de Jésus au jeune homme riche : « Ne tue pas, ne commets pas d'adultère, ne vole pas, ne porte pas de faux témoignage, ne fais pas de tort, honore ton père et ta mère » (Mc 10, 19). La gravité des péchés est plus ou moins grande : un meurtre est plus grave qu'un vol. La qualité des personnes lésées entre aussi en ligne de compte : la violence exercée contre les parents est de soi plus grave qu'envers un étranger.   1858 / 2072 / 2214

Le péché mortel requiert *pleine connaissance* et *entier consentement*. Il présuppose la connaissance du caractère peccamineux de l'acte, de son opposition à la Loi de Dieu. Il implique aussi un consentement suffisamment délibéré pour être un choix personnel. L'ignorance affectée et l'endurcissement du cœur [3] ne diminuent pas, mais augmentent le caractère volontaire du péché.   1859 / 1734

L'*ignorance involontaire* peut diminuer sinon excuser l'imputabilité d'une faute grave. Mais nul n'est censé ignorer les principes de la loi morale qui sont inscrits dans la conscience de tout homme. Les impulsions de la sensibilité, les passions peuvent également réduire le caractère volontaire et libre de la faute, de même que des pressions extérieures ou des troubles pathologiques. Le péché par malice, par choix délibéré du mal, est le plus grave.   1860 / 1735 / 1767

Le péché mortel est une possibilité radicale de la liberté humaine comme l'amour lui-même. Il entraîne la perte de la charité et la privation de la grâce sanctifiante, c'est-à-dire de l'état de grâce. S'il n'est pas racheté par le repentir et le pardon de Dieu, il cause l'exclusion du Royaume du Christ et la mort éternelle de l'enfer, notre liberté ayant le pouvoir de faire des choix pour toujours, sans retour. Cependant si nous   1861 / 1742 / 1033

1. S. Thomas d'A., s. th. 1-2, 88, 2. — 2. RP 17. — 3. Cf. Mc 3, 5-6; Lc 16, 19-31.

pouvons juger qu'un acte est en soi une faute grave, nous devons confier le jugement sur les personnes à la justice et à la miséricorde de Dieu.

1862   On commet un *péché véniel* quand on n'observe pas dans une matière légère la mesure prescrite par la loi morale, ou bien quand on désobéit à la loi morale en matière grave, mais sans pleine connaissance ou sans entier consentement.

1863   Le péché véniel affaiblit la charité; il traduit une affection
1394 désordonnée pour des biens créés; il empêche les progrès de l'âme dans l'exercice des vertus et la pratique du bien
1472 moral; il mérite des peines temporelles. Le péché véniel délibéré et resté sans repentance nous dispose peu à peu à commettre le péché mortel. Cependant le péché véniel ne rompt pas l'alliance avec Dieu. Il est humainement réparable avec la grâce de Dieu. « Il ne prive pas de la grâce sanctifiante ou déifiante et de la charité, ni par suite, de la béatitude éternelle [1] » :

> L'homme ne peut, tant qu'il est dans la chair, éviter tout péché, du moins les péchés légers. Mais ces péchés que nous disons légers, ne les tiens pas pour anodins : si tu les tiens pour anodins quand tu les pèses, tremble quand tu les comptes. Nombre d'objets légers font une grande masse ; nombre de gouttes emplissent un fleuve ; nombre de grains font un monceau. Quelle est alors notre espérance ? Avant tout, la confession [2]...

1864   « Tout péché et blasphème sera remis aux hommes, mais le blasphème contre l'Esprit ne sera pas remis [3] » (Mt 12, 31). Il n'y a pas de limites à la miséricorde de Dieu, mais qui refuse délibérément d'accueillir la miséricorde de Dieu
2091 par le repentir rejette le pardon de ses péchés et le salut offert par l'Esprit Saint [4]. Un tel endurcissement peut
1037 conduire à l'impénitence finale et à la perte éternelle.

V. La prolifération du péché

1865   Le péché crée un entraînement au péché; il engendre le
401 vice par la répétition des mêmes actes. Il en résulte des inclinations perverses qui obscurcissent la conscience et corrompent l'appréciation concrète du bien et du mal. Ainsi le
1768 péché tend-il à se reproduire et à se renforcer, mais il ne peut détruire le sens moral jusqu'en sa racine.

1. RP 17. — 2. S. Augustin, ep. Jo. 1, 6. — 3. Cf. Mc 3, 29; Lc 12, 10. — 4. Cf. DeV 46.

Les vices peuvent être rangés d'après les vertus qu'ils contrarient, ou encore rattachés aux *péchés capitaux* que l'expérience chrétienne a distingués à la suite de S. Jean Cassien[1] et de S. Grégoire le Grand[2]. Ils sont appelés capitaux parce qu'ils sont générateurs d'autres péchés, d'autres vices. Ce sont l'orgueil, l'avarice, l'envie, la colère, l'impureté, la gourmandise, la paresse ou acédie.   1866
2539

La tradition catéchétique rappelle aussi qu'il existe des « *péchés qui crient vers le ciel* ». Crient vers le ciel : le sang d'Abel[3] ; le péché des Sodomites[4] ; la clameur du peuple opprimé en Égypte[5] ; la plainte de l'étranger, de la veuve et de l'orphelin[6] ; l'injustice envers le salarié[7].   1867
2268

Le péché est un acte personnel. De plus, nous avons une responsabilité dans les péchés commis par d'autres, quand *nous y coopérons* :   1868
– en y participant directement et volontairement ;
– en les commandant, les conseillant, les louant ou les approuvant ;   1736
– en ne les révélant pas ou en ne les empêchant pas, quand on y est tenu ;
– en protégeant ceux qui font le mal.

Ainsi le péché rend les hommes complices les uns des autres, fait régner entre eux la concupiscence, la violence et l'injustice. Les péchés provoquent des situations sociales et des institutions contraires à la Bonté divine. Les « structures de péché » sont l'expression et l'effet des péchés personnels. Elles induisent leurs victimes à commettre le mal à leur tour. Dans un sens analogique elles constituent un « péché social[8] ».   1869
408
1887

EN BREF

« *Dieu a enfermé tous les hommes dans la désobéissance pour faire à tous miséricorde* » (Rm 11, 32).   1870

Le péché est « *une parole, un acte ou un désir contraires à la loi éternelle[9]* ». Il est une offense à Dieu. Il se dresse contre Dieu dans une désobéissance contraire à l'obéissance du Christ.   1871

Le péché est un acte contraire à la raison. Il blesse la nature de l'homme et porte atteinte à la solidarité humaine.   1872

1. S. Jean Cassien, coll. 5, 2. — 2. Mor. 31, 45. — 3. Cf. Gn 4, 10. — 4. Cf. Gn 18, 20 ; 19, 13. — 5. Cf. Ex 3, 7-10. — 6. Cf. Ex 22, 20-22. — 7. Cf. Dt 24, 14-15 ; Jc 5, 4. — 8. Cf. RP 16. — 9. S. Augustin, Faust. 22, 27.

1873   *La racine de tous les péchés est dans le cœur de l'homme.*
        Leurs espèces et leur gravité se mesurent principalement
        selon leur objet.

1874   *Choisir délibérément, c'est-à-dire en le sachant et en le*
        voulant, une chose gravement contraire à la loi divine et à
        la fin dernière de l'homme, c'est commettre un péché mor-
        tel. Celui-ci détruit en nous la charité sans laquelle la béati-
        tude éternelle est impossible. Sans repentir, il entraîne la
        mort éternelle.

1875   *Le péché véniel constitue un désordre moral réparable par*
        la charité qu'il laisse subsister en nous.

1876   *La répétition des péchés, même véniels, engendre les vices*
        parmi lesquels on distingue les péchés capitaux.

CHAPITRE DEUXIÈME
La communauté humaine

1877   La vocation de l'humanité est de manifester l'image de
355   Dieu et d'être transformée à l'image du Fils unique du Père.
        Cette vocation revêt une forme personnelle, puisque chacun
        est appelé à entrer dans la béatitude divine ; elle concerne
        aussi l'ensemble de la communauté humaine.

ARTICLE 1
La personne et la société

I. Le caractère communautaire de la vocation humaine

1878   Tous les hommes sont appelés à la même fin, Dieu Lui-
1702   même. Il existe une certaine ressemblance entre l'unité des
        personnes divines et la fraternité que les hommes doivent
        instaurer entre eux, dans la vérité et l'amour[1]. L'amour du
        prochain est inséparable de l'amour pour Dieu.

1879   La personne humaine a besoin de la vie sociale. Celle-ci
1936   ne constitue pas pour elle quelque chose de surajouté, mais
        une exigence de sa nature. Par l'échange avec autrui, la réci-

---

1. Cf. GS 24, § 3.

procité des services et le dialogue avec ses frères, l'homme développe ses virtualités ; il répond ainsi à sa vocation[1].

Une *société* est un ensemble de personnes liées de façon organique par un principe d'unité qui dépasse chacune d'elles. Assemblée à la fois visible et spirituelle, une société perdure dans le temps : elle recueille le passé et prépare l'avenir. Par elle, chaque homme est constitué « héritier », reçoit des « talents » qui enrichissent son identité et dont il doit développer les fruits[2]. A juste titre, chacun doit le dévouement aux communautés dont il fait partie et le respect aux autorités en charge du bien commun.

1880
771

Chaque communauté se définit par son but et obéit en conséquence à des règles spécifiques, mais « la *personne humaine* est et doit être le principe, le sujet et la fin de toutes les institutions sociales[3] ».

1881
1929

Certaines sociétés, telles que la famille et la cité, correspondent plus immédiatement à la nature de l'homme. Elles lui sont nécessaires. Afin de favoriser la participation du plus grand nombre à la vie sociale, il faut encourager la création d'associations et d'institutions d'élection « à buts économiques, culturels, sociaux, sportifs, récréatifs, professionnels, politiques, aussi bien à l'intérieur des communautés politiques que sur le plan mondial[4] ». Cette « *socialisation* » exprime également la tendance naturelle qui pousse les humains à s'associer, en vue d'atteindre des objectifs qui excèdent les capacités individuelles. Elle développe les qualités de la personne, en particulier, son sens de l'initiative et de la responsabilité. Elle aide à garantir ses droits[5].

1882
1913

La socialisation présente aussi des dangers. Une intervention trop poussée de l'Etat peut menacer la liberté et l'initiative personnelles. La doctrine de l'Eglise a élaboré le principe dit de *subsidiarité*. Selon celui-ci, « une société d'ordre supérieur ne doit pas intervenir dans la vie interne d'une société d'ordre inférieur en lui enlevant ses compétences, mais elle doit plutôt la soutenir en cas de nécessité et l'aider à coordonner son action avec celle des autres éléments qui composent la société, en vue du bien commun[6] ».

1883
2431

Dieu n'a pas voulu retenir pour Lui seul l'exercice de tous les pouvoirs. Il remet à chaque créature les fonctions qu'elle est capable d'exercer, selon les capacités de sa

1884
307

1. Cf. GS 25, § 1. — 2. Cf. Lc 19, 16. 19. — 3. GS 25, § 1. — 4. MM 60. — 5. Cf. GS 25, § 2 ; CA 16. — 6. CA 48 ; cf. Pie XI, enc. « Quadragesimo anno ».

nature propre. Ce mode de gouvernement doit être imité dans la vie sociale. Le comportement de Dieu dans le gouvernement du monde, qui témoigne de si grands égards pour la liberté humaine, devrait inspirer la sagesse de ceux qui gouvernent les communautés humaines. Ils ont à se comporter en ministres de la providence divine.

302

1885   Le principe de subsidiarité s'oppose à toutes les formes de collectivisme. Il trace les limites de l'intervention de l'Etat. Il vise à harmoniser les rapports entre les individus et les sociétés. Il tend à instaurer un véritable ordre international.

II. La conversion et la société

1886   La société est indispensable à la réalisation de la vocation humaine. Pour atteindre ce but il faut que soit respectée la juste hiérarchie des valeurs qui « subordonne les dimensions physiques et instinctives aux dimensions intérieures et spirituelles [1] » :

1779

> La vie en société doit être considérée avant tout comme une réalité d'ordre spirituel. Elle est, en effet, échange de connaissances dans la lumière de la vérité, exercice de droits et accomplissement des devoirs, émulation dans la recherche du bien moral, communion dans la noble jouissance du beau en toutes ses expressions légitimes, disposition permanente à communiquer à autrui le meilleur de soi-même et aspiration commune à un constant enrichissement spirituel. Telles sont les valeurs qui doivent animer et orienter l'activité culturelle, la vie économique, l'organisation sociale, les mouvements et les régimes politiques, la législation et toutes les autres expressions de la vie sociale dans sa continuelle évolution [2].

2500

1887   L'inversion des moyens et des fins [3], qui aboutit à donner valeur de fin ultime à ce qui n'est que moyen d'y concourir, ou à considérer des personnes comme de purs moyens en vue d'un but, engendre des structures injustes qui « rendent ardue et pratiquement impossible une conduite chrétienne, conforme aux commandements du Divin Législateur [4] ».

909

1869

1888   Il faut alors faire appel aux capacités spirituelles et morales de la personne et à l'exigence permanente de sa *conversion intérieure*, afin d'obtenir des changements

787, 1430

1. CA 36. — 2. PT 36 — 3. Cf. CA 41. — 4. Pie XII, discours 1er juin 1941.

sociaux qui soient réellement à son service. La priorité reconnue à la conversion du cœur n'élimine nullement, elle impose, au contraire, l'obligation d'apporter aux institutions et aux conditions de vie, quand elles provoquent le péché, les assainissements convenables pour qu'elles se conforment aux normes de la justice, et favorisent le bien au lieu d'y faire obstacle [1].

Sans le secours de la grâce, les hommes ne sauraient « découvrir le sentier, souvent étroit, entre la lâcheté qui cède au mal et la violence qui, croyant le combattre, l'aggrave [2] ». C'est le chemin de la charité, c'est-à-dire de l'amour de Dieu et du prochain. La charité représente le plus grand commandement social. Elle respecte autrui et ses droits. Elle exige la pratique de la justice et seule nous en rend capables. Elle inspire une vie de don de soi : « Qui cherchera à conserver sa vie la perdra, et qui la perdra la sauvera » (Lc 17, 33).   1889   *1825*

EN BREF

Il existe une certaine ressemblance entre l'unité des personnes divines et la fraternité que les hommes doivent instaurer entre eux.   1890

Pour se développer en conformité avec sa nature, la personne humaine a besoin de la vie sociale. Certaines sociétés, comme la famille et la cité, correspondent plus immédiatement à la nature de l'homme.   1891

« La personne humaine est, et doit être le principe, le sujet et la fin de toutes les institutions sociales [3]. »   1892

Il faut encourager une large participation à des associations et des institutions d'élection.   1893

Selon le principe de subsidiarité, ni l'Etat ni aucune société plus vaste ne doivent se substituer à l'initiative et à la responsabilité des personnes et des corps intermédiaires.   1894

La société doit favoriser l'exercice des vertus, non y faire obstacle. Une juste hiérarchie des valeurs doit l'inspirer.   1895

Là où le péché pervertit le climat social, il faut faire appel à la conversion des cœurs et à la grâce de Dieu. La charité pousse à de justes réformes. Il n'y a pas de solution à la question sociale en dehors de l'Evangile [4].   1896

1. Cf. LG 36. — 2. CA 25. — 3. GS 25, § 1. — 4. Cf. CA 5.

Article 2
La participation à la vie sociale

I. L'autorité

1897   « A la vie en société manqueraient l'ordre et la fécondité
sans la présence d'hommes légitimement investis de l'auto-
2234   rité et qui assurent la sauvegarde des institutions et pour-
voient, dans une mesure suffisante, au bien commun[1]. »

On appelle « autorité » la qualité en vertu de laquelle des
personnes ou des institutions donnent des lois et des ordres à
des hommes, et attendent une obéissance de leur part.

1898   Toute communauté humaine a besoin d'une autorité qui
la régisse[2]. Celle-ci trouve son fondement dans la nature
humaine. Elle est nécessaire à l'unité de la Cité. Son rôle
consiste à assurer autant que possible le bien commun de la
société.

1899   L'autorité exigée par l'ordre moral émane de Dieu :
2235   « Que tout homme soit soumis aux autorités qui exercent le
pouvoir, car il n'y a d'autorité que par Dieu et celles qui
existent sont établies par Lui. Ainsi, celui qui s'oppose à
l'autorité se rebelle contre l'ordre voulu par Dieu, et les
rebelles attireront la condamnation sur eux-mêmes » (Rm
13, 1-2)[3].

1900   Le devoir d'obéissance impose à tous de rendre à l'auto-
2238   rité les honneurs qui lui sont dus, et d'entourer de respect et,
selon leur mérite, de gratitude et de bienveillance les personnes qui en exercent la charge.

On trouve sous la plume du Pape S. Clément de Rome la
2240   plus ancienne prière de l'Eglise pour l'autorité politique[4] :

« Accorde-leur, Seigneur, la santé, la paix, la concorde, la
stabilité, pour qu'ils exercent sans heurt la souveraineté que
Tu leur as remise. C'est Toi, Maître, céleste roi des siècles,
qui donnes aux fils des hommes gloire, honneur et pouvoir
sur les choses de la terre. Dirige, Seigneur, leur conseil, suivant ce qui est bien, suivant ce qui est agréable à tes yeux,

---

1. PT 46. — 2. Cf. Léon XIII, enc. « Diuturnum illud » ; enc. « Immortale
Dei ». — 3. Cf. 1 P 2, 13-17. — 4. Cf. déjà 1 Tm 2, 1-2.

afin qu'en exerçant avec piété, dans la paix et la mansué-
tude, le pouvoir que tu leur as donné, ils te trouvent propice [1]. »

Si l'autorité renvoie à un ordre fixé par Dieu, « la déter- 1901
mination des régimes politiques, comme la détermination de
leurs dirigeants, doivent être laissées à la libre volonté des
citoyens [2] ».

La diversité des régimes politiques est moralement admis-
sible, pourvu qu'ils concourent au bien légitime de la communauté qui les adopte. Les régimes dont la nature est contraire à   2242
la loi naturelle, à l'ordre public et aux droits fondamentaux des
personnes, ne peuvent réaliser le bien commun des nations auxquelles ils se sont imposés.

L'autorité ne tire pas d'elle-même sa légitimité morale. 1902
Elle ne doit pas se comporter de manière despotique, mais   1930
agir pour le bien commun comme une « force morale fondée
sur la liberté et le sens de la responsabilité [3] » :

> La législation humaine ne revêt le caractère de loi qu'autant   1951
> qu'elle se conforme à la juste raison ; d'où il apparaît
> qu'elle tient sa vigueur de la loi éternelle. Dans la mesure
> où elle s'écarterait de la raison, il faudrait la déclarer
> injuste, car elle ne vérifierait pas la notion de loi ; elle serait
> plutôt une forme de violence [4].

L'autorité ne s'exerce légitimement que si elle recherche 1903
le bien commun du groupe considéré et si, pour l'atteindre,
elle emploie des moyens moralement licites. S'il arrive aux
dirigeants d'édicter des lois injustes ou de prendre des
mesures contraires à l'ordre moral, ces dispositions ne sauraient obliger les consciences. « En pareil cas, l'autorité   2242
cesse d'être elle-même et dégénère en oppression [5]. »

« Il est préférable que tout pouvoir soit équilibré par 1904
d'autres pouvoirs et par d'autres compétences qui le maintiennent dans de justes limites. C'est là le principe de "l'Etat
de droit" dans lequel la souveraineté appartient à la loi et
non pas aux volontés arbitraires des hommes [6]. »

II. Le bien commun

Conformément à la nature sociale de l'homme, le bien de 1905
chacun est nécessairement en rapport avec le bien commun.   801
Celui-ci ne peut être défini qu'en référence à la personne
humaine :   1881

1. Clément de Rome, Cor. 61, 1-2. — 2. GS 74, § 3. — 3. GS 74, § 2. — 4. S.
Thomas d'A., s. th. 1-2, 93, 3, ad 2. — 5. PT 51. — 6. CA 44.

Ne vivez point isolés, retirés en vous-mêmes, comme si vous étiez déjà justifiés, mais rassemblez-vous pour rechercher ensemble ce qui est de l'intérêt commun [1].

1906   Par bien commun, il faut entendre « l'ensemble des conditions sociales qui permettent, tant aux groupes qu'à chacun de leurs membres d'atteindre leur perfection, d'une façon plus totale et plus aisée [2] ». Le bien commun intéresse la vie de tous. Il réclame la prudence de la part de chacun, et plus encore de la part de ceux qui exercent la charge de l'autorité. Il comporte *trois éléments essentiels* :

1907   Il suppose, en premier lieu, le *respect de la personne* en
1929 tant que telle. Au nom du bien commun, les pouvoirs publics sont tenus de respecter les droits fondamentaux et inaliénables de la personne humaine. La société se doit de permettre à chacun de ses membres de réaliser sa vocation. En particulier, le bien commun réside dans les conditions d'exercice des libertés naturelles qui sont indispensables à l'épanouissement de la vocation humaine : « Ainsi : droit d'agir selon la droite règle de sa conscience, droit à la sauvegarde de la vie privée et à la juste liberté, y compris en
2106 matière religieuse [3]. »

1908   En second lieu, le bien commun demande le *bien-être*
2441 *social* et le *développement* du groupe lui-même. Le développement est le résumé de tous les devoirs sociaux. Certes, il revient à l'autorité d'arbitrer, au nom du bien commun, entre les divers intérêts particuliers. Mais elle doit rendre accessible à chacun ce dont il a besoin pour mener une vie vraiment humaine : nourriture, vêtement, santé, travail, éducation et culture, information convenable, droit de fonder une famille [4], etc.

1909   Le bien commun implique enfin la *paix*, c'est-à-dire la
2304, 2310 durée et la sécurité d'un ordre juste. Il suppose donc que l'autorité assure, par des moyens honnêtes, la *sécurité* de la société et celle de ses membres. Il fonde le droit à la légitime défense personnelle et collective.

1910   Si chaque communauté humaine possède un bien commun qui lui permet de se reconnaître en tant que telle, c'est
2244 dans la *communauté politique* qu'on trouve sa réalisation la plus complète. Il revient à l'Etat de défendre et de promou-

1. Barnabé, ep. 4, 10. — 2. GS 26, § 1 ; cf. GS 74, § 1. — 3. GS 26, § 2. — 4. Cf. GS 26, § 2.

voir le bien commun de la société civile, des citoyens et des corps intermédiaires.

Les dépendances humaines s'intensifient. Elles s'étendent peu à peu à la terre entière. L'unité de la famille humaine, rassemblant des êtres jouissant d'une dignité naturelle égale, implique un *bien commun universel*. Celui-ci appelle une organisation de la communauté des nations capable de « pourvoir aux divers besoins des hommes, aussi bien dans le domaine de la vie sociale (alimentation, santé, éducation...), que pour faire face à maintes circonstances particulières qui peuvent surgir ici ou là (par exemple : subvenir aux misères des réfugiés, l'assistance aux migrants et à leurs familles...) [1] ». **1911** *2438*

Le bien commun est toujours orienté vers le progrès des personnes : « L'ordre des choses doit être subordonné à l'ordre des personnes, et non l'inverse [2]. » Cet ordre a pour base la vérité, il s'édifie dans la justice, il est vivifié par l'amour. **1912** *1881*

III. Responsabilité et participation

La participation est l'engagement volontaire et généreux de la personne dans les échanges sociaux. Il est nécessaire que tous participent, chacun selon la place qu'il occupe et le rôle qu'il joue, à promouvoir le bien commun. Ce devoir est inhérent à la dignité de la personne humaine. **1913**

La participation se réalise d'abord dans la prise en charge des domaines dont on assume la *responsabilité personnelle* : par le soin apporté à l'éducation de sa famille, par la conscience dans son travail, l'homme participe au bien d'autrui et de la société [3]. **1914** *1734*

Les citoyens doivent autant que possible prendre une part active à la *vie publique*. Les modalités de cette participation peuvent varier d'un pays ou d'une culture à l'autre. « Il faut louer la façon d'agir des nations où, dans une liberté authentique, le plus grand nombre possible de citoyens participe aux affaires publiques [4]. » **1915** *2239*

La participation de tous à la mise en œuvre du bien commun implique, comme tout devoir éthique, une *conversion* sans cesse renouvelée des partenaires sociaux. La fraude et **1916** *1888*

1. GS 84, § 2. — 2. GS 26, § 3. — 3. Cf. CA 43. — 4. GS 31, § 3.

autres subterfuges par lesquels certains échappent aux contraintes de la loi et aux prescriptions du devoir social
2409 doivent être fermement condamnés, parce qu'incompatibles avec les exigences de la justice. Il faut s'occuper de l'essor des institutions qui améliorent les conditions de la vie humaine[1].

1917   Il revient à ceux qui exercent la charge de l'autorité d'affirmer les valeurs qui attirent la confiance des membres du groupe et les incitent à se mettre au service de leurs semblables. La participation commence par l'éducation et la culture. « On peut légitimement penser que l'avenir est entre les mains de ceux qui auront su donner aux générations de
1818 demain des raisons de vivre et d'espérer[2]. »

EN BREF

1918   *« Il n'y a d'autorité que par Dieu et celles qui existent sont établies par Lui » (Rm 13, 1).*

1919   *Toute communauté humaine a besoin d'une autorité pour se maintenir et se développer.*

1920   *« La communauté politique et l'autorité publique trouvent leur fondement dans la nature humaine et relèvent par là d'un ordre fixé par Dieu[3]. »*

1921   *L'autorité s'exerce d'une manière légitime si elle s'attache à la poursuite du bien commun de la société. Pour l'atteindre, elle doit employer des moyens moralement recevables.*

1922   *La diversité des régimes politiques est légitime, pourvu qu'ils concourent au bien de la communauté.*

1923   *L'autorité politique doit se déployer dans les limites de l'ordre moral et garantir les conditions d'exercice de la liberté.*

1924   *Le bien commun comprend « l'ensemble des conditions sociales qui permettent aux groupes et aux personnes d'atteindre leur perfection, de manière plus totale et plus aisée[4]. »*

1925   *Le bien commun comporte trois éléments essentiels : le respect et la promotion des droits fondamentaux de la personne ; la prospérité ou le développement des biens spirituels et temporels de la société ; la paix et la sécurité du groupe et de ses membres.*

1. Cf. GS 30, § 1. — 2. GS 31, § 3. — 3. GS 74, § 3. — 4. GS 26, § 1.

La dignité de la personne humaine implique la recherche du 1926
bien commun. Chacun doit se préoccuper de susciter et de
soutenir des institutions qui améliorent les conditions de la
vie humaine.

Il revient à l'Etat de défendre et de promouvoir le bien com- 1927
mun de la société civile. Le bien commun de la famille
humaine tout entière appelle une organisation de la société
internationale.

ARTICLE 3
La justice sociale

La société assure la justice sociale lorsqu'elle réalise les 1928
conditions permettant aux associations et à chacun d'obtenir
ce qui leur est dû selon leur nature et leur vocation. La jus- *2832*
tice sociale est en lien avec le bien commun et avec l'exercice de l'autorité.

I. Le respect de la personne humaine

La justice sociale ne peut être obtenue que dans le respect 1929
de la dignité transcendante de l'homme. La personne représente le but ultime de la société, qui lui est ordonnée : *1881*

La défense et la promotion de la dignité humaine nous ont
été confiées par le Créateur. Dans toutes les circonstances
de l'histoire les hommes et les femmes en sont rigoureuse-
ment responsables et débiteurs[1].

Le respect de la personne humaine implique celui des 1930
droits qui découlent de sa dignité de créature. Ces droits *1700*
sont antérieurs à la société et s'imposent à elle. Ils fondent
la légitimité morale de toute autorité : en les bafouant, ou en *1902*
refusant de les reconnaître dans sa législation positive, une
société mine sa propre légitimité morale[2]. Sans un tel respect, une autorité ne peut que s'appuyer sur la force ou la
violence pour obtenir l'obéissance de ses sujets. Il revient à
l'Eglise de rappeler ces droits à la mémoire des hommes de

1. SRS 47. — 2. Cf. PT 61.

bonne volonté, et de les distinguer des revendications abusives ou fausses.

1931 Le respect de la personne humaine passe par le respect du
2212 principe : « Que chacun considère son prochain, sans aucune exception, comme "un autre lui-même". Qu'il tienne compte avant tout de son existence et des moyens qui lui sont nécessaires pour vivre dignement[1]. » Aucune législation ne saurait par elle-même faire disparaître les craintes, les préjugés, les attitudes d'orgueil et d'égoïsme qui font obstacle à l'établissement de sociétés vraiment fraternelles.
1825 Ces comportements ne cessent qu'avec la charité qui trouve en chaque homme un « prochain », un frère.

1932 Le devoir de se faire le prochain d'autrui et de le servir activement se fait plus pressant encore lorsque celui-ci est plus démuni, en quelque domaine que ce soit. « Chaque fois
2449 que vous l'avez fait à l'un de ces plus petits de mes frères, c'est à Moi que vous l'avez fait » (Mt 25, 40).

1933 Ce même devoir s'étend à ceux qui pensent ou agissent différemment de nous. L'enseignement du Christ va jusqu'à requérir le pardon des offenses. Il étend le commandement de l'amour, qui est celui de la Loi nouvelle, à tous les ennemis[2]. La libération dans l'esprit de l'Evangile est incompatible avec la haine de l'ennemi en tant que personne mais non avec la haine du mal qu'il fait en tant qu'ennemi.

II. Égalité et différences entre les hommes

1934 Créés à l'image du Dieu unique, dotés d'une même âme raisonnable, tous les hommes ont même nature et même origine. Rachetés par le sacrifice du Christ, tous sont appelés à participer à la même béatitude divine : tous jouissent donc
225 d'une égale dignité.

1935 L'égalité entre les hommes porte essentiellement sur leur
357 dignité personnelle et les droits qui en découlent :

> Toute forme de discrimination touchant les droits fondamentaux de la personne, qu'elle soit fondée sur le sexe, la race, la couleur de la peau, la condition sociale, la langue ou la religion, doit être dépassée, comme contraire au dessein de Dieu[3].

1. GS 27, §1. — 2. Cf. Mt 5, 43-44. — 3. GS 29, § 2.

En venant au monde, l'homme ne dispose pas de tout ce qui est nécessaire au développement de sa vie, corporelle et spirituelle. Il a besoin des autres. Des différences apparaissent liées à l'âge, aux capacités physiques, aux aptitudes intellectuelles ou morales, aux échanges dont chacun a pu bénéficier, à la distribution des richesses[1]. Les « talents » ne sont pas distribués également[2]. 1936 1879

Ces différences appartiennent au plan de Dieu, qui veut que chacun reçoive d'autrui ce dont il a besoin, et que ceux qui disposent de « talents » particuliers en communiquent les bienfaits à ceux qui en ont besoin. Les différences encouragent et souvent obligent les personnes à la magnanimité, à la bienveillance et au partage ; elles incitent les cultures à s'enrichir les unes les autres : 1937 340 791 1202

> Je ne donne pas toutes les vertus également à chacun. (...) Il en est plusieurs que je distribue de telle manière, tantôt à l'un, tantôt à l'autre. (...) A l'un, c'est la charité ; à l'autre, la justice ; à celui-ci l'humilité ; à celui-là, une foi vive. (...) Quant aux biens temporels, pour les choses nécessaires à la vie humaine, je les ai distribués avec la plus grande inégalité, et je n'ai pas voulu que chacun possédât tout ce qui lui était nécessaire pour que les hommes aient ainsi l'occasion, par nécessité, de pratiquer la charité les uns envers les autres. (...) J'ai voulu qu'ils eussent besoin les uns des autres et qu'ils fussent mes ministres pour la distribution des grâces et des libéralités qu'ils ont reçues de moi[3].

Il existe aussi des *inégalités iniques* qui frappent des millions d'hommes et de femmes. Elles sont en contradiction ouverte avec l'Evangile : 1938 2437

> L'égale dignité des personnes exige que l'on parvienne à des conditions de vie plus justes et plus humaines. Les inégalités économiques et sociales excessives entre les membres ou entre les peuples d'une seule famille humaine font scandale. Elles font obstacle à la justice sociale, à l'équité, à la dignité de la personne humaine, ainsi qu'à la paix sociale et internationale[4]. 2317

III. La solidarité humaine

Le principe de solidarité, énoncé encore sous le nom d'« amitié » ou de « charité sociale », est une exigence directe de la fraternité humaine et chrétienne[5] : 1939 2213

1. Cf. GS 29, § 2. — 2. Cf. Mt 25, 14-30 ; Lc 19, 11-27. — 3. Ste Catherine de Sienne, dial. 7. — 4. GS 29, § 3. — 5. Cf. SRS 38-40 ; CA 10.

360   Une erreur, « aujourd'hui largement répandue, est l'oubli de cette loi de solidarité humaine et de charité, dictée et imposée aussi bien par la communauté d'origine et par l'égalité de la nature raisonnable chez tous les hommes, à quelque peuple qu'ils appartiennent, que par le sacrifice de rédemption offert par Jésus-Christ sur l'autel de la Croix à son Père céleste, en faveur de l'humanité pécheresse[1] ».

1940 La solidarité se manifeste en premier lieu dans la réparti-
2402 tion des biens et la rémunération du travail. Elle suppose aussi l'effort en faveur d'un ordre social plus juste dans lequel les tensions pourront être mieux résorbées, et où les conflits trouveront plus facilement leur issue négociée.

1941 Les problèmes socio-économiques ne peuvent être résolus
2317 qu'avec l'aide de toutes les formes de solidarité : solidarité des pauvres entre eux, des riches et des pauvres, des travailleurs entre eux, des employeurs et des employés dans l'entreprise, solidarité entre les nations et entre les peuples. La solidarité internationale est une exigence d'ordre moral. La paix du monde en dépend pour une part.

1942 La vertu de solidarité va au-delà des biens matériels. En
1887 répandant les biens spirituels de la foi, l'Eglise a, de surcroît, favorisé le développement des biens temporels auquel elle a souvent ouvert des voies nouvelles. Ainsi s'est véri-
2632 fiée, tout au long des siècles, la parole du Seigneur : « Cherchez d'abord le Royaume et sa justice, et tout cela vous sera donné par surcroît » (Mt 6, 33) :

Depuis deux mille ans, vit et persévère dans l'âme de l'Eglise ce sentiment qui a poussé et pousse encore les âmes jusqu'à l'héroïsme charitable des moines agriculteurs, des libérateurs d'esclaves, des guérisseurs de malades, des messagers de foi, de civilisation, de science à toutes les générations et à tous les peuples en vue de créer des conditions sociales capables de rendre à tous possible une vie digne de l'homme et du chrétien[2].

EN BREF

1943 *La société assure la justice sociale en réalisant les conditions permettant aux associations et à chacun d'obtenir ce qui leur est dû.*

1944 *Le respect de la personne humaine considère autrui comme un « autre soi-même ». Il suppose le respect des droits fondamentaux qui découlent de la dignité intrinsèque de la personne.*

---

1. Pie XII, enc. « Summi pontificatus ». — 2. Pie XII, discours 1ᵉʳ juin 1941.

L'égalité entre les hommes porte sur leur dignité per- 1945
sonnelle et sur les droits qui en découlent.

Les différences entre les personnes appartiennent au des- 1946
sein de Dieu qui veut que nous ayons besoin les uns des
autres. Elles doivent encourager la charité.

L'égale dignité des personnes humaines demande l'effort 1947
pour réduire les inégalités sociales et économiques exces-
sives. Elle pousse à la disparition des inégalités iniques.

La solidarité est une vertu éminemment chrétienne. Elle 1948
pratique le partage des biens spirituels plus encore que
matériels.

CHAPITRE TROISIÈME
Le salut de Dieu : la loi et la grâce

Appelé à la béatitude, mais blessé par le péché, l'homme 1949
a besoin du salut de Dieu. Le secours divin lui parvient dans
le Christ par la loi qui le dirige et dans la grâce qui le soutient :

Travaillez avec crainte et tremblement à accomplir votre
salut : aussi bien, Dieu est là qui opère en vous à la fois le
vouloir et l'opération même, au profit de ses bienveillants
desseins (Ph 2, 12-13).

ARTICLE 1
La loi morale

La loi morale est l'œuvre de la Sagesse divine. On peut la 1950
définir, au sens biblique, comme une instruction paternelle,
une pédagogie de Dieu. Elle prescrit à l'homme les voies, *53*
les règles de conduite qui mènent vers la béatitude promise ; *1719*
elle proscrit les chemins du mal qui détournent de Dieu et de
son amour. Elle est à la fois ferme dans ses préceptes et
aimable dans ses promesses.

La loi est une règle de conduite édictée par l'autorité 1951
compétente en vue du bien commun. La loi morale suppose
l'ordre rationnel établi entre les créatures, pour leur bien et

en vue de leur fin, par la puissance, la sagesse et la bonté du
295 Créateur. Toute loi trouve dans la loi éternelle sa vérité première et ultime. La loi est déclarée et établie par la raison
306 comme une participation à la providence du Dieu vivant
Créateur et Rédempteur de tous. « Cette ordination de la raison, voilà ce qu'on appelle la loi[1] » :

> Seul parmi tous les êtres animés, l'homme peut se glorifier
> d'avoir été digne de recevoir de Dieu une loi : animal doué
> de raison, capable de comprendre et de discerner, il réglera
> sa conduite en disposant de sa liberté et de sa raison, dans la
> 301   soumission à Celui qui lui a tout remis[2].

1952   Les expressions de la loi morale sont diverses, et elles
sont toutes coordonnées entre elles : la loi éternelle, source
en Dieu de toutes les lois ; la loi naturelle ; la loi révélée
comprenant la Loi ancienne et la Loi nouvelle ou évangélique ; enfin les lois civiles et ecclésiastiques.

1953   La loi morale trouve dans le Christ sa plénitude et son
578 unité. Jésus-Christ est en personne le chemin de la perfection. Il est la fin de la loi, car Lui seul enseigne et donne la
justice de Dieu : « Car la fin de la loi, c'est le Christ pour la
justification de tout croyant » (Rm 10, 4).

I. La loi morale naturelle

1954   L'homme participe à la sagesse et à la bonté du Créateur
307 qui lui confère la maîtrise de ses actes et la capacité de se
gouverner en vue de la vérité et du bien. La loi naturelle
1776 exprime le sens moral originel qui permet à l'homme de discerner par la raison ce que sont le bien et le mal, la vérité et
le mensonge :

> La loi naturelle est écrite et gravée dans l'âme de tous et de
> chacun des hommes parce qu'elle est la raison humaine
> ordonnant de bien faire et interdisant de pécher. (...) Mais
> cette prescription de la raison humaine ne saurait avoir
> force de loi, si elle n'était la voix et l'interprète d'une raison
> plus haute à laquelle notre esprit et notre liberté doivent être
> soumis[3].

1955   La loi « divine et naturelle[4] » montre à l'homme la voie à
1787 suivre pour pratiquer le bien et atteindre sa fin. La loi naturelle énonce les préceptes premiers et essentiels qui

---

1. Léon XIII, enc. « Libertas præstantissimum » ; citant Thomas d'A., s. th. 1-2,
90, 1. — 2. Tertullien, Marc. 2, 4, 5. — 3. Léon XIII, enc. « Libertas præstantissimum ». — 4. GS 89, § 1.

régissent la vie morale. Elle a pour pivot l'aspiration et la soumission à Dieu, source et juge de tout bien, ainsi que le *396* sens d'autrui comme égal à soi-même. Elle est exposée en ses principaux préceptes dans le Décalogue. Cette loi est *2070* dite naturelle non pas en référence à la nature des êtres irrationnels, mais parce que la raison qui l'édicte appartient en propre à la nature humaine :

> Où donc ces règles sont-elles inscrites, sinon dans le livre de cette lumière qu'on appelle la Vérité ? C'est là qu'est écrite toute loi juste, c'est de là qu'elle passe dans le cœur de l'homme qui accomplit la justice, non qu'elle émigre en lui, mais elle y pose son empreinte, à la manière d'un sceau qui d'une bague passe à la cire, mais sans quitter la bague [1].

> La loi naturelle n'est rien d'autre que la lumière de l'intelligence mise en nous par Dieu ; par elle, nous connaissons ce qu'il faut faire et ce qu'il faut éviter. Cette lumière ou cette loi, Dieu l'a donnée à la création [2].

Présente dans le cœur de chaque homme et établie par la *1956* raison, la loi naturelle est *universelle* en ses préceptes et son *2261* autorité s'étend à tous les hommes. Elle exprime la dignité de la personne et détermine la base de ses droits et de ses devoirs fondamentaux :

> Il existe certes une vraie loi, c'est la droite raison ; elle est conforme à la nature, répandue chez tous les hommes ; elle est immuable et éternelle ; ses ordres appellent au devoir ; ses interdictions détournent de la faute. (...) C'est un sacrilège que de la remplacer par une loi contraire ; il est interdit de n'en pas appliquer une seule disposition ; quant à l'abroger entièrement, personne n'en a la possibilité [3].

L'application de la loi naturelle varie beaucoup ; elle peut *1957* requérir une réflexion adaptée à la multiplicité des conditions de vie, selon les lieux, les époques, et les circonstances. Néanmoins, dans la diversité des cultures, la loi naturelle demeure comme une règle reliant entre eux les hommes et leur imposant, au-delà des différences inévitables, des principes communs.

La loi naturelle est *immuable* [4] et permanente à travers les *1958* variations de l'histoire ; elle subsiste sous le flux des idées et *2072* des mœurs et en soutient le progrès. Les règles qui l'expri-

---

1. S. Augustin, Trin. 14, 15, 21. — 2. S. Thomas d'A., dec. præc. 1. — 3. Cicéron, rép. 3, 22, 33. — 4. Cf. GS 10.

ment demeurent substantiellement valables. Même si l'on renie jusqu'à ses principes, on ne peut pas la détruire ni l'enlever du cœur de l'homme. Toujours elle resurgit dans la vie des individus et des sociétés :

> Le vol est assurément puni par ta loi, Seigneur, et par la loi qui est écrite dans le cœur de l'homme et que l'iniquité elle-même n'efface pas [1].

1959   Œuvre très bonne du Créateur, la loi naturelle fournit les fondements solides sur lesquels l'homme peut construire l'édifice des règles morales qui guideront ses choix. Elle pose aussi la base morale indispensable pour l'édification de
1879   la communauté des hommes. Elle procure enfin la base nécessaire à la loi civile qui se rattache à elle, soit par une réflexion qui tire les conclusions de ses principes, soit par des additions de nature positive et juridique.

1960   Les préceptes de la loi naturelle ne sont pas perçus par
2071   tous d'une manière claire et immédiate. Dans la situation actuelle, la grâce et la révélation sont nécessaires à l'homme pécheur pour que les vérités religieuses et morales puissent
37   être connues « de tous et sans difficulté, avec une ferme certitude et sans mélange d'erreur [2] ». La loi naturelle procure à la loi révélée et à la grâce une assise préparée par Dieu et accordée à l'œuvre de l'Esprit.

II. La Loi ancienne

1961   Dieu, notre Créateur et notre Rédempteur, s'est choisi Israël comme son peuple et lui a révélé sa Loi, préparant
62   ainsi la venue du Christ. La Loi de Moïse exprime plusieurs vérités naturellement accessibles à la raison. Celles-ci se trouvent déclarées et authentifiées à l'intérieur de l'alliance du Salut.

1962   La Loi ancienne est le premier état de la loi révélée. Ses prescriptions morales sont résumées dans les dix commandements. Les préceptes du Décalogue posent les fondements de la vocation de l'homme, façonné à l'image de Dieu ; ils interdisent ce qui est contraire à l'amour de Dieu et du prochain, et prescrivent ce qui lui est essentiel. Le Décalogue

---

1. S. Augustin, conf. 2, 4, 9. — 2. Cc. Vatican I : DS 3005 ; Pie XII, enc. « Humani generis » : DS 3876.

est une lumière offerte à la conscience de tout homme pour lui manifester l'appel et les voies de Dieu, et le protéger contre le mal :

> Dieu a écrit sur les tables de la Loi ce que les hommes ne lisaient pas dans leurs cœurs [1].

Selon la tradition chrétienne, la Loi sainte [2], spirituelle [3] et bonne [4] est encore imparfaite. Comme un pédagogue [5] elle montre ce qu'il faut faire, mais ne donne pas de soi la force, la grâce de l'Esprit pour l'accomplir. À cause du péché qu'elle ne peut enlever, elle reste une loi de servitude. Selon S. Paul, elle a notamment pour fonction de dénoncer et de *manifester le péché* qui forme une « loi de concupiscence [6] » dans le cœur de l'homme. Cependant la Loi demeure la première étape sur le chemin du Royaume. Elle prépare et dispose le peuple élu et chaque chrétien à la conversion et à la foi dans le Dieu Sauveur. Elle procure un enseignement qui subsiste pour toujours, comme la Parole de Dieu.

1963
1610

2542

2515

La Loi ancienne est une *préparation à l'Evangile*. « La Loi est prophétie et pédagogie des réalités à venir [7]. » Elle prophétise et présage l'œuvre de la libération du péché qui s'accomplira avec le Christ, elle fournit au Nouveau Testament les images, les « types », les symboles, pour exprimer la vie selon l'Esprit. La Loi se complète enfin par l'enseignement des livres sapientiaux et des prophètes qui l'orientent vers la Nouvelle Alliance et le Royaume des cieux.

1964
122

> Il y eut (...), sous le régime de l'Ancienne Alliance, des gens qui possédaient la charité et la grâce de l'Esprit Saint et aspiraient avant tout aux promesses spirituelles et éternelles, en quoi ils se rattachaient à la Loi nouvelle. Inversement, il existe sous la Nouvelle Alliance des hommes charnels, encore éloignés de la perfection de la Loi nouvelle : pour les inciter aux œuvres vertueuses, la crainte du châtiment et certaines promesses temporelles ont été nécessaires, jusque sous la Nouvelle Alliance. En tout cas, même si la Loi ancienne prescrivait la charité, elle ne donnait pas l'Esprit Saint par qui « la charité est répandue dans nos cœurs » (Rm 5, 5) [8].

1828

1. S. Augustin, Psal. 57, 1. — 2. Cf. Rm 7, 12. — 3. Cf. Rm 7, 14. — 4. Cf. Rm 7, 16. — 5. Cf. Ga 3, 24. — 6. Cf. Rm 7. — 7. S. Irénée, hær. 4, 15, 1. — 8. S. Thomas d'A., s. th. 1-2, 107, 1, ad 2.

III. La Loi nouvelle ou Loi évangélique

1965   La Loi nouvelle ou Loi évangélique est la perfection ici-bas de la loi divine, naturelle et révélée. Elle est l'œuvre du *459* Christ et s'exprime particulièrement dans le sermon sur la *581* Montagne. Elle est aussi l'œuvre de l'Esprit Saint et, par lui, elle devient la loi intérieure de la charité : « Je conclurai avec la maison d'Israël une alliance nouvelle (...). Je mettrai *715* mes lois dans leur pensée, je les graverai dans leur cœur, et je serai leur Dieu et ils seront mon peuple » (He 8, 8. 10)[1].

1966   La Loi nouvelle est la *grâce du Saint-Esprit* donnée aux *1999* fidèles par la foi au Christ. Elle opère par la charité, elle use du sermon du Seigneur pour nous enseigner ce qu'il faut faire, et des sacrements pour nous communiquer la grâce de le faire :

> Celui qui voudra méditer avec piété et perspicacité le ser-mon que notre Seigneur a prononcé sur la montagne, tel que nous le lisons dans l'Evangile de S. Matthieu, y trouvera, sans aucun doute, la charte parfaite de la vie chrétienne. (...) Ce sermon contient tous les préceptes propres à guider la vie chrétienne[2].

1967   La Loi évangélique « accomplit[3] », affine, dépasse et *577* mène à sa perfection la Loi ancienne. Dans les béatitudes, elle *accomplit les promesses* divines en les élevant et les ordonnant au « Royaume des cieux ». Elle s'adresse à ceux qui sont disposés à accueillir avec foi cette espérance nou-velle : les pauvres, les humbles, les affligés, les cœurs purs, les persécutés à cause du Christ, traçant ainsi les voies sur-prenantes du Royaume.

1968   La Loi évangélique *accomplit les commandements* de la Loi. Le sermon du Seigneur, loin d'abolir ou de dévaluer les prescriptions morales de la Loi ancienne, en dégage les vir-*129* tualités cachées et en fait surgir de nouvelles exigences : il en révèle toute la vérité divine et humaine. Il n'ajoute pas de préceptes extérieurs nouveaux, mais il va jusqu'à réformer *582* la racine des actes, le cœur, là où l'homme choisit entre le pur et l'impur[4], où se forment la foi, l'espérance et la charité et, avec elles, les autres vertus. L'Evangile conduit ainsi la Loi à sa plénitude par l'imitation de la perfection du Père céleste[5], par le pardon des ennemis et la prière pour les per-sécuteurs, à l'instar de la générosité divine[6].

---

1. Cf. Jr 31, 31-34. — 2. S. Augustin, serm. Dom. 1, 1, 1. — 3. Cf. Mt 5, 17-19. — 4. Cf. Mt 15, 18-19. — 5. Cf. Mt 5, 48. — 6. Cf. Mt 5, 44.

La Loi nouvelle *pratique les actes de la religion :* 1969
l'aumône, la prière et le jeûne, en les ordonnant au « Père 1434
qui voit dans le secret », à l'encontre du désir « d'être vu
des hommes[1] ». Sa prière est le Notre Père[2].

La Loi évangélique comporte le choix décisif entre « les 1970
deux voies[3] » et la mise en pratique des paroles du Sei- 1696, 1789
gneur[4] ; elle se résume dans la *règle d'or* : « Ainsi, tout ce
que vous désirez que les autres fassent pour vous, faites-le
vous-mêmes pour eux : voilà la Loi et les Prophètes » (Mt 7,
12)[5].

Toute la Loi évangélique tient dans le *« commandement nou-* 1823
veau » de Jésus[6], de nous aimer les uns les autres comme Il
nous a aimés[7].

Au sermon du Seigneur il convient de joindre la *caté-* 1971
chèse morale des enseignements apostoliques, comme Rm
12-15 ; 1 Co 12-13 ; Col 3-4 ; Ep 4-6 ; etc. Cette doctrine
transmet l'enseignement du Seigneur avec l'autorité des
apôtres, notamment par l'exposé des vertus qui découlent de
la foi au Christ et qu'anime la charité, le principal don de
l'Esprit Saint. « Que votre charité soit sans feinte. (...) Que
l'amour fraternel vous lie d'affection (...) avec la joie de
l'espérance, constants dans la tribulation, assidus à la prière,
prenant part aux besoins des saints, avides de donner l'hospitalité » (Rm 12, 9-13). Cette catéchèse nous apprend aussi
à traiter les cas de conscience à la lumière de notre relation 1789
au Christ et à l'Eglise[8].

La Loi nouvelle est appelée une *loi d'amour* parce qu'elle 1972
fait agir par l'amour qu'infuse l'Esprit Saint plutôt que par 782
la crainte ; une *loi de grâce,* parce qu'elle confère la force de
la grâce pour agir par le moyen de la foi et des sacrements ;
une *loi de liberté*[9] parce qu'elle nous libère des observances
rituelles et juridiques de la Loi ancienne, nous incline à agir
spontanément sous l'impulsion de la charité, et nous fait
enfin passer de la condition du serviteur « qui ignore ce que 1828
fait son Maître » à celle d'ami du Christ, « car tout ce que
j'ai appris de mon Père, je vous l'ai fait connaître » (Jn 15,
15), ou encore à la condition de fils héritier[10].

Outre ses préceptes, la Loi nouvelle comporte aussi les 1973
conseils évangéliques. La distinction traditionnelle entre les 2053
commandements de Dieu et les conseils évangéliques s'éta-

1. Cf. Mt 6, 1-6 ; 16-18. — 2. Mt 6, 9-13. — 3. Cf. Mt 7, 13-14. — 4. Cf. Mt 7,
21-27. — 5. Cf. Lc 6, 31. — 6. Cf. Jn 13. 34. — 7. Cf. Jn 15, 12. — 8. Cf. Rm
14 ; 1 Co 5-10. — 9. Cf. Jc 1, 25 ; 2, 12. — 10. Cf. Ga 4, 1-7. 21-31 ; Rm 8, 15-17.

915 blit par rapport à la charité, perfection de la vie chrétienne. Les préceptes sont destinés à écarter ce qui est incompatible avec la charité. Les conseils ont pour but d'écarter ce qui, même sans lui être contraire, peut constituer un empêchement au développement de la charité[1].

1974 Les conseils évangéliques manifestent la plénitude vivante de la charité jamais satisfaite de ne pas donner davantage. Ils attestent son élan et sollicitent notre promptitude spirituelle. La perfection de la Loi nouvelle consiste 2013 essentiellement dans les préceptes de l'amour de Dieu et du prochain. Les conseils indiquent des voies plus directes, des moyens plus aisés, et sont à pratiquer suivant la vocation de chacun :

> [Dieu] ne veut pas qu'un chacun observe tous les conseils, mais seulement ceux qui sont convenables selon la diversité des personnes, des temps, des occasions et des forces, ainsi que la charité le requiert ; car c'est elle qui, comme reine de toutes les vertus, de tous les commandements, de tous les conseils, et en somme de toutes les lois et de toutes les actions chrétiennes, leur donne à tous et à toutes le rang, l'ordre, le temps et la valeur[2].

EN BREF

1975 *Selon l'Ecriture, la Loi est une instruction paternelle de Dieu prescrivant à l'homme les voies qui mènent à la béatitude promise et proscrivant les chemins du mal.*

1976 *« La loi est ordination de la raison au bien commun, promulguée par celui qui a la charge de la communauté[3]. »*

1977 *Le Christ est la fin de la loi[4], Lui seul enseigne et accorde la justice de Dieu.*

1978 *La loi naturelle est une participation à la sagesse et à la bonté de Dieu par l'homme, formé à l'image de son Créateur. Elle exprime la dignité de la personne humaine et forme la base de ses droits et de ses devoirs fondamentaux.*

1979 *La loi naturelle est immuable, permanente à travers l'histoire. Les règles qui l'expriment demeurent substantiellement valables. Elle est une base nécessaire à l'édification des règles morales et à la loi civile.*

1980 *La Loi ancienne est le premier état de la loi révélée. Ses prescriptions morales sont résumées dans les dix commandements.*

1. Cf. S. Thomas d'A., s. th. 2-2, 184, 3. — 2. S. François de Sales, amour 8, 6. — 3. S. Thomas d'A., s. th. 1-2, 90, 4. — 4. Cf. Rm 10, 4.

La Loi de Moïse contient plusieurs vérités naturellement 1981
accessibles à la raison. Dieu les a révélées parce que les
hommes ne les lisaient pas dans leur cœur.

La Loi ancienne est une préparation à l'Evangile. 1982

La Loi nouvelle est la grâce du Saint-Esprit reçue par la foi 1983
au Christ, opérant par la charité. Elle s'exprime notamment
dans le sermon du Seigneur sur la Montagne et use des
sacrements pour nous communiquer la grâce.

La Loi évangélique accomplit, dépasse et mène à sa perfec- 1984
tion la Loi ancienne : ses promesses par les béatitudes du
Royaume des cieux, ses commandements en réformant la
racine des actes, le cœur.

La Loi nouvelle est une loi d'amour, une loi de grâce, une 1985
loi de liberté.

Outre ses préceptes, la Loi nouvelle comporte les conseils 1986
évangéliques. « La sainteté de l'Eglise est entretenue spé-
cialement par les conseils multiples que le Seigneur a pro-
posés à l'observation de ses disciples dans l'Evangile[1]. »

ARTICLE 2
Grâce et justification

I. La justification

La grâce du Saint-Esprit a le pouvoir de nous justifier, 1987
c'est-à-dire de nous laver de nos péchés et de nous com- 734
muniquer la « justice de Dieu par la foi en Jésus-Christ »
(Rm 3, 22) et par le Baptême[2] :

> Si nous sommes morts avec le Christ, nous croyons que
> nous vivrons aussi avec Lui, sachant que le Christ une fois
> ressuscité des morts ne meurt plus, que la mort n'exerce
> plus de pouvoir sur Lui. Sa mort fut une mort au péché, une
> fois pour toutes ; mais sa vie est une vie à Dieu. Et vous de
> même, regardez-vous comme morts au péché et vivants
> pour Dieu dans le Christ Jésus (Rm 6, 8-11).

Par la puissance de l'Esprit Saint, nous prenons part à la 1988
passion du Christ en mourant au péché, et à sa Résurrection 654
en naissant à une vie nouvelle ; nous sommes les membres

1. LG 42. — 2. Cf. Rm 6, 3-4.

de son Corps qui est l'Eglise[1], les sarments greffés sur la Vigne qu'Il est Lui-même[2] :

460   C'est par l'Esprit que nous avons part à Dieu. Par la participation de l'Esprit, nous devenons participants de la nature divine (...). C'est pourquoi ceux en qui habite l'Esprit sont divinisés[3].

1989   La première œuvre de la grâce de l'Esprit Saint est la
1427 *conversion* qui opère la justification selon l'annonce de Jésus au commencement de l'Evangile : « Convertissez-vous, car le Royaume des cieux est tout proche » (Mt 4, 17). Sous la motion de la grâce, l'homme se tourne vers Dieu et se détourne du péché, accueillant ainsi le pardon et la justice d'en haut. « La justification comporte donc la rémission des péchés, la sanctification et la rénovation de l'homme intérieur[4]. »

1990   La justification *détache l'homme du péché* qui contredit
1446 l'amour de Dieu, et en purifie son cœur. La justification fait suite à l'initiative de la miséricorde de Dieu qui offre le par-
1733 don. Elle réconcilie l'homme avec Dieu. Elle libère de la servitude du péché et guérit.

1991   La justification est en même temps l'*accueil de la justice de Dieu* par la foi en Jésus-Christ. La justice désigne ici la rectitude de l'amour divin. Avec la justification, la foi,
1812 l'espérance et la charité sont répandues en nos cœurs, et l'obéissance à la volonté divine nous est accordée.

1992   La justification nous a été *méritée par la passion du*
617   *Christ* qui s'est offert sur la Croix en hostie vivante, sainte et agréable à Dieu et dont le sang est devenu instrument de propitiation pour les péchés de tous les hommes. La justifi-
1266 cation est accordée par le Baptême, sacrement de la foi. Elle nous conforme à la justice de Dieu qui nous rend intérieurement justes par la puissance de sa miséricorde. Elle a pour
294   but la Gloire de Dieu et du Christ, et le don de la vie éternelle[5] :

Maintenant, sans la loi, la justice de Dieu s'est manifestée, attestée par la Loi et les Prophètes, justice de Dieu par la foi en Jésus-Christ, à l'adresse de tous ceux qui croient, – car il n'y a pas de différence : tous ont péché et sont privés de la

---

1. Cf. 1 Co 12. — 2. Cf. Jn 15, 1-4. — 3. S. Athanase, ep. Serap. 1, 24. — 4. Cc. Trente : DS 1528. — 5. Cf. Cc. Trente : DS 1529.

Gloire de Dieu – et ils sont justifiés par la faveur de sa grâce en vertu de la rédemption accomplie dans le Christ Jésus : Dieu l'a exposé, instrument de propitiation par son propre sang moyennant la foi ; Il voulait montrer sa justice, du fait qu'Il avait passé condamnation sur les péchés commis jadis au temps de la patience de Dieu ; Il voulait montrer sa justice au temps présent, afin d'être juste et de justifier celui qui se réclame de la foi en Jésus (Rm 3, 21-26).

La justification établit la *collaboration entre la grâce de Dieu et la liberté de l'homme*. Elle s'exprime du côté de l'homme dans l'assentiment de la foi à la Parole de Dieu qui l'invite à la conversion, et dans la coopération de la charité à l'impulsion de l'Esprit Saint qui le prévient et le garde : **1993** **2008**

Quand Dieu touche le cœur de l'homme par l'illumination de l'Esprit Saint, l'homme n'est pas sans rien faire en recevant cette inspiration, qu'il peut d'ailleurs rejeter ; et cependant il ne peut pas non plus, sans la grâce de Dieu, se porter par sa volonté libre vers la justice devant Lui[1]. *2068*

La justification est l'*œuvre la plus excellente de l'amour de Dieu* manifesté dans le Christ Jésus et accordé par l'Esprit Saint. S. Augustin estime que « la justification de l'impie est une œuvre plus grande que la création du ciel et de la terre », parce que « le ciel et la terre passeront tandis que le salut et la justification des élus demeureront[2] ». Il estime même que la justification des pécheurs l'emporte sur la création des anges dans la justice en ce qu'elle témoigne d'une plus grande miséricorde. **1994** *312* *412*

L'Esprit Saint est le maître intérieur. En faisant naître l'« homme intérieur » (Rm 7, 22 ; Ep 3, 16), la justification implique la *sanctification* de tout l'être : **1995** *741*

Si vous avez jadis offert vos membres comme esclaves à l'impureté et au désordre de manière à vous désordonner, offrez-les de même aujourd'hui à la justice pour vous sanctifier. (...) Aujourd'hui, libérés du péché et asservis à Dieu, vous fructifiez pour la sainteté, et l'aboutissement, c'est la vie éternelle (Rm 6, 19. 22).

II. La grâce

Notre justification vient de la grâce de Dieu. La grâce est la *faveur*, le *secours gratuit* que Dieu nous donne pour répondre à son appel : devenir enfants de Dieu[3], fils adoptifs[4], participants de la divine nature[5], de la vie éternelle[6]. **1996** *153*

---

1. Cc. Trente : DS 1525. — 2. Ev. Jo. 72, 3. — 3. Cf. Jn 1, 12-18. — 4. Cf. Rm 8, 14-17. — 5. Cf. 2 P 1, 3-4. — 6. Cf. Jn 17, 3.

1997 La grâce est une *participation à la vie de Dieu*, elle nous
375, 260 introduit dans l'intimité de la vie trinitaire : par le Baptême
le chrétien participe à la grâce du Christ, Tête de son Corps.
Comme un « fils adoptif », il peut désormais appeler Dieu
« Père », en union avec le Fils unique. Il reçoit la vie de
l'Esprit qui lui insuffle la charité et qui forme l'Eglise.

1998 Cette vocation à la vie éternelle est *surnaturelle*. Elle
1719 dépend entièrement de l'initiative gratuite de Dieu, car Lui
seul peut se révéler et se donner Lui-même. Elle surpasse les
capacités de l'intelligence et les forces de la volonté
humaine, comme de toute créature [1].

1999 La grâce du Christ est le don gratuit que Dieu nous fait de
1966 sa vie infusée par l'Esprit Saint dans notre âme pour la guérir du péché et la sanctifier : C'est la *grâce sanctifiante* ou
déifiante, reçue dans le Baptême. Elle est en nous la source
de l'œuvre de sanctification [2] :

> Si donc quelqu'un est dans le Christ, c'est une création nou-
> velle ; l'être ancien a disparu, un être nouveau est là. Et le
> tout vient de Dieu qui nous a réconciliés avec Lui par le
> Christ (2 Co 5, 17-18).

2000 La grâce sanctifiante est un don habituel, une disposition
stable et surnaturelle perfectionnant l'âme même pour la
rendre capable de vivre avec Dieu, d'agir par son amour. On
distinguera la *grâce habituelle,* disposition permanente à
vivre et à agir selon l'appel divin, et les *grâces actuelles* qui
désignent les interventions divines soit à l'origine de la
conversion soit au cours de l'œuvre de la sanctification.

2001 La *préparation de l'homme* à l'accueil de la grâce est déjà
490 une œuvre de la grâce. Celle-ci est nécessaire pour susciter
et soutenir notre collaboration à la justification par la foi et à
la sanctification par la charité. Dieu achève en nous ce qu'Il
a commencé, « car Il commence en faisant en sorte, par son
opération, que nous voulions : Il achève, en coopérant avec
nos vouloirs déjà convertis [3] » :

> Certes nous travaillons nous aussi, mais nous ne faisons que
> travailler avec Dieu qui travaille. Car sa miséricorde nous a
> devancés pour que nous soyons guéris, car elle nous suit
> encore pour qu'une fois guéris, nous soyons vivifiés ; elle
> nous devance pour que nous soyons appelés, elle nous suit
> pour que nous soyons glorifiés ; elle nous devance pour que

1. Cf. 1 Co 2, 7-9. — 2. Cf. Jn 4, 14 ; 7, 38-39. — 3. S. Augustin, grat. 17, 33.

nous vivions selon la piété, elle nous suit pour que nous vivions à jamais avec Dieu, car sans Lui nous ne pouvons rien faire[1].

La libre initiative de Dieu réclame la *libre réponse de l'homme*, car Dieu a créé l'homme à son image en lui conférant, avec la liberté, le pouvoir de Le connaître et de L'aimer. L'âme n'entre que librement dans la communion de l'amour. Dieu touche immédiatement et meut directement le cœur de l'homme. Il a placé en l'homme une aspiration à la vérité et au bien que Lui seul peut combler. Les promesses de la « vie éternelle » répondent, au-delà de toute espérance, à cette aspiration : **2002**
1742

> Si Toi, au terme de tes œuvres très bonnes (...), Tu T'es reposé le septième jour, c'est pour nous dire d'avance par la voix de ton livre qu'au terme de nos œuvres « qui sont très bonnes » du fait même que c'est Toi qui nous les a données, nous aussi au sabbat de la vie éternelle nous nous reposerions en Toi[2].
2550

La grâce est d'abord et principalement le don de l'Esprit qui nous justifie et nous sanctifie. Mais la grâce comprend aussi les dons que l'Esprit nous accorde pour nous associer à son œuvre, pour nous rendre capables de collaborer au salut des autres et à la croissance du Corps du Christ, l'Eglise. Ce sont les *grâces sacramentelles*, dons propres aux différents sacrements. Ce sont en outre les *grâces spéciales* appelées aussi *charismes* suivant le terme grec employé par S. Paul, et qui signifie faveur, don gratuit, bienfait[3]. Quel que soit leur caractère, parfois extraordinaire, comme le don des miracles ou des langues, les charismes sont ordonnés à la grâce sanctifiante, et ont pour but le bien commun de l'Eglise. Ils sont au service de la charité qui édifie l'Eglise[4]. **2003**
1108
1127
799-801

Parmi les grâces spéciales, il convient de mentionner les *grâces d'état* qui accompagnent l'exercice des responsabilités de la vie chrétienne et des ministères au sein de l'Eglise : **2004**

> Pourvus de dons différents selon la grâce qui nous a été donnée, si c'est le don de prophétie, exerçons-le en proportion de notre foi ; si c'est le service, en servant ; l'enseignement, en enseignant ; l'exhortation, en exhortant. Que celui qui donne le fasse sans calcul ; celui qui préside, avec dili-

1. S. Augustin, nat. et grat. 31, 35. — 2. S. Augustin, conf. 13, 36. 38. — 3. Cf. LG 12. — 4. Cf. 1 Co 12.

gence; celui qui exerce la miséricorde, en rayonnant de joie (Rm 12, 6-8).

2005   Etant d'ordre surnaturel, la grâce *échappe à notre expérience* et ne peut être connue que par la foi. Nous ne pouvons donc nous fonder sur nos sentiments ou nos œuvres pour en déduire que nous sommes justifiés et sauvés[1]. Cependant, selon la parole du Seigneur : « C'est à leurs fruits que vous les reconnaîtrez » (Mt 7, 20), la considération des bienfaits de Dieu, dans notre vie et dans la vie des saints, nous offre une garantie que la grâce est à l'œuvre en nous et nous incite à une foi toujours plus grande et à une attitude de pauvreté confiante.

On trouve une des plus belles illustrations de cette attitude dans la réponse de Ste Jeanne d'Arc à une question piège de ses juges ecclésiastiques : « Interrogée, si elle sait qu'elle soit en la grâce de Dieu ; répond : "Si je n'y suis, Dieu m'y veuille mettre ; si j'y suis, Dieu m'y veuille garder[2]." »

III. Le mérite

Tu es glorifié dans l'assemblée des Saints : lorsque Tu couronnes leurs mérites, Tu couronnes tes propres dons[3].

2006
1723   Le terme « mérite » désigne, en général, la *rétribution due* par une communauté ou une société pour l'action d'un de ses membres éprouvée comme un bienfait ou un méfait, digne de récompense ou de sanction. Le mérite ressort à la
1807   vertu de justice conformément au principe de l'égalité qui la régit.

2007   A l'égard de Dieu, il n'y a pas, au sens d'un droit strict, de mérite de la part de l'homme. Entre Lui et nous l'inéga-
42   lité est sans mesure, car nous avons tout reçu de Lui, notre Créateur.

2008   Le mérite de l'homme auprès de Dieu dans la vie chrétienne provient de ce que *Dieu a librement disposé d'asso-*
306   *cier l'homme à l'œuvre de sa grâce.* L'action paternelle de Dieu est première par son impulsion, et le libre agir de
155, 970   l'homme est second en sa collaboration, de sorte que les mérites des œuvres bonnes doivent être attribués à la grâce

1. Cf. Cc. Trente : DS 1533-1534. — 2. Jeanne d'Arc, proc. — 3. MR, Préface des saints citant le « Docteur de la grâce » S. Augustin, Psal. 102, 7.

de Dieu d'abord, au fidèle ensuite. Le mérite de l'homme revient, d'ailleurs, lui-même à Dieu, car ses bonnes actions procèdent dans le Christ, des prévenances et des secours de l'Esprit Saint.

L'adoption filiale, en nous rendant participants par grâce à la nature divine, peut nous conférer, suivant la justice gratuite de Dieu, un *véritable mérite*. C'est là un droit par grâce, le plein droit de l'amour, qui nous fait « cohéritiers » du Christ et dignes d'obtenir l'« héritage promis de la vie éternelle[1] ». Les mérites de nos bonnes œuvres sont des dons de la bonté divine[2]. « La grâce a précédé ; maintenant on rend ce qui est dû. (...) Les mérites sont des dons de Dieu[3]. »   **2009**   *604*

L'initiative appartenant à Dieu dans l'ordre de la grâce, *personne ne peut mériter la grâce première*, à l'origine de la conversion, du pardon et de la justification. Sous la motion de l'Esprit Saint et de la charité, *nous pouvons ensuite mériter* pour nous-mêmes et pour autrui les grâces utiles pour notre sanctification, pour la croissance de la grâce et de la charité, comme pour l'obtention de la vie éternelle. Les biens temporels eux-mêmes, comme la santé, l'amitié, peuvent être mérités suivant la sagesse de Dieu. Ces grâces et ces biens sont l'objet de la prière chrétienne. Celle-ci pourvoit à notre besoin de la grâce pour les actions méritoires.   **2010**   *1998*

La charité du Christ est en nous la source de tous nos mérites devant Dieu. La grâce, en nous unissant au Christ d'un amour actif, assure la qualité surnaturelle de nos actes et, par suite, leur mérite devant Dieu comme devant les hommes. Les saints ont toujours eu une conscience vive que leurs mérites étaient pure grâce.   **2011**   *492*

Après l'exil de la terre, j'espère aller jouir de Vous dans la Patrie, mais je ne veux pas amasser de mérites pour le ciel, je veux travailler pour votre *seul Amour* (...). Au soir de cette vie, je paraîtrai devant Vous les mains vides, car je ne Vous demande pas, Seigneur, de compter mes œuvres. Toutes nos justices ont des taches à vos yeux. Je veux donc me revêtir de votre propre *Justice* et recevoir de votre *Amour* la possession éternelle de *Vous-même*[4]...   *1460*

1. Cc. Trente : DS 1546. — 2. Cf. Cc. Trente : DS 1548. — 3. S. Augustin, serm. 298, 4-5. — 4. Ste Thérèse de l'Enfant-Jésus, offr.

IV. La sainteté chrétienne

2012   « Avec ceux qui L'aiment, Dieu collabore en tout pour
leur bien. (...) Ceux que d'avance, Il a discernés, Il les a
459   aussi prédestinés à reproduire l'image de son Fils pour qu'Il
soit l'aîné d'une multitude de frères. Ceux qu'Il a prédestinés, Il les a aussi appelés. Ceux qu'Il a appelés, Il les a aussi
justifiés. Ceux qu'Il a justifiés, Il les a aussi glorifiés » (Rm
8, 28-30).

2013   « L'appel à la plénitude de la vie chrétienne et à la perfec-
915, 2545   tion de la charité s'adresse à tous ceux qui croient au Christ,
quels que soient leur rang et leur état[1]. » Tous sont appelés à
825   la sainteté : « Soyez parfaits comme votre Père céleste est
parfait » (Mt 5, 48).

> Les fidèles doivent appliquer les forces qu'ils ont reçues
> selon la mesure du don du Christ, à obtenir cette perfection,
> afin qu' (...) accomplissant en tout la volonté du Père, ils
> soient avec toute leur âme voués à la Gloire de Dieu et au
> service du prochain. Ainsi la sainteté du Peuple de Dieu
> s'épanouit en fruits abondants, comme en témoigne avec
> éclat l'histoire de l'Eglise par la vie de tant de saints[2].

2014   Le progrès spirituel tend à l'union toujours plus intime
774   avec le Christ. Cette union s'appelle « mystique », parce
qu'elle participe au mystère du Christ par les sacrements –
« les saints mystères » – et, en Lui, au mystère de la Sainte
Trinité. Dieu nous appelle tous à cette intime union avec
Lui, même si des grâces spéciales ou des signes extraordinaires de cette vie mystique sont seulement accordés à
certains en vue de manifester le don gratuit fait à tous.

2015   Le chemin de la perfection passe par la Croix. Il n'y a pas
de sainteté sans renoncement et sans combat spirituel[3]. Le
407, 2725,   progrès spirituel implique l'ascèse et la mortification qui
1438   conduisent graduellement à vivre dans la paix et la joie des
béatitudes :

> Celui qui monte ne s'arrête jamais d'aller de commence-
> ment en commencement par des commencements qui n'ont
> pas de fin. Jamais celui qui monte n'arrête de désirer ce
> qu'il connaît déjà[4].

2016   Les enfants de notre mère la Sainte Eglise espèrent juste-
162, 1821   ment *la grâce de la persévérance finale et la récompense* de
Dieu leur Père pour les bonnes œuvres accomplies avec sa

---

1. LG 40. — 2. LG 40. — 3. Cf. 2 Tm 4. — 4. S. Grégoire de Nysse, hom. in
Cant. 8.

grâce en communion avec Jésus [1]. Gardant la même règle de *1274*
vie, les croyants partagent la « bienheureuse espérance » de
ceux que la miséricorde divine rassemble dans la « Cité
sainte, la Jérusalem nouvelle qui descend du Ciel d'auprès
de Dieu, prête comme une épouse parée pour son Epoux »
(Ap 21, 2).

En bref

La grâce du Saint-Esprit nous confère la justice de Dieu. En 2017
nous unissant par la foi et le Baptême à la passion et à la
Résurrection du Christ, l'Esprit nous fait participer à sa vie.

La justification, comme la conversion, présente deux faces. 2018
Sous la motion de la grâce, l'homme se tourne vers Dieu et
se détourne du péché, accueillant ainsi le pardon et la jus-
tice d'en haut.

La justification comporte la rémission des péchés, la sancti- 2019
fication et la rénovation de l'homme intérieur.

La justification nous a été méritée par la passion du Christ. 2020
Elle nous est accordée à travers le Baptême. Elle nous
conforme à la justice de Dieu qui nous fait justes. Elle a
pour but la Gloire de Dieu et du Christ et le don de la vie
éternelle. Elle est l'œuvre la plus excellente de la miséri-
corde de Dieu.

La grâce est le secours que Dieu nous donne pour répondre 2021
à notre vocation de devenir ses fils adoptifs. Elle nous intro-
duit dans l'intimité de la vie trinitaire.

L'initiative divine dans l'œuvre de la grâce prévient, pré- 2022
pare et suscite la libre réponse de l'homme. La grâce
répond aux aspirations profondes de la liberté humaine ;
elle l'appelle à coopérer avec elle et la perfectionne.

La grâce sanctifiante est le don gratuit que Dieu nous fait 2023
de sa vie, infusée par l'Esprit Saint dans notre âme pour la
guérir du péché et la sanctifier.

La grâce sanctifiante nous rend « agréables à Dieu ». Les 2024
charismes, grâces spéciales du Saint-Esprit, sont ordonnés
à la grâce sanctifiante et ont pour but le bien commun de
l'Eglise. Dieu agit aussi par des grâces actuelles multiples
qu'on distingue de la grâce habituelle, permanente en nous.

Il n'y a pour nous de mérite devant Dieu que suite au libre 2025
dessein de Dieu d'associer l'homme à l'œuvre de sa grâce.
Le mérite appartient à la grâce de Dieu en premier lieu, à

---

1. Cf. Cc. Trente : DS 1576.

la collaboration de l'homme en second lieu. Le mérite de l'homme revient à Dieu.

2026   *La grâce du Saint-Esprit, en vertu de notre filiation adoptive, peut nous conférer un véritable mérite suivant la justice gratuite de Dieu. La charité est en nous la source principale du mérite devant Dieu.*

2027   *Personne ne peut mériter la grâce première qui est à l'origine de la conversion. Sous la motion du Saint-Esprit, nous pouvons mériter pour nous-mêmes et pour autrui toutes les grâces utiles pour parvenir à la vie éternelle, comme aussi les biens temporels nécessaires.*

2028   *« L'appel à la plénitude de la vie chrétienne et à la perfection de la charité s'adresse à tous ceux qui croient au Christ[1]. » « La perfection chrétienne n'a qu'une limite, celle de n'en avoir aucune[2]. »*

2029   *« Si quelqu'un veut venir à ma suite, qu'il se renie lui-même, qu'il se charge de sa Croix, et qu'il me suive » (Mt 16, 24).*

ARTICLE 3
L'Église, mère et éducatrice

2030   C'est en Eglise, en communion avec tous les baptisés, que le chrétien accomplit sa vocation. De l'Eglise, il accueille la Parole de Dieu qui contient les enseignements de la « Loi du Christ » (Ga 6, 2). De l'Eglise, il reçoit la grâce des sacrements qui le soutient sur la « voie ». De l'Eglise, il apprend *828* l'*exemple de la sainteté*; il en reconnaît la figure et la source dans la Toute Sainte Vierge Marie; il la discerne dans le témoignage authentique de ceux qui la vivent; il la découvre dans la tradition spirituelle et la longue histoire des saints qui l'ont précédée et que la liturgie célèbre au rythme du *1172* Sanctoral.

2031   *La vie morale est un culte spirituel.* Nous « offrons nos *1368* corps en hostie vivante, sainte, agréable à Dieu[3] », au sein du Corps du Christ que nous formons, et en communion

---

1. LG 40. — 2. S. Grégoire de Nysse, v. Mos. — 3. Cf. Rm 12, 1.

avec l'offrande de son Eucharistie. Dans la liturgie et la célébration des sacrements, prière et enseignement se conjuguent avec la grâce du Christ pour éclairer et nourrir l'agir chrétien. Comme l'ensemble de la vie chrétienne, la vie morale trouve sa source et son sommet dans le sacrifice eucharistique.

I. Vie morale et Magistère de l'Église

85-87,
888-892

L'Eglise, « colonne et soutien de la vérité » (1 Tm 3, 15), « a reçu des apôtres le solennel commandement du Christ de prêcher la vérité du salut[1] ». « Il appartient à l'Eglise d'annoncer en tout temps et en tout lieu les principes de la morale, même en ce qui concerne l'ordre social, ainsi que de porter un jugement sur toute réalité humaine, dans la mesure où l'exigent les droits fondamentaux de la personne et le salut des âmes[2]. »

2032

2246

2420

Le *Magistère des pasteurs de l'Eglise* en matière morale s'exerce ordinairement dans la catéchèse et dans la prédication, avec l'aide des œuvres des théologiens et des auteurs spirituels. Ainsi s'est transmis de génération en génération, sous l'égide et la vigilance des pasteurs, le « dépôt » de la morale chrétienne, composé d'un ensemble caractéristique de règles, de commandements et de vertus procédant de la foi au Christ et vivifiés par la charité. Cette catéchèse a traditionnellement pris pour base, à côté du Credo et du Pater, le Décalogue qui énonce les principes de la vie morale valables pour tous les hommes.

2033

84

Le pontife romain et les évêques en « docteurs authentiques, pourvus de l'autorité du Christ, prêchent au peuple à eux confié la foi qui doit être crue et appliquée dans les mœurs[3] ». Le *Magistère ordinaire* et universel du Pape et des évêques en communion avec lui enseigne aux fidèles la vérité à croire, la charité à pratiquer, la béatitude à espérer.

2034

Le degré suprême dans la participation à l'autorité du Christ est assuré par le charisme de l'*infaillibilité*. Celle-ci s'étend aussi loin que le dépôt de la Révélation divine[4] ; elle s'étend encore à tous les éléments de doctrine, y compris morale, sans lesquels les vérités salutaires de la foi ne peuvent être gardées, exposées ou observées[5].

2035

1. LG 17. — 2. CIC, can. 747, 2. — 3. LG 25. — 4. Cf. LG 25. — 5. CDF, décl. « Mysterium Ecclesiæ » 3.

2036 L'autorité du Magistère s'étend aussi aux préceptes spéci-
1960 fiques de la *loi naturelle*, parce que leur observance, deman-
dée par le Créateur, est nécessaire au salut. En rappelant les
prescriptions de la loi naturelle, le Magistère de l'Eglise
exerce une part essentielle de sa fonction prophétique
d'annoncer aux hommes ce qu'ils sont en vérité et de leur
rappeler ce qu'ils doivent être devant Dieu [1].

2037 La Loi de Dieu, confiée à l'Eglise est enseignée aux
fidèles comme chemin de vie et de vérité. Les fidèles ont
donc le *droit*[2] d'être instruits des préceptes divins salutaires
qui purifient le jugement et, avec la grâce, guérissent la raison humaine blessée. Ils ont le *devoir* d'observer les constitutions et les décrets portés par l'autorité légitime de
2041 l'Eglise. Même si elles sont disciplinaires, ces détermina-
tions requièrent la docilité dans la charité.

2038 Dans l'œuvre d'enseignement et d'application de la
morale chrétienne, l'Eglise a besoin du dévouement des pasteurs, de la science des théologiens, de la contribution de
tous les chrétiens et des hommes de bonne volonté. La foi et
la mise en pratique de l'Evangile procurent à chacun une
2442 expérience de la vie « dans le Christ », qui l'éclaire et le
rend capable d'estimer les réalités divines et humaines selon
l'Esprit de Dieu[3]. Ainsi l'Esprit Saint peut se servir des plus
humbles pour éclairer les savants et les plus élevés en
dignité.

2039 Les ministères doivent s'exercer dans un esprit de service
fraternel et de dévouement à l'Eglise, au nom du Seigneur[4].
En même temps, la conscience de chacun, dans son jugement moral sur ses actes personnels, doit éviter de s'enfer-
mer dans une considération individuelle. De son mieux elle
doit s'ouvrir à la considération du bien de tous, tel qu'il
s'exprime dans la loi morale, naturelle et révélée, et consé-
quemment dans la loi de l'Eglise et dans l'enseignement
autorisé du Magistère sur les questions morales. Il ne
1783 convient pas d'opposer la conscience personnelle et la raison à la loi morale ou au Magistère de l'Eglise.

2040 Ainsi peut se développer parmi les chrétiens un véritable
esprit filial à l'égard de l'Eglise. Il est l'épanouissement
normal de la grâce baptismale, qui nous a engendrés dans le
sein de l'Eglise et rendus membres du Corps du Christ.

1. Cf. DH 14. — 2. Cf. CIC, can. 213. — 3: Cf. 1 Co 2, 10-15. — 4. Cf. Rm 12, 8. 11.

Dans sa sollicitude maternelle, l'Eglise nous accorde la miséricorde de Dieu qui l'emporte sur tous nos péchés et agit spécialement dans le sacrement de la Réconciliation. Comme une mère prévenante, elle nous prodigue aussi dans *167* sa liturgie, jour après jour, la nourriture de la Parole et de l'Eucharistie du Seigneur.

II. Les commandements de l'Église

Les commandements de l'Eglise se placent dans cette *2041* ligne d'une vie morale reliée à la vie liturgique et se nourrissant d'elle. Le caractère obligatoire de ces lois positives édictées par les autorités pastorales a pour but de garantir aux fidèles le minimum indispensable dans l'esprit de prière et dans l'effort moral, dans la croissance de l'amour de Dieu et du prochain :

Le premier commandement (« Les Dimanches et les autres jours *2042* de fête de précepte, les fidèles sont tenus par l'obligation de participer à la Sainte Messe et de s'abstenir des œuvres serviles ») demande aux fidèles de sanctifier le jour où l'on commémore la Résurrection du Seigneur, ainsi que les principales fêtes liturgiques où l'on honore les mystères du Seigneur, de la Bienheureuse Vierge Marie et des Saints, avant tout en participant à la célébration eucharistique qui rassemble la Communauté chrétienne, et de se libérer *1389* de tous ces travaux et de ces affaires qui sont de nature à empêcher la sanctification de ces jours [1]. *2180*

Le deuxième commandement (« Tout fidèle est tenu par l'obligation de confesser ses péchés au moins une fois par an ») assure la préparation à l'Eucharistie par la réception du sacrement de la *1457* Réconciliation, qui continue l'œuvre de conversion et de pardon du Baptême [2].

Le troisième commandement (« Tout fidèle est tenu par l'obligation de recevoir la Sainte Communion au moins chaque année à *1389* Pâques ») garantit un minimum dans la réception du Corps et du Sang du Seigneur en liaison avec les fêtes Pascales, origine et centre de la liturgie chrétienne [3].

Le quatrième commandement (« Aux jours de pénitence fixés *2043* par l'Eglise, les fidèles sont tenus par l'obligation de s'abstenir de *2177* viande et d'observer le jeûne ») assure des temps d'ascèse et de pénitence qui nous préparent aux fêtes liturgiques et nous disposent à acquérir la maîtrise sur nos instincts et la liberté du cœur [4].

---

1. Cf. CIC, can. 1246-1248 ; CCEO, can. 880, 3 ; can. 881, 1. 2. 4. — 2. Cf. CIC, can. 989 ; CCEO, can. 719. — 3. Cf. CIC, can. 920 ; CCEO, can. 708 ; 881, 3. — 4. Cf. CIC, can. 1249-1251 ; CCEO, can. 882.

1387
1438
Le cinquième commandement (« Les fidèles sont tenus par l'obligation de subvenir aux besoins de l'Eglise ») énonce que les fidèles sont tenus de subvenir aux nécessités matérielles de l'Eglise, chacun selon ses possibilités[1].

III. Vie morale et témoignage missionnaire

2044
852, 905
La fidélité des baptisés est une condition primordiale pour l'annonce de l'Evangile et pour la *mission de l'Eglise dans le monde*. Pour manifester devant les hommes sa force de vérité et de rayonnement, le message du salut doit être authentifié par le témoignage de vie des chrétiens. « Le témoignage de la vie chrétienne et les œuvres accomplies dans un esprit surnaturel sont puissants pour attirer les hommes à la foi et à Dieu[2]. »

2045
828
Parce qu'ils sont les membres du Corps dont le Christ est la Tête[3], les chrétiens contribuent par la constance de leurs convictions et de leur mœurs, à l'*édification de l'Eglise*. L'Eglise grandit, s'accroît et se développe par la sainteté de ses fidèles[4], jusqu'à ce que « soit constitué l'homme parfait dans la force de l'âge, qui réalise la plénitude du Christ » (Ep 4, 13).

2046
671, 2819
Par leur vie selon le Christ, les chrétiens *hâtent la venue du Règne de Dieu*, du « Règne de la justice, de la vérité et de la paix[5] ». Ils ne délaissent pas pour autant leurs tâches terrestres ; fidèles à leur Maître ils les remplissent avec droiture, patience et amour.

EN BREF

2047
La vie morale est un culte spirituel. L'agir chrétien trouve sa nourriture dans la liturgie et la célébration des sacrements.

2048
Les commandements de l'Eglise concernent la vie morale et chrétienne unie à la liturgie et se nourrissant d'elle.

2049
Le Magistère des pasteurs de l'Eglise en matière morale s'exerce ordinairement dans la catéchèse et la prédication, sur la base du Décalogue qui énonce les principes de la vie morale valables pour tout homme.

2050
Le pontife romain et les évêques, en docteurs authentiques, prêchent au Peuple de Dieu la foi qui doit être crue et appliquée dans les mœurs. Il leur appartient aussi de se

1. Cf. CIC, can. 222 ; CCEO, can. 25 ; les conférences épiscopales peuvent établir d'autres préceptes ecclésiastiques pour leur territoire ; Cf. CIC, can. 455. — 2. AA 6. — 3. Cf. Ep 1, 22. — 4. Cf. LG 39. — 5. MR, Préface du Christ-Roi.

prononcer sur les questions morales qui sont du ressort de la loi naturelle et de la raison.

L'infaillibilité du Magistère des pasteurs s'étend à tous les éléments de doctrine y compris morale sans lesquels les vérités salutaires de la foi ne peuvent être gardées, exposées ou observées. 2051

Les dix commandements

Exode 20, 2-17	Deutéronome 5, 6-21	Formule catéchétique[1]
Je suis le Seigneur ton Dieu, qui t'ai fait sortir du pays d'Egypte, de la maison de servitude.	Je suis le Seigneur ton Dieu, qui t'ai fait sortir du pays d'Egypte, de la maison de servitude.	
Tu n'auras pas d'autres dieux devant Moi. Tu ne te feras aucune image sulptée, rien qui ressemble à ce qui est dans les cieux, là-haut, ou sur la terre, ici-bas, ou dans les eaux, au-dessous de la terre. Tu ne te prosterneras pas devant ces dieux et tu ne les serviras pas, car Moi, le Seigneur ton Dieu, Je suis un Dieu jaloux, qui punis la faute des pères sur les enfants, les petits-enfants et les arrière-petits-enfants, pour ceux qui Me haïssent, mais qui fais grâce à des milliers, pour ceux qui M'aiment et gardent mes commandements.	Tu n'auras pas d'autres dieux devant Moi.	Un seul Dieu tu adoreras et aimeras parfaitement ;
Tu ne prononceras pas le nom du Seigneur ton Dieu à faux, car le Seigneur ne laisse pas impuni celui qui prononce son nom à faux.	Tu ne prononceras pas le nom du Seigneur ton Dieu à faux...	Son saint nom tu respecteras, fuyant blasphème et faux serment.
Tu te souviendras du jour du sabbat pour Le sanctifier. Pendant six jours tu travailleras et tu feras tout ton ouvrage, mais le septième jour est un sabbat	Observe le jour du sabbat pour Le sanctifier.	Le jour du Seigneur garderas, en servant Dieu dévotement.

1. Catéchismus catholicus, p. 23-24.

pour le Seigneur ton Dieu.
Tu ne feras aucun ouvrage,
toi, ni ton fils, ni ta fille,
ni ton serviteur, ni ta
servante
ni tes bêtes
ni l'étranger
qui est dans tes portes.
Car en six jours
le Seigneur a fait
le ciel, la terre, la mer
et tout ce qu'ils
contiennent
mais Il s'est reposé
le septième jour ;
c'est pourquoi le Seigneur
a béni le jour du sabbat
et l'a consacré.

Honore ton père et ta mère, afin que se prolongent tes jours sur la terre que te donne le Seigneur ton Dieu.	Honore ton père et ta mère.	Tes père et mère honoreras, tes supérieurs pareillement.
Tu ne tueras pas.	Tu ne tueras pas.	Meurtre et scandale éviteras, haine et colère pareillement.
Tu ne commettras pas d'adultère.	Tu ne commettras pas d'adultère.	La pureté observeras en tes actes soigneusement.
Tu ne voleras pas.	Tu ne voleras pas.	Le bien d'autrui tu ne prendras, ni retiendras injustement.
Tu ne porteras pas de témoignage mensonger contre ton prochain.	Tu ne porteras pas de faux témoignage contre ton prochain.	La médisance banniras et le mensonge également.
Tu ne convoiteras pas la maison de ton prochain. Tu ne convoiteras pas la femme de ton prochain, ni son serviteur, ni sa servante, ni son bœuf, ni son âne, ni rien de ce qui est à ton prochain.	Tu ne convoiteras pas la femme de ton prochain. Tu ne désireras... rien de ce qui est à ton prochain.	En pensées, désirs veilleras à rester pur entièrement. Bien d'autrui ne convoiteras pour l'avoir malhonnêtement.

Les dix commandements

« Maître, que dois-je faire... ? »

« Maître, que dois-je faire de bon pour posséder la vie   2052
éternelle ? » Au jeune homme qui lui pose cette question,
Jésus répond d'abord en invoquant la nécessité de
reconnaître Dieu comme « le seul Bon », comme le Bien par
excellence et comme la source de tout bien. Puis, Jésus lui
déclare : « Si tu veux entrer dans la vie, observe les
commandements. » Et de citer à son interlocuteur les préceptes qui concernent l'amour du prochain : « Tu ne tueras   *1858*
pas, tu ne commettras pas d'adultère, tu ne voleras pas, tu ne
porteras pas de faux témoignage, honore ton père et ta
mère. » Jésus résume enfin ces commandements d'une
manière positive : « Tu aimeras ton prochain comme toi-
même » (Mt 19, 16-19).

A cette première réponse, une seconde vient s'ajouter :   2053
« Si tu veux être parfait, va, vends ce que tu possèdes,
donne-le aux pauvres, et tu auras un trésor aux cieux ; puis
viens, suis-moi » (Mt 19, 21). Elle n'annule pas la première.
La suite de Jésus-Christ comprend l'accomplissement des
commandements. La Loi n'est pas abolie[1], mais l'homme   *1968*
est invité à la retrouver en la Personne de son Maître, qui en
est l'accomplissement parfait. Dans les trois Evangiles
synoptiques, l'appel de Jésus adressé au jeune homme riche,
de le suivre dans l'obéissance du disciple et dans l'observance des préceptes, est rapproché de l'appel à la pauvreté
et à la chasteté[2]. Les conseils évangéliques sont indisso-   *1973*
ciables des commandements.

Jésus a repris les dix commandements, mais Il a mani-   2054
festé la force de l'Esprit à l'œuvre dans leur lettre. Il a prê-   *581*
ché la justice qui surpasse celle des scribes et des Pharisiens[3] aussi bien que celle des païens[4]. Il a déployé toutes
les exigences des commandements. « Vous avez entendu
qu'il a été dit aux ancêtres : Tu ne tueras pas... Eh bien ! Moi
je vous dis : Quiconque se fâche contre son frère en répondra au tribunal » (Mt 5, 21-22).

1. Cf. Mt 5, 17. — 2. Cf. Mt 19, 6-12. 21. 23-29. — 3. Cf. Mt 5, 20. — 4. Cf. Mt
5, 46-47.

2055
129   Lorsqu'on Lui pose la question : « Quel est le plus grand commandement de la Loi ? » (Mt 22, 36), Jésus répond : « Tu aimeras le Seigneur ton Dieu de tout ton cœur, de toute ton âme et de tout ton esprit ; voilà le plus grand et le premier commandement. Le second lui est semblable : Tu aimeras ton prochain comme toi-même. A ces deux commandements se rattache toute la Loi, ainsi que les Prophètes » (Mt 22, 37-40)[1]. Le Décalogue doit être interprété à la lumière de ce double et unique commandement de la charité, plénitude de la Loi :

> Le précepte : Tu ne commettras pas d'adultère ; tu ne tueras pas ; tu ne voleras pas ; tu ne convoiteras pas, et tous les autres se résument en ces mots : Tu aimeras ton prochain comme toi-même. La charité ne fait point de tort au prochain. La charité est donc la loi dans sa plénitude (Rm 13, 9-10).

Le Décalogue dans l'Écriture Sainte

2056   Le mot « Décalogue » signifie littéralement « dix paroles » (Ex 34, 28 ; Dt 4, 13 ; 10, 4). Ces « dix paroles »,
700 Dieu les a révélées à son peuple sur la montagne sainte. Il
62 les a écrites de son Doigt[2], à la différence des autres préceptes écrits par Moïse[3]. Elles constituent des paroles de Dieu à un titre éminent. Elles nous sont transmises dans le livre de l'Exode[4] et dans celui du Deutéronome[5]. Dès l'Ancien Testament, les livres saints font référence aux « dix paroles[6] » mais c'est dans la Nouvelle Alliance en Jésus-Christ que leur plein sens sera révélé.

2057   Le Décalogue se comprend d'abord dans le contexte de
2084 l'Exode qui est le grand événement libérateur de Dieu au centre de l'Ancienne Alliance. Qu'elles soient formulées comme des préceptes négatifs, des interdictions, ou comme des commandements positifs (comme : « Honore ton père et ta mère »), les « dix paroles » indiquent les conditions d'une vie libérée de l'esclavage du péché. Le Décalogue est un chemin de vie :

> Si tu aimes ton Dieu, si tu marches dans ses voies, si tu
2170 gardes ses commandements, ses lois et ses coutumes, tu vivras et tu te multiplieras (Dt 30, 16).

Cette force libératrice du Décalogue apparaît par exemple dans le commandement sur le repos du sabbat, destiné également aux étrangers et aux esclaves :

---

1. Cf. Dt 6, 5 ; Lv 19, 18. — 2. Cf. Ex 31, 18 ; Dt 5, 22. — 3. Cf. Dt 31, 9. 24. — 4. Cf. Ex 20, 1-17. — 5. Cf. Dt 5, 6-22. — 6. Cf. par exemple Os 4, 2 ; Jr 7, 9 ; Ez 18, 5-9.

Souvenez-vous : vous étiez des esclaves sur une terre étrangère. Le Seigneur votre Dieu vous en a fait sortir à main forte et à bras étendu (Dt 5, 15).

Les « dix paroles » résument et proclament la Loi de Dieu : « Telles sont les paroles que vous adressa le Seigneur quand vous étiez tous assemblés sur la montagne. Il vous parla du milieu du feu, dans la nuée et les ténèbres d'une voix puissante. Il n'y ajouta rien et les écrivit sur deux tables de pierre qu'Il me donna » (Dt 5, 22). C'est pourquoi ces deux tables sont appelées « le Témoignage » (Ex 25, 16). Elles contiennent en effet les clauses de l'alliance conclue entre Dieu et son peuple. Ces « tables du Témoignage » (Ex 31, 18 ; 32, 15 ; 34, 29) doivent être déposées dans « l'arche » (Ex 25, 16 ; 40, 1-3). **2058** *1962*

Les « dix paroles » sont prononcées par Dieu au sein d'une théophanie (« Sur la montagne, au milieu du feu, le Seigneur vous a parlé face à face » : Dt 5, 4). Elles appartiennent à la révélation que Dieu fait de Lui-même et de sa gloire. Le don des commandements est don de Dieu Lui-même et de sa sainte volonté. En faisant connaître ses volontés, Dieu se révèle à son peuple. **2059** *707* *2823*

Le don des commandements et de la Loi fait partie de l'alliance scellée par Dieu avec les siens. Suivant le livre de l'Exode, la révélation des « dix paroles » est accordée entre la proposition de l'alliance[1] et sa conclusion[2] – après que le peuple s'est engagé à « faire » tout ce que le Seigneur avait dit, et à y obéir[3]. Le Décalogue n'est jamais transmis qu'après le rappel de l'Alliance (« Le Seigneur, notre Dieu, a conclu avec nous une alliance à l'Horeb » : Dt 5, 2). **2060** *62*

Les commandements reçoivent leur pleine signification à l'intérieur de l'alliance. Selon l'Ecriture, l'agir moral de l'homme prend tout son sens dans et par l'alliance. La première des « dix paroles » rappelle l'amour premier de Dieu pour son peuple : **2061**

Comme il y avait eu, en châtiment du péché, passage du paradis de la liberté à la servitude de ce monde, pour cette raison, la première phrase du Décalogue, première parole des commandements de Dieu, porte sur la liberté : « Moi, je suis le Seigneur, ton Dieu, qui t'ai fait sortir de la terre d'Egypte, de la maison de servitude » (Ex 20, 2 ; Dt 5, 6)[4]. *2086*

---

1. Cf. Ex 19. — 2. Cf. Ex 24. — 3. Cf. Ex 24, 7. — 4. Origène, hom. in Ex. 8, 1.

2062   Les commandements proprement dits viennent en second lieu; ils disent les implications de l'appartenance à Dieu instituée par l'alliance. L'existence morale est *réponse* à l'initiative aimante du Seigneur. Elle est reconnaissance, hommage à Dieu et culte d'action de grâces. Elle est coopération au dessein que Dieu poursuit dans l'histoire.

142

2002

2063   L'alliance et le dialogue entre Dieu et l'homme sont encore attestés du fait que toutes les obligations sont énoncées à la première personne (« Je suis le Seigneur... ») et adressées à un autre sujet (« Tu... »). Dans tous les commandements de Dieu, c'est un pronom personnel *singulier* qui désigne le destinataire. En même temps qu'à tout le peuple, Dieu fait connaître sa volonté à chacun en particulier :

878

> Le Seigneur prescrivit l'amour envers Dieu et enseigna la justice envers le prochain, afin que l'homme ne fût ni injuste, ni indigne de Dieu. Ainsi, par le Décalogue, Dieu préparait l'homme à devenir son ami et à n'avoir qu'un seul cœur avec son prochain. (...) Les paroles du Décalogue demeurent pareillement chez nous (chrétiens). Loin d'être abolies, elles ont reçu amplification et développement du fait de la venue du Seigneur dans la chair [1].

Le Décalogue dans la Tradition de l'Église

2064   En fidélité à l'Écriture et conformément à l'exemple de Jésus, la Tradition de l'Église a reconnu au Décalogue une importance et une signification primordiales.

2065   Depuis S. Augustin, les « dix commandements » ont une place prépondérante dans la catéchèse des futurs baptisés et des fidèles. Au XVe siècle, on prit l'habitude d'exprimer les préceptes du Décalogue en formules rimées, faciles à mémoriser, et positives. Elles sont encore en usage aujourd'hui. Les catéchismes de l'Église ont souvent exposé la morale chrétienne en suivant l'ordre des « dix commandements ».

2066   La division et la numérotation des commandements a varié au cours de l'histoire. Le présent catéchisme suit la division des commandements établie par S. Augustin et devenue traditionnelle dans l'Église catholique. Elle est également celle des confessions luthériennes. Les Pères grecs ont opéré une division quelque peu différente qui se retrouve dans les Églises orthodoxes et dans les communautés réformées.

2067   Les dix commandements énoncent les requêtes de l'amour de Dieu et du prochain. Les trois premiers se rapportent davantage à l'amour de Dieu, et les sept autres à l'amour du prochain.

1853

---

1. S. Irénée, hær. 4, 16, 3-4.

Comme la charité comprend deux préceptes auxquels le Seigneur rapporte toute la Loi et les Prophètes (...), ainsi les dix préceptes sont eux-mêmes divisés en deux tables. Trois ont été écrits sur une table et sept sur l'autre [1].

Le Concile de Trente enseigne que les dix commandements obligent les chrétiens et que l'homme justifié est encore tenu de les observer [2]. Et le Concile Vatican II l'affirme : « Les évêques, successeurs des apôtres, reçoivent du Seigneur (...) la mission d'enseigner toutes les nations et de prêcher l'Evangile à toute créature, afin que tous les hommes, par la foi, le Baptême et l'accomplissement des commandements, obtiennent le salut [3]. »

2068
1993

888

L'unité du Décalogue

Le Décalogue forme un tout indissociable. Chaque « parole » renvoie à chacune des autres et à toutes ; elles se conditionnent réciproquement. Les deux Tables s'éclairent mutuellement ; elles forment une unité organique. Transgresser un commandement, c'est enfreindre tous les autres [4]. On ne peut honorer autrui sans bénir Dieu son Créateur. On ne saurait adorer Dieu sans aimer tous les hommes ses créatures. Le Décalogue unifie la vie théologale et la vie sociale de l'homme.

2069
2534

Le Décalogue et la loi naturelle

Les dix commandements appartiennent à la révélation de Dieu. Ils nous enseignent en même temps la véritable humanité de l'homme. Ils mettent en lumière les devoirs essentiels et donc, indirectement, les droits fondamentaux, inhérents à la nature de la personne humaine. Le Décalogue contient une expression privilégiée de la « loi naturelle » :

2070
1955

Dès le commencement, Dieu avait enraciné dans le cœur des hommes les préceptes de la loi naturelle. Il se contenta d'abord de les leur rappeler. Ce fut le Décalogue [5].

Bien qu'accessibles à la seule raison, les préceptes du Décalogue ont été révélés. Pour atteindre une connaissance complète et certaine des exigences de la loi naturelle, l'humanité pécheresse avait besoin de cette révélation :

2071
1960

1. S. Augustin, serm. 33, 2. — 2. Cf. DS 1569-1570. — 3. LG 24. — 4. Cf. Jc 2, 10-11. — 5. S. Irénée, hær. 4, 15, 1.

Une explication plénière des commandements du Décalogue fut rendue nécessaire dans l'état de péché à cause de l'obscurcissement de la lumière de la raison et de la déviation de la volonté[1].

Nous connaissons les commandements de Dieu par la révélation divine qui nous est proposée dans l'Eglise, et par la voix de
1777 la conscience morale.

L'obligation du Décalogue

2072   Puisqu'ils expriment les devoirs fondamentaux de
1858 l'homme envers Dieu et envers son prochain, les dix commandements révèlent, en leur contenu primordial, des
1958 obligations *graves*. Ils sont foncièrement immuables et leur obligation vaut toujours et partout. Nul ne pourrait en dispenser. Les dix commandements sont gravés par Dieu dans le cœur de l'être humain.

2073   L'obéissance aux commandements implique encore des obligations dont la matière est, en elle-même, légère. Ainsi l'injure en parole est-elle défendue par le cinquième commandement, mais elle ne pourrait être une faute grave qu'en fonction des circonstances ou de l'intention de celui qui la profère.

« Hors de moi, vous ne pouvez rien faire »

2074   Jésus dit : « Je suis la vigne ; vous êtes les sarments. Celui qui demeure en Moi et Moi en lui, celui-là porte beaucoup
2732 de fruit ; car hors de Moi, vous ne pouvez rien faire » (Jn 15, 5). Le fruit évoqué dans cette parole est la sainteté d'une vie fécondée par l'union au Christ. Lorsque nous croyons en
521 Jésus-Christ, communions à ses mystères et gardons ses commandements, le Sauveur vient Lui-même aimer en nous son Père et ses frères, notre Père et nos frères. Sa personne devient, grâce à l'Esprit, la règle vivante et intérieure de notre agir. « Voici quel est mon commandement : vous aimer les uns les autres, comme Je vous ai aimés » (Jn 15, 12).

EN BREF

2075   *« Que dois-je faire de bon pour posséder la vie éternelle ? – Si tu veux entrer dans la vie, observe les commandements » (Mt 19, 16-17).*

1. S. Bonaventure, sent. 3, 37, 1, 3.

Par sa pratique et par sa prédication, Jésus a attesté la **2076**
pérennité du Décalogue.

Le don du Décalogue est accordé à l'intérieur de l'alliance **2077**
conclue par Dieu avec son peuple. Les commandements de
Dieu reçoivent leur signification véritable dans et par cette
alliance.

En fidélité à l'Ecriture et conformément à l'exemple de **2078**
Jésus, la Tradition de l'Eglise a reconnu au Décalogue une
importance et une signification primordiales.

Le Décalogue forme une unité organique où chaque **2079**
« parole » ou « commandement » renvoie à tout l'ensemble.
Transgresser un commandement, c'est enfreindre toute la
Loi [1].

Le Décalogue contient une expression privilégiée de la loi **2080**
naturelle. Il nous est connu par la révélation divine et par la
raison humaine.

Les dix commandements énoncent, en leur contenu fonda- **2081**
mental, des obligations graves. Cependant, l'obéissance à
ces préceptes implique aussi des obligations dont la matière
est, en elle-même, légère.

Ce que Dieu commande, Il le rend possible par sa grâce. **2082**

Chapitre premier

« Tu aimeras le Seigneur ton Dieu de tout ton cœur, de toute ton âme et de tout ton esprit »

Jésus a résumé les devoirs de l'homme envers Dieu par **2083**
cette parole : « Tu aimeras le Seigneur ton Dieu de tout ton
cœur, de toute ton âme et de tout ton esprit » (Mt 22, 37) [2]. *367*
Celle-ci fait immédiatement écho à l'appel solennel :
« Ecoute, Israël : le Seigneur notre Dieu est l'unique » (Dt
6, 4).

Dieu a aimé le premier. L'amour du Dieu Unique est rappelé
dans la première des « dix paroles ». Les commandements
explicitent ensuite la réponse d'amour que l'homme est appelé *199*
à donner à son Dieu.

---

1. Cf. Jc 2, 10-11. — 2. Cf. Lc 10, 27 : « ...toutes tes forces ».

ARTICLE 1
Le premier commandement

Je suis le Seigneur, ton Dieu, qui t'ai fait sortir du pays
d'Egypte, de la maison de servitude. Tu n'auras pas
d'autres dieux que Moi. Tu ne te feras aucune image
sculptée, rien qui ressemble à ce qui est dans les cieux là-
haut, ou sur la terre ici-bas, ou dans les eaux en dessous de
la terre. Tu ne te prosterneras pas devant ces images ni ne
les serviras (Ex 20, 2-5)[1].

Il est écrit : « C'est le Seigneur, ton Dieu, que tu adoreras,
et à Lui seul tu rendras un culte » (Mt 4, 10).

I. « Tu adoreras le Seigneur, ton Dieu, et tu Le serviras »

2084
2057
Dieu se fait connaître en rappelant son action toute-
puissante, bienveillante et libératrice dans l'histoire de celui
auquel Il s'adresse : « Je t'ai fait sortir du pays d'Egypte, de
la maison de servitude » (Dt 5, 6). La première parole
contient le premier commandement de la Loi : « Tu adoreras
le Seigneur, ton Dieu, et tu Le serviras. (...) Vous n'irez pas
à la suite d'autres dieux » (Dt 6, 13-14). Le premier appel et
398 la juste exigence de Dieu est que l'homme L'accueille et
L'adore.

2085
200, 1701
Le Dieu unique et vrai révèle d'abord sa gloire à Israël[2].
La révélation de la vocation et de la vérité de l'homme est
liée à la révélation de Dieu. L'homme a la vocation de
manifester Dieu par son agir en conformité avec sa création
« à l'image et à la ressemblance de Dieu » (Gn 1, 26) :

Il n'y aura jamais d'autre Dieu, Tryphon, et il n'y en a pas
eu d'autre, depuis les siècles (...) que celui qui a fait et
ordonné l'univers. Nous ne pensons pas que notre Dieu soit
différent du vôtre. Il est le même qui a fait sortir vos pères
d'Egypte « par sa main puissante et son bras élevé ». Nous
ne mettons pas nos espérances en quelque autre, il n'y en a
pas, mais dans le même que vous, le Dieu d'Abraham,
d'Isaac et de Jacob[3].

2086
212
« Le premier des préceptes embrasse la foi, l'espérance et
la charité. Qui dit Dieu, en effet, dit un être constant,
immuable, toujours le même, fidèle, parfaitement juste.

---

1. Cf. Dt 5, 6-9. — 2. Cf. Ex 19, 16-25 ; 24, 15-18. — 3. S. Justin, dial. 11, 1.

D'où il suit que nous devons nécessairement accepter ses Paroles, et avoir en Lui une foi et une confiance entières. Il est Tout-Puissant, clément, infiniment porté à faire du bien. Qui pourrait ne pas mettre en Lui toutes ses espérances ? Et qui pourrait ne pas L'aimer en contemplant les trésors de bonté et de tendresse qu'Il a répandus sur nous ? De là cette formule que Dieu emploie dans la Sainte Ecriture soit au commencement, soit à la fin de ses préceptes : "Je suis le Seigneur[1]." »

2061

La foi

1814-1816

Notre vie morale trouve sa source dans la foi en Dieu qui nous révèle son amour. S. Paul parle de l'« obéissance de la foi » (Rm 1, 5 ; 16, 26) comme de la première obligation. Il fait voir dans la « méconnaissance de Dieu » le principe et l'explication de toutes les déviations morales[2]. Notre devoir à l'égard de Dieu est de croire en Lui et de Lui rendre témoignage.

2087

143

Le premier commandement nous demande de nourrir et de garder avec prudence et vigilance notre foi et de rejeter tout ce qui s'oppose à elle. Il y a diverses manières de pécher contre la foi :

2088

Le *doute volontaire* portant sur la foi néglige ou refuse de tenir pour vrai ce que Dieu a révélé et que l'Eglise propose à croire. Le *doute involontaire* désigne l'hésitation à croire, la difficulté de surmonter les objections liées à la foi ou encore l'anxiété suscitée par l'obscurité de celle-ci. S'il est délibérément cultivé, le doute peut conduire à l'aveuglement de l'esprit.

157

L'*incrédulité* est la négligence de la vérité révélée ou le refus volontaire d'y donner son assentiment. « L'*hérésie* est la négation obstinée, après la réception du Baptême, d'une vérité qui doit être crue de foi divine et catholique, ou le doute obstiné sur cette vérité. L'*apostasie* est le rejet total de la foi chrétienne. Le *schisme* est le refus de la soumission au Souverain Pontife ou de communion avec les membres de l'Eglise qui lui sont soumis[3]. »

2089

162, 817

L'espérance

1817-1821

Lorsque Dieu se révèle et appelle l'homme, celui-ci ne peut répondre pleinement à l'amour divin par ses propres forces. Il doit espérer que Dieu lui donnera la capacité de

2090

1996

---

1. Catech. R. 3, 2, 4. — 2. Cf. Rm 1, 18-32. — 3. CIC, can. 751.

L'aimer en retour et d'agir conformément aux commandements de la charité. L'espérance est l'attente confiante de la bénédiction divine et de la vision bienheureuse de Dieu ; elle est aussi la crainte d'offenser l'amour de Dieu et de provoquer le châtiment.

2091   Le premier commandement vise aussi les péchés contre l'espérance, qui sont le désespoir et la présomption :

1864 Par le *désespoir*, l'homme cesse d'espérer de Dieu son salut personnel, les secours pour y parvenir ou le pardon de ses péchés. Il s'oppose à la Bonté de Dieu, à sa Justice – car le Seigneur est fidèle à ses promesses – et à sa Miséricorde.

2092   Il y deux sortes de *présomption*. Ou bien, l'homme pré-
2732 sume de ses capacités (espérant pouvoir se sauver sans l'aide d'en haut), ou bien il présume de la toute-puissance ou de la miséricorde divines (espérant obtenir son pardon sans conversion et la gloire sans mérite).

1822-1829 **La charité**

2093   La foi dans l'amour de Dieu enveloppe l'appel et l'obligation de répondre à la charité divine par un amour sincère. Le premier commandement nous ordonne d'aimer Dieu par-dessus tout et toutes les créatures pour Lui et à cause de Lui[1].

2094   On peut pécher de diverses manières contre l'amour de Dieu : L'*indifférence* néglige ou refuse la considération de la charité divine ; elle en méconnaît la prévenance et en dénie la force. L'*ingratitude* omet ou récuse de reconnaître la charité divine et de lui rendre en retour amour pour amour. La *tiédeur* est une hésitation ou une négligence à répondre à l'amour divin, elle peut impliquer le refus de se
2733 livrer au mouvement de la charité. L'*acédie* ou paresse spi-
     rituelle va jusqu'à refuser la joie qui vient de Dieu et à
2303 prendre en horreur le bien divin. La *haine de Dieu* vient de l'orgueil. Elle s'oppose à l'amour de Dieu dont elle nie la bonté et qu'elle prétend maudire comme celui qui prohibe les péchés et qui inflige les peines.

II. « C'est à Lui seul que tu rendras un culte »

2095   Les vertus théologales de foi, d'espérance et de charité informent et vivifient les vertus morales. Ainsi, la charité
1807 nous porte à rendre à Dieu ce qu'en toute justice nous Lui

1. Cf. Dt 6, 4-5.

devons en tant que créatures. La *vertu de religion* nous dispose à cette attitude.

L'adoration

2628

De la vertu de religion, l'adoration est l'acte premier. 2096
Adorer Dieu, c'est Le reconnaître comme Dieu, comme le
Créateur et le Sauveur, le Seigneur et le Maître de tout ce
qui existe, l'Amour infini et miséricordieux. « Tu adoreras
le Seigneur ton Dieu, et c'est à Lui seul que tu rendras un
culte » (Lc 4, 8) dit Jésus, citant le Deutéronome (Dt 6, 13).

Adorer Dieu, c'est, dans le respect et la soumission abso- 2097
lue reconnaître le « néant de la créature » qui n'est que par
Dieu. Adorer Dieu, c'est comme Marie, dans le Magnificat,
Le louer, L'exalter et s'humilier soi-même, en confessant
avec gratitude qu'Il a fait de grandes choses et que saint est
son nom[1]. L'adoration du Dieu unique libère l'homme du
repliement sur soi-même, de l'esclavage du péché et de
l'idolâtrie du monde.

La prière

2558

Les actes de foi, d'espérance et de charité que commande 2098
le premier commandement s'accomplissent dans la prière.
L'élévation de l'esprit vers Dieu est une expression de notre
adoration de Dieu : prière de louange et d'action de grâces,
d'intercession et de demande. La prière est une condition
indispensable pour pouvoir obéir aux commandements de
Dieu. « Il faut toujours prier sans jamais se lasser » (Lc 18, *613*
1).

Le sacrifice

Il est juste d'offrir à Dieu des sacrifices en signe d'adora- 2099
tion et de reconnaissance, de supplication et de communion : « Est un véritable sacrifice toute action opérée pour
adhérer à Dieu dans la sainte communion et pouvoir être
bienheureux[2]. »

Pour être véridique, le sacrifice extérieur doit être 2100
l'expression du sacrifice spirituel : « Mon sacrifice, c'est un *2711*
esprit brisé... » (Ps 51, 19.) Les prophètes de l'Ancienne

1. Cf. Lc 1, 46-49. — 2. S. Augustin, civ. 10, 6.

Alliance ont souvent dénoncé les sacrifices faits sans participation intérieure[1] ou sans lien avec l'amour du prochain[2]. Jésus rappelle la parole du prophète Osée : « C'est la miséricorde que je désire, et non le sacrifice » (Mt 9, 13 ; 12, 7)[3].

614   Le seul sacrifice parfait est celui que le Christ a offert sur la Croix en totale offrande à l'amour du Père et pour notre
618   salut[4]. En nous unissant à son sacrifice nous pouvons faire de notre vie un sacrifice à Dieu.

Promesses et vœux

2101   En plusieurs circonstances, le chrétien est appelé à faire
1237   des *promesses* à Dieu. Le Baptême et la Confirmation, le Mariage et l'Ordination en comportent toujours. Par dévotion personnelle, le chrétien peut aussi promettre à Dieu tel
1064   acte, telle prière, telle aumône, tel pèlerinage, etc. La fidélité aux promesses faites à Dieu est une manifestation du respect dû à la Majesté divine et de l'amour envers le Dieu fidèle.

2102   « Le *vœu*, c'est-à-dire la promesse délibérée et libre faite à Dieu d'un bien possible et meilleur doit être accompli au titre de la vertu de religion[5]. » Le vœu est un acte de *dévotion* dans lequel le chrétien se voue lui-même à Dieu ou Lui promet une œuvre bonne. Par l'accomplissement de ses vœux, il rend donc à Dieu ce qui Lui a été promis et consacré. Les Actes des apôtres nous montrent S. Paul soucieux d'accomplir les vœux qu'il a faits[6].

2103   L'Eglise reconnaît une valeur exemplaire aux vœux de
1973   pratiquer les *conseils évangéliques*[7] :

914
> L'Eglise notre Mère se réjouit de ce qu'il se trouve dans son sein en grand nombre des hommes et des femmes pour vouloir suivre de plus près et manifester plus clairement l'anéantissement du Sauveur, en assumant, dans la liberté des fils de Dieu, la pauvreté et en renonçant à leur propre volonté ; c'est-à-dire des hommes et des femmes qui se soumettent en matière de perfection, au-delà de ce qu'exige le commandement, à une créature humaine à cause de Dieu afin de se conformer plus pleinement au Christ obéissant[8].

En certains cas, l'Eglise peut, pour des raisons proportionnées, dispenser des vœux et des promesses[9].

---

1. Cf. Am 5, 21-25. — 2. Cf. Is 1, 10-20. — 3. Cf. Os 6, 6. — 4. Cf. He 9, 13-14. — 5. CIC, can. 1191, § 1. — 6. Cf. Ac 18, 18 ; 21, 23-24. — 7. Cf. CIC, can. 654. — 8. LG 42. — 9. Cf. CIC, can. 692 ; 1196-1197.

Le devoir social de religion et le droit à la liberté religieuse

« Tous les hommes sont tenus de chercher la vérité, sur- 2104
tout en ce qui concerne Dieu et son Eglise ; et quand ils l'ont *2467*
connue, de l'embrasser et de lui être fidèles[1]. » Ce devoir
découle de « la nature même des hommes[2] ». Il ne contredit
pas un « respect sincère » pour les diverses religions qui
« apportent souvent un rayon de la vérité qui illumine tous *851*
les hommes[3] », ni l'exigence de la charité qui presse les
chrétiens « d'agir avec amour, prudence, patience, envers
ceux qui se trouvent dans l'erreur ou dans l'ignorance de la
foi[4] ».

Le devoir de rendre à Dieu un culte authentique concerne 2105
l'homme individuellement et socialement. C'est là « la doctrine catholique traditionnelle sur le devoir moral des
hommes et des sociétés à l'égard de la vraie religion et de
l'unique Eglise du Christ[5] ». En évangélisant sans cesse les *854*
hommes, l'Eglise travaille à ce qu'ils puissent « pénétrer
d'esprit chrétien les mentalités et les mœurs, les lois et les
structures de la communauté où ils vivent[6] ». Le devoir
social des chrétiens est de respecter et d'éveiller en chaque *898*
homme l'amour du vrai et du bien. Il leur demande de faire
connaître le culte de l'unique vraie religion qui subsiste dans
l'Eglise catholique et apostolique[7]. Les chrétiens sont appelés à être la lumière du monde[8]. L'Eglise manifeste ainsi la
royauté du Christ sur toute la création et en particulier sur
les sociétés humaines[9].

« Qu'en matière religieuse, nul ne soit forcé d'agir contre 2106
sa conscience, ni empêché d'agir, dans de justes limites, suivant sa conscience en privé comme en public, seul ou asso- *160, 1782*
cié à d'autres[10]. » Ce droit est fondé sur la nature même de *1738*
la personne humaine dont la dignité la fait adhérer librement
à la vérité divine qui transcende l'ordre temporel. C'est
pourquoi il « persiste même en ceux-là qui ne satisfont pas à
l'obligation de chercher la vérité et d'y adhérer[11] ».

« Si, en raison des circonstances particulières dans lesquelles se 2107
trouvent des peuples, une reconnaissance civile spéciale est accordée dans l'ordre juridique de la cité à une société religieuse donnée,
il est nécessaire qu'en même temps, pour tous les citoyens et toutes

1. DH 1. — 2. DH 2. — 3. NA 2. — 4. DH 14. — 5. DH 1. — 6. AA 13. — 7. Cf.
DH 1. — 8. Cf. AA 13. — 9. Cf. Léon XIII, enc. « Immortale Dei » ; Pie XI, enc.
« Quas primas ». — 10. DH 2 ; GS 26. — 11. DH 2.

les communautés religieuses, le droit à la liberté en matière religieuse soit reconnu et respecté[1]. »

2108   Le droit à la liberté religieuse n'est ni la permission
1740 morale d'adhérer à l'erreur[2], ni un droit supposé à l'erreur[3], mais un droit naturel de la personne humaine à la liberté civile, c'est-à-dire à l'immunité de contrainte extérieure, dans de justes limites, en matière religieuse, de la part du pouvoir politique. Ce droit naturel doit être reconnu dans l'ordre juridique de la société de telle manière qu'il constitue un droit civil[4].

2109   Le droit à la liberté religieuse ne peut être de soi ni illimité[5], ni
2244 limité seulement par un « ordre public » conçu de manière positiviste ou naturaliste[6]. Les « justes limites » qui lui sont inhérentes doivent être déterminées pour chaque situation sociale par la pru
1906 dence politique, selon les exigences du bien commun, et ratifiées par l'autorité civile selon des « règles juridiques conformes à l'ordre moral objectif[7] ».

III. « Tu n'auras pas d'autres dieux devant Moi »

2110   Le premier commandement interdit d'honorer d'autres dieux que l'Unique Seigneur qui S'est révélé à son peuple. Il proscrit la superstition et l'irréligion. La superstition représente en quelque sorte un excès pervers de religion ; l'irréligion est un vice opposé par défaut à la vertu de religion.

La superstition

2111   La superstition est la déviation du sentiment religieux et des pratiques qu'il impose. Elle peut affecter aussi le culte que nous rendons au vrai Dieu, par exemple, lorsqu'on attribue une importance en quelque sorte magique à certaines pratiques, par ailleurs légitimes ou nécessaires. Attacher à la seule matérialité des prières ou des signes sacramentels leur efficacité, en dehors de dispositions intérieures qu'ils exigent, c'est tomber dans la superstition[8].

L'idolâtrie

2112   Le premier commandement condamne le *polythéisme*. Il exige de l'homme de ne pas croire en d'autres dieux que
210 Dieu, de ne pas vénérer d'autres divinités que l'Unique.

---

1. DH 6. — 2. Cf. Léon XIII, enc. « Libertas præstantissimum ». — 3. Cf. Pie XII, discours 6 décembre 1953. — 4. Cf. DH 2. — 5. Cf. Pie VI, bref « Quod aliquantum ». — 6. Cf. Pie IX, enc. « Quanta cura ». — 7. DH 7. — 8. Cf. Mt 23, 16-22.

L'Ecriture rappelle constamment ce rejet des « idoles, or et argent, œuvres de mains d'hommes », elles qui « ont une bouche et ne parlent pas, des yeux et ne voient pas »... Ces idoles vaines rendent vain : « Comme elles, seront ceux qui les firent, quiconque met en elles sa foi » (Ps 115, 4-5. 8)[1]. Dieu, au contraire, est le « Dieu vivant » (Jos 3, 10)[2], qui fait vivre et intervient dans l'histoire.

L'idolâtrie ne concerne pas seulement les faux cultes du paganisme. Elle reste une tentation constante de la foi. Elle consiste à diviniser ce qui n'est pas Dieu. Il y a idolâtrie dès lors que l'homme honore et révère une créature à la place de Dieu, qu'il s'agisse des dieux ou des démons (par exemple le satanisme), de pouvoir, de plaisir, de la race, des ancêtres, de l'Etat, de l'argent, etc. « Vous ne pouvez servir Dieu et Mammon », dit Jésus (Mt 6, 24). De nombreux martyrs sont morts pour ne pas adorer « la Bête[3] », en refusant même d'en simuler le culte. L'idolâtrie récuse l'unique Seigneurie de Dieu ; elle est donc incompatible avec la communion divine[4]. 2113 398 2534 2289 2473

La vie humaine s'unifie dans l'adoration de l'Unique. Le commandement d'adorer le seul Seigneur simplifie l'homme et le sauve d'une dispersion infinie. L'idolâtrie est une perversion du sens religieux inné de l'homme. L'idolâtre est celui qui « rapporte à n'importe quoi plutôt qu'à Dieu son indestructible notion de Dieu[5] ». 2114

Divination et magie

Dieu peut révéler l'avenir à ses prophètes ou à d'autres saints. Cependant l'attitude chrétienne juste consiste à s'en remettre avec confiance entre les mains de la Providence pour ce qui concerne le futur et à abandonner toute curiosité malsaine à ce propos. L'imprévoyance peut constituer un manque de responsabilité. 2115 305

Toutes les formes de *divination* sont à rejeter : recours à Satan ou aux démons, évocation des morts ou autres pratiques supposées à tort « dévoiler » l'avenir[6]. La consultation des horoscopes, l'astrologie, la chiromancie, l'interprétation des présages et des sorts, les phénomènes de 2116

1. Cf. Is 44, 9-20 ; Jr 10, 1-16 ; Dn 14, 1-30 ; Ba 6 ; Sg 13, 1 – 15, 19. — 2. Cf. Ps 42, 3 ; etc. — 3. Cf. Ap 13-14. — 4. Cf. Ga 5, 20 ; Ep 5, 5. — 5. Origène, Cels. 2, 40. — 6. Cf. Dt 18, 10 ; Jr 29, 8.

voyance, le recours aux médiums recèlent une volonté de puissance sur le temps, sur l'histoire et finalement sur les hommes en même temps qu'un désir de se concilier les puissances cachées. Elles sont en contradiction avec l'honneur et le respect, mêlé de crainte aimante, que nous devons à Dieu seul.

2117   Toutes les pratiques de *magie* ou de *sorcellerie*, par lesquelles on prétend domestiquer les puissances occultes pour les mettre à son service et obtenir un pouvoir surnaturel sur le prochain – fût-ce pour lui procurer la santé – , sont gravement contraires à la vertu de religion. Ces pratiques sont plus condamnables encore quand elles s'accompagnent d'une intention de nuire à autrui ou qu'elles recourent à l'intervention des démons. Le port des amulettes est lui aussi répréhensible. Le *spiritisme* implique souvent des pratiques divinatoires ou magiques. Aussi l'Eglise avertit-elle les fidèles de s'en garder. Le recours aux médecines dites traditionnelles ne légitime ni l'invocation des puissances mauvaises, ni l'exploitation de la crédulité d'autrui.

L'irréligion

2118   Le premier commandement de Dieu réprouve les principaux péchés d'irréligion : l'action de tenter Dieu, en paroles ou en actes, le sacrilège et la simonie.

2119   L'action de *tenter Dieu* consiste en une mise à l'épreuve, en parole ou en acte, de sa bonté et de sa Toute-Puissance.
394   C'est ainsi que Satan voulait obtenir de Jésus qu'Il se jette du Temple et force Dieu, par ce geste, à agir[1]. Jésus lui oppose la parole de Dieu : « Tu ne tenteras pas le Seigneur, ton Dieu » (Dt 6, 16). Le défi que contient pareille tentation de Dieu blesse le respect et la confiance que nous devons à
2088   notre Créateur et Seigneur. Il inclut toujours un doute concernant son amour, sa providence et sa puissance[2].

2120   Le *sacrilège* consiste à profaner ou à traiter indignement les sacrements et les autres actions liturgiques, ainsi que les personnes, les choses et les lieux consacrés à Dieu. Le sacrilège est un péché grave surtout quand il est commis contre l'Eucharistie puisque, dans ce sacrement, le Corps même du
1374   Christ nous est rendu présent substantiellement[3].

---

1. Cf. Lc 4, 9. — 2. Cf. 1 Co 10, 9 ; Ex 17, 2-7 ; Ps 95, 9. — 3. Cf. CIC, can. 1367 ; 1376.

La *simonie*[1] se définit comme l'achat ou la vente des réa-   **2121**
lités spirituelles. A Simon le magicien, qui voulait acheter le
pouvoir spirituel qu'il voyait à l'œuvre dans les apôtres,
Pierre répond : « Périsse ton argent, et toi avec lui, puisque
tu as cru acheter le don de Dieu à prix d'argent » (Ac 8, 20).
Il se conformait ainsi à la parole de Jésus : « Vous avez reçu
gratuitement, donnez gratuitement » (Mt 10, 8)[2]. Il est
impossible de s'approprier les biens spirituels et de se   *1578*
comporter à leur égard comme un possesseur ou un maître,
puisqu'ils ont leur source en Dieu. On ne peut que les recevoir gratuitement de Lui.

« En dehors des offrandes fixées par l'autorité compétente, le   **2122**
ministre ne demandera rien pour l'administration des sacrements,
en veillant toujours à ce que les nécessiteux ne soient pas privés de
l'aide des sacrements à cause de leur pauvreté[3]. » L'autorité
compétente fixe ces « offrandes » en vertu du principe que le
peuple chrétien doit subvenir à l'entretien des ministres de l'Église.
« L'ouvrier mérite sa nourriture » (Mt 10, 10)[4].

L'athéisme

« Beaucoup de nos contemporains ne perçoivent pas du   **2123**
tout ou même rejettent explicitement le rapport intime et   *29*
vital qui unit l'homme à Dieu : à tel point que l'athéisme
compte parmi les faits les plus graves de ce temps[5]. »

Le nom d'athéisme recouvre des phénomènes très divers.   **2124**
Une forme fréquente en est le matérialisme pratique qui
borne ses besoins et ses ambitions à l'espace et au temps.
L'humanisme athée considère faussement que l'homme
« est pour lui-même sa propre fin, le seul artisan et le
démiurge de son histoire[6] ». Une autre forme de l'athéisme
contemporain attend la libération de l'homme d'une libération économique et sociale à laquelle « s'opposerait par sa
nature même, la religion, dans la mesure où érigeant l'espérance de l'homme sur le mirage d'une vie future, elle le
détournerait d'édifier la cité terrestre[7] ».

En tant qu'il rejette ou refuse l'existence de Dieu,   **2125**
l'athéisme est un péché contre la vertu de religion[8]. L'imputabilité de cette faute peut être largement diminuée en vertu   *1535*
des intentions et des circonstances. Dans la genèse et la diffusion de l'athéisme, « les croyants peuvent avoir une part

1. Cf. Ac 8, 9-24. — 2. Cf. déjà Is 55, 1. — 3. CIC, can. 848. — 4. Cf. Lc 10, 7 ; 1
Co 9, 4-18 ; 1 Tm 5, 17-18. — 5. GS 19, § 1. — 6. GS 20, § 1. — 7. GS 20, § 2.
— 8. Cf. Rm 1, 18.

qui n'est pas mince, dans la mesure où, par la négligence dans l'éducation de la foi, par des représentations trompeuses de la doctrine, et aussi par des défaillances de leur vie religieuse, morale et sociale, on peut dire qu'ils voilent l'authentique visage de Dieu et de la religion plus qu'ils ne le révèlent[1] ».

2126   Souvent l'athéisme se fonde sur une conception fausse de
396   l'autonomie humaine, poussée jusqu'au refus de toute dépendance à l'égard de Dieu[2]. Pourtant, « la reconnaissance de Dieu ne s'oppose en aucune façon à la dignité de
154   l'homme, puisque cette dignité trouve en Dieu Lui-même ce qui la fonde et ce qui l'achève[3] ». L'Eglise sait « que son message est en accord avec le fond secret du cœur humain[4] ».

L'agnosticisme

2127   L'agnosticisme revêt plusieurs formes. Dans certains cas, l'agnostique se refuse à nier Dieu ; il postule au contraire l'existence d'un être transcendant qui ne pourrait se révéler et dont personne ne saurait rien dire. Dans d'autres cas,
36   l'agnostique ne se prononce pas sur l'existence de Dieu, déclarant qu'il est impossible de la prouver et même de l'affirmer ou de la nier.

2128   L'agnosticisme peut parfois contenir une certaine recherche de Dieu, mais il peut également représenter un in-différentisme, une fuite devant la question ultime de l'exis-
1036   tence, et une paresse de la conscience morale. L'agnosticisme équivaut trop souvent à un athéisme pratique.

1159-1162 IV. « Tu ne te feras aucune image sculptée... »

2129   L'injonction divine comportait l'interdiction de toute représentation de Dieu par la main de l'homme. Le Deutéronome explique : « Puisque vous n'avez vu aucune forme, le jour où le Seigneur, à l'Horeb, vous a parlé du milieu du feu, n'allez pas vous pervertir et vous faire une image sculptée représentant quoi que ce soit... » (Dt 4, 15-16.) C'est le Dieu absolument Transcendant qui s'est révélé à Israël. « Il est toutes choses » mais, en même temps, « Il est

1. GS 19, § 3. — 2. Cf. GS 20, § 1. — 3. GS 21, § 3. — 4. GS 21, § 7.

au-dessus de toutes ses œuvres » (Si 43, 27-28). Il est « la   *300*
source même de toute beauté créée » (Sg 13, 3).   *2500*

Cependant, dès l'Ancien Testament, Dieu a ordonné ou   2130
permis l'institution d'images qui conduiraient symboliquement au salut par le Verbe incarné : ainsi le serpent
d'airain[1], l'arche d'alliance et les chérubins[2].

C'est en se fondant sur le mystère du Verbe incarné que   2131
le septième Concile œcuménique, à Nicée (en 787), a justi-   *476*
fié, contre les iconoclastes, le culte des icônes : celles du
Christ, mais aussi celles de la Mère de Dieu, des anges et de
tous les saints. En s'incarnant, le Fils de Dieu a inauguré
une nouvelle « économie » des images.

Le culte chrétien des images n'est pas contraire au pre-   2132
mier commandement qui proscrit les idoles. En effet,
« l'honneur rendu à une image remonte au modèle origi-
nal[3] », et « quiconque vénère une image, vénère en elle la
personne qui y est dépeinte[4] ». L'honneur rendu aux saintes
images est une « vénération respectueuse », non une adoration qui ne convient qu'à Dieu seul :

> Le culte de la religion ne s'adresse pas aux images en elles-
> mêmes comme des réalités, mais les regarde sous leur
> aspect propre d'images qui nous conduisent à Dieu incarné.
> Or le mouvement qui s'adresse à l'image en tant que telle
> ne s'arrête pas à elle, mais tend à la réalité dont elle est
> l'image[5].

EN BREF

« Tu aimeras le Seigneur ton Dieu, de tout ton cœur, de   2133
toute ton âme et de toutes tes forces » (Dt 6, 5).

Le premier commandement appelle l'homme à croire en   2134
Dieu, à espérer en Lui et à L'aimer par-dessus tout.

« C'est le Seigneur ton Dieu que tu adoreras » (Mt 4, 10).   2135
Adorer Dieu, Le prier, Lui offrir le culte qui Lui revient,
accomplir les promesses et les vœux qu'on Lui a faits, sont
des actes de la vertu de religion qui relèvent de l'obéissance
au premier commandement.

Le devoir de rendre à Dieu un culte authentique concerne   2136
l'homme individuellement et socialement.

---

1. Cf. Nb 21, 4-9 ; Sg 16, 5-14 ; Jn 3, 14-15. — 2. Cf. Ex 25, 10-22 ; 1 R 6, 23-28 ;
7, 23-26. — 3. S. Basile, Spir. 18, 45. — 4. Cc. Nicée II : DS 601 ; cf. Cc. Trente :
DS 1821-1825 ; Cc. Vatican II : SC 125 ; LG 67. — 5. S. Thomas d'A., s. th. 2-2,
81, 3, ad 3.

2137   *L'homme « doit pouvoir professer librement la religion en*
        privé et en public [1] ».

2138   *La superstition est une déviation du culte que nous rendons*
        au vrai Dieu. Elle éclate dans l'idolâtrie, ainsi que dans les
        différentes formes de divination et de magie.

2139   *L'action de tenter Dieu, en paroles ou en actes, le sacrilège,*
        la simonie sont des péchés d'irréligion interdits par le pre-
        mier commandement.

2140   *En tant qu'il rejette ou refuse l'existence de Dieu,*
        l'athéisme est un péché contre le premier commandement.

2141   *Le culte des images saintes est fondé sur le mystère de*
        l'Incarnation du Verbe de Dieu. Il n'est pas contraire au
        premier commandement.

ARTICLE 2
Le deuxième commandement

Tu ne prononceras pas le nom du Seigneur ton Dieu à faux
(Ex 20, 7) [2].

Il a été dit aux anciens : « Tu ne parjureras pas. » (...) Eh
bien ! moi je vous dis de ne pas jurer du tout (Mt 5, 33-34).

2807-2815 **I. Le nom du Seigneur est saint**

2142   Le deuxième commandement *prescrit de respecter le nom*
        du Seigneur. Il relève, comme le premier commandement,
        de la vertu de religion et règle plus particulièrement notre
        usage de la parole dans les choses saintes.

2143   Parmi toutes les paroles de la Révélation il en est une,
203   singulière, qui est la révélation de son nom. Dieu confie son
        nom à ceux qui croient en Lui ; Il se révèle à eux dans son
        mystère personnel. Le don du nom appartient à l'ordre de la
        confidence et de l'intimité. « Le nom du Seigneur est
        saint. » C'est pourquoi l'homme ne peut en abuser. Il doit le
435   garder en mémoire dans un silence d'adoration aimante [3]. Il

1. DH 15. — 2. Cf. Dt 5, 11. — 3. Cf. Za 2, 17.

ne le fera intervenir dans ses propres paroles que pour le bénir, le louer et le glorifier[1].

La déférence à l'égard de son nom exprime celle qui est 2144 due au mystère de Dieu Lui-même et à toute la réalité sacrée qu'il évoque. Le *sens du sacré* relève de la vertu de religion :

> Les sentiments de crainte et de sacré sont-ils des sentiments chrétiens ou non ? Personne ne peut raisonnablement en douter. Ce sont les sentiments que nous aurions, et à un degré intense, si nous avions la vision du Dieu souverain. Ce sont les sentiments que nous aurions si nous « réalisions » sa présence. Dans la mesure où nous croyons qu'Il est présent, nous devons les avoir. Ne pas les avoir, c'est ne point réaliser, ne point croire qu'Il est présent[2].

Le fidèle doit témoigner du nom du Seigneur, en confes- 2145 sant sa foi sans céder à la peur[3]. L'acte de la prédication et l'acte de la catéchèse doivent être pénétrés d'adoration et de 2472, 427 respect pour le nom de notre Seigneur Jésus-Christ.

Le deuxième commandement *interdit l'abus du nom de* 2146 *Dieu*, c'est-à-dire tout usage inconvenant du nom de Dieu, de Jésus-Christ, de la Vierge Marie et de tous les saints :

Les *promesses* faites à autrui au nom de Dieu engagent 2147 l'honneur, la fidélité, la véracité et l'autorité divines. Elles 2101 doivent être respectées en justice. Leur être infidèle, c'est abuser du nom de Dieu et, en quelque sorte, faire de Dieu un menteur[4].

Le *blasphème* s'oppose directement au deuxième 2148 commandement. Il consiste à proférer contre Dieu – intérieurement ou extérieurement – des paroles de haine, de reproche, de défi, à dire du mal de Dieu, à manquer de respect envers Lui dans ses propos, à abuser du nom de Dieu. S. Jacques réprouve « ceux qui blasphèment le beau nom (de Jésus) qui a été invoqué sur eux » (Jc 2, 7). L'interdiction du blasphème s'étend aux paroles contre l'Eglise du Christ, les saints, les choses sacrées. Il est encore blasphématoire de recourir au nom de Dieu pour couvrir des pratiques criminelles, réduire des peuples en servitude, torturer ou mettre à mort. L'abus du nom de Dieu pour commettre un crime provoque le rejet de la religion.

---

1. Cf. Ps 29, 2 ; 96, 2 ; 113, 1-2. — 2. Newman, par. 5, 2. — 3. Cf. Mt 10, 32 ; 1 Tm 6, 12. — 4. Cf. 1 Jn 1, 10.

1756 Le blasphème est contraire au respect dû à Dieu et à son saint nom. Il est de soi un péché grave[1].

2149   Les *jurons*, qui font intervenir le nom de Dieu, sans intention de blasphème, sont un manque de respect envers le Seigneur. Le second commandement interdit aussi l'*usage magique* du nom divin.

> Le nom de Dieu est grand là où on le prononce avec le respect dû à sa grandeur et à sa Majesté. Le nom de Dieu est saint là où on le nomme avec vénération et la crainte de L'offenser[2].

II. Le nom du Seigneur prononcé à faux

2150   Le deuxième commandement *proscrit le faux serment*. Faire serment ou jurer, c'est prendre Dieu à témoin de ce que l'on affirme. C'est invoquer la véracité divine en gage de sa propre véracité. Le serment engage le nom du Seigneur. « C'est ton Dieu que tu craindras, Lui que tu serviras ; c'est par son nom que tu jureras » (Dt 6, 13).

2151   La réprobation du faux serment est un devoir envers Dieu. Comme Créateur et Seigneur, Dieu est la règle de *215* toute vérité. La parole humaine est en accord ou en opposition avec Dieu qui est la Vérité même. Lorsqu'il est véridique et légitime, le serment met en lumière le rapport de la parole humaine à la vérité de Dieu. Le faux serment appelle Dieu à témoigner d'un mensonge.

2152   Est *parjure* celui qui, sous serment, fait une promesse *2476* qu'il n'a pas l'intention de tenir, ou qui, après avoir promis sous serment, ne s'y tient pas. Le parjure constitue un grave *1756* manque de respect envers le Seigneur de toute parole. S'engager par serment à faire une œuvre mauvaise est contraire à la sainteté du nom divin.

2153   Jésus a exposé le deuxième commandement dans le sermon sur la Montagne : « Vous avez entendu qu'il a été dit aux ancêtres : "Tu ne parjureras pas, mais tu t'acquitteras envers le Seigneur de tes serments." Eh bien ! Moi Je vous dis de ne pas jurer du tout (...). Que votre langage soit : "Oui ? oui", "Non ? non" : ce qu'on dit de plus vient du

---

1. Cf. CIC, can. 1369. — 2. S. Augustin, serm. Dom. 2, 5, 19.

Mauvais » (Mt 5, 33-34. 37)[1]. Jésus enseigne que tout serment implique une référence à Dieu et que la présence de Dieu et de sa vérité doit être honorée en toute parole. La discrétion du recours à Dieu dans le langage va de pair avec l'attention respectueuse à sa présence, attestée ou bafouée, en chacune de nos affirmations. *2466*

A la suite de S. Paul[2], la tradition de l'Eglise a compris la parole de Jésus comme ne s'opposant pas au serment lorsqu'il est fait pour une cause grave et juste (par exemple devant le tribunal). « Le serment, c'est-à-dire l'énonciation du nom divin comme témoin de la vérité, ne peut être porté qu'en vérité, avec discernement et selon la justice[3]. » 2154

La sainteté du nom divin exige de ne pas recourir à lui pour des choses futiles, et de ne pas prêter serment dans des circonstances susceptibles de le faire interpréter comme une approbation du pouvoir qui l'exigerait injustement. Lorsque le serment est exigé par des autorités civiles illégitimes, il peut être refusé. Il doit l'être quand il est demandé à des fins contraires à la dignité des personnes ou à la communion de l'Eglise. 2155 *1903*

III. Le nom chrétien

Le sacrement de Baptême est conféré « au nom du Père et du Fils et du Saint-Esprit » (Mt 28, 19). Dans le baptême, le nom du Seigneur sanctifie l'homme, et le chrétien reçoit son nom dans l'Eglise. Ce peut être celui d'un saint, c'est-à-dire d'un disciple qui a vécu une vie de fidélité exemplaire à son Seigneur. Le patronage du saint offre un modèle de charité et assure de son intercession. Le « nom de baptême » peut encore exprimer un mystère chrétien ou une vertu chrétienne. « Les parents, les parrains et le curé veilleront à ce que ne soit pas donné de prénom étranger au sens chrétien[4]. » 2156 *232* *1267*

Le chrétien commence sa journée, ses prières et ses actions par le signe de la Croix, « au nom du Père et du Fils et du Saint-Esprit. Amen. » Le baptisé voue la journée à la Gloire de Dieu et fait appel à la grâce du Sauveur qui lui permet d'agir dans l'Esprit comme enfant du Père. Le signe 2157 *1235*

1. Cf. Jc 5, 12. — 2. Cf. 2 Co 1, 23 ; Ga 1, 20. — 3. CIC, can. 1199, § 1. — 4. CIC, can. 855.

1668 de la Croix nous fortifie dans les tentations et dans les difficultés.

2158　　　Dieu appelle chacun par son nom[1]. Le nom de tout homme est sacré. Le nom est l'icône de la personne. Il exige le respect, en signe de la dignité de celui qui le porte.

2159　　　Le nom reçu est un nom d'éternité. Dans le royaume, le caractère mystérieux et unique de chaque personne marquée du nom de Dieu resplendira en pleine lumière. « Au vainqueur, (...) je donnerai un caillou blanc, portant gravé un nom nouveau que nul ne connaît, hormis celui qui le reçoit » (Ap 2, 17). « Voici que l'Agneau apparut à mes yeux ; il se tenait sur le mont Sion, avec cent quarante-quatre milliers de gens portant, inscrits sur le front, son nom et le nom de son Père » (Ap 14, 1).

En bref

2160　　　*« O Seigneur notre Dieu qu'il est grand ton nom par tout l'univers » (Ps 8, 2).*

2161　　　*Le deuxième commandement prescrit de respecter le nom du Seigneur. Le nom du Seigneur est saint.*

2162　　　*Le second commandement interdit tout usage inconvenant du nom de Dieu. Le blasphème consiste à user du nom de Dieu, de Jésus-Christ, de la Vierge Marie et des saints d'une façon injurieuse.*

2163　　　*Le faux serment appelle Dieu à témoigner d'un mensonge. Le parjure est un manquement grave envers le Seigneur, toujours fidèle à ses promesses.*

2164　　　*« Ne jurer ni par le Créateur, ni par la créature, si ce n'est avec vérité, nécessité et révérence[2]. »*

2165　　　*Dans le Baptême, le chrétien reçoit son nom dans l'Eglise. Les parents, les parrains et le curé veilleront à ce que lui soit donné un prénom chrétien. Le patronage d'un saint offre un modèle de charité et assure sa prière.*

2166　　　*Le chrétien commence ses prières et ses actions par le signe de la Croix « au nom du Père et du Fils et du Saint-Esprit. Amen. »*

2167　　　*Dieu appelle chacun par son nom[3].*

---

1. Cf. Is 43, 1 ; Jn 10, 3. — 2. S. Ignace, ex. spir. 38. — 3. Cf. Is 43, 1.

ARTICLE 3
Le troisième commandement

> Souviens-toi du jour du sabbat pour le sanctifier. Pendant
> six jours tu travailleras et tu feras tout ton ouvrage ; mais le
> septième jour est un sabbat pour le Seigneur ton Dieu. Tu
> n'y feras aucun ouvrage (Ex 20, 8-10)[1].

> Le sabbat a été fait pour l'homme, et non l'homme pour le
> sabbat ; en sorte que le Fils de l'homme est maître même du
> sabbat (Mc 2, 27-28).

I. Le jour du sabbat

346-348

2168 Le troisième commandement du Décalogue rappelle la sainteté du sabbat : « Le septième jour est un sabbat ; un repos complet consacré au Seigneur » (Ex 31, 15).

2169 L'Ecriture fait à ce propos *mémoire de la création* : « Car *2057* en six jours le Seigneur a fait le ciel et la terre, la mer et tout ce qui s'y trouve, mais Il s'est reposé le septième jour. Voilà pourquoi le Seigneur a béni le jour du sabbat, Il l'a sanctifié » (Ex 20, 11).

2170 L'Ecriture révèle encore dans le jour du Seigneur un *mémorial de la libération d'Israël* de la servitude d'Egypte : « Tu te souviendras que tu as été esclave au pays d'Egypte et que le Seigneur ton Dieu t'en a fait sortir à main forte et à bras étendu. Voilà pourquoi le Seigneur ton Dieu te commande de pratiquer le jour du sabbat » (Dt 5, 15).

2171 Dieu a confié à Israël le sabbat pour qu'il le garde *en signe de l'alliance* infrangible[2]. Le sabbat est pour le Seigneur, saintement réservé à la louange de Dieu, de son œuvre de création et de ses actions salvifiques en faveur d'Israël.

2172 L'agir de Dieu est le modèle de l'agir humain. Si Dieu a « repris haleine » le septième jour (Ex 31, 17), l'homme doit *2184* aussi « chômer » et laisser les autres, surtout les pauvres, reprendre souffle[3]. Le sabbat fait cesser les travaux quoti-

---

1. Cf. Dt 5, 12-15. — 2. Cf. Ex 31, 16. — 3. Cf. Ex 23, 12.

diens et accorde un répit. C'est un jour de protestation contre les servitudes du travail et le culte de l'argent[1].

2173
582
L'Evangile rapporte de nombreux incidents où Jésus est accusé de violer la loi du sabbat. Mais jamais Jésus ne manque à la sainteté de ce jour[2]. Il en donne avec autorité l'interprétation authentique : « Le sabbat a été fait pour l'homme, et non l'homme pour le sabbat » (Mc 2, 27). Avec compassion, le Christ s'autorise le jour du sabbat, de faire du bien plutôt que le mal, de sauver une vie plutôt que de la tuer[3]. Le sabbat est le jour du Seigneur des miséricordes et de l'honneur de Dieu[4]. « Le Fils de l'Homme est maître du sabbat » (Mc 2, 28).

II. Le jour du Seigneur

> Ce jour qu'a fait le Seigneur, exultons et soyons dans la joie (Ps 118, 24).

Le jour de la Résurrection : la création nouvelle

2174
638
349
Jésus est ressuscité d'entre les morts, « le premier jour de la semaine » (Mc 16, 2)[5]. En tant que « premier jour », le jour de la Résurrection du Christ rappelle la première création. En tant que « huitième jour » qui suit le sabbat[6] il signifie la nouvelle création inaugurée avec la Résurrection du Christ. Il est devenu pour les chrétiens le premier de tous les jours, la première de toutes les fêtes, le jour du Seigneur (*Hè kuriakè hèmera, dies dominica*), le « dimanche » :

> Nous nous assemblons tous le jour du soleil parce que c'est le premier jour [après le sabbat juif, mais aussi le premier jour] où Dieu, tirant la matière des ténèbres, a créé le monde et que, ce même jour, Jésus-Christ notre Sauveur ressuscita d'entre les morts[7].

Le dimanche — accomplissement du sabbat

2175
1166
Le dimanche se distingue expressément du sabbat auquel il succède chronologiquement, chaque semaine, et dont il remplace pour les chrétiens la prescription cérémonielle. Il

---

1. Cf. Ne 13, 15-22 ; 2 Ch 36, 21. — 2. Cf. Mc 1, 21 ; Jn 9, 16. — 3. Cf. Mc 3, 4. — 4. Cf. Mt 12, 5 ; Jn 7, 23. — 5. Cf. Mt 28, 1 ; Lc 24, 1 ; Jn 20, 1. — 6. Cf. Mc 16, 1 ; Mt 28, 1. — 7. S. Justin, apol. 1, 67.

accomplit, dans la Pâque du Christ, la vérité spirituelle du sabbat juif et annonce le repos éternel de l'homme en Dieu. Car le culte de la loi préparait le mystère du Christ, et ce qui s'y pratiquait figurait quelque trait relatif au Christ[1] :

> Ceux qui vivaient selon l'ancien ordre des choses sont venus à la nouvelle espérance, n'observant plus le sabbat, mais le Jour du Seigneur, en lequel notre vie est bénie par Lui et par sa mort[2].

La célébration du dimanche observe la prescription 2176 morale naturellement inscrite au cœur de l'homme de « rendre à Dieu un culte extérieur, visible, public et régulier sous le signe de son bienfait universel envers les hommes[3] ». Le culte dominical accomplit le précepte moral de l'Ancienne Alliance dont il reprend le rythme et l'esprit en célébrant chaque semaine le Créateur et le Rédempteur de son peuple.

L'Eucharistie dominicale

La célébration dominicale du Jour et de l'Eucharistie du 2177 Seigneur est au cœur de la vie de l'Eglise. « Le dimanche, *1167* où, de par la tradition apostolique, est célébré le mystère pascal, doit être observé dans l'Eglise tout entière comme le principal jour de fête de précepte[4]. »

> « De même, doivent être observés les jours de la Nativité de *2043* notre Seigneur Jésus-Christ, de l'Epiphanie, de l'Ascension et du Très Saint Corps et Sang du Christ, le jour de Sainte Marie Mère de Dieu, de son Immaculée Conception et de son Assomption, de saint Joseph, des saints apôtres Pierre et Paul et de tous les Saints[5]. »

Cette pratique de l'assemblée chrétienne date des débuts 2178 de l'âge apostolique[6]. L'épître aux Hébreux rappelle : « Ne *1343* désertez pas votre propre assemblée comme quelques-uns ont coutume de le faire ; mais encouragez-vous mutuellement » (He 10, 25).

> La tradition garde le souvenir d'une exhortation toujours actuelle : « Venir tôt à l'Eglise, s'approcher du Seigneur et confesser ses péchés, se repentir dans la prière (...). Assister à la sainte et divine liturgie, finir sa prière et ne point partir avant le renvoi (...). Nous l'avons souvent dit : ce jour vous

---

1. Cf. 1 Co 10, 11. — 2. S. Ignace d'Antioche, Magn. 9, 1. — 3. S. Thomas d'A., s. th. 2-2, 122, 4. — 4. CIC, can. 1246, § 1. — 5. CIC, can. 1246, § 1. — 6. Cf. Ac 2, 42-46 ; 1 Co 11, 17.

est donné pour la prière et le repos. Il est le Jour que le Seigneur a fait. En lui exultons et réjouissons-nous[1]. »

2179
1567

2691

2226
« La *paroisse* est une communauté précise de fidèles qui est constituée d'une manière stable dans une Eglise particulière, et dont la charge pastorale est confiée au curé, comme à son pasteur propre, sous l'autorité de l'évêque diocésain[2]. » Elle est le lieu où tous les fidèles peuvent être rassemblés par la célébration dominicale de l'Eucharistie. La paroisse initie le peuple chrétien à l'expression ordinaire de la vie liturgique, elle le rassemble dans cette célébration ; elle enseigne la doctrine salvifique du Christ ; elle pratique la charité du Seigneur dans des œuvres bonnes et fraternelles[3] :

> Tu ne peux pas prier à la maison comme à l'Eglise, où il y a le grand nombre, où le cri est lancé à Dieu d'un seul cœur. Il y a là quelque chose de plus, l'union des esprits, l'accord des âmes, le lien de la charité, les prières des prêtres[4].

L'obligation du dimanche

2180
2042
1389
Le commandement de l'Eglise détermine et précise la Loi du Seigneur : « Le dimanche et les autres jours de fête de précepte, les fidèles sont tenus par l'obligation de participer à la Messe[5]. » « Satisfait au précepte de participation à la Messe, qui assiste à la Messe célébrée selon le rite catholique le jour de fête lui-même ou le soir du jour précédent[6]. »

2181
L'Eucharistie du dimanche fonde et sanctionne toute la pratique chrétienne. C'est pourquoi les fidèles sont obligés de participer à l'Eucharistie les jours de précepte, à moins d'en être excusés pour une raison sérieuse (par exemple la maladie, le soin des nourrissons) ou dispensés par leur pasteur propre[7]. Ceux qui délibérément manquent à cette obligation commettent un péché grave.

2182
815
La participation à la célébration commune de l'Eucharistie dominicale est un témoignage d'appartenance et de fidélité au Christ et à son Eglise. Les fidèles attestent par là leur communion dans la foi et la charité. Ils témoignent ensemble de la sainteté de Dieu et de leur espérance du

---

1. Pseudo-Eusèbe d'Alexandrie, serm. dom. — 2. CIC, can. 515, § 1. — 3. Cf. Jean Paul II, CL 26. — 4. S. Jean Chrysostome, incomprehens. 3, 6. — 5. CIC, can. 1247. — 6. CIC, can. 1248, § 1. — 7. Cf. CIC, can. 1245.

Salut. Ils se réconfortent mutuellement sous la guidance de l'Esprit Saint.

« Si, faute de ministres sacrés, ou pour toute autre cause grave, **2183**
la participation à la célébration eucharistique est impossible, il est
vivement recommandé que les fidèles participent à la liturgie de la
Parole s'il y en a une, dans l'église paroissiale ou dans un autre lieu
sacré, célébrée selon les dispositions prises par l'évêque diocésain,
ou bien s'adonnent à la prière durant un temps convenable, seuls ou
en famille, ou, selon l'occasion, en groupe de familles[1]. »

Jour de grâce et de cessation du travail

Comme Dieu « se reposa le septième jour après tout le **2184**
travail qu'Il avait fait » (Gn 2, 2), la vie humaine est ryth- *2172*
mée par le travail et le repos. L'institution du Jour du Seigneur contribue à ce que tous jouissent du temps de repos et
de loisir suffisant qui leur permette de cultiver leur vie familiale, culturelle, sociale et religieuse[2].

Pendant le dimanche et les autres jours de fête de pré- **2185**
cepte, les fidèles s'abstiendront de se livrer à des travaux ou *2428*
à des activités qui empêchent le culte dû à Dieu, la joie
propre au Jour du Seigneur, la pratique des œuvres de miséricorde et la détente convenable de l'esprit et du corps[3]. Les
nécessités familiales ou une grande utilité sociale constituent des excuses légitimes vis-à-vis du précepte du repos
dominical. Les fidèles veilleront à ce que de légitimes
excuses n'introduisent pas des habitudes préjudiciables à la
religion, à la vie de famille et à la santé.

L'amour de la vérité cherche le saint loisir, la nécessité de
l'amour accueille le juste travail[4].

Que les chrétiens qui disposent de loisirs se rappellent **2186**
leurs frères qui ont les mêmes besoins et les mêmes droits et
ne peuvent se reposer à cause de la pauvreté et de la misère.
Le dimanche est traditionnellement consacré par la piété
chrétienne aux bonnes œuvres et aux humbles services des *2447*
malades, des infirmes, des vieillards. Les chrétiens sanctifie-
ront encore le dimanche en donnant à leur famille et à leurs
proches le temps et les soins, difficiles à accorder les autres
jours de la semaine. Le dimanche est un temps de réflexion,
de silence, de culture et de méditation qui favorisent la
croissance de la vie intérieure et chrétienne.

---

1. CIC, can. 1248, § 2. — 2. Cf. GS 67, § 3. — 3. Cf. CIC, can. 1247. — 4. S.
Augustin, civ. 19, 19.

2187   Sanctifier les dimanches et jours de fête exige un effort commun. Chaque chrétien doit éviter d'imposer sans nécessité à autrui ce qui l'empêcherait de garder le jour du Seigneur. Quand les coutumes (sport, restaurants, etc.) et les contraintes sociales (services publics, etc.) requièrent de certains un travail dominical, chacun garde la responsabilité d'un temps suffisant de loisir. Les fidèles veilleront, avec tempérance et charité, à éviter les excès et les violences engendrés parfois par des loisirs de masse. Malgré les contraintes économiques, les pouvoirs publics veilleront à assurer aux citoyens un temps destiné au repos et au culte divin. Les employeurs ont une obligation analogue vis-à-vis de leurs employés.

2289

2188   Dans le respect de la liberté religieuse et du bien commun de tous, les chrétiens ont à faire reconnaître les dimanches et jours de fête de l'Eglise comme des jours fériés légaux. Ils ont à donner à tous un exemple public de prière, de respect et de joie et à défendre leurs traditions comme une contribution précieuse à la vie spirituelle de la société humaine. Si la législation du pays ou d'autres raisons obligent à travailler le dimanche, que ce jour soit néanmoins vécu comme le jour de notre délivrance qui nous fait participer à cette « réunion de fête », à cette « assemblée des premiers-nés qui sont inscrits dans les cieux » (He 12, 22-23).

2105

EN BREF

2189   *« Observe le jour du sabbat pour Le sanctifier » (Dt 5, 12). « Le septième jour sera jour de repos complet, consacré au Seigneur » (Ex 31, 15).*

2190   *Le sabbat qui représentait l'achèvement de la première création est remplacé par le dimanche qui rappelle la création nouvelle, inaugurée à la Résurrection du Christ.*

2191   *L'Eglise célèbre le jour de la Résurrection du Christ le huitième jour, qui est nommé à bon droit jour du Seigneur, ou dimanche* [1].

2192   *« Le dimanche (...) doit être observé dans l'Eglise tout entière comme le principal jour de fête de précepte* [2]. *» « Le dimanche et les autres jours de fête de précepte, les fidèles sont tenus par l'obligation de participer à la Messe* [3]. *»*

2193   *« Le dimanche ou les autres jours de précepte, les fidèles s'abstiendront de ces travaux et de ces affaires qui empêchent le culte dû à Dieu, la joie propre du jour du Seigneur ou la détente convenable de l'esprit et du corps* [4]. *»*

2194   *L'institution du dimanche contribue à ce que « tous jouissent du temps de repos et de loisir suffisant qui leur permette de cultiver leur vie familiale, culturelle, sociale et religieuse* [5] *».*

1. Cf. SC 106. — 2. CIC, can. 1246, § 1. — 3. CIC, can. 1247. — 4. CIC, can. 1247. — 5. GS 67, § 3.

Chaque chrétien doit éviter d'imposer sans nécessité à 2195
autrui ce qui l'empêcherait de garder le jour du Seigneur.

CHAPITRE DEUXIÈME
« Tu aimeras ton prochain comme toi-même »

Jésus dit à ses disciples : « Aimez-vous les uns les autres comme Je vous ai aimés » (Jn 13, 34).

En réponse à la question posée sur le premier des 2196 commandements, Jésus dit : « Le premier, c'est : "Ecoute Israël ! Le Seigneur notre Dieu est l'Unique Seigneur ; et tu aimeras le Seigneur ton Dieu de tout ton cœur, de toute ton âme, de tout ton esprit et de toute ta force !" Voici le second : "Tu aimeras ton prochain comme toi-même." Il n'y a pas de commandement plus grand que ceux-là » (Mc 12, 29-31).

L'apôtre S. Paul le rappelle : « Celui qui aime autrui a de ce fait accompli la loi. En effet, le précepte : *Tu ne commettras pas* 2822 *d'adultère ; tu ne tueras pas ; tu ne voleras pas ; tu ne convoiteras pas*, et tous les autres se résument en ces mots : Tu aimeras ton prochain comme toi-même. La charité ne fait point de tort au prochain. La charité est donc la loi dans sa plénitude » (Rm 13, 8-10).

ARTICLE 4
Le quatrième commandement

Honore ton père et ta mère afin d'avoir longue vie sur la terre que le Seigneur ton Dieu te donne (Ex 20, 12).

Il leur était soumis (Lc 2, 51).

Le Seigneur Jésus a Lui-même rappelé la force de ce « commandement de Dieu [1] ». L'apôtre enseigne :

1. Cf. Mc 7, 8-13.

« Enfants, obéissez à vos parents, dans le Seigneur : cela est
juste. "Honore ton père et ta mère", tel est le premier
commandement auquel soit attachée une promesse : "pour
que tu t'en trouves bien et jouisses d'une longue vie sur la
terre" » (Ep 6, 1-3) [1].

2197   Le quatrième commandement ouvre la seconde table. Il
indique l'ordre de la charité. Dieu a voulu qu'après Lui,
nous honorions nos parents à qui nous devons la vie et qui
nous ont transmis la connaissance de Dieu. Nous sommes
tenus d'honorer et de respecter tous ceux que Dieu, pour
1897 notre bien, a revêtus de son autorité.

2198   Ce précepte s'exprime sous la forme positive de devoirs à
accomplir. Il annonce les commandements suivants qui
concernent un respect particulier de la vie, du mariage, des
biens terrestres, de la parole. Il constitue l'un des fonde-
2419 ments de la doctrine sociale de l'Eglise.

2199   Le quatrième commandement s'adresse expressément aux
enfants dans leurs relations avec leurs père et mère, parce
que cette relation est la plus universelle. Il concerne également les rapports de parenté avec les membres du groupe
familial. Il demande de rendre honneur, affection et
reconnaissance aux aïeux et aux ancêtres. Il s'étend enfin
aux devoirs des élèves à l'égard du maître, des employés à
l'égard des employeurs, des subordonnés à l'égard de leurs
chefs, des citoyens à l'égard de leur patrie, de ceux qui
l'administrent ou la gouvernent.

Ce commandement implique et sous-entend les devoirs des
parents, tuteurs, maîtres, chefs, magistrats, gouvernants, de tous
ceux qui exercent une autorité sur autrui ou sur une communauté de personnes.

2200   L'observation du quatrième commandement comporte sa
récompense : « Honore ton père et ta mère afin d'avoir
longue vie sur la terre que le Seigneur ton Dieu te donne »
(Ex 20, 12) [2]. Le respect de ce commandement procure, avec
2304 les fruits spirituels, des fruits temporels de paix et de prospérité. Au contraire, l'inobservance de ce commandement
entraîne de grands dommages pour les communautés et pour
les personnes humaines.

1. Cf. Dt 5, 16. — 2. Cf. Dt 5, 16.

I. La famille dans le plan de Dieu

Nature de la famille

La communauté conjugale est établie sur le consentement des époux. Le mariage et la famille sont ordonnés au bien des époux et à la procréation et à l'éducation des enfants. L'amour des époux et la génération des enfants instituent entre les membres d'une même famille des relations personnelles et des responsabilités primordiales. 2201

1625

Un homme et une femme unis en mariage forment avec leurs enfants une famille. Cette disposition précède toute reconnaissance par l'autorité publique ; elle s'impose à elle. On la considérera comme la référence normale, en fonction de laquelle doivent être appréciées les diverses formes de parenté. 2202

1882

En créant l'homme et la femme, Dieu a institué la famille humaine et l'a dotée de sa constitution fondamentale. Ses membres sont des personnes égales en dignité. Pour le bien commun de ses membres et de la société, la famille implique une diversité de responsabilités, de droits et de devoirs. 2203

369

La famille chrétienne

1655-1658

« La famille chrétienne constitue une révélation et une réalisation spécifiques de la communion ecclésiale ; pour cette raison, (...) elle doit être désignée comme une *église domestique*[1]. » Elle est une communauté de foi, d'espérance et de charité ; elle revêt dans l'Eglise une importance singulière comme il apparaît dans le Nouveau Testament[2]. 2204

533

La famille chrétienne est une communion de personnes, trace et image de la communion du Père et du Fils dans l'Esprit Saint. Son activité procréatrice et éducative est le reflet de l'œuvre créatrice du Père. Elle est appelée à partager la prière et le sacrifice du Christ. La prière quotidienne et la lecture de la Parole de Dieu fortifient en elle la charité. La famille chrétienne est évangélisatrice et missionnaire. 2205

1702

Les relations au sein de la famille entraînent une affinité de sentiments, d'affections et d'intérêts, qui provient surtout du mutuel respect des personnes. La famille est une *commu-* 2206

1. FC 21 ; cf. LG 11. — 2. Cf. Ep 5, 21-6. 4 ; Col 3, 18-21 ; 1 P 3, 1-7.

nauté privilégiée appelée à réaliser « une mise en commun des pensées entre les époux et aussi une attentive coopération des parents dans l'éducation des enfants [1] ».

II. La famille et la société

2207   La famille est la *cellule originelle de la vie sociale*. Elle est la société naturelle où l'homme et la femme sont appelés
1880, 372 au don de soi dans l'amour et dans le don de la vie. L'autorité, la stabilité et la vie de relations au sein de la famille constituent les fondements de la liberté, de la sécurité, de la
1603   fraternité au sein de la société. La famille est la communauté dans laquelle, dès l'enfance, on peut apprendre les valeurs morales, commencer à honorer Dieu et bien user de la liberté. La vie de famille est initiation à la vie en société.

2208   La famille doit vivre de façon que ses membres apprennent le souci et la prise en charge des jeunes et des anciens, des personnes malades ou handicapées et des pauvres. Nombreuses sont les familles qui, à certains moments, ne se trouvent pas en mesure de fournir cette aide. Il revient alors à d'autres personnes, à d'autres familles et, subsidiairement, à la société, de pourvoir à leurs besoins : « La dévotion pure et sans tache devant Dieu notre Père consiste en ceci : visiter orphelins et veuves dans leurs épreuves et se garder de toute souillure du monde » (Jc 1, 27).

2209   La famille doit être aidée et défendue par les mesures sociales appropriées. Là où les familles ne sont pas en mesure de remplir leurs fonctions, les autres corps sociaux ont le devoir de les aider et de soutenir l'institution fami-
1883   liale. Suivant le principe de subsidiarité, les communautés plus vastes se garderont d'usurper ses pouvoirs ou de s'immiscer dans sa vie.

2210   L'importance de la famille pour la vie et le bien-être de la société [2] entraîne une responsabilité particulière de celle-ci dans le soutien et l'affermissement du mariage et de la famille. Que le pouvoir civil considère comme un devoir grave de « reconnaître et de protéger la vraie nature du mariage et de la famille, de défendre la moralité publique et de favoriser la prospérité des foyers [3] ».

---

1. GS 52, § 1. — 2. Cf. GS 47, § 1. — 3. GS 52, § 2.

La communauté politique a le devoir d'honorer la famille, de 2211
l'assister, de lui assurer notamment :
– la liberté de fonder un foyer, d'avoir des enfants et de les élever
en accord avec ses propres convictions morales et religieuses ;
– la protection de la stabilité du lien conjugal et de l'institution
familiale ;
– la liberté de professer sa foi, de la transmettre, d'élever ses
enfants en elle, avec les moyens et les institutions nécessaires ;
– le droit à la propriété privée, la liberté d'entreprendre, d'obtenir
un travail, un logement, le droit d'émigrer ;
– selon les institutions des pays, le droit aux soins médicaux, à
l'assistance pour les personnes âgées, aux allocations familiales ;
– la protection de la sécurité et de la salubrité, notamment à l'égard
des dangers comme la drogue, la pornographie, l'alcoolisme, etc.
– la liberté de former des associations avec d'autres familles et
d'être ainsi représentées auprès des autorités civiles[1].

Le quatrième commandement *éclaire les autres relations* 2212
dans la société. Dans nos frères et sœurs, nous voyons les
enfants de nos parents ; dans nos cousins, les descendants de
nos aïeux ; dans nos concitoyens, les fils de notre patrie ;
dans les baptisés, les enfants de notre mère, l'Eglise ; dans *225*
toute personne humaine, un fils ou une fille de Celui qui
veut être appelé « notre Père ». Par là, nos relations avec
notre prochain sont reconnues d'ordre personnel. Le prochain n'est pas un « individu » de la collectivité humaine ; il *1931*
est « quelqu'un » qui, par ses origines connues, mérite une
attention et un respect singuliers.

Les communautés humaines sont *composées de per-* 2213
sonnes. Leur bon gouvernement ne se limite pas à la garantie des droits et à l'accomplissement des devoirs, ainsi qu'à
la fidélité aux contrats. De justes relations entre employeurs
et employés, gouvernants et citoyens, supposent la bienveil- *1939*
lance naturelle conforme à la dignité des personnes
humaines, soucieuses de justice et de fraternité.

III. Devoirs des membres de la famille

Devoirs des enfants

La paternité divine est la source de la paternité humaine[2] ; 2214
c'est elle qui fonde l'honneur des parents. Le respect des
enfants, mineurs ou adultes, pour leurs père et mère[3] se
nourrit de l'affection naturelle née du lien qui les unit. Il est *1858*
demandé par le précepte divin[4].

1. Cf. FC 46. — 2. Cf. Ep 3, 15. — 3. Cf. Pr 1, 8 ; Tb 4, 3-4. — 4. Cf. Ex 20, 12.

2215   Le respect pour les parents (*piété filiale*) est fait de *reconnaissance* à l'égard de ceux qui, par le don de la vie, leur amour et leur travail, ont mis leurs enfants au monde et leur ont permis de grandir en taille, en sagesse et en grâce. « De tout ton cœur, glorifie ton père et n'oublie pas les douleurs de ta mère. Souviens-toi qu'ils t'ont donné le jour ; comment leur rendras-tu ce qu'ils ont fait pour toi ? » (Si 7, 27-28.)

2216   Le respect filial se révèle par la docilité et l'*obéissance*
532 véritables. « Garde, mon fils, le précepte de ton père, ne rejette pas l'enseignement de ta mère (...). Dans tes démarches, ils te guideront ; dans ton repos, ils te garderont ; à ton réveil, ils te parleront » (Pr 6, 20. 22). « Un fils sage aime la remontrance, mais un moqueur n'écoute pas le reproche » (Pr 13, 1).

2217   Aussi longtemps que l'enfant vit au domicile de ses parents, l'enfant doit obéir à toute demande des parents motivée par son bien ou par celui de la famille. « Enfants, obéissez en tout à vos parents, car cela est agréable au Seigneur » (Col 3, 20)[1]. Les enfants ont encore à obéir aux prescriptions raisonnables de leurs éducateurs et de tous ceux auxquels les parents les ont confiés. Mais si l'enfant est persuadé en conscience qu'il est moralement mauvais d'obéir à tel ordre, qu'il ne le suive pas.

        En grandissant, les enfants continueront à respecter leurs parents. Ils préviendront leurs désirs, solliciteront volontiers leurs conseils et accepteront leurs admonestations justifiées. L'obéissance envers les parents cesse avec l'émancipation des enfants, mais non point le respect qui reste dû à jamais. Celui-ci trouve, en
1831 effet, sa racine dans la crainte de Dieu, un des dons du Saint-Esprit.

2218   Le quatrième commandement rappelle aux enfants, devenus grands, leurs *responsabilités envers les parents*. Autant qu'ils le peuvent, ils doivent leur donner l'aide matérielle et morale, dans les années de vieillesse, et durant le temps de maladie, de solitude ou de détresse. Jésus rappelle ce devoir de reconnaissance[2].

        Le Seigneur a glorifié le père devant les enfants et il a affermi le droit de la mère sur les fils. Qui honore son père expie ses péchés et qui glorifie sa mère amasse un trésor. Qui honore son père trouvera de la joie dans ses enfants et au jour de la prière il sera exaucé. Qui glorifie son père aura de longs jours et qui obéit au Seigneur donnera du repos à sa mère (Si 3, 2-6).

1. Cf. Ep 6, 1. — 2. Cf. Mc 7, 10-12.

Enfant, viens en aide à ton père dans sa vieillesse et ne l'attriste pas durant sa vie. Même si son esprit faiblit, sois indulgent, ne le méprise pas quand tu es en pleine force (...). Tel un blasphémateur, celui qui délaisse son père, un maudit du Seigneur celui qui rudoie sa mère (Si 3, 12-13, 16).

Le respect filial favorise l'harmonie de toute la vie familiale, il concerne aussi les *relations entre frères et sœurs*. Le respect envers les parents irradie tout le milieu familial. « La couronne des vieillards, les enfants de leurs enfants » (Pr 17, 6). « Supportez-vous les uns les autres dans la charité, en toute humilité, douceur et patience » (Ep 4, 2).   2219

Pour les chrétiens, une spéciale gratitude est due à ceux dont ils ont reçu le don de la foi, la grâce du Baptême et la vie dans l'Eglise. Il peut s'agir des parents, d'autres membres de la famille, des grands-parents, des pasteurs, des catéchistes, d'autres maîtres ou amis. « J'évoque le souvenir de la foi sans feinte qui est en toi, celle qui habite d'abord en ta grand-mère Loïs et en ta mère, Eunice, et qui, j'en suis persuadé, est aussi en toi » (2 Tm 1, 5).   2220

Devoirs des parents

La fécondité de l'amour conjugal ne se réduit pas à la seule procréation des enfants, mais doit s'étendre à leur éducation morale et à leur formation spirituelle. « Le *rôle des parents dans l'éducation* est d'une telle importance qu'il est presque impossible de les remplacer[1]. » Le droit et le devoir d'éducation sont pour les parents primordiaux et inaliénables[2].   2221   *1653*

Les parents doivent regarder leurs enfants comme des *enfants de Dieu* et les respecter comme des *personnes humaines*. Ils éduquent leurs enfants à accomplir la Loi de Dieu, en se montrant eux-mêmes obéissants à la volonté du Père des cieux.   2222   *494*

Les parents sont les premiers responsables de l'éducation de leurs enfants. Ils témoignent de cette responsabilité d'abord par la *création d'un foyer*, où la tendresse, le pardon, le respect, la fidélité et le service désintéressé sont de règle. Le foyer est un lieu approprié à l'*éducation des vertus*. Celle-ci requiert l'apprentissage de l'abnégation, d'un   2223   *1804*

1. GE 3. — 2. Cf. FC 36.

sain jugement, de la maîtrise de soi, conditions de toute liberté véritable. Les parents enseigneront aux enfants à subordonner « les dimensions physiques et instinctives aux dimensions intérieures et spirituelles [1] ». C'est une grave responsabilité pour les parents de donner de bons exemples à leurs enfants. En sachant reconnaître devant eux leurs propres défauts, ils seront mieux à même de les guider et de les corriger :

> « Qui aime son fils lui prodigue des verges, qui corrige son fils en tirera profit » (Si 30, 1-2). « Et vous, pères, n'irritez pas vos enfants, élevez-les au contraire en les corrigeant et avertissant selon le Seigneur » (Ep 6, 4).

2224 Le foyer constitue un milieu naturel pour l'initiation de
1939 l'être humain à la solidarité et aux responsabilités communautaires. Les parents enseigneront aux enfants à se garder des compromissions et des dégradations qui menacent les sociétés humaines.

2225 Par la grâce du sacrement de mariage, les parents ont reçu la responsabilité et le privilège d'*évangéliser leurs enfants*.
1656 Ils les initieront dès le premier âge aux mystères de la foi dont ils sont pour leurs enfants les « premiers hérauts [2] ». Ils les associeront dès leur plus tendre enfance à la vie de l'Eglise. Les manières de vivre familiales peuvent nourrir les dispositions affectives qui durant la vie entière restent d'authentiques préambules et des soutiens d'une foi vivante.

2226 L'*éducation à la foi* par les parents doit commencer dès la plus tendre enfance. Elle se donne déjà quand les membres de la famille s'aident à grandir dans la foi par le témoignage d'une vie chrétienne en accord avec l'Evangile. La catéchèse familiale précède, accompagne et enrichit les autres formes d'enseignement de la foi. Les parents ont la mission d'apprendre à leurs enfants à prier et à découvrir leur voca-
2179 tion d'enfants de Dieu [3]. La paroisse est la communauté eucharistique et le cœur de la vie liturgique des familles chrétiennes ; elle est un lieu privilégié de la catéchèse des enfants et des parents.

2227 Les enfants à leur tour contribuent à la *croissance* de
2013 leurs parents *dans la sainteté* [4]. Tous et chacun s'accorderont généreusement et sans se lasser les pardons mutuels exigés

---

1. CA 36. — 2. LG 114 ; cf. CIC, can. 1136. — 3. Cf. LG 11. — 4. Cf. GS 48, § 4.

par les offenses, les querelles, les injustices et les abandons. L'affection mutuelle le suggère. La charité du Christ le demande[1].

Durant l'enfance, le respect et l'affection des parents se traduisent d'abord par le soin et par l'attention qu'ils consacrent à élever leurs enfants, à *pourvoir à leurs besoins physiques et spirituels*. Au cours de la croissance, le même respect et le même dévouement conduisent les parents à éduquer leurs enfants à user droitement de leur raison et de leur liberté. **2228**

Premiers responsables de l'éducation de leurs enfants, les parents ont le droit de *choisir pour eux une école* qui correspond à leurs propres convictions. Ce droit est fondamental. Les parents ont, autant que possible, le devoir de choisir les écoles qui les assisteront au mieux dans leur tâche d'éducateurs chrétiens[2]. Les pouvoirs publics ont le devoir de garantir ce droit des parents et d'assurer les conditions réelles de son exercice. **2229**

En devenant adultes, les enfants ont le devoir et le droit de *choisir leur profession et leur état de vie*. Ils assumeront ces nouvelles responsabilités dans la relation confiante à leurs parents dont ils demanderont et recevront volontiers les avis et les conseils. Les parents veilleront à ne contraindre leurs enfants ni dans le choix d'une profession, ni dans celui d'un conjoint. Ce devoir de réserve ne leur interdit pas, bien au contraire, de les aider par des avis judicieux, particulièrement lorsque ceux-ci envisagent de fonder un foyer. **2230** *1625*

Certains ne se marient pas en vue de prendre soin de leurs parents, ou de leurs frères et sœurs, de s'adonner plus exclusivement à une profession ou pour d'autres motifs honorables. Ils peuvent contribuer grandement au bien de la famille humaine. **2231**

IV. La famille et le Royaume

Les liens familiaux, s'ils sont importants, ne sont pas absolus. De même que l'enfant grandit vers sa maturité et son autonomie humaines et spirituelles, de même sa voca- **2232**

1. Cf. Mt 18, 21-22 ; Lc 17, 4. — 2. Cf. GE 6.

tion singulière qui vient de Dieu s'affirme avec plus de clarté et de force. Les parents respecteront cet appel et favoriseront la réponse de leurs enfants à le suivre. Il faut se 1618 convaincre que la vocation première du chrétien est de *suivre Jésus* [1] : « Qui aime père et mère plus que Moi, n'est pas digne de Moi, et qui aime fils ou fille plus que Moi n'est pas digne de Moi » (Mt 10, 37).

2233   Devenir disciple de Jésus, c'est accepter l'invitation 542 d'appartenir à la *famille de Dieu*, de vivre en conformité avec sa manière de vivre : « Quiconque fait la volonté de mon Père qui est dans les cieux, celui-là est mon frère et ma sœur, et ma mère » (Mt 12, 50).

    Les parents accueilleront et respecteront avec joie et action de grâces l'appel du Seigneur à un de leurs enfants de le suivre dans la virginité pour le Royaume, dans la vie consacrée ou dans le ministère sacerdotal.

V. Les autorités dans la société civile

2234   Le quatrième commandement de Dieu nous ordonne aussi d'honorer tous ceux qui, pour notre bien, ont reçu de Dieu 1897 une autorité dans la société. Il éclaire les devoirs de ceux qui exercent l'autorité comme de ceux à qui elle bénéficie.

Devoirs des autorités civiles

2235   Ceux qui exercent une autorité doivent l'exercer comme un service. « Celui qui voudra devenir grand parmi vous sera votre serviteur » (Mt 20, 26). L'exercice d'une autorité 1899 est moralement mesuré par son origine divine, sa nature raisonnable et son objet spécifique. Nul ne peut commander ou instituer ce qui est contraire à la dignité des personnes et à la loi naturelle.

2236   L'exercice de l'autorité vise à rendre manifeste une juste hiérarchie des valeurs afin de faciliter l'exercice de la liberté et de la responsabilité de tous. Les supérieurs exercent la 2411 justice distributive avec sagesse, tenant compte des besoins et de la contribution de chacun et en vue de la concorde et de la paix. Ils veillent à ce que les règles et dispositions

1. Cf. Mt 16, 25.

qu'ils prennent n'induisent pas en tentation en opposant
l'intérêt personnel à celui de la communauté[1].

Les *pouvoirs politiques* sont tenus de respecter les droits 2237
fondamentaux de la personne humaine. Ils rendront humai- 357
nement la justice dans le respect du droit de chacun, notamment des familles et des déshérités.

Les droits politiques attachés à la citoyenneté peuvent et
doivent être accordés selon les exigences du bien commun. Ils
ne peuvent être suspendus par les pouvoirs publics sans motif
légitime et proportionné. L'exercice des droits politiques est
destiné au bien commun de la nation et de la communauté
humaine.

Devoirs des citoyens

Ceux qui sont soumis à l'autorité regarderont leurs supé- 2238
rieurs comme représentants de Dieu qui les a institués 1900
ministres de ses dons[2] : « Soyez soumis, à cause du Seigneur, à toute institution humaine. (...) Agissez en hommes
libres, non pas en hommes qui font de la liberté un voile sur
leur malice, mais en serviteurs de Dieu » (1 P 2, 13. 16).
Leur collaboration loyale comporte le droit, parfois le devoir
d'exercer une juste remontrance sur ce qui leur paraîtrait
nuisible à la dignité des personnes et au bien de la communauté.

Le *devoir des citoyens* est de contribuer avec les pouvoirs 2239
civils au bien de la société dans un esprit de vérité, de jus- 1915
tice, de solidarité et de liberté. L'amour et le service de la
patrie relèvent du devoir de reconnaissance et de l'ordre de 2310
la charité. La soumission aux autorités légitimes et le service du bien commun exigent des citoyens qu'ils
accomplissent leur rôle dans la vie de la communauté politique.

La soumission à l'autorité et la coresponsabilité du bien 2240
commun exigent moralement le paiement des impôts,
l'exercice du droit de vote, la défense du pays : 2265

> Rendez à tous ce qui leur est dû : à qui l'impôt, l'impôt ; à
> qui les taxes, les taxes ; à qui la crainte, la crainte ; à qui
> l'honneur, l'honneur (Rm 13, 7).

1. Cf. CA 25. — 2. Cf. Rm 13, 1-2.

> Les chrétiens résident dans leur propre patrie, mais comme des étrangers domiciliés. Ils s'acquittent de tous leurs devoirs de citoyens et supportent toutes leurs charges comme des étrangers (...). Ils obéissent aux lois établies, et leur manière de vivre l'emporte sur les lois (...). Si noble est le poste que Dieu leur a assigné qu'il ne leur est pas permis de déserter [1].

1900 L'apôtre nous exhorte à faire des prières et des actions de grâces pour les rois et pour tous ceux qui exercent l'autorité, « afin que nous puissions mener une vie calme et paisible en toute piété et dignité » (1 Tm 2, 2).

2241 Les nations mieux pourvues sont tenues d'accueillir autant que faire se peut l'*étranger* en quête de la sécurité et des ressources vitales qu'il ne peut trouver dans son pays d'origine. Les pouvoirs publics veilleront au respect du droit naturel qui place l'hôte sous la protection de ceux qui le reçoivent.

Les autorités politiques peuvent en vue du bien commun dont elles ont la charge subordonner l'exercice du droit d'immigration à diverses conditions juridiques, notamment au respect des devoirs des migrants à l'égard du pays d'adoption. L'immigré est tenu de respecter avec reconnaissance le patrimoine matériel et spirituel de son pays d'accueil, d'obéir à ses lois et de contribuer à ses charges.

2242 Le citoyen est obligé en conscience de ne pas suivre les prescriptions des autorités civiles quand ces préceptes sont
1903 contraires aux exigences de l'ordre moral, aux droits fondamentaux des personnes ou aux enseignements de l'Evangile.
2313 Le *refus d'obéissance* aux autorités civiles, lorsque leurs exigences sont contraires à celles de la conscience droite, trouve sa justification dans la distinction entre le service de Dieu et le service de la communauté politique. « Rendez à
450 César ce qui appartient à César, et à Dieu ce qui appartient à Dieu » (Mt 22, 21). « Il faut obéir à Dieu plutôt qu'aux hommes » (Ac 5, 29) :

1901 Si l'autorité publique, débordant sa compétence, opprime les citoyens, que ceux-ci ne refusent pas ce qui est objectivement demandé par le bien commun. Il leur est cependant permis de défendre leurs droits et ceux de leurs concitoyens contre les abus du pouvoir, en respectant les limites tracées par la loi naturelle et la Loi évangélique [2].

2243 La *résistance* à l'oppression du pouvoir politique ne
2309 recourra pas légitimement aux armes, sauf si se trouvent réunies les conditions suivantes : 1 – en cas de violations

---

1. Epître à Diognète 5, 5 ; 5, 10 ; 6, 10. — 2. GS 74, § 5.

certaines, graves et prolongées des droits fondamentaux ; 2 –
après avoir épuisé tous les autres recours ; 3 – sans provoquer des désordres pires ; 4 – qu'il y ait un espoir fondé de
réussite ; 5 – s'il est impossible de prévoir raisonnablement
des solutions meilleures.

La communauté politique et l'Église

Toute institution s'inspire, même implicitement, d'une
vision de l'homme et de sa destinée, d'où elle tire ses références de jugement, sa hiérarchie des valeurs, sa ligne de
conduite. La plupart des sociétés ont référé leurs institutions
à une certaine prééminence de l'homme sur les choses.
Seule la Religion divinement révélée a clairement reconnu
en Dieu, Créateur et Rédempteur, l'origine et la destinée de
l'homme. L'Eglise invite les pouvoirs politiques à référer
leurs jugements et leurs décisions à cette inspiration de la
Vérité sur Dieu et sur l'homme : 2244 *1910* *1881* *2109*

> Les sociétés qui ignorent cette inspiration, ou la refusent au
> nom de leur indépendance par rapport à Dieu, sont amenées
> à chercher en elles-mêmes ou à emprunter à une idéologie
> leurs références et leur fin, et, n'admettant pas que l'on
> défende un critère objectif du bien et du mal, se donnent sur
> l'homme et sur sa destinée un pouvoir totalitaire, déclaré ou
> sournois, comme le montre l'histoire[1].

« L'Eglise qui, en raison de sa charge et de sa compétence, ne se confond d'aucune manière avec la communauté
politique, est à la fois le signe et la sauvegarde du caractère
transcendant de la personne humaine[2]. » « L'Eglise respecte
et promeut la liberté politique et la responsabilité des
citoyens[3]. » 2245 *912*

Il appartient à la mission de l'Eglise de « porter un jugement moral, même en des matières qui touchent le domaine
politique, quand les droits fondamentaux de la personne ou
le salut des âmes l'exigent, en utilisant tous les moyens, et
ceux-là seulement, qui sont conformes à l'Evangile et en
harmonie avec le bien de tous, selon la diversité des temps
et des situations[4] ». 2246 *2032* *2420*

EN BREF

« Honore ton père et ta mère » (Dt 5, 16 ; Mc 7, 10). 2247

*Selon le quatrième commandement, Dieu a voulu qu'après
Lui nous honorions nos parents et ceux qu'Il a, pour notre
bien, revêtus d'autorité.* 2248

---

1. Cf. CA 45 ; 46. — 2. GS 76. — 3. GS 76, § 3. — 4. GS 76, § 5.

2249   *La communauté conjugale est établie sur l'alliance et le consentement des époux. Le mariage et la famille sont ordonnés au bien des conjoints, à la procréation et à l'éducation des enfants.*

2250   *« Le bien humain et chrétien de la personne et de la société est étroitement lié à la bonne santé de la communauté conjugale et familiale[1]. »*

2251   *Les enfants doivent à leurs parents respect, gratitude, juste obéissance et aide. Le respect filial favorise l'harmonie de toute la vie familiale.*

2252   *Les parents sont les premiers responsables de l'éducation de leurs enfants à la foi, à la prière et à toutes les vertus. Ils ont le devoir de pourvoir dans toute la mesure du possible aux besoins physiques et spirituels de leurs enfants.*

2253   *Les parents doivent respecter et favoriser la vocation de leurs enfants. Ils se rappelleront et enseigneront que le premier appel du chrétien, c'est de suivre Jésus.*

2254   *L'autorité publique est tenue de respecter les droits fondamentaux de la personne humaine et les conditions d'exercice de sa liberté.*

2255   *Le devoir des citoyens est de travailler avec les pouvoirs civils à l'édification de la société dans un esprit de vérité, de justice, de solidarité et de liberté.*

2256   *Le citoyen est obligé en conscience de ne pas suivre les prescriptions des autorités civiles quand ces préceptes sont contraires aux exigences de l'ordre moral. « Il faut obéir à Dieu plutôt qu'aux hommes » (Ac 5, 29).*

2257   *Toute société réfère ses jugements et sa conduite à une vision de l'homme et de sa destinée. Hors des lumières de l'Évangile sur Dieu et sur l'homme, les sociétés deviennent aisément totalitaires.*

ARTICLE 5
Le cinquième commandement

Tu ne commettras pas de meurtre (Ex 20, 13).

Vous avez appris qu'il a été dit aux anciens : « Tu ne tueras pas. Celui qui tuera sera passible du jugement. » Et Moi, je vous dis que quiconque se met en colère contre son frère sera passible du jugement (Mt 5, 21-22).

1. GS 47, § 1.

« *La vie humaine est sacrée* parce que, dès son origine, **2258**
elle comporte l'action créatrice de Dieu et demeure pour *356*
toujours dans une relation spéciale avec le Créateur, son
unique fin. Dieu seul est le maître de la vie de son commencement à son terme : personne en aucune circonstance ne
peut revendiquer pour soi le droit de détruire directement un
être humain innocent[1]. »

I. Le respect de la vie humaine

Le témoignage de l'Histoire Sainte

L'Ecriture, dans le récit du meurtre d'Abel par son frère **2259**
Caïn[2], révèle, dès les débuts de l'histoire humaine, la pré- *401*
sence dans l'homme de la colère et de la convoitise, conséquences du péché originel. L'homme est devenu l'ennemi
de son semblable. Dieu dit la scélératesse de ce fratricide :
« Qu'as-tu fait ? La voix du sang de ton frère crie vers Moi.
Maintenant donc maudit sois-tu de par le sol qui a ouvert sa
bouche pour prendre de ta main le sang de ton frère » (Gn 4,
10-11).

L'alliance de Dieu et de l'humanité est tissée des rappels **2260**
du don divin de la vie humaine et de la violence meurtrière
de l'homme :

Je demanderai compte du sang de chacun de vous (...). Qui
verse le sang de l'homme, par l'homme aura son sang versé.
Car à l'image de Dieu l'homme a été fait (Gn 9, 5-6).

L'Ancien Testament a toujours considéré le sang comme un
signe sacré de la vie[3]. La nécessité de cet enseignement est de
tous les temps.

L'Ecriture précise l'interdit du cinquième commande- **2261**
ment : « Tu ne tueras pas l'innocent ni le juste » (Ex 23, 7).
Le meurtre volontaire d'un innocent est gravement contraire *1756*
à la dignité de l'être humain, à la règle d'or et à la sainteté
du Créateur. La loi qui le proscrit est universellement *1956*
valable : elle oblige tous et chacun, toujours et partout.

Dans le sermon sur la Montagne, le Seigneur rappelle le **2262**
précepte : « Tu ne tueras pas » (Mt 5, 21), il y ajoute la pros-
cription de la colère, de la haine et de la vengeance. Davan-

1. CDF, instr. « Donum vitæ » intr. 5. — 2. Cf. Gn 4, 8-12. — 3. Cf. Lv 17, 14.

2844   tage encore, le Christ demande à son disciple de tendre l'autre joue[1], d'aimer ses ennemis[2]. Lui-même ne s'est pas défendu et a dit à Pierre de laisser l'épée au fourreau[3].

La légitime défense

2263   La défense légitime des personnes et des sociétés n'est pas une exception à l'interdit du meurtre de l'innocent que constitue l'homicide volontaire. « L'action de se défendre
1737   peut entraîner un double effet : l'un est la conservation de sa propre vie, l'autre la mort de l'agresseur[4]. (...) L'un seulement est voulu ; l'autre ne l'est pas[5]. »

2264   L'amour envers soi-même demeure un principe fonda-
2196   mental de la moralité. Il est donc légitime de faire respecter son propre droit à la vie. Qui défend sa vie n'est pas coupable d'homicide même s'il est contraint de porter à son agresseur un coup mortel :

> Si pour se défendre on exerce une violence plus grande qu'il ne faut, ce sera illicite. Mais si l'on repousse la violence de façon mesurée, ce sera licite (...). Et il n'est pas nécessaire au salut que l'on omette cet acte de protection mesurée pour éviter de tuer l'autre ; car on est davantage tenu de veiller à sa propre vie qu'à celle d'autrui[6].

2265   En plus d'un droit, la légitime défense *peut être non seu-*
2240   *lement un droit, mais un devoir grave* pour qui est responsable de la vie d'autrui. La défense du bien commun exige que l'on mette l'injuste agresseur hors d'état de nuire. A ce titre, les détenteurs légitimes de l'autorité ont le droit de recourir même aux armes pour repousser les agresseurs de la communauté civile confiée à leur responsabilité.

2266   L'effort fait par l'Etat pour empêcher la diffusion de comportements qui violent les droits de l'homme et les
1897, 1899   règles fondamentales du vivre ensemble civil correspond à une exigence de la protection du bien commun. L'autorité publique légitime a le droit et le devoir d'infliger des peines proportionnelles à la gravité du délit. La peine a pour pre-
2308   mier but de réparer le désordre introduit par la faute. Quand cette peine est volontairement acceptée par le coupable, elle
1449   a valeur d'expiation. La peine, en plus de protéger l'ordre

---

1. Cf. Mt 5, 22-26. 38-39. — 2. Cf. Mt 5, 44. — 3. Cf. Mt 26, 52. — 4. S. Thomas d'A., s. th. 2-2, 64, 7. — 5. S. Thomas d'A., s. th. 2-2, 64, 7. — 6. S. Thomas d'A., s. th. 2-2, 64, 7.

public et la sécurité des personnes, a un but médicinal : elle doit, dans la mesure du possible, contribuer à l'amendement du coupable.

L'enseignement traditionnel de l'Eglise n'exclut pas, quand l'identité et la responsabilité du coupable sont pleinement vérifiées, le recours à la peine de mort, si celle-ci est l'unique moyen praticable pour protéger efficacement de l'injuste agresseur la vie d'êtres humains. **2267**

Mais si des moyens non sanglants suffisent à défendre et à protéger la sécurité des personnes contre l'agresseur, l'autorité s'en tiendra à ces moyens, parce que ceux-ci correspondent mieux aux conditions concrètes du bien commun et sont plus conformes à la dignité de la personne humaine. *2306*

Aujourd'hui, en effet, étant donné les possibilités dont l'Etat dispose pour réprimer efficacement le crime en rendant incapable de nuire celui qui l'a commis, sans lui enlever définitivement la possibilité de se repentir, les cas d'absolue nécessité de supprimer le coupable « sont désormais assez rares, sinon même pratiquement inexistants [1] ».

L'homicide volontaire

Le cinquième commandement proscrit comme gravement peccamineux l'*homicide direct et volontaire*. Le meurtrier et ceux qui coopèrent volontairement au meurtre commettent un péché qui crie vengeance au ciel [2]. **2268**

1867

L'infanticide [3], le fratricide, le parricide et le meurtre du conjoint sont des crimes spécialement graves en raison des liens naturels qu'ils brisent. Des préoccupations d'eugénisme ou d'hygiène publique ne peuvent justifier aucun meurtre, fût-il commandé par les pouvoirs publics.

Le cinquième commandement interdit de ne rien faire dans l'intention de provoquer *indirectement* la mort d'une personne. La loi morale défend d'exposer sans raison grave quelqu'un à un risque mortel ainsi que de refuser l'assistance à une personne en danger. **2269**

L'acceptation par la société humaine de famines meurtrières sans s'efforcer d'y porter remède est une scandaleuse injustice et une faute grave. Les trafiquants, dont les pratiques usurières et mer-

1. « Evangelium vitæ » 56. — 2. Cf. Gn 4, 10. — 3. Cf. GS 51, § 3.

cantiles provoquent la faim et la mort de leurs frères en humanité, commettent indirectement un homicide. Celui-ci leur est imputable[1].

2290   L'homicide *involontaire* n'est pas moralement imputable. Mais on n'est pas excusé d'une faute grave si, sans raisons proportionnées, on a agi de manière à entraîner la mort, même sans l'intention de la donner.

L'avortement

2270   La vie humaine doit être respectée et protégée de manière
1703   absolue depuis le moment de la conception. Dès le premier
        moment de son existence, l'être humain doit se voir
357   reconnaître les droits de la personne, parmi lesquels le droit
        inviolable de tout être innocent à la vie[2].

> Avant d'être façonné dans le ventre maternel, je te connaissais. Avant ta sortie du sein, je t'ai consacré (Jr 1, 5).

> Mes os n'étaient point cachés devant toi quand je fus fait dans le secret, brodé dans les profondeurs de la terre (Ps 139, 15).

2271   Depuis le 1er siècle, l'Eglise a affirmé la malice morale de tout avortement provoqué. Cet enseignement n'a pas changé. Il demeure invariable. L'avortement direct, c'est-à-dire voulu comme une fin ou comme un moyen, est gravement contraire à la loi morale :

> Tu ne tueras pas l'embryon par l'avortement et tu ne feras pas périr le nouveau-né[3].

> Dieu, Maître de la vie, a confié aux hommes le noble ministère de la vie, et l'homme doit s'en acquitter d'une manière digne de Lui. La vie doit donc être sauvegardée avec soin extrême dès la conception : l'avortement et l'infanticide sont des crimes abominables[4].

2272   La coopération formelle à un avortement constitue une faute grave. L'Eglise sanctionne d'une peine canonique d'excommunication ce délit contre la vie humaine. « Qui procure un avortement, si l'effet s'ensuit, encourt l'excommunication *latæ sententiæ*[5] », « par le fait même de

---

1. Cf. Am 8, 4-10. — 2. Cf. CDF, instr. « Donum vitæ » 1, 1. — 3. Didaché 2, 2 ; cf. Barnabé, ep. 19, 5 ; Epître à Diognète 5, 6 ; Tertullien, apol. 9, 8. — 4. GS 51, § 3. — 5. CIC, can. 1398.

la commission du délit[1] » et aux conditions prévues par le Droit[2]. L'Eglise n'entend pas ainsi restreindre le champ de la miséricorde. Elle manifeste la gravité du crime commis, le dommage irréparable causé à l'innocent mis à mort, à ses parents et à toute la société.

1463

Le droit inaliénable à la vie de tout individu humain innocent constitue un *élément constitutif de la société civile et de sa législation* :

2273

1930

« Les droits inaliénables de la personne devront être reconnus et respectés par la société civile et l'autorité politique. Les droits de l'homme ne dépendent ni des individus, ni des parents, et ne représentent pas même une concession de la société et de l'Etat; ils appartiennent à la nature humaine et sont inhérents à la personne en raison de l'acte créateur dont elle tire son origine. Parmi ces droits fondamentaux, il faut nommer le droit à la vie et à l'intégrité physique de tout être humain depuis la conception jusqu'à la mort[3]. »

« Dans le moment où une loi positive prive une catégorie d'êtres humains de la protection que la législation civile doit leur accorder, l'Etat en vient à nier l'égalité de tous devant la loi. Quand l'Etat ne met pas sa force au service des droits de tous les citoyens, et en particulier des plus faibles, les fondements même d'un état de droit se trouvent menacés (...). Comme conséquence du respect et de la protection qui doivent être assurés à l'enfant dès le moment de sa conception, la loi devra prévoir des sanctions pénales appropriées pour toute violation délibérée de ses droits[4]. »

Puisqu'il doit être traité comme une personne, dès la conception, l'embryon devra être défendu dans son intégrité, soigné et guéri, dans la mesure du possible comme tout autre être humain.

2274

Le *diagnostic prénatal* est moralement licite, « s'il respecte la vie et l'intégrité de l'embryon et du fœtus humain, et s'il est orienté à sa sauvegarde ou à sa guérison individuelle (...). Il est gravement en opposition avec la loi morale, quand il prévoit, en fonction des résultats, l'éventualité de provoquer un avortement. Un diagnostic ne doit pas être l'équivalent d'une sentence de mort[5]. »

« On doit considérer comme licites les interventions sur l'embryon humain, à condition qu'elles respectent la vie et l'intégrité de l'embryon et qu'elles ne comportent pas pour lui de risques disproportionnés, mais qu'elles visent à sa guérison, à l'amélioration de ses conditions de santé, ou à sa survie individuelle[6]. »

2275

« Il est immoral de produire des embryons humains destinés à être exploités comme un matériau biologique disponible[7]. »

---

1. CIC, can. 1314. — 2. Cf. CIC, can. 1323-1324. — 3. CDF, instr. « Donum vitæ » 3. — 4. CDF, instr. « Donum vitæ » 3. — 5. CDF, instr. « Donum vitæ » 1, 2. — 6. CDF, instr. « Donum vitæ » 1, 3. — 7. CDF, instr. « Donum vitæ » 1, 5.

« Certaines tentatives d'*intervention sur le patrimoine chromo-
somique ou génétique* ne sont pas thérapeutiques, mais tendent à la
production d'êtres humains sélectionnés selon le sexe ou d'autres
qualités préétablies. Ces manipulations sont contraires à la dignité
personnelle de l'être humain, à son intégrité et à son identité »
unique, non réitérable [1].

L'euthanasie

2276 Ceux dont la vie est diminuée ou affaiblie réclament un
1503 respect spécial. Les personnes malades ou handicapées
doivent être soutenues pour mener une vie aussi normale
que possible.

2277 Quels qu'en soient les motifs et les moyens, l'euthanasie
directe consiste à mettre fin à la vie de personnes handicapées, malades ou mourantes. Elle est moralement irrece-
vable.

Ainsi une action ou une omission qui, de soi ou dans l'intention,
donne la mort afin de supprimer la douleur, constitue un meurtre
gravement contraire à la dignité de la personne humaine et au respect du Dieu vivant, son Créateur. L'erreur de jugement dans
laquelle on peut être tombé de bonne foi, ne change pas la nature de
cet acte meurtrier, toujours à proscrire et à exclure [2].

2278 La cessation de procédures médicales onéreuses, périlleuses,
extraordinaires ou disproportionnées avec les résultats attendus,
peut être légitime. C'est le refus de « l'acharnement thérapeutique ». On ne veut pas ainsi donner la mort ; on accepte de ne pas
1007 pouvoir l'empêcher. Les décisions doivent être prises par le patient
s'il en a la compétence et la capacité, ou sinon par les ayants droit
légaux, en respectant toujours la volonté raisonnable et les intérêts
légitimes du patient.

2279 Même si la mort est considérée comme imminente, les soins
ordinairement dus à une personne malade ne peuvent être légitimement interrompus. L'usage des analgésiques pour alléger les souffrances du moribond, même au risque d'abréger ses jours, peut être
moralement conforme à la dignité humaine si la mort n'est pas voulue, ni comme fin ni comme moyen, mais seulement prévue et tolé-
rée comme inévitable. Les soins palliatifs constituent une forme
privilégiée de la charité désintéressée. A ce titre ils doivent être
encouragés.

Le suicide

2280 Chacun est responsable de sa vie devant Dieu qui la lui a
2258 donnée. C'est Lui qui en reste le souverain Maître. Nous
sommes tenus de la recevoir avec reconnaissance et de la

1. CDF, instr. « Donum vitæ » 1, 6. — 2. CDF, décl. « Iura et bone ».

préserver pour son honneur et le salut de nos âmes. Nous sommes les intendants et non les propriétaires de la vie que Dieu nous a confiée. Nous n'en disposons pas.

Le suicide contredit l'inclination naturelle de l'être 2281 humain à conserver et à perpétuer sa vie. Il est gravement contraire au juste amour de soi. Il offense également l'amour du prochain, parce qu'il brise injustement les liens de solidarité avec les sociétés familiale, nationale et *2212* humaine à l'égard desquelles nous demeurons obligés. Le suicide est contraire à l'amour du Dieu vivant.

S'il est commis dans l'intention de servir d'exemple, 2282 notamment pour les jeunes, le suicide prend encore la gravité d'un scandale. La coopération volontaire au suicide est contraire à la loi morale.

Des troubles psychiques graves, l'angoisse ou la crainte grave de l'épreuve, de la souffrance ou de la torture peuvent diminuer la responsabilité du suicidaire. *1735*

On ne doit pas désespérer du salut éternel des personnes 2283 qui se sont donné la mort. Dieu peut leur ménager, par les voies que Lui seul connaît, l'occasion d'une salutaire repentance. L'Eglise prie pour les personnes qui ont attenté à leur *1037* vie.

II. Le respect de la dignité des personnes

Le respect de l'âme d'autrui : le scandale

Le scandale est l'attitude ou le comportement qui portent 2284 autrui à faire le mal. Celui qui scandalise se fait le tentateur *2847* de son prochain. Il porte atteinte à la vertu et à la droiture ; il peut entraîner son frère dans la mort spirituelle. Le scandale constitue une faute grave si par action ou omission il entraîne délibérément autrui à une faute grave.

Le scandale revêt une gravité particulière en vertu de 2285 l'autorité de ceux qui le causent ou de la faiblesse de ceux *1903* qui le subissent. Il a inspiré à notre Seigneur cette malédiction : « Qui scandalise un de ces petits, il vaudrait mieux pour lui qu'on l'ait précipité dans la mer avec une pierre au cou » (Mt 18, 6)[1]. Le scandale est grave lorsqu'il est porté

1. Cf. 1 Co 8, 10-13.

par ceux qui, par nature ou par fonction, sont tenus d'enseigner et d'éduquer les autres. Jésus en fait le reproche aux scribes et aux Pharisiens : Il les compare à des loups déguisés en agneaux[1].

2286   Le scandale peut être provoqué par la loi ou par les institutions, par la mode ou par l'opinion.

1887   Ainsi se rendent coupables de scandale ceux qui instituent des lois ou des structures sociales menant à la dégradation des mœurs et à la corruption de la vie religieuse, ou à des « conditions sociales qui, volontairement ou non, rendent ardue et pratiquement impossible une conduite chrétienne conforme aux commandements[2] ». Il en va de même des chefs d'entreprise qui portent des règlements incitant à la fraude, des maîtres qui « exaspèrent » leurs enfants[3] ou 2498 de ceux qui, manipulant l'opinion publique, la détournent des valeurs morales.

2287   Celui qui use de pouvoirs dont il dispose dans des conditions qui entraînent à mal faire, se rend coupable de scandale et responsable du mal qu'il a, directement ou indirectement, favorisé. « Il est impossible que les scandales n'arrivent pas, mais malheur à celui par qui ils arrivent » (Lc 17, 1).

Le respect de la santé

2288   La vie et la santé physique sont des biens précieux 1503 confiés par Dieu. Nous avons à en prendre soin raisonnablement en tenant compte des nécessités d'autrui et du bien commun.

1509   Le *soin de la santé* des citoyens requiert l'aide de la société pour obtenir les conditions d'existence qui permettent de grandir et d'atteindre la maturité : nourriture et vêtement, habitat, soins de santé, enseignement de base, emploi, assistance sociale.

2289   Si la morale appelle au respect de la vie corporelle, elle 364 ne fait pas de celle-ci une valeur absolue. Elle s'insurge contre une conception néo-païenne qui tend à promouvoir le 2113 *culte du corps*, à tout lui sacrifier, à idolâtrer la perfection physique et la réussite sportive. Par le choix sélectif qu'elle opère entre les forts et les faibles, une telle conception peut conduire à la perversion des rapports humains.

1. Cf. Mt 7, 15. — 2. Pie XII, discours 1er juin 1941. — 3. Cf. Ep 6, 4 ; Col 3, 21.

La vertu de tempérance dispose à *éviter toutes les sortes d'excès*, l'abus de la table, de l'alcool, du tabac et des médicaments. Ceux qui en état d'ivresse ou par goût immodéré de la vitesse, mettent en danger la sécurité d'autrui et la leur propre sur les routes, en mer ou dans les airs, se rendent gravement coupables.   **2290**
1809

L'*usage de la drogue* inflige de très graves destructions à la santé et à la vie humaine. En dehors d'indications strictement thérapeutiques, c'est une faute grave. La production clandestine et le trafic de drogues sont des pratiques scandaleuses ; ils constituent une coopération directe, puisqu'ils y incitent, à des pratiques gravement contraires à la loi morale.   **2291**

Le respect de la personne et la recherche scientifique

Les expérimentations scientifiques, médicales ou psychologiques, sur les personnes ou les groupes humains peuvent concourir à la guérison des malades et au progrès de la santé publique.   **2292**

La recherche scientifique de base comme la recherche appliquée constituent une expression significative de la seigneurie de l'homme sur la création. La science et la technique sont de précieuses ressources quand elles sont mises au service de l'homme et en promeuvent le développement intégral au bénéfice de tous ; elles ne peuvent cependant indiquer à elles seules le sens de l'existence et du progrès humain. La science et la technique sont ordonnées à l'homme, dont elles tirent origine et accroissement ; elles trouvent donc dans la personne et ses valeurs morales l'indication de leur finalité et la conscience de leurs limites.   **2293**
159
1703

Il est illusoire de revendiquer la neutralité morale de la recherche scientifique et de ses applications. D'autre part, les critères d'orientation ne peuvent être déduits ni de la simple efficacité technique, ni de l'utilité qui peut en découler pour les uns au détriment des autres, ni, pis encore, des idéologies dominantes. La science et la technique requièrent de par leur signification intrinsèque le respect inconditionnel des critères fondamentaux de la moralité ; elles doivent être au service de la personne humaine, de ses droits inaliénables, de son bien véritable et intégral, conformément au projet et à la volonté de Dieu.   **2294**
2375

Les recherches ou expérimentations sur l'être humain ne peuvent légitimer des actes en eux-mêmes contraires à la dignité des personnes et à la loi morale. Le consentement éventuel des sujets ne justifie pas de tels actes. L'expérimentation sur l'être humain n'est pas moralement légitime   **2295**
1753

si elle fait courir à la vie ou à l'intégrité physique et psychique du sujet des risques disproportionnés ou évitables. L'expérimentation sur les êtres humains n'est pas conforme à la dignité de la personne si de plus elle a lieu sans le consentement éclairé du sujet ou de ses ayants droit.

2296   La *transplantation d'organes* est conforme à la foi morale si les
2301   dangers et les risques physiques et psychiques encourus par le donneur sont proportionnés au bien recherché chez le destinataire. La donation d'*organes* après la mort est un acte noble et méritoire et doit être encouragée comme une manifestation de généreuse solidarité. Il n'est pas moralement acceptable si le donneur ou ses proches ayants droit n'y ont pas donné leur consentement explicite. De plus, il est moralement inadmissible de provoquer directement la mutilation invalidante ou la mort d'un être humain, fût-ce pour retarder le décès d'autres personnes.

Le respect de l'intégrité corporelle

2297   Les *enlèvements* et la *prise d'otages* font régner la terreur et, par la menace, exercent d'intolérables pressions sur les victimes. Ils sont moralement illégitimes. Le *terrorisme* sans discrimination menace, blesse et tue; il est gravement contraire à la justice et à la charité. La *torture* qui use de violence physique ou morale pour arracher des aveux, pour châtier des coupables, effrayer des opposants, satisfaire la haine est contraire au respect de la personne et de la dignité humaine. En dehors d'indications médicales d'ordre strictement thérapeutique, les *amputations, mutilations ou stérilisations* directement volontaires des personnes innocentes sont contraires à la loi morale [1].

2298   Dans les temps passés, des pratiques cruelles ont été communément pratiquées par des gouvernements légitimes pour maintenir la loi et l'ordre, souvent sans protestation des pasteurs de l'Eglise, qui ont eux-mêmes adopté dans leurs propres tribunaux les prescriptions du droit romain sur la torture. A côté de ces faits regrettables, l'Eglise a toujours enseigné le devoir de clémence et de miséricorde; elle a défendu aux clercs de verser le sang. Dans
2267   les temps récents, il est devenu évident que ces pratiques cruelles n'étaient ni nécessaires à l'ordre public, ni conformes aux droits légitimes de la personne humaine. Au contraire, ces pratiques conduisent aux pires dégradations. Il faut œuvrer à leur abolition. Il faut prier pour les victimes et leurs bourreaux.

Le respect des morts

2299   L'attention et le soin seront accordés aux mourants pour les aider à vivre leurs derniers moments dans la dignité et la paix. Ils seront aidés par la prière de leurs proches. Ceux-ci

1. Cf. DS 3722-3723.

veilleront à ce que les malades reçoivent en temps opportun les sacrements qui préparent à la rencontre du Dieu vivant. *1525*

Les corps des défunts doivent être traités avec respect et charité dans la foi et l'espérance de la résurrection. L'ensevelissement des morts est une œuvre de miséricorde corporelle [1] ; elle honore les enfants de Dieu, temples de l'Esprit Saint. *2300 1681-1690*

L'autopsie des cadavres peut être moralement admise pour des motifs d'enquête légale ou de recherche scientifique. Le don gratuit d'organes après la mort est légitime et peut être méritoire. *2301*

L'Eglise permet l'incinération si celle-ci ne manifeste pas une mise en cause de la foi dans la résurrection des corps [2].

III. La sauvegarde de la paix

La paix

En rappelant le précepte : « Tu ne tueras pas » (Mt 5, 21), notre Seigneur demande la paix du cœur et dénonce l'immoralité de la colère meurtrière et de la haine : *2302 1765*

La *colère* est un désir de vengeance. « Désirer la vengeance pour le mal de celui qu'il faut punir est illicite » ; mais il est louable d'imposer une réparation « pour la correction des vices et le maintien de la justice [3]. » Si la colère va jusqu'au désir délibéré de tuer le prochain ou de le blesser grièvement, elle va gravement contre la charité ; elle est péché mortel. Le Seigneur dit : « Quiconque se met en colère contre son frère sera passible du jugement » (Mt 5, 22).

La *haine* volontaire est contraire à la charité. La haine du prochain est un péché quand l'homme lui veut délibérément du mal. La haine du prochain est un péché grave quand on lui souhaite délibérément un tort grave. « Eh bien ! Moi Je vous dis : Aimez vos ennemis, priez pour vos persécuteurs ; ainsi vous serez fils de votre Père qui est aux cieux... » (Mt 5, 44-45.) *2303 2094, 1933*

Le respect et la croissance de la vie humaine demandent la *paix*. La paix n'est pas seulement absence de guerre et elle ne se borne pas à assurer l'équilibre des forces adverses. *2304 1909*

1. Cf. Tb 1, 16-18. — 2. Cf. CIC, can. 1176, § 3. — 3. S. Thomas d'A., s. th. 2-2, 158, 1, ad 3.

1807
La paix ne peut s'obtenir sur terre sans la sauvegarde des biens des personnes, la libre communication entre les êtres humains, le respect de la dignité des personnes et des peuples, la pratique assidue de la fraternité. Elle est « tranquillité de l'ordre[1] ». Elle est œuvre de la justice (Is 32, 17) et effet de la charité[2].

2305

1468
La paix terrestre est image et fruit de la *paix du Christ*, le « Prince de la paix » messianique (Is 9, 5). Par le sang de sa Croix, Il a tué la haine dans sa propre chair[3], Il a réconcilié avec Dieu les hommes et fait de son Eglise le sacrement de l'unité du genre humain et de son union avec Dieu[4]. « Il est notre paix » (Ep 2, 14). Il déclare « bienheureux les artisans de paix » (Mt 5, 9).

2306

2267
Ceux qui renoncent à l'action violente et sanglante, et recourent pour la sauvegarde des droits de l'homme à des moyens de défense à la portée des plus faibles rendent témoignage à la charité évangélique, pourvu que cela se fasse sans nuire aux droits et obligations des autres hommes et des sociétés. Ils attestent légitimement la gravité des risques physiques et moraux du recours à la violence avec ses ruines et ses morts[5].

Éviter la guerre

2307
Le cinquième commandement interdit la destruction volontaire de la vie humaine. A cause des maux et des injustices qu'entraîne toute guerre, l'Eglise presse instamment chacun de prier et d'agir pour que la Bonté divine nous libère de l'antique servitude de la guerre[6].

2308
Chacun des citoyens et des gouvernants est tenu d'œuvrer pour éviter les guerres.

2266
Aussi longtemps cependant « que le risque de guerre subsistera, qu'il n'y aura pas d'autorité internationale compétente et disposant de forces suffisantes, on ne saurait dénier aux gouvernements, une fois épuisées toutes les possibilités de règlement pacifiques, le droit de légitime défense[7] ».

2309

2243
Il faut considérer avec rigueur les strictes conditions d'une *légitime défense par la force militaire*. La gravité d'une telle décision la soumet à des conditions rigoureuses de légitimité morale. Il faut à la fois :

---

1. S. Augustin, civ. 19, 13. — 2. Cf. GS 78, §§ 1-2. — 3. Cf. Ep 2, 16; Col 1, 20-22. — 4. Cf. LG 1. — 5. Cf. GS 78, § 5. — 6. Cf. GS 81, § 4. — 7. GS 79, § 4.

– que le dommage infligé par l'agresseur à la nation ou à la communauté des nations soit durable, grave et certain ;
– que tous les autres moyens d'y mettre fin se soient révélés impraticables ou inefficaces ;
– que soient réunies les conditions sérieuses de succès ;
– que l'emploi des armes n'entraîne pas des maux et des désordres plus graves que le mal à éliminer. La puissance des moyens modernes de destruction pèse très lourdement dans l'appréciation de cette condition.

Ce sont les éléments traditionnels énumérés dans la doctrine dite de la « guerre juste ».

L'appréciation de ces conditions de légitimité morale appartient au jugement prudentiel de ceux qui ont la charge du bien commun.   *1897*

Les pouvoirs publics ont dans ce cas le droit et le devoir   2310
d'imposer aux citoyens les *obligations nécessaires à la défense nationale*.

Ceux qui se vouent au service de la patrie dans la vie mili-   *2239*
taire sont des serviteurs de la sécurité et de la liberté des   *1909*
peuples. S'ils s'acquittent correctement de leur tâche, ils concourent vraiment au bien commun de la nation et au maintien de la paix [1].

Les pouvoirs publics pourvoiront équitablement au cas de   2311
ceux qui, pour des motifs de conscience, refusent l'emploi   *1782, 1790*
des armes, tout en demeurant tenus de servir sous une autre forme la communauté humaine [2].

L'Eglise et la raison humaine déclarent la validité per-   2312
manente de la *loi morale durant les conflits armés*. « Ce n'est pas parce que la guerre est malheureusement engagée que tout devient par le fait même licite entre les parties adverses [3]. »

Il faut respecter et traiter avec humanité les non-combat-   2313
tants, les soldats blessés et les prisonniers.

Les actions délibérément contraires au droit des gens et à ses principes universels, comme les ordres qui les commandent, sont des crimes. Une obéissance aveugle ne suffit pas à excuser

1. Cf. GS 79, § 5. — 2. Cf. GS 79, § 3. — 3. GS 79, § 4.

ceux qui s'y soumettent. Ainsi l'extermination d'un peuple, d'une nation ou d'une minorité ethnique doit être condamnée
2242 comme un péché mortel. On est moralement tenu de résister aux ordres qui commandent un génocide.

2314   « Tout acte de guerre qui tend indistinctement à la des-truction de villes entières ou de vastes régions avec leurs habitants, est un crime contre Dieu et contre l'homme lui-même, qui doit être condamné fermement et sans hésita-tion[1]. » Un risque de la guerre moderne est de fournir l'occasion aux détenteurs des armes scientifiques, notam-ment atomiques, biologiques ou chimiques, de commettre de tels crimes.

2315   L'*accumulation des armes* apparaît à beaucoup comme une manière paradoxale de détourner de la guerre des adver-saires éventuels. Ils y voient le plus efficace des moyens susceptibles d'assurer la paix entre les nations. Ce procédé de dissuasion appelle de sévères réserves morales. La *course aux armements* n'assure pas la paix. Loin d'éliminer les causes de guerre, elle risque de les aggraver. La dépense de richesses fabuleuses dans la préparation d'armes toujours nouvelles empêche de porter remède aux populations indi-gentes[2]; elle entrave le développement des peuples. Le *surarmement* multiplie les raisons de conflits et augmente le risque de la contagion.

2316   *La production et le commerce des armes* touchent le bien
1906 commun des nations et de la communauté internationale. Dès lors les autorités publiques ont le droit et le devoir de les réglementer. La recherche d'intérêts privés ou collectifs à court terme ne peut légitimer des entreprises qui attisent la violence et les conflits entre les nations, et qui compro-mettent l'ordre juridique international.

2317   Les injustices, les inégalités excessives d'ordre écono-
1938, 2538 mique ou social, l'envie, la méfiance et l'orgueil qui sévissent entre les hommes et les nations, menacent sans cesse la paix et causent les guerres. Tout ce qui est fait pour
1941 vaincre ces désordres contribue à édifier la paix et à éviter la guerre :

Dans la mesure où les hommes sont pécheurs, le danger de guerre menace, et il en sera ainsi jusqu'au retour du Christ. Mais, dans la mesure où, unis dans l'amour, les hommes

1. GS 80, § 4. — 2. PP 53.

surmontent le péché, ils surmontent aussi la violence jusqu'à l'accomplissement de cette parole : « Ils forgeront leurs glaives en socs et leurs lances en serpes. On ne lèvera pas le glaive nation contre nation et on n'apprendra plus la guerre » (Is 2, 4) [1].

EN BREF

« Dieu tient en son pouvoir l'âme de tout vivant et le souffle de toute chair d'homme » (Jb 12, 10).   2318

Toute vie humaine, dès le moment de la conception jusqu'à la mort, est sacrée parce que la personne humaine a été voulue pour elle-même à l'image et à la ressemblance du Dieu vivant et saint.   2319

Le meurtre d'un être humain est gravement contraire à la dignité de la personne et à la sainteté du Créateur.   2320

L'interdit du meurtre n'abroge pas le droit de mettre hors d'état de nuire un injuste agresseur. La légitime défense est un devoir grave pour qui est responsable de la vie d'autrui ou du bien commun.   2321

Dès sa conception, l'enfant a le droit à la vie. L'avortement direct, c'est-à-dire voulu comme une fin ou comme un moyen, est une « pratique infâme [2] » gravement contraire à la loi morale. L'Eglise sanctionne d'une peine canonique d'excommunication ce délit contre la vie humaine.   2322

Puisqu'il doit être traité comme une personne dès sa conception, l'embryon doit être défendu dans son intégrité, soigné et guéri comme tout autre être humain.   2323

L'euthanasie volontaire, quels qu'en soient les formes et les motifs, constitue un meurtre. Elle est gravement contraire à la dignité de la personne humaine et au respect du Dieu vivant, son Créateur.   2324

Le suicide est gravement contraire à la justice, à l'espérance et à la charité. Il est interdit par le cinquième commandement.   2325

Le scandale constitue une faute grave quand par action ou par omission il entraîne délibérément à pécher gravement.   2326

A cause des maux et des injustices qu'entraîne toute guerre nous devons faire tout ce qui est raisonnablement possible pour l'éviter. L'Eglise prie : « De la famine, de la peste et de la guerre délivre-nous, Seigneur. »   2327

1. GS 78, § 6. — 2. GS 27, § 3.

2328 *L'Eglise et la raison humaine déclarent la validité per-
      manente de la loi morale durant les conflits armés. Les pra-
      tiques délibérément contraires au droit des gens et à ses
      principes universels sont des crimes.*

2329 « *La course aux armements est une plaie extrêmement grave
      de l'humanité et lèse les pauvres d'une manière intolé-
      rable*[1]. »

2330 « *Heureux les artisans de paix, car ils seront appelés fils de
      Dieu* » *(Mt 5, 9).*

Article 6
Le sixième commandement

Tu ne commettras pas d'adultère (Ex 20, 14)[2].

Vous avez entendu qu'il a été dit : « Tu ne commettras pas
d'adultère. » Eh bien ! Moi Je vous dis : « Quiconque
regarde une femme pour la désirer a déjà commis, dans son
cœur, l'adultère avec elle » (Mt 5, 27-28).

369-373 I. « Homme et femme, Il les créa... »

2331 « Dieu est amour. Il vit en Lui-même un mystère de com-
      munion et d'amour. En créant l'humanité de l'homme et de
1604 la femme à son image (...) Dieu inscrit en elle la *vocation*, et
      donc la capacité et la responsabilité correspondantes, *à
      l'amour* et à la communion*[3]*. »

« Dieu créa l'homme à son image (...) homme et femme, Il
les créa » (Gn 1, 27) ; « Croissez et multipliez-vous » (Gn 1,
28) ; « Le jour où Dieu créa l'homme, à la ressemblance de
Dieu Il le fit, homme et femme Il les créa : Il les bénit et les
appela du nom d'homme le jour où ils furent créés » (Gn 5,
1-2).

2332 La *sexualité* affecte tous les aspects de la personne
362 humaine, dans l'unité de son corps et de son âme. Elle
      concerne particulièrement l'affectivité, la capacité d'aimer

1. GS 81, § 3. — 2. Cf. Dt 5, 17. — 3. FC 11.

et de procréer, et, d'une manière plus générale, l'aptitude à nouer des liens de communion avec autrui.

Il revient à chacun, homme et femme, de reconnaître et 2333 d'accepter son *identité* sexuelle. La *différence* et la *complémentarité* physiques, morales et spirituelles sont orientées vers les biens du mariage et l'épanouissement de la vie familiale. L'harmonie du couple et de la société dépend en *1603* partie de la manière dont sont vécus entre les sexes la complémentarité, le besoin et l'appui mutuels.

« En créant l'être humain homme et femme, Dieu donne 2334 la dignité personnelle d'une manière égale à l'homme et à la femme[1]. » « L'homme est une personne et cela dans la *357* même mesure pour l'homme et pour la femme, car tous les deux sont créés à l'image et à la ressemblance d'un Dieu personnel[2]. »

Chacun des deux sexes est, avec une égale dignité, 2335 quoique de façon différente, image de la puissance et de la tendresse de Dieu. L'*union de l'homme et de la femme* dans le mariage est une manière d'imiter dans la chair la générosité et la fécondité du Créateur : « L'homme quitte son père *2205* et sa mère afin de s'attacher à sa femme ; tous deux ne forment qu'une seule chair » (Gn 2, 24). De cette union procèdent toutes les générations humaines[3].

Jésus est venu restaurer la création dans la pureté de ses 2336 origines. Dans le sermon sur la Montagne, Il interprète de *1614* manière rigoureuse le dessein de Dieu : « Vous avez entendu qu'il a été dit : "Tu ne commettras pas d'adultère." Eh bien ! Moi Je vous dis : "Quiconque regarde une femme pour la désirer a déjà commis, dans son cœur, l'adultère avec elle." » (Mt 5, 27-28). L'homme ne doit pas séparer ce que Dieu a uni[4].

La Tradition de l'Eglise a entendu le sixième commandement comme englobant l'ensemble de la sexualité humaine.

II. La vocation à la chasteté

La chasteté signifie l'intégration réussie de la sexualité 2337 dans la personne et par là l'unité intérieure de l'homme dans *2520* son être corporel et spirituel. La sexualité, en laquelle *2349*

1. FC 22 ; cf. GS 49, § 2. — 2. MD 6. — 3. Cf. Gn 4, 1-2. 25-26 ; 5, 1. — 4. Cf. Mt 19, 6.

s'exprime l'appartenance de l'homme au monde corporel et biologique, devient personnelle et vraiment humaine lorsqu'elle est intégrée dans la relation de personne à personne, dans le don mutuel entier et temporellement illimité de l'homme et de la femme.

La vertu de chasteté comporte donc l'intégrité de la personne et l'intégralité du don.

L'intégrité de la personne

2338   La personne chaste maintient l'intégrité des forces de vie et d'amour déposées en elle. Cette intégrité assure l'unité de la personne, elle s'oppose à tout comportement qui la blesserait. Elle ne tolère ni la double vie, ni le double langage[1].

2339   La chasteté comporte un *apprentissage de la maîtrise de soi,* qui est une pédagogie de la liberté humaine. L'alternative est claire : ou l'homme commande à ses passions et obtient la paix, ou il se laisse asservir par elles et devient malheureux[2]. « La dignité de l'homme exige de lui qu'il agisse selon un choix conscient et libre, mû et déterminé par une conviction personnelle et non sous le seul effet de poussées instinctives ou d'une contrainte extérieure. L'homme
1767 parvient à cette dignité lorsque, se délivrant de toute servitude des passions, par le choix libre du bien, il marche vers sa destinée et prend soin de s'en procurer réellement les moyens par son ingéniosité[3]. »

2340   Celui qui veut demeurer fidèle aux promesses de son Baptême et résister aux tentations veillera à en prendre les
2015 *moyens* : la connaissance de soi, la pratique d'une ascèse adaptée aux situations rencontrées, l'obéissance aux commandements divins, la mise en œuvre des vertus morales et la fidélité à la prière. « La chasteté nous recompose ; elle nous ramène à cette unité que nous avions perdue en nous éparpillant[4]. »

2341   La vertu de chasteté est placée sous la mouvance de la
1809 vertu cardinale de *tempérance*, qui vise à imprégner de raison les passions et les appétits de la sensibilité humaine.

2342   La maîtrise de soi est une *œuvre de longue haleine*. Jamais on ne la considérera comme acquise une fois pour toutes. Elle suppose un effort repris à tous les âges de la

1. Cf. Mt 5, 37. 2. Cf. Si 1, 22. 3. GS 17. 4. S. Augustin, conf. 10, 29, 40.

vie[1]. L'effort requis peut être plus intense à certaines épo-   *407*
ques, ainsi lorsque se forme la personnalité, pendant
l'enfance et l'adolescence.

La chasteté connaît des *lois de croissance* qui passent par   2343
des degrés marqués par l'imperfection et trop souvent par le   *2223*
péché. « Jour après jour, l'homme vertueux et chaste se
construit par des choix nombreux et libres. Ainsi, il connaît,
aime et accomplit le bien moral en suivant les étapes d'une
croissance[2]. »

La chasteté représente une tâche éminemment person-   2344
nelle, elle implique aussi un *effort culturel*, car il existe une   *2525*
« interdépendance entre l'essor de la personne et le développement de la société elle-même[3] ». La chasteté suppose
le respect des droits de la personne, en particulier celui de
recevoir une information et une éducation qui respectent les
dimensions morales et spirituelles de la vie humaine.

La chasteté est une vertu morale. Elle est aussi un don de   2345
Dieu, une *grâce*, un fruit de l'œuvre spirituelle[4]. Le Saint-   *1810*
Esprit donne d'imiter la pureté du Christ[5] à celui qu'a régé-
néré l'eau du Baptême.

L'intégralité du don de soi

La charité est la forme de toutes les vertus. Sous son   2346
influence, la chasteté apparaît comme une école de don de la   *1827*
personne. La maîtrise de soi est ordonnée au don de soi. La
chasteté conduit celui qui la pratique à devenir auprès du
prochain un témoin de la fidélité et de la tendresse de Dieu.   *210*

La vertu de chasteté s'épanouit dans l'*amitié*. Elle indique   2347
au disciple comment suivre et imiter Celui qui nous a choi-   *374*
si comme ses propres amis[6], s'est donné totalement à nous
et nous fait participer à sa condition divine. La chasteté est
promesse d'immortalité.

La chasteté s'exprime notamment dans l'*amitié pour le prochain*. Développée entre personnes de même sexe ou de sexes
différents, l'amitié représente un grand bien pour tous. Elle
conduit à la communion spirituelle.

Les divers régimes de la chasteté

Tout baptisé est appelé à la chasteté. Le chrétien a   2348
« revêtu le Christ » (Ga 3, 27), modèle de toute chasteté.
Tous les fidèles du Christ sont appelés à mener une vie

1. Cf. Tt 2, 1-6. — 2. FC 34. — 3. GS 25, § 1. — 4. Cf. Ga 5, 22-23. — 5. Cf. 1
Jn 3, 3. — 6. Cf. Jn 15, 15.

chaste selon leur état de vie particulier. Au moment de son Baptême, le chrétien s'est engagé à conduire dans la chasteté son affectivité.

2349   « La chasteté doit qualifier les personnes suivant leurs
1620   différents états de vie : les unes dans la virginité ou le célibat consacré, manière éminente de se livrer plus facilement
à Dieu d'un cœur sans partage ; les autres, de la façon que
détermine pour tous la loi morale et selon qu'elles sont
mariées ou célibataires[1]. » Les personnes mariées sont appelées à vivre la chasteté conjugale ; les autres pratiquent la
chasteté dans la continence :

> Il existe trois formes de la vertu de chasteté : l'une des
> épouses, l'autre du veuvage, la troisième de la virginité.
> Nous ne louons pas l'une d'elles à l'exclusion des autres.
> C'est en quoi la discipline de l'Eglise est riche[2].

2350   Les *fiancés* sont appelés à vivre la chasteté dans la conti-
1632   nence. Ils verront dans cette mise à l'épreuve une découverte du respect mutuel, un apprentissage de la fidélité et de
l'espérance de se recevoir l'un et l'autre de Dieu. Ils réser-
veront au temps du mariage les manifestations de tendresse
spécifiques de l'amour conjugal. Ils s'aideront mutuellement
à grandir dans la chasteté.

Les offenses à la chasteté

2351   La *luxure* est un désir désordonné ou une jouissance déré-
2528   glée du plaisir vénérien. Le plaisir sexuel est moralement
désordonné, quand il est recherché pour lui-même, isolé des
finalités de procréation et d'union.

2352   Par la *masturbation*, il faut entendre l'excitation volontaire des organes génitaux, afin d'en retirer un plaisir vénérien. « Dans la ligne d'une tradition constante, tant le
Magistère de l'Eglise que le sens moral des fidèles ont
affirmé sans hésitation que la masturbation est un acte
intrinsèquement et gravement désordonné. » « Quel qu'en
soit le motif, l'usage délibéré de la faculté sexuelle en
dehors des rapports conjugaux normaux en contredit la finalité. » La jouissance sexuelle y est recherchée en dehors de
« la relation sexuelle requise par l'ordre moral, celle qui réalise, dans le contexte d'un amour vrai, le sens intégral de la
donation mutuelle et de la procréation humaine[3] ».

---

1. CDF, décl. « Persona humana » 11. — 2. S. Ambroise, vid. 23. — 3. CDF, décl. « Persona humana » 9.

Pour former un jugement équitable sur la responsabilité morale des sujets et pour orienter l'action pastorale, on tiendra compte de l'immaturité affective, de la force des habitudes contractées, de l'état d'angoisse ou des autres facteurs psychiques ou sociaux qui peuvent atténuer, voire réduire au minimum la culpabilité morale.   *1735*

La *fornication* est l'union charnelle en dehors du mariage   2353
entre un homme et une femme libres. Elle est gravement contraire à la dignité des personnes et de la sexualité humaine naturellement ordonnée au bien des époux ainsi qu'à la génération et à l'éducation des enfants. En outre c'est un scandale grave quand il y a corruption des jeunes.

La *pornographie* consiste à retirer les actes sexuels, réels   2354
ou simulés, de l'intimité des partenaires pour les exhiber à   *2523*
des tierces personnes de manière délibérée. Elle offense la chasteté parce qu'elle dénature l'acte conjugal, don intime des époux l'un à l'autre. Elle porte gravement atteinte à la dignité de ceux qui s'y livrent (acteurs, commerçants, public), puisque chacun devient pour l'autre l'objet d'un plaisir rudimentaire et d'un profit illicite. Elle plonge les uns et les autres dans l'illusion d'un monde factice. Elle est une faute grave. Les autorités civiles doivent empêcher la production et la distribution de matériaux pornographiques.

La *prostitution* porte atteinte à la dignité de la personne   2355
qui se prostitue, réduite au plaisir vénérien que l'on tire d'elle. Celui qui paie pèche gravement contre lui-même : il rompt la chasteté à laquelle l'engageait son Baptême et souille son corps, temple de l'Esprit Saint [1]. La prostitution constitue un fléau social. Il touche habituellement des femmes, mais aussi des hommes, des enfants ou des adolescents (dans ces deux derniers cas, le péché se double d'un scandale). S'il est toujours gravement peccamineux de se livrer à la prostitution, la misère, le chantage et la pression sociale peuvent atténuer l'imputabilité de la faute.   *1735*

Le *viol* désigne l'entrée par effraction, avec violence,   2356
dans l'intimité sexuelle d'une personne. Il est atteinte à la justice et à la charité. Le viol blesse profondément le droit de chacun au respect, à la liberté, à l'intégrité physique et   *2297*
morale. Il crée un préjudice grave, qui peut marquer la victime sa vie durant. Il est toujours un acte intrinsèquement

1. Cf. 1 Co 6, 15-20.

1756 mauvais. Plus grave encore est le viol commis de la part des
2388 parents (cf. inceste) ou d'éducateurs envers les enfants qui
leur sont confiés.

Chasteté et homosexualité

2357   L'homosexualité désigne les relations entre des hommes
ou des femmes qui éprouvent une attirance sexuelle, exclusive ou prédominante, envers des personnes du même sexe.
Elle revêt des formes très variables à travers les siècles et les
cultures. Sa genèse psychique reste largement inexpliquée.
S'appuyant sur la Sainte Ecriture, qui les présente comme
des dépravations graves [1], la Tradition a toujours déclaré que
« les actes d'homosexualité sont intrinsèquement désordonnés [2] ». Ils sont contraires à la loi naturelle. Ils ferment l'acte
sexuel au don de la vie. Ils ne procèdent pas d'une complé-
2333 mentarité affective et sexuelle véritable. Ils ne sauraient
recevoir d'approbation en aucun cas.

2358   Un nombre non négligeable d'hommes et de femmes présentent des tendances homosexuelles foncières. Cette pro-
pension, objectivement désordonnée, constitue pour la plupart d'entre eux une épreuve. Ils ne choisissent pas leur
condition homosexuelle. Ils doivent être accueillis avec respect, compassion et délicatesse. On évitera à leur égard
toute marque de discrimination injuste. Ces personnes sont
appelées à réaliser la volonté de Dieu dans leur vie, et si
elles sont chrétiennes, à unir au sacrifice de la Croix du Seigneur les difficultés qu'elles peuvent rencontrer du fait de
leur condition.

2359   Les personnes homosexuelles sont appelées à la chasteté.
Par les vertus de maîtrise, éducatrices de la liberté inté-
2347 rieure, quelquefois par le soutien d'une amitié désintéressée,
par la prière et la grâce sacramentelle, elles peuvent et
doivent se rapprocher, graduellement et résolument, de la
perfection chrétienne.

III. L'amour des époux

2360   La sexualité est ordonnée à l'amour conjugal de l'homme
1601 et de la femme. Dans le mariage l'intimité corporelle des
époux devient un signe et un gage de communion spiri-

---

1. Cf. Gn 19, 1-29 ; Rm 1, 24-27 ; 1 Co 6, 9-10 ; 1 Tm 1, 10. — 2. CDF, décl.
« Persona humana » 8.

tuelle. Entre les baptisés, les liens du mariage sont sanctifiés par le sacrement.

« La sexualité, par laquelle l'homme et la femme se donnent l'un à l'autre par les actes propres et exclusifs des époux, n'est pas quelque chose de purement biologique, mais concerne la personne humaine dans ce qu'elle a de plus intime. Elle ne se réalise de façon véritablement humaine que si elle est partie intégrante de l'amour dans lequel l'homme et la femme s'engagent entièrement l'un vis-à-vis de l'autre jusqu'à la mort[1] » : **2361**

1643, 2332

> Tobie se leva du lit, et dit à Sara : « Debout, ma sœur ! Il faut prier tous deux, et recourir à notre Seigneur, pour obtenir sa grâce et sa protection. » Elle se leva et ils se mirent à prier pour obtenir d'être protégés, et il commença ainsi : « Tu es béni, Dieu de nos pères (...). C'est toi qui as créé Adam, c'est toi qui as créé Eve sa femme, pour être son secours et son appui, et la race humaine est née de ces deux-là. C'est toi qui as dit : "Il ne faut pas que l'homme reste seul, faisons-lui une aide semblable à lui." Et maintenant, ce n'est pas le plaisir que je cherche en prenant ma sœur, mais je le fais d'un cœur sincère. Daigne avoir pitié d'elle et de moi et nous mener ensemble à la vieillesse ! » Et ils dirent de concert : « Amen, amen. » Et ils se couchèrent pour la nuit (Tb 8, 4-9).

1611

« Les actes qui réalisent l'union intime et chaste des époux sont des actes honnêtes et dignes. Vécus d'une manière vraiment humaine, ils signifient et favorisent le don réciproque par lequel les époux s'enrichissent tous les deux dans la joie et la reconnaissance[2]. » La sexualité est source de joie et de plaisir : **2362**

> Le Créateur lui-même (...) a établi que dans cette fonction [de génération] les époux éprouvent un plaisir et une satisfaction du corps et de l'esprit. Donc, les époux ne font rien de mal en recherchant ce plaisir et en en jouissant. Ils acceptent ce que le Créateur leur a destiné. Néanmoins, les époux doivent savoir se maintenir dans les limites d'une juste modération[3].

Par l'union des époux se réalise la double fin du mariage : le bien des époux eux-mêmes et la transmission de la vie. On ne peut séparer ces deux significations ou valeurs du mariage sans altérer la vie spirituelle du couple ni compromettre les biens du mariage et l'avenir de la famille. **2363**

1. FC 11. — 2. GS 49, § 2. — 3. Pie XII, discours 29 octobre 1951.

L'amour conjugal de l'homme et de la femme est ainsi placé sous la double exigence de la fidélité et de la fécondité.

1646-1648 La fidélité conjugale

2364 Le couple conjugal forme « une intime communauté de *1603* vie et d'amour fondée et dotée de ses lois propres par le Créateur. Elle est établie sur l'alliance des conjoints, c'est-à-dire sur leur consentement personnel et irrévocable [1]. » Tous deux se donnent définitivement et totalement l'un à l'autre. Ils ne sont plus deux, mais forment désormais une seule chair. L'alliance contractée librement par les époux leur *1615* impose l'obligation de la maintenir une et indissoluble [2]. « Ce que Dieu a uni, l'homme ne doit point le séparer » (Mc 10, 9) [3].

2365 La fidélité exprime la constance dans le maintien de la parole donnée. Dieu est fidèle. Le sacrement du Mariage fait *1640* entrer l'homme et la femme dans la fidélité du Christ pour son Eglise. Par la chasteté conjugale, ils rendent témoignage à ce mystère à la face du monde.

> S. Jean Chrysostome suggère aux jeunes mariés de tenir ce discours à leur épouse : « Je t'ai prise dans mes bras, et je t'aime, et je te préfère à ma vie même. Car la vie présente n'est rien, et mon rêve le plus ardent est de la passer avec toi, de telle sorte que nous soyons assurés de n'être pas séparés dans celle qui nous est réservée (...). Je mets ton amour au-dessus de tout, et rien ne me serait plus pénible que de n'avoir pas les mêmes pensées que les tiennes [4]. »

1652-1653 La fécondité du mariage

2366 La fécondité est un don, une *fin du mariage*, car l'amour conjugal tend naturellement à être fécond. L'enfant ne vient pas de l'extérieur s'ajouter à l'amour mutuel des époux ; il surgit au cœur même de ce don mutuel, dont il est un fruit et un accomplissement. Aussi l'Eglise, qui « prend parti pour la vie [5] », enseigne-t-elle que « tout acte matrimonial doit rester par soi ouvert à la transmission de la vie [6] ». « Cette doctrine, plusieurs fois exposée par le Magistère, est fondée sur le lien indissoluble que Dieu a voulu et que l'homme ne peut rompre de son initiative entre les deux significations de l'acte conjugal : union et procréation [7]. »

1. GS 48, § 1. — 2. Cf. CIC, can. 1056. — 3. Cf. Mt 19, 1-12 ; 1 Co 7, 10-11. — 4. Hom. in Eph. 20, 8. — 5. FC 30. — 6. HV 11. — 7. HV 12 ; cf. Pie XI, enc. « Casti connubii ».

Appelés à donner la vie, les époux participent à la puis- **2367**
sance créatrice et à la paternité de Dieu[1]. « Dans le devoir *2205*
qui leur incombe de transmettre la vie et d'être des éducateurs (ce qu'il faut considérer comme leur mission propre),
les époux savent qu'ils sont les *coopérateurs du Dieu créateur* et comme ses interprètes. Ils s'acquitteront donc de leur
charge en toute responsabilité humaine et chrétienne[2]. »

Un aspect particulier de cette responsabilité concerne la **2368**
régulation de la procréation. Pour de justes raisons[3], les
époux peuvent vouloir espacer les naissances de leurs
enfants. Il leur revient de vérifier que leur désir ne relève
pas de l'égoïsme mais est conforme à la juste générosité
d'une paternité responsable. En outre ils régleront leur
comportement suivant les critères objectifs de la moralité :

> Lorsqu'il s'agit de mettre en accord l'amour conjugal avec
> la transmission responsable de la vie, la moralité du
> comportement ne dépend pas de la seule sincérité de
> l'intention et de la seule appréciation des motifs ; mais elle
> doit être déterminée selon des critères objectifs, tirés de la
> nature même de la personne et de ses actes, critères qui res-
> pectent, dans un contexte d'amour véritable, la signification
> totale d'une donation réciproque et d'une procréation à la
> mesure de l'homme ; chose impossible si la vertu de chas-
> teté conjugale n'est pas pratiquée d'un cœur loyal[4].

« C'est en sauvegardant ces deux aspects essentiels, union **2369**
et procréation, que l'acte conjugal conserve intégralement le
sens de mutuel et véritable amour et son ordination à la très
haute vocation de l'homme à la paternité[5]. »

La continence périodique, les méthodes de régulation des **2370**
naissances fondées sur l'auto-observation et le recours aux
périodes infécondes[6] sont conformes aux critères objectifs
de la moralité. Ces méthodes respectent le corps des époux,
encouragent la tendresse entre eux et favorisent l'éducation
d'une liberté authentique. En revanche, est intrinsèquement
mauvaise « toute action qui, soit en prévision de l'acte
conjugal, soit dans son déroulement, soit dans le développement de ses conséquences naturelles, se proposerait comme
but ou comme moyen de rendre impossible la procréation[7] » :

> Au langage qui exprime naturellement la donation réci-
> proque et totale des époux, la contraception oppose un lan-
> gage objectivement contradictoire selon lequel il ne s'agit

1. Cf. Ep 3, 14-15 ; Mt 23, 9. — 2. GS 50, § 2. — 3. Cf. GS 50. — 4. GS 51, § 3.
— 5. HV 12. — 6. Cf. HV 16. — 7. HV 14.

plus de se donner totalement l'un à l'autre. Il en découle non seulement le refus positif de l'ouverture à la vie, mais aussi une falsification de la vérité interne de l'amour conjugal, appelé à être un don de la personne tout entière. Cette différence anthropologique et morale entre la contraception et le recours aux rythmes périodiques implique deux conceptions de la personne et de la sexualité humaine irréductibles l'une à l'autre[1].

2371   « Par ailleurs, que tous sachent bien que la vie humaine et la charge de la transmettre ne se limitent pas aux horizons de ce monde et n'y trouvent ni leur pleine dimension, ni leur plein sens, mais qu'elles sont toujours à mettre en référence
1703 avec *la destinée éternelle des hommes*[2]. »

2372   L'Etat est responsable du bien-être des citoyens. A ce titre, il est légitime qu'il intervienne pour orienter la croissance de la population. Il peut le faire par voie d'une information objective et respectueuse, mais non point par voie autoritaire et contraignante. Il ne
2209 peut légitimement se substituer à l'initiative des époux, premiers responsables de la procréation et de l'éducation de leurs enfants[3]. Dans ce domaine, il ne possède pas l'autorité d'intervenir par des moyens contraires à la loi morale.

Le don de l'enfant

2373   La Sainte Ecriture et la pratique traditionnelle de l'Eglise voient dans les *familles nombreuses* un signe de la bénédiction divine et de la générosité des parents[4].

2374   Grande est la souffrance des couples qui se découvrent
1654 stériles. « Que pourrais-tu me donner ? » demande Abram à Dieu. « Je m'en vais sans enfant... » (Gn 15, 2). « Fais-moi avoir aussi des enfants ou je meurs ! » crie Rachel à son mari Jacob (Gn 30, 1).

2375   Les recherches qui visent à réduire la stérilité humaine
2293 sont à encourager, à la condition qu'elles soient placées « au service de la personne humaine, de ses droits inaliénables, de son bien véritable et intégral, conformément au projet et à la volonté de Dieu[5] ».

2376   Les techniques qui provoquent une dissociation des parentés, par l'intervention d'une personne étrangère au couple (don de sperme ou d'ovocyte, prêt d'utérus) sont gravement déshonnêtes. Ces tech-

---

1. FC 32. — 2. GS 51, § 4. — 3. Cf. PP 37 ; HV 23. — 4. Cf. GS 50, § 2. — 5. CDF, instr. « Donum vitæ » intr. 2.

niques (insémination et fécondation artificielles hétérologues)
lèsent le droit de l'enfant à naître d'un père et d'une mère connus
de lui et liés entre eux par le mariage. Elles trahissent « le droit
exclusif à ne devenir père et mère que l'un par l'autre [1] ».

Pratiquées au sein du couple, ces techniques (insémination et   2377
fécondation artificielles homologues) sont peut-être moins préjudiciables, mais elles restent moralement irrecevables. Elles dissocient
l'acte sexuel de l'acte procréateur. L'acte fondateur de l'existence
de l'enfant n'est plus un acte par lequel deux personnes se donnent
l'une à l'autre, il « remet la vie et l'identité de l'embryon au pouvoir des médecins et des biologistes, et instaure une domination de
la technique sur l'origine et la destinée de la personne humaine.
Une telle relation de domination est de soi contraire à la dignité et à
l'égalité qui doivent être communes aux parents et aux enfants [2] ».
« La procréation est moralement privée de sa perfection propre
quand elle n'est pas voulue comme le fruit de l'acte conjugal, c'est-
à-dire du geste spécifique de l'union des époux. (...) Seul le respect
du lien qui existe entre les significations de l'acte conjugal et le respect de l'unité de l'être humain permet une procréation conforme à
la dignité de la personne [3]. »

L'enfant n'est pas un *dû*, mais un *don*. Le « don le plus   2378
excellent du mariage » est une personne humaine. L'enfant
ne peut être considéré comme un objet de propriété, ce à
quoi conduirait la reconnaissance d'un prétendu « droit à
l'enfant ». En ce domaine, seul l'enfant possède de véritables droits : celui « d'être le fruit de l'acte spécifique de
l'amour conjugal de ses parents, et aussi le droit d'être respecté comme personne dès le moment de sa conception [4] ».

L'Evangile montre que la stérilité physique n'est pas un   2379
mal absolu. Les époux qui, après avoir épuisé les recours
légitimes à la médecine, souffrent d'infertilité s'associeront
à la Croix du Seigneur, source de toute fécondité spirituelle.
Ils peuvent marquer leur générosité en adoptant des enfants
délaissés ou en remplissant des services exigeants à l'égard
d'autrui.

IV. Les offenses à la dignité du mariage

L'*adultère*. Ce mot désigne l'infidélité conjugale.   2380
Lorsque deux partenaires, dont l'un au moins est marié,
nouent entre eux une relation sexuelle, même éphémère, ils
commettent un adultère. Le Christ condamne l'adultère

1. CDF, instr. « Donum vitæ » 2, 1. — 2. Cf. CDF, instr. « Donum vitæ » 2, 5.
— 3. CDF, instr. « Donum vitæ » 2, 4. — 4. CDF, instr. « Donum vitæ » 2, 8.

574 LA VIE DANS LE CHRIST

même de simple désir[1]. Le sixième commandement et le
Nouveau Testament proscrivent absolument l'adultère[2]. Les
prophètes en dénoncent la gravité. Ils voient dans l'adultère
la figure du péché d'idolâtrie[3].

1611

2381 L'adultère est une injustice. Celui qui le commet manque
1640 à ses engagements. Il blesse le signe de l'alliance qu'est le
lien matrimonial, lèse le droit de l'autre conjoint et porte
atteinte à l'institution du mariage, en violant le contrat qui le
fonde. Il compromet le bien de la génération humaine et des
enfants qui ont besoin de l'union stable des parents.

Le divorce

2382 Le Seigneur Jésus a insisté sur l'intention originelle du
1614 Créateur qui voulait un mariage indissoluble[4]. Il abroge les
tolérances qui s'étaient glissées dans la Loi ancienne[5].

Entre baptisés, « le mariage conclu et consommé ne peut être
dissous par aucune puissance humaine ni pour aucune cause,
sauf par la mort[6] ».

2383 La *séparation* des époux avec maintien du lien matrimo-
1649 nial peut être légitime en certains cas prévus par le Droit
canonique[7].

Si le divorce civil reste la seule manière possible d'assurer certains droits légitimes, le soin des enfants ou la défense du patrimoine, il peut être toléré sans constituer une faute morale.

2384 Le *divorce* est une offense grave à la loi naturelle. Il pré-
1650 tend briser le contrat librement consenti par les époux de
vivre l'un avec l'autre jusqu'à la mort. Le divorce fait injure
à l'alliance de salut dont le mariage sacramentel est le signe.
Le fait de contracter une nouvelle union, fût-elle reconnue
par la loi civile, ajoute à la gravité de la rupture : le conjoint
remarié se trouve alors en situation d'adultère public et permanent :

Si le mari, après s'être séparé de sa femme, s'approche
d'une autre femme, il est lui-même adultère, parce qu'il fait
commettre un adultère à cette femme ; et la femme qui
habite avec lui est adultère, parce qu'elle a attiré à elle le
mari d'une autre[8].

1. Cf. Mt 5, 27-28. — 2. Cf. Mt 5, 32 ; 19, 6 ; Mc 10, 12 ; 1 Co 6, 9-10. — 3. Cf.
Os 2, 7 ; Jr 5, 7 ; 13, 27. — 4. Cf. Mt 5, 31-32 ; 19, 3-9 ; Mc 10, 9 ; Lc 16, 18 ; 1 Co
7, 10-11. — 5. Cf. Mt 19, 7-9. — 6. CIC, can. 1141. — 7. Cf. CIC, can. 1151-
1155. — 8. S. Basile, moral. règle 73.

Le divorce tient aussi son caractère immoral du désordre 2385
qu'il introduit dans la cellule familiale et dans la société. Ce
désordre entraîne des préjudices graves : pour le conjoint,
qui se trouve abandonné ; pour les enfants, traumatisés par la
séparation des parents, et souvent tiraillés entre eux ; pour
son effet de contagion, qui en fait une véritable plaie
sociale.

Il se peut que l'un des conjoints soit la victime innocente 2386
du divorce prononcé par la loi civile ; il ne contrevient pas
alors au précepte moral. Il existe une différence considérable entre le conjoint qui s'est efforcé avec sincérité d'être
fidèle au sacrement du Mariage et se voit injustement abandonné, et celui qui, par une faute grave de sa part, détruit un
mariage canoniquement valide [1].   *1640*

Autres offenses à la dignité du mariage

On comprend le drame de celui qui, désireux de se 2387
convertir à l'Evangile, se voit obligé de répudier une ou plusieurs femmes avec lesquelles il a partagé des années de vie
conjugale. Cependant la *polygamie* ne s'accorde pas à la loi   *1610*
morale. Elle « s'oppose radicalement à la communion
conjugale : elle nie, en effet, de façon directe le dessein de
Dieu tel qu'il nous a été révélé au commencement ; elle est
contraire à l'égale dignité personnelle de la femme et de
l'homme, lesquels dans le mariage se donnent dans un
amour total qui, de ce fait même, est unique et exclusif [2] ».
Le chrétien ancien polygame est gravement tenu en justice
d'honorer les obligations contractées à l'égard de ses
anciennes femmes et de ses enfants.

L'*inceste* désigne des relations intimes entre parents ou 2388
alliés, à un degré qui interdit entre eux le mariage [3]. S. Paul   *2356*
stigmatise cette faute particulièrement grave : « On n'entend
parler que d'inconduite parmi vous (...). C'est au point que
l'un d'entre vous vit avec la femme de son père ! (...) Il faut
qu'au nom du Seigneur Jésus (...) nous livrions cet individu
à Satan pour la perte de sa chair... » (1 Co 5, 1. 3-5).
L'inceste corrompt les relations familiales et marque une   *2207*
régression vers l'animalité.

On peut rattacher à l'inceste les abus sexuels perpétrés 2389
par des adultes sur des enfants ou adolescents confiés à leur
garde. La faute se double alors d'une atteinte scandaleuse   *2285*

_____

1. Cf. FC 84. — 2. FC 19 ; cf. GS 47, § 2. — 3. Cf. Lv 18, 7-20.

portée à l'intégrité physique et morale des jeunes, qui en resteront marqués leur vie durant, et d'une violation de la responsabilité éducative.

2390 Il y a *union libre* lorsque l'homme et la femme refusent
1631 de donner une forme juridique et publique à une liaison impliquant l'intimité sexuelle.

L'expression est fallacieuse : que peut signifier une union dans laquelle les personnes ne s'engagent pas l'une envers l'autre et témoignent ainsi d'un manque de confiance, en l'autre, en soi-même, ou en l'avenir ?

L'expression recouvre des situations différentes : concubinage, refus du mariage en tant que tel, incapacité à se lier par des engagements à long terme[1]. Toutes ces situations offensent la dignité du mariage ; elles détruisent l'idée même de la famille ; elles affaiblissent le sens de la fidélité. Elles sont
2353 contraires à la loi morale : l'acte sexuel doit prendre place exclusivement dans le mariage ; en dehors de celui-ci, il constitue toujours un péché grave et exclut de la communion sacra-
1385 mentelle.

2391 Plusieurs réclament aujourd'hui une sorte de « *droit à l'essai* », là où il existe une intention de se marier. Quelle que soit la fermeté du propos de ceux qui s'engagent dans des rapports sexuels prématurés, « ceux-ci ne permettent pas d'assurer dans sa sincérité et sa fidélité la relation interpersonnelle d'un homme et d'une femme, et notamment de les protéger contre les fantaisies et les caprices[2] ». L'union charnelle n'est moralement légitime que lorsque s'est ins-
2364 taurée une communauté de vie définitive entre l'homme et la femme. L'amour humain ne tolère pas l'« essai ». Il exige un don total et définitif des personnes entre elles[3].

EN BREF

2392 *« L'amour est la vocation fondamentale et innée de tout être humain[4]. »*

2393 *En créant l'être humain homme et femme, Dieu donne la dignité personnelle d'une manière égale à l'un et à l'autre. Il revient à chacun, homme et femme, de reconnaître et d'accepter son identité sexuelle.*

2394 *Le Christ est le modèle de la chasteté. Tout baptisé est appelé à mener une vie chaste, chacun selon son propre état de vie.*

1. Cf. FC 81. — 2. CDF, décl. « Persona humana » 7. — 3. Cf. FC 80. — 4. FC 11.

La chasteté signifie l'intégration de la sexualité dans la per- 2395
sonne. Elle comporte l'apprentissage de la maîtrise per-
sonnelle.

Parmi les péchés gravement contraires à la chasteté, il faut 2396
citer la masturbation, la fornication, la pornographie et les
pratiques homosexuelles.

L'alliance que les époux ont librement contractée implique 2397
un amour fidèle. Elle leur confère l'obligation de garder
indissoluble leur mariage.

La fécondité est un bien, un don, une fin du mariage. En 2398
donnant la vie, les époux participent à la paternité de Dieu.

La régulation des naissances représente un des aspects de 2399
la paternité et de la maternité responsables. La légitimité
des intentions des époux ne justifie pas le recours à des
moyens moralement irrecevables (par exemple la stérilisa-
tion directe ou la contraception).

L'adultère et le divorce, la polygamie et l'union libre sont 2400
des offenses graves à la dignité du mariage.

ARTICLE 7
Le septième commandement

Tu ne commettras pas de vol (Ex 20, 15)[1].
Tu ne voleras pas (Mt 19, 18).

Le septième commandement défend de prendre ou de 2401
retenir le bien du prochain injustement et de faire du tort au
prochain en ses biens de quelque manière que ce soit. Il
prescrit la justice et la charité dans la gestion des biens ter- *1807*
restres et des fruits du travail des hommes. Il demande en
vue du bien commun le respect de la destination universelle
des biens et du droit de propriété privée. La vie chrétienne *952*
s'efforce d'ordonner à Dieu et à la charité fraternelle les
biens de ce monde.

I. La destination universelle et la propriété privée des biens

Au commencement, Dieu a confié la terre et ses res- 2402
sources à la gérance commune de l'humanité pour qu'elle en
prenne soin, la maîtrise par son travail et jouisse de ses

1. Cf. Dt 5, 19.

226 fruits[1]. Les biens de la création sont destinés à tout le genre
humain. Cependant la terre est répartie entre les hommes
pour assurer la sécurité de leur vie, exposée à la pénurie et
menacée par la violence. L'appropriation des biens est légitime pour garantir la liberté et la dignité des personnes, pour
aider chacun à subvenir à ses besoins fondamentaux et aux
besoins de ceux dont il a la charge. Elle doit permettre que
1939 se manifeste une solidarité naturelle entre les hommes.

2403   Le *droit à la propriété privée*, acquise ou reçue de
manière juste, n'abolit pas la donation originelle de la terre à
l'ensemble de l'humanité. La *destination universelle des
biens* demeure primordiale, même si la promotion du bien
commun exige le respect de la propriété privée, de son droit
et de son exercice.

2404   « L'homme, dans l'usage qu'il en fait, ne doit jamais tenir
les choses qu'il possède légitimement comme n'appartenant
qu'à lui, mais les regarder aussi comme communes : en ce
sens qu'elles puissent profiter non seulement à lui, mais aux
autres[2]. » La propriété d'un bien fait de son détenteur un
307 administrateur de la Providence pour le faire fructifier et en
communiquer les bienfaits à autrui, et d'abord à ses proches.

2405   Les biens de production – matériels ou immatériels – comme des
terres ou des usines, des compétences ou des arts, requièrent les
soins de leurs possesseurs pour que leur fécondité profite au plus
grand nombre. Les détenteurs des biens d'usage et de consommation doivent en user avec tempérance, réservant la meilleure part à
l'hôte, au malade, au pauvre.

2406   L'*autorité politique* a le droit et le devoir de régler, en
1903 fonction du bien commun, l'exercice légitime du droit de
propriété[3].

II. Le respect des personnes et de leurs biens

2407   En matière économique, le respect de la dignité humaine
1809 exige la pratique de la vertu de *tempérance*, pour modérer
1807 l'attachement aux biens de ce monde ; de la vertu de *justice*,
pour préserver les droits du prochain et lui accorder ce qui
1839 lui est dû ; et de la *solidarité*, suivant la règle d'or et selon la
libéralité du Seigneur qui de riche qu'il était s'est fait
pauvre pour nous enrichir de sa pauvreté[4].

1. Cf. Gn 1, 26-29. — 2. GS 69, § 1. — 3. Cf. GS 71, § 4 ; SRS 42 ; CA 40 ; 48. —
4. Cf. 2 Co 8, 9.

Le respect des biens d'autrui

Le septième commandement interdit le *vol*, c'est-à-dire **2408**
l'usurpation du bien d'autrui contre la volonté raisonnable
du propriétaire. Il n'y a pas de vol si le consentement peut
être présumé ou si le refus est contraire à la raison et à la
destination universelle des biens. C'est le cas de la nécessité
urgente et évidente où le seul moyen de subvenir à des
besoins immédiats et essentiels (nourriture, abri, vêtement...) est de disposer et d'user des biens d'autrui[1].

Toute manière de prendre et de détenir injustement le **2409**
bien d'autrui, même si elle ne contredit pas les dispositions
de la loi civile, est contraire au septième commandement.
Ainsi, retenir délibérément des biens prêtés ou des objets
perdus ; frauder dans le commerce[2] ; payer d'injustes
salaires[3] ; hausser les prix en spéculant sur l'ignorance ou la   *1867*
détresse d'autrui[4].

Sont encore moralement illicites : la spéculation par laquelle on
agit pour faire varier artificiellement l'estimation des biens, en vue
d'en tirer un avantage au détriment d'autrui ; la corruption par
laquelle on détourne le jugement de ceux qui doivent prendre des
décisions selon le droit ; l'appropriation et l'usage privés des biens
sociaux d'une entreprise ; les travaux mal faits, la fraude fiscale, la
contrefaçon des chèques et des factures, les dépenses excessives, le
gaspillage. Infliger volontairement un dommage aux propriétés privées ou publiques est contraire à la loi morale et demande réparation.

Les *promesses* doivent être tenues, et les *contrats* rigou- **2410**
reusement observés dans la mesure où l'engagement pris est   *2101*
moralement juste. Une part notable de la vie économique et
sociale dépend de la valeur des contrats entre personnes
physiques ou morales. Ainsi les contrats commerciaux de
vente ou d'achat, les contrats de location ou de travail. Tout
contrat doit être convenu et exécuté de bonne foi.

Les contrats sont soumis à la *justice commutative* qui **2411**
règle les échanges entre les personnes et entre les institu-   *1807*
tions dans l'exact respect de leurs droits. La justice commutative oblige strictement ; elle exige la sauvegarde des droits
de propriété, le paiement des dettes et la prestation des obligations librement contractées. Sans la justice commutative,
aucune autre forme de justice n'est possible.

1. Cf. GS 69, § 1. — 2. Cf. Dt 25, 13-16. — 3. Cf. Dt 24, 14-15 ; Jc 5, 4. — 4. Cf.
Am 8, 4-6.

On distingue la justice *commutative* de la justice *légale* qui concerne ce que le citoyen doit équitablement à la communauté, et de la justice *distributive* qui règle ce que la communauté doit aux citoyens proportionnellement à leurs contributions et à leurs besoins.

2412
1459 En vertu de la justice commutative, la *réparation de l'injustice* commise exige la restitution du bien dérobé à son propriétaire :

Jésus bénit Zachée de son engagement : « Si j'ai fait du tort à quelqu'un, je lui rends le quadruple » (Lc 19, 8). Ceux qui, d'une
2487 manière directe ou indirecte, se sont emparés d'un bien d'autrui, sont tenus de le restituer, ou de rendre l'équivalent en nature ou en espèce, si la chose a disparu, ainsi que les fruits et avantages qu'en aurait légitimement obtenu son propriétaire. Sont également tenus de restituer à proportion de leur responsabilité et de leur profit tous ceux qui ont participé au vol en quelque manière, ou en ont profité en connaissance de cause ; par exemple ceux qui l'auraient ordonné, ou aidé, ou recelé.

2413
Les *jeux de hasard* (jeu de cartes, etc.) ou les *paris* ne sont pas en eux-mêmes contraires à la justice. Ils deviennent moralement inacceptables lorsqu'ils privent la personne de ce qui lui est nécessaire pour subvenir à ses besoins et à ceux d'autrui. La passion du jeu risque de devenir un asservissement grave. Parier injustement ou tricher dans les jeux constitue une matière grave, à moins que le dommage infligé soit si léger que celui qui le subit ne puisse raisonnablement le considérer comme significatif.

2414
2297 Le septième commandement proscrit les actes ou entreprises qui, pour quelque raison que ce soit, égoïste ou idéologique, mercantile ou totalitaire, conduisent à *asservir des êtres humains*, à méconnaître leur dignité personnelle, à les acheter, à les vendre et à les échanger comme des marchandises. C'est un péché contre la dignité des personnes et leurs droits fondamentaux que de les réduire par la violence à une valeur d'usage ou à une source de profit. S. Paul ordonnait à un maître chrétien de traiter son esclave chrétien « non plus comme un esclave, mais comme un frère (...), comme un homme, dans le Seigneur » (Phm 16).

Le respect de l'intégrité de la création

2415
226, 358 Le septième commandement demande le respect de l'intégrité de la création. Les animaux, comme les plantes et les êtres inanimés, sont naturellement destinés au bien commun de l'humanité passée, présente et future[1]. L'usage des res-

---

1. Cf. Gn 1, 28-31.

sources minérales, végétales et animales de l'univers, ne peut être détaché du respect des exigences morales. La domination accordée par le Créateur à l'homme sur les êtres inanimés et les autres vivants n'est pas absolue ; elle est mesurée par le souci de la qualité de la vie du prochain, y compris des générations à venir ; elle exige un respect religieux de l'intégrité de la création[1]. *373*

378

Les *animaux* sont des créatures de Dieu. Celui-ci les entoure de sa sollicitude providentielle[2]. Par leur simple existence, ils le bénissent et lui rendent gloire[3]. Aussi les hommes leur doivent-ils bienveillance. On se rappellera avec quelle délicatesse les saints, comme S. François d'Assise ou S. Philippe Neri, traitaient les animaux. **2416**

344

Dieu a confié les animaux à la gérance de celui qu'Il a créé à son image[4]. Il est donc légitime de se servir des animaux pour la nourriture et la confection des vêtements. On peut les domestiquer pour qu'ils assistent l'homme dans ses travaux et dans ses loisirs. Les expérimentations médicales et scientifiques sur les animaux sont des pratiques moralement acceptables, pourvu qu'elles restent dans des limites raisonnables et contribuent à soigner ou sauver des vies humaines. **2417**

2234

Il est contraire à la dignité humaine de faire souffrir inutilement les animaux et de gaspiller leurs vies. Il est également indigne de dépenser pour eux des sommes qui devraient en priorité soulager la misère des hommes. On peut aimer les animaux ; on ne saurait détourner vers eux l'affection due aux seules personnes. **2418**

2446

III. La doctrine sociale de l'Église

« La révélation chrétienne conduit à une intelligence plus pénétrante des lois de la vie sociale[5]. » L'Eglise reçoit de l'Evangile la pleine révélation de la vérité de l'homme. Quand elle accomplit sa mission d'annoncer l'Evangile, elle atteste à l'homme, au nom du Christ, sa dignité propre et sa vocation à la communion des personnes ; elle lui enseigne les exigences de la justice et de la paix, conformes à la sagesse divine. **2419**

1960

359

1. Cf. CA 37-38. — 2. Cf. Mt 6, 26. — 3. Cf. Dn 3, 79-81. — 4. Cf. Gn 2, 19-20 ; 9, 1-4. — 5. GS 23, § 1.

2420   L'Eglise porte un jugement moral, en matière écono-
2032 mique et sociale, « quand les droits fondamentaux de la per-
       sonne ou le salut des âmes l'exigent[1] ». Dans l'ordre de la
       moralité elle relève d'une mission distincte de celle des
       autorités politiques : l'Eglise se soucie des aspects tempo-
       rels du bien commun en raison de leur ordination au souve-
2246   rain Bien, notre fin ultime. Elle s'efforce d'inspirer les atti-
       tudes justes dans le rapport aux biens terrestres et dans les
       relations socio-économiques.

2421   La doctrine sociale de l'Eglise s'est développée au XIXe siècle
       lors de la rencontre de l'Evangile avec la société industrielle
       moderne, ses nouvelles structures pour la production de biens de
       consommation, sa nouvelle conception de la société, de l'Etat et de
       l'autorité, ses nouvelles formes de travail et de propriété. Le déve-
       loppement de la doctrine de l'Eglise, en matière économique et
       sociale, atteste la valeur permanente de l'enseignement de l'Eglise,
       en même temps que le sens véritable de sa Tradition toujours
       vivante et active[2].

2422   L'enseignement social de l'Eglise comporte un corps de
       doctrine qui s'articule à mesure que l'Eglise interprète les
       événements au cours de l'histoire, à la lumière de
       l'ensemble de la parole révélée par le Christ Jésus avec
       l'assistance de l'Esprit Saint[3]. Cet enseignement devient
       d'autant plus acceptable pour les hommes de bonne volonté
2044   qu'il inspire davantage la conduite des fidèles.

2423   La doctrine sociale de l'Eglise propose des principes de
       réflexion ; elle dégage des critères de jugement ; elle donne
       des orientations pour l'action :

       Tout système suivant lequel les rapports sociaux seraient entière-
       ment déterminés par les facteurs économiques est contraire à la
       nature de la personne humaine et de ses actes[4].

2424   Une théorie qui fait du profit la règle exclusive et la fin ultime
       de l'activité économique est moralement inacceptable. L'appétit
       désordonné de l'argent ne manque pas de produire ses effets per-
2317 vers. Il est une des causes des nombreux conflits qui perturbent
       l'ordre social[5].

       Un système qui « sacrifie les droits fondamentaux des personnes
       et des groupes à l'organisation collective de la production » est
       contraire à la dignité de l'homme[6]. Toute pratique qui réduit les
       personnes à n'être que de purs moyens en vue du profit, asservit

---

1. GS 76, § 5. — 2. Cf. CA 3. — 3. Cf. SRS 1 ; 41. — 4. Cf. CA 24. — 5. Cf. GS
63, § 3 ; LE 7 ; CA 35. — 6. GS 65.

l'homme, conduit à l'idolâtrie de l'argent et contribue à répandre l'athéisme. « Vous ne pouvez servir à la fois Dieu et Mammon » (Mt 6, 24 ; Lc 16, 13).

L'Eglise a rejeté les idéologies totalitaires et athées associées, dans les temps modernes, au « communisme » ou au « socialisme ». Par ailleurs, elle a récusé dans la pratique du « capitalisme » l'individualisme et le primat absolu de la loi du marché sur le travail humain [1]. La régulation de l'économie par la seule planification centralisée pervertit à la base les liens sociaux ; sa régulation par la seule loi du marché manque à la justice sociale « car il y a de nombreux besoins humains qui ne peuvent être satisfaits par le marché [2] ». Il faut préconiser une régulation raisonnable du marché et des initiatives économiques, selon une juste hiérarchie des valeurs et en vue du bien commun. *2425* *676* *1886*

IV. L'activité économique et la justice sociale

Le développement des activités économiques et la croissance de la production sont destinés à subvenir aux besoins des êtres humains. La vie économique ne vise pas seulement à multiplier les biens produits et à augmenter le profit ou la puissance ; elle est d'abord ordonnée au service des personnes, de l'homme tout entier et de toute la communauté humaine. Conduite selon ses méthodes propres, l'activité économique doit s'exercer dans les limites de l'ordre moral, suivant la justice sociale, afin de répondre au dessein de Dieu sur l'homme [3]. *2426* *1928*

Le *travail humain* procède immédiatement des personnes créées à l'image de Dieu, et appelées à prolonger, les unes avec et pour les autres, l'œuvre de la création en dominant la terre [4]. Le travail est donc un devoir : « Si quelqu'un ne veut pas travailler, qu'il ne mange pas non plus » (2 Th 3, 10) [5]. Le travail honore les dons du Créateur et les talents reçus. Il peut aussi être rédempteur. En endurant la peine [6] du travail en union avec Jésus, l'artisan de Nazareth et le crucifié du Calvaire, l'homme collabore d'une certaine façon avec le Fils de Dieu dans son Œuvre rédemptrice. Il se montre disciple du Christ en portant la Croix, chaque jour, dans l'activité qu'il est appelé à accomplir [7]. Le travail peut être un moyen de sanctification et une animation des réalités terrestres dans l'Esprit du Christ. *2427* *307* *378* *531*

Dans le travail, la personne exerce et accomplit une part des capacités inscrites dans sa nature. La valeur primordiale du travail tient à l'homme même, qui en est l'auteur et le *2428* *2834*

1. Cf. CA 10 ; 13 ; 44. — 2. CA 34. — 3. Cf. GS 64. — 4. Cf. Gn 1, 28 ; GS 34 ; CA 31. — 5. Cf. 1 Th 4, 11. — 6. Cf. Gn 3, 14-19. — 7. Cf. LE 27.

2185 destinataire. Le travail est pour l'homme, et non l'homme pour le travail[1].

Chacun doit pouvoir puiser dans le travail les moyens de subvenir à sa vie et à celle des siens, et de rendre service à la communauté humaine.

2429   Chacun a le *droit d'initiative économique*, chacun usera légitimement de ses talents pour contribuer à une abondance profitable à tous, et pour recueillir les justes fruits de ses efforts. Il veillera à se conformer aux réglementations portées par les autorités légitimes en vue du bien commun[2].

2430   La *vie économique* met en cause des intérêts divers, souvent opposés entre eux. Ainsi s'explique l'émergence des conflits qui la caractérisent[3]. On s'efforcera de réduire ces derniers par la négociation qui respecte les droits et les devoirs de chaque partenaire social : les responsables des entreprises, les représentants des salariés, par exemple des organisations syndicales, et, éventuellement, les pouvoirs publics.

2431   La *responsabilité de l'Etat*. « L'activité économique, en particulier celle de l'économie de marché, ne peut se dérouler dans un vide institutionnel, juridique et politique. Elle suppose que soient assurées les garanties des libertés individuelles et de la propriété, sans compter une monnaie stable et des services publics efficaces. Le devoir essentiel de
1908 l'Etat est cependant d'assurer ces garanties, afin que ceux qui travaillent puissent jouir du fruit de leur travail et donc se sentir stimulés à l'accomplir avec efficacité et honnêteté. (...) L'Etat a le devoir de surveiller et de conduire l'application des droits humains dans le secteur économique ; dans ce
1883 domaine toutefois, la première responsabilité ne revient pas à l'Etat mais aux institutions et aux différents groupes et associations qui composent la société[4]. »

2432   Les *responsables d'entreprise* portent devant la société la
2415 responsabilité économique et écologique de leurs opérations[5]. Ils sont tenus de considérer le bien des personnes et pas seulement l'augmentation des *profits*. Ceux-ci sont nécessaires cependant. Ils permettent de réaliser les investissements qui assurent l'avenir des entreprises. Ils garantissent l'emploi.

1. Cf. LE 6. — 2. Cf. CA 32 ; 34. — 3. Cf. LE 11. — 4. CA 48. — 5. Cf. CA 37.

L'*accès au travail* et à la profession doit être ouvert à 2433
tous sans discrimination injuste, hommes et femmes, bien
portants et handicapés, autochtones et immigrés[1]. En fonction des circonstances, la société doit pour sa part aider les
citoyens à se procurer un travail et un emploi[2].

Le *juste salaire* est le fruit légitime du travail. Le refuser 2434
ou le retenir peut constituer une grave injustice[3]. Pour *1867*
apprécier la rémunération équitable, il faut tenir compte à la
fois des besoins et des contributions de chacun. « Compte
tenu des fonctions et de la productivité, de la situation de
l'entreprise et du bien commun, la rémunération du travail
doit assurer à l'homme et aux siens les ressources nécessaires à une vie digne sur le plan matériel, social, culturel et
spirituel[4]. » L'accord des parties n'est pas suffisant pour
justifier moralement le montant du salaire.

La *grève* est moralement légitime quant elle se présente 2435
comme un recours inévitable, sinon nécessaire, en vue d'un
bénéfice proportionné. Elle devient moralement inaccep-
table lorsqu'elle s'accompagne de violences ou encore si on
lui assigne des objectifs non directement liés aux conditions
de travail ou contraires au bien commun.

Il est injuste de ne pas payer aux organismes de sécurité 2436
sociale les *cotisations* établies par les autorités légitimes.

La *privation d'emploi* à cause du chômage est presque toujours, pour celui qui en est victime, une atteinte à sa dignité et
une menace pour l'équilibre de la vie. Outre le dommage personnellement subi, des risques nombreux en découlent pour son
foyer[5].

V. Justice et solidarité entre les nations

Au plan international, l'inégalité des ressources et des 2437
moyens économiques est telle qu'elle provoque entre les *1938*
nations un véritable « fossé[6] ». Il y a d'un côté ceux qui
détiennent et développent les moyens de la croissance et, de
l'autre, ceux qui accumulent les dettes.

Diverses causes, de nature religieuse, politique, écono- 2438
mique et financière, confèrent aujourd'hui « à la question
sociale une dimension mondiale[7] ». La solidarité est néces- *1911*

1. Cf. LE 19 ; 22-23. — 2. Cf. CA 48. — 3. Cf. Lv 19, 13 ; Dt 24, 14-15 ; Jc 5, 4.
— 4. GS 67, § 2. — 5. Cf. LE 18. — 6. SRS 14. — 7. SRS 9.

saire entre les nations dont les politiques sont déjà inter-
dépendantes. Elle est encore plus indispensable lorsqu'il
s'agit d'enrayer les « mécanismes pervers » qui font obstacle au développement des pays moins avancés[1]. Il faut
substituer à des systèmes financiers abusifs sinon usuraires[2],
à des relations commerciales iniques entre les nations, à la
2315 course aux armements, un effort commun pour mobiliser les
ressources vers des objectifs de développement moral,
culturel et économique « en redéfinissant les priorités et les
échelles des valeurs[3] ».

2439   Les *nations riches* ont une responsabilité morale grave à
l'égard de celles qui ne peuvent par elles-mêmes assurer les
moyens de leur développement ou en ont été empêchées par
de tragiques événements historiques. C'est un devoir de
solidarité et de charité ; c'est aussi une obligation de justice
si le bien-être des nations riches provient de ressources qui
n'ont pas été équitablement payées.

2440   L'*aide directe* constitue une réponse appropriée à des
besoins immédiats, extraordinaires, causés par exemple par
des catastrophes naturelles, des épidémies, etc. Mais elle ne
suffit pas à réparer les graves dommages qui résultent des
situations de dénuement ni à pourvoir durablement aux
besoins. Il faut aussi *réformer les institutions* économiques
et financières internationales pour qu'elles promeuvent
mieux des rapports équitables avec les pays moins avancés[4].
Il faut soutenir l'effort des pays pauvres travaillant à leur
croissance et à leur libération[5]. Cette doctrine demande à
être appliquée d'une manière très particulière dans le
domaine du travail agricole. Les paysans, surtout dans le
tiers-monde, forment la masse prépondérante des pauvres.

2441   Accroître le sens de Dieu et la connaissance de soi-même
1908 est à la base de tout *développement complet de la société
humaine*. Celui-ci multiplie les biens matériels et les met au
service de la personne et de sa liberté. Il diminue la misère
et l'exploitation économiques. Il fait croître le respect des
identités culturelles et l'ouverture à la transcendance[6].

2442   Il n'appartient pas aux pasteurs de l'Eglise d'intervenir
directement dans la construction politique et dans l'organisation de la vie sociale. Cette tâche fait partie de la vocation

1. Cf. SRS 17 ; 45. — 2. Cf. CA 35. — 3. CA 28. — 4. Cf. SRS 16. — 5. Cf. CA
26. — 6. Cf. SRS 32 ; CA 51.

des *fidèles laïcs*, agissant de leur propre initiative avec leurs   *899*
concitoyens. L'action sociale peut impliquer une pluralité de
voies concrètes. Elle sera toujours en vue du bien commun
et conforme au message évangélique et à l'enseignement de
l'Eglise. Il revient aux fidèles laïcs « d'animer les réalités
temporelles avec un zèle chrétien et de s'y conduire en artisans de paix et de justice [1] ».

VI. L'amour des pauvres   *2544-2547*

Dieu bénit ceux qui viennent en aide aux pauvres et   2443
réprouve ceux qui s'en détournent : « A qui te demande,
donne ; à qui veut t'emprunter, ne tourne pas le dos » (Mt 5,
42). « Vous avez reçu gratuitement, donnez gratuitement »
(Mt 10, 8). C'est à ce qu'ils auront fait pour les pauvres que   *786*
Jésus-Christ reconnaîtra ses élus [2]. Lorsque « la bonne nouvelle est annoncée aux pauvres » (Mt 11, 5) [3], c'est le signe   *525, 544,*
de la présence du Christ.   *853*

« L'amour de l'Eglise pour les pauvres (...) fait partie de   2444
sa tradition constante [4]. » Il s'inspire de l'Evangile des béatitudes [5], de la pauvreté de Jésus [6] et de son attention aux   *1716*
pauvres [7]. L'amour des pauvres est même un des motifs du
devoir de travailler, afin de « pouvoir faire le bien en secou-
rant les nécessiteux » (Ep 4, 28). Il ne s'étend pas seulement
à la pauvreté matérielle, mais aussi aux nombreuses formes
de pauvreté culturelle et religieuse [8].

L'amour des pauvres est incompatible avec l'amour   2445
immodéré des richesses ou leur usage égoïste :   *2536*

> Eh bien, maintenant, les riches ! Pleurez, hurlez sur les mal-   *2547*
> heurs qui vont vous arriver. Votre richesse est pourrie, vos
> vêtements sont rongés par les vers. Votre or et votre argent
> sont souillés, et leur rouille témoignera contre vous : elle
> dévorera vos chairs ; c'est un feu que vous avez thésaurisé
> dans les derniers jours ! Voyez : le salaire dont vous avez
> frustré les ouvriers qui ont fauché vos champs, crie, et les
> clameurs des moissonneurs sont parvenues aux oreilles du
> Seigneur des Armées. Vous avez vécu sur terre dans la mol-
> lesse et le luxe, vous vous êtes repus au jour du carnage.
> Vous avez condamné le juste, il ne vous résiste pas (Jc 5,
> 1-6).

---

1. SRS 47 ; cf. SRS 42. — 2. Cf. Mt 25, 31-36. — 3. Cf. Lc 4, 18. — 4. CA 57. —
5. Cf. Lc 6, 20-22. — 6. Cf. Mt 8, 20. — 7. Cf. Mc 12, 41-44. — 8. Cf. CA 57.

2446   S. Jean Chrysostome le rappelle vigoureusement : « Ne
pas faire participer les pauvres à ses propres biens, c'est les
voler et leur enlever la vie. Ce ne sont pas nos biens que
2402 nous détenons, mais les leurs[1]. » « Il faut satisfaire d'abord
aux exigences de la justice, de peur que l'on n'offre comme
don de la charité ce qui est déjà dû en justice[2] » :

> Quand nous donnons aux pauvres les choses indispensables,
> nous ne leur faisons point de largesses personnelles, mais
> leur rendons ce qui est à eux. Nous remplissons bien plus un
> devoir de justice que nous n'accomplissons un acte de cha-
> rité[3].

2447   Les *œuvres de miséricorde* sont les actions charitables par
1460 lesquelles nous venons en aide à notre prochain dans ses
nécessités corporelles et spirituelles[4]. Instruire, conseiller,
consoler, conforter sont des œuvres de miséricorde spirituelle, comme pardonner et supporter avec patience. Les
œuvres de miséricorde corporelle consistent notamment à
nourrir les affamés, loger les sans-logis, vêtir les déguenil-
lés, visiter les malades et les prisonniers, ensevelir les
1038 morts[5]. Parmi ces gestes, l'aumône faite aux pauvres[6] est un
1969 des principaux témoignages de la charité fraternelle : elle est
aussi une pratique de justice qui plaît à Dieu[7] :

> Que celui qui a deux tuniques partage avec celui qui n'en a
> pas, et que celui qui a à manger fasse de même (Lc 3, 11).
> Donnez plutôt en aumône tout ce que vous avez, et tout sera
> pur pour vous (Lc 11, 41). Si un frère ou une sœur sont nus,
> s'ils manquent de leur nourriture quotidienne, et que l'un
> d'entre vous leur dise : « Allez en paix, chauffez-vous, ras-
> sasiez-vous », sans leur donner ce qui est nécessaire à leur
> *1004* corps, à quoi cela sert-il ? (Jc 2, 15-16[8].)

2448   « Sous ses multiples formes : dénuement matériel,
oppression injuste, infirmités physiques et psychiques, et
886 enfin la mort, *la misère humaine* est le signe manifeste de la
condition native de faiblesse où l'homme se trouve depuis le
premier péché et du besoin de salut. C'est pourquoi elle a
attiré la compassion du Christ Sauveur qui a voulu la
prendre sur Lui et S'identifier aux "plus petits d'entre ses
frères". C'est pourquoi ceux qu'elle accable sont l'objet
1586 d'*un amour de préférence* de la part de l'Eglise qui, depuis
les origines, en dépit des défaillances de beaucoup de ses

---

1. Laz. 2, 6. — 2. AA 8. — 3. S. Grégoire le Grand, past. 3, 21, 45. — 4. Cf. Is
58, 6-7 ; He 13, 3. — 5. Cf. Mt 25, 31-46. — 6. Cf. Tb 4, 5-11 ; Si 17, 18. —
7. Cf. Mt 6, 2-4. — 8. Cf. 1 Jn 3, 17.

membres, n'a cessé de travailler à les soulager, les défendre et les libérer. Elle l'a fait par d'innombrables œuvres de bienfaisance qui restent toujours et partout indispensables[1]. »

Dès l'Ancien Testament, toutes sortes de mesures juridiques (année de rémission, interdiction du prêt à intérêt et de la conservation d'un gage, obligation de la dîme, paiement quotidien du journalier, droit de grappillage et de glanage) répondent à l'exhortation du Deutéronome : « Certes les pauvres ne disparaîtront point de ce pays ; aussi Je te donne ce commandement : tu dois ouvrir ta main à ton frère, à celui qui est humilié et pauvre dans ton pays » (Dt 15, 11). Jésus fait sienne cette parole : « Les pauvres, en effet, vous les aurez toujours avec vous : mais Moi, vous ne M'aurez pas toujours » (Jn 12, 8). Par là il ne rend pas caduque la véhémence des oracles anciens : « Parce qu'ils vendent le juste à prix d'argent et le pauvre pour une paire de sandales... » (Am 8, 6), mais il nous invite à reconnaître sa présence dans les pauvres qui sont ses frères[2] :   2449

1397

Le jour où sa mère la reprit d'entretenir à la maison pauvres et infirmes, Ste Rose de Lima[3] lui dit : « Quand nous servons les pauvres et les malades, nous servons Jésus. Nous ne devons pas nous lasser d'aider notre prochain, parce qu'en eux c'est Jésus que nous servons. »

786

EN BREF

« Tu ne voleras pas » (Dt 5, 19). « Ni voleurs, ni cupides (...) ni rapaces n'hériteront du Royaume de Dieu » (1 Co 6, 10).   2450

Le septième commandement prescrit la pratique de la justice et de la charité dans la gestion des biens terrestres et des fruits du travail des hommes.   2451

Les biens de la création sont destinés au genre humain tout entier. Le droit à la propriété privée n'abolit pas la destination universelle des biens.   2452

Le septième commandement proscrit le vol. Le vol est l'usurpation du bien d'autrui, contre la volonté raisonnable du propriétaire.   2453

Toute manière de prendre et d'user injustement du bien d'autrui est contraire au septième commandement. L'injustice commise exige réparation. La justice commutative exige la restitution du bien dérobé.   2454

---

1. CDF, instr. « Libertatis conscientia » 68. — 2. Cf. Mt 25, 40. — 3. Vita.

2455   *La loi morale proscrit les actes qui, à des fins mercantiles ou totalitaires, conduisent à asservir des êtres humains, à les acheter, à les vendre et à les échanger comme des marchandises.*

2456   *La domination accordée par le Créateur sur les ressources minérales, végétales et animales de l'univers ne peut être séparée du respect des obligations morales, y compris envers les générations à venir.*

2457   *Les animaux sont confiés à la gérance de l'homme qui leur doit bienveillance. Ils peuvent servir à la juste satisfaction des besoins de l'homme.*

2458   *L'Eglise porte un jugement en matière économique et sociale quand les droits fondamentaux de la personne ou le salut des âmes l'exigent. Elle se soucie du bien commun temporel des hommes en raison de leur ordination au souverain Bien, notre fin ultime.*

2459   *L'homme est lui-même l'auteur, le centre et le but de toute la vie économique et sociale. Le point décisif de la question sociale est que les biens créés par Dieu pour tous arrivent en fait à tous, suivant la justice et avec l'aide de la charité.*

2460   *La valeur primordiale du travail tient à l'homme même, qui en est l'auteur et le destinataire. Moyennant son travail, l'homme participe à l'œuvre de la création. Uni au Christ le travail peut être rédempteur.*

2461   *Le développement véritable est celui de l'homme tout entier. Il s'agit de faire croître la capacité de chaque personne de répondre à sa vocation, donc à l'appel de Dieu*[1].

2462   *L'aumône faite aux pauvres est un témoignage de charité fraternelle : elle est aussi une pratique de justice qui plaît à Dieu.*

2463   *Dans la multitude d'êtres humains sans pain, sans toit, sans lieu, comment ne pas reconnaître Lazare, mendiant affamé de la parabole*[2] *? Comment ne pas entendre Jésus : « A Moi non plus vous ne L'avez pas fait » (Mt 25, 45) ?*

ARTICLE 8
Le huitième commandement

Tu ne témoigneras pas faussement contre ton prochain (Ex 20, 16).
Il a été dit aux anciens : « Tu ne parjureras pas, mais tu t'acquitteras envers le Seigneur de tes serments » (Mt 5, 33).

---

1. Cf. CA 29. — 2. Cf. Lc 16, 19-31.

Le huitième commandement interdit de travestir la vérité 2464
dans les relations avec autrui. Cette prescription morale
découle de la vocation du peuple saint à être témoin de son
Dieu qui est et qui veut la vérité. Les offenses à la vérité
expriment, par des paroles ou des actes, un refus de s'engager dans la rectitude morale : elles sont des infidélités foncières à Dieu et, en ce sens, sapent les bases de l'alliance.

I. Vivre dans la vérité

L'Ancien Testament l'atteste : *Dieu est source de toute* 2465
vérité. Sa Parole est vérité[1]. Sa Loi est vérité[2]. « Sa fidélité *215*
demeure d'âge en âge » (Ps 119, 90)[3]. Puisque Dieu est le
« Véridique » (Rm 3, 4) les membres de son Peuple sont
appelés à vivre dans la vérité[4].

En Jésus-Christ, la vérité de Dieu s'est manifestée tout 2466
entière. « Plein de grâce et de vérité » (Jn 1, 14), Il est la
« lumière du monde » (Jn 8, 12), Il *est la Vérité*[5]. Quiconque croit en Lui, ne demeure pas dans les ténèbres[6]. Le
disciple de Jésus demeure dans sa parole afin de connaître la
vérité qui rend libre[7] et qui sanctifie[8]. Suivre Jésus, c'est
vivre de « l'Esprit de vérité » (Jn 14, 17) que le Père envoie
en son nom[9] et qui conduit « à la vérité tout entière » (Jn 16,
13). A ses disciples Jésus enseigne l'amour inconditionnel *2153*
de la vérité : « Que votre langage soit : "Oui ? oui", "Non ?
non" » (Mt 5, 37).

L'homme se porte naturellement vers la vérité. Il est tenu 2467
de l'honorer et de l'attester : « En vertu de leur dignité, tous
les hommes, parce qu'ils sont des personnes (...) sont pressés par leur nature même et tenus, par obligation morale, à
chercher la vérité, celle tout d'abord qui concerne la religion. Ils sont tenus aussi à adhérer à la vérité dès qu'ils la *2104*
connaissent et à régler toute leur vie selon les exigences de
la vérité[10]. »

La vérité comme rectitude de l'agir et de la parole 2468
humaine a pour nom *véracité*, sincérité ou franchise. La
vérité ou véracité est la vertu qui consiste à se montrer vrai *1458*
en ses actes et à dire vrai en ses paroles, en se gardant de la
duplicité, de la simulation et de l'hypocrisie.

---

1. Cf. Pr 8, 7 ; 2 S 7, 28. — 2. Cf. Ps 119, 142. — 3. Cf. Lc 1, 50. — 4. Cf. Ps
119, 30. — 5. Cf. Jn 14, 6. — 6. Cf. Jn 12, 46. — 7. Cf. Jn 8, 31-32. — 8. Cf. Jn
17, 17. — 9. Cf. Jn 14, 26. — 10. DH 2.

2469   « Les hommes ne pourraient pas vivre ensemble s'ils n'avaient pas de *confiance* réciproque, c'est-à-dire s'ils ne se manifestaient pas la vérité[1]. » La vertu de vérité rend justement à autrui son dû. La véracité observe un juste milieu entre ce qui doit être exprimé, et le secret qui doit être gardé : elle implique l'honnêteté et la discrétion. En justice, « un homme doit honnêtement à un autre la manifestation de la vérité[2] ».

1807

2470   Le disciple du Christ accepte de « vivre dans la vérité », c'est-à-dire dans la simplicité d'une vie conforme à l'exemple du Seigneur et demeurant dans sa vérité. « Si nous disons que nous sommes en communion avec Lui, alors que nous marchons dans les ténèbres, nous mentons, nous n'agissons pas selon la vérité » (1 Jn 1, 6).

II. « Rendre témoignage à la vérité »

2471   Devant Pilate, le Christ proclame qu'Il est venu dans le monde pour rendre témoignage à la vérité[3]. Le chrétien n'a pas à « rougir de rendre témoignage au Seigneur » (2 Tm 1, 8). Dans les situations qui demandent l'attestation de la foi, le chrétien doit la professer sans équivoque, à l'exemple de S. Paul en face de ses juges. Il lui faut garder « une conscience irréprochable devant Dieu et devant les hommes » (Ac 24, 16).

1816

2472   Le devoir des chrétiens de prendre part à la vie de l'Eglise les pousse à agir comme *témoins de l'Evangile* et des obligations qui en découlent. Ce témoignage est transmission de la foi en paroles et en actes. Le témoignage est un acte de justice qui établit ou fait connaître la vérité[4] :

863, 905

> Tous les chrétiens, partout où ils vivent, sont tenus de manifester (...) par l'exemple de leur vie et le témoignage de leur parole, l'homme nouveau qu'ils ont revêtu par le Baptême, et la force du Saint-Esprit qui les a fortifiés au moyen de la confirmation[5].

2473   Le *martyre* est le suprême témoignage rendu à la vérité de la foi ; il désigne un témoignage qui va jusqu'à la mort. Le martyr rend témoignage au Christ, mort et ressuscité, auquel il est uni par la charité. Il rend témoignage à la vérité de la

852

---

1. S. Thomas d'A., s. th. 2-2, 109, 3, ad 1. — 2. S. Thomas d'A., s. th. 2-2, 109, 3. — 3. Cf. Jn 18, 37. — 4. Cf. Mt 18, 16. — 5. AG 11.

foi et de la doctrine chrétienne. Il supporte la mort par un acte de force. « Laissez-moi devenir la pâture des bêtes. C'est par elles qu'il me sera donné d'arriver à Dieu[1]. »

1808
1258

Avec le plus grand soin, l'Eglise a recueilli les souvenirs de ceux qui sont allés jusqu'au bout pour attester leur foi. Ce sont les actes des Martyrs. Ils constituent les archives de la Vérité écrites en lettres de sang :

2474

> Rien ne me servira des charmes du monde ni des royaumes de ce siècle. Il est meilleur pour moi de mourir [pour m'unir] au Christ Jésus, que de régner sur les extrémités de la terre. C'est Lui que je cherche, qui est mort pour nous ; Lui que je veux, qui est ressuscité pour nous. Mon enfantement approche[2]...

1011

> Je Te bénis pour m'avoir jugé digne de ce jour et de cette heure, digne d'être compté au nombre de tes martyrs (...). Tu as gardé ta promesse, Dieu de la fidélité et de la vérité. Pour cette grâce et pour toute chose, je Te loue, je Te bénis, je Te glorifie par l'éternel et céleste Grand Prêtre, Jesus-Christ, ton enfant bien-aimé. Par Lui, qui est avec Toi et l'Esprit, gloire Te soit rendue, maintenant et dans les siècles à venir. Amen[3].

III. Les offenses à la vérité

Les disciples du Christ ont « revêtu l'homme nouveau créé selon Dieu dans la justice et la sainteté qui viennent de la vérité » (Ep 4, 24). « Débarrassés du mensonge » (Ep 4, 25), ils ont à « rejeter toute méchanceté et toute ruse, toute forme d'hypocrisie, d'envie et de médisance » (1 P 2, 1).

2475

Faux témoignage et parjure. Quand il est émis publiquement, un propos contraire à la vérité revêt une particulière gravité. Devant un tribunal, il devient un faux témoignage[4]. Quand il est tenu sous serment, il s'agit d'un parjure. Ces manières d'agir contribuent, soit à condamner un innocent, soit à disculper un coupable ou à augmenter la sanction encourue par l'accusé[5]. Elles compromettent gravement l'exercice de la justice et l'équité de la sentence prononcée par les juges.

2476
2152

Le *respect de la réputation* des personnes interdit toute attitude et toute parole susceptibles de leur causer un injuste dommage[6]. Se rend coupable :

2477

1. Ignace d'Antioche, Rom. 4, 1. — 2. S. Ignace d'Antioche, Rom. 6, 1. — 3. S. Polycarpe, mart. 14, 2-3. — 4. Cf. Pr 19, 9. — 5. Cf. Pr 18, 5. — 6. Cf. CIC, can. 220.

     – de *jugement téméraire* celui qui, même tacitement, admet comme vrai sans fondement suffisant un défaut moral chez le prochain ;
     – de *médisance* celui qui, sans raison objectivement valable, dévoile à des personnes qui l'ignorent les défauts et les fautes d'autrui[1] ;
     – de *calomnie* celui qui, par des propos contraires à la vérité, nuit à la réputation des autres et donne occasion à de faux jugements à leur égard.

2478   Pour éviter le jugement téméraire, chacun veillera à interpréter autant que possible dans un sens favorable les pensées, paroles et actions de son prochain :

> Tout bon chrétien doit être plus prompt à sauver la proposition du prochain qu'à la condamner. Si l'on ne peut la sauver, qu'on lui demande comment il la comprend ; et s'il la comprend mal, qu'on le corrige avec amour ; et si cela ne suffit pas, qu'on cherche tous les moyens adaptés pour qu'en la comprenant bien il se sauve[2].

2479   Médisance et calomnie détruisent la *réputation* et l'*honneur du prochain*. Or l'honneur est le témoignage social rendu à la dignité humaine, et chacun jouit d'un droit naturel à l'honneur de son nom, à sa réputation et au respect. Ainsi,
1753 la médisance et la calomnie lèsent les vertus de justice et de charité.

2480   Est à proscrire toute parole ou attitude qui, par *flatterie, adulation ou complaisance*, encourage et confirme autrui dans la malice de ses actes et la perversité de sa conduite. L'adulation est une faute grave si elle se fait complice de vices ou de péchés graves. Le désir de rendre service ou l'amitié ne justifient pas une duplicité du langage. L'adulation est un péché véniel quand elle désire seulement être agréable, éviter un mal, parer à une nécessité, obtenir des avantages légitimes.

2481   La *jactance* ou vantardise constitue une faute contre la vérité. Il en est de même de l'*ironie* qui vise à déprécier quelqu'un en caricaturant, de manière malveillante, tel ou tel aspect de son comportement.

2482   « Le *mensonge* consiste à dire le faux avec l'intention de tromper[3]. » Le Seigneur dénonce dans le mensonge une œuvre diabolique : « Vous avez pour père le diable (...) il

---

1. Cf. Si 21, 28. — 2. S. Ignace, ex. spir. 22. — 3. S. Augustin, mend. 4, 5.

n'y a pas de vérité en lui : quand il dit ses mensonges, il les tire de son propre fonds, parce qu'il est menteur et père du mensonge » (Jn 8, 44).

392

Le mensonge est l'offense la plus directe à la vérité. Mentir, c'est parler ou agir contre la vérité pour induire en erreur. En blessant la relation de l'homme à la vérité et au prochain, le mensonge offense la relation fondatrice de l'homme et de sa parole au Seigneur.

2483

La *gravité du mensonge* se mesure selon la nature de la vérité qu'il déforme, selon les circonstances, les intentions de celui qui le commet, les préjudices subis par ceux qui en sont victimes. Si le mensonge, en soi, ne constitue qu'un péché véniel, il devient mortel quand il lèse gravement les vertus de justice et de charité.

2484

1750

Le mensonge est condamnable dans sa nature. Il est une profanation de la parole qui a pour tâche de communiquer à d'autres la vérité connue. Le propos délibéré d'induire le prochain en erreur par des propos contraires à la vérité constitue un manquement à la justice et à la charité. La culpabilité est plus grande quand l'intention de tromper risque d'avoir des suites funestes pour ceux qui sont détournés du vrai.

2485

1756

Le mensonge (parce qu'il est une violation de la vertu de véracité), est une véritable violence faite à autrui. Il l'atteint dans sa capacité de connaître, qui est la condition de tout jugement et de toute décision. Il contient en germe la division des esprits et tous les maux qu'elle suscite. Le mensonge est funeste pour toute société; il sape la confiance entre les hommes et déchire le tissu des relations sociales.

2486

1607

Toute faute commise à l'égard de la justice et de la vérité appelle le *devoir de réparation*, même si son auteur a été pardonné. Lorsqu'il est impossible de réparer un tort publiquement, il faut le faire en secret; si celui qui a subi un préjudice ne peut être directement dédommagé, il faut lui donner satisfaction moralement, au nom de la charité. Ce devoir de réparation concerne aussi bien les fautes commises à l'égard de la réputation d'autrui. Cette réparation, morale et parfois matérielle, doit s'apprécier à la mesure du dommage qui a été causé. Elle oblige en conscience.

2487

1459

2412

IV. Le respect de la vérité

2488   Le *droit à la communication* de la vérité n'est pas
1740   inconditionnel. Chacun doit conformer sa vie au précepte
évangélique de l'amour fraternel. Celui-ci demande, dans
les situations concrètes, d'estimer s'il convient ou non de
révéler la vérité à celui qui la demande.

2489   La charité et le respect de la vérité doivent dicter la
réponse à toute *demande d'information ou de communica-*
tion. Le bien et la sécurité d'autrui, le respect de la vie privée, le bien commun sont des raisons suffisantes pour taire
ce qui ne doit pas être connu, ou pour user d'un langage dis-
2284   cret. Le devoir d'éviter le scandale commande souvent une
stricte discrétion. Personne n'est tenu de révéler la vérité à
qui n'a pas droit de la connaître[1].

2490   Le *secret du sacrement de réconciliation* est sacré, et ne
1467   peut être trahi sous aucun prétexte. « Le secret sacramentel
est inviolable ; c'est pourquoi il est absolument interdit au
confesseur de trahir en quoi que ce soit un pénitent, par des
paroles ou d'une autre manière, et pour quelque cause que
ce soit[2]. »

2491   Les *secrets professionnels* – détenus par exemple par des
hommes politiques, des militaires, des médecins, des juristes
– ou les confidences faites sous le sceau du secret, doivent
être gardés, sauf dans les cas exceptionnels où la rétention
du secret devrait causer à celui qui les confie, à celui qui les
reçoit ou à un tiers des dommages très graves et seulement
évitables par la divulgation de la vérité. Même si elles n'ont
pas été confiées sous le sceau du secret, les informations privées préjudiciables à autrui n'ont pas à être divulguées sans
une raison grave et proportionnée.

2492   Chacun doit garder la juste réserve à propos de la vie pri-
2522   vée des gens. Les responsables de la communication doivent
maintenir une juste proportion entre les exigences du bien
commun et le respect des droits particuliers. L'ingérence de
l'information dans la vie privée de personnes engagées dans
une activité politique ou publique est condamnable dans la
mesure où elle porte atteinte à leur intimité et à leur liberté.

1. Cf. Si 27, 17 ; Pr 25, 9-10. — 2. CIC, can. 983, § 1.

V. L'usage des moyens de communication sociale

Au sein de la société moderne, les moyens de communication sociale ont un rôle majeur dans l'information, la promotion culturelle et la formation. Ce rôle grandit, en raison des progrès techniques, de l'ampleur et de la diversité des nouvelles transmises, de l'influence exercée sur l'opinion publique. **2493**

L'information médiatique est au service du bien commun[1]. La société a droit à une information fondée sur la vérité, la liberté, la justice, et la solidarité : **2494**

1906

> Le bon exercice de ce droit requiert que la communication soit, quant à l'objet, toujours véridique et – dans le respect des exigences de la justice et de la charité – complète ; qu'elle soit, quant au mode, honnête et convenable, c'est-à-dire que dans l'acquisition et la diffusion des nouvelles, elle observe absolument les lois morales, les droits et la dignité de l'homme[2].

« Il est nécessaire que tous les membres de la société remplissent dans ce domaine aussi leurs devoirs de justice et de vérité. Ils emploieront les moyens de communication sociale pour concourir à la formation et à la diffusion de saines opinions publiques[3]. » La solidarité apparaît comme une conséquence d'une communication vraie et juste, et de la libre circulation des idées, qui favorisent la connaissance et le respect d'autrui. **2495**

906

Les moyens de communication sociale (en particulier les mass media) peuvent engendrer une certaine passivité chez les usagers, faisant de ces derniers des consommateurs peu vigilants de messages ou de spectacles. Les usagers s'imposeront modération et discipline vis-à-vis des mass media. Ils voudront se former une conscience éclairée et droite afin de résister plus facilement aux influences moins honnêtes. **2496**

2525

Au titre même de leur profession dans la presse, leurs responsables ont l'obligation, dans la diffusion de l'information, de servir la vérité et de ne pas offenser la charité. Ils s'efforceront de respecter, avec un égal souci, la nature des faits et les limites du jugement critique à l'égard des personnes. Ils doivent éviter de céder à la diffamation. **2497**

« Des devoirs particuliers reviennent aux *autorités civiles* en raison du bien commun. Les pouvoirs publics ont à défendre et à protéger la vraie et juste liberté de l'information[4]. » En promulguant des **2498**

2237

---

1. Cf. IM 11. — 2. IM 5. — 3. IM 8. — 4. IM 12.

2286 lois et en veillant à leur application, les pouvoirs publics s'assureront que le mauvais usage des médias ne vienne pas « causer de graves préjudices aux mœurs publiques et aux progrès de la société[1] ». Ils sanctionneront la violation des droits de chacun à la réputation et au secret de la vie privée. Ils donneront à temps et honnêtement les informations qui concernent le bien général ou répondent aux inquiétudes fondées de la population. Rien ne peut justifier le recours aux fausses informations pour manipuler l'opinion publique par les médias. Ces interventions ne porteront pas atteinte à la liberté des individus et des groupes.

2499 La morale dénonce la plaie des états totalitaires qui falsifient systématiquement la vérité, exercent par les médias une domination politique de l'opinion, « manipulent » les accusés et les témoins de
1903 procès publics et imaginent assurer leur tyrannie en jugulant et en réprimant tout ce qu'ils considèrent comme « délits d'opinion ».

VI. Vérité, beauté et art sacré

2500 La pratique du bien s'accompagne d'un plaisir spirituel
1864 gratuit et de la beauté morale. De même, la vérité comporte la joie et la splendeur de la beauté spirituelle. La vérité est belle par elle-même. La vérité de la parole, expression rationnelle de la connaissance de la réalité créée et incréée, est nécessaire à l'homme doué d'intelligence, mais la vérité peut aussi trouver d'autres formes d'expression humaine, complémentaires, surtout quand il s'agit d'évoquer ce qu'elle comporte d'indicible, les profondeurs du cœur humain, les élévations de l'âme, le mystère de Dieu. Avant même de se révéler à l'homme en paroles de vérité, Dieu se
341 révèle à lui par le langage universel de la création, œuvre de sa Parole, de sa sagesse : l'ordre et l'harmonie du cosmos – que découvrent et l'enfant et l'homme de science –, « la grandeur et la beauté des créatures font, par analogie, contempler leur Auteur » (Sg 13, 5), « car c'est la source
2189 même de la beauté qui les a créées » (Sg 13, 3).

> La sagesse est, en effet, un effluve de la puissance de Dieu, une émanation toute pure de la gloire du Tout-Puissant ; aussi rien de souillé ne s'introduit en elle. Car elle est un reflet de la Lumière Eternelle, un miroir sans tache de l'activité de Dieu, une image de sa bonté (Sg 7, 25-26). La sagesse est, en effet, plus belle que le soleil, elle surpasse toutes les constellations, comparée à la lumière, elle l'emporte ; car celle-ci fait place à la nuit, mais contre la sagesse le mal ne prévaut pas (Sg 7, 29-30). Je suis devenu amoureux de sa beauté (Sg 8, 2).

1. IM 12.

Créé à l'image de Dieu[1], l'homme exprime aussi la vérité   2501
de son rapport à Dieu Créateur par la beauté de ses œuvres
artistiques. L'*art*, en effet, est une forme d'expression proprement humaine ; au-delà de la recherche des nécessités
vitales commune à toutes les créatures vivantes, il est une
surabondance gratuite de la richesse intérieure de l'être
humain. Surgissant d'un talent donné par le Créateur et de
l'effort de l'homme lui-même, l'art est une forme de sagesse
pratique, unissant connaissance et savoir-faire[2] pour donner
forme à la vérité d'une réalité dans le langage accessible à la
vue ou à l'ouïe. L'art comporte ainsi une certaine similitude
avec l'activité de Dieu dans le créé, dans la mesure où il   *339*
s'inspire de la vérité et de l'amour des êtres. Pas plus
qu'aucune autre activité humaine, l'art n'a en lui-même sa
fin absolue, mais il est ordonné et ennobli par la fin ultime
de l'homme[3].

L'*art sacré* est vrai et beau, quand il correspond par sa   2502
forme à sa vocation propre : évoquer et glorifier, dans la foi   *1156-1162*
et l'adoration, le mystère transcendant de Dieu, beauté suré-
minente invisible de vérité et d'amour, apparue dans le
Christ, « resplendissement de sa gloire, effigie de sa substance » (He 1, 3), en qui « habite corporellement toute la
plénitude de la divinité » (Col 2, 9), beauté spirituelle
réfractée dans la Très Sainte Vierge Mère de Dieu, les anges
et les Saints. L'art sacré véritable porte l'homme à l'adoration, à la prière et à l'amour de Dieu Créateur et Sauveur,
Saint et Sanctificateur.

C'est pourquoi les évêques doivent, par eux-mêmes ou par délé-   2503
gation, veiller à promouvoir l'art sacré, ancien et nouveau, sous
toutes ses formes, et à écarter, avec le même soin religieux, de la
liturgie et des édifices du culte, tout ce qui n'est pas conforme à la
vérité de la foi et à l'authentique beauté de l'art *sacré*[4].

EN BREF

« *Tu ne témoigneras pas faussement contre ton prochain* »   2504
*(Ex 20, 16). Les disciples du Christ ont « revêtu l'homme
nouveau créé selon Dieu dans la justice et la sainteté qui
viennent de la vérité* » *(Ep 4, 24).*

La vérité ou véracité est la vertu qui consiste à se montrer   2505
*vrai en ses actes et à dire vrai en ses paroles, se gardant de
la duplicité, de la simulation et de l'hypocrisie.*

---

1. Cf. Gn 1, 26. — 2. Cf. Sg 7, 17. — 3. Cf. Pie XII, discours 24 décembre 1955
et discours 3 septembre 1950. — 4. Cf. SC 122-127.

2506   *Le chrétien n'a pas à « rougir de rendre témoignage au Sei-*
        gneur » (2 Tm 1, 8) en acte et en parole. Le martyre est le
        suprême témoignage rendu à la vérité de la foi.

2507   *Le respect de la réputation et de l'honneur des personnes*
        interdit toute attitude ou toute parole de médisance ou de
        calomnie.

2508   *Le mensonge consiste à dire le faux avec l'intention de*
        tromper le prochain.

2509   *Une faute commise à l'encontre de la vérité demande répa-*
        ration.

2510   *La règle d'or aide à discerner, dans les situations*
        concrètes, s'il convient ou non de révéler la vérité à celui
        qui la demande.

2511   *« Le secret sacramentel est inviolable[1]. » Les secrets pro-*
        fessionnels doivent être gardés. Les confidences préjudi-
        ciables à autrui n'ont pas à être divulguées.

2512   *La société a droit à une information fondée sur la vérité, la*
        liberté, la justice. Il convient de s'imposer modération et
        discipline dans l'usage des moyens de communication
        sociale.

2513   *Les beaux-arts, mais surtout l'art sacré « visent, par nature,*
        à exprimer de quelque façon dans les œuvres humaines la
        beauté infinie de Dieu, et ils se consacrent d'autant plus à
        accroître sa louange et sa gloire qu'ils n'ont pas d'autre
        propos que de contribuer le plus possible à tourner les âmes
        humaines vers Dieu[2] ».

ARTICLE 9
Le neuvième commandement

Tu ne convoiteras pas la maison de ton prochain. Tu ne
convoiteras pas la femme de ton prochain, ni son serviteur,
ni sa servante, ni son bœuf, ni son âne, rien de ce qui est à
ton prochain (Ex 20, 17).
Quiconque regarde une femme avec convoitise a déjà
commis dans son cœur l'adultère avec elle (Mt 5, 28).

---

1. CIC, can. 98,3 § 1. — 2. SC 122.

S. Jean distingue trois espèces de convoitise ou de concu- 2514
piscence : la convoitise de la chair, la convoitise des yeux et *377, 400*
l'orgueil de la vie [1]. Suivant la tradition catéchétique catholique, le neuvième commandement proscrit la concupiscence charnelle ; le dixième interdit la convoitise du bien
d'autrui.

Au sens étymologique, la « concupiscence » peut dési- 2515
gner toute forme véhémente de désir humain. La théologie *405*
chrétienne lui a donné le sens particulier du mouvement de
l'appétit sensible qui contrarie l'œuvre de la raison humaine.
L'apôtre S. Paul l'identifie à la révolte que la « chair » mène
contre l'« esprit [2] ». Elle vient de la désobéissance du premier péché [3]. Elle dérègle les facultés morales de l'homme
et, sans être une faute en elle-même, incline ce dernier à
commettre des péchés [4].

Déjà dans l'homme, parce qu'il est un être *composé,* 2516
esprit et corps, il existe une certaine tension, il se déroule *362*
une certaine lutte de tendances entre l'« esprit » et la
« chair ». Mais cette lutte, en fait, appartient à l'héritage du
péché, elle en est une conséquence et, en même temps, une
confirmation. Elle fait partie de l'expérience quotidienne du
combat spirituel :   *407*

> Pour l'apôtre, il ne s'agit pas de mépriser et de condamner
> le corps qui, avec l'âme spirituelle, constitue la nature de
> l'homme et sa personnalité de sujet ; il traite, par contre, des
> œuvres ou plutôt des dispositions stables – vertus et vices –
> moralement *bonnes ou mauvaises*, qui sont le fruit de la
> *soumission* (dans le premier cas) ou au contraire de la *résis-*
> *tance* (dans le second cas) *à l'action salvatrice de l'Esprit*
> *Saint.* C'est pourquoi l'apôtre écrit : « Puisque l'Esprit est
> notre vie, que l'Esprit nous fasse aussi agir » (Ga 5, 25) [5].

I. La purification du cœur

Le cœur est le siège de la personnalité morale : « C'est du 2517
cœur que viennent intentions mauvaises, meurtres, adultères *368*
et inconduites » (Mt 15, 19). La lutte contre la convoitise
charnelle passe par la purification du cœur et la pratique de
la tempérance :   *1809*

> Maintiens-toi dans la simplicité, l'innocence, et tu seras
> comme les petits enfants qui ignorent le mal destructeur de
> la vie des hommes [6].

---

1. Cf. 1 Jn 2, 16 (Vulg.). — 2. Cf. Ga 5, 16. 17. 24 ; Ep 2, 3. — 3. Cf. Gn 3, 11. — 4. Cf. Cc. Trente : DS 1515. — 5. Jean Paul II, DeV 55. — 6. Hermas, mand. 2, 1.

2518   La sixième béatitude proclame : « Bienheureux les cœurs
purs, car ils verront Dieu » (Mt 5, 8). Les « cœurs purs »
désignent ceux qui ont accordé leur intelligence et leur
volonté aux exigences de la sainteté de Dieu, principalement
en trois domaines : la charité[1], la chasteté ou rectitude
sexuelle[2], l'amour de la vérité et l'orthodoxie de la foi[3]. Il
94 existe un lien entre la pureté du cœur, du corps et de la foi :

> Les fidèles doivent croire les articles du Symbole, « afin
> qu'en croyant, ils obéissent à Dieu ; qu'en obéissant, ils
> vivent bien ; qu'en vivant bien, ils purifient leur cœur et
> qu'en purifiant leur cœur, ils comprennent ce qu'ils
> 158   croient[4] ».

2519   Aux « cœurs purs » est promis de voir Dieu face à face et
2548 de Lui être semblables[5]. La pureté du cœur est le préalable à
la vision. Dès aujourd'hui, elle nous donne de voir *selon*
2819 Dieu, de recevoir autrui comme un « prochain » ; elle nous
permet de percevoir le corps humain, le nôtre et celui du
prochain, comme un temple de l'Esprit Saint, une manifes-
2501 tation de la beauté divine.

II. Le combat pour la pureté

2520   Le Baptême confère à celui qui le reçoit la grâce de la
1264 purification de tous les péchés. Mais le baptisé doit continuer à lutter contre la concupiscence de la chair et les
convoitises désordonnées. Avec la grâce de Dieu, il y parvient :

2337 – par la *vertu et* le *don de chasteté*, car la chasteté permet
d'aimer d'un cœur droit et sans partage ;

1752 – par la *pureté d'intention* qui consiste à viser la fin véritable de l'homme : d'un œil simple, le baptisé cherche à
trouver et à accomplir en toute chose la volonté de Dieu[6] ;
– par la *pureté du regard*, extérieur et intérieur ; par la disci-
1762 pline des sentiments et de l'imagination ; par le refus de
toute complaisance dans les pensées impures qui inclinent à
se détourner de la voie des commandements divins : « La
vue éveille la passion chez les insensés » (Sg 15, 5) ;

2846 – par la *prière* :

> Je croyais que la continence relevait de mes propres forces,
> (...) forces que je ne me connaissais pas. Et j'étais assez sot
> pour ne pas savoir que personne ne peut être continent, si tu

---

1. Cf. 1 Th 4, 3-9 ; 2 Tm 2, 22. — 2. Cf. 1 Th 4, 7 ; Col 3, 5 ; Ep 4, 19. — 3. Cf. Tt
1. 15 ; 1 Tm 1, 3-4 ; 2 Tm 2, 23-26. — 4. S. Augustin, fid. et symb. 10, 25. —
5. Cf. 1 Co 13, 12 ; 1 Jn 3, 2. — 6. Cf. Rm 12, 2 ; Col 1, 10.

ne le lui donnes. Et certes, tu l'aurais donné, si de mon gémissement intérieur, j'avais frappé à tes oreilles et si d'une foi solide, j'avais jeté en toi mon souci[1].

La pureté demande la *pudeur*. Celle-ci est une partie inté- 2521
grante de la tempérance. La pudeur préserve l'intimité de la personne. Elle désigne le refus de dévoiler ce qui doit rester caché. Elle est ordonnée à la chasteté dont elle atteste la délicatesse. Elle guide les regards et les gestes conformes à la dignité des personnes et de leur union.

La pudeur protège le mystère des personnes et de leur 2522
amour. Elle invite à la patience et à la modération dans la *2492*
relation amoureuse ; elle demande que soient remplies les conditions du don et de l'engagement définitif de l'homme et de la femme entre eux. La pudeur est modestie. Elle ins- pire le choix du vêtement. Elle maintient le silence ou le réserve là où transparaît le risque d'une curiosité malsaine. Elle se fait discrétion.

Il existe une pudeur des sentiments aussi bien que du corps. Elle 2523
proteste, par exemple, contre les explorations « voyeuristes » du *2354*
corps humain dans certaines publicités, et contre la sollicitation de certains médias à aller trop loin dans la révélation de confidences intimes. La pudeur inspire une manière de vivre qui permet de résister aux sollicitations de la mode et à la pression des idéologies dominantes.

Les formes revêtues par la pudeur varient d'une culture à l'autre. 2524
Partout, cependant, elle reste le pressentiment d'une dignité spiri- tuelle propre à l'homme. Elle naît par l'éveil de la conscience du sujet. Enseigner la pudeur à des enfants et des adolescents, c'est éveiller au respect de la personne humaine.

La pureté chrétienne demande une *purification du climat* 2525
social. Elle exige des moyens de communication sociale une *2344*
information soucieuse de respect et de retenue. La pureté du cœur libère de l'érotisme diffus et écarte des spectacles qui favorisent le voyeurisme et l'illusion.

Ce qui est appelé la *permissivité des mœurs* repose sur 2526
une conception erronée de la liberté humaine ; pour s'édifier, *1740*
cette dernière a besoin de se laisser éduquer au préalable par la loi morale. Il convient de demander aux responsables de l'éducation de dispenser à la jeunesse un enseignement res- pectueux de la vérité, des qualités du cœur et de la dignité morale et spirituelle de l'homme.

1. S. Augustin, conf. 6, 11, 20.

2527 « La Bonne Nouvelle du Christ rénove constamment la
1204 vie et la culture de l'homme déchu : elle combat et écarte les
erreurs et les maux qui proviennent de la séduction permanente du péché. Elle ne cesse de purifier et d'élever la
moralité des peuples. Par les richesses d'en haut, elle
féconde comme de l'intérieur les qualités spirituelles et les
dons propres à chaque peuple et à chaque âge. Elle les fortifie, les parfait et les restaure dans le Christ [1]. »

EN BREF

2528   *« Quiconque regarde une femme avec convoitise a déjà*
commis dans son cœur l'adultère avec elle » (Mt 5, 28).

2529   *Le neuvième commandement met en garde contre la convoi-*
tise ou concupiscence charnelle.

2530   *La lutte contre la convoitise charnelle passe par la purifica-*
tion du cœur et la pratique de la tempérance.

2531   *La pureté du cœur nous donnera de voir Dieu : elle nous*
donne dès maintenant de voir toute chose selon Dieu.

2532   *La purification du cœur exige la prière, la pratique de la*
chasteté, la pureté de l'intention et du regard.

2533   *La pureté du cœur demande la pudeur qui est patience,*
modestie et discrétion. La pudeur préserve l'intimité de la
personne.

ARTICLE 10
Le dixième commandement

Tu ne convoiteras (...) rien de ce qui est à ton prochain (Ex
20, 17). Tu ne désireras ni sa maison, ni son champ, ni son
serviteur ou sa servante, ni son bœuf ou son âne : rien de ce
qui est à lui (Dt 5, 21).

Là où est ton trésor, là sera ton cœur (Mt 6, 21).

2534   Le dixième commandement dédouble et complète le neuvième, qui porte sur la concupiscence de la chair. Il interdit
la convoitise du bien d'autrui, racine du vol, de la rapine et
de la fraude, que proscrit le septième commandement. La

---

1. GS 58, § 4.

« convoitise des yeux » (1 Jn 2, 16) conduit à la violence et
à l'injustice défendues par le cinquième précepte[1]. La cupidité trouve son origine, comme la fornication, dans l'idolâtrie prohibée dans les trois premières prescriptions de la loi[2].   242
Le dixième commandement porte sur l'intention du cœur ; il
résume, avec le neuvième, tous les préceptes de la loi.   2069

I. Le désordre des convoitises

L'appétit sensible nous porte à désirer les choses   2535
agréables que nous n'avons pas. Ainsi désirer manger quand
on a faim, ou se chauffer quand on a froid. Ces désirs sont
bons en eux-mêmes ; mais souvent ils ne gardent pas la
mesure de la raison et nous poussent à convoiter injustement   1767
ce qui ne nous revient pas et appartient, ou est dû, à autrui.

Le dixième commandement proscrit l'*avidité* et le désir   2536
d'une appropriation sans mesure des biens terrestres ; il   2445
défend la *cupidité* déréglée née de la passion immodérée des
richesses et de leur puissance. Il interdit encore le désir de
commettre une injustice par laquelle on nuirait au prochain
dans ses biens temporels :

> Quand la Loi nous dit : « Vous ne convoiterez point », elle
> nous dit, en d'autres termes, d'éloigner nos désirs de tout ce
> qui ne nous appartient pas. Car la soif du bien du prochain
> est immense, infinie et jamais rassasiée, ainsi qu'il est écrit :
> « L'avare ne sera jamais rassasié d'argent » (Qo 5, 9)[3].

Ce n'est pas violer ce commandement que de désirer   2537
obtenir des choses qui appartiennent au prochain, pourvu
que ce soit par de justes moyens. La catéchèse traditionnelle
indique avec réalisme « ceux qui ont le plus à lutter contre
leurs convoitises criminelles » et qu'il faut donc « le plus
exhorter à observer ce précepte » :

> Ce sont (...) les marchands qui désirent la disette ou la
> cherté des marchandises, qui voient avec chagrin qu'ils ne
> sont pas les seuls pour acheter et pour vendre, ce qui leur
> permettrait de vendre plus cher et d'acheter à plus bas prix ;
> ceux qui souhaitent que leurs semblables soient dans la
> misère, afin de réaliser du profit, soit en leur vendant, soit
> en leur achetant (...). Les médecins qui désirent des

1. Cf. Mi 2, 2. — 2. Cf. Sg 14, 12. — 3. Catech. R. 3, 10, 13.

malades ; les hommes de loi qui réclament des causes et des procès importants et nombreux [1]...

2538 Le dixième commandement exige de bannir l'*envie* du
2317 cœur humain. Lorsque le prophète Nathan voulut stimuler le repentir du roi David, il lui conta l'histoire du pauvre qui ne possédait qu'une brebis, traitée comme sa propre fille, et du riche qui, malgré la multitude de ses troupeaux, enviait le premier et finit par lui voler sa brebis [2]. L'envie peut
391 conduire aux pires méfaits [3]. « C'est par l'envie du diable que la mort est entrée dans le monde » (Sg 2, 24) :

> Nous nous combattons mutuellement, et c'est l'envie qui nous arme les uns contre les autres (...). Si tous s'acharnent ainsi à ébranler le corps du Christ, où en arriverons-nous ? Nous sommes en train d'énerver le corps du Christ (...). Nous nous déclarons les membres d'un même organisme et nous nous dévorons comme le feraient des fauves [4].

2539 L'envie est un vice capital. Elle désigne la tristesse éprou-
1866 vée devant le bien d'autrui et le désir immodéré de se l'approprier, fût-ce indûment. Quand elle souhaite un mal grave au prochain, elle est un péché mortel :

> S. Augustin voyait dans l'envie « le péché diabolique par excellence [5] ». « De l'envie naissent la haine, la médisance, la calomnie, la joie causée par le malheur du prochain et le déplaisir causé par sa prospérité [6]. »

2540 L'envie représente une des formes de la tristesse et donc un refus de la charité ; le baptisé luttera contre elle par la
1829 bienveillance. L'envie vient souvent de l'orgueil ; le baptisé s'entraînera à vivre dans l'humilité :

> C'est par vous que vous voudriez voir Dieu glorifié ? Eh bien, réjouissez-vous des progrès de votre frère, et, du coup, c'est par vous que Dieu sera glorifié. Dieu sera loué, dira-t-on, de ce que son serviteur a su vaincre l'envie en mettant sa joie dans les mérites des autres [7].

II. Les désirs de l'Esprit

2541 L'économie de la loi et de la grâce détourne le cœur des hommes de la cupidité et de l'envie : elle l'initie au désir du
1718 Souverain Bien ; elle l'instruit des désirs de l'Esprit Saint
2764 qui rassasie le cœur de l'homme.

---

1. Catech. R. 3, 10, 23. — 2. Cf. 2 S 12, 1.4. — 3. Cf. Gn 4, 3-8 ; 1 R 21, 1-29. — 4. S. Jean Chrysostome, hom. in 2 Cor. 27, 3-4. — 5. DIS. 7, 7 ; ep. 108, 3, 8. — 6. S. Grégoire le Grand, mor. 31, 45, 88. — 7. S. Jean Chrysostome, hom. in Rom. 7, 5.

Le Dieu des promesses a depuis toujours mis l'homme en garde contre la séduction de ce qui, depuis les origines, apparaît « bon à manger, agréable aux yeux, plaisant à contempler » (Gn 3, 6).   *397*

La loi confiée à Israël n'a jamais suffi à justifier ceux qui lui étaient soumis ; elle est même devenue l'instrument de la « convoitise[1] ». L'inadéquation entre le vouloir et le faire[2] indique le conflit entre la Loi de Dieu qui est la « loi de la raison » et une autre loi « qui m'enchaîne à la loi du péché qui est dans mes membres » (Rm 7, 23).   *2542 1963*

« Maintenant, sans la loi, la justice de Dieu s'est manifestée, attestée par la Loi et les Prophètes, justice de Dieu par la foi en Jésus-Christ à l'adresse de tous ceux qui croient » (Rm 3, 21-22). Dès lors les fidèles du Christ « ont crucifié la chair avec ses passions et ses convoitises » (Ga 5, 24) ; ils sont conduits par l'Esprit[3] et suivent les désirs de l'Esprit[4].   *2543 1992*

III. La pauvreté de cœur   *2443-2449*

Jésus enjoint à ses disciples de Le préférer à tout et à tous et leur propose de donner congé à tous leurs biens[5] à cause de Lui et de l'Evangile[6]. Peu avant sa passion Il leur a donné en exemple la pauvre veuve de Jérusalem qui, de son indigence, a donné tout ce qu'elle avait pour vivre[7]. Le précepte du détachement des richesses est obligatoire pour entrer dans le Royaume des cieux.   *2544*

      544

Tous les fidèles du Christ ont « à régler comme il faut leurs affections pour que l'usage des choses du monde et un attachement aux richesses contraire à l'esprit de pauvreté évangélique ne les détourne pas de poursuivre la perfection de la charité[8] ».   *2545*

      2013

« Bienheureux les pauvres en esprit » (Mt 5, 3). Les béatitudes révèlent un ordre de félicité et de grâce, de beauté et de paix. Jésus célèbre la joie des pauvres, à qui est déjà le Royaume[9] :   *2546 1716*

> Le Verbe appelle « pauvreté dans l'esprit » l'humilité volontaire d'un esprit humain et son renoncement ; et l'apôtre nous donne en exemple la pauvreté de Dieu quand il dit : « Il s'est fait pauvre pour nous » (2 Co 8, 9)[10].

1. Cf. Rm 7, 7. — 2. Cf. Rm 7, 15. — 3. Cf. Rm 8, 14. — 4. Cf. Rm 8, 27. — 5. Cf. Lc 14, 33. — 6. Cf. Mc 8, 35. — 7. Cf. Lc 21, 4. — 8. LG 42. — 9. Cf. Lc 6, 20. — 10. S. Grégoire de Nysse, beat. 1.

2547   Le Seigneur se lamente sur les riches, parce qu'ils trouvent dans la profusion des biens leur consolation (Lc 6, 24). « L'orgueilleux cherche la puissance terrestre, tandis que le pauvre en esprit recherche le Royaume des Cieux[1]. »
305 L'abandon à la Providence du Père du Ciel libère de l'inquiétude du lendemain[2]. La confiance en Dieu dispose à la béatitude des pauvres. Ils verront Dieu.

IV. « Je veux voir Dieu »

2548   Le désir du bonheur véritable dégage l'homme de l'attachement immodéré aux biens de ce monde, pour
2519 s'accomplir dans la vision et la béatitude de Dieu. « La promesse de voir Dieu dépasse toute béatitude. Dans l'Ecriture, voir c'est posséder. Celui qui voit Dieu a obtenu tous les biens que l'on peut concevoir[3]. »

2549   Il reste au peuple saint à lutter, avec la grâce d'en haut, pour obtenir les biens que Dieu promet. Pour posséder et contempler Dieu, les fidèles du Christ mortifient leurs
2015 convoitises et ils l'emportent, avec la grâce de Dieu, sur les séductions de la jouissance et de la puissance.

2550   Sur ce chemin de la perfection, l'Esprit et l'Epouse appellent qui les entend[4] à la communion parfaite avec Dieu :

> Là sera la véritable gloire ; personne n'y sera loué par erreur ou par flatterie ; les vrais honneurs ne seront ni refusés à ceux qui les méritent, ni accordés aux indignes ; d'ailleurs nul indigne n'y prétendra, là où ne seront admis que ceux qui sont dignes. Là régnera la véritable paix où nul n'éprouvera d'opposition ni de soi-même ni des autres. De la vertu, Dieu Lui-même sera la récompense, Lui qui a donné la vertu et S'est promis Lui-même à elle comme la récompense la meilleure et la plus grande qui puisse exister : « Je serai leur Dieu et ils seront mon peuple » (Lv 26, 12)... C'est aussi le sens des mots de l'apôtre : « Pour que Dieu soit tout en tous » (1 Co 15, 28). Il sera Lui-même la
314 fin de nos désirs, Lui que nous contemplerons sans fin, aimerons sans satiété, louerons sans lassitude. Et ce don, cette affection, cette occupation seront assurément, comme la vie éternelle, communs à tous[5].

EN BREF.

2551   *« Là où est ton trésor, là sera ton cœur » (Mt 6, 21).*

2552   *Le dixième commandement défend la cupidité déréglée, née de la passion immodérée des richesses et de leur puissance.*

1. S. Augustin, serm. Dom. 1, 1, 3. — 2. Cf. Mt 6, 25-34. — 3. S. Grégoire de Nysse, beat. 6. — 4. Cf. Ap 22, 17. — 5. S. Augustin, civ. 22, 30.

L'envie est la tristesse éprouvée devant le bien d'autrui et le 2553
désir immodéré de se l'approprier. Elle est un vice capital.

Le baptisé combat l'envie par la bienveillance, l'humilité et 2554
l'abandon à la providence de Dieu.

Les fidèles du Christ « ont crucifié la chair avec ses pas- 2555
sions et ses convoitises » (Ga 5, 24); ils sont conduits par
l'Esprit et suivent ses désirs.

Le détachement des richesses est nécessaire pour entrer 2556
dans le Royaume des Cieux. « Bienheureux les pauvres de
cœur. »

L'homme de désir dit : « Je veux voir Dieu. » La soif de 2557
Dieu est étanchée par l'eau de la vie éternelle [1].

1. Cf. Jn 4, 14.

Quatrième partie
La prière chrétienne

Miniature du Monastère de Dionysiou, sur le mont Athos (codex 587), peint à Constantinople vers l'an 1059.

Le Christ se tourne en prière vers le Père (cf. § 2599). Il prie seul, dans un lieu désert. Ses disciples le regardent d'une respectueuse distance. S. Pierre, le chef des apôtres, se tourne vers les autres et leur indique Celui qui est le Maître et le Chemin de la prière chrétienne (cf. § 2607) : « Seigneur, apprends-nous à prier » (Lc 11, 1).

La prière dans la vie chrétienne

« Il est grand le mystère de la foi. » L'Eglise le professe 2558
dans le Symbole des apôtres *(première partie)* et elle le
célèbre dans la liturgie sacramentelle *(deuxième partie)*, afin
que la vie des fidèles soit conformée au Christ dans l'Esprit
Saint à la Gloire de Dieu le Père *(troisième partie)*. Ce mystère exige donc que les fidèles y croient, le célèbrent et en
vivent dans une relation vivante et personnelle avec le Dieu
vivant et vrai. Cette relation est la prière.

Qu'est-ce que la prière ?

> Pour moi, la *prière* c'est un élan du cœur, c'est un simple
> regard jeté vers le ciel, c'est un cri de reconnaissance et
> d'amour au sein de l'épreuve comme au sein de la joie[1].

La prière comme don de Dieu

« La prière est l'élévation de l'âme vers Dieu ou la 2559
demande à Dieu des biens convenables[2]. » D'où parlons-
nous en priant ? De la hauteur de notre orgueil et de notre
volonté propre, ou des « profondeurs » (Ps 130, 1) d'un
cœur humble et contrit ? C'est celui qui s'abaisse qui est
élevé[3]. L'*humilité* est le fondement de la prière. « Nous ne 2613
savons que demander pour prier comme il faut » (Rm 8, 26). 2736
L'humilité est la disposition pour recevoir gratuitement le
don de la prière : L'homme est un mendiant de Dieu[4].

« Si tu savais le don de Dieu ! » (Jn 4, 10.) La merveille 2560
de la prière se révèle justement là, au bord des puits où nous
venons chercher notre eau : là, le Christ vient à la rencontre
de tout être humain, Il est le premier à nous chercher et c'est
Lui qui demande à boire. Jésus a soif, sa demande vient des

---

1. Ste Thérèse de l'Enfant-Jésus, ms. autob. C 25r. — 2. S. Jean Damascène, f. o.
3, 24. — 3. Cf. Lc 18, 9-14. — 4. Cf. S. Augustin, serm. 56, 6, 9.

profondeurs de Dieu qui nous désire. La prière, que nous le sachions ou non, est la rencontre de la soif de Dieu et de la nôtre. Dieu a soif que nous ayons soif de Lui[1].

2561   « C'est toi qui L'en aurais prié et Il t'aurait donné de l'eau vive » (Jn 4, 10). Notre prière de demande est paradoxalement une réponse. Réponse à la plainte du Dieu vivant : « Ils m'ont abandonné, moi la Source d'eau vive, pour se creuser des citernes lézardées ! » (Jr 2, 13), réponse de foi à la promesse gratuite du salut[2], réponse d'amour à la soif du Fils unique[3].

La prière comme alliance

2562   D'où vient la prière de l'homme ? Quel que soit le langage de la prière (gestes et paroles), c'est tout l'homme qui prie. Mais pour désigner le lieu d'où jaillit la prière, les Ecritures parlent parfois de l'âme ou de l'esprit, le plus souvent du cœur (plus de mille fois). C'est le *cœur* qui prie. S'il est loin de Dieu, l'expression de la prière est vaine.

2563   Le cœur est la demeure où je suis, où j'habite (selon
368 l'expression sémitique ou biblique : où je « descends »). Il est notre centre caché, insaisissable par notre raison et par autrui ; seul l'Esprit de Dieu peut le sonder et le connaître. Il est le lieu de la décision, au plus profond de nos tendances
2699 psychiques. Il est le lieu de la vérité, là où nous choisissons
1696 la vie ou la mort. Il est le lieu de la rencontre, puisque à l'image de Dieu, nous vivons en relation : il est le lieu de l'alliance.

2564   La prière chrétienne est une relation d'alliance entre Dieu et l'homme dans le Christ. Elle est action de Dieu et de l'homme ; elle jaillit de l'Esprit Saint et de nous, toute dirigée vers le Père, en union avec la volonté humaine du Fils de Dieu fait homme.

La prière comme communion

2565   Dans la Nouvelle Alliance, la prière est la relation vivante des enfants de Dieu avec leur Père infiniment bon, avec son Fils Jésus-Christ et avec l'Esprit Saint. La grâce du

1. Cf. S. Augustin, quæst. 64, 4. — 2. Cf. Jn 7, 37-39 ; Is 12, 3 ; 51, 1. — 3. Cf. Jn 19, 28 ; Za 12, 10 ; 13, 1.

Royaume est « l'union de la Sainte Trinité tout entière avec 260
l'esprit tout entier[1] ». La vie de prière est ainsi d'être habituellement en présence du Dieu trois fois Saint et en communion avec Lui. Cette communion de vie est toujours possible parce que, par le Baptême, nous sommes devenus un
même être avec le Christ[2]. La prière est *chrétienne* en tant
qu'elle est communion au Christ et se dilate dans l'Eglise
qui est son Corps. Ses dimensions sont celles de l'Amour du 792
Christ[3].

CHAPITRE PREMIER
La révélation de la prière
L'appel universel à la prière

L'homme est en quête de Dieu. Par la création Dieu 2566
appelle tout être du néant à l'existence. Couronné de gloire 296
et de splendeur[4], l'homme est, après les anges, capable de
reconnaître qu'il est grand le nom du Seigneur par toute la
terre[5]. Même après avoir perdu la ressemblance avec Dieu
par son péché, l'homme reste à l'image de son Créateur. Il 355
garde le désir de Celui qui l'appelle à l'existence. Toutes les
religions témoignent de cette quête essentielle des hommes[6]. 28

Dieu, le premier, appelle l'homme. Que l'homme oublie 2567
son Créateur ou se cache loin de sa Face, qu'il coure après
ses idoles ou accuse la divinité de l'avoir abandonné, le
Dieu vivant et vrai appelle inlassablement chaque personne 30
à la rencontre mystérieuse de la prière. Cette démarche
d'amour du Dieu fidèle est toujours première dans la prière,
la démarche de l'homme est toujours une réponse. Au fur et
à mesure que Dieu se révèle et révèle l'homme à lui-même, 142
la prière apparaît comme un appel réciproque, un drame
d'alliance. A travers des paroles et des actes, ce drame
engage le cœur. Il se dévoile à travers toute l'histoire du
salut.

1. S. Grégoire de Naz., or. 16, 9. — 2. Cf. Rm 6, 5. — 3. Cf. Ep 3, 18-21. —
4. Cf. Ps 8, 6. — 5. Cf. Ps 8, 2. — 6. Cf. Ac 17, 27.

ARTICLE 1
Dans l'Ancien Testament

2568   La révélation de la prière dans l'Ancien Testament s'ins-
410   crit entre la chute et le relèvement de l'homme, entre l'appel
1736 douloureux de Dieu à ses premiers enfants : « Où es-tu ? (...)
Qu'as-tu fait ? » (Gn 3, 9. 13) et la réponse du Fils unique
entrant dans le monde (« Voici, je viens pour faire, ô Dieu,
2738 ta volonté » : He 10, 7) [1]. La prière est ainsi liée à l'histoire
des hommes, elle est la relation à Dieu dans les événements
de l'histoire.

La création – source de la prière

2569   C'est d'abord à partir des réalités de la *création* que se vit
288   la prière. Les neuf premiers chapitres de la Genèse décrivent
cette relation à Dieu comme offrande des premiers-nés du
58   troupeau par Abel [2], comme invocation du nom divin par
Enosh [3], comme marche avec Dieu [4]. L'offrande de Noé est
« agréable » à Dieu qui le bénit, et à travers lui, bénit toute
la création [5], parce que son cœur est juste et intègre : lui
aussi « marche avec Dieu » (Gn 6, 9). Cette qualité de la
prière est vécue par une multitude de justes dans toutes les
religions.

Dans son alliance indéfectible avec les êtres vivants [6] Dieu
59   appelle toujours les hommes à Le prier. Mais c'est surtout à
partir de notre père Abraham qu'est révélée la prière dans
l'Ancien Testament.

La promesse et la prière de la foi

2570   Dès que Dieu l'appelle, Abraham part « comme le lui
avait dit le Seigneur » (Gn 12, 4) : son cœur est tout « sou-
145   mis à la Parole », il obéit. L'écoute du cœur qui se décide
selon Dieu est essentielle à la prière, les paroles lui sont
relatives. Mais la prière d'Abraham s'exprime d'abord par
des actes : homme de silence, il construit, à chaque étape, un
autel au Seigneur. Plus tard seulement apparaît sa première

---

1. Cf. He 10, 5-7. — 2. Cf. Gn 4, 4. — 3. Cf. Gn 4, 26. — 4. Cf. Gn 5, 24. —
5. Cf. Gn 8, 20-9, 17. — 6. Cf. Gn 9, 8-16.

prière en paroles : une plainte voilée qui rappelle à Dieu ses promesses qui ne semblent pas se réaliser[1]. Dès le début apparaît ainsi l'un des aspects du drame de la prière : l'épreuve de la foi en la fidélité de Dieu.

Ayant cru en Dieu[2], marchant en sa présence et en alliance avec Lui[3], le patriarche est prêt à accueillir sous sa tente son Hôte mystérieux : c'est l'admirable hospitalité de Mambré, prélude à l'Annonciation du vrai Fils de la promesse[4]. Dès lors, Dieu lui ayant confié son dessein, le cœur d'Abraham est accordé à la compassion de son Seigneur pour les hommes et il ose intercéder pour eux avec une confiance audacieuse[5].   2571

494

2685

Ultime purification de sa foi, il est demandé au « dépositaire des promesses » (He 11, 17) de sacrifier le fils que Dieu lui a donné. Sa foi ne faiblit pas : « C'est Dieu qui pourvoira à l'agneau pour l'holocauste » (Gn 22, 8), car « Dieu, pensait-il, est capable même de ressusciter les morts » (He 11, 19). Ainsi le père des croyants est-il conformé à la ressemblance du Père qui n'épargnera pas son propre Fils mais Le livrera pour nous tous[6]. La prière restaure l'homme à la ressemblance de Dieu et le fait participer à la puissance de l'amour de Dieu qui sauve la multitude[7].   2572

603

Dieu renouvelle sa promesse à Jacob, l'ancêtre des douze tribus d'Israël[8]. Avant d'affronter son frère Esaü, il lutte toute une nuit avec « quelqu'un » de mystérieux qui refuse de révéler son nom mais le bénit avant de le quitter à l'aurore. La tradition spirituelle de l'Eglise a retenu de ce récit le symbole de la prière comme combat de la foi et victoire de la persévérance[9].   2573

162

Moïse et la prière du médiateur

Lorsque commence à se réaliser la promesse (la Pâque, l'Exode, le don de la Loi et la conclusion de l'alliance), la prière de Moïse est la figure saisissante de la prière d'intercession qui s'accomplira dans « l'unique Médiateur entre Dieu et les hommes, le Christ Jésus » (1 Tm 2, 5).   2574

62

Ici encore, Dieu vient, le premier. Il appelle Moïse du milieu du Buisson ardent[10]. Cet événement restera l'une des figures primordiales de la prière dans la tradition spirituelle   2575

205

---

1. Cf. Gn 15, 2-3. — 2. Cf. Gn 15, 6. — 3. Cf. Gn 17, 1-2. — 4. Cf. Gn 18, 1-15 ; Lc 1, 26-38. — 5. Cf. Gn 18, 16-33. — 6. Cf. Rm 8, 32. — 7. Cf. Rm 4, 16-21. — 8. Cf. Gn 28, 10-22. — 9. Cf. Gn 32, 25-31 ; Lc 18, 1-8. — 10. Cf. Ex 3, 1-10.

juive et chrétienne. En effet, si « le Dieu d'Abraham,
d'Isaac et de Jacob » appelle son serviteur Moïse, c'est qu'Il
est le Dieu Vivant qui veut la vie des hommes. Il se révèle
pour les sauver, mais pas tout seul ni malgré eux : Il appelle
Moïse pour l'envoyer, pour l'associer à sa compassion, à
son œuvre de salut. Il y a comme une imploration divine
dans cette mission et Moïse, après un long débat, ajustera sa
volonté à celle du Dieu Sauveur. Mais dans ce dialogue où
Dieu se confie, Moïse apprend aussi à prier : il se dérobe, il
objecte, surtout il demande, et c'est en réponse à sa
demande que le Seigneur lui confie son nom indicible qui se
révélera dans ses hauts faits.

2576   Or, « Dieu parlait à Moïse face à face, comme un homme
555 parle à son ami » (Ex 33, 11). La prière de Moïse est typique
de la prière contemplative grâce à laquelle le serviteur de
Dieu est fidèle à sa mission. Moïse « s'entretient » souvent
et longuement avec le Seigneur, gravissant la montagne
pour L'écouter et L'implorer, descendant vers le peuple
pour lui redire les paroles de son Dieu et le guider. « Il est à
demeure dans ma maison, je Lui parle bouche à bouche,
dans l'évidence » (Nb 12, 7-8), car « Moïse était un homme
très humble, l'homme le plus humble que la terre ait porté »
(Nb 12, 3).

2577   Dans cette intimité avec le Dieu fidèle, lent à la colère et
plein d'amour[1], Moïse a puisé la force et la ténacité de son
210 intercession. Il ne prie pas pour lui mais pour le peuple que
Dieu s'est acquis. Déjà durant le combat avec les Amalé-
cites[2] ou pour obtenir la guérison de Myriam[3], Moïse inter-
2635 cède. Mais c'est surtout après l'apostasie du peuple qu'il
« se tient sur la brèche » devant Dieu (Ps 106, 23) pour sauver le peuple[4]. Les arguments de sa prière (l'intercession est
aussi un combat mystérieux) inspireront l'audace des grands
priants du peuple juif comme de l'Eglise : Dieu est amour, Il
214 est donc juste et fidèle ; Il ne peut se contredire, Il doit se
souvenir de ses actions merveilleuses, sa Gloire est en jeu, Il
ne peut abandonner ce peuple qui porte son nom.

David et la prière du roi

2578   La prière du Peuple de Dieu va s'épanouir à l'ombre de la
demeure de Dieu, l'arche d'alliance et plus tard le Temple.
Ce sont d'abord les guides du peuple – les pasteurs et les

1. Cf. Ex 34, 6. — 2. Cf. Ex 17, 8-13. — 3. Cf. Nb 12, 13-14. — 4. Cf. Ex 32,
1-34, 9.

prophètes – qui lui apprendront à prier. Samuel enfant a dû apprendre de sa mère Anne comment « se tenir devant le Seigneur[1] » et du prêtre Eli comment écouter sa Parole : « Parle, Seigneur, car ton serviteur écoute » (1 S 3, 9-10). Plus tard, lui aussi connaîtra le prix et le poids de l'intercession : « Pour ma part, que je me garde de pécher contre le Seigneur en cessant de prier pour vous et de vous enseigner le bon et droit chemin » (1 S 12, 23).

David est par excellence le roi « selon le cœur de Dieu », le pasteur qui prie pour son peuple et en son nom, celui dont la soumission à la volonté de Dieu, la louange et le repentir seront le modèle de la prière du peuple. Oint de Dieu, sa prière est adhésion fidèle à la promesse divine[2], confiance aimante et joyeuse en Celui qui est le seul Roi et Seigneur. Dans les Psaumes, David, inspiré par l'Esprit Saint, est le premier prophète de la prière juive et chrétienne. La prière du Christ, véritable Messie et Fils de David, révélera et accomplira le sens de cette prière. **2579** *709* *436*

Le Temple de Jérusalem, la maison de prière que David voulait construire, sera l'œuvre de son fils, Salomon. La prière de la Dédicace du Temple[3] s'appuie sur la promesse de Dieu et son alliance, la présence agissante de son nom parmi son Peuple et le rappel des hauts faits de l'Exode. Le roi élève alors les mains vers le ciel et supplie le Seigneur pour lui, pour tout le peuple, pour les générations à venir, pour le pardon de leurs péchés et leurs besoins de chaque jour, afin que toutes les nations sachent qu'Il est le seul Dieu et que le cœur de son peuple soit tout entier à Lui. **2580** *583*

Élie, les prophètes et la conversion du cœur

Le Temple devait être pour le Peuple de Dieu le lieu de son éducation à la prière : les pèlerinages, les fêtes, les sacrifices, l'offrande du soir, l'encens, les pains de « proposition », tous ces signes de la Sainteté et de la Gloire du Dieu Très Haut et tout Proche étaient des appels et des chemins de la prière. Mais le ritualisme entraînait souvent le peuple vers un culte trop extérieur. Il y fallait l'éducation de la foi, la conversion du cœur. Ce fut la mission des prophètes, avant et après l'Exil. **2581** *1150*

Elie est le père des prophètes, de la race de ceux qui cherchent Dieu, qui poursuivent sa Face[4]. Son nom, « Le Seigneur est mon Dieu », annonce le cri du peuple en **2582**

1. Cf. 1 S 1, 9-18. — 2. Cf. 2 S 7, 18-29. — 3. Cf. 1 R 8, 10-61. — 4. Cf. Ps 24, 6.

réponse à sa prière sur le mont Carmel[1]. Jacques renvoie à lui pour nous inciter à la prière : « La supplication ardente du juste a beaucoup de puissance » (Jc 5, 16)[2].

2583   Après avoir appris la miséricorde dans sa retraite au torrent de Kérit, il apprend à la veuve de Sarepta la foi en la parole de Dieu, foi qu'il confirme par sa prière instante : Dieu fait revenir à la vie l'enfant de la veuve[3].

696   Lors du sacrifice sur le mont Carmel, épreuve décisive pour la foi du Peuple de Dieu, c'est à sa supplication que le feu du Seigneur consume l'holocauste, « à l'heure où l'on présente l'offrande du soir » : « Réponds-moi, Seigneur, réponds-moi ! » ce sont les paroles mêmes d'Elie que les liturgies orientales reprennent dans l'épiclèse eucharistique[4].

555   Enfin, reprenant le chemin du désert vers le lieu où le Dieu vivant et vrai s'est révélé à son peuple, Elie se blottit, comme Moïse, « au creux du rocher » jusqu'à ce que « passe » la Présence mystérieuse de Dieu[5]. Mais c'est seulement sur la montagne de la Transfiguration que se dévoilera Celui dont ils poursuivent la Face[6] : la connaissance de la Gloire de Dieu est sur la face du Christ crucifié et ressuscité[7].

2584   Dans le « seul à seul avec Dieu » les prophètes puisent
2709 lumière et force pour leur mission. Leur prière n'est pas une fuite du monde infidèle mais une écoute de la Parole de Dieu, parfois un débat ou une plainte, toujours une intercession qui attend et prépare l'intervention du Dieu Sauveur, Seigneur de l'histoire[8].

Les Psaumes, prière de l'assemblée

2585   Depuis David jusqu'à la venue du Messie, les livres saints
1093 contiennent des textes de prière qui témoignent de l'approfondissement de la prière, pour soi-même et pour les autres[9]. Les psaumes ont été peu à peu rassemblés en un recueil de cinq livres : les Psaumes (ou « Louanges »), chef-d'œuvre de la prière dans l'Ancien Testament.

2586   Les Psaumes nourrissent et expriment la prière du Peuple de Dieu comme assemblée, lors des grandes fêtes à Jérusalem et chaque sabbat dans les synagogues. Cette prière est

1. Cf. 1 R 18, 39. — 2. Cf. Jc 5, 16-18. — 3. Cf. 1 R 17, 7-24. — 4. Cf. 1 R 18, 20-39. — 5. Cf. 1 R 19, 1-14 ; Ex 33, 19-23. — 6. Cf. Lc 9, 30-35. — 7. Cf. 2 Co 4, 6. — 8. Cf. Am 7, 2. 5 ; Is 6, 5. 8. 11 ; Jr 1, 6 ; 15, 15-18 ; 20, 7-18. — 9. Cf. Esd 9, 6-15 ; Ne 1, 4-11 ; Jon 2, 3-10 ; Tb 3, 11-16 ; Jdt 9, 2-14.

inséparablement personnelle et communautaire; elle concerne ceux qui prient et tous les hommes; elle monte de la Terre sainte et des communautés de la Diaspora mais elle embrasse toute la création; elle rappelle les événements sauveurs du passé et s'étend jusqu'à la consommation de l'histoire; elle fait mémoire des promesses de Dieu déjà réalisées et elle attend le Messie qui les accomplira définitivement. Priés et accomplis dans le Christ, les Psaumes demeurent essentiels à la prière de son Eglise[1].   *1177*

Le Psautier est le livre où la Parole de Dieu devient prière de l'homme. Dans les autres livres de l'Ancien Testament « les paroles proclament les œuvres (de Dieu pour les hommes) « et font découvrir le mystère qui s'y trouve contenu[2] ». Dans le Psautier, les paroles du psalmiste expriment, en les chantant pour Dieu, ses œuvres de salut. Le même Esprit inspire l'œuvre de Dieu et la réponse de l'homme. Le Christ unira l'une et l'autre. En Lui, les psaumes ne cessent de nous apprendre à prier.   **2587**   *2641*

Les expressions multiformes de la prière des Psaumes prennent forme à la fois dans la liturgie du Temple et dans le cœur de l'homme. Qu'il s'agisse d'hymne, de prière de détresse ou d'action de grâces, de supplication individuelle ou communautaire, de chant royal ou de pèlerinage, de méditation sapientielle, les psaumes sont le miroir des merveilles de Dieu dans l'histoire de son peuple et des situations humaines vécues par le psalmiste. Un psaume peut refléter un événement du passé, mais il est d'une sobriété telle qu'il peut être prié en vérité par les hommes de toute condition et de tout temps.   **2588**

Des traits constants traversent les Psaumes : la simplicité et la spontanéité de la prière, le désir de Dieu Lui-même à travers et avec tout ce qui est bon dans sa création, la situation inconfortable du croyant qui, dans son amour de préférence pour le Seigneur, est en butte à une foule d'ennemis et de tentations, et, dans l'attente de ce que fera le Dieu fidèle, la certitude de son amour et la remise à sa volonté. La prière des psaumes est toujours portée par la louange et c'est pourquoi le titre de ce recueil convient bien à ce qu'il nous livre : « les Louanges ». Recueilli pour le culte de l'Assemblée, il fait entendre l'appel à la prière et en chante la réponse : « *Hallelou-Ya!* » (Alleluia), « Louez le Seigneur ! ».   **2589**   *304*

1. Cf. IGLH 100-109. — 2. DV 2.

Qu'y a-t-il de meilleur qu'un psaume? C'est pourquoi David dit très bien : « Louez le Seigneur, car le Psaume est une bonne chose : à notre Dieu, louange douce et belle ! » Et c'est vrai. Car le psaume est bénédiction prononcée par le peuple, louange de Dieu par l'assemblée, applaudissement par tous, parole dite par l'univers, voix de l'Eglise, mélodieuse profession de foi[1]...

En bref

2590　　*« La prière est l'élévation de l'âme vers Dieu ou la demande à Dieu des biens convenables[2]. »*

2591　　*Dieu appelle inlassablement chaque personne à la rencontre mystérieuse avec Lui. La prière accompagne toute l'histoire du salut comme un appel réciproque entre Dieu et l'homme.*

2592　　*La prière d'Abraham et de Jacob se présente comme un combat de la foi dans la confiance en la fidélité de Dieu et dans la certitude de la victoire promise à la persévérance.*

2593　　*La prière de Moïse répond à l'initiative du Dieu vivant pour le salut de son peuple. Elle préfigure la prière d'intercession de l'unique médiateur, le Christ Jésus.*

2594　　*La prière du Peuple de Dieu s'épanouit à l'ombre de la demeure de Dieu, l'arche d'alliance et le Temple, sous la conduite des pasteurs, le roi David notamment, et des prophètes.*

2595　　*Les prophètes appellent à la conversion du cœur et, tout en recherchant ardemment la face de Dieu, tel Elie, ils intercèdent pour le peuple.*

2596　　*Les Psaumes constituent le chef-d'œuvre de la prière dans l'Ancien Testament. Ils présentent deux composantes inséparables : personnelle et communautaire. Ils s'étendent à toutes les dimensions de l'histoire, commémorant les promesses de Dieu déjà accomplies et espérant la venue du Messie.*

2597　　*Priés et accomplis dans le Christ, les Psaumes sont un élément essentiel et permanent de la prière de son Eglise. Ils sont adaptés aux hommes de toute condition et de tout temps.*

1. S. Ambroise, Psal. 1, 9. — 2. S. Jean Damascène, f. o. 3, 24.

ARTICLE 2
Dans la plénitude du temps

Le drame de la prière nous est pleinement révélé dans le 2598
Verbe qui s'est fait chair et qui demeure parmi nous. Chercher à comprendre sa prière, à travers ce que ses témoins nous en annoncent dans l'Evangile, c'est nous approcher du Saint Seigneur Jésus comme du Buisson ardent : d'abord Le contempler Lui-même en prière, puis écouter comment Il nous enseigne à prier, pour connaître enfin comment Il exauce notre prière.

Jésus prie

Le Fils de Dieu devenu Fils de la Vierge a appris à prier 2599
selon son cœur d'homme. Il a appris les formules de prière *470-473*
de sa mère qui conservait et méditait dans son cœur toutes les « grandes choses » faites par le Tout-Puissant[1]. Il l'apprend dans les mots et les rythmes de la prière de son peuple, à la synagogue de Nazareth et au Temple. Mais sa *584*
prière jaillit d'une source autrement secrète, comme Il le laisse pressentir à l'âge de douze ans : « Je Me dois aux affaires de mon Père » (Lc 2, 49). Ici commence à se révéler la nouveauté de la prière dans la plénitude des temps : la *prière filiale*, que le Père attendait de ses enfants, va enfin *534*
être vécue par le Fils unique Lui-même dans son Humanité, avec et pour les hommes.

L'Evangile selon S. Luc souligne l'action de l'Esprit 2600
Saint et le sens de la prière dans le ministère du Christ. Jésus prie *avant* les moments décisifs de sa mission : avant que le Père témoigne de Lui lors de son Baptême[2] et de sa Transfiguration[3], et avant d'accomplir par sa passion le dessein *535, 554*
d'amour du Père[4]. Il prie aussi avant les moments décisifs *612*
qui vont engager la mission de ses apôtres : avant de choisir *858, 443*
et d'appeler les Douze[5], avant que Pierre Le confesse comme « Christ de Dieu[6] » et afin que la foi du chef des apôtres ne défaille pas dans la tentation[7]. La prière de Jésus avant les événements du salut que le Père Lui demande d'accomplir est une remise, humble et confiante, de sa volonté humaine à la volonté aimante du Père.

1. Cf. Lc 1, 49 ; 2, 19 ; 2, 51. — 2. Cf. Lc 3, 21. — 3. Cf. Lc 9, 28. — 4. Cf. Lc 22, 41-44. — 5. Cf. Lc 6, 12. — 6. Cf. Lc 9, 18-20. — 7. Cf. Lc 22, 32.

2601   « Un jour, quelque part, Jésus priait. Quand Il eut fini, un de ses disciples Lui demanda : Seigneur, apprends-nous à prier » (Lc 11, 1). N'est-ce pas d'abord en contemplant son Maître prier que le disciple du Christ désire prier ? Il peut alors l'apprendre du Maître de la prière. C'est en *contemplant* et en écoutant le Fils que les enfants apprennent à prier
2765 le Père.

2602   Jésus se retire souvent à l'écart, *dans la solitude*, sur la montagne, de préférence de nuit, pour prier[1]. *Il porte les*
616 *hommes* dans sa prière, puisqu'aussi bien Il assume l'humanité en son Incarnation, et Il les offre au Père en S'offrant Lui-même. Lui, le Verbe qui a « assumé la chair », participe dans sa prière humaine à tout ce que vivent ses frères[2] ; Il compatit à leurs faiblesses pour les en délivrer[3]. C'est pour cela que le Père L'a envoyé. Ses paroles et ses œuvres apparaissent alors comme la manifestation visible de sa prière « dans le secret ».

2603   Du Christ, durant son ministère, les évangélistes ont retenu deux prières plus explicites. Or elles commencent
2637 chacune par l'action de grâces. Dans la première[4], Jésus confesse le Père, Le reconnaît et Le bénit parce qu'Il a caché les mystères du Royaume à ceux qui se croient doctes et l'a
2546 révélé aux « tout-petits » (les pauvres des béatitudes). Son tressaillement « Oui, Père ! » exprime le fond de son cœur, son adhésion au « bon plaisir » du Père, en écho au *« Fiat »*
494 de sa Mère lors de sa conception et en prélude à celui qu'Il dira au Père dans son agonie. Toute la prière de Jésus est dans cette adhésion aimante de son cœur d'homme au « mystère de la volonté » du Père[5].

2604   La seconde prière est rapportée par S. Jean[6] avant la résurrection de Lazare. L'action de grâces précède l'événement : « Père, Je Te rends grâces de M'avoir exaucé », ce qui implique que le Père écoute toujours sa demande ; et Jésus ajoute aussitôt : « Je savais bien que Tu M'exauces toujours », ce qui implique que, de son côté, Jésus *demande* d'une façon constante. Ainsi, portée par l'action de grâces, la prière de Jésus nous révèle comment demander : *avant* que le don soit donné, Jésus adhère à Celui qui donne et Se donne dans ses dons. Le Donateur est plus précieux que le don accordé, Il est le « Trésor », et c'est en Lui qu'est le
478 cœur de son Fils ; le don est donné « par surcroît[7] ».

1. Cf. Mc 1, 35 ; 6, 46 ; Lc 5, 16. — 2. Cf. He 2, 12. — 3. Cf. He 2, 15 ; 4, 15. — 4. Cf. Mt 11, 25-27 et Lc 10, 21-22. — 5. Cf. Ep 1, 9. — 6. Cf. Jn 11, 41-42. — 7. Cf. Mt 6, 21. 33.

La prière « sacerdotale » de Jésus [1] tient une place unique dans l'économie du salut. Elle sera méditée en finale de la première section. Elle révèle en effet la prière toujours actuelle de notre Grand Prêtre, et, en même temps, elle contient ce qu'Il nous enseigne dans notre prière à notre Père, laquelle sera développée dans la deuxième section.

2746

Quand l'Heure est venue où Il accomplit le dessein d'amour du Père, Jésus laisse entrevoir la profondeur insondable de sa prière filiale, non seulement avant de Se livrer librement (« *Abba*... non pas ma volonté, mais la tienne » : Lc 22, 42), mais jusque dans *ses dernières paroles* sur la Croix, là où prier et se donner ne font qu'un : « Mon Père, pardonne-leur, ils ne savent pas ce qu'ils font » (Lc 23, 34) ; « En vérité, Je te le dis, dès aujourd'hui tu seras avec Moi dans le Paradis » (Lc 23, 43) ; « Femme, voici ton fils (...). Voici ta mère » (Jn 19, 26-27) ; « J'ai soif ! » (Jn 19, 28) ; « Mon Dieu, pourquoi M'as-Tu abandonné ? » (Mc 15, 34) [2] ; « Tout est achevé » (Jn 19, 30) ; « Père, Je remets mon esprit entre tes mains » (Lc 23, 46), jusqu'à ce « grand cri » où Il expire en livrant l'esprit [3].

2605

614

Toutes les détresses de l'humanité de tous les temps, esclave du péché et de la mort, toutes les demandes et les intercessions de l'histoire du salut sont recueillies dans ce Cri du Verbe incarné. Voici que le Père les accueille et, au-delà de toute espérance, les exauce en ressuscitant son Fils. Ainsi s'accomplit et se consomme le drame de la prière dans l'économie de la création et du salut. Le Psautier nous en livre la clef dans le Christ. C'est dans l'Aujourd'hui de la Résurrection que le Père dit : « Tu es mon Fils, Moi, aujourd'hui Je T'ai engendré. *Demande*, et Je Te *donne* les nations pour héritage, pour domaine les extrémités de la terre ! » (Ps 2, 7-8 [4].)

2606

403

653

2587

L'Epître aux Hébreux exprime en des termes dramatiques comment la prière de Jésus opère la victoire du salut : « C'est Lui qui aux jours de sa chair, ayant présenté, avec une violente clameur et des larmes, des implorations et des supplications à Celui qui pouvait Le sauver de la mort, et ayant été exaucé en raison de sa piété, tout Fils qu'Il était, apprit, de ce qu'Il souffrit, l'obéissance ; après avoir été rendu parfait, Il est devenu pour tous ceux qui Lui obéissent principe de salut éternel » (He 5, 7-9).

1. Cf. Jn 17. — 2. Cf. Ps 22, 2. — 3. Cf. Mc 15, 37 ; Jn 19, 30. — 4. Cf. Ac 13, 33.

Jésus enseigne à prier

2607 Quand Jésus prie, Il nous apprend déjà à prier. Le chemin
520 théologal de notre prière est sa prière à son Père. Mais
l'Evangile nous livre un enseignement explicite de Jésus sur
la prière. En pédagogue Il nous prend là où nous sommes et,
progressivement, nous conduit vers le Père. S'adressant aux
foules qui Le suivent, Jésus part de ce qu'elles connaissent
déjà de la prière selon l'Ancienne Alliance et les ouvre à la
nouveauté du Royaume qui vient. Puis Il leur révèle en paraboles cette nouveauté. Enfin, à ses disciples qui devront être
des pédagogues de la prière dans son Eglise, Il parlera
ouvertement du Père et de l'Esprit Saint.

2608 Dès le *sermon sur la Montagne*, Jésus insiste sur la
541, 1430 *conversion du cœur* : la réconciliation avec le frère avant de
présenter une offrande sur l'autel[1], l'amour des ennemis et
la prière pour les persécuteurs[2], prier le Père « dans le
secret » (Mt 6, 6), ne pas rabâcher de multiples paroles[3],
pardonner du fond du cœur dans la prière[4], la pureté du
cœur et la recherche du Royaume[5]. Cette conversion est
toute polarisée vers le Père, elle est filiale.

2609 Le cœur, ainsi décidé à se convertir, apprend à prier dans
153, 1814 la *foi*. La foi est une adhésion filiale à Dieu, au-delà de ce
que nous sentons et comprenons. Elle est devenue possible
parce que le Fils bien-aimé nous ouvre l'accès auprès du
Père. Il peut nous demander de « chercher » et de « frap-
per », puisqu'Il est Lui-même la porte et le chemin[6].

2610 De même que Jésus prie le Père et rend grâces avant de
recevoir ses dons, Il nous apprend cette *audace filiale* :
« Tout ce que vous demandez en priant, croyez que vous
l'avez déjà reçu » (Mc 11, 24). Telle est la force de la prière,
« tout est possible à celui qui croit » (Mc 9, 23), d'une foi
165 qui n'hésite pas[7]. Autant Jésus est attristé par le « manque
de foi » de ses proches (Mc 6, 6) et le « peu de foi » de ses
disciples[8], autant Il est saisi d'admiration devant la « grande
foi » du centurion romain[9] et de la Cananéenne[10].

2611 La prière de foi ne consiste pas seulement à dire « Seigneur, Seigneur », mais à accorder le cœur à faire la *volonté*
2827 *du Père*[11]. Ce souci de coopérer au dessein divin, Jésus
appelle ses disciples à le porter dans la prière[12].

---

1. Cf. Mt 5, 23-24. — 2. Cf. Mt 5, 44-45. — 3. Cf. Mt 6, 7. — 4. Cf. Mt 6, 14-15.
— 5. Cf. Mt 6, 21. 25. 33. — 6. Cf. Mt 7, 7-11. 13-14. — 7. Cf. Mt 21, 21. —
8. Cf. Mt 8, 26. — 9. Cf. Mt 8, 10. — 10. Cf. Mt 15, 28. — 11. Cf. Mt 7, 21. —
12. Cf. Mt 9, 38 ; Lc 10, 2 ; Jn 4, 34.

En Jésus « le Royaume de Dieu est tout proche » (Mc 1, 15), Il appelle à la conversion et à la foi mais aussi à la *vigilance*. Dans la prière, le disciple veille attentif à Celui qui Est et qui Vient dans la mémoire de sa première Venue dans l'humilité de la chair et dans l'espérance de son second Avènement dans la Gloire[1]. En communion avec leur Maître, la prière des disciples est un combat, et c'est en veillant dans la prière que l'on n'entre pas en tentation[2].

Trois *paraboles* principales sur la prière nous sont transmises par S. Luc :

La première, « l'ami importun[3] », invite à une prière instante : « Frappez, et l'on vous ouvrira. » A celui qui prie ainsi, le Père du ciel « donnera tout ce dont il a besoin », et surtout l'Esprit Saint qui contient tous les dons.

La deuxième, « la veuve importune[4] », est centrée sur l'une des qualités de la prière : il faut toujours prier sans se lasser avec la *patience* de la foi. « Mais le Fils de l'Homme, quand Il viendra, trouvera-t-Il la foi sur la terre ? »

La troisième parabole, « le Pharisien et le publicain[5] », concerne l'*humilité* du cœur qui prie. « Mon Dieu, aie pitié du pécheur que je suis. » Cette prière, l'Eglise ne cesse de la faire sienne : « *Kyrie eleison !* »

Quand Jésus confie ouvertement à ses disciples le mystère de la prière au Père, Il leur dévoile ce que devra être leur prière, et la nôtre, lorsqu'Il sera retourné, dans son Humanité glorifiée, auprès du Père. Ce qui est nouveau maintenant est de demander *en son nom*[6]. La foi en Lui introduit les disciples dans la connaissance du Père, parce que Jésus est « le Chemin, la Vérité et la Vie » (Jn 14, 6). La foi porte son fruit dans l'amour : garder sa Parole, ses commandements, demeurer avec Lui dans le Père qui en Lui nous aime jusqu'à demeurer en nous. Dans cette alliance nouvelle, la certitude d'être exaucés dans nos demandes est fondée sur la prière de Jésus[7].

Plus encore, ce que le Père nous donne lorsque notre prière est unie à celle de Jésus, c'est « l'autre Paraclet, pour être avec vous à jamais, l'Esprit de Vérité » (Jn 14, 16-17). Cette nouveauté de la prière et de ses conditions apparaît à travers le discours d'Adieu[8]. Dans l'Esprit Saint, la prière

2612
672
2725

2613

546

2559

2614
434

2615
728

---

1. Cf. Mc 13 ; Lc 21, 34-36. — 2. Cf. Lc 22, 40. 46. — 3. Cf. Lc 11, 5-13. — 4. Cf. Lc 18, 1-8. — 5. Cf. Lc 18, 9-14. — 6. Cf. Jn 14, 13. — 7. Cf. Jn 14, 13-14. — 8. Cf. Jn 14, 23-26 ; 15, 7. 16 ; 16, 13-15 ; 16, 23-27.

chrétienne est communion d'amour avec le Père, non seulement par le Christ, mais aussi *en Lui* : « Jusqu'ici vous n'avez rien demandé en mon nom. Demandez et vous recevrez, et votre joie sera parfaite » (Jn 16, 24).

Jésus exauce la prière

2616   La prière *à Jésus* est déjà exaucée par Lui durant son ministère, à travers des signes qui anticipent la puissance de
548   sa mort et de sa Résurrection : Jésus exauce la prière de foi, exprimée en paroles (le lépreux[1] ; Jaïre[2] ; la Cananéenne[3] ; le bon larron[4]) ou en silence (les porteurs du paralytique[5] ; l'hémorroïsse qui touche son vêtement[6] ; les larmes et le parfum de la pécheresse[7]). La demande pressante des aveugles : « Aie pitié de nous, Fils de David » (Mt 9, 27) ou « Fils de David, Jésus, aie pitié de moi » (Mc 10, 47) a été
2667 reprise dans la tradition de la *Prière à Jésus* : « Jésus, Christ, Fils de Dieu, Seigneur, aie pitié de moi, pécheur ! » Guérison des infirmités ou rémission des péchés, Jésus répond toujours à la prière qui L'implore avec foi : « Va en paix, ta foi t'a sauvé ! »

> S. Augustin résume admirablement les trois dimensions de la prière de Jésus : « Il prie pour nous en tant que notre prêtre, il prie en nous en tant que notre tête, il est prié par nous en tant que notre Dieu. Reconnaissons donc en Lui nos voix et sa voix en nous[8]. »

La prière de la Vierge Marie

2617   La prière de Marie nous est révélée à l'aurore de la pléni-
148   tude des temps. Avant l'Incarnation du Fils de Dieu et avant l'effusion de l'Esprit Saint, sa prière coopère d'une manière unique au dessein bienveillant du Père, lors de l'Annoncia-
494   tion pour la conception du Christ[9], lors de la Pentecôte pour la formation de l'Eglise, Corps du Christ[10]. Dans la foi de son humble servante le Don de Dieu trouve l'accueil qu'Il attendait depuis le commencement des temps. Celle que le
490   Tout-Puissant a faite « pleine de grâce » répond par l'offrande de tout son être : « Voici la servante du Seigneur, qu'il m'advienne selon ta parole ». « *Fiat* », c'est la prière chrétienne : être tout à Lui puisqu'Il est tout à nous.

---

1. Cf. Mc 1, 40-41. — 2. Cf. Mc 5, 36. — 3. Cf. Mc 7, 29. — 4. Cf. Lc 23, 39-43. — 5. Cf. Mc 2, 5. — 6. Cf. Mc 5, 28. — 7. Cf. Lc 7, 37-38. — 8. Psal. 85, 1 ; cf. IGLH 7. — 9. Cf. Lc 1, 38. — 10. Cf. Ac 1, 14.

L'Evangile nous révèle comment Marie prie et intercède dans la foi : à Cana[1], la Mère de Jésus prie son Fils pour les besoins d'un repas de noces, signe d'un autre Repas, celui des noces de l'Agneau donnant son Corps et son Sang à la demande de l'Eglise, son Epouse. Et c'est à l'heure de la Nouvelle Alliance, au pied de la Croix[2], que Marie est exaucée comme la Femme, la nouvelle Eve, la véritable « Mère des vivants ».   2618 2674 726

C'est pourquoi le cantique de Marie[3] ; le « *Magnificat* » latin, le *Mégalinaire* byzantin, est à la fois le cantique de la Mère de Dieu et celui de l'Eglise, cantique de la Fille de Sion et du nouveau Peuple de Dieu, cantique d'action de grâces pour la plénitude de grâces répandues dans l'économie du salut, cantique des « pauvres » dont l'espérance est comblée par l'accomplissement des promesses faites à nos pères « en faveur d'Abraham et de sa descendance, à jamais ».   2619 724

EN BREF

Dans le Nouveau Testament le modèle parfait de la prière réside dans la prière filiale de Jésus. Faite souvent dans la solitude, dans le secret, la prière de Jésus comporte une adhésion aimante à la volonté du Père jusqu'à la Croix et une absolue confiance d'être exaucée.   2620

Dans son enseignement, Jésus apprend à ses disciples à prier avec un cœur purifié, une foi vive et persévérante, une audace filiale. Il les appelle à la vigilance et les invite à présenter à Dieu leurs demandes en son nom. Jésus-Christ exauce Lui-même les prières qui Lui sont adressées.   2621

La prière de la Vierge Marie, en son « Fiat » et en son Magnificat, se caractérise par l'offrande généreuse de tout son être dans la foi.   2622

ARTICLE 3
Dans le temps de l'Église

Le jour de la Pentecôte, l'Esprit de la promesse a été répandu sur les disciples, « assemblés en un même lieu » (Ac 2, 1), l'attendant « tous d'un même cœur, assidus à la prière » (Ac 1, 14). L'Esprit, qui enseigne l'Eglise et lui rappelle tout ce que Jésus a dit[4], va aussi la former à la vie de prière.   2623 731

1. Cf. Jn 2, 1-12. — 2. Cf. Jn 19, 25-27. — 3. Cf. Lc 1, 46-55. — 4. Cf. Jn 14, 26.

2624   Dans la première communauté de Jérusalem, les croyants
1342 « se montraient assidus à l'enseignement des apôtres, fidèles
à la communion fraternelle, à la fraction du pain et aux
prières » (Ac 2, 42). La séquence est typique de la prière de
l'Eglise : fondée sur la foi apostolique et authentifiée par la
charité, elle est nourrie dans l'Eucharistie.

2625   Ces prières sont d'abord celles que les fidèles écoutent et
lisent dans les Ecritures, mais ils les actualisent, celles des
Psaumes en particulier, à partir de leur accomplissement
1092 dans le Christ[1]. L'Esprit Saint, qui rappelle ainsi le Christ à
son Eglise orante, la conduit aussi vers la Vérité tout entière
et suscite des formulations nouvelles qui exprimeront
l'insondable mystère du Christ à l'œuvre dans la vie, les
sacrements et la mission de son Eglise. Ces formulations se
développeront dans les grandes traditions liturgiques et spi-
1200 rituelles. Les *formes de la prière*, telles que les révèlent les
Ecritures apostoliques canoniques, resteront normatives de
la prière chrétienne.

I. La bénédiction et l'adoration

2626   La *bénédiction* exprime le mouvement de fond de la
1078 prière chrétienne : elle est rencontre de Dieu et de l'homme ;
en elle le Don de Dieu et l'accueil de l'homme s'appellent et
s'unissent. La prière de bénédiction est la réponse de
l'homme aux dons de Dieu : parce que Dieu bénit, le cœur
de l'homme peut bénir en retour Celui qui est la source de
toute bénédiction.

2627   Deux formes fondamentales expriment ce mouvement :
1083 tantôt, elle monte, portée dans l'Esprit Saint, par le Christ
vers le Père (nous Le bénissons de nous avoir bénis[2]) ; tantôt, elle implore la grâce de l'Esprit Saint qui, par le Christ,
descend d'auprès du Père (c'est Lui qui nous bénit[3]).

2628   L'*adoration* est la première attitude de l'homme qui se
2096-2097 reconnaît créature devant son Créateur. Elle exalte la grandeur du Seigneur qui nous a faits[4] et la Toute-Puissance du
Sauveur qui nous libère du mal. Elle est le prosternement de
l'esprit devant le « Roi de gloire » (Ps 24, 9-10) et le silence
respectueux face au Dieu « toujours plus grand[5] ». L'adora-

---

1. Cf. Lc 24, 27. 44. — 2. Cf. Ep 1, 3-14 ; 2 Co 1, 3-7. ; 1 P 1, 3-9. — 3. Cf. 2 Co
13, 13 ; Rm 15, 5-6. 13 ; Ep 6, 23-24. — 4. Cf. Ps 95, 1-6. — 5. S. Augustin, Psal.
62, 16.

tion du Dieu trois fois saint et souverainement aimable
confond d'humilité et donne assurance à nos supplications.   *2559*

II. La prière de demande

Le vocabulaire de la supplication est riche en nuances   2629
dans le Nouveau Testament : demander, réclamer, appeler
avec insistance, invoquer, clamer, crier, et même lutter dans
la prière[1]. Mais sa forme la plus habituelle, parce que la plus
spontanée, est la demande. C'est par la prière de demande
que nous traduisons la conscience de notre relation à Dieu :   *396*
créatures, nous ne sommes ni notre origine, ni maîtres des
adversités, ni notre fin ultime, mais aussi, pécheurs, nous
savons, comme chrétiens, que nous nous détournons de
notre Père. La demande est déjà un retour vers Lui.

Le Nouveau Testament ne contient guère de prières de lamenta-   2630
tion, fréquentes dans l'Ancien Testament. Désormais dans le Christ
ressuscité la demande de l'Eglise est portée par l'espérance, même   *2090*
si nous sommes encore dans l'attente et que nous ayons chaque jour
à nous convertir. C'est d'une autre profondeur que jaillit la
demande chrétienne, celle que S. Paul appelle le *gémissement* :
celui de la création « en travail d'enfantement » (Rm 8, 22), le
nôtre aussi « dans l'attente de la rédemption de notre corps, car
notre salut est objet d'espérance » (Rm 8, 23-24), enfin « les gémissements ineffables » de l'Esprit Saint Lui-même qui « vient au
secours de notre faiblesse, car nous ne savons que demander pour
prier comme il faut » (Rm 8, 26).

La *demande du pardon* est le premier mouvement de la   2631
prière de demande (cf. le publicain : « Aie pitié du pécheur   *2838*
que je suis », Lc 18, 13). Elle est le préalable d'une prière
juste et pure. L'humilité confiante nous remet dans la
lumière de la communion avec le Père et son Fils Jésus-
Christ, et les uns avec les autres[2] : alors, « quoi que nous
Lui demandions, nous le recevrons de Lui » (1 Jn 3, 22). La
demande du pardon est le préalable de la liturgie eucharistique, comme de la prière personnelle.

La demande chrétienne est centrée sur le désir et la   2632
recherche du Royaume qui vient, conformément à l'ensei-   *2816*
gnement de Jésus[3]. Il y a une hiérarchie dans les demandes :
d'abord le Royaume, ensuite ce qui est nécessaire pour   *1942*
l'accueillir et pour coopérer à sa venue. Cette coopération à
la mission du Christ et de l'Esprit Saint, qui est maintenant

1. Cf. Rm 15, 30 ; Col 4, 12. — 2. Cf. 1 Jn 1, 7-2, 2. — 3. Cf. Mt 6, 10. 33 ; Lc 11,
2. 13.

celle de l'Eglise, est l'objet de la prière de la communauté apostolique[1]. C'est la prière de Paul, l'apôtre par excellence, qui nous révèle comment le souci divin de toutes les Eglises doit animer la prière chrétienne[2]. Par la prière, tout baptisé travaille à la Venue du Royaume.

2854

2633   Quand on participe ainsi à l'amour sauveur de Dieu, on
2830   comprend que *tout besoin* puisse devenir objet de demande. Le Christ qui a tout assumé afin de tout racheter est glorifié par les demandes que nous offrons au Père en son Nom[3]. C'est dans cette assurance que Jacques[4] et Paul nous exhortent à prier *en toute occasion*[5].

III. La prière d'intercession

2634   L'intercession est une prière de demande qui nous conforme de près à la prière de Jésus. C'est Lui l'unique Intercesseur auprès du Père en faveur de tous les hommes, des pécheurs en particulier[6]. Il est « capable de sauver de
432   façon définitive ceux qui par Lui s'avancent vers Dieu, étant toujours vivant pour intercéder en leur faveur » (He 7, 25). L'Esprit Saint Lui-même « intercède pour nous (...) et son intercession pour les saints correspond aux vues de Dieu » (Rm 8, 26-27).

2635   Intercéder, demander en faveur d'un autre, est, depuis Abraham, le propre d'un cœur accordé à la miséricorde de
2571   Dieu. Dans le temps de l'Eglise, l'intercession chrétienne participe à celle du Christ : elle est l'expression de la communion des saints. Dans l'intercession, celui qui prie ne « recherche pas ses propres intérêts, mais songe plutôt à
2577   ceux des autres » (Ph 2, 4), jusqu'à prier pour ceux qui lui font du mal[7].

2636   Les premières communautés chrétiennes ont vécu intensément cette forme de partage[8]. L'apôtre Paul les fait participer ainsi à son ministère de l'Evangile[9], mais il intercède aussi pour elles[10]. L'intercession des chrétiens ne connaît pas de frontières : « pour tous les hommes, pour les déposi-

---

1. Cf. Ac 6, 6 ; 13, 3. — 2. Cf. Rm 10, 1 ; Ep 1, 16-23 ; Ph 1, 9-11 ; Col 1, 3-6 ; 4, 3-4. 12. — 3. Cf. Jn 14, 13. — 4. Cf. Jc 1, 5-8. — 5. Cf. Ep 5, 20 ; Ph 4, 6-7 ; Col 3, 16-17 ; 1 Th 5, 17-18. — 6. Cf. Rm 8, 34 ; 1 Jn 2, 1 ; 1 Tm 2, 5-8. — 7. Cf. Etienne priant pour ses bourreaux, comme Jésus : cf. Ac 7, 60 ; Lc 23, 28. 34. — 8. Cf. Ac 12, 5 ; 20, 36 ; 21, 5 ; 2 Co 9, 14. — 9. Cf. Ep 6, 18-20 ; Col 4, 3-4 ; 1 Th 5, 25. — 10. Cf. 2 Th 1, 11 ; Col 1, 3 ; Ph 1, 3-4.

taires de l'autorité » (1 Tm 2, 1), pour ceux qui persécutent [1], *1900*
pour le salut de ceux qui repoussent l'Evangile [2]. *1037*

IV. La prière d'action de grâces

L'action de grâces caractérise la prière de l'Eglise qui, en 2637
célébrant l'Eucharistie, manifeste et devient davantage ce *224, 1328*
qu'elle est. En effet, dans l'œuvre du salut, le Christ libère
la création du péché et de la mort pour la consacrer de nouveau et la faire retourner au Père, pour sa Gloire. L'action
de grâces des membres du Corps participe à celle de leur
Chef.
2603

Comme dans la prière de demande, tout événement et tout 2638
besoin peuvent devenir offrande d'action de grâces. Les
lettres de S. Paul commencent et se terminent souvent par
une action de grâces, et le Seigneur Jésus y est toujours
présent. « En toute condition, soyez dans l'action de grâces.
C'est la volonté de Dieu sur vous dans le Christ Jésus » (1
Th 5, 18). « Soyez assidus à la prière; qu'elle vous tienne
vigilants dans l'action de grâces » (Col 4, 2).

V. La prière de louange

La louange est la forme de prière qui reconnaît le plus 2639
immédiatement que Dieu est Dieu. Elle Le chante pour Lui-
même, elle Lui rend gloire, au-delà de ce qu'Il fait, parce
qu'IL EST. Elle participe à la béatitude des cœurs purs qui *213*
L'aiment dans la foi avant de Le voir dans la Gloire. Par
elle, l'Esprit se joint à notre esprit pour témoigner que nous
sommes enfants de Dieu [3], il rend témoignage au Fils unique
en qui nous sommes adoptés et par qui nous glorifions le
Père. La louange intègre les autres formes de prière et les
porte vers Celui qui en est la source et le terme : « Le seul
Dieu, le Père, de qui tout vient et pour qui nous sommes
faits » (1 Co 8, 6).

S. Luc mentionne souvent dans son Evangile l'émerveillement et 2640
la louange devant les merveilles du Christ, les souligne aussi pour
les actions de l'Esprit Saint que sont les Actes des apôtres : la communauté de Jérusalem [4], l'impotent guéri par Pierre et Jean [5], la
foule qui en glorifie Dieu [6], les païens de Pisidie qui, « tout joyeux,
glorifient la Parole du Seigneur » (Ac 13, 48).

1. Cf. Rm 12, 14. — 2. Cf. Rm 10, 1. — 3. Cf. Rm 8, 16. — 4. Cf. Ac 2, 47. —
5. Cf. Ac 3, 9. — 6. Cf. Ac 4, 21.

2641   « Récitez entre vous des psaumes, des hymnes et des cantiques
        inspirés ; chantez et célébrez le Seigneur de tout votre cœur » (Ep 5,
        19)[1]. Comme les écrivains inspirés du Nouveau Testament, les pre-
        mières communautés chrétiennes relisent le livre des Psaumes en y
2587   chantant le mystère du Christ. Dans la nouveauté de l'Esprit, elles
        composent aussi des hymnes et des cantiques à partir de l'Evéne-
        ment inouï que Dieu a accompli en son Fils : son Incarnation, sa
        mort victorieuse de la mort, sa Résurrection et son Ascension à sa
        droite[2]. C'est de cette « merveille » de toute l'économie du salut
        que monte la doxologie, la louange de Dieu[3].

2642   La Révélation « de ce qui doit arriver bientôt », l'Apocalypse,
1137   est portée par les cantiques de la liturgie céleste[4], mais aussi par
        l'intercession des « témoins » (martyrs[5]). Les prophètes et les
        saints, tous ceux qui furent égorgés sur la terre pour le témoignage
        de Jésus[6], foule immense de ceux qui, venus de la grande tribula-
        tion, nous ont précédés dans le Royaume, chantent la louange de
        gloire de Celui qui siège sur le Trône et de l'Agneau[7]. En com-
        munion avec eux, l'Eglise de la terre chante aussi ces cantiques,
        dans la foi et l'épreuve. La foi, dans la demande et l'intercession,
        espère contre toute espérance et rend grâce au Père des lumières de
1330   qui descend tout don excellent[8]. La foi est ainsi une pure louange.

2643   L'Eucharistie contient et exprime toutes les formes de
        prière : elle est « l'offrande pure » de tout le Corps du Christ
        à la gloire de son nom[9] ; elle est, selon les traditions
        d'Orient et d'Occident, « *le* sacrifice de louange ».

        ### EN BREF

2644   *L'Esprit Saint, qui enseigne l'Eglise et lui rappelle tout ce
        que Jésus a dit, l'éduque aussi à la vie de prière, en susci-
        tant des expressions qui se renouvellent au sein de formes
        permanentes : bénédiction, demande, intercession, action de
        grâces et louange.*

2645   *C'est parce que Dieu le bénit que le cœur de l'homme peut
        bénir en retour Celui qui est la source de toute bénédiction.*

2646   *La prière de demande a pour objet le pardon, la recherche
        du Royaume ainsi que tout vrai besoin.*

2647   *La prière d'intercession consiste en une demande en faveur
        d'un autre. Elle ne connaît pas de frontière et s'étend
        jusqu'aux ennemis.*

2648   *Toute joie et toute peine, tout événement et tout besoin
        peuvent être la matière de l'action de grâces qui, partici-
        pant à celle du Christ, doit emplir toute la vie : « En toute
        condition, soyez dans l'action de grâces » (1 Th 5, 18).*

1. Cf. Col 3, 16. — 2. Cf. Ph 2, 6-11 ; Col 1, 15-20 ; Ep 5, 14 ; 1 Tm 3, 16 ; 6, 15-
16 ; 2 Tm 2, 11-13. — 3. Cf. Ep 1, 3-14 ; Rm 16, 25-27 ; Ep 3, 20-21 ; Jude 24-25.
— 4. Cf. Ap 4, 8-11 ; 5, 9-14 ; 7, 10-12. — 5. Cf. Ap 6, 10. — 6. Cf. Ap 18, 24. —
7. Cf. Ap 19, 1-8. — 8. Cf. Jc 1, 17. — 9. Cf. Ml 1, 11.

La prière de louange, toute désintéressée, se porte vers 2649
Dieu ; elle Le chante pour Lui, elle Lui rend gloire, au-delà
*de ce qu'Il fait, parce qu'*IL EST.

CHAPITRE DEUXIÈME
La tradition de la prière

La prière ne se réduit pas au jaillissement spontané d'une 2650
impulsion intérieure : pour prier, il faut le vouloir. Il ne suffit pas non plus de savoir ce que les Ecritures révèlent sur la
prière : il faut aussi apprendre à prier. Or, c'est par une
transmission vivante (la sainte Tradition) que l'Esprit Saint, *75*
dans « l'Eglise croyante et priante[1] », apprend à prier aux
enfants de Dieu.

La tradition de la prière chrétienne est l'une des formes 2651
de croissance de la Tradition de la foi, en particulier par la *94*
contemplation et l'étude des croyants qui gardent en leur
cœur les événements et les paroles de l'économie du salut,
et par la pénétration profonde des réalités spirituelles dont
ils font l'expérience[2].

ARTICLE 1
Aux sources de la prière

L'Esprit Saint est « l'eau vive » qui, dans le cœur priant, 2652
jaillit en Vie éternelle[3]. C'est Lui qui nous apprend à *694*
L'accueillir à la Source même : le Christ. Or, il y a dans la
vie chrétienne des points de source où le Christ nous attend
pour nous abreuver de l'Esprit Saint :

La Parole de Dieu

L'Eglise « exhorte avec force et de façon spéciale tous les 2653
chrétiens (...) à acquérir par une lecture fréquente des *133*
divines Ecritures "la science éminente de Jésus-Christ". (...)

1. DV 8. — 2. Cf. DV 8. — 3. Cf. Jn 4, 14.

Mais la prière doit accompagner la lecture de la Sainte Ecri-
1100 ture pour que se noue un dialogue entre Dieu et l'homme,
car "c'est à Lui que nous nous adressons quand nous prions,
c'est Lui que nous écoutons quand nous lisons les oracles
divins [1]". »

2654   Les Pères spirituels, paraphrasant Mt 7, 7, résument ainsi
les dispositions du cœur nourri par la Parole de Dieu dans la
prière : « Cherchez en lisant, et vous trouverez en méditant ;
frappez en priant, et il vous sera ouvert par la contemplation [2]. »

La liturgie de l'Église

2655   La mission du Christ et de l'Esprit Saint qui, dans la litur-
1073 gie sacramentelle de l'Eglise, annonce, actualise et communique le mystère du salut, se poursuit dans le cœur qui
368 prie. Les Pères spirituels comparent parfois le cœur à un
autel. La prière intériorise et assimile la liturgie pendant et
après sa célébration. Même lorsqu'elle est vécue « dans le
secret » (Mt 6, 6), la prière est toujours prière *de l'Eglise*,
elle est communion avec la Trinité Sainte [3].

1812-1829 Les vertus théologales

2656   On entre en prière comme on entre en liturgie : par la
porte étroite de la *foi*. A travers les signes de sa Présence,
c'est la Face du Seigneur que nous cherchons et désirons,
c'est sa Parole que nous voulons écouter et garder.

2657   L'Esprit Saint, qui nous apprend à célébrer la liturgie
dans l'attente du retour du Christ, nous éduque à prier dans
l'*espérance*. Inversement, la prière de l'Eglise et la prière
personnelle nourrissent en nous l'espérance. Les psaumes
tout particulièrement, avec leur langage concret et varié,
nous apprennent à fixer notre espérance en Dieu : « J'espé-
rais le Seigneur d'un grand espoir, Il s'est penché vers moi,
Il écouta mon cri » (Ps 40, 2). « Que le Dieu de l'espérance
vous donne en plénitude dans votre acte de foi la joie et la
paix afin que l'espérance surabonde en vous par la puissance de l'Esprit Saint » (Rm 15, 13).

2658   « L'espérance ne peut décevoir, puisque l'*amour* de Dieu
est répandu dans nos cœurs par le Saint-Esprit qui nous fut
donné » (Rm 5, 5). La prière, formée par la vie liturgique,

1. S. Ambroise, off. 1, 88, cité par DV 25. — 2. Cf. Guigue le Chartreux, scala. —
3. Cf. IGLH 9.

puise tout dans l'Amour dont nous sommes aimés dans le Christ et qui nous donne d'y répondre en aimant comme Lui nous a aimés. L'Amour est *la* source de la prière ; qui y puise, atteint le sommet de la prière :   826

> Je vous aime, ô mon Dieu, et mon seul désir est de Vous aimer jusqu'au dernier soupir de ma vie. Je Vous aime, ô mon Dieu infiniment aimable, et j'aime mieux mourir en Vous aimant, que de vivre sans Vous aimer. Je Vous aime, Seigneur, et la seule grâce que je Vous demande, c'est de Vous aimer éternellement. (...) Mon Dieu, si ma langue ne peut dire à tous moments que je Vous aime, je veux que mon cœur Vous le répète autant de fois que je respire[1].

« Aujourd'hui »

Nous apprenons à prier à certains moments en écoutant la Parole du Seigneur et en participant à son mystère pascal, mais c'est en tout temps, dans les événements de *chaque jour*, que son Esprit nous est offert pour faire jaillir la prière. L'enseignement de Jésus sur la prière à notre Père est dans la même ligne que celui sur la Providence[2] : le temps est entre les mains du Père ; c'est dans le présent que nous le rencontrons, ni hier ni demain, mais aujourd'hui : « Aujourd'hui, puissiez-vous écouter sa voix ; n'endurcissez pas vos cœurs » (Ps 95, 8).   2659
1165

305

Prier dans les événements de chaque jour et de chaque instant est l'un des secrets du Royaume révélés aux « tout-petits », aux serviteurs du Christ, aux pauvres des béatitudes. Il est juste et bon de prier pour que la venue du Royaume de justice et de paix influence la marche de l'histoire, mais il est aussi important de pétrir par la prière la pâte des humbles situations quotidiennes. Toutes les formes de prière peuvent être ce levain auquel le Seigneur compare le Royaume[3].   2660

2546, 2632

EN BREF

C'est par une transmission vivante, la Tradition, que, dans l'Eglise, l'Esprit Saint apprend à prier aux enfants de Dieu.   2661

La Parole de Dieu, la liturgie de l'Eglise, les vertus de foi, d'espérance et de charité sont des sources de la prière.   2662

1. S. Jean-Marie Baptiste Vianney, prière. — 2. Cf. Mt 6, 11. 34. — 3. Cf. Lc 13, 20-21.

ARTICLE 2
Le chemin de la prière

2663   Dans la tradition vivante de la prière, chaque Eglise pro-
1201   pose à ses fidèles, selon le contexte historique, social et
         culturel, le langage de leur prière : paroles, mélodies, gestes,
         iconographie. Il appartient au Magistère[1] de discerner la
         fidélité de ces chemins de prière à la tradition de la foi apos-
         tolique, et il revient aux pasteurs et aux catéchètes d'en
         expliquer le sens, toujours relatif à Jésus-Christ.

La prière au Père

2664   Il n'est pas d'autre chemin de la prière chrétienne que le
         Christ. Que notre prière soit communautaire ou personnelle,
2780   vocale ou intérieure, elle n'a accès au Père que si nous
         prions « dans le nom » de Jésus. La sainte Humanité de
         Jésus est donc le chemin par lequel l'Esprit Saint nous
         apprend à prier Dieu notre Père.

La prière à Jésus

2665   La prière de l'Eglise, nourrie par la Parole de Dieu et la
         célébration de la liturgie, nous apprend à prier le Seigneur
451   Jésus. Même si elle est surtout adressée au Père, elle
         comporte, dans toutes les traditions liturgiques, des formes
         de prière adressées au Christ. Certains psaumes, selon leur
         actualisation dans la Prière de l'Eglise, et le Nouveau Testa-
         ment mettent sur nos lèvres et gravent dans nos cœurs les
         invocations de cette prière au Christ : Fils de Dieu, Verbe de
         Dieu, Seigneur, Sauveur, Agneau de Dieu, Roi, Fils bien-
         aimé, Fils de la Vierge, Bon Berger, notre Vie, notre
         Lumière, notre Espérance, notre Résurrection, Ami des
         hommes...

2666   Mais le nom qui contient tout est celui que le Fils de Dieu
432   reçoit dans son Incarnation : JÉSUS. Le nom divin est indi-
         cible par les lèvres humaines[2], mais en assumant notre
         humanité le Verbe de Dieu nous le livre et nous pouvons
         l'invoquer : « Jésus », « YHWH sauve[3] ». Le nom de Jésus

1. Cf. DV 10. — 2. Cf. Ex 3, 14; 33, 19-23. — 3. Cf. Mt 1, 21.

contient tout : Dieu et l'homme et toute l'économie de la
création et du salut. Prier « Jésus », c'est L'invoquer, *435*
L'appeler en nous. Son nom est le seul qui contient la Présence qu'Il signifie. Jésus est Ressuscité, et quiconque
invoque son nom accueille le Fils de Dieu qui L'a aimé et
S'est livré pour Lui[1].

Cette invocation de foi toute simple a été développée dans la tra-   2667
dition de la prière sous maintes formes en Orient et en Occident. La
formulation la plus habituelle, transmise par les spirituels du Sinaï,
de Syrie et de l'Athos est l'invocation : « Jésus, Christ, Fils de   *2616*
Dieu, Seigneur, aie pitié de nous, pécheurs ! » Elle conjugue
l'hymne christologique de Ph 2, 6-11 avec l'appel du publicain et
des mendiants de la lumière[2]. Par elle, le cœur est accordé à la
misère des hommes et à la Miséricorde de leur Sauveur.

L'invocation du saint nom de Jésus est le chemin le plus simple   2668
de la prière continuelle. Souvent répétée par un cœur humblement   *435*
attentif, elle ne se disperse pas dans un flot de paroles (Mt 6, 7),
mais « garde la Parole et produit du fruit par la constance[3] ». Elle
est possible « en tout temps », car elle n'est pas une occupation à
côté d'une autre mais l'unique occupation, celle d'aimer Dieu, qui
anime et transfigure toute action dans le Christ Jésus.

La prière de l'Eglise vénère et honore le *Cœur de Jésus*, comme   2669
elle invoque son très saint nom. Elle adore le Verbe incarné et son   *478*
Cœur qui, par amour des hommes, s'est laissé transpercer par nos
péchés. La prière chrétienne aime suivre le *chemin de la Croix* à la   *1674*
suite du Sauveur. Les stations du Prétoire au Golgotha et au Tombeau scandent la marche de Jésus qui a racheté le monde par sa
sainte Croix.

« Viens, Esprit Saint »

« Nul ne peut dire : "Jésus est Seigneur", que sous   2670
l'action de l'Esprit Saint » (1 Co 12, 3). Chaque fois que
nous commençons à prier Jésus, c'est l'Esprit Saint qui, par   *683*
sa grâce prévenante, nous attire sur le chemin de la prière.   *2001*
Puisqu'Il nous apprend à prier en nous rappelant le Christ,
comment ne pas le prier Lui-même ? C'est pourquoi l'Eglise
nous invite à implorer chaque jour le Saint-Esprit, spécialement au commencement et au terme de toute action impor-   *1310*
tante.

Si l'Esprit ne doit pas être adoré, comment me divinise-t-Il
par le Baptême ? Et s'Il doit être adoré, ne doit-Il pas être
l'objet d'un culte particulier[4] ?

1. Cf. Rm 10, 13 ; Ac 2, 21 ; 3, 15-16 ; Ga 2, 20. — 2. Cf. Lc 18, 13 ; Mc 10,
46-52. — 3. Cf. Lc 8, 15. — 4. S. Grégoire de Naz., or. theol. 5, 28.

2671   La forme traditionnelle de la demande de l'Esprit est
d'invoquer le Père par le Christ notre Seigneur pour qu'Il
nous donne l'Esprit Consolateur[1]. Jésus insiste sur cette
demande en son nom au moment même où Il promet le don
de l'Esprit de Vérité[2]. Mais la prière la plus simple et la plus
directe est aussi traditionnelle : « Viens, Esprit Saint », et
chaque tradition liturgique l'a développée dans des antiennes et des hymnes :

> Viens, Esprit Saint, emplis les cœurs de tes fidèles, et
> allume en eux le feu de ton amour[3].

> Roi céleste, Esprit Consolateur, Esprit de Vérité, partout
> présent et emplissant tout, trésor de tout bien et source de la
> Vie, viens, habite en nous, purifie-nous et sauve-nous, ô Toi
> qui es Bon[4] !

2672   L'Esprit Saint, dont l'onction imprègne tout notre être, est
695   le Maître intérieur de la prière chrétienne. Il est l'artisan de
la tradition vivante de la prière. Certes, il y a autant de che-
minements dans la prière que de priants, mais c'est le même
Esprit qui agit en tous et avec tous. C'est dans la communion de l'Esprit Saint que la prière chrétienne est prière
dans l'Eglise.

En communion avec la sainte Mère de Dieu

2673   Dans la prière, l'Esprit Saint nous unit à la Personne du
689   Fils unique, en son Humanité glorifiée. C'est par elle et en
elle que notre prière filiale communie dans l'Eglise avec la
Mère de Jésus[5].

2674   Depuis le consentement apporté dans la foi à l'Annoncia-
494   tion et maintenu sans hésitation sous la Croix, la maternité
de Marie s'étend désormais aux frères et aux sœurs de son
Fils « qui sont encore des pèlerins et qui sont en butte aux
dangers et aux misères[6] ». Jésus, l'unique Médiateur, est le
chemin de notre prière ; Marie, sa Mère et notre Mère, Lui
est toute transparente : elle « montre le chemin » (*Hodogh-
hitria*), elle en est « le Signe », selon l'iconographie traditionnelle en Orient et en Occident.

2675   C'est à partir de cette coopération singulière de Marie à
970   l'action de l'Esprit Saint que les Eglises ont développé la
prière à la sainte Mère de Dieu, en la centrant sur la Per-

1. Cf. Lc 11, 13. — 2. Cf. Jn 14, 17 ; 15, 26 ; 16, 13. — 3. Cf. la Séquence de Pentecôte. — 4. Liturgie byzantine, Tropaire des vêpres de Pentecôte. — 5. Cf. Ac 1,
14. — 6. LG 62.

sonne du Christ manifestée dans ses mystères. Dans les *512*
innombrables hymnes et antiennes qui expriment cette
prière, deux mouvements alternent habituellement : l'un
« magnifie » le Seigneur pour les « grandes choses » qu'Il a *2619*
faites pour son humble servante, et par elle, pour tous les
humains [1] ; l'autre confie à la Mère de Jésus les supplications
et les louanges des enfants de Dieu, puisqu'elle connaît
maintenant l'humanité qui en elle est épousée par le Fils de
Dieu.

Ce double mouvement de la prière à Marie a trouvé une expres- **2676**
sion privilégiée dans la prière de l'« Ave Maria » :

« *Je vous salue, Marie (Réjouis-toi, Marie).* » La salutation de
l'Ange Gabriel ouvre la prière de l'Ave. C'est Dieu Lui-même qui, *722*
par l'entremise de son ange, salue Marie. Notre prière ose
reprendre la salutation de Marie avec le regard que Dieu a jeté sur
son humble servante [2] et se réjouir de la joie qu'Il trouve en elle [3].

« *Pleine de grâce, le Seigneur est avec toi* » : Les deux paroles
de la salutation de l'ange s'éclairent mutuellement. Marie est pleine *490*
de grâce parce que le Seigneur est avec elle. La grâce dont elle est
comblée, c'est la présence de Celui qui est la source de toute grâce.
« Réjouis-toi (...) fille de Jérusalem (...) le Seigneur est au milieu de
toi » (So 3, 14. 17a). Marie, en qui vient habiter le Seigneur Lui-
même, est en personne la fille de Sion, l'arche de l'alliance, le lieu
où réside la gloire du Seigneur : elle est « la demeure de Dieu
parmi les hommes » (Ap 21, 3). « Pleine de grâce », elle est toute
donnée à Celui qui vient habiter en elle et qu'elle va donner au
monde.

« *Tu es bénie entre toutes les femmes et Jésus, le fruit de tes
entrailles, est béni.* » Après la salutation de l'ange, nous faisons *435*
nôtre celle d'Élisabeth. « Remplie de l'Esprit Saint » (Lc 1, 41),
Élisabeth est la première dans la longue suite des générations qui
déclarent Marie bienheureuse [4] : « Bienheureuse celle qui a cru... »
(Lc 1, 45) ; Marie est « bénie entre toutes les femmes » parce
qu'elle a cru en l'accomplissement de la parole du Seigneur. Abraham, par sa foi, est devenu une bénédiction pour « toutes les *146*
nations de la terre » (Gn 12, 3). Par sa foi, Marie est devenue la
mère des croyants grâce à laquelle toutes les nations de la terre
reçoivent Celui qui est la bénédiction même de Dieu : « Jésus, le
fruit béni de tes entrailles. »

« *Sainte Marie, Mère de Dieu, prie pour nous...* » Avec Élisa- **2677**
beth nous nous émerveillons : « Comment m'est-il donné que *495*
vienne à moi la Mère de mon Seigneur ? » (Lc 1, 43.) Parce qu'elle
nous donne Jésus son fils, Marie est la Mère de Dieu et notre mère ;
nous pouvons lui confier tous nos soucis et nos demandes : elle prie

---

1. Cf. Lc 1, 46-55. — 2. Cf. Lc 1, 48. — 3. Cf. So 3, 17. — 4. Cf. Lc 1, 48.

pour nous comme elle a prié pour elle-même : « Qu'il me soit fait selon ta parole » (Lc 1, 38). En nous confiant à sa prière nous nous abandonnons avec elle à la volonté de Dieu : « Que ta volonté soit faite. »

« *Prie pour nous, pauvres pécheurs, maintenant et à l'heure de notre mort.* » En demandant à Marie de prier pour nous, nous nous reconnaissons pauvres pécheurs et nous nous adressons à la « Mère de la miséricorde », à la Toute Sainte. Nous nous remettons à elle « maintenant », dans l'aujourd'hui de nos vies. Et notre confiance s'élargit pour lui abandonner dès maintenant « l'heure de notre mort ». Qu'elle y soit présente comme à la mort en Croix de son Fils et qu'à l'heure de notre passage elle nous accueille comme notre mère [1] pour nous conduire à son Fils Jésus, en Paradis.

1020

2678 La piété médiévale de l'Occident a développé la prière du Rosaire, en substitut populaire de la Prière des Heures. En Orient, la forme litanique de l'Acathiste et de la Paraclisis est restée plus proche de l'office choral dans les Eglises byzantines, tandis que les traditions arménienne, copte et syriaque ont préféré les hymnes et les cantiques populaires à la Mère de Dieu. Mais dans l'Ave Maria, les théotokia, les hymnes de S. Ephrem ou de S. Grégoire de Narek, la tradition de la prière est ici fondamentalement la même.

971, 1674

2679 Marie est l'Orante parfaite, figure de l'Eglise. Quand nous la prions, nous adhérons avec elle au dessein du Père, qui envoie son Fils pour sauver tous les hommes. Comme le disciple bien-aimé, nous accueillons chez nous [2] la Mère de Jésus, devenue la mère de tous les vivants. Nous pouvons prier avec elle et la prier. La prière de l'Eglise est comme portée par la prière de Marie. Elle lui est unie dans l'espérance [3].

967

972

EN BREF

2680 *La prière est principalement adressée au Père ; de même, elle se porte vers Jésus, notamment par l'invocation de son saint nom : « Jésus, Christ, Fils de Dieu, Seigneur, aie pitié de nous, pécheurs ! »*

2681 *« Nul ne peut dire : "Jésus est le Seigneur", sinon sous l'action de l'Esprit Saint » (1 Co 12, 3). L'Eglise nous invite à invoquer le Saint-Esprit comme le Maître intérieur de la prière chrétienne.*

2682 *En vertu de sa coopération singulière à l'action de l'Esprit Saint, l'Eglise aime à prier en communion avec la Vierge Marie, pour magnifier avec elle les grandes choses que Dieu a réalisées en elle et pour lui confier supplications et louanges.*

1. Cf. Jn 19, 27. — 2. Cf. Jn 19, 27. — 3. Cf. LG 68-69.

ARTICLE 3
Des guides pour la prière

Une nuée de témoins

Les témoins qui nous ont précédés dans le Royaume[1], 2683
spécialement ceux que l'Eglise reconnaît comme « saints »,
participent à la tradition vivante de la prière, par le modèle
de leur vie, par la transmission de leurs écrits et par leur
prière aujourd'hui. Ils contemplent Dieu, ils Le louent et ne 956
cessent pas de prendre soin de ceux qu'ils ont laissés sur la
terre. En entrant « dans la joie » de leur Maître, ils ont été
« établis sur beaucoup[2] ». Leur intercession est leur plus
haut service du dessein de Dieu. Nous pouvons et devons les
prier d'intercéder pour nous et pour le monde entier.

Dans la communion des saints se sont développées tout 2684
au long de l'histoire des Eglises diverses *spiritualités*. Le 917
charisme personnel d'un témoin de l'amour de Dieu pour les
hommes a pu être transmis, tel « l'esprit » d'Elie à Elisée[3] et
à Jean-Baptiste[4], pour que des disciples aient part à cet 919
esprit[5]. Une spiritualité est aussi au confluent d'autres courants, liturgiques et théologiques, et témoigne de l'inculturation de la foi dans un milieu humain et son histoire. Les spi- 1202
ritualités chrétiennes participent à la tradition vivante de la
prière et sont des guides indispensables pour les fidèles.
Elles réfractent, dans leur riche diversité, la pure et unique
lumière de l'Esprit Saint.

> « L'Esprit est vraiment le lieu des saints, et le saint est pour
> l'Esprit un lieu propre, puisqu'il s'offre à habiter avec Dieu
> et est appelé son Temple[6]. »

Serviteurs de la prière

La *famille chrétienne* est le premier lieu de l'éducation à 2685
la prière. Fondée sur le sacrement de Mariage, elle est 1657
« l'Eglise domestique » où les enfants de Dieu apprennent à
prier « en Eglise » et à persévérer dans la prière. Pour les
jeunes enfants en particulier, la prière familiale quotidienne
est le premier témoin de la mémoire vivante de l'Eglise
éveillée patiemment par l'Esprit Saint.

1. Cf. He 12, 1. — 2. Cf. Mt 25, 21. — 3. Cf. 2 R 2, 9. — 4. Cf. Lc 1, 17. —
5. Cf. PC 2. — 6. S. Basile, Spir. 26, 62.

2686 Les *ministres ordonnés* sont aussi responsables de la for-
1547 mation à la prière de leurs frères et sœurs dans le Christ.
Serviteurs du Bon Pasteur, ils sont ordonnés pour guider le
Peuple de Dieu aux sources vives de la prière : la Parole de
Dieu, la liturgie, la vie théologale, l'Aujourd'hui de Dieu
dans les situations concrètes[1].

2687 De nombreux *religieux* ont consacré toute leur vie à la
916 prière. Depuis le désert d'Egypte, des ermites, des moines et
des moniales ont donné leur temps à la louange de Dieu et à
l'intercession pour son peuple. La vie consacrée ne se maintient et ne se propage pas sans la prière ; elle est une des
sources vives de la contemplation et de la vie spirituelle
dans l'Eglise.

2688 La *catéchèse* des enfants, des jeunes et des adultes, vise à
ce que la Parole de Dieu soit méditée dans la prière personnelle, actualisée dans la prière liturgique, et intériorisée
en tout temps afin de porter son fruit dans une vie nouvelle.
1674 La catéchèse est aussi le moment où la piété populaire peut
être discernée et éduquée[2]. La mémorisation des prières fondamentales offre un support indispensable à la vie de la
prière, mais il est important d'en faire goûter le sens[3].

2689 Des *groupes de prière*, voire des « écoles de prière », sont
aujourd'hui l'un des signes et l'un des ressorts du renouveau
de la prière dans l'Eglise, à condition de s'abreuver aux
sources authentiques de la prière chrétienne. Le souci de la
communion est signe de la véritable prière dans l'Eglise.

2690 L'Esprit Saint donne à certains fidèles des dons de
sagesse, de foi et de discernement en vue de ce bien commun qu'est la prière (*direction spirituelle*). Ceux et celles
qui en sont dotés sont de véritables serviteurs de la Tradition
vivante de la prière :

> C'est pour cela que l'âme qui veut avancer dans la perfec-
> tion doit, selon le conseil de S. Jean de la Croix, « bien
> considérer entre quelles mains elle se remet, car tel sera le
> maître, tel sera le disciple ; tel sera le père, tel sera le fils ».
> Et encore : « Non seulement le directeur doit être savant et
> prudent, mais encore expérimenté (...). Si le guide spirituel
> n'a pas l'expérience de la vie spirituelle, il est incapable d'y
> conduire les âmes que Dieu pourtant appelle, et il ne les
> comprendra même pas[4]. »

1. Cf. PO 4-6. — 2. Cf. CT 54. — 3. Cf. CT 55. — 4. Llama strophe 3.

Des lieux favorables à la prière

L'église, maison de Dieu, est le lieu propre de la prière 2691
liturgique pour la communauté paroissiale. Elle est aussi le *1181, 2197*
lieu privilégié de l'adoration de la présence réelle du Christ
dans le Saint Sacrement. Le choix d'un lieu favorable n'est *1379*
pas indifférent à la vérité de la prière :

– pour la prière personnelle, ce peut être un « coin de prière », avec
les Saintes Ecritures et des icônes, afin d'être « là, dans le secret »
devant notre Père[1]. Dans une famille chrétienne, ce genre de petit
oratoire favorise la prière en commun ;
– dans les régions où il existe des monastères, la vocation de ces
communautés est de favoriser le partage de la prière des Heures
avec les fidèles et de permettre la solitude nécessaire à une prière
personnelle plus intense[2] ;
– les pèlerinages évoquent notre marche sur terre vers le ciel. Ils
sont traditionnellement des temps forts de renouveau de la prière.
Les sanctuaires sont, pour les pèlerins en quête de leurs sources
vives, des lieux exceptionnels pour vivre « en Eglise » les formes
de la prière chrétienne.

EN BREF

Dans sa prière, l'Eglise pérégrinante est associée à celle 2692
des saints dont elle sollicite l'intercession.

Les différentes spiritualités chrétiennes participent à la tra- 2693
dition vivante de la prière et sont des guides précieux pour
la vie spirituelle.

La famille chrétienne est le premier lieu de l'éducation à la 2694
prière.

Les ministres ordonnés, la vie consacrée, la catéchèse, les 2695
groupes de prière, la « direction spirituelle » assurent dans
l'Eglise une aide pour la prière.

Les lieux les plus favorables pour la prière sont l'oratoire 2696
personnel ou familial, les monastères, les sanctuaires de
pèlerinage et, surtout, l'église qui est le lieu propre de la
prière liturgique pour la communauté paroissiale et le lieu
privilégié de l'adoration eucharistique.

1. Cf. Mt 6, 6. — 2. Cf. PC 7.

CHAPITRE TROISIÈME
La vie de prière

2697   La prière est la vie du cœur nouveau. Elle doit nous animer à tout moment. Or nous oublions Celui qui est notre Vie et notre Tout. C'est pourquoi les Pères spirituels, dans la tradition du Deutéronome et des prophètes, insistent sur la *1099* prière comme « souvenir de Dieu », réveil fréquent de la « mémoire du cœur » : « Il faut se souvenir de Dieu plus souvent qu'on ne respire[1]. » Mais on ne peut pas prier « en tout temps » si l'on ne prie pas à certains moments, en le voulant : ce sont les temps forts de la prière chrétienne, en intensité et en durée.

2698   La Tradition de l'Eglise propose aux fidèles des rythmes *1168* de prière destinés à nourrir la prière continuelle. Certains sont quotidiens : la prière du matin et du soir, avant et après *1174* les repas, la Liturgie des Heures. Le dimanche, centré sur l'Eucharistie, est sanctifié principalement par la prière. Le *2177* cycle de l'année liturgique et ses grandes fêtes sont les rythmes fondamentaux de la vie de prière des chrétiens.

2699   Le Seigneur conduit chaque personne par les chemins et de la manière qui Lui plaisent. Chaque fidèle Lui répond aussi selon la détermination de son cœur et les expressions personnelles de sa prière. Cependant la tradition chrétienne a retenu trois expressions majeures de la vie de prière : la prière vocale, la méditation, l'oraison. Un trait fondamental *2563* leur est commun : le recueillement du cœur. Cette vigilance à garder la Parole et à demeurer en présence de Dieu fait de ces trois expressions des temps forts de la vie de prière.

ARTICLE 1
Les expressions de la prière

I. La prière vocale

2700   Par sa Parole, Dieu parle à l'homme. C'est par des paroles, mentales ou vocales, que notre prière prend corps. *1176* Mais le plus important est la présence du cœur à Celui à qui

---

1. S. Grégoire de Naz., or. theol. 1, 4.

nous parlons dans la prière. « Que notre prière soit entendue dépend, non de la quantité des paroles, mais de la ferveur de nos âmes [1]. »

La prière vocale est une donnée indispensable de la vie chrétienne. Aux disciples, attirés par la prière silencieuse de leur Maître, Celui-ci enseigne une prière vocale : le Notre Père. Jésus n'a pas seulement prié les prières liturgiques de la synagogue, les Evangiles nous Le montrent élever la voix pour exprimer sa prière personnelle, de la bénédiction exultante du Père [2] jusqu'à la détresse de Gethsémani [3]. 2701

2603

612

Ce besoin d'associer les sens à la prière intérieure répond à une exigence de notre nature humaine. Nous sommes corps et esprit, et nous éprouvons le besoin de traduire extérieurement nos sentiments. Il faut prier avec tout notre être pour donner à notre supplication toute la puissance possible. 2702

1146

Ce besoin répond aussi à une exigence divine. Dieu cherche des adorateurs en Esprit et en Vérité, et par conséquent la prière qui monte vivante des profondeurs de l'âme. Il veut aussi l'expression extérieure qui associe le corps à la prière intérieure, car elle Lui apporte cet hommage parfait de tout ce à quoi Il a droit. 2703

2097

Parce qu'extérieure et si pleinement humaine, la prière vocale est par excellence la prière des foules. Mais aussi la prière la plus intérieure ne saurait négliger la prière vocale. La prière devient intérieure dans la mesure où nous prenons conscience de Celui « à qui nous parlons [4] ». Alors la prière vocale devient une première forme de la prière contemplative. 2704

II. La méditation

La méditation est surtout une recherche. L'esprit cherche à comprendre le pourquoi et le comment de la vie chrétienne, afin d'adhérer et de répondre à ce que le Seigneur demande. Il y faut une attention difficile à discipliner. Habituellement, on s'aide d'un livre, et les chrétiens n'en manquent pas : les saintes Ecritures, l'Evangile singulièrement, les saintes icônes, les textes liturgiques du jour ou du 2705

158

127

1. S. Jean Chrysostome, ecl. 2. — 2. Cf. Mt 11, 25-26. — 3. Cf. Mc 14, 36. — 4. Ste Thérèse de l'Enfant-Jésus, cam. 26.

temps, les écrits des Pères spirituels, les ouvrages de spiritualité, le grand livre de la création et celui de l'histoire, la page de « l'Aujourd'hui » de Dieu.

2706   Méditer ce qu'on lit conduit à se l'approprier en le confrontant avec soi-même. Ici, un autre livre est ouvert : celui de la vie. On passe des pensées à la réalité. A la mesure de l'humilité et de la foi, on y découvre les mouvements qui agitent le cœur et on peut les discerner. Il s'agit de faire la vérité pour venir à la Lumière : « Seigneur, que veux-tu que je fasse ? »

2707   Les méthodes de méditation sont aussi diverses que les
2690   maîtres spirituels. Un chrétien se doit de vouloir méditer régulièrement, sinon il ressemble aux trois premiers terrains de la parabole du semeur [1]. Mais une méthode n'est qu'un guide ; l'important est d'avancer, avec l'Esprit Saint, sur
2664   l'unique chemin de la prière : le Christ Jésus.

2708   La méditation met en œuvre la pensée, l'imagination, l'émotion et le désir. Cette mobilisation est nécessaire pour approfondir les convictions de foi, susciter la conversion du cœur et fortifier la volonté de suivre le Christ. La prière chrétienne s'applique de préférence à méditer « les mystères
516, 2678   du Christ », comme dans la *lectio divina* ou le Rosaire. Cette forme de réflexion priante est de grande valeur, mais la prière chrétienne doit tendre plus loin : à la connaissance d'amour du Seigneur Jésus, à l'union avec Lui.

III. L'oraison

2709   Qu'est-ce que l'oraison ? Ste Thérèse répond : « L'oraison mentale n'est, à mon avis, qu'un commerce intime
2562-2564   d'amitié où l'on s'entretient souvent seul à seul avec ce Dieu dont on se sait aimé [2]. »

L'oraison cherche Celui « que mon cœur aime » (Ct 1, 7) [3]. C'est Jésus, et en Lui, le Père. Il est cherché, parce que Le désirer est toujours le commencement de l'amour, et Il est cherché dans la foi pure, cette foi qui nous fait naître de Lui et vivre en Lui. On peut méditer encore dans l'oraison, toutefois le regard porte sur le Seigneur.

2710   Le choix *du temps et de la durée de l'oraison* relève d'une volonté déterminée, révélatrice des secrets du cœur. On ne fait pas oraison quand on a le temps : on prend le

1. Cf. Mc 4, 4-7. 15-19. — 2. Vida 8. — 3. Cf. Ct 3, 1-4.

temps d'être pour le Seigneur, avec la ferme détermination   2726
de ne pas le Lui reprendre en cours de route, quelles que
soient les épreuves et la sécheresse de la rencontre. On ne
peut pas toujours méditer, on peut toujours entrer en oraison, indépendamment des conditions de santé, de travail ou
d'affectivité. Le cœur est le lieu de la recherche et de la rencontre, dans la pauvreté et dans la foi.

L'*entrée en oraison* est analogue à celle de la liturgie   2711
eucharistique : « rassembler » le cœur, recueillir tout notre   1348
être sous la mouvance de l'Esprit Saint, habiter la demeure
du Seigneur que nous sommes, éveiller la foi pour entrer en
la Présence de Celui qui nous attend, faire tomber nos
masques et retourner notre cœur vers le Seigneur qui nous
aime afin de nous remettre à Lui comme une offrande à   2100
purifier et à transformer.

L'oraison est la prière de l'enfant de Dieu, du pécheur   2712
pardonné qui consent à accueillir l'amour dont il est aimé et
qui veut y répondre en aimant plus encore [1]. Mais il sait que
son amour en retour est celui que l'Esprit répand dans son
cœur, car tout est grâce de la part de Dieu. L'oraison est la
remise humble et pauvre à la volonté aimante du Père en   2822
union de plus en plus profonde à son Fils bien-aimé.

Ainsi l'oraison est l'expression la plus simple du mystère   2713
de la prière. L'oraison est un *don*, une grâce ; elle ne peut   2259
être accueillie que dans l'humilité et la pauvreté. L'oraison
est une relation d'*alliance* établie par Dieu au fond de notre
être [2]. L'oraison est *communion* : la Trinité Sainte y
conforme l'homme, image de Dieu, « à sa ressemblance ».

L'oraison est aussi le *temps fort* par excellence de la   2714
prière. Dans l'oraison, le Père nous arme de puissance par
son Esprit pour que se fortifie en nous l'homme intérieur,
que le Christ habite en nos cœurs par la foi et que nous
soyons enracinés, fondés dans l'amour [3].

La contemplation est *regard* de foi, fixé sur Jésus. « Je   2715
L'avise et Il m'avise », disait au temps de son saint curé le
paysan d'Ars en prière devant le Tabernacle [4]. Cette atten-   1380
tion à Lui est renoncement au « moi ». Son regard purifie le
cœur. La lumière du regard de Jésus illumine les yeux de

1. Cf. Lc 7, 36-50 ; 19, 1-10. — 2. Cf. Jr 31, 33. — 3. Cf. Ep 3, 16-17. — 4. Cf. F.
Trochu, *Le Curé d'Ars Saint Jean-Marie Vianney*, pp. 223-224.

notre cœur ; elle nous apprend à tout voir dans la lumière de sa vérité et de sa compassion pour tous les hommes. La contemplation porte aussi son regard sur les mystères de la vie du Christ. Elle apprend ainsi « la connaissance intérieure du Seigneur » pour L'aimer et Le suivre davantage[1].

521

2716   L'oraison est *écoute* de la Parole de Dieu. Loin d'être passive, cette écoute est l'obéissance de la foi, accueil inconditionnel du serviteur et adhésion aimante de l'enfant. Elle participe au « Oui » du Fils devenu Serviteur et au « *Fiat* » de son humble servante.

494

2717   L'oraison est *silence*, ce « symbole du monde qui vient[2] » ou « silencieux amour[3] ». Les paroles dans l'oraison ne sont pas des discours mais des brindilles qui alimentent le feu de l'amour. C'est dans ce silence, insupportable à l'homme « extérieur », que le Père nous dit son Verbe incarné, souffrant, mort et ressuscité, et que l'Esprit filial nous fait participer à la prière de Jésus.

533

498

2718   L'oraison est union à la prière du Christ dans la mesure où elle fait participer à son mystère. Le mystère du Christ est célébré par l'Eglise dans l'Eucharistie, et l'Esprit Saint le fait vivre dans l'oraison, afin qu'il soit manifesté par la charité en acte.

2719   L'oraison est une communion d'amour porteuse de Vie pour la multitude, dans la mesure où elle est consentement à demeurer dans la nuit de la foi. La Nuit Pascale de la Résurrection passe par celle de l'agonie et du tombeau. Ce sont ces trois temps forts de l'Heure de Jésus que son Esprit (et non la « chair qui est faible ») fait vivre dans l'oraison. Il faut consentir à « veiller une heure avec Lui[4] ».

165

2730

En bref

2720   *L'Eglise invite les fidèles à une prière régulière : prières quotidiennes, Liturgie des Heures, Eucharistie dominicale, fêtes de l'année liturgique.*

2721   *La tradition chrétienne comprend trois expressions majeures de la vie de prière : la prière vocale, la méditation et l'oraison. Elles ont en commun le recueillement du cœur.*

2722   *La prière vocale, fondée sur l'union du corps et de l'esprit dans la nature humaine, associe le corps à la prière intérieure du cœur, à l'exemple du Christ priant son Père et enseignant le Notre Père à ses disciples.*

---

1. Cf. S. Ignace, ex. spir. 104. — 2. S. Isaac de Ninive, tract. myst. 66. — 3. S. Jean de la Croix, carta 6. — 4. Cf. Mt 26, 41.

La méditation est une recherche priante qui met en œuvre la 2723
pensée, l'imagination, l'émotion, le désir. Elle a pour but
l'appropriation croyante du sujet considéré, confronté avec
la réalité de notre vie.

L'oraison mentale est l'expression simple du mystère de la 2724
prière. Elle est un regard de foi fixé sur Jésus, une écoute
de la Parole de Dieu, un silencieux amour. Elle réalise
l'union à la prière du Christ dans la mesure où elle nous
fait participer à son mystère.

ARTICLE 2
Le combat de la prière

La prière est un don de la grâce et une réponse décidée de 2725
notre part. Elle suppose toujours un effort. Les grands
priants de l'Ancienne Alliance avant le Christ, comme la
Mère de Dieu et les saints avec Lui nous l'apprennent : la
prière est un combat. Contre qui ? Contre nous-mêmes et   *2612*
contre les ruses du Tentateur qui fait tout pour détourner   *409*
l'homme de la prière, de l'union à son Dieu. On prie comme
on vit, parce qu'on vit comme on prie. Si l'on ne veut pas
habituellement agir selon l'Esprit du Christ, on ne peut pas
non plus habituellement prier en son nom. Le « combat spirituel » de la vie nouvelle du chrétien est inséparable du   *2015*
combat de la prière.

I. Les objections à la prière

Dans le combat de la prière, nous avons à faire face, en 2726
nous-mêmes et autour de nous, à des *conceptions erronées*
de la prière. Certaines y voient une simple opération psychologique, d'autres un effort de concentration pour arriver
au vide mental. Telles la codifient dans des attitudes et des
paroles rituelles. Dans l'inconscient de beaucoup de chrétiens, prier est une occupation incompatible avec tout ce
qu'ils ont à faire : ils n'ont pas le temps. Ceux qui cherchent *2710*
Dieu par la prière se découragent vite parce qu'ils ignorent
que la prière vient aussi de l'Esprit Saint et non pas d'eux
seuls.

Nous avons aussi à faire face à des *mentalités* de « ce 2727
monde-ci » ; elles nous pénètrent si nous ne sommes pas
vigilants, par exemple : le vrai serait seulement ce qui est

37   vérifié par la raison et la science (or prier est un mystère qui
      déborde notre conscience et notre inconscient); les valeurs
      de production et de rendement (la prière, improductive, est
      donc inutile); le sensualisme et le confort, critères du vrai,
2500 du bien et du beau (or la prière, « amour de la Beauté » [phi-
      localie], est éprise de la Gloire du Dieu vivant et vrai); en
      réaction contre l'activisme, voici la prière présentée comme
      fuite du monde (or la prière chrétienne n'est pas une sortie
      de l'histoire ni un divorce avec la vie).

2728   Enfin, notre combat doit faire face à ce que nous ressen-
      tons comme *nos échecs dans la prière* : découragement
      devant nos sécheresses, tristesse de ne pas tout donner au
      Seigneur, car nous avons « de grands biens [1] », déception de
      ne pas être exaucés selon notre volonté propre, blessure de
      notre orgueil qui se durcit sur notre indignité de pécheur,
      allergie à la gratuité de la prière, etc. La conclusion est tou-
      jours la même : à quoi bon prier? Pour vaincre ces obs-
      tacles, il faut combattre pour l'humilité, la confiance et la
      persévérance.

II. L'humble vigilance du cœur

Face aux difficultés de la prière

2729   La difficulté habituelle de notre prière est la *distraction*.
      Elle peut porter sur les mots et leur sens, dans la prière
      vocale; elle peut porter, plus profondément, sur Celui que
      nous prions, dans la prière vocale (liturgique ou person-
      nelle), dans la méditation et dans l'oraison. Partir à la chasse
      des distractions serait tomber dans leurs pièges, alors qu'il
2711 suffit de revenir à notre cœur : une distraction nous révèle ce
      à quoi nous sommes attachés et cette prise de conscience
      humble devant le Seigneur doit réveiller notre amour de pré-
      férence pour Lui, en Lui offrant résolument notre cœur pour
      qu'Il le purifie. Là se situe le combat, le choix du Maître à
      servir [2].

2730   Positivement, le combat contre notre moi possessif et
      dominateur est la *vigilance*, la sobriété du cœur. Quand
      Jésus insiste sur la vigilance, elle est toujours relative à Lui,
2659 à sa Venue, au dernier jour et chaque jour : « aujourd'hui ».

---

1. Cf. Mc 10, 22. — 2. Cf. Mt 6, 21. 24.

L'Epoux vient au milieu de la nuit ; la lumière qui ne doit pas s'éteindre est celle de la foi : « De Toi mon cœur a dit : "Cherche sa Face" » (Ps 27, 8).

Une autre difficulté, spécialement pour ceux qui veulent sincèrement prier, est la *sécheresse*. Elle fait partie de l'oraison où le cœur est sevré, sans goût pour les pensées, souvenirs et sentiments, même spirituels. C'est le moment de la foi pure qui se tient fidèlement avec Jésus dans l'agonie et au tombeau. « Le grain de blé, s'il meurt, porte beaucoup de fruit » (Jn 12, 24). Si la sécheresse est due au manque de racine, parce que la Parole est tombée sur du roc, le combat relève de la conversion[1]. **2731**

1426

Face aux tentations dans la prière

La tentation la plus courante, la plus cachée, est notre *manque de foi*. Elle s'exprime moins par une incrédulité déclarée que par une préférence de fait. Quand nous commençons à prier, mille travaux ou soucis, estimés urgents, se présentent comme prioritaires ; de nouveau, c'est le moment de la vérité du cœur et de son amour de préférence. Tantôt nous nous tournons vers le Seigneur comme le dernier recours : mais y croit-on vraiment ? Tantôt nous prenons le Seigneur comme allié, mais le cœur est encore dans la présomption. Dans tous les cas, notre manque de foi révèle que nous ne sommes pas encore dans la disposition du cœur humble : « Hors de Moi, vous ne pouvez *rien* faire » (Jn 15, 5). **2732**

2609, 2089

2092

2074

Une autre tentation, à laquelle la présomption ouvre la porte, est l'*acédie*. Les Pères spirituels entendent par là une forme de dépression due au relâchement de l'ascèse, à la baisse de la vigilance, à la négligence du cœur. « L'esprit est ardent, mais la chair est faible » (Mt 26, 41). Plus on tombe de haut, plus on se fait mal. Le découragement, douloureux, est l'envers de la présomption. Qui est humble ne s'étonne pas de sa misère, elle le porte à plus de confiance, à tenir ferme dans la constance. **2733**

2094

2559

III. La confiance filiale

La confiance filiale est éprouvée – elle se prouve – dans la tribulation[2]. La difficulté principale concerne la *prière de demande*, pour soi ou pour les autres dans l'intercession. **2734**

2629

1. Cf. Lc 8, 6. 13. — 2. Cf. Rm 5, 3-5.

Certains cessent même de prier parce que, pensent-ils, leur demande n'est pas exaucée. Ici deux questions se posent : Pourquoi pensons-nous que notre demande n'a pas été exaucée ? Comment notre prière est-elle exaucée, « efficace » ?

Pourquoi nous plaindre de ne pas être exaucés ?

2735   Une constatation devrait d'abord nous étonner. Quand nous louons Dieu ou Lui rendons grâces pour ses bienfaits en général, nous ne sommes guère inquiets de savoir si notre prière Lui est agréable. En revanche, nous exigeons de voir le résultat de notre demande. Quelle est donc l'image de
2779   Dieu qui motive notre prière : un moyen à utiliser ou le Père de notre Seigneur Jésus-Christ ?

2736   Sommes-nous convaincus que « nous ne savons que
2559   demander pour prier comme il faut » (Rm 8, 26) ? Demandons-nous à Dieu « les biens convenables » ? Notre Père sait bien ce qu'il nous faut, avant que nous le Lui demandions[1], mais Il attend notre demande parce que la dignité de ses
1730   enfants est dans leur liberté. Or il faut prier avec son Esprit de liberté, pour pouvoir connaître en vérité son désir[2].

2737   « Vous ne possédez pas parce que vous ne demandez pas. Vous demandez et ne recevez pas parce que vous demandez mal, afin de dépenser pour vos passions » (Jc 4, 2-3)[3]. Si nous demandons avec un cœur partagé, adultère[4], Dieu ne peut nous exaucer, car Il veut notre bien, notre vie. « Pensez-vous que l'Ecriture dise en vain : Il désire avec jalousie l'Esprit qu'Il a mis en vous ? » (Jc 4, 5.) Notre Dieu est « jaloux » de nous, ce qui est le signe de la vérité de son amour. Entrons dans le désir de son Esprit et nous serons exaucés :

> Ne t'afflige pas si tu ne reçois pas immédiatement de Dieu ce que tu Lui demandes ; c'est qu'Il veut te faire plus de bien encore par ta persévérance à demeurer avec Lui dans la prière[5]. Il veut que notre désir s'éprouve dans la prière. Ainsi, Il nous dispose à recevoir ce qu'Il est prêt à nous donner[6].

Comment notre prière est-elle efficace ?

2738   La révélation de la prière dans l'économie du salut nous apprend que la foi s'appuie sur l'action de Dieu dans l'his-
2568   toire. La confiance filiale est suscitée par son action par

---

1. Cf. Mt 6, 8. — 2. Cf. Rm 8, 27. — 3. Cf. tout le contexte Jc 4, 1-10 ; 1, 5-8 ; 5, 16. — 4. Cf. Jc 4, 4. — 5. Evagre, or. 34. — 6. S. Augustin, ep. 130, 8, 17.

excellence : la passion et la Résurrection de son Fils. La
prière chrétienne est coopération à sa Providence, à son des-   *307*
sein d'amour pour les hommes.

Chez S. Paul, cette confiance est audacieuse [1], fondée sur   2739
la prière de l'Esprit en nous et sur l'amour fidèle du Père qui   *2778*
nous a donné son Fils unique [2]. La transformation du cœur
qui prie est la première réponse à notre demande.

La prière de Jésus fait de la prière chrétienne une   2740
demande efficace. Il en est le modèle, Il prie en nous et avec
nous. Puisque le cœur du Fils ne cherche que ce qui plaît au
Père, comment celui des enfants d'adoption s'attacherait-il
aux dons plutôt qu'au Donateur ?   *2604*

Jésus prie aussi pour nous, à notre place et en notre   2741
faveur. Toutes nos demandes ont été recueillies une fois
pour toutes dans son Cri sur la Croix et exaucées par le Père   *2606*
dans sa Résurrection, et c'est pourquoi Il ne cesse d'intercéder pour nous auprès du Père [3]. Si notre prière est résolument unie à celle de Jésus, dans la confiance et l'audace
filiale, nous obtenons tout ce que nous demandons en son   *2614*
nom, bien davantage que ceci ou cela : l'Esprit Saint Lui-
même, qui contient tous les dons.

IV. Persévérer dans l'amour

« Priez sans cesse » (1 Th 5, 17), « en tout temps et à tout   2742
propos, rendez grâces à Dieu le Père au nom de notre Sei-   *2098*
gneur Jésus-Christ » (Ep 5, 20), « vivez dans la prière et les
supplications ; priez en tout temps dans l'Esprit, apportez-y
une vigilance inlassable et intercédez pour tous les saints »
(Ep 6, 18). « Il ne nous a pas été prescrit de travailler, de
veiller et de jeûner constamment, tandis que c'est pour nous
une loi de prier sans cesse [4]. » Cette ardeur inlassable ne
peut venir que de l'amour. Contre notre pesanteur et notre
paresse le combat de la prière est celui de l'*amour* humble,
confiant et persévérant. Cet amour ouvre nos cœurs sur trois   *162*
évidences de foi, lumineuses et vivifiantes :

Prier est *toujours possible* : le temps du chrétien est celui   2743
du Christ ressuscité qui est « avec nous, tous les jours » (Mt
28, 20), quelles que soient les tempêtes [5]. Notre temps est
dans la main de Dieu :

---

1. Cf. Rm 10, 12-13. — 2. Cf. Rm 8, 26-39. — 3. Cf. He 5, 7 ; 7, 25 ; 9, 24. —
4. Evagre, cap. pract. 49. — 5. Cf. Lc 8, 24.

> Il est possible, même au marché ou dans une promenade solitaire, de faire une fréquente et fervente prière. Assis dans votre boutique, soit en train d'acheter ou de vendre, ou même de faire la cuisine[1].

2744 Prier est une *nécessité vitale*. La preuve par le contraire n'est pas moins convaincante : si nous ne nous laissons pas mener par l'Esprit, nous retombons sous l'esclavage du péché[2]. Comment l'Esprit Saint peut-Il être « notre Vie » si notre cœur est loin de Lui ?

> Rien ne vaut la prière ; elle rend possible ce qui est impossible, facile ce qui est difficile. Il est impossible que l'homme qui prie puisse pécher[3].

> Qui prie se sauve certainement ; qui ne prie pas se damne certainement[4].

2745 Prière et *vie chrétiennes* sont *inséparables* car il s'agit du même amour et du même renoncement qui procède de l'amour. La même conformité filiale et aimante au dessein d'amour du Père. La même union transformante dans l'Esprit Saint qui nous conforme toujours plus au Christ *2660* Jésus. Le même amour pour tous les hommes, de cet amour dont Jésus nous a aimés. « Tout ce que vous demanderez au Père en mon nom, Il vous l'accordera. Ce que je vous commande, c'est de vous aimer les uns les autres » (Jn 15, 16-17).

> Celui-là prie sans cesse qui unit la prière aux œuvres et les œuvres à la prière. Ainsi seulement nous pouvons considérer comme réalisable le principe de prier sans cesse[5].

La prière de l'Heure de Jésus

2746 Quand son Heure est venue, Jésus prie le Père[6]. Sa prière, la plus longue transmise par l'Evangile, embrasse toute l'économie de la création et du salut, comme sa mort et sa Résurrection. La prière de l'Heure de Jésus demeure toujours la sienne, de même que sa Pâque, advenue « une fois *1085*

1. S. Jean Chrysostome, ecl. 2. — 2. Cf. Ga 5, 16-25. — 3. S. Jean Chrysostome, Anna 4, 5. — 4. S. Alphonse de Liguori, mez. — 5. Origène, or. 12. — 6. Cf. Jn 17.

pour toutes », demeure présente dans la liturgie de son Eglise.

La tradition chrétienne l'appelle à juste titre la prière « sacerdotale » de Jésus. Elle est celle de notre Grand Prêtre, elle est inséparable de son Sacrifice, de son « passage » (Pâque) vers le Père où Il est « consacré » tout entier au Père[1].   2747

Dans cette prière Pascale, sacrificielle, tout est « récapitulé » en Lui[2] : Dieu et le monde, le Verbe et la chair, la vie éternelle et le temps, l'amour qui se livre et le péché qui le trahit, les disciples présents et ceux qui croiront en Lui par leur parole, l'abaissement et la gloire. Elle est la prière de l'Unité.   2748
518

820

Jésus a tout accompli de l'œuvre du Père et sa prière, comme son Sacrifice, s'étend jusqu'à la consommation du temps. La prière de l'Heure emplit les derniers temps et les porte vers leur consommation. Jésus, le Fils à qui le Père a tout donné, est tout remis au Père, et, en même temps, Il S'exprime avec une liberté souveraine[3] de par le pouvoir que le Père Lui a donné sur toute chair. Le Fils, qui S'est fait Serviteur, est le Seigneur, le *Pantocratôr*. Notre Grand Prêtre qui prie pour nous est aussi Celui qui prie en nous et le Dieu qui nous exauce.   2749

2616

C'est en entrant dans le saint nom du Seigneur Jésus que nous pouvons accueillir, du dedans, la prière qu'Il nous apprend : « Notre Père ! » Sa prière sacerdotale inspire, du dedans, les grandes demandes du Pater : le souci du nom du Père[4], la passion de son Règne (la gloire[5]), l'accomplissement de la volonté du Père, de son dessein de salut[6] et la libération du mal[7].   2750

2815

Enfin, c'est dans cette prière que Jésus nous révèle et nous donne la « connaissance » indissociable du Père et du Fils[8] qui est le mystère même de la Vie de prière.   2751

240

EN BREF

La prière suppose un effort et une lutte contre nous-mêmes et contre les ruses du Tentateur. Le combat de la prière est inséparable du « combat spirituel » nécessaire pour agir   2752

1. Cf. Jn 17, 11. 13. 19. — 2. Cf. Ep 1, 10. — 3. Cf. Jn 17, 11. 13. 19. 24. — 4. Cf. Jn 17, 6. 11. 12. 26. — 5. Cf. Jn 17, 1. 5. 10. 22. 23-26. — 6. Cf. Jn 17, 2. 4. 6. 9. 11. 12. 24. — 7. Cf. Jn 17, 15. — 8. Cf. Jn 17, 3. 6-10. 25.

habituellement selon l'Esprit du Christ : on prie comme on vit, parce qu'on vit comme on prie.

2753   *Dans le combat de la prière nous devons faire face à des conceptions erronées, à divers courants de mentalité, à l'expérience de nos échecs. A ces tentations qui jettent le doute sur l'utilité ou la possibilité même de la prière il convient de répondre par l'humilité, la confiance et la persévérance.*

2754   *Les difficultés principales dans l'exercice de la prière sont la distraction et la sécheresse. Le remède est dans la foi, la conversion et la vigilance du cœur.*

2755   *Deux tentations fréquentes menacent la prière : le manque de foi et l'acédie qui est une forme de dépression due au relâchement de l'ascèse et portant au découragement.*

2756   *La confiance filiale est mise à l'épreuve quand nous avons le sentiment de n'être pas toujours exaucés. L'Evangile nous invite à nous interroger sur la conformité de notre prière au désir de l'Esprit.*

2757   *« Priez sans cesse » (1 Th 5, 17). Prier est toujours possible. C'est même une nécessité vitale. Prière et vie chrétienne sont inséparables.*

2758   *La prière de l'Heure de Jésus, appelée à juste titre « prière sacerdotale [1] », récapitule toute l'économie de la création et du salut. Elle inspire les grandes demandes du Notre Père.*

---

1. Cf. Jn 17.

DEUXIÈME SECTION
La Prière du Seigneur :
« Notre Père ! »

« Un jour, quelque part, Jésus priait. Quand Il eut fini, 2759
l'un de ses disciples Lui demanda : "Seigneur, apprends-
nous à prier, comme Jean l'a appris à ses disciples" » (Lc
11, 1). C'est en réponse à cette demande que le Seigneur
confie à ses disciples et à son Eglise la prière chrétienne
fondamentale. S. Luc en donne un texte bref (de cinq
demandes [1]), S. Matthieu une version plus développée (de
sept demandes [2]). C'est le texte de S. Matthieu que la tradition liturgique de l'Eglise a retenu (Mt 6, 9-13).

Notre Père qui es aux cieux,
que ton nom soit sanctifié,
que ton Règne vienne,
que ta Volonté soit faite sur la terre comme au
ciel.
Donne-nous aujourd'hui notre pain de ce jour,
pardonne-nous nos offenses comme nous par-
donnons aussi à ceux qui nous ont offensés,
et ne nous soumets pas à la tentation,
mais délivre-nous du Mal.

Très tôt, l'usage liturgique a conclu la Prière du Seigneur par 2760
une doxologie. Dans la Didaché : « Car c'est à Toi qu'appartiennent la puissance et la gloire dans les siècles [3]. » Les constitu- 2855
tions apostoliques ajoutent en commençant : « le règne [4] », et c'est
la formule retenue de nos jours dans la prière œcuménique. La tradition byzantine ajoute après la gloire « Père, Fils et Saint-Esprit ».
Le missel romain développe la dernière demande [5] dans la perspective explicite de l'attente de la bienheureuse espérance [6] et de 2854
l'Avènement de Jésus-Christ notre Seigneur, puis vient l'acclamation de l'assemblée ou la reprise de la doxologie des constitutions
apostoliques.

---

1. Cf. Lc 11, 2-4. — 2. Cf. Mt 6, 9-13. — 3. Didaché 8, 2. — 4. Const. Ap. 7, 24,
1. — 5. Cf. Embolisme. — 6. Cf. Tt 2, 13.

ARTICLE 1
« *Le résumé de tout l'Évangile* »

2761 « L'Oraison dominicale est vraiment le résumé de tout l'Evangile[1]. » « Quand le Seigneur nous eut légué cette formule de prière, il ajouta : "Demandez et vous recevrez" (Jn 16, 24). Chacun peut donc adresser au ciel diverses prières selon ses besoins, mais en commençant toujours par la Prière du Seigneur qui demeure la prière fondamentale[2]. »

I. Au centre des Écritures

2762 Après avoir montré comment les Psaumes sont l'aliment principal de la prière chrétienne et confluent dans les demandes du Notre Père, S. Augustin conclut :

> Parcourez toutes les prières qui sont dans les Ecritures, et je ne crois pas que vous puissiez y trouver quelque chose qui ne soit pas compris dans l'Oraison dominicale[3].

2763 Toutes les Ecritures (la Loi, les Prophètes et les Psaumes)
102 sont accomplies dans le Christ[4]. L'Evangile est cette « Bonne Nouvelle ». Sa première annonce est résumée par S. Matthieu dans le sermon sur la Montagne[5]. Or la prière à Notre Père est au centre de cette annonce. C'est dans ce contexte que s'éclaire chaque demande de la prière léguée par le Seigneur :

> L'Oraison dominicale est la plus parfaite des prières (...).
> En elle non seulement nous demandons tout ce que nous
> *2541* pouvons désirer avec rectitude, mais encore selon l'ordre où
> il convient de le désirer. De sorte que cette prière non seule-
> ment nous enseigne à demander, mais elle forme aussi toute
> notre affectivité[6].

2764 Le sermon sur la Montagne est doctrine de vie, l'Oraison
1965 dominicale est prière, mais dans l'un et l'autre l'Esprit du Seigneur donne forme nouvelle à nos désirs, ces mouvements intérieurs qui animent notre vie. Jésus nous enseigne cette vie nouvelle par ses paroles et Il nous apprend à la

---

1. Tertullien, or. 1. — 2. Tertullien, or. 10. — 3. Ep. 130, 12, 22. — 4. Cf. Lc 24, 44. — 5. Cf. Mt 5-7. — 6. S. Thomas d'A., s. th. 2-2, 83, 9.

demander par la prière. De la rectitude de notre prière *1969*
dépendra celle de notre vie en Lui.

II. « La prière du Seigneur »

L'expression traditionnelle « Oraison dominicale » (c'est- 2765
à-dire « prière du Seigneur ») signifie que la prière à Notre
Père nous est enseignée et donnée par le Seigneur Jésus.
Cette prière qui nous vient de Jésus est véritablement *2701*
unique : elle est « du Seigneur ». D'une part, en effet, par
les paroles de cette prière, le Fils unique nous donne les
paroles que le Père Lui a données[1] : Il est le Maître de notre
prière. D'autre part, Verbe incarné, Il connaît dans son cœur
d'homme les besoins de ses frères et sœurs humains, et Il
nous les révèle : Il est le Modèle de notre prière.

Mais Jésus ne nous laisse pas une formule à répéter 2766
machinalement[2]. Comme pour toute prière vocale, c'est par
la Parole de Dieu que l'Esprit Saint apprend aux enfants de
Dieu à prier leur Père. Jésus nous donne non seulement les
paroles de notre prière filiale, Il nous donne en même temps
l'Esprit par qui elles deviennent en nous « esprit et vie » (Jn
6, 63). Plus encore : la preuve et la possibilité de notre
prière filiale c'est que le Père « a envoyé dans nos cœurs
l'Esprit de son Fils qui crie : *"Abba*, Père !" » (Ga 4, 6).
Puisque notre prière interprète nos désirs auprès de Dieu,
c'est encore « Celui qui sonde les cœurs », le Père, qui « sait
le désir de l'Esprit et que son intercession pour les saints
correspond aux vues de Dieu » (Rm 8, 27). La prière à
Notre Père s'insère dans la mission mystérieuse du Fils et de
l'Esprit. *690*

III. La prière de l'Église

Ce don indissociable des paroles du Seigneur et de 2767
l'Esprit Saint qui leur donne vie dans le cœur des croyants a
été reçu et vécu par l'Église dès les origines. Les premières
communautés prient la Prière du Seigneur « trois fois par
jour[3] », à la place des « Dix-huit bénédictions » en usage
dans la piété juive.

Selon la Tradition apostolique, la Prière du Seigneur est 2768
essentiellement enracinée dans la prière liturgique.

---

1. Cf. Jn 17, 7. — 2. Cf. Mt 6, 7 ; 1 R 18, 26-29. — 3. Didaché 8, 3.

Le Seigneur nous apprend à faire nos prières en commun pour tous nos frères. Car Il ne dit pas « mon Père » qui es dans les cieux, mais « notre » Père, afin que notre prière soit, d'une seule âme, pour tout le Corps de l'Eglise[1].

Dans toutes les traditions liturgiques, la Prière du Seigneur est une partie intégrante des grandes heures de l'Office divin. Mais c'est surtout dans les trois sacrements de l'initiation chrétienne que son caractère ecclésial apparaît à l'évidence :

2769
1243   Dans le *Baptême* et la *Confirmation*, la remise (*traditio*) de la Prière du Seigneur signifie la nouvelle naissance à la vie divine. Puisque la prière chrétienne est de parler à Dieu avec la Parole même de Dieu, ceux qui sont « engendrés de nouveau par la Parole du Dieu vivant » (1 P 1, 23) apprennent à invoquer leur Père par la seule Parole qu'Il exauce toujours. Et ils le peuvent désormais, car le Sceau de l'onction de l'Esprit Saint est posé, indélébile, sur leur cœur, leurs oreilles, leurs lèvres, sur tout leur être filial. C'est pourquoi la plupart des commentaires patristiques du Notre Père sont adressés aux catéchumènes et aux néophytes. Quand l'Eglise prie la Prière du Seigneur, c'est toujours le peuple des « nouveau-nés » qui prie et obtient miséricorde[2].

2770
1350   Dans la *liturgie eucharistique* la Prière du Seigneur apparaît comme la prière de toute l'Eglise. Là se révèle son sens plénier et son efficacité. Située entre l'Anaphore (prière eucharistique) et la liturgie de la communion, elle récapitule d'une part toutes les demandes et intercessions exprimées dans le mouvement de l'épiclèse, et, d'autre part, elle frappe à la porte du Festin du Royaume que la communion sacramentelle va anticiper.

2771
1403   Dans l'Eucharistie, la Prière du Seigneur manifeste aussi le caractère *eschatologique* de ses demandes. Elle est la prière propre aux « derniers temps », aux temps du salut qui ont commencé avec l'effusion de l'Esprit Saint et qui s'achèveront avec le Retour du Seigneur. Les demandes à Notre Père, à la différence des prières de l'Ancienne Alliance, s'appuient sur le mystère du salut déjà réalisé, une fois pour toutes, dans le Christ crucifié et ressuscité.

2772
1820   De cette foi inébranlable jaillit l'espérance qui soulève chacune des sept demandes. Celles-ci expriment les gémissements du temps présent, ce temps de la patience et de

---

1. S. Jean Chrysostome, hom. in Mt. 19, 4. — 2. Cf. 1 P 2, 1-10.

l'attente durant lequel « ce que nous serons n'est pas encore manifesté » (1 Jn 3, 2)[1]. L'Eucharistie et le Pater sont tendus vers la venue du Seigneur, « jusqu'à ce qu'Il vienne ! » (1 Co 11, 26).

EN BREF

En réponse à la demande de ses disciples (« Seigneur, apprends-nous à prier » : Lc 11, 1), Jésus leur confie la prière chrétienne fondamentale du Notre Père.   2773

« L'Oraison dominicale est vraiment le résumé de tout l'Evangile[2] », « la plus parfaite des prières[3] ». Elle est au centre des Ecritures.   2774

Elle est appelée « Oraison dominicale » parce qu'elle nous vient du Seigneur Jésus, Maître et Modèle de notre prière.   2775

L'Oraison dominicale est la prière de l'Eglise par excellence. Elle fait partie intégrante des grandes heures de l'Office divin et des sacrements de l'initiation chrétienne : Baptême, Confirmation et Eucharistie. Intégrée à l'Eucharistie elle manifeste le caractère « eschatologique » de ses demandes, dans l'espérance du Seigneur, « jusqu'à ce qu'Il vienne » (1 Co 11, 26).   2776

ARTICLE 2
« Notre Père qui es aux cieux »

I. « Oser nous approcher en toute confiance »

Dans la liturgie romaine, l'assemblée eucharistique est invitée à prier Notre Père avec une audace filiale ; les liturgies orientales utilisent et développent des expressions analogues : « Oser en toute assurance », « Rends-nous dignes de ». Devant le Buisson ardent, il fut dit à Moïse : « N'approche pas. Ote tes sandales » (Ex 3, 5). Ce seuil de la Sainteté divine, Jésus seul pouvait le franchir, Lui qui, « ayant accompli la purification des péchés » (He 1, 3), nous introduit devant la Face du Père : « Nous voici, Moi et mes enfants que Tu M'as donnés » (He 2, 13) :   2777

La conscience que nous avons de notre situation d'esclaves nous ferait rentrer sous terre, notre condition terrestre se fondrait en poussière, si l'autorité de notre Père Lui-même

1. Cf. Col 3, 4. — 2. Tertullien, or. 1. — 3. S. Thomas d'A., s. th. 2-2, 83, 9.

270 et l'Esprit de son Fils ne nous poussaient à proférer ce cri : « *Abba*, Père ! » (Rm 8, 15). (...) Quand la faiblesse d'un mortel oserait-elle appeler Dieu son Père, sinon seulement lorsque l'intime de l'homme est animé par la Puissance d'en haut[1] ?

2778 Cette puissance de l'Esprit qui nous introduit à la Prière du Seigneur est exprimée dans les liturgies d'Orient et d'Occident par la belle expression typiquement chrétienne :
2828 *parrhésia*, simplicité sans détour, confiance filiale, joyeuse assurance, humble audace, certitude d'être aimé[2].

II. « Père ! »

2779 Avant de faire nôtre ce premier élan de la Prière du Seigneur, il n'est pas inutile de purifier humblement notre cœur de certaines fausses images de « ce monde-ci ». L'*humilité* nous fait reconnaître que « nul ne connaît le Père, si ce n'est le Fils, et celui à qui le Fils veut bien Le révéler » (Mt 11, 27), c'est-à-dire « aux tout-petits » (Mt 11, 25). La *purification* du cœur concerne les images paternelles ou maternelles, issues de notre histoire personnelle et culturelle, et qui
239 influencent notre relation à Dieu. Dieu notre Père transcende les catégories du monde créé. Transposer sur Lui, ou contre Lui, nos idées en ce domaine serait fabriquer des idoles, à adorer ou à abattre. Prier le Père c'est entrer dans son mystère, tel qu'Il est, et tel que le Fils nous L'a révélé :

> L'expression Dieu le Père n'avait jamais été révélée à personne. Lorsque Moïse lui-même demanda à Dieu qui Il était, il entendit un autre nom. A nous ce nom a été révélé dans le Fils, car ce nom implique le nom nouveau de Père[3].

2780 Nous pouvons invoquer Dieu comme « Père » parce qu'*Il*
240 *nous est révélé* par son Fils devenu homme et que son Esprit nous Le fait connaître. Ce que l'homme ne peut concevoir ni les puissances angéliques entrevoir, la relation personnelle du Fils vers le Père[4], voici que l'Esprit du Fils nous y fait participer, nous qui croyons que Jésus est le Christ et que nous sommes nés de Dieu[5].

2781 Quand nous prions le Père, nous sommes *en communion*
2665 *avec Lui* et avec son Fils, Jésus-Christ[6]. C'est alors que nous Le connaissons et Le reconnaissons dans un émerveillement

1. S. Pierre Chrysologue, serm. 71. — 2. Cf. Ep 3, 12 ; He 3, 6 ; 4, 16 ; 10, 19 ; 1 Jn 2, 28 ; 3, 21 ; 5, 14. — 3. Tertullien, or. 3. — 4. Cf. Jn 1, 1. — 5. Cf. 1 Jn 5, 1. — 6. Cf. 1 Jn 1, 3.

toujours nouveau. La première parole de la Prière du Seigneur est une bénédiction d'adoration, avant d'être une imploration. Car c'est la Gloire de Dieu que nous le reconnaissions comme « Père », Dieu véritable. Nous Lui rendons grâce de nous avoir révélé son nom, de nous avoir donné d'y croire et d'être habités par sa Présence.

Nous pouvons adorer le Père parce qu'Il nous a fait renaître à sa Vie en nous *adoptant* comme ses enfants dans son Fils unique : par le Baptême, Il nous incorpore au Corps de son Christ, et, par l'onction de son Esprit qui s'épanche de la Tête dans les membres, Il fait de nous des « christs » : **2782** *1267*

> Dieu, en effet, qui nous a prédestinés à l'adoption de fils, nous a rendus conformes au Corps glorieux du Christ. Désormais donc, participants du Christ, vous êtes à juste titre appelés « christs[1] ».

> L'homme nouveau, qui est rené et rendu à son Dieu par la grâce, dit d'abord « Père ! », parce qu'il est devenu fils[2].

C'est ainsi que, par la Prière du Seigneur, nous sommes *révélés à nous-mêmes* en même temps que le Père nous est révélé[3] : **2783** *1701*

> O homme, tu n'osais pas lever ton visage vers le ciel, tu baissais les yeux vers la terre, et soudain tu as reçu la grâce du Christ : tous tes péchés t'ont été remis. De méchant serviteur tu es devenu un bon fils. (...) Lève donc les yeux vers le Père qui t'a racheté par son Fils et dis : Notre Père (...). Mais ne te réclame d'aucun privilège. Il n'est le Père, d'une manière spéciale, que du Christ seul, tandis que nous, Il nous a créés. Dis donc toi aussi par grâce : Notre Père, pour mériter d'être son fils[4].

Ce don gratuit de l'adoption exige de notre part une conversion continuelle et une *vie nouvelle*. Prier notre Père doit développer en nous deux dispositions fondamentales : **2784** *1428*

Le *désir et la volonté de Lui ressembler*. Créés à son image, c'est par grâce que la ressemblance nous est rendue et nous avons à y répondre. *1997*

> Il faut nous souvenir, quand nous nommons Dieu « notre Père » que nous devons nous comporter en fils de Dieu[5].

---

1. S. Cyrille de Jérusalem, catech. myst. 3, 1. — 2. S. Cyprien, Dom. orat. 9. — 3. Cf. GS 22, § 1. — 4. S. Ambroise, sacr. 5, 19. — 5. S. Cyprien, Dom. orat. 11.

Vous ne pouvez appeler votre Père le Dieu de toute bonté si vous gardez un cœur cruel et inhumain ; car dans ce cas vous n'avez plus en vous la marque de la bonté du Père céleste[1].

Il faut contempler sans cesse la beauté du Père et en imprégner notre âme[2].

2785
2562

Un *cœur humble et confiant* qui nous fait « retourner à l'état des enfants » (Mt 18, 3) : car c'est aux « tout-petits » que le Père se révèle (Mt 11, 25) :

C'est un regard sur Dieu seul, un grand feu d'amour. L'âme s'y fond et s'abîme en la sainte dilection, et s'entretient avec Dieu comme avec son propre Père, très familièrement, dans une tendresse de piété toute particulière[3].

Notre Père : ce nom suscite en nous, tout à la fois, l'amour, l'affection dans la prière, (...) et aussi l'espérance d'obtenir ce que nous allons demander (...). Que peut-Il en effet refuser à la prière de ses enfants, quand Il leur a déjà préalablement permis d'être ses enfants[4] ?

III. « Notre » Père

2786
443

« Notre » Père concerne Dieu. Cet adjectif, de notre part, n'exprime pas une possession, mais une relation toute nouvelle à Dieu.

2787

Quand nous disons « notre » Père, nous reconnaissons d'abord que toutes ses promesses d'amour annoncées par les Prophètes sont accomplies dans la *nouvelle et éternelle alliance* en son Christ : nous sommes devenus « son »
782 Peuple et Il est désormais « notre » Dieu. Cette relation nouvelle est une appartenance mutuelle donnée gratuitement : c'est par l'amour et la fidélité[5] que nous avons à répondre à « la grâce et à la vérité » qui nous sont données en Jésus-Christ[6].

2788

Puisque la Prière du Seigneur est celle de son Peuple dans les « derniers temps », ce « notre » exprime aussi la certitude de notre espérance en l'ultime promesse de Dieu : dans la Jérusalem nouvelle Il dira au vainqueur : « Je serai son Dieu et lui sera mon fils » (Ap 21, 7).

1. S. Jean Chrysostome, hom. in Mt. 7, 14. — 2. S. Grégoire de Nysse, or. dom. 2. — 3. S. Jean Cassien, coll. 9, 18. — 4. S. Augustin, serm. Dom. 2, 4, 16. — 5. Cf. Os 2, 21-22 ; 6, 1-6. — 6. Cf. Jn 1, 17.

En priant « notre » Père, c'est au Père de notre Seigneur   2789
Jésus-Christ que nous nous adressons personnellement.
Nous ne divisons pas la divinité, puisque le Père en est « la
source et l'origine », mais nous confessons par là qu'éter-   245
nellement le Fils est engendré par Lui et que de Lui procède
l'Esprit Saint. Nous ne confondons pas non plus les Personnes, puisque nous confessons que notre communion est
avec le Père et son Fils, Jésus-Christ, dans leur unique
Esprit Saint. La *Trinité Sainte* est consubstantielle et indivi-   253
sible. Quand nous prions le Père, nous L'adorons et Le glorifions avec le Fils et le Saint-Esprit.

Grammaticalement, « notre » qualifie une réalité com-   2790
mune à plusieurs. Il n'y a qu'un seul Dieu et Il est reconnu
Père par ceux qui, par la foi à son Fils unique, sont renés de
Lui par l'eau et par l'Esprit[1]. L'*Eglise* est cette nouvelle
communion de Dieu et des hommes : unie au Fils unique   787
devenu « l'aîné d'une multitude de frères » (Rm 8, 29), elle
est en communion avec un seul et même Père, dans un seul
et même Esprit Saint[2]. En priant « notre » Père, chaque baptisé prie dans cette communion : « La multitude des
croyants n'avait qu'un seul cœur et qu'une seule âme » (Ac
4, 32).

C'est pourquoi, malgré les divisions des chrétiens, la   2791
prière à « notre » Père demeure le bien commun et un appel   821
urgent pour tous les baptisés. En communion par la foi au
Christ et par le Baptême, ils doivent participer à la prière de
Jésus pour l'unité de ses disciples[3].

Enfin, si nous prions en vérité « Notre Père », nous sor-   2792
tons de l'individualisme, car l'amour que nous accueillons
nous en libère. Le « notre » du début de la Prière du Seigneur, comme le « nous » des quatre dernières demandes,
n'est exclusif de personne. Pour qu'il soit dit en vérité[4], nos
divisions et nos oppositions doivent être surmontées.

Les baptisés ne peuvent prier « notre » Père sans porter   2793
auprès de Lui tous ceux pour qui Il a donné son Fils bien-
aimé. L'amour de Dieu est sans frontière, notre prière doit   604
l'être aussi[5]. Prier « notre » Père nous ouvre aux dimensions
de son amour manifesté dans le Christ : prier avec et pour
tous les hommes qui ne Le connaissent pas encore, afin

---

1. Cf. 1 Jn 5, 1 ; Jn 3, 5. — 2. Cf. Ep 4, 4-6. — 3. Cf. UR 8 ; 22. — 4. Cf. Mt 5,
23-24 ; 6, 14-15. — 5. Cf. NA 5.

qu'ils soient rassemblés dans l'unité[1]. Ce souci divin de tous les hommes et de toute la création a animé tous les grands priants : il doit dilater notre prière en largeur d'amour lorsque nous osons dire « notre » Père.

IV. « Qui es aux cieux »

2794 Cette expression biblique ne signifie pas un lieu
326 (« l'espace »), mais une manière d'être ; non pas l'éloigne-ment de Dieu mais sa majesté. Notre Père n'est pas « ail-leurs », Il est « au-delà de tout » ce que nous pouvons concevoir de sa Sainteté. C'est parce qu'Il est trois fois Saint, qu'Il est tout proche du cœur humble et contrit :

> C'est avec raison que ces paroles « Notre Père qui es aux cieux » s'entendent du cœur des justes, où Dieu habite comme dans son temple. Par là aussi celui qui prie désirera voir résider en lui Celui qu'il invoque[2].

> Les « cieux » pourraient bien être aussi ceux qui portent l'image du monde céleste, et en qui Dieu habite et se pro-mène[3].

2795 Le symbole des cieux nous renvoie au mystère de l'alliance que nous vivons lorsque nous prions notre Père. Il est aux cieux, c'est sa Demeure, la Maison du Père est donc
1024 notre « patrie ». C'est de la terre de l'alliance que le péché nous a exilés[4] et c'est vers le Père, vers le ciel que la conversion du cœur nous fait revenir[5]. Or c'est dans le Christ que le ciel et la terre sont réconciliés[6], car le Fils « est descendu du ciel », seul, et Il nous y fait remonter avec Lui, par sa Croix, sa Résurrection et son Ascension[7].

2796 Quand l'Eglise prie « notre Père qui es aux cieux », elle professe que nous sommes le Peuple de Dieu déjà assis aux
1003 cieux dans le Christ Jésus[8], cachés avec le Christ en Dieu[9], et, en même temps, gémissant « dans cet état, ardemment désireux de revêtir par-dessus l'autre notre habitation céleste » (2 Co 5, 2)[10] :

> Les chrétiens sont dans la chair, mais ne vivent pas selon la chair. Ils passent leur vie sur terre, mais sont citoyens du ciel[11].

---

1. Cf. Jn 11, 52. — 2. S. Augustin, serm. Dom. 2, 5, 18. — 3. S. Cyrille de Jérusa-lem, catech. myst. 5, 11. — 4. Cf. Gn 3. — 5. Cf. Jr 3, 19-4, 1a; Lc 15, 18. 21. — 6. Cf. Is 45, 8; Ps 85, 12. — 7. Cf. Jn 12, 32; 14, 2-3; 16, 28; 20, 17; Ep 4, 9-10; He 1, 3; 2, 13. — 8. Cf. Ep 2, 6. — 9. Cf. Col 3, 3. — 10. Cf. Ph 3, 20; He 13, 14. — 11. Epître à Diognète 5, 8-9.

EN BREF

La confiance simple et fidèle, l'assurance humble et joyeuse 2797
sont les dispositions qui conviennent à celui qui prie le
Notre Père.

Nous pouvons invoquer Dieu comme « Père » parce que le 2798
Fils de Dieu fait homme nous L'a révélé, en qui, par le Bap-
tême, nous sommes incorporés et adoptés en fils de Dieu.

La prière du Seigneur nous met en communion avec le Père 2799
et avec son Fils, Jésus-Christ. Elle nous révèle en même
temps à nous-mêmes [1].

Prier notre Père doit développer en nous la volonté de Lui 2800
ressembler, ainsi qu'un cœur humble et confiant.

En disant « Notre » Père, nous invoquons la Nouvelle 2801
Alliance en Jésus-Christ, la communion avec la Sainte Tri-
nité et la charité divine qui s'étend par l'Eglise aux dimen-
sions du monde.

« Qui es aux cieux » ne désigne pas un lieu mais la majesté 2802
de Dieu et sa présence dans le cœur des justes. Le ciel, la
Maison du Père, constitue la vraie patrie où nous tendons et
à laquelle, déjà, nous appartenons.

ARTICLE 3
Les sept demandes

Après nous avoir mis en présence de Dieu notre Père pour 2803
L'adorer, L'aimer et Le bénir, l'Esprit filial fait monter de
nos cœurs sept demandes, sept bénédictions. Les trois pre-   *2627*
mières, plus théologales, nous attirent vers la Gloire du
Père, les quatre dernières, comme des chemins vers Lui,
offrent notre misère à sa Grâce. « L'abîme appelle l'abîme »
(Ps 42, 8).

La première vague nous porte vers Lui, pour Lui : *ton* 2804
Nom, *ton* Règne, *ta* Volonté ! C'est le propre de l'amour que
de penser d'abord à Celui que nous aimons. En chacune de
ces trois demandes, nous ne « nous » nommons pas, mais
c'est « le désir ardent », « l'angoisse » même, du Fils bien-

1. Cf. GS 22, § 1.

aimé pour la Gloire de son Père, qui nous saisit[1] : « Que soit sanctifié (...). Que vienne (...). Que soit faite... » : ces trois supplications sont déjà exaucées dans le Sacrifice du Christ Sauveur, mais elles sont tournées désormais, dans l'espérance, vers leur accomplissement final, tant que Dieu n'est pas encore tout en tous[2].

2805
1105 La seconde vague de demandes se déroule dans le mouvement de certaines épiclèses eucharistiques : elle est offrande de nos attentes et attire le regard du Père des miséricordes. Elle monte de nous et nous concerne dès maintenant, en ce monde-ci : « Donne-*nous* (...) pardonne-*nous* (...) ne *nous* laisse pas (...) délivre-*nous*. » La quatrième et la cinquième demande concernent notre vie, comme telle, soit pour la nourrir, soit pour la guérir du péché ; les deux dernières concernent notre combat pour la victoire de la Vie, le combat même de la prière.

2806
1656-2658 Par les trois premières demandes, nous sommes affermis dans la foi, emplis d'espérance et embrasés par la charité. Créatures et encore pécheurs, nous devons demander pour nous, ce « nous » aux mesures du monde et de l'histoire, que nous offrons à l'amour sans mesure de notre Dieu. Car c'est par le nom de son Christ et le Règne de son Esprit Saint que notre Père accomplit son dessein de salut, pour nous et pour le monde entier.

2142-2159 I. « Que ton nom soit sanctifié »

2807 Le terme « sanctifier » doit s'entendre ici, non d'abord dans son sens causatif (Dieu seul sanctifie, rend saint) mais surtout dans un sens estimatif : reconnaître comme saint, traiter d'une manière sainte. C'est ainsi que, dans l'adoration, *2097* cette invocation est parfois comprise comme une louange et une action de grâces[3]. Mais cette demande nous est enseignée par Jésus comme un optatif : une demande, un désir et une attente où Dieu et l'homme sont engagés. Dès la première demande à notre Père, nous sommes plongés dans le mystère intime de sa Divinité et dans le drame du salut de notre humanité. Lui demander que son nom soit sanctifié nous implique dans « le dessein bienveillant qu'Il avait formé par avance » (Ep 1, 9) pour que nous soyons « saints et immaculés en sa présence, dans l'amour » (Ep 1, 4).

---

1. Cf. Lc 22, 14 ; 12, 50. — 2. Cf. 1 Co 15, 28. — 3. Cf. Ps 111, 9 ; Lc 1, 49.

Aux moments décisifs de son économie, Dieu révèle son nom, mais Il le révèle en accomplissant son œuvre. Or cette œuvre ne se réalise pour nous et en nous que si son nom est sanctifié par nous et en nous.   **2808**
203, 432

La Sainteté de Dieu est le foyer inaccessible de son mystère éternel. Ce qui en est manifesté dans la création et l'histoire, l'Ecriture l'appelle la *Gloire*, le rayonnement de sa Majesté[1]. En faisant l'homme « à son image et à sa ressemblance » (Gn 1, 26), Dieu le couronne de gloire[2], mais en péchant l'homme est privé de la Gloire de Dieu[3]. Dès lors, Dieu va manifester sa Sainteté en révélant et en donnant son nom, afin de restaurer l'homme « à l'image de son Créateur » (Col 3, 10).   **2809**
293
705

Dans la promesse faite à Abraham, et le serment qui l'accompagne[4], Dieu s'engage Lui-même mais sans dévoiler son nom. C'est à Moïse qu'Il commence à le révéler[5], et Il le manifeste aux yeux de tout le peuple en le sauvant des Egyptiens : « Il s'est couvert de Gloire » (Ex 15, 1). Depuis l'alliance du Sinaï, ce peuple est « sien » et il doit être une « nation sainte » (ou consacrée, c'est le même mot en hébreu[6]) parce que le nom de Dieu habite en lui.   **2810**
63

Or, malgré la Loi sainte que lui donne et redonne le Dieu Saint[7], et bien que le Seigneur, « eu égard à son nom », use de patience, le peuple se détourne du Saint d'Israël et profane son nom parmi les nations[8]. C'est pourquoi les justes de l'Ancienne Alliance, les pauvres revenus d'exil et les prophètes ont été brûlés par la passion du nom.   **2811**
2143

Finalement, c'est en Jésus que le nom du Dieu Saint nous est révélé et donné, dans la chair, comme Sauveur[9] : révélé par ce qu'Il Est, par sa Parole et par son Sacrifice[10]. C'est le cœur de sa prière sacerdotale : « Père Saint (...) pour eux je me consacre moi-même, afin qu'ils soient eux aussi consacrés en vérité » (Jn 17, 19). C'est parce qu'Il « sanctifie » Lui-même son nom[11] que Jésus nous « manifeste » le nom du Père[12]. Au terme de sa Pâque, le Père Lui donne alors le nom qui est au-dessus de tout nom : Jésus est Seigneur à la Gloire de Dieu le Père[13].   **2812**
434

Dans l'eau du Baptême, nous avons été « lavés, sanctifiés, justifiés par le nom du Seigneur Jésus-Christ et par l'Esprit de notre Dieu » (1 Co 6, 11). En toute notre vie,   **2813**

1. Cf. Ps 8 ; Is 6, 3. — 2. Cf. Ps 8, 6. — 3. Cf. Rm 3, 23. — 4. Cf. He 6, 13. — 5. Cf. Ex 3, 14. — 6. Cf. Ex 19, 5-6. — 7. Cf. Lv 19, 2 : « Soyez saints, car Moi, votre Dieu, Je suis Saint ». — 8. Cf. Ez 20 ; 36. — 9. Cf. Mt 1, 21 ; Lc 1, 31. — 10. Cf. Jn 8, 28 ; 17, 8 ; 17, 17-19. — 11. Cf. Ez 20, 39 ; 36, 20-21. — 12. Cf. Jn 17, 6. — 13. Cf. Ph 2, 9-11.

2013   notre Père nous appelle « à la sanctification » (1 Th 4, 7), et, puisque c'est « par Lui que nous sommes dans le Christ Jésus, qui est devenu pour nous sanctification » (1 Co 1, 30), il y va de sa gloire et de notre vie que son nom soit sanctifié en nous et par nous. Telle est l'urgence de notre première demande.

> Qui pourrait sanctifier Dieu, puisque Lui-même sanctifie ? Mais nous inspirant de cette parole « Soyez saints, parce que Moi Je suis Saint » (Lv 11, 44), nous demandons que, sanctifiés par le Baptême, nous persévérions dans ce que nous avons commencé à être. Et cela nous le demandons tous les jours, car nous fautons quotidiennement et nous devons purifier nos péchés par une sanctification sans cesse reprise (...). Nous recourrons donc à la prière pour que cette sainteté demeure en nous[1].

2814   Il dépend inséparablement de notre *vie* et de notre *prière*
2045   que son nom soit sanctifié parmi les nations :

> Nous demandons à Dieu de sanctifier son nom, car c'est par la sainteté qu'Il sauve et sanctifie toute la création (...). Il s'agit du nom qui donne le salut au monde perdu, mais nous demandons que ce nom de Dieu soit sanctifié en nous *par notre vie*. Car si nous vivons bien, le nom divin est béni ; mais si nous vivons mal, il est blasphémé, selon la parole de l'apôtre : « Le nom de Dieu est blasphémé à cause de vous parmi les nations » (Rm 2, 24)[2]. Nous prions donc pour mériter d'avoir en nos âmes autant de sainteté qu'est saint le nom de notre Dieu[3].

> Quand nous disons « Que ton nom soit sanctifié », nous demandons qu'il soit sanctifié en nous, qui sommes en lui, mais aussi dans les autres que la grâce de Dieu attend encore, afin de nous conformer au précepte qui nous oblige de *prier pour tous*, même pour nos ennemis. Voilà pourquoi nous ne disons pas expressément : Que ton nom soit sanctifié « en nous », car nous demandons qu'il le soit dans tous les hommes[4].

2815   Cette demande, qui les contient toutes, est exaucée par la
2750   *prière du Christ*, comme les six autres demandes qui suivent. La prière à notre Père est notre prière si elle est priée « *dans le nom* » de Jésus[5]. Jésus demande dans sa prière sacerdotale : « Père saint, garde en ton nom ceux que tu m'as donnés » (Jn 17, 11).

1. S. Cyprien, Dom. orat. 12. — 2. Cf. Ez 36, 20-22. — 3. S. Pierre Chrysologue, serm. 71. — 4. Tertullien, or. 3. — 5. Cf. Jn 14, 13 ; 15, 16 ; 16, 24. 26.

II. « Que ton Règne vienne »

Dans le Nouveau Testament, le même mot *Basileia* peut   2816
se traduire par « royauté » (nom abstrait), « royaume » (nom   *541*
concret) ou « règne » (nom d'action). Le Royaume de Dieu   *2632*
est avant nous. Il s'est approché dans le Verbe incarné, il est
annoncé à travers tout l'Évangile, il est venu dans la mort et
la Résurrection du Christ. Le Royaume de Dieu vient dès la   *560*
sainte Cène et dans l'Eucharistie, il est au milieu de nous.   *1107*
Le Royaume viendra dans la gloire lorsque le Christ le
remettra à son Père :

> Il se peut même que le Règne de Dieu signifie le Christ en
> personne, Lui que nous appelons de nos vœux tous les
> jours, et dont nous voulons hâter l'avènement par notre
> attente. Comme Il est notre Résurrection, car en Lui nous
> ressuscitons, et peut être aussi le Règne de Dieu, car en Lui
> nous régnerons[1].

Cette demande, c'est le « *Marana tha* », le cri de l'Esprit   2817
et de l'Épouse : « Viens, Seigneur Jésus » :   *451, 2632,*
    671

> Quand bien même cette prière ne nous aurait pas fait un
> devoir de demander l'avènement de ce Règne, nous aurions
> de nous-mêmes poussé ce cri, en nous hâtant d'aller
> étreindre nos espérances. Les âmes des martyrs, sous
> l'autel, invoquent le Seigneur à grands cris : « Jusques à
> quand, Seigneur, tarderas-Tu à demander compte de notre
> sang aux habitants de la terre ? » (Ap 6, 10.) Ils doivent en
> effet obtenir justice, à la fin des temps. Seigneur, hâte donc
> la venue de ton règne[2] !

Dans la prière du Seigneur, il s'agit principalement de la   2818
venue finale du Règne de Dieu par le retour du Christ[3].   *769*
Mais ce désir ne distrait pas l'Église de sa mission dans ce
monde-ci, il l'y engage plutôt. Car depuis la Pentecôte, la
venue du Règne est l'œuvre de l'Esprit du Seigneur « qui
poursuit son œuvre dans le monde et achève toute sanctification[4] ».

« Le Règne de Dieu est justice, paix et joie dans l'Esprit   2819
Saint » (Rm 14, 17). Les derniers temps où nous sommes   *2046*
sont ceux de l'effusion de l'Esprit Saint. Dès lors est engagé
un combat décisif entre « la chair » et l'Esprit[5] :   *2516*

> Seul un cœur pur peut dire avec assurance : « Que ton   *2519*
> Règne vienne. » Il faut avoir été à l'école de Paul pour dire :
> « Que le péché ne règne donc plus dans notre corps mortel »

---

1. S. Cyprien, Dom. orat. 13. — 2. Tertullien, or. 5. — 3. Cf. Tt 2, 13. — 4. MR,
prière eucharistique IV. — 5. Cf. Ga 5, 16-25.

(Rm 6, 12). Celui qui se garde pur dans ses actions, ses pensées et ses paroles, peut dire à Dieu : « Que ton Règne vienne[1] ! »

2820   Dans un discernement selon l'Esprit, les chrétiens doivent distinguer entre la croissance du Règne de Dieu et le progrès
1049   de la culture et de la société où ils sont engagés. Cette distinction n'est pas une séparation. La vocation de l'homme à la vie éternelle ne supprime pas mais renforce son devoir de mettre en pratique les énergies et les moyens reçus du Créateur pour servir en ce monde la justice et la paix[2].

2821   Cette demande est portée et exaucée dans la prière *de*
2746   Jésus[3], présente et efficace dans l'Eucharistie ; elle porte son fruit dans la vie nouvelle selon les béatitudes[4].

III. « Que ta Volonté soit faite sur la terre comme au ciel »

2822   C'est la Volonté de notre Père « que tous les hommes
851   soient sauvés et parviennent à la connaissance de la vérité » (1 Tm 2, 3-4). Il « use de patience, voulant que personne ne
2196   périsse » (2 P 3, 9)[5]. Son commandement, qui résume tous les autres, et qui nous dit toute sa volonté, c'est que nous nous aimions les uns les autres, comme Il nous a aimés[6].

2823   « Il nous a fait connaître le mystère de sa Volonté, ce des-
59   sein bienveillant qu'Il avait formé par avance (...) ramener toutes choses sous un seul Chef, le Christ (...). C'est en Lui que nous avons été mis à part, selon le plan préétabli de Celui qui mène toutes choses au gré de sa Volonté » (Ep 1, 9-11). Nous demandons instamment que se réalise pleinement ce dessein bienveillant, sur la terre comme il l'est déjà dans le ciel.

2824   C'est dans le Christ, et par sa volonté humaine, que la Volonté du Père a été parfaitement et une fois pour toutes
475   accomplie. Jésus a dit en entrant dans ce monde : « Voici, je viens faire, ô Dieu, ta volonté » (He 10, 7)[7]. Jésus seul peut dire : « Je fais toujours ce qui Lui plaît » (Jn 8, 29). Dans la
612   prière de son agonie, Il consent totalement à cette Volonté :

1. S. Cyrille de Jérusalem, catech. myst. 5, 13. — 2. Cf. GS 22 ; 32 ; 39 ; 45 ; EN 31. — 3. Cf. Jn 17, 17-20. — 4. Cf. Mt 5, 13-16 ; 6, 24 ; 7, 12-13. — 5. Cf. Mt 18, 14. — 6. Cf. Jn 13, 34 ; 1 Jn 3 ; 4 ; Lc 10, 25-37. — 7. Cf. Ps 40, 8-9.

« Que ce ne soit pas ma volonté qui se fasse, mais la tienne ! » (Lc 22, 42)[1]. Voilà pourquoi Jésus « s'est livré pour nos péchés selon la volonté de Dieu » (Ga 1, 4). « C'est en vertu de cette volonté que nous sommes sanctifiés par l'oblation du Corps de Jésus-Christ » (He 10, 10).

Jésus, « tout Fils qu'Il était, apprit, de ce qu'Il souffrit, l'obéissance » (He 5, 8). A combien plus forte raison, nous, créatures et pécheurs, devenus en Lui enfants d'adoption. Nous demandons à notre Père d'unir notre volonté à celle de son Fils pour accomplir sa Volonté, son dessein de salut pour la vie du monde. Nous en sommes radicalement impuissants, mais unis à Jésus et avec la puissance de son Esprit Saint, nous pouvons Lui remettre notre volonté et décider de choisir ce que son Fils a toujours choisi : faire ce qui plaît au Père[2] :   **2825** *615*

> En adhérant au Christ, nous pouvons devenir un seul esprit avec Lui, et par là accomplir sa volonté ; de la sorte, elle sera parfaite sur la terre comme au ciel[3].

> Considérez comment Jésus-Christ nous apprend à être humbles, en nous faisant voir que notre vertu ne dépend pas de notre seul travail mais de la grâce de Dieu. Il ordonne ici à chaque fidèle qui prie de le faire universellement pour toute la terre. Car il ne dit pas « Que ta volonté soit faite » en Moi ou en vous mais, « sur toute la terre » : afin que l'erreur en soit bannie, que la vérité y règne, que le vice y soit détruit, que la vertu y refleurisse, et que la terre ne soit plus différente du ciel[4].

C'est par la prière que nous pouvons « discerner quelle est la volonté de Dieu » (Rm 12, 2)[5] et obtenir « la constance pour l'accomplir[6] ». Jésus nous apprend que l'on entre dans le Royaume des cieux, non par des paroles, mais « en faisant la volonté de mon Père qui est dans les cieux » (Mt 7, 21).   **2826**

« Si quelqu'un fait la volonté de Dieu, celui-là Dieu l'exauce » (Jn 9, 31)[7]. Telle est la puissance de la prière de l'Eglise dans le nom de son Seigneur, surtout dans l'Eucharistie ; elle est communion d'intercession avec la Toute Sainte Mère de Dieu[8] et de tous les saints qui ont été « agréables » au Seigneur pour n'avoir voulu que sa Volonté :   **2827** *2611*

---

1. Cf. Jn 4, 34 ; 5, 30 ; 6, 38. — 2. Cf. Jn 8, 29. — 3. Origène, or. 26. — 4. S. Jean Chrysostome, hom. in Mt. 19, 5. — 5. Cf. Rm 12, 2 ; Ep 5, 17. — 6. Cf. He 10, 36. — 7. Cf. 1 Jn 5, 14. — 8. Cf. Lc 1, 38. 49.

Nous pouvons encore, sans blesser la vérité, traduire ces paroles : « Que ta volonté soit faite sur la terre comme au ciel » par celles-ci : dans l'Eglise comme dans notre Seigneur Jésus-Christ ; dans l'Epouse qui Lui a été fiancée, comme dans l'Epoux qui a accompli la volonté du Père[1].

796

IV. « Donne-nous aujourd'hui notre pain de ce jour »

2828   « *Donne-nous* » : elle est belle la confiance des enfants
2778 qui attendent tout de leur Père. « Il fait lever son soleil sur les méchants et sur les bons et tomber la pluie sur les justes et sur les injustes » (Mt 5, 45) et Il donne à tous les vivants « en son temps leur nourriture » (Ps 104, 27). Jésus nous apprend cette demande : elle glorifie en effet notre Père parce qu'elle reconnaît combien Il est Bon au-delà de toute bonté.

2829   « Donne-nous » est encore l'expression de l'alliance : nous sommes à Lui et Il est à nous, pour nous. Mais ce « nous » Le reconnaît aussi comme le Père de tous les
1939 hommes et nous Le prions pour eux tous, en solidarité avec leurs besoins et leurs souffrances.

2830   « *Notre pain.* » Le Père, qui nous donne la vie, ne peut pas ne pas nous donner la nourriture nécessaire à la vie, tous
2633 les biens « convenables », matériels et spirituels. Dans le sermon sur la Montagne, Jésus insiste sur cette confiance filiale qui coopère à la Providence de notre Père[2]. Il ne nous engage à aucune passivité[3] mais veut nous libérer de toute inquiétude entretenue et de toute préoccupation. Tel est l'abandon filial des enfants de Dieu :

A ceux qui cherchent le Royaume et la justice de Dieu, Il promet de donner tout par surcroît. Tout en effet appartient
227 à Dieu : à celui qui possède Dieu, rien ne manque, si lui-même ne manque pas à Dieu[4].

2831   Mais la présence de ceux qui ont faim par manque de pain révèle une autre profondeur de cette demande. Le drame de la faim dans le monde appelle les chrétiens qui prient en vérité à une responsabilité effective envers leurs frères, tant dans leurs comportements personnels que dans leur solida-

---

1. S. Augustin, serm. Dom. 2, 6, 24. — 2. Cf. Mt 6, 25-34. — 3. Cf. 2 Th 3, 6-13. — 4. S. Cyprien, Dom. orat. 21.

rité avec la famille humaine. Cette demande de la Prière du Seigneur ne peut être isolée des paraboles du pauvre Lazare[1] et du Jugement dernier[2].

1038

Comme le levain dans la pâte, la nouveauté du Royaume doit soulever la terre par l'Esprit du Christ[3]. Elle doit se manifester par l'instauration de la justice dans les relations personnelles et sociales, économiques et internationales, sans jamais oublier qu'il n'y a pas de structure juste sans des humains qui veulent être justes.

2832

1928

Il s'agit de « notre » pain, « un » pour « plusieurs ». La pauvreté des béatitudes est la vertu du partage : elle appelle à communiquer et à partager les biens matériels et spirituels, non par contrainte mais par amour, pour que l'abondance des uns remédie aux besoins des autres[4].

2833

2790, 2546

« Prie et travaille[5]. » « Priez comme si tout dépendait de Dieu et travaillez comme si tout dépendait de vous[6]. » Ayant fait notre travail, la nourriture reste un don de notre Père ; il est juste de la Lui demander et de Lui en rendre grâces pour cela même. C'est le sens de la bénédiction de la table dans une famille chrétienne.

2834

2428

Cette demande, et la responsabilité qu'elle engage, valent encore pour une autre faim dont les hommes dépérissent : « L'homme ne vit pas seulement de pain mais de tout ce qui sort de la bouche de Dieu » (Mt 4, 4)[7], c'est-à-dire sa Parole et son Souffle. Les chrétiens doivent mobiliser tous leurs efforts pour « annoncer l'Evangile aux pauvres ». Il y a une faim sur la terre, « non pas une faim de pain ni une soif d'eau, mais d'entendre la Parole de Dieu » (Am 8, 11). C'est pourquoi le sens spécifiquement chrétien de cette quatrième demande concerne le Pain de Vie : la Parole de Dieu à accueillir dans la foi, le Corps du Christ reçu dans l'Eucharistie[8].

2835

2443

1384

« *Aujourd'hui* » est aussi une expression de confiance. Le Seigneur nous l'apprend[9] ; notre présomption ne pouvait l'inventer. Puisqu'il s'agit surtout de sa Parole et du Corps de son Fils, cet « aujourd'hui » n'est pas seulement celui de notre temps mortel : il est l'Aujourd'hui de Dieu :

2836

1165

---

1. Cf. Lc 16, 19-31. — 2. Cf. Mt 25, 31-46. — 3. Cf. AA 5. — 4. Cf. 2 Co 8, 1-15. — 5. Cf. S. Benoît, reg. 20 ; 48. — 6. Attribué à Ignace de Loyola ; cf. Pierre de Ribadeneyra, Tractatus de modo gubernandi Santi Ignatii, 6, 14. — 7. Cf. Dt 8, 3. — 8. Cf. Jn 6, 26-58. — 9. Cf. Mt 6, 34 ; Ex 16, 19.

Si tu reçois le pain chaque jour, chaque jour pour toi c'est aujourd'hui. Si le Christ est à toi aujourd'hui, tous les jours Il ressuscite pour toi. Comment cela ? « Tu es mon Fils, Moi, aujourd'hui Je T'engendre » (Ps 2, 7). Aujourd'hui, c'est-à-dire : quand le Christ ressuscite[1].

2837
2659   « *De ce jour.* » Ce mot, *épiousios*, n'a pas d'autre emploi dans le Nouveau Testament. Pris dans un sens temporel, il est une reprise pédagogique de « aujourd'hui[2] » pour nous confirmer dans une confiance « sans réserve ». Pris au sens qualitatif, il signifie le nécessaire à la vie, et plus largement 2633 tout bien suffisant pour la subsistance[3]. Pris à la lettre (*épiousios* : « sur-essentiel »), il désigne directement le Pain 1405 de Vie, le Corps du Christ, « remède d'immortalité[4] » sans lequel nous n'avons pas la Vie en nous[5]. Enfin, lié au précédent, le sens céleste est évident : « ce Jour » est celui du 1166 Seigneur, celui du Festin du Royaume, anticipé dans l'Eucharistie qui est déjà l'avant-goût du Royaume qui vient. C'est pourquoi il convient que la liturgie eucha- 1389 ristique soit célébrée « chaque jour ».

L'Eucharistie est notre pain quotidien. La vertu propre à ce divin aliment est une force d'union : elle nous unit au Corps du Sauveur et fait de nous ses membres afin que nous devenions ce que nous recevons (...). Ce pain quotidien est encore dans les lectures que vous entendez chaque jour à l'Eglise, dans les hymnes que l'on chante et que vous chantez. Tout cela est nécessaire à notre pèlerinage[6].

Le Père du ciel nous exhorte à demander comme des enfants du ciel, le Pain du ciel[7]. Le Christ « Lui-même est le pain qui, semé dans la Vierge, levé dans la chair, pétri dans la passion, cuit dans la fournaise du sépulcre, mis en réserve dans l'Eglise, apporté aux autels, fournit chaque jour aux fidèles une nourriture céleste[8] ».

V. « Pardonne-nous nos offenses, comme nous pardonnons aussi à ceux qui nous ont offensés »

2838
1425   Cette demande est étonnante. Si elle ne comportait que le premier membre de phrase – « Pardonne-nous nos offenses » – elle pourrait être incluse, implicitement, dans

---

1. S. Ambroise, sacr. 5, 26. — 2. Cf. Ex 16, 19-21. — 3. Cf. 1 Tm 6, 8. — 4. S. Ignace d'Antioche. — 5. Cf. Jn 6, 53-56. — 6. S. Augustin, serm. 57, 7, 7. — 7. Cf. Jn 6, 51. — 8. S. Pierre Chrysologue, serm. 67, 7.

les trois premières demandes de la Prière du Seigneur, puisque le Sacrifice du Christ est « pour la rémission des   *1933*
péchés ». Mais, selon un second membre de phrase, notre
demande ne sera exaucée que si nous avons d'abord
répondu à une exigence. Notre demande est tournée vers le   *2631*
futur, notre réponse doit l'avoir précédée ; un mot les relie :
« comme ».

« Pardonne-nous nos offenses »...

Dans une confiance audacieuse, nous avons commencé à   2839
prier notre Père. En Le suppliant que son nom soit sanctifié,
nous Lui avons demandé d'être toujours plus sanctifiés.
Mais, bien que revêtus de la robe baptismale, nous ne ces-   *1425*
sons de pécher, de nous détourner de Dieu. Maintenant,
dans cette nouvelle demande, nous revenons à Lui, comme
l'enfant prodigue [1], et nous nous reconnaissons pécheurs,   *1439*
devant Lui, comme le publicain [2]. Notre demande
commence par une « confession » où nous confessons en
même temps notre misère et sa Miséricorde. Notre espérance est ferme, puisque, dans son Fils, « nous avons la
rédemption, la rémission de nos péchés » (Col 1, 14) [3]. Le
signe efficace et indubitable de son pardon, nous le trouvons   *1422*
dans les sacrements de son Eglise [4].

Or, et c'est redoutable, ce flot de miséricorde ne peut   2840
pénétrer notre cœur tant que nous n'avons pas pardonné à
ceux qui nous ont offensés. L'amour, comme le Corps du
Christ, est indivisible : nous ne pouvons pas aimer le Dieu
que nous ne voyons pas si nous n'aimons pas le frère, la
sœur, que nous voyons [5]. Dans le refus de pardonner à nos
frères et sœurs, notre cœur se referme, sa dureté le rend
imperméable à l'amour miséricordieux du Père ; dans la   *1864*
confession de notre péché, notre cœur est ouvert à sa grâce.

Cette demande est si importante qu'elle est la seule sur   2841
laquelle le Seigneur revient et qu'Il développe dans le sermon sur la Montagne [6]. Cette exigence cruciale du mystère
de l'alliance est impossible pour l'homme. Mais « tout est
possible à Dieu » (Mt 19, 26).

... « comme nous pardonnons à ceux qui nous ont offensés »

Ce « comme » n'est pas unique dans l'enseignement de   2842
Jésus : « Vous serez parfaits "comme" votre Père céleste est
parfait » (Mt 5, 48) ; « Montrez-vous miséricordieux

1. Cf. Lc 15, 11-32. — 2. Cf. Lc 18, 13. — 3. Cf. Ep 1, 7. — 4. Cf. Mt 26, 28 ; Jn
20, 23. — 5. Cf. 1 Jn 4, 20. — 6. Cf. Mt 5, 23-24 ; 6, 14-15 ; Mc 11, 25.

"comme" votre Père est miséricordieux » (Lc 6, 36) ; « Je
vous donne un commandement nouveau : aimez-vous les
uns les autres "comme" je vous ai aimés » (Jn 13, 34).
Observer le commandement du Seigneur est impossible s'il
s'agit d'imiter de l'extérieur le modèle divin. Il s'agit d'une
521   participation vitale et venant « du fond du cœur », à la Sainteté, à la Miséricorde, à l'Amour de notre Dieu. Seul l'Esprit
qui est « notre Vie » (Ga 5, 25) peut faire « nôtres » les
mêmes sentiments qui furent dans le Christ Jésus[1]. Alors
l'unité du pardon devient possible, « nous pardonnant
mutuellement "comme" Dieu nous a pardonné dans le
Christ » (Ep 4, 32).

2843   Ainsi prennent vie les paroles du Seigneur sur le pardon,
cet amour qui aime jusqu'à l'extrême de l'amour[2]. La parabole du serviteur impitoyable, qui couronne l'enseignement
du Seigneur sur la communion ecclésiale[3], s'achève sur
cette parole : « C'est ainsi que vous traitera mon Père
céleste, si chacun de vous ne pardonne pas à son frère du
368   fond du cœur. » C'est là, en effet, « au fond du *cœur* » que
tout se noue et se dénoue. Il n'est pas en notre pouvoir de ne
plus sentir et d'oublier l'offense ; mais le cœur qui s'offre à
l'Esprit Saint retourne la blessure en compassion et purifie
la mémoire en transformant l'offense en intercession.

2844   La prière chrétienne va jusqu'au *pardon des ennemis*[4].
2262   Elle transfigure le disciple en le configurant à son Maître.
Le pardon est un sommet de la prière chrétienne ; le don de
la prière ne peut être reçu que dans un cœur accordé à la
compassion divine. Le pardon témoigne aussi que, dans
notre monde, l'amour est plus fort que le péché. Les martyrs, d'hier et d'aujourd'hui, portent ce témoignage de Jésus.
Le pardon est la condition fondamentale de la Réconciliation[5], des enfants de Dieu avec leur Père et des hommes
entre eux[6].

2845   Il n'y a ni limite ni mesure à ce pardon essentiellement
1441   divin[7]. S'il s'agit d'offenses (de « péchés » selon Lc 11, 4
ou de « dettes » selon Mt 6, 12), en fait nous sommes toujours débiteurs : « N'ayez de dettes envers personne, sinon
celle de l'amour mutuel » (Rm 13, 8). La communion de la
Trinité Sainte est la source et le critère de la vérité de toute
relation[8]. Elle est vécue dans la prière, surtout dans l'Eucharistie[9] :

---

1. Cf. Ph 2, 1. 5. — 2. Cf. Jn 13, 1. — 3. Cf. Mt 18, 23-35. — 4. Cf. Mt 5, 43-44.
— 5. Cf. 2 Co 5, 18-21. — 6. Cf. Jean Paul II, DM 14. — 7. Cf. Mt 18, 21-22 ; Lc
17, 3-4. — 8. Cf. 1 Jn 3, 19-24. — 9. Cf. Mt 5, 23-24.

Dieu n'accepte pas le sacrifice des fauteurs de désunion, Il les renvoie de l'autel pour que d'abord ils se réconcilient avec leurs frères : Dieu veut être pacifié avec des prières de paix. La plus belle obligation pour Dieu est notre paix, notre concorde, l'unité dans le Père, le Fils et le Saint-Esprit de tout le peuple fidèle [1].

VI. « Ne nous soumets pas à la tentation »

Cette demande atteint la racine de la précédente, car nos péchés sont les fruits du consentement à la tentation. Nous demandons à notre Père de ne pas nous y « soumettre ». Traduire en un seul mot le terme grec est difficile : il signifie « ne permets pas d'entrer dans [2] », « ne nous laisse pas succomber à la tentation ». « Dieu n'éprouve pas le mal, Il n'éprouve non plus personne » (Jc 1, 13), Il veut au contraire nous en libérer. Nous Lui demandons de ne pas nous laisser prendre le chemin qui conduit au péché. Nous sommes engagés dans le combat « entre la chair et l'Esprit ». Cette demande implore l'Esprit de discernement et de force. *2846 164 2516*

L'Esprit Saint nous fait *discerner* entre l'épreuve, nécessaire à la croissance de l'homme intérieur [3] en vue d'une « vertu éprouvée » (Rm 5, 3-5), et la tentation, qui conduit au péché et à la mort [4]. Nous devons aussi discerner entre « être tenté » et « consentir » à la tentation. Enfin, le discernement démasque le mensonge de la tentation : apparemment, son objet est « bon, séduisant à voir, désirable » (Gn 3, 6), alors que, en réalité, son fruit est la mort. *2847 2284*

Dieu ne veut pas imposer le bien, il veut des êtres libres (...). A quelque chose tentation est bonne. Tous, sauf Dieu, ignorent ce que notre âme a reçu de Dieu, même nous. Mais la tentation le manifeste, pour nous apprendre à nous connaître, et par là, nous découvrir notre misère, et nous obliger à rendre grâce pour les biens que la tentation nous a manifestés [5].

« Ne pas entrer dans la tentation » implique une *décision du cœur* : « Là où est ton trésor, là aussi sera ton cœur (...). Nul ne peut servir deux maîtres » (Mt 6, 21. 24). « Puisque l'Esprit est notre vie, que l'Esprit nous fasse aussi agir » (Ga *2848*

---

1. S. Cyprien, Dom. orat. 23. — 2. Cf. Mt 26, 41. — 3. Cf. Lc 8, 13-15; Ac 14, 22; 2 Tm 3, 12. — 4. Cf. Jc 1, 14-15. — 5. Origène, or. 29.

5, 25). Dans ce « consentement » à l'Esprit Saint le Père
1808 nous donne la force. « Aucune tentation ne vous est surve-
nue, qui passât la mesure humaine. Dieu est fidèle ; Il ne
permettra pas que vous soyez tentés au-delà de vos forces.
Avec la tentation, Il vous donnera le moyen d'en sortir et la
force de la supporter » (1 Co 10, 13).

2849   Or un tel combat et une telle victoire ne sont possibles
que dans la prière. C'est par sa prière que Jésus est vainqueur du Tentateur, dès le début[1] et dans l'ultime combat de
540, 612 son agonie[2]. C'est à son combat et à son agonie que le
Christ nous unit dans cette demande à notre Père. La *vigi-*
2612 *lance* du cœur est rappelée avec insistance[3] en communion à
la sienne. La vigilance est « garde du cœur » et Jésus
demande au Père de nous garder en son nom[4]. L'Esprit
Saint cherche à nous éveiller sans cesse à cette vigilance[5].
Cette demande prend tout son sens dramatique par rapport à
la tentation finale de notre combat sur terre ; elle demande la
162 *persévérance finale.* « Je viens comme un voleur : heureux
celui qui veille ! » (Ap 16, 15.)

VII. « Mais délivre-nous du Mal »

2850   La dernière demande à notre Père est aussi portée dans la
prière de Jésus : « Je ne Te prie pas de les retirer du monde
mais de les garder du Mauvais » (Jn 17, 15). Elle nous
concerne, chacun personnellement, mais c'est toujours
« nous » qui prions, en communion avec toute l'Eglise et
pour la délivrance de toute la famille humaine. La Prière du
Seigneur ne cesse pas de nous ouvrir aux dimensions de
l'économie du salut. Notre interdépendance dans le drame
309 du péché et de la mort est retournée en solidarité dans le
Corps du Christ, en « communion des saints[6] ».

2851   Dans cette demande, le Mal n'est pas une abstraction,
mais il désigne une personne, Satan, le Mauvais, l'ange qui
391 s'oppose à Dieu. Le « diable » (*dia-bolos*) est celui qui « se
jette en travers » du dessein de Dieu et de son « œuvre de
salut » accomplie dans le Christ.

2852   « Homicide dès l'origine, menteur et père du mensonge »
(Jn 8, 44), « le Satan, le séducteur du monde entier » (Ap
12, 9), c'est par lui que le péché et la mort sont entrés dans

---

1. Cf. Mt 4, 1-11. — 2. Cf. Mt 26, 36-44. — 3. Cf. Mc 13, 9. 23. 33-37 ; 14, 38 ;
Lc 12, 35-40. — 4. Cf. Jn 17, 11. — 5. Cf. 1 Co 16, 13 ; Col 4, 2 ; 1 Th 5, 6 ; 1 P 5,
8. — 6. Cf. RP 16.

le monde et c'est par sa défaite définitive que la création tout entière sera « libérée du péché et de la mort[1] ». « Nous savons que quiconque est né de Dieu ne pèche pas, mais l'Engendré de Dieu le garde et le Mauvais n'a pas prise sur lui. Nous savons que nous sommes de Dieu et que le monde entier gît au pouvoir du Mauvais » (1 Jn 5, 18-19) :

> Le Seigneur qui a enlevé votre péché et pardonné vos fautes est à même de vous protéger et de vous garder contre les ruses du Diable qui vous combat, afin que l'ennemi, qui a l'habitude d'engendrer la faute, ne vous surprenne pas. Qui se confie en Dieu ne redoute pas le Démon. « Si Dieu est pour nous, qui sera contre nous ? » (Rm 8, 31)[2].

La victoire sur le « prince de ce monde » (Jn 14, 30) est acquise, une fois pour toutes, à l'Heure où Jésus se livre librement à la mort pour nous donner sa Vie. C'est le jugement de ce monde et le prince de ce monde est jeté bas[3]. « Il se lance à la poursuite de la Femme[4] », mais il n'a pas de prise sur elle : la nouvelle Eve, « pleine de grâce » de l'Esprit Saint, est préservée du péché et de la corruption de la mort (Conception immaculée et Assomption de la très sainte Mère de Dieu, Marie, toujours vierge). « Alors, furieux de dépit contre la Femme, il s'en va guerroyer contre le reste de ses enfants » (Ap 12, 17). C'est pourquoi l'Esprit et l'Eglise prient : « Viens, Seigneur Jésus » (Ap 22, 17. 20) puisque sa Venue nous délivrera du Mauvais. *2853 677 490 972*

En demandant d'être délivrés du Mauvais, nous prions également pour être libérés de tous les maux, présents, passés et futurs, dont il est l'auteur ou l'instigateur. Dans cette ultime demande, l'Eglise porte toute la détresse du monde devant le Père. Avec la délivrance des maux qui accablent l'humanité elle implore le don précieux de la paix et la grâce de l'attente persévérante du retour du Christ. En priant ainsi, elle anticipe dans l'humilité de la foi la récapitulation de tous et de tout en Celui qui « détient la clef de la Mort et de l'Hadès » (Ap 1, 18), « le Maître de tout, Il est, Il était et Il vient » (Ap 1, 8)[5] : *2854 2632*

> Délivre-nous de tout mal, Seigneur, et donne la paix à notre temps ; par ta miséricorde, libère-nous du péché, rassure-nous devant les épreuves en cette vie où nous espérons le bonheur que Tu promets et l'avènement de Jésus-Christ, notre Sauveur[6]. *1041*

---

1. MR, prière eucharistique IV. — 2. S. Ambroise, sacr. 5, 30. — 3. Cf. Jn 12, 31 ; Ap 12, 10. — 4. Cf. Ap 12, 13-16. — 5. Cf. Ap 1, 4. — 6. MR, Embolisme.

La doxologie finale

2855
2760
La doxologie finale « Car c'est à Toi qu'appartiennent le règne, la gloire et la puissance » reprend, par inclusion, les trois premières demandes à notre Père : la glorification de son nom, la venue de son Règne et la puissance de sa Volonté salvifique. Mais cette reprise est alors sous forme d'adoration et d'action de grâces, comme dans la liturgie céleste[1]. Le prince de ce monde s'était attribué mensongèrement ces trois titres de royauté, de puissance et de gloire[2] ; le Christ, le Seigneur, les restitue à son Père et notre Père, jusqu'à ce qu'Il Lui remette le Royaume quand sera définitivement consommé le mystère du salut et que Dieu sera tout en tous[3].

2856
1061-1065
« Puis, la prière achevée, Tu dis : *Amen*, contresignant par cet Amen, qui signifie "Que cela se fasse[4]" ce que contient la prière que Dieu nous a enseignée[5]. »

EN BREF

2857
Dans le Notre Père, les trois premières demandes ont pour objet la Gloire du Père : la sanctification du nom, l'avènement du Règne et l'accomplissement de la volonté divine. Les quatre autres lui présentent nos désirs : ces demandes concernent notre vie pour la nourrir ou pour la guérir du péché et elles se rapportent à notre combat pour la victoire du Bien sur le Mal.

2858
En demandant : « Que ton nom soit sanctifié » nous entrons dans le dessein de Dieu, la sanctification de son nom – révélé à Moïse, puis en Jésus – par nous et en nous, de même qu'en toute nation et en chaque homme.

2859
Par la deuxième demande, l'Eglise a principalement en vue le retour du Christ et la venue finale du Règne de Dieu. Elle prie aussi pour la croissance du Royaume de Dieu dans l'« aujourd'hui » de nos vies.

2860
Dans la troisième demande, nous prions notre Père d'unir notre volonté à celle de son Fils pour accomplir son dessein de salut dans la vie du monde.

2861
Dans la quatrième demande, en disant « Donne-nous », nous exprimons, en communion avec nos frères, notre confiance filiale envers notre Père des cieux. « Notre pain »

1. Cf. Ap 1, 6 ; 4, 11 ; 5, 13. — 2. Cf. Lc 4, 5-6. — 3. Cf. 1 Co 15, 24-28. — 4. Cf. Lc 1, 38. — 5. S. Cyrille de Jérusalem, catech. myst. 5, 18.

désigne la nourriture terrestre nécessaire à notre subsistance à tous et signifie aussi le Pain de Vie : Parole de Dieu et Corps du Christ. Il est reçu dans l'« Aujourd'hui » de Dieu, comme la nourriture indispensable, (sur-)essentielle du Festin du Royaume qu'anticipe l'Eucharistie.

La cinquième demande implore pour nos offenses la miséricorde de Dieu, laquelle ne peut pénétrer dans notre cœur que si nous avons su pardonner à nos ennemis, à l'exemple et avec l'aide du Christ.   2862

En disant « Ne nous soumets pas à la tentation » nous demandons à Dieu qu'Il ne nous permette pas d'emprunter le chemin qui conduit au péché. Cette demande implore l'Esprit de discernement et de force ; elle sollicite la grâce de la vigilance et la persévérance finale.   2863

Dans la dernière demande, « Mais délivre-nous du Mal », le chrétien prie Dieu avec l'Eglise de manifester la victoire, déjà acquise par le Christ, sur le « Prince de ce monde », sur Satan, l'ange qui s'oppose personnellement à Dieu et à son dessein de salut.   2864

Par l'« Amen » final nous exprimons notre « Fiat » concernant les sept demandes : « Qu'il en soit ainsi... »   2865

Index des citations

Les renvois se font aux numéros des paragraphes du Catéchisme.
Les numéros de paragraphes suivis d'un astérisque indiquent que le texte référencé
ne fait pas l'objet d'une citation littérale mais d'un confer.

Nouveau Testament

Évangile selon S. Matthieu

Évangile selon S. Marc

Évangile selon S. Luc

Évangile selon S. Jean

Épître aux Romains

Deuxième Épître aux Corinthiens

Épître aux Galates

Épître aux Éphésiens

Épître aux Philippiens

Épître de S. Jacques

Première Épître de S. Pierre

Symboles de la Foi

(cités selon DS)

Cc. Vatican I

Cc. Vatican II

Sacrosanctum concilium

Conciles et synodes

(cités selon DS)

Documents ecclésiaux

Catechismus Romanus

Congrégations

Congrégation pour la doctrine de la foi

Corpus canonum ecclesiarum orientalium

Liturgie

Rite latin

Missel Romain

Institutio generalis

Offertoire

Préface

Rituel Romain

Liturgie des Heures

Table analytique
du Catéchisme de l'Église catholique

traduit du latin par Henri ROCHAIS

A

ABAISSEMENT DE JÉSUS (HUMILIATIO) :
272, 472, 520, 537, 2748.

ABANDON (RELICTIO)
Abandon à la providence : 305, 322,
2115.
Abandon à la volonté de Dieu :
2677.
Abandon de Marie à Dieu : 506.
Abandon des disciples : 1851.
Dieu n'abandonne jamais son
peuple : 2577.

ABBA
L'Esprit du Fils de Dieu crie dans
nos cœurs : « Abba Père », 683,
742, 1303, 2766, 2777.

ABEL
Abel vénéré comme juste : 58.
Fratricide contre Abel : 401, 2559.

ABRAHAM
Abraham, exemple d'espérance :
165, 1819.
Abraham, exemple d'obéissance
dans la foi en Dieu : 144-46,
165, 2570, 2572, 2676.
Alliance de Dieu avec Abraham :
72, 992, 2571.
Bénédiction divine et Abraham : 59,
1080.
Jésus, de la lignée d'Abraham : 527.
Musulmans et foi d'Abraham : 841.
Peuple issu d'Abraham : 63, 709,
762, 1541.
Prière d'Abraham : 2569, 2570,
2592.
Promesses faites à Abraham : 422,
705, 706, 1222, 1716, 1725,
2571, 2619.
Vocation d'Abraham : 59, 72, 762.

ABSOLUTION. Voir : **PÉNITENCE ET
RÉCONCILIATION**

ABSTINENCE, pour préparer les fêtes
liturgiques : 2043.

ACCLAMATION de Jésus entrant à Jérusalem : 559.

ACCOMPLISSEMENT (ADIMPLETIO)
Accomplissement de la loi
ancienne : 580.
Accomplissement des préceptes de
la justice : 2411.
Marie et l'accomplissement des
paroles du Seigneur : 148-49,
2676.
Résurrection et accomplissement de
l'espérance : 992.

**ACCUEIL/ACCUEILLIR (ACCEPTATIO/
ACCIPERE)**
Accueil de l'Évangile et initiation
chrétienne : 1229, 1247.
Accueil de la grâce : 678, 682.
Accueil de la miséricorde de Dieu :
1847, 1991.
Accueil de la part de Marie : 148,
502, 2617.
Accueil de la vie divine de la part de
l'homme : 505.
Accueillir l'amour de Dieu : 2712,
2792.
Accueillir la grâce de Dieu : 2001.
Accueillir la parole de Jésus : 528,
543, 764, 1967, 2835.
Accueillir la révélation par la foi :
35, 99.
Accueillir la vocation des enfants :
2233.
Accueillir le pardon : 1989.
Accueillir le prochain : 2519.
Accueillir le Verbe de Dieu : 839,
1719, 2030, 2086, 2835.
Accueillir les étrangers : 2241.

AMEN

« Amen » dans la liturgie eucharistique : 1345.

« Amen », ultime parole du Credo et de l'Écriture sainte : 1061.

Christ, « amen » définitif de l'amour du Père : 1065.

Sens du mot « amen » : 1062-64, 1348, 1396, 2856, 2865.

AMI

Christ, ami de l'homme : 1972.

Dieu, ami de l'homme : 142, 2063, 2576.

Donner sa vie pour ceux qu'on aime : 609.

AMITIÉ

Amitié entre chrétien et être humain : 1395, 2665.

Amitié entre Dieu et l'homme : 55, 277, 355, 374, 384, 396, 1023, 1030, 1468, 1863, 2709.

Amitié, ne justifie pas les atteintes à la vérité : 2480.

Amitié, soutien pour l'homosexuel : 2359.

Chasteté, épanouie dans l'amitié : 2347.

AMOUR. Voir : **CHARITÉ**.

Amour envers Dieu

Aimer Dieu comme Seigneur : 2086.

Chrétien, meurt pour être avec Dieu : 1011.

Embrasser le célibat par amour de Dieu : 1599.

Foi, croire en l'amour de Dieu : 278, 1064, 2087, 2614.

Liturgie, réponse de la foi et de l'amour pour Dieu : 1083.

Observer les commandements et demeurer dans l'amour : 1824.

Prier pour le royaume et participer à l'amour salvifique de Dieu : 2633, 2738.

Prier sans cesse, suppose une ardeur qui ne peut venir que de l'amour : 2742.

Prière, communion d'amour dans l'Esprit Saint : 2615, 2712.

Prière et amour : 2709, 2792.

Prière, puise tout dans l'amour dont nous sommes aimés dans le Christ : 2658.

« Tu aimeras le Seigneur ton Dieu de tout ton cœur... » : 2055, 2063, 2083, 2093.

Amour envers le prochain

Aimer Dieu et le prochain résume le décalogue : 1822, 2055, 2067, 2069.

Aimer pauvres et ennemis comme le Christ : 1825, 2443.

« Aimez-vous les uns les autres, comme je vous ai aimés » : 459, 1337, 1823.

Amour du prochain, prier le Père commun pour tous : 2793.

Amour du prochain envers ceux qui errent quant à la foi : 2104.

Amour du prochain inséparable de l'amour de Dieu : 1878.

Amour du prochain, pardonner à son frère de tout cœur : 2843.

Amour envers les ennemis : 2608, 2844.

Amour envers les pauvres incompatible avec l'amour des richesses : 2445.

Famille de Nazareth, exemple d'amour du prochain : 533.

« Tu aimeras ton prochain... » : 1844, 2055, 2196.

Amour du Christ

Charité, commandement nouveau : 1823.

Cœur du Christ, signe de son amour pour nous : 478, 2669.

Guérisons, signes d'amour : 1503.

Passion, amour ouvert à tous : 605, 616.

Passion, le Christ mort par amour pour nous : 1825.

Passion, sacrifice du Christ pour la rémission des péchés : 545.

Prière, assentiment aimant à la volonté du Père : 2600.

Vie de Jésus, révèle le mystère de l'amour du Père : 516, 701.

Amour de Dieu. Voir : **DIEU**.

Amour de Dieu, cause de la création : 27, 293, 295.

Amour de Dieu, crée et conserve le monde : 421.

B

Église et bien commun : 2246, 2420, 2458.

Grève et bien commun : 2435.

Immigration et bien commun : 2241.

Liberté religieuse et bien commun : 2109.

Loi et bien commun : 1951, 1976.

Obligation de promouvoir le bien commun : 1913-14, 1916, 1926.

Propriété privée et bien commun : 2401, 2403.

Respect de la création et bien commun : 2415.

Signification et fin du bien commun : 1906, 1912, 1925.

Société internationale et bien commun : 1911, 1927.

BIENS MORAUX ET SPIRITUELS

Bien du mariage et de l'amour conjugal : 1643, 2333, 2363.

Biens, conscience morale et discernement : 1780.

Biens et prières : 2010, 2559, 2590, 2736, 2830.

Biens futurs : 662, 2549.

Biens spirituels : 293, 949-53, 955.

Christ, ses biens donnés aux hommes : 412, 420, 819.

Communion des biens : 947, 949-53, 955.

Échange des biens spirituels : 1475-76, 1697.

État religieux et biens célestes : 933.

Sacrement de la réconciliation et biens de la vie divine : 1468-69.

BIENS TERRESTRES

Abondance de biens terrestres et périls spirituels : 2547, 2728.

Attachement pervers aux biens terrestres : 1849, 1863, 2548.

Béatitudes et biens terrestres : 1728-29.

Biens spirituels et biens terrestres : 1942, 2027.

Convoitise des biens terrestres : 377, 2514, 2534, 2536, 2539, 2553.

Destination universelle et propriété des biens terrestres : 2402-03, 2452, 2459.

Dilapidation des biens terrestres : 1439.

Distribution des biens terrestres : 1940, 1948, 2444, 2446, 2833.

Église, son usage des biens terrestres : 2420, 2444.

Renoncer aux biens terrestres : 2544.

Soin et respect des biens terrestres : 2288, 2407-08.

Usage et administration des biens terrestres : 360, 1740, 1809, 1838, 2198, 2401, 2404-05, 2409.

Vie économique et production des biens terrestres : 2421, 2426.

Vol des biens d'autrui : 2412.

BIENVEILLANCE

Bienveillance des hommes envers les animaux : 2416.

Bienveillance, fruit de l'Esprit Saint : 736, 1832.

Bienveillance propre de Dieu : 214.

Charité et bienveillance : 1829.

Communautés humaines et bienveillance : 2213, 2540, 2554.

Dessein bienveillant de Dieu : 50-51, 257, 315, 2807, 2823.

BLASPHÈME

Gravité du blasphème : 1031, 1756, 1856.

Jésus accusé de blasphème : 574.

Jurons et blasphèmes : 2149.

Signification du blasphème : 2148, 2162.

BON. Voir : BIEN.

Dieu crée un monde ordonné et bon : 299.

BONHEUR (FELICITAS)

Béatitudes, voie du bonheur : 1697, 1718, 2546.

Désir humain du bonheur : 33, 1718-19, 1818, 2548.

Dieu donne le bonheur : 27, 30, 384, 1028, 1035, 1723.

BONNE NOUVELLE. Voir : ÉVANGILE, NOUVEAU TESTAMENT.

Bonne nouvelle des apôtres : 638, 977, 1427, 2443.

Bonne nouvelle du Christ : 422, 632, 634, 714, 763, 852, 2763.

Effets de la bonne nouvelle : 2527.

Mystère pascal et bonne nouvelle : 571.

Infaillibilité du collège épiscopal :
891.

COLOMBE

Esprit Saint, baptême de Jésus et
colombe : 535.

Signification de la colombe : 701.

COMBAT (DIMICATIO)

Baptême, rémission des péchés et
combat contre le mal : 978-79,
1264.

Chair, esprit et combat : 2516, 2819,
2846.

Combat contre le mal : 409-10.

Combat de la prière : 2612, 2725-51,
2846, 2849.

Combat de la vie humaine : 409,
1707.

Combat pour la pureté : 2520-27.

Conséquences du péché originel et
combat spirituel : 405, 407-09.

Conversion et combat : 1426.

Foi et combat : 162, 2573.

Nature humaine et combat spirituel :
2516.

Sainteté chrétienne et combat spirituel : 2015.

COMMANDEMENT (PRAECEPTUM)

Annonce du salut, commandement
donné à l'Église : 849, 2032.

Cinq commandements de l'Église :
2041-43.

Connaître les prescriptions de la loi
divine : 1778, 1960.

Conscience et commandement :
1777.

Désobéissance aux commandements
et péché : 397.

Droit à être instruit des commandements salvifiques de Dieu :
2037.

Fins des commandements de la loi :
578.

Foi et commandements : 2614.

Liturgie et commandement du
Christ : 1341.

Loi évangélique et commandement
de l'amour : 1974.

Magistère ecclésial et commandement : 2033.

Magistère et son autorité concernant
les commandements : 2036.

Observance des commandements :
348, 1050.

Respect des jours de fête de précepte : 2180-81, 2185.

Révélation des préceptes du décalogue : 2071.

Transgressions des commandements
de la loi : 577.

Volonté de Dieu, notre commandement : 2822.

Décalogue

Ancienne Alliance et commandements du décalogue : 2057,
2060-62, 2077.

Bonheur comme fin ultime des
commandements du déca-
logue : 16.

Commandements du décalogue,
don de Dieu : 2060.

Confession et commandements du
décalogue : 1456.

Conscience et commandements du
décalogue : 1962.

Credo et commandements du décalogue : 1064.

Désobéissance aux commandements du décalogue et péché :
1853, 1858.

Division et énumération des
commandements du déca-
logue : 2066.

Écriture sainte et commandements
du décalogue : 2056-63, 2078.

Exigences et obligations des
commandements du déca-
logue : 2054, 2067, 2072-73,
2081.

Fins des commandements du décalogue : 2063.

Importance des commandements
du décalogue : 2065, 2076,
2078.

Interprétation et intelligence des
commandements du déca-
logue : 2055-56, 2061, 2077.

Loi ancienne et commandements
du décalogue : 1980.

Loi évangélique et commandements
du décalogue : 1968, 2053,
2074.

Loi naturelle et commandements
du décalogue : 1955, 2049,
2070-71, 2080.

Première communion des croyants et leur foi : 642, 949, 2624.

Sacerdoce et communauté des croyants : 1546, 1551.

Vocation de la communauté humaine : 1877.

COMMUNICATION

Communication de l'œuvre de salut : 1088.

Communication de la bonté de Dieu : 294, 947.

Communication des biens spirituels : 955.

Communication entre Église catholique et Églises orientales : 1399.

Communication sacramentelle du mystère du Christ : 947, 1076, 1092.

Moyens de communication sociale : 906, 2492-96. Voir : **MASS MEDIA**.

Paix et communication entre les hommes : 2304.

Vérité et communication : 1886, 2488-89, 2495, 2512.

COMMUNION

Amitié, communion spirituelle : 2347.

Catéchèse et communion avec le Christ : 426.

Communion avec les morts : 958, 1684, 1689-90.

Communion dans la foi : 154, 185, 188, 949, 1102, 1209.

Communion de l'Église du ciel et de la terre : 954-59.

Communion de l'Esprit Saint : 734, 1108-09, 1097.

Communion de l'évêque avec les fidèles : 84, 1301.

Communion de l'homme avec Dieu : 27, 45, 54, 154, 613, 780, 1489, 1804.

Communion de l'homme avec le Christ : 533, 725, 787, 790, 1331.

Communion de l'homme avec les mystères de Jésus : 519-21.

Communion de l'homme avec les personnes divines : 259, 732, 737, 850, 1107.

Communion de la charité : 953.

Communion des biens spirituels : 949, 952.

Communion des charismes : 951.

Communion des sacrements : 950.

Communion du souverain pontife avec les évêques : 85, 100, 816, 892, 895.

Communion ecclésiale et famille : 2204-05.

Communion ecclésiale et péché : 1440, 1446, 1448, 1455.

Communion ecclésiale et schisme : 2089.

Communion entre homme et femme : 371-72, 383, 2331-32.

Communion entre les hommes : 357, 775, 1445, 1702, 2419.

Communion entre les personnes divines : 267, 738, 1693.

Communion eucharistique. Voir : **EUCHARISTIE**.

Église et communion. Voir : **ÉGLISE**.

Liturgie et communion : 1071, 1136.

Prière comme communion : 2565, 2655, 2682, 2689, 2713, 2799, 2801.

Sacrements au service de la communion : 790, 1126, 1533-35.

COMMUNION DES SAINTS : 946-62.

Intercession, expression de la communion des saints : 1055, 2635.

Signification de la communion des saints : 1331.

Spiritualités diverses et communion des saints : 2684.

COMPASSION

Compassion de Dieu : 270.

Compassion du Christ envers les hommes : 1503, 1506, 2448, 2571, 2575, 2715.

Pardon, compassion de l'homme : 2843.

COMPORTEMENT (AGENDI MODUS)

Comportement chrétien et scandale : 2284, 2286.

Comportement égoïste et charité : 1931, 2831.

Comportement religieux des hommes : 28, 844.

Loi, règle du comportement : 1951, 1958.

Moralité du comportement : 1753.

Église et contemplation : 771.
Eucharistie et contemplation : 1380.
Prière et contemplation : 2651, 2687.

CONTINENCE

Continence des fiancés : 2350.
Continence et chasteté : 2349.
Continence et divorce : 1650.
Continence et fruit de l'Esprit : 1832.
Effets de la continence : 2340.
Fécondité et continence : 2370.
Prière et continence : 2520.

CONTRACEPTION

Amour des époux, esprit ouvert à la vie et contraception : 2370.
Régulation des naissances et contraception : 2399.

CONTRAT

Contrat matrimonial. Voir : MARIAGE, ADULTÈRE.
Gouvernement des communautés humaines et fidélité aux engagements : 2213.
Réalité économique, contrat et bonne foi : 2410.

CONTRITION : 1451-54. Voir : PÉNITENCE ET RÉCONCILIATION : Actes du pénitent.

CONVERSION

Appel à la conversion : 160, 545, 981, 1036, 1428.
Catéchuménat, mène la conversion à maturité : 1248.
Conditions nécessaires pour la conversion : 1490, 1848.
Conscience et conversion : 1797.
Conversion dans le baptême de Jean : 523, 535, 720.
Conversion de saint Paul : 442.
Conversion de saint Pierre : 1429.
Conversion, don de l'Esprit Saint : 1098, 1433.
Conversion du cœur et prophètes : 2581-84, 2595.
Conversion du cœur et sermon sur la montagne : 2608.
Conversion intérieure nécessaire aux mutations sociales : 1886-89, 1896.
Effets visibles de la conversion : 1430, 1440.

Formes diverses de pénitence et conversion : 1430-32, 1434.
Fragilité humaine et conversion : 1426.
Grâce et conversion : 1991, 2000, 2010, 2027.
Initiation chrétienne et conversion : 1229.
Jugement erroné et manque de conversion : 1792.
Justification et conversion : 1989, 1993.
Loi ancienne et conversion : 1963.
Mal et maladie, voie vers la conversion : 385, 1502.
Mouvement de la conversion et de la pénitence : 1439.
Nécessité de la conversion du cœur : 821, 1430-33, 1856, 1888, 2608-09, 2708.
Œuvres de la conversion : 1435.
Péché, conversion et purification : 1472, 1486, 1856.
Pénitence et conversion : 1422-23, 2042.
Présomption humaine et conversion : 2092.
Prière et conversion : 2708, 2731, 2754, 2784.
Refus de la conversion : 591.
Royaume et conversion : 1470, 2612.
Sources de la conversion : 1436-37.

CONVOITISE (CUPIDO). Voir : CONCUPISCENCE, DÉSIR.

Biens d'autrui et convoitise : 2534, 2536.
Cause de la convoitise : 1607, 2259.
Maîtrise de la convoitise : 377, 2552.
Raisons de se détourner de la convoitise : 2541.

COOPÉRATION

Coopération à l'avortement : 2272.
Coopération à l'usage des drogues : 2291.
Coopération au suicide : 2282.
Coopération de l'homme à l'œuvre de l'Esprit : 1091, 1108.
Coopération de l'homme à l'œuvre du Christ : 970, 2632.
Coopération de l'homme à la grâce de Dieu : 1993.

Péché originel et création : 400, 1608.

Prière et création : 2569, 2793.

Providence de Dieu et création : 216, 301, 314.

Relation de l'homme avec la création : 343, 355, 396, 1469.

Relation du Christ avec la création : 792, 2105, 2637.

Respect de l'intégrité de la création : 354, 2415-18.

Révélation de Dieu et création : 287-89, 337.

Septième jour et création : 2169, 2190.

Signification de la création : 326.

Symbole des apôtres et foi dans le Dieu créateur : 325-27.

Travail humain, coopération de l'homme à la création : 2427, 2460.

Trinité et création : 258, 290-92, 316.

CRÉATURE(S)

Amour de Dieu et amour des créatures : 2069, 2093, 2095, 2113.

Anges et créatures : 350.

Attachement aux créatures : 1394, 1472.

Baptême, fait de nous une nouvelle créature : 1214, 1265-66, 1999.

Beauté, bonté et perfection des créatures : 32, 339, 2500.

Créatures et leur ressemblance avec Dieu : 41, 2500.

Destination des créatures : 260, 353.

Dieu, origine des créatures : 293, 327.

Interdépendance des créatures : 340, 344.

Limites des créatures : 311, 385, 396, 1998.

Message des créatures et existence de Dieu : 46, 48.

Participation des créatures à la bonté de Dieu : 295, 319.

Présence de Dieu dans les créatures : 300, 308.

Providence et collaboration des créatures : 301, 306, 312, 321, 323, 342, 373, 1884.

Relation entre Dieu et les créatures : 42-43, 239, 295, 356, 441, 1703.

Relation entre les créatures et l'homme : 343.

Respect des créatures : 1930, 2416.

Soumission des créatures à Dieu : 49, 213, 396, 2097, 2628.

CRÉMATION : 2301.

CROIRE. Voir : FOI.

Conséquences de la foi en Dieu : 22-27.

Croire, acte ecclésial : 181.

Croire, acte humain : 154-55, 166, 180.

Credo. Voir : SYMBOLE.

Don de la foi : 153, 179, 1266.

Doutes de la foi : 2088.

Ferme connaissance de la Toute-Puissance divine : 274.

Motif de croire : 156.

Nécessité de croire pour obtenir le salut : 161.

Références de l'acte de foi : 177.

Refus de croire : 1034.

Signification de l'acte de croire : 26, 155, 1064.

Symbole, indique ce qu'il faut croire : 184, 190-91.

CROISSANCE (AUGMENTUM). Voir : DÉVELOPPEMENT, PROGRÈS, PROGRESSION.

Aides à la croissance spirituelle et religieuse de l'homme : 794, 798, 874, 1210, 1303, 1392, 1731, 2010, 2041, 2186, 2227, 2847.

Croissance dans l'intelligence de la foi : 94-95.

Croissance de l'Église : 7, 766, 798, 874, 910, 1134.

Croissance de l'homme : 1936.

Croissance de l'humanité : 1049.

Croissance du règne de Dieu : 2820, 2859.

Croissance du règne de Dieu et progrès terrestre : 1049.

Église et accroissement des biens temporels : 1942.

CROIX

Croix, autel de la Nouvelle Alliance : 1182.

Croix, voie pour suivre le Christ : 555, 1816.

Croix, voie vers la sainteté : 2015.

Effets du sacrifice de la croix : 617, 813, 1505, 1741, 1992, 2305.

Textes destinés au chant sacré, conformes à la doctrine catholique : 1158.

DOCTRINE SOCIALE DE L'ÉGLISE

Aspects temporels dans la doctrine sociale : 2420.

Conseils pour une action conforme à la doctrine sociale : 2423-25.

Développement de la doctrine sociale : 2419-22.

Histoire de la doctrine sociale à la lumière de l'Évangile : 2421-22.

DOGME

Définition des dogmes par l'autorité de l'Église : 88.

Dogme de l'Immaculée Conception : 491.

Dogme de la Sainte Trinité : 253-56.

Dogmes de foi : 88-90.

Formation du dogme trinitaire : 249-52.

DONS. Voir : **DIEU, ESPRIT SAINT.**

DOUCEUR/DOUX (MANSUETUDO/MITES ; SUAVITAS) : 153, 395, 716, 736, 1716, 1832, 2219.

DOULEUR. Voir : **MALADIE.**

Acceptation des douleurs : 1435, 1460.

Douleur accompagnant la conversion du cœur : 1431, 1490.

Douleur, séquelle du péché originel : 1521.

Douleurs de l'enfantement : 1607, 1609.

Euthanasie, pour mettre fin aux douleurs : 2277.

Expérience humaine de la douleur : 164, 272, 385.

Nulle maladie dans le paradis terrestre : 376.

Soulager les douleurs des moribonds : 2279.

DOUTE

Doute concernant l'amour de Dieu : 2119.

Doute des disciples sur la résurrection de Jésus : 644.

Doute volontaire et involontaire concernant la foi : 2088.

Prudence, vertu pour surmonter le doute concernant le bien et le mal : 1806.

DOXOLOGIE

Doxologie, action de grâces et louange : 1003.

Doxologie finale : 2855-56.

Origine de la doxologie : 2641.

DROGUES (PHARMACA NOCIVA)

Production, commerce et usage des drogues, faute grave : 2291.

Protection de la famille contre les drogues : 2211.

DROIT(S) (IUS/RA)

Actions contraires aux droits des gens : 2313, 2328.

Actions contraires aux droits fondamentaux : 2242, 2414, 2424.

« Cité de droit » : 1904, 2273.

Divorce civil et droits légitimes à assurer : 2383.

Droit à l'exercice de la liberté : 1738, 1747.

Droit à la justice sociale : 1943.

Droit à la liberté religieuse : 2104-09.

Droit à la propriété privée : 2211, 2401, 2403, 2406, 2452.

Droit au respect : 2479.

Droit d'agir en conscience et librement : 1782, 1907.

Droit d'éduquer ses enfants : 2221.

Droit d'émigrer : 2241.

Droit d'être instruit des préceptes divins : 2037.

Droit d'évangéliser les hommes : 848, 900.

Droit d'initiative économique : 2429.

Droit de choisir l'école pour ses enfants : 2229.

Droit de choisir sa profession et son état de vie : 2230.

Droit de connaître et de faire connaître la vérité : 2488-89, 2494, 2508, 2512.

Droit de faire cesser des thérapeutiques onéreuses : 2278.

Droit de jouir des biens de la terre : 360.

Droit de légitime défense : 1909, 2265-66, 2308, 2310, 2321.

Révélation par des événements sauveurs et par des paroles : 53, 1103, 2651.

ÉVÊQUE (EPISCOPUS). Voir : **ORDRE** : *Épiscopat*.

Collaborateurs de l'évêque : 927, 1562-68, 1570.

Collège épiscopal : 857, 877, 879-87, 1577.

Évêque et presbyterium : 1567.

Évêque, image vivante de Dieu le Père : 1549.

Évêque, successeur des apôtres : 77, 861-62.

Ordination épiscopale : 1555-61, 1572.

Siège de l'évêque : 1184.

Charges de l'évêque

À charge de l'Église particulière : 1560, 1594.

Consacre le saint chrême : 1297.

Enseigne : 12, 85, 888, 1558, 1676, 2034, 2068.

Gouverne : 816, 873, 894-96.

Juge en des cas particuliers : 919, 1483, 1673.

Ministre de l'ordre : 1538, 1569, 1576.

Ministre de la confirmation : 1299, 1312-13.

Ministre de la réconciliation : 1462.

Préside la célébration eucharistique : 1142, 1561.

Responsabilité de l'évêque pour l'eucharistie : 1369.

Rôle de l'évêque dans l'initiation chrétienne – baptême, confirmation et eucharistie : 1120-21.

Sanctifie : 893.

ÉVÊQUE DE ROME. Voir : **SOUVERAIN PONTIFE.**

EXAMEN DE CONSCIENCE. Voir : **PÉNITENCE ET RÉCONCILIATION.**

Examen de conscience, moyen de conversion : 1427-29, 1435.

Examen de conscience pour recevoir les sacrements : 1385, 1454, 1456, 1482, 1779.

EXCLUSION

Amour de Dieu, n'exclut personne : 605.

Enfer, « auto-exclusion » de l'homme : 1033.

Exclusion de la communion avec Dieu : 1445.

Péché et exclusion du royaume de Dieu : 1861.

EXCOMMUNICATION

Peine empêchant de recevoir les sacrements : 1463.

EXÉGÈSE

Interprétation correcte des Écritures : 116.

Rôle des exégètes : 119.

EXEMPLE

Bon exemple, devoir des chrétiens : 2188, 2472.

Exemple des apôtres : 76.

Exemple des évêques pour sanctifier l'Église : 893-94.

Exemple des saints : 1173, 1195, 1697, 2683.

Mauvais exemples des fidèles et leurs conséquences : 29, 1792.

Parents et leur exemple pour leurs enfants : 1632, 1656, 2223.

Suivre l'exemple de Jésus : 83, 520, 564, 618, 1011, 1351, 1694, 2470, 2722, 2862.

EXERCICES PHYSIQUES (LUDICRAE EXERCITATIONES) : 2289.

EXERCICES SPIRITUELS FAVORISENT LA PÉNITENCE : 1438.

EXIL

Église consciente de son exil : 769.

Israel et l'exil : 710, 1081, 1093, 2795.

Mort, exil du corps : 1005, 1681.

Vie terrestre comme exil : 1012.

EXISTENCE. Voir : **VIE.**

EXISTENCE DE DIEU. Voir : **DIEU.**

EXODE

Décalogue dans le contexte de l'Exode : 2057.

Liturgie et mémoire de l'Exode : 1093, 1363.

Signification du pain dans le contexte de l'Exode : 1334.

Valeur toujours actuelle de l'Exode : 130.

I

Menaces pour les jeunes : 2282, 2353, 2389.

JOIE (GAUDIUM)
Dimanche, jour de joie : 1193.
Joie des pauvres : 2546.
Joie du ciel : 1029-30.
Joie, fruit de l'Esprit : 736, 1832.
Obstacles à la joie : 2094.
Sources de joie : 30, 163, 301, 1804, 1829, 2015, 2362.

JOSEPH
Annonce de l'ange à Joseph : 497, 1846.
Fête de saint Joseph : 2177.
Joseph, patron de la bonne mort : 1014.
Rôle et vocation de Joseph : 437.
Soumission de Jésus à Joseph : 532.

JOUISSANCE (FRUITIO)
Jouissance de la vie trinitaire : 1721-22.
Jouissance des biens terrestres : 1716, 1740.
Jouissance déréglée : 2351-53.

JOUR (DIES)
Dernier jour : 841, 994, 1001, 2730.
Huitième jour : 349.
Jour de la mort : 1682.
Jour de la résurrection de Jésus : 2174.
Jour du jugement : 678, 681, 1040, 1059.
Jour du Seigneur : 1166-67, 2170, 2174-88.
Jours de précepte et jours de fête : 1389, 2177, 2181, 2185, 2187-88.
Jours de la création : 337, 2169.
Quarante jours : 538, 540, 659.
Résurrection au dernier jour : 364, 989.
Septième jour : 345, après 2051, 2168-73.

JUGEMENT (IUDICIUM)
Anticipation du jugement dans la pénitence : 1470.
Jour du jugement : 681.
Jugement de l'Église : 119, 553, 2032, 2246, 2420, 2423.
Jugement de la conscience : 1777-83, 1786-87, 1806, 1848, 2039.

Jugement du Christ : 679.
Jugement faux : 1790-94, 2409, 2477.
Jugement final, eschatologique : 677-78, 1023, 1038-41.
Jugement particulier : 1021-22.
Jugement téméraire : 2477-78.
Limites du jugement critique : 1861, 2497.

JUSTE(S)
Jésus et les justes : 545, 588, 633.
Justes de l'Écriture sainte (Abel, Noé, Daniel, Job) : 58.
Qualité de la prière du juste : 2569, 2582.
Règne des justes avec le Christ : 1042.
Vie éternelle des justes après la mort : 769, 989, 1038.

JUSTICE
Actions contraires à la justice : 1916, 2297, 2325, 2356, 2413, 2476, 2485.
Agir selon la justice : 1697, 1754, 1778, 1787.
« Bienheureux ceux qui ont faim et soif de la justice » : 1716.
Définition de la justice : 1807.
Devoir des laïques de tout rendre conforme aux règles de la justice : 909.
Devoirs de justice : 1459, 1787, 2401, 2446-47, 2487.
Effets de la justice : 2304.
Exigences de la justice : 1459, 2494-95.
Justice de Dieu : 271, 1040, 1861, 1953, 1987, 1991-92, 2017, 2543.
Justice distributive : 2236, 2411.
Justice entre les nations : 2437-42.
Justice sociale : 1928-42, 2425-26, 2832.
Pouvoirs politiques et justice : 2237.
Recherche de la justice : 1888, 2820.
Sainteté et justice originelle : 375-76, 379, 400, 404.
Vertu de justice : 1805, 1807, 2479, 2484.

JUSTIFICATION
Conversion, précède la justification : 1989.

Pouvoir terrestre et liberté personnelle : 450.

Pratique de la vie morale, donne la
liberté : 1828.

Signification de la liberté humaine :
1705.

Vérité, don de la liberté : 1741.

Liberté dans l'économie du salut

Dieu crée librement « de rien » :
296.

Dieu respecte la liberté de
l'homme : 311, 1884.

Grâce, ne concurrence pas la liberté
humaine : 1742, 1993, 2008.

Liberté de Jésus dans l'obéissance
au Père : 609-10, 1009, 2749.

Liberté de la foi : 154, 160, 180.

Liberté de la Vierge Marie : 488,
511.

Liberté et péché : 387, 601, 654,
1739, 1741, 1853, 1859.

Liberté et péché originel : 397, 407,
415, 1707, 1714, 1739.

Liberté, nous est donnée par le
Christ : 908, 1741.

Limites de la liberté : 396, 450.

Liberté et responsabilité

Conséquences de l'usage de la
liberté : 1733-34.

Droit à l'exercice de la liberté :
1738, 1907, 2254.

Liberté et possibilité de choisir
entre le bien et le mal : 1732.

Violation de la liberté personnelle :
2356, 2492.

Volonté et liberté : 1734-35.

Limbes : 1261. Voir : **Baptême, Funérailles.**

Litanies : 1154, 1177.

Liturgie

Anges dans la liturgie : 335

Église, lieu propre de la prière liturgique : 2691, 2695.

Fins de la liturgie : 1068.

Liturgie céleste : 1090, 1137-39,
1326.

Liturgie hébraïque et chrétienne :
1096.

Liturgie pascale : 1217.

Liturgie terrestre : 1088-89.

Liturgie de la parole : 1103, 1154,
1346, 1349, 2183.

Liturgies orientales et leurs particularités : 948, 1182, 1240,
1623.

Marie dans la liturgie : 721.

Participation à la liturgie de
l'Église : 1273, 1389.

Religiosité populaire et liturgie :
1674-75.

Signification du mot « liturgie » :
1069-70.

Célébration liturgique

De l'eucharistie : 1330, 1345-55,
1363.

De l'onction des malades : 1517-19,
1531.

De l'ordre : 1572-74, 1597.

De la confirmation : 1297-1301,
1321.

De la pénitence : 1480-84.

Des funérailles : 1684-90.

Du baptême : 1234-45, 1278.

Du mariage : 1621-24, 1631, 1663.

Ministères et célébration liturgique : 1142-44.

Modification du rite sacramentel :
1125.

Mystère pascal du Christ dans la
célébration liturgique :
1067-68.

Traditions liturgiques et catholicité
de l'Église : 1200-03.

Célébrants la liturgie

Chef et membres : 1142-43.

Célébrants de la liturgie sacramentelle : 1140-44.

Communauté et assemblée :
1140-41, 1144.

Éléments de la célébration liturgique

Chant et musique : 1156-58.

Paroles et actions : 1153-55.

Saintes images : 1159-62.

Signes et symboles : 1145-52.

Interprétation de la liturgie

Liturgie, à adapter aux différentes
cultures : 1204-06.

Liturgie, action de l'Église : 1071-72.

Liturgie, élément constituant de la
tradition : 1124.

Liturgie, lieu privilégié de la catéchèse : 1074.

Liturgie, rend actuels les événements
sauveurs : 1104.

Régimes politiques et loi naturelle :
1901.

Signification de la loi naturelle :
1954-55.

Universalité de la loi naturelle : 1956.

Loi nouvelle de l'Évangile

Définition de la Loi nouvelle :
1965-66.

Jésus, norme de la Loi nouvelle : 459.

Loi nouvelle, accomplit l'ancienne :
1967-68.

Loi nouvelle et Esprit Saint : 1966.

Loi nouvelle, expression de la loi
divine, naturelle et révélée :
1965.

Loi nouvelle, loi d'amour, de grâce et
de liberté : 1972.

Louange(s) (Laus/des). Voir : **Litur-**
gie.

Bénédictions de louange : 1081, 1671.

Choses temporelles et louange du
créateur : 898, 1670.

Eucharistie, louange et grâces au
Père : 1358-61.

Louange à Dieu : 1138, 2171, 2513.

Prière de louange : 2098, 2639-43.

Psaumes, louange : 2585, 2589.

Signification de la louange : 2639.

Vie consacrée à louer Dieu : 920,
2687.

Lumière

Baptême, lumière : 1216.

Christ, lumière : 280, 529, 748, 1202,
2715, 2466, 2665.

Décalogue, lumière : 1962.

Dieu, lumière : 157, 214, 234, 242,
257.

« Enfants de lumière » : 736, 1216,
1695.

Lumière de la foi : 26, 89, 286, 298,
2730.

Lumière de la raison : 37, 47, 156-57,
1955.

Lumière du monde : 1243, 2105,
2466.

Lumière et ténèbres : 285, 1707.

Lumière, symbole : 697, 1027, 1147,
1189.

Verbe de Dieu, lumière : 141, 1785.

Luxure

Vice capital : 1866.

Signification : 2351.

M

Magie : 2115-17.

Magistère de l'Église et des pas-
teurs : 85-87, 888-92.

Autorité et succession ininterrompue
du magistère : 77, 88.

Infaillibilité du magistère : 2035.

Lien entre la Sainte Tradition,
l'Écriture sainte et le magistère : 95.

Magistère des pasteurs de l'Église :
2033.

Magistère ordinaire et universel du
souverain pontife et des
évêques : 2034.

Mission et charge du magistère :
890.

Vie morale et magistère : 2032,
2036.

Maître(s) (Magister/ri)

Évêques, maîtres de la foi : 1558,
2050.

Maîtrise de soi (Dominium sui)

Œuvre de longue haleine : 2342.

Mal. Voir : **Bien.**

Aides pour éviter le mal : 1806,
1889, 1950, 1962, 2527.

Choix entre le bien et le mal :
1732-33.

Christ, libère l'homme du mal : 549,
1505.

Foi chrétienne, réponse au mal : 309,
385.

Ignorance et responsabilité du mal
commis : 1791, 1793, 1860.

Immoral de faire le mal pour obtenir
un bien : 1789.

Induire au mal : 1869, 2284.

Invasion du mal après le premier
péché : 401, 1707.

Jugement final pour ceux qui ont
commis le mal : 1039.

Mal, dans le comportement religieux
des hommes : 844.

Mal, dans les doctrines du dualisme
et du manichéisme : 285.

Mal et moralité des actes humains :
1749-56.

Mal moral : 311-12.

Des anges : 335.
Des défunts : 958, 1032.
Des merveilles de Dieu : 1103.
Des saints : 957, 1173, 1195.
Esprit Saint, mémoire vivante de
l'Église : 1099.

MÉMORIAL

Eucharistie, mémorial de la mort et
de la résurrection du Christ :
611, 1167, 1330, 1358,
1362-72, 1382.
Jésus institue le mémorial de la libre
offrande de lui-même : 610,
1323, 1337.
Liturgie, mémorial de l'histoire du
salut : 1099.
Mémorial des événements sauveurs
de l'Ancienne Alliance : 1093,
2170.

MENSONGE (MENDACIUM)

Condamnation : 2485.
Définition et signification : 2482.
Diable, père du mensonge : 392,
2482.
Façons de distinguer la vérité du
mensonge : 1954, 2847.
Gravité : 2484, 2486.
Mensonge du tentateur, commence-
ment du péché : 215.
Mensonge, offense à la vérité : 2483.

MENTALITÉS (COGITANDI MODUS).

Mentalité chrétienne : 2105.
Mentalité et diversité de confession
dans le mariage : 1634.
Mentalités « de ce monde » : 2727.

MÉRITE : 2006-11.

Christ, source de nos mérites : 1476,
2011.
Définition et signification du
mérite : 2006.
Grâce et mérite : 1708, 2008-09,
2011, 2025-27.
Homme participe aux mérites du
Christ : 2008-09.
Mérites des saints : 956, 1476.
Nul mérite de la part de l'homme
devant Dieu : 2007.

**MESSAGE (NUNTIIUS). Voir : ANNONCE,
ÉVANGÉLISATION.**

MESSIANISME

Millénarisme : 676.
Pseudo-messianisme : 675.

MESSIE. Voir : CHRIST.

Attente de l'avènement du Messie
en Israël : 702, 711-16.
Attente du retour du Messie chez les
chrétiens : 840.
Descente de l'Esprit Saint sur Jésus
au baptême : 1286.
Gloire de Jésus, inauguration du
règne messianique : 664.
Jésus Christ, Messie : 436-40,
528-29, 535, 540, 547.
Première annonce du Messie après
la chute de l'homme : 410.
Signification du mot « Messie » :
436, 695.

MINISTÈRE

Diversité des ministères : 873, 910.
Exercice du ministère : 2039.
Ministère apostolique : 553, 983,
1536.
Ministère catéchétique, prédication,
parole : 9, 24, 132, 903.
Ministère de la garde et de l'inter-
prétation de la parole : 119.
Ministère de la réconciliation : 981,
1442, 1461-62.
Ministère ecclésial : 874-79.
Ministère ordonné : 1120, 1142.
Voir : SACERDOCE.
Ministère public de Jésus : 583.
Ministères particuliers : 1143.

**MINISTRE(s). Voir chacun des sacre-
ments.**

Apôtres, « ministres de Dieu » : 859.
Choix des ministres ordonnés : 1579.
Exercice du service des ministres
ordonnés : 1592.
Fins des actions du ministre : 874.
Indignité du ministre ordonné et
action du Christ : 1584.
Ministres du Christ et de l'Église :
1553.
Ministres ordonnés, « icônes » du
Christ Prêtre : 1142.
Ministres ordonnés, responsables de
la formation à la prière : 2686.
Ministres, « serviteurs du Christ » :
876.
Entretien des ministres de l'Église :
2122.

O

Caractère indélébile : 1563.

Onction : 1563.

Ordination à l'ordre presbytéral : 1568.

Prêtres, participent à la mission universelle du Christ : 1565.

Sacerdoce des prêtres, suppose les sacrements de l'initiation chrétienne : 1563.

Signification de la mission des prêtres : 1564.

Signification de la promesse d'obéissance à l'évêque : 1567.

Transmission du ministère par les évêques : 1562.

Diaconat. Voir : **Diacre.**

Caractère indélébile : 1570.

Diacre, ordonné au service de !'évêque : 1569.

Imposition des mains par l'évêque seul : 1569.

Orgueil (Superbia) : 1866, 2514.

Conséquences : 2094, 2317, 2540, 2728.

Lutte contre l'orgueil : 1784.

Oriental(e). Voir : **Église, Liturgie.**

Orthodoxie. Voir : **Églises orthodoxes.**

P

Païens : 522, 528, 781.

Pain

Communion sous la seule espèce du pain : 1390.

Fraction du pain : 1329, 1377.

Jésus, pain vivant : 1406.

Manne du désert, vrai pain venu du ciel : 1094.

Multiplication des pains : 1335, 2828-37.

Pain de vie : 103, 1338, 1405, 2835.

Pain, devient le corps du Christ : 1106, 1353, 1375-76.

Pain quotidien : 1334, 2828-37, 2861.

Pains azymes : 1334.

Signes du pain et du vin dans l'eucharistie : 1333-36.

Paix : 2304.

Aides à la paix : 1941, 2015, 2310.

Défense de la paix : 2302-17.

Éducation de la conscience et paix : 1784.

Menaces contre la paix : 1938, 2315, 2317.

Ouvriers de paix : 1716, 2442.

Paix, don de Dieu : 1424, 1468.

Paix, fondement du bien commun : 1909.

Paix, fruit de l'Esprit : 736, 1832.

Paix, fruit de la charité : 1829.

Paix terrestre, image du Christ : 2305.

Seigneur, appelle à la paix : 2302.

Pape. Voir : **Souverain pontife.**

Pâque

Accomplissement de la pâque dans le royaume de Dieu : 1403.

Accomplissement de la pâque du Christ : 731.

Appellations de la pâque : 1169.

Célébration de la pâque chez les chrétiens et chez les Juifs : 1096.

Conséquences de la pâque du Christ : 1225, 1449.

Consommation de pâque : 1096, 1164.

Dernière pâque de l'Église : 677.

Dernière pâque du chrétien : 1680-83.

Eucharistie, mémorial de la pâque du Christ : 1340, 1362-66.

Événement de la pâque : 640.

Jour pour célébrer la pâque : 1170.

Signification de la pâque juive : 1363.

Union des chrétiens dans la pâque du Christ : 793.

Parabole(s)

Signification et fins des paraboles : 546, 2607.

Différentes paraboles

De l'ami importun : 2613.

De la brebis perdue : 605.

De la semence : 543.

De la veuve importune : 2613.

De la zizanie : 681, 827.

Des deux voies : 1696.

Des talents : 1880, 1937.

Réparation de l'injustice : 2412, 2454.
Réparation des fautes à l'encontre de la vérité : 2509.

REPAS (CONVIVIUM) (BANQUET, FESTIN)
Communion avec Dieu et image du repas de noces : 1027.
Conversion et banquet de fête : 1439.
Dimanche et invitation au repas du Seigneur : 1166.
Pécheurs et banquet messianique : 589.
Repas céleste : 1036, 1344.
Repas des noces de l'Agneau : 546, 1244, 1335.
Repas du royaume : 1642, 1682, 2618, 2770, 2837, 2861.
Repas eucharistique : 1390-91, 1397, 1408, 1617.
Repas pascal : 1323, 1340, 1382-1401.

REPOS (REQUIES)
Du dimanche : 2184-85, 2194.
Du sabbat dans le Décalogue : 582, 2168-73, 2189.

RÉSOLUTION (PROPOSITUM)
D'accomplir la réparation et les œuvres de réparation : 1491.
De ne pas pécher de nouveau : 1451, 1490.

RESPECT (OBSERVANTIA). Voir : DIGNITÉ.
De Dieu : 209, 2101, 2148.
De son propre corps : 1004.
De l'autorité politique : 1880, 1900.
De l'intégrité de la création : 2415-18.
De la famille : 2206, 2214-17, 2219, 2228, 2251.
De la liberté humaine : 1738, 1884.
De la liberté religieuse : 2188.
De la loi naturelle : 2036.
De la propriété privée : 2403.
De la vérité : 2488-92.
De la vie humaine : 2259-83.
Des biens d'autrui : 2408-14.
Des chefs de l'Église : 1269.
Des chrétiens non catholiques : 818.
Des pécheurs : 1466-67.
Des préceptes de la Loi, des conseils évangéliques : 532, 579, 1986, 2053, 2200.
Du nom de Dieu : 2144, 2148-49.

Du prochain, charité : 1789, 1825.
Du Temple : 583-84.

RESPECT DE LA DIGNITÉ DE LA PERSONNE : 2284-2301.
Respect de l'âme d'autrui : 2284-87.
Respect de l'intégrité du corps : 2297-98.
Respect de la personne et de ses droits : 1907, 1929-33, 1944.
Respect de la personne et recherche scientifique : 2292-96.
Respect de la réputation de la personne : 2477, 2507.
Respect de la santé : 2288-91.
Respect des morts : 2299-2301.

RESPONSABILITÉ
Conscience et responsabilité : 1781.
Évêques et responsabilité apostolique : 1594.
Liberté et responsabilité : 1036, 1731-38.
Participation à la vie sociale et responsabilité : 1913-17.
Pauvreté et responsabilité morale des nations riches : 2439.
Péché et responsabilité : 1868.
Pécheurs, responsables de la mort de Jésus : 597-98.
Responsabilité de l'homme pour le monde : 373.
Responsabilité des actes : 1735, 1737, 1745-46, 1754.
Responsabilité des enfants envers leurs parents : 2218.
Responsabilité des époux dans la transmission de la vie : 2368.
Responsabilité des parents envers leurs enfants : 2223, 2225.
Responsabilité du peuple de Dieu : 783.

RESSEMBLANCE (SIMILITUDO)
Baptême, sacrement qui confère la ressemblance avec Dieu : 1682.
Moyens de restituer la ressemblance avec Dieu : 734, 2572.
Ressemblance de l'homme avec Dieu : 225, 705, 1604, 1701-09, 2319, 2331, 2784.
Ressemblance des créatures avec Dieu : 41.

Œuvres de salut, empêchées par le Malin : 2851.

Paul oppose l'universalité du salut à l'universalité du péché : 402.

Point de salut sans baptême : 1259, 1261.

Prier pour le salut : 2744.

Respect de la loi naturelle, nécessaire au salut : 2036.

Sacrements, nécessaires au salut : 1129.

Sacrifice de la croix pour le salut de l'homme : 600-02, 617.

Salut de la personne et de la société, lié au bonheur conjugal : 1603, 2250.

Salut et communion des saints : 1477.

Salut, vient de Dieu seul : 169, 620.

Sauver son âme : 1889.

Service et témoignage de foi, nécessaires au salut : 1816.

Tous ont besoin du salut : 588.

Toutes choses sont ordonnées au salut de l'homme : 313.

Vierge Marie, coopère au salut des hommes : 511, 969.

SANCTIFICATION

Appelés à la sanctification : 2813.

Église, pour la sanctification : 824, 827.

Éléments de sanctification hors de l'Église catholique : 819.

Esprit Saint envoyé pour achever toute sanctification : 2818.

Grâce, source de la sanctification : 1999, 2001.

Justification, sanctification : 1989, 1995.

Liturgie, pour la sanctification : 1070.

Parents, leur participation à la charge de sanctification : 902.

« Que ton nom soit sanctifié » : 2807-15, 2858.

Sacrements, pour la sanctification : 1123, 1152, 1668, 1677.

Sanctification dans le mariage : 1637.

Sanctification définitive de l'homme, réalisée uniquement par le sacrifice du Christ : 1540.

Sanctification des consacrés séculiers : 928.

Sanctifier l'Église, mission de l'Esprit Saint : 767.

Sanctifier le jour et la nuit dans la liturgie des Heures : 1174.

Sanctifier les choses matérielles : 1670.

Sanctifier les fêtes : 2187.

Sanctifier, œuvre propre de l'Esprit Saint : 703.

Sanctifier, rôle des évêques : 893.

Travail humain, instrument de sanctification : 2427.

SANCTUAIRE

Sanctuaires, lieux favorables à la prière : 2691.

Visites des sanctuaires, forme de religiosité populaire : 1674.

SANG. Voir : **EUCHARISTIE, TRANSSUBSTANTIATION.**

Baptême de sang : 1258.

« Ceci est mon sang » : 610, 1365.

Sang des martyrs, semence de chrétiens : 852.

Sang et eau, symboles de l'Église du Christ : 766, 1225.

SANHÉDRIN (SYNEDRIUM) : 591, 596.

SANTÉ PHYSIQUE (SALUS PHYSICA, VALETUDO)

Amélioration des conditions de santé et intervention sur l'embryon : 2275.

Prier pour la santé : 1512.

Protection de la santé : 2211.

Recouvrer la santé, effet du sacrement de l'onction des malades : 1532.

Respect de la santé : 2288-91.

« Soigner les malades », tâche de l'Église : 1509.

SATAN. Voir : **DÉMON.**

SAUVEUR. Voir : **CHRIST : Appellations du Christ.**

Jésus, sauveur des hommes : 389, 457, 594, 2812.

SCANDALE

Définition : 2284.

Devoir d'éviter le scandale : 2489.

Fornication, pornographie et prostitution comme scandale : 2353-55.

Gravité : 2284-85, 2326.

Inégalités sociales et économiques font scandale : 1938.

Dieu seul a « les paroles de la vie
éternelle » : 1336.
Dieu « tout en tous » dans la vie éternelle : 1050, 1060.
Dieu veut donner à l'homme la vie
éternelle : 55.
« Je crois en la vie éternelle » : 1020.
Péché grave, empêche d'accéder à la
vie éternelle : 1472.
« Que faire de bon pour posséder la
vie éternelle » : 2052, 2075.
« Qui mange ma chair... a la vie éternelle » : 1406, 1524.
Résurrection des morts et vie éternelle : 989-90, 994, 997-98,
1016.
Vie éternelle des bienheureux, pleine
possession des fruits de la
rédemption : 1026.
Vie éternelle, récompense des justes :
1038, 2002.
Vocation à la vie éternelle, don gratuit de Dieu : 1998.

Vie humaine
Droit à la vie : 2264, 2273.
Fins de la vie, connaître, aimer et ser-
vir Dieu : 1, 68.
Paix et respect de la vie : 2304.
Respect de la vie humaine : 2559-83.
Respect de la vie humaine dès la
conception : 2270-75, 2322.
Respect de la vie humaine et légitime
défense : 2263-67, 2321.
Respect de la vie humaine et peine de
mort : 2266-67.

Vie morale
Définition : 2047.
Foi, source de vie morale : 2087.
Loi naturelle et vie morale : 1955.
Obstacles à la vie morale : 1740.
Passions et vie morale : 1767-70.
Vertus et dons de l'Esprit, aide à la
vie morale : 1804, 1808, 1830.
Vie morale, condition de la crois-
sance de l'Église et du royaume :
2045-46.
Vie morale, condition primordiale
pour l'annonce de l'évangile :
2044.
Vie morale, culte spirituel : 2031,
2047.
Vie morale, donne la liberté spiri-
tuelle : 1828.

Vie morale et dignité de la personne :
1706.
Vie morale et magistère de l'Église :
2032-40, 2049-51.
Vie morale, s'accomplit dans la vie
éternelle : 1715.
Vie nouvelle, vie divine. Voir : GRÂCE.
Baptême, source de la vie nouvelle :
1254, 1279.
Catéchèse de la vie nouvelle : 1697.
Communion à la vie divine, fin de la
création : 760.
Dieu veut communiquer sa vie aux
hommes : 52, 541.
Fruits dans la vie nouvelle, dans le
Christ, selon l'Esprit : 740.
Grâce, participation à la vie de Dieu :
375, 1997.
Liturgie, source de vie nouvelle :
1071-72.
Participation à la vie divine, ne pro-
cède pas de la volonté de la chair,
mais de Dieu : 505.
Vie divine communiquée aux
hommes dans les sacrements :
694, 1131.
Vie nouvelle et péché : 1420.
Vie nouvelle, nous a été méritée par le
Christ : 1708.
Vie nouvelle, ouverte dans la résur-
rection du Christ : 654.
Vie nouvelle reçue de l'Église dans le
baptême : 168, 628, 683.
Vie nouvelle rendue possible par la
venue de l'Esprit : 735.

Vie sociale
Bien commun et vie sociale : 1906,
1911, 1924.
Charité dans la vie sociale : 1889.
Famille et vie sociale : 2207, 2210.
Imiter dans la vie sociale la façon de
gouverner de Dieu : 1884.
Organiser la vie sociale : 2442.
Participer à la vie sociale : 1882,
1897-1917.
Révélation chrétienne et vie sociale :
2419.
Vie sociale et protection de la vie pri-
vée : 1907.
Vie sociale nécessaire à l'homme :
1879, 1891.

Vie spirituelle

   Vie dans l'Esprit : 1699. Voir : **SPIRI-TUALITÉ.**

VIEILLARDS/VIEILLESSE (SENES, SENECTUS)

   Famille et soins relatifs aux vieillards : 2208.

   Service des vieillards : 2186.

VIERGE MARIE. Voir : **MARIE.**

VIGILANCE

   Christ, invite à la vigilance : 672.

   Nécessité de la vigilance : 1036.

   Temps présent, temps de veille : 672.

   Vigilance dans l'usage des moyens de communication : 2496.

   Vigilance dans la prière : 2612, 2699, 2799, 2849, 2863.

   Vigilance face aux mentalités : 2727.

   Vigilance pour garder la foi : 2088.

VIGILE PASCALE : 281, 1217, 1254, 2719.

VIN, VIGNE

   Changement du sang du Christ en vin : 1375-76, 1413. Voir : **TRANSSUBSTANTIATION.**

   Christ, vraie vigne : 755.

   « Je suis la vigne, vous les sarments » : 787, 1988, 2074.

   Signe du pain et du vin dans l'eucharistie : 1333-35.

VIOL (VIOLATIO) : 2356.

VIOLENCE (VIOLENTIA)

   Gravité de la violence : 1858.

   Mensonge, forme de violence : 2486.

   Renoncer à la violence dans la défense de la paix : 2306.

   Respect de la vie humaine et violence : 2260, 2297.

   Sources de violence : 2316.

   Violence, conséquence du péché : 1869, 2534.

   Violence dans la passion du Christ : 1851.

   Violence sexuelle : 2356.

VIRGINITÉ

   Virginité de Marie : 496-99, 502-03, 506, 510, 723.

   Virginité et chasteté : 2349.

   Virginité pour le royaume des cieux : 922, 1618-20.

VISION DE DIEU

   Défunts et vision de Dieu : 1032.

   Dieu appelle les hommes au bonheur de le voir : 1720.

   Enfer, privation de la vision de Dieu : 633.

   Vision béatifique de Dieu : 1028, 1045.

   Vision de Dieu, béatitude suprême : 2548.

   Vision de Dieu, donnée « aux cœurs purs » : 2519.

VIVANT

   Dieu vivant : 205, 2112, 2575.

VOCATION DE L'HOMME

   Appel à chercher Dieu : 30.

   Appel à entrer dans le royaume : 543.

   Caractère communautaire de la vocation humaine : 1878-85.

   Conseils évangéliques et vocation personnelle : 1974.

   Respecter et aider la vocation des enfants : 1656, 2226, 2232.

   Sainteté et mission, vocation de tous les disciples du Christ : 1533, 1962.

   Société, doit permettre à chacun de réaliser sa propre vocation : 1907, 2461.

   Vocation à faire partie du nouveau peuple de Dieu : 804, 831.

   Vocation à l'amour : 1604, 2331, 2392.

   Vocation à l'apostolat chrétien : 863.

   Vocation à l'union avec le Christ : 521, 542.

   Vocation à la béatitude divine : 1700, 1703, 1716-24.

   Vocation à la chasteté : 2337-59.

   Vocation à la communion avec Dieu : 27, 44.

   Vocation à la coopération avec Dieu dans la création : 307.

   Vocation à la paternité : 2369.

   Vocation à la vie dans l'Esprit : 1699.

   Vocation à la vie éternelle : 1998, 2820.

   Vocation au culte divin et au service de l'Église : 1121.

   Vocation au mariage : 1603-04, 1607, 2331.

   Vocation d'Abraham : 762.

Y

Z

GUIDE
DE
LECTURE

INVITATION

Cette édition définitive en langue française du *Caté-chisme de l'Église catholique* n'avait évidemment pas besoin de présentation. Il n'est peut-être pas inutile, en revanche, de souligner l'intérêt de ce guide de lecture.

Non seulement il constitue un outil pastoral très précieux, mais il traduit le désir des évêques de France de ne pas rece-voir cet ouvrage pastoral comme une lettre morte. Les dio-cèses de France sont engagés solidairement dans la proposi-tion de la foi. Si, comme le dit le pape Jean-Paul II, « ce catéchisme n'est pas destiné à remplacer les catéchismes locaux », il n'en est pas moins « un texte de référence sûr et authentique pour l'enseignement de la doctrine catholique ».

Les pages qui suivent contribueront à ouvrir le chemin d'une véritable catéchèse, qui suppose recherche, rencontre, écoute, prière, vie en Église. On connaît les trois aspects constitutifs de la catéchèse, qui sont également ceux de l'expérience catéchuménale et que l'on exprime à travers les trois termes latins de *traditio*, *receptio* et *redditio*. Le Caté-chisme de l'Église catholique est là pour que la foi soit transmise (*traditio*), pour qu'elle soit véritablement reçue (*receptio*), pour que celui qui la reçoit puisse, à son tour, la proclamer et en témoigner (*redditio*).

Que la Vierge Marie qui, plus qu'aucun disciple, a « écouté la Parole de Dieu et l'a mise en pratique », nous aide à recevoir l'enseignement de la foi et à en témoigner.

LOUIS-MARIE BILLÉ
Archevêque de Lyon
Président de la Conférence
des évêques de France

AVANT-PROPOS

À l'occasion de la réédition française du *Catéchisme de l'Église catholique*, transcrite sur l'édition latine officielle du Vatican récemment parue, il a semblé opportun d'adjoindre au texte un « Guide de lecture » pour favoriser son approche.

En un temps où les Églises diocésaines témoignent d'une attention privilégiée à la formation permanente et aux écoles de la foi, ce « Guide de lecture » se présente comme un instrument pratique d'étude et de réflexion. Les ambitions sont modestes mais précises.

D'une part, il ne peut être, comme le titre l'indique, qu'un guide pour ouvrir des voies d'exploration et de pénétration à l'intérieur du *Catéchisme*. Celui-ci se présente comme une somme doctrinale dont le parcours constitue une sorte de défi aux lecteurs les plus assidus. À une approche linéaire et systématique, le « Guide de lecture » substitue une approche *thématique* qui relie ensemble, autour d'un dossier doctrinal, ce qui en est dit dans les diverses parties du livre. Il offre ainsi une lecture qui dessine des chemins de traverse et ouvre des pistes de reconnaissance à l'intérieur de l'imposant massif des quelque 2 860 articles du *Catéchisme*.

D'autre part, les dossiers proposés dans le « Guide » ont été élaborés en tenant compte du questionnement de ceux, croyants ou non, qui s'interrogent sur la pensée de l'Église relative aux différents problèmes qu'ils sont conduits à se poser. Cette interrogation figure, en quelque sorte, la *porte d'entrée* de chaque dossier. Elle a fait l'objet d'une enquête préalable auprès d'adultes et de jeunes. Tels quels, les thèmes abordés tendent moins à donner une réponse qu'à susciter une recherche. Le « Guide » n'est ni un dictionnaire, ni une encyclopédie. Il n'épuise pas la richesse doctrinale du *Catéchisme*. Il fraye des chemins ; il ne couvre pas tout le terrain.

Il faut simplement souhaiter qu'il soit une vraie table d'orientation qui, grâce à une *lecture transversale des textes*, permettra de mieux se repérer dans les diverses parties du *Catéchisme* et d'en assurer une connaissance plus cohérente et plus unifiée.

Mgr JEAN HONORÉ
Archevêque émérite de Tours.

1. — En quête de sens.
Pourquoi un catéchisme ?

Bannir l'absurde, s'interroger sur le pourquoi des choses et de la vie, donner un sens à l'existence, ce sont les requêtes légitimes de la conscience. Dans cette recherche, l'homme d'aujourd'hui se montre jaloux de penser par lui-même. Il est conscient de sa liberté de croire ou de ne pas croire. Dans la diversité des croyances, il pense choisir celles qui répondent le mieux à ses attentes. Dès lors, quel service peut lui apporter un catéchisme qui propose un assemblage tout fait de doctrines, de rites et d'obligations ?

Loin de méconnaître ces interrogations, le *Catéchisme de l'Église catholique* explore le terrain où elles prennent racine. C'est sa nature créée et sa condition terrestre qui expliquent chez l'homme sa recherche de vérité et de bonheur. Cette recherche fait sa *grandeur*. Son impuissance à la satisfaire fait sa *faiblesse*. La foi chrétienne, dans cette *dualité de l'homme*, identifie son origine et sa disgrâce. D'une part, il est issu du Créateur « à son image et ressemblance » ; d'autre part, il subit la pesanteur du péché. D'où sa difficulté à trouver la vérité et le bonheur dont il entend les appels.

Le *CEC* n'a d'autre raison d'être, par l'exposé clair et précis de la foi catholique, que d'aider à *entrer dans la connaissance du mystère de Dieu et du salut* qu'il destine à l'homme. D'autre part, il ne peut pas tout dire ni répondre à toutes les questions qui peuvent se poser au sujet de la foi et de l'Église. Proposé d'abord aux croyants et à ceux qui librement s'interrogent sur le credo de l'Église, il dit *l'essentiel de ce qu'elle croit, de ce qu'elle témoigne et de ce qu'elle célèbre.*

Grandeur et faiblesse de l'homme

— Dès les premières pages, le *CEC* présente la *vision chrétienne de l'homme*. Elle est fondamentalement positive : l'homme est un être de grandeur et de noblesse par « son

ouverture à la vérité et à la beauté..., son aspiration à l'infini
et au bonheur » (33, 1718). « La liberté est en lui une force
de croissance et de maturation dans la vérité et la bonté »
(1731). « La conscience lui enjoint d'accomplir le bien et
d'éviter le mal » (1777). Ainsi c'est l'absolu que l'homme
recherche. Même s'il se trompe, c'est Dieu qu'il veut rencontrer ; sa quête est universelle (29).

— La foi chrétienne, inspirée par l'Écriture, atteste que
cette dignité se fonde sur la création de l'homme « à l'image
et ressemblance de Dieu » (31, 225, 355 s.).

— L'homme fait aussi en lui et chez les autres l'expérience du « drame du péché » (309). « Le péché pèse sur sa
vie et sur l'histoire » (386). « Le cœur de l'homme est lourd
et endurci » (1432). « Cette situation dramatique fait de sa
vie un combat » (408). On ne peut faire l'impasse sur la réalité du péché qui pèse sur tout être humain (385, 401). Il
reste que le « fond secret du cœur humain » (2126) est en
chacun la marque de sa dignité (1700).

— C'est parce que la foi tient pour essentielle cette nature
de l'homme qu'elle en tire les *conséquences* qui le
concernent : l'appel à connaître la vérité (150, 154, 2087),
l'appel à suivre sa conscience (1706, 1776), le plein
accomplissement de son destin terrestre dans l'attente de
l'immortalité (366). C'est en répondant à ces appels que
l'être humain réalise sa vocation et peut rejoindre le sens de
son existence.

— Néanmoins, *la foi ne se limite pas à cette assurance de
donner un sens à la vie*. Le salut chrétien qu'elle témoigne
est d'un autre ordre. Au-delà du sens qui répond à un besoin
de cohérence et d'unité, il y a la grâce.

— L'homme reçoit la grâce comme le *don gratuit* qui
vient de Dieu (52, 54, 153), et qui est offert par la rédemption de son Fils (55) à ceux qui croient en lui (1996). Le
chrétien se sait ici dans les mains de Dieu (270, 305). Et
c'est dans la réponse qu'il donne à cette grâce qui vient de
l'amour de Dieu qu'il trouve la plénitude dans l'accomplissement de sa vie (2002, 2005).

— Sous les yeux de l'homme, il existe un exemplaire parfait d'humanité. C'est celui qui nous est révélé dans *la personne et le message de Jésus-Christ*, Fils de Dieu (520,
1701).

Pourquoi un catéchisme de l'Église Catholique ?

— Le *CEC*, décidé par le pape et les évêques rassemblés
en synode en 1985, est conçu pour constituer *un exposé de
la doctrine catholique tant sur les vérités de la foi que sur la
morale* (*CEC*, p. 6).

— La foi n'est pas pur sentiment. Elle embrasse toute la vie du croyant (154). Mais *le croyant cherche à comprendre les convictions et les fidélités qui l'engagent* (15, 94).

— Le croyant n'est pas seul. Sa foi le met en rapport avec d'autres croyants (166). C'est le rôle et la mission de l'Église d'apprendre et de transmettre aux fidèles le *langage de la foi* qui permet la communication et l'unité dans la pensée et la prière (170-171).

— *L'Église rassemble des fidèles dispersés* dans toutes les régions de la terre. Il est légitime pour elle d'affirmer son caractère *catholique*, c'est-à-dire universel (831). Il assure entre tous les fidèles l'homogénéité de la foi dans les vérités qu'elle énonce, les rites qu'elle célèbre et les exigences morales qu'elle témoigne (182, 186-187).

— Il faut encore préciser que le *CEC* situe son enseignement en dehors de toute contrainte (160). Il atteste le droit à la liberté religieuse (2104-2106). Ce droit étant fondé sur « la nature même de la personne humaine » (1907), il implique pour la société le respect d'une « liberté civile » dont l'exercice est lié par des règles juridiques conformes à l'ordre moral (2109).

Si la question du sens *est sensible dans la réflexion des hommes de notre temps, et même névralgique chez les jeunes en quête de vérité et de certitude, l'Église ne saurait se dispenser de la prendre en compte. Mais le message qu'elle transmet ne rejoint la question du sens qu'en la dépassant par la foi qui présente comme une réponse à un appel qui vient de plus haut que la conscience humaine. Le CEC n'a pas pour vocation d'être un instrument de prosélytisme au service de l'Église sur « le marché des religions ». Le CEC peut aider ses lecteurs à mieux entendre et comprendre cet appel.* Prenez et lisez.

2. — La création du monde

Au regard de la science qui tente d'expliquer les origines du monde, la doctrine d'un Dieu créateur a-t-elle encore quelque chance d'être reçue? Le croyant qui l'accepte se met-il en contradiction ou en marge de tout l'effort scientifique pour expliquer l'origine du monde?

Le *CEC* n'ignore pas l'objection. Le problème des origines du cosmos trace une ligne de démarcation entre la pensée scientifique et celle du croyant. La première interroge sur le *comment* des origines; pour certains, elle en conclut que le monde a pu se faire tout seul. Tout autre, la pensée croyante, commune à toutes les grandes religions, reconnaît un Dieu créateur de l'univers. La foi chrétienne respecte la recherche scientifique dans l'explication qu'elle estime pouvoir donner du processus de l'apparition du cosmos dans le temps. Elle va plus loin : dans la naissance de l'univers, la foi voit et célèbre l'œuvre de Dieu créateur qui, dans son altérité absolue, révèle son mystère trinitaire.

Dieu a créé le monde

— Le *CEC* interprète la doctrine de la création comme la réponse de la foi à *l'interrogation élémentaire* de tous les hommes : « d'où venons-nous? », « où allons-nous? », deux « questions qui sont inséparables » (282). Elles ont fait l'objet d'une « quête » permanente, car la question des origines a toujours obsédé la pensée humaine qui lui a donné toutes sortes de réponses (285).

— Dans cette tentative d'explication, la science apporte son tribut. Si elle a « enrichi nos connaissances » (283) la question dépasse son « domaine propre ». « Il ne s'agit pas seulement de savoir quand et comment a surgi matériellement le cosmos, ni quand l'homme est apparu, mais plutôt de découvrir *quel est le sens d'une telle origine* » (284).

— La foi chrétienne apporte l'éclairage qui permet de situer la question des origines à son vrai niveau. Certes, comme en témoignent la plupart des religions (28, 2566), la *raison humaine* peut appréhender l'existence de Dieu créateur à partir de ses œuvres (31-32, 36, 286). Mais c'est à la lumière de la *Révélation*, contenue dans les Écritures (289), que le croyant adhère à la vérité de la création « avec une ferme certitude et sans mélange d'erreur » (38).

— Ce qu'il faut comprendre, c'est que la création témoigne de la souveraine puissance de Dieu, de son altérité radicale à l'égard des créatures (269). C'est ce qu'exprime l'expression classique : *Dieu a créé le monde de rien*, « n'ayant besoin de rien de préexistant ni d'aucune aide pour créer » (296-297, 338-339).

— Ce qu'il faut comprendre aussi, c'est que *Dieu n'a pas créé pour rien*. Le monde créé « procède de la volonté libre de Dieu qui a voulu faire participer les créatures à son être, sa sagesse et sa bonté » (293, 295, 341).

— Parce que le Dieu auquel nous croyons, c'est le Dieu unique en trois personnes, le Père, le Fils et l'Esprit (232-233), il faut considérer la création comme « l'œuvre commune de la Sainte Trinité » (292, 685).

— Elle est *l'œuvre du Père*. En créant le monde, Il a « révélé comme le *premier pas* de l'alliance avec son Peuple, le premier et universel témoignage de son amour tout-puissant » (288).

— Elle est *l'œuvre du Fils*, le « Verbe par qui tout a été fait » (Jn 1, 1-13). « Tout a été créé par Lui et pour Lui » (Col 1, 16-17) [291]. « Le mystère du Christ est la lumière décisive sur le mystère de la création » (280).

— Elle est *l'œuvre de l'Esprit-Saint*. C'est lui qui « donne la vie » ; Il est « l'Esprit créateur ». Le Verbe et l'Esprit sont comme « les mains » du Père (292). « À l'origine de l'être et de la vie de toute créature, il y a la Parole de Dieu et le Souffle de l'Esprit » (703-704).

L'homme au sommet de la création

— L'homme est « la seule créature sur terre que Dieu a voulue pour elle-même » (356), Dieu a créé le monde « comme un don qui lui est adressé, comme un héritage qui lui est destiné et confié » (299). Il lui confie « la responsabilité de soumettre la terre et de la dominer » (307).

— Ainsi tout homme est-il appelé à s'assumer lui-même dans sa nature d'être « intelligent et libre », afin, par son initiative et son esprit d'entreprise, de « compléter la création » *(ibid.)*. C'est, du reste, ce qui fonde et légitime l'exigence de recherche et de progrès dans la connaissance et la maîtrise de l'univers par la recherche scientifique et la technique (2293-2294). « La gloire de Dieu, c'est l'homme vivant », selon l'expression de saint Irénée (294).

— Toutefois, dans l'accomplissement de cette vocation, l'homme est tenu de respecter les limites que lui impose l'ordre de la création. « Chaque créature possède sa bonté et sa perfection propres » (339). C'est « l'intégrité de la création » qui est ici en jeu. « La domination accordée par le Créateur... n'est pas absolue : elle est mesurée par le souci de la qualité de la vie du prochain, y compris des générations à venir » (2415).

— Qu'il s'agisse de l'union de l'homme et de la femme dans le mariage et de l'amour qu'ils se donnent (1603), qu'il s'agisse de la vie humaine dès la conception jusqu'à la mort (2258, 2270), ou qu'il s'agisse de l'usage des ressources de l'univers (2415) et encore de la destination universelle des biens de la terre (2402), c'est toujours l'intégrité de la création qui doit motiver l'homme dans sa conduite. Ainsi en est-il également du rapport de l'homme avec les animaux (2416-2418).

— C'est justement afin de conformer la conduite morale à l'ordre de la création que la *loi naturelle* est donnée à l'homme (1951). « Elle n'est rien d'autre que la lumière de l'intelligence mise en nous par Dieu. Par elle, nous connaissons ce qu'il faut faire et ce qu'il faut éviter. Cette lumière ou cette loi, Dieu l'a donnée à la création » (1955).

Prier le Dieu créateur

— Le fidèle croyant ne se contente pas d'affirmer les certitudes de sa foi au Dieu créateur. Il en fait l'objet de sa *prière personnelle* (2691, 2699). Il les célèbre avec ses frères dans la communauté que rassemble la *prière liturgique* (2655).

— « C'est d'abord à partir des réalités de la création que se vit la prière » (2569). « L'adoration est la première attitude de l'homme qui se reconnaît créature devant son Créateur » (2628). « Adorer Dieu, c'est Le reconnaître comme Dieu, comme le Créateur et le Sauveur, le Seigneur et le Maître » (2096). « C'est, dans le respect et la soumission absolue reconnaître le néant de la créature qui n'est que par Dieu » (2097, 2779).

— Est-il besoin, enfin, de mentionner la place que tient la louange du Créateur dans la liturgie eucharistique ? Elle est « sacrifice de louange en action de grâces pour l'œuvre de la création » (1359). « Nous offrons au Père ce qu'Il nous a Lui-même donné, les dons de sa création, le pain et le vin »

(1357). Dans la prière liturgique, la création est toujours associée aux autres œuvres de Dieu, la Rédemption et la grâce du salut (1352).

Ainsi le chrétien ne peut-il penser la création sans la comprendre comme la première manifestation du dessein de Dieu sur le monde et sur l'homme.

3. — Dieu responsable du mal ?

Le mal existe. Il fait scandale. Qu'il soit provoqué par des cataclysmes naturels, qu'il résulte des carences ou des égoïsmes humains, le malheur, surtout quand il frappe des innocents, suscite toujours étonnement et indignation. Au sentiment de fatalité s'ajoute celui d'une révolte. Pourquoi ? À qui la faute ? Dieu serait-il le responsable tout désigné du mal qui survient dans notre monde ?

Le *CEC* n'ignore ni la réalité du mal qui donne à la création son visage de violence et de détresse, ni le réflexe spontané d'un besoin de comprendre qui, faute d'explication, en rejette la responsabilité sur le Créateur. Le chrétien ne saurait s'en tenir à une attitude de procès. C'est dans la Révélation qu'il puise les assurances en mesure d'apporter la réponse au scandale du mal. Cette réponse, il faut la chercher dans la foi au mystère du Christ, Fils de Dieu, victime innocente sur la Croix du péché des hommes.

Présence du mal

— C'est une évidence : *le mal existe*. D'où vient-il (385) ? Il implique une « question aussi pressante qu'inévitable, aussi douloureuse que mystérieuse » (309). « La foi en Dieu peut être mise à l'épreuve par l'expérience du mal et de la souffrance. » Dieu semble absent (272).

— Il n'y a pas « de réponse rapide » à cette question. « C'est l'ensemble de la foi chrétienne qui constitue la réponse... Il n'y a pas un trait du message chrétien qui ne soit pour une part une réponse à la question du mal » *(ibid.)*.

— Du *mal physique*, qui tient au « devenir » d'une création en marche vers sa perfection (310, 302), se distingue le *mal moral* qui tient au péché et qui « est plus grave » (311).

— « Présent dans l'histoire de l'homme » (386) depuis les origines (388), le péché a « envahi » et « inondé » le monde. Il est « universel » (401). À cette présence universelle du mal et du péché dans la création, on a cru fournir des explications. L'une a recours à la dualité de deux principes qui s'opposent depuis le commencement : le Bien et le Mal, la Lumière et les Ténèbres (285).

— Un tel dualisme n'est pas compatible avec la foi au Dieu créateur de l'univers (286). Il ne faut pas le confondre non plus avec ce que l'Évangile nous apprend de celui que Jésus désigne comme le *Père du mensonge*, « l'homicide dès l'origine » (Jn 8, 44) [394]. Il s'agit ici du démon, le « Mauvais » (2851), dont l'influence et le pouvoir de séduction ne sont niables ni sur les personnes ni sur la société, mais qui ne sauraient être mis en parallèle avec la souveraineté du Créateur (395).

Une création inachevée

— La pensée chrétienne, nourrie des Livres saints, ne saurait identifier la Toute-Puissance de Dieu avec un pouvoir aveugle sur l'existence des créatures (271-272). Il faut comprendre d'abord que « la création n'est pas sortie tout achevée des mains du Créateur » (302). Il a confié aux hommes la « responsabilité de soumettre la terre et de la dominer » (307, 373). Ils sont comme les « intendants » de Dieu. Il y a ainsi comme une « seigneurie de l'homme sur la création » qui légitime la recherche scientifique et la technique (2293-2294).

— Surtout, il faut considérer que « Dieu ne donne pas seulement à ses créatures d'exister, mais aussi la *dignité d'agir elles-mêmes* (306). Elles « doivent cheminer vers leur destinée ultime par choix libre » (311). La liberté dont l'homme a été doté implique pour lui « la possibilité de choisir entre le bien et le mal » (1730-1732).

— Devenant « esclave du péché » (1733), l'homme peut faire échec à Dieu. Mais Dieu respecte cette liberté (387, 311). Il n'est, « ni directement, ni indirectement, la cause du mal moral » *(ibid.)*.

— C'est donc dans la foi, et *la foi seule*, que le chrétien qui, comme tout homme, est soumis à l'épreuve du péché et du malheur, peut leur donner sens (312). Il apprend que rien n'est fatal ni irrémissible. La souffrance humaine qui naît de la détresse physique et qui meurtrit les innocents eux-mêmes est-elle plus injuste que la passion et la mort du Christ, victime innocente sur la Croix (601) ? Le chrétien sait aussi que toute souffrance reçoit de celle du Christ la valeur de rédemption pour le péché des hommes (618, 1506).

— En définitive, le mystère du mal, dont il ne faut pas nier qu'il est pour beaucoup une pierre d'achoppement sur le chemin de la foi, ne peut s'éclairer qu'à la lumière de la

Révélation qui présente dans sa globalité le dessein de salut voulu par Dieu et accompli par le Christ (616, 411-412).

Donner sens à la souffrance

— La réflexion sur le problème du mal serait incomplète si elle ne s'achevait par une double considération : celle de la place que tient la *souffrance* en toute vie humaine (1500-1501), et celle de la *prière* pour « ne point succomber à la tentation et être délivré du mal » (2846, 2850).

— La souffrance se révèle avec des visages multiples. Elle donne à l'homme le sentiment « de son impuissance, de ses limites et de sa finitude » (1500). Pas moins que les autres, le chrétien n'est soustrait à l'épreuve qui peut « conduire à l'angoisse, au repliement sur soi ; parfois même au désespoir et à la révolte contre Dieu » (1501). Mais au regard purifié de la foi, il rejoint en sa peine le Christ solitaire et abandonné, offert en victime sur la Croix. Convié par Lui à *porter sa croix* (Mt 10, 38), il se sait associé à son mystère de compassion et de rédemption (604, 618, 1506).

— Enfin, il y a la prière. C'est le Seigneur qui, enseignant le *Notre Père* à ses disciples, a formulé les deux dernières demandes qui sollicitent la grâce de nous libérer et de nous délivrer de cet empire du mal qui ne cesse de nous séduire et de nous violenter. Cette prière, Il l'a Lui-même adressée à son Père : « Je ne Te prie pas de les retirer du monde, mais de les garder du Mauvais » (Jn 17, 15 ; voir 2850).

Terminons par cette belle formule du *CEC* : *« Dans cette ultime demande, l'Église porte toute la détresse du monde devant le Père. Avec la délivrance des maux qui accablent l'humanité, elle implore le don précieux de la paix et la grâce de l'attente persévérante du retour du Christ »* (2854).

4. — L'homme n'a qu'une vie

Ce qui doit survenir après la mort demeure pour beaucoup une énigme lourde de perplexité, sinon d'angoisse. L'idée de la réincarnation présente une réelle séduction. Pourquoi l'Église la récuse-t-elle ? Que pouvons-nous savoir de l'au-delà et d'une vie... après la vie ?

En fait, le *CEC* ne s'en tient pas à justifier le refus de la réincarnation qu'il énonce dans son article 1013. De même que l'Église reconnaît la logique de la raison humaine (39) et qu'elle légitime la loi naturelle (1954 s.), de même, en ce qui concerne la destinée humaine, *elle confirme, en la précisant par la foi, la pensée commune* telle que l'expriment la sagesse des hommes et la réflexion philosophique. L'homme est un être singulier et personnel, doté d'une âme immortelle ; il est libre des actes à travers lesquels il forge son destin présent et futur. Ce serait dissoudre l'identité du moi individuel, nier l'enjeu de notre vie terrestre, de penser qu'elle ne serait qu'une étape de transit au sein d'une succession d'existences vécues comme des réincarnations.

Singularité de la personne

— Nombreux sont les articles du *CEC* qui rappellent la réalité singulière de tout homme et le *caractère unique de sa personne et de son existence*. « Il n'est pas quelque chose, mais quelqu'un » (357). Il a sa dignité personnelle (1730, 1935). « Chaque personne a été voulue pour elle-même » (1703) et est aimée de Dieu (605). En chacun est une conscience (1781-1782).

— *L'âme immortelle* (366) *est unie au corps* pour former « une unique nature » (365). Ainsi le corps participe à la dignité de l'image de Dieu (364). Cette unité de l'âme et du corps est une vérité majeure de la foi chrétienne : c'est elle qui permet de comprendre que « toute vie humaine, depuis la conception jusqu'à la mort, est sacrée » (2319, 2258).

— L'homme est un *être de liberté* : il est le « père de ses actes » (1730-1734). Il est donc responsable de sa conduite ; « la liberté implique la possibilité de choisir entre le bien et le mal » (1732). Et c'est sur sa conduite que l'homme sera *jugé* « pour recevoir dès sa mort dans son âme immortelle sa rétribution éternelle » (1022, 1036). C'est donc ici-bas que chacun dessine son visage d'éternité : « Le Jugement dernier révélera jusque dans ses ultimes conséquences ce que chacun aura fait de bien ou omis de faire durant sa vie terrestre » (1039, 679).

Permanence de la personne

— Comment accepter l'absolu de telles affirmations dans la perspective d'une réincarnation ? Du reste, le *CEC* est formel : « La mort est le terme de la vie terrestre..., comme chez tous les êtres vivants, la mort apparaît comme la fin normale de la vie. Le souvenir de notre mortalité sert aussi à nous rappeler que nous n'avons qu'un temps limité pour réaliser notre vie » (1007). « La mort est la fin du pèlerinage terrestre de l'homme, temps de grâce et de miséricorde que Dieu lui offre pour réaliser sa vie terrestre. » « Quand elle prend fin, nous ne reviendrons plus à d'autres vies terrestres » (1013).

— Pour le chrétien, c'est le mystère pascal de la mort et de la résurrection du Christ qui donne sens à la mort (1681). Elle « inaugure l'achèvement de sa nouvelle naissance commencée au baptême » (1682), dont le fruit mûrit tout au long de la vie par la purification intérieure qui donne accès au Royaume (654).

— La doctrine du *purgatoire* (1030) trouve ici son sens. Loin d'abolir l'identité personnelle de chacun, elle permet de maintenir la permanence du moi individuel qui est exclue par l'idée même de réincarnation. Car c'est l'âme personnelle qui, à la différence de ceux que l'enfer a condamnés, s'assume elle-même dans l'épreuve de purification qui la prépare à connaître enfin la vision bienheureuse du ciel (1031). La prière pour les défunts perdrait tout sens si elle n'était destinée à des êtres connus dans le souvenir de ce qu'ils ont été et qu'ils demeurent dans l'au-delà (1032).

— Il convient de garder la plus grande circonspection à l'égard de tout ce qui, de près ou de loin, prétendrait usurper une certaine *divination* des mystères de l'au-delà. L'Église ne manque pas de mettre les croyants en garde contre toutes les pratiques aberrantes de communication des esprits ou de magie (2116-2117).

— Ce n'est que *dans la foi* que nous pouvons rejoindre les vérités qui concernent la vie future dans un au-delà qui demeure mystérieux parce qu'il « dépasse toute compréhension et toute représentation » (1027). L'Écriture nous le dévoile par des images *(ibid.)*. Mais le langage du Christ, si ferme sur sa propre résurrection (994), ne permet aucune équivoque sur la vie éternelle et sur la résurrection de la chair (655, 658), promises à tous ceux qui croient en lui (1020 s.).

Ce que la foi affirme de l'homme, de sa condition terrestre, du salut qui lui est révélé et qui s'est accompli en Jésus-Christ, de l'espérance du ciel dans la vie future et des exigences morales qui en découlent, tout conduit à penser que c'est l'édifice entier des vérités de la foi qui est en contradiction et qui s'oppose à la réincarnation. Le credo chrétien perd tout son sens si la réincarnation est au terme de l'existence ici-bas.

Il ne faut pas négliger non plus le profond accord sur ce point de la doctrine chrétienne avec la pensée humaniste. *L'homme n'est égal à soi que dans sa conscience personnelle et dans l'appel qu'elle lui fait de prendre sa vie en main et d'assumer son destin.* Le mythe de la réincarnation ne peut que décourager l'honneur et le projet d'être homme.

5. — Le mystère qui bouscule notre idée de Dieu

Croire en Dieu n'est pas évident pour tout le monde. Pourtant l'idée que la raison peut se faire de Dieu ne manque pas totalement de vérité. C'est l'honneur de l'esprit humain d'être capable de concevoir, au-delà de la réalité des choses et des hommes, l'existence d'un Être infini et absolu. Cette idée de Dieu est en quelque sorte bousculée par une révélation qui, selon la foi chrétienne, voit en Dieu un tout autre mystère que celui entrevu par la raison.

La foi chrétienne repose sur une révélation de Dieu qui est tout autre que celui reconnu par la raison. Toutefois, elle ne nie pas la capacité pour celle-ci d'atteindre une certaine connaissance de Dieu. Elle lui donne crédit d'établir son existence et son être transcendant. Mais cette pensée de Dieu que la raison peut acquérir est sans commune mesure avec *ce que Dieu a dit de Lui-même dans sa Révélation.* Dieu est un en trois personnes distinctes : le Père, le Fils et l'Esprit-Saint. Ce mystère qu'il a fait connaître par sa Parole, le chrétien l'accepte par la foi. *Le mystère de la Trinité est le fondement* de tout l'enseignement contenu dans le *CEC.*

Grandeur et limites de la raison

— Dès son premier chapitre, le *CEC* confirme la position de l'Église qui reconnaît que « Dieu peut être connu avec certitude par la lumière naturelle de la raison humaine à partir des choses créées » (31, 286).

— Le refus de Dieu que professe l'athéisme (2123-2126) et le refus de se prononcer à son sujet (agnosticisme) [2127-2128], même s'ils s'expliquent par divers motifs (29), n'en traduisent pas moins *un réel déficit* dans l'exercice de l'intelligence.

— Car il y a plusieurs « voies d'accès » à la connaissance de Dieu (31-35). C'est en les explorant que l'esprit humain peut dire *validement* quelque chose de Dieu (40, 41, 43).

— L'Église n'ignore pas les conditions historiques (culture, société sécularisée...) dans lesquelles l'homme se trouve ; elle constate ses difficultés pour connaître Dieu *avec certitude* par sa seule raison (37).

— Il n'en reste pas moins que *le regard de l'Église sur la raison humaine est positif*. Le *CEC* affirme que l'aptitude de l'esprit à connaître Dieu le dispose à « accueillir la Révélation dans la foi » (35). Elle contribue aussi « à voir que la foi ne s'oppose pas à la raison humaine » (*ibid.*, 159).

L'accueil de la Révélation

— Le chrétien tient de la foi que *Dieu lui-même s'est fait connaître à l'homme*. Si méritoire qu'il soit, l'effort de la raison pour rejoindre Dieu ne peut atteindre la plénitude de son mystère. Pour connaître Dieu, il ne suffit pas que l'homme cherche sa rencontre, il faut que Dieu lui-même vienne le rencontrer (50, 35).

— La connaissance de ce que Dieu dit de lui-même est d'un ordre tout autre que celle que peut atteindre la raison (50). Elle est fondée sur la *Parole de Dieu* reçue dans la foi (142-143, 153 s.).

— Dieu se dit lui-même dans la révélation de sa Parole (68, 101). Celle-ci est contenue dans les Écritures qui sont rassemblées dans la Bible, le livre de la Parole de Dieu (105, 107, 135) transmise par l'Église dans sa Tradition (35, 84). C'est l'adhésion donnée à la Parole de Dieu qui fait le croyant (142 s.).

— Le Dieu de la raison fait considérer la distance qui, dans l'infini de sa grandeur, de sa puissance et de l'éternité, sépare Dieu de l'homme (42). Dans sa Parole, *Dieu se révèle en proximité* avec sa créature (35, 206). Le simple fait qu'il parle (30, 51) indique qu'il n'est pas une simple construction de l'esprit, une « force anonyme » (203), mais un être personnel et vivant (50, 52). Il a un nom (203, 213).

— Surtout, Dieu se dévoile comme Celui dont *l'amour et la tendresse pour l'homme* (218) vont jusqu'à la compassion et au pardon (210-211, 319). C'est le Dieu fidèle (207, 215, 220).

— En tout ce qu'il fait pour se faire connaître, dans la création de l'univers (282, 295, 315) et dans sa Révélation (50), Dieu apparaît comme Celui qui est le tout autre, dont le « mystère est ineffable » (230), Celui qui montre sa grandeur dans sa tendresse et sa compassion pour l'homme (231).

Dieu se révèle en son Fils

— Le signe le plus manifeste de l'amour de Dieu, c'est l'Incarnation de son Fils (65, 219). En son Fils, venu dans notre chair, vrai Dieu et vrai homme, Dieu réalise son dessein de salut pour l'humanité. En son Fils, Dieu a tout dit et n'a pas d'autre parole à nous donner (65). En son Fils, Dieu a fait connaître « le mystère de sa volonté grâce auquel les hommes, par le Christ, le *Verbe* fait chair, accèdent dans l'*Esprit-Saint* auprès du *Père* » (51).

— Depuis qu'il y a Jésus-Christ, nous connaissons, en sa plénitude, le mystère de Dieu. Il est le Dieu unique, en trois personnes distinctes : le Père, le Fils, l'Esprit-Saint (253). *C'est le mystère de la Sainte Trinité* (233).

— Ce mystère qui fait entrer dans « l'intimité de l'être » de Dieu (237) est « le *mystère central de la foi* et de la vie chrétienne ». Il est « inaccessible à la seule raison » (*ibid.*). On y entre par la foi (144, 150 s.). On y grandit dans la prière qui réalise l'union avec les personnes divines (2003).

— Dans la parfaite égalité de leur nature divine (253), les trois personnes sont également présentes et actives dans l'accomplissement de l'œuvre du salut (258) ; mais elles y sont, chacune selon « sa propriété personnelle » (*ibid.*) : ainsi l'Incarnation du Fils et la venue de l'Esprit sont-elles appropriées à la seconde et à la troisième personnes de la Trinité.

Le connaître et dire quelque chose de Dieu a toujours été, comme en témoigne l'histoire de la pensée, la préoccupation de l'esprit humain. La foi chrétienne, sans mépris pour cette recherche, accueille le mystère divin qui déroute la raison et la contraint à se dire que Dieu n'est jamais ce qu'elle en pense. Pourtant la foi n'écarte pas la raison. Elle requiert son entendement à l'intérieur même de l'adhésion qu'elle donne au mystère révélé. Tant demeure actuel l'adage ancien de la foi qui cherche à comprendre.

6. — Langage d'homme et Parole de Dieu

Comment admettre la croyance des religions monothéistes qui fait de Dieu l'interlocuteur des hommes ? Donner à Dieu l'attribut de la parole, n'est-ce pas un abus de... langage ? L'idée que l'on peut se faire de Dieu répugne à tout anthropomorphisme, c'est-à-dire à toute projection sur l'Être suprême de cette capacité à s'exprimer par la parole qui est propre à l'homme.

Il doit être entendu que les vérités de la foi sont d'un autre ordre que la sagesse humaine. La doctrine de la Révélation, c'est-à-dire de Dieu qui se dit à l'homme pour lui dévoiler son mystère, est justement celle qui a été la plus radicalement niée par la pensée rationaliste, en particulier par les philosophes du temps des *Lumières*. Tout simplement parce qu'en la refusant, ils pouvaient ne plus rien tenir de la foi. Mais le mystère de Dieu n'est pas son silence. Il est dans la Parole créatrice et révélatrice de tout ce qu'il accomplit pour le salut et le bonheur de l'homme. *Une Parole qui n'est pas seulement discours, mais acte.* Une Parole qui révèle, autant par les réalités et les événements qu'elle commande que par les mots qu'elle laisse entendre. Dans l'Écriture sainte contenue dans la Bible, la Parole est consignée par écrit en termes humains. L'Écriture est comprise et interprétée par la Tradition de l'Église qui a reçu mission de transmettre et de célébrer la Parole.

Dieu se dit dans sa Parole

— Dieu rencontre l'homme dans sa Parole. Il lui révèle son Nom (203, 206) et son dessein de salut (50, 54).
— Le Père se révèle pleinement par l'envoi du Fils, le Verbe (la Parole) incarné (50, 65, 238) et de l'Esprit-Saint « qui introduit les croyants dans la vérité tout entière » (243, 50, 79, 729).
— Ainsi y a-t-il une *pédagogie* de Dieu dans la révélation qu'Il fait de son être et de son action pour le salut des hommes (53, 708).

— Cette pédagogie, qui est progressive, « culmine dans la Personne et la mission du Verbe incarné, Jésus-Christ » (53).

— La révélation est donnée « à la fois *par des actions et par des paroles* intimement liées entre elles et s'éclairant mutuellement » (53). La Parole n'est pas seulement discours de Dieu. Elle accomplit ce qu'elle annonce. Ainsi dans l'œuvre de la création (115, 299), dans les événements de l'histoire qui préparent la venue du Christ (54 s.), et dans les sacrements de l'Église (1127), en particulier le baptême (1228), l'eucharistie (1375) et la réconciliation (1441).

— C'est dans l'*Écriture sainte* que, sous l'inspiration de l'Esprit-Saint, se trouve consignée par écrit la Parole de Dieu (81, 105).

— Pour se révéler aux hommes, Dieu, dans l'Écriture, parle le langage des hommes (101).

— Dieu est l'auteur de l'Écriture (105). Il a « choisi des hommes » pour être les « auteurs humains » (106) des Livres sacrés contenus dans la Bible (120).

— Il convient de bien comprendre l'*inspiration* dont les écrivains sacrés ont eu le privilège. Comme le dit le concile Vatican II repris par le *CEC* : « Ils ont joui pleinement de leurs facultés et de leurs moyens. Dieu Lui-même agissant en eux et par eux, ils ont mis par écrit, *en vrais auteurs*, tout ce qui était conforme à son désir, et cela seulement » (106). Ainsi « toutes les assertions des auteurs inspirés doivent être tenues pour assertions de l'Esprit-Saint » (107).

L'Esprit au cœur de la Parole

— « À travers toutes les paroles de l'Écriture sainte, Dieu ne dit qu'une seule Parole, son Verbe unique en qui Il se dit tout entier » (102, 65). Mais parce que Jésus-Christ est le Fils, c'est *Lui qui révèle le Père* dans la plénitude de sa paternité au sein de la Trinité (240, 443).

— C'est le même mystère trinitaire qui fait considérer l'Esprit-Saint comme le *Paraclet* promis par le Fils et envoyé par le Père pour dire à ses disciples « tout ce que le Fils leur a appris » (243, 687).

— *L'Esprit est toujours au cœur de la Révélation divine.* C'est Lui qui a inspiré les Livres sacrés de l'Ancien et du Nouveau Testament (105), qui a guidé les Apôtres pour la transmission de la Parole (244), qui assiste toujours l'Église dans la connaissance de l'Évangile (94) et qui assure la fidélité de sa Tradition, « mémoire vivante de la Parole de Dieu » (113), dans la garde du « dépôt de la foi » (84, 110-111). C'est l'Esprit également qui permet au chrétien de

comprendre l'Écriture et d'en nourrir sa prière, particulièrement dans l'assemblée liturgique (91, 1100, 2653).

— L'Esprit qui inspire la Parole de Dieu et qui la rend
vivante, parle aujourd'hui à l'Église, comme Il *parlait aux
Églises* dans la vision de l'Apocalypse de saint Jean (Ap 2,
7). *La Table de la Parole*, dans les assemblées liturgiques,
est toujours conjointe à la Table eucharistique (103).
L'Esprit continue d'agir dans la communauté chrétienne et
dans le cœur de chacun.

*Bien que le Livre des Écritures soit toujours présent à sa
pensée et à sa prière, il s'en faut que l'on puisse réduire le
christianisme à une religion du Livre (108). Le regard du
croyant ne s'arrête pas à l'écrit. L'Esprit lui découvre au-delà
de la lettre la Parole vivante qui l'appelle à vivre lui-même de
la foi qu'elle révèle.*

7. — Jésus-Christ dans notre histoire

L'idée naturelle que l'on a de Dieu bute sur la doctrine de l'Église qui fait du Christ, à la fois le Fils de Dieu et le fils « né d'une femme » (Ga 4, 4). Le CEC *y voit le fondement et le cœur de tout ce qu'il faut croire (151, 450, 463). Mais comment accepter l'Homme-Dieu, sa naissance, ses miracles, sa résurrection... ?*

Dans son enseignement sur le Christ, le *CEC* maintient haut et ferme que la foi de l'Église se centre sur le *mystère de l'Incarnation*, c'est-à-dire sur le fait que Jésus-Christ soit homme et Dieu. Le fils de Marie de Nazareth est le Fils de Dieu qui a pris chair pour accomplir le salut rédempteur de l'humanité. Si le *CEC* tient à assurer l'identité humaine de Jésus et l'historicité de sa vie, il lui importe davantage de montrer tout ce que représente, pour la foi de l'Église et la pratique du croyant, la venue du Fils de Dieu dans notre condition d'homme.

La vérité historique du Christ

— Tout ce qui est affirmé sur le mystère du Christ serait privé de fondement si la *source évangélique* (514-515) ne permettait pas de connaître avec certitude l'existence historique de Jésus.

Au regard des historiens, cette existence est indubitable : il y a des témoignages dans l'histoire profane (573), extérieurs à l'Évangile, qui l'attestent.

— On ne peut nier, d'autre part, la présence dans les récits évangéliques de multiples repères, d'ordre géographique ou chronologique, qui permettent de « situer » dans l'espace et le temps la vie de Jésus (125-126).

— Le *CEC* présente les auteurs des quatre évangiles comme des *témoins crédibles* : « Ils transmettent fidèlement ce que Jésus le Fils de Dieu, durant sa vie parmi les hommes, a réellement fait et enseigné » (*ibid.*). « L'Évangile quadriforme occupe dans l'Église une place unique » (127). Le doute initial des Apôtres après la Résurrection témoigne de l'historicité du fait rapporté par les évangélistes (642-624).

— Malgré des divergences d'approche, les quatre évangiles évoquent dans leurs récits un *visage de Jésus* dont la condition humaine obéit à la loi commune de l'existence, hormis le péché. Comme le commun des mortels, il naît (525), il grandit (531), il prie (2599), il souffre (612) et il meurt (624). Il n'est pas un seul récit qui ne témoigne, dans la conduite et le comportement quotidien de Jésus, dans ses rencontres avec autrui, de la réalité de sa nature humaine (515).

— Certes, il y a dans les évangiles tous les récits qui présentent ce qu'on désigne communément comme du merveilleux : il naît d'une vierge (497, 502) ; il accomplit des miracles (547-548, 1503), surtout il ressuscite le troisième jour (638 s.). Ces « prodiges » (Ac 2, 22) tendent justement à établir que *Jésus n'est pas un homme ordinaire.* « Ils témoignent qu'Il est le Fils de Dieu... Ils ne veulent pas satisfaire la curiosité et les signes magiques » (548). Ils révèlent ce qu'il faut bien appeler le niveau surnaturel et divin auquel il appartient. « Toute sa vie est mystère » (517). « Ce qu'il y avait de visible dans sa vie terrestre conduisit au mystère invisible de sa filiation divine et de sa mission rédemptrice » (515).

— C'est justement parce que les événements de la vie terrestre de Jésus ne peuvent se comprendre « qu'à la lumière des mystères de Noël et de Pâques » (512), que toute biographie du Christ, au sens où on l'entend habituellement, semble un impossible défi.

— En fait, les évangiles n'ont été écrits que pour *susciter ou confirmer la foi* des premières communautés de chrétiens qui s'étaient convertis au Christ par la prédication des Apôtres. Ceux-ci avaient reçu mission de transmettre la « bonne nouvelle » (512). « Les évangiles sont écrits par des hommes qui ont été les premiers à avoir la foi et veulent la faire partager à d'autres » (515). Leur but est « de faire comprendre la signification des gestes et des paroles du Christ, des signes réalisés par Lui » (426), de « Le faire connaître comme le *Saint de Dieu* » (438).

— Il s'agit donc bien dans les évangiles de « l'annonce de Jésus-Christ pour conduire à la foi en Lui » (425). On ne peut les comprendre en dehors de cette perspective. La vérité historique de Jésus est nécessaire ; elle n'est point suffisante pour atteindre la foi en son mystère.

Le mystère du Christ

— La foi de l'Église, surtout dans les premiers temps qui ont suivi la mort des Apôtres, a « travaillé » sur les évangiles et le « dépôt de la foi » qu'ils contenaient (84). Déjà,

du temps même des Apôtres, il existait des énoncés de la foi
au mystère du Christ (449, 461).

— Depuis qu'il y a Jésus-Christ, on ne peut plus penser le
mystère de Dieu dans les limites du Dieu unique tel que la
religion d'Israël pouvait le connaître et l'adorer. Le Christ,
Fils de Dieu, a révélé l'être intime de Dieu qui est le mystère des trois personnes (voir dossier sur la Trinité).

— Depuis qu'il y a Jésus-Christ, l'homme n'est plus livré
à la *fatalité du mal et du péché* (385). Homme semblable à
tout homme, le Fils de Dieu a maîtrisé les forces du mal et
du péché par sa mort et sa résurrection. Il a rendu l'homme à
sa dignité en lui donnant capacité de vivre lui-même comme
un fils de Dieu (460) appelé à rejoindre la perfection « du
Père qui est dans les cieux » (459, 2013).

— Enfin, depuis qu'il y a Jésus-Christ, c'est la création
tout entière, c'est l'homme surtout qui, devenant « création
nouvelle » (2174), porte en lui le signe de la présence, de la
proximité et de l'amour du Créateur (518-519). Le Verbe de
Dieu s'est fait homme : il a partagé sa condition. Ainsi est-il
le *frère de tout homme*. « Par son Incarnation, dit le concile
Vatican II, le Fils de Dieu s'est en quelque sorte uni lui-
même à tout homme » (521). Et c'est dans l'homme, fût-il le
plus bas, qu'il faut rencontrer le visage du Christ (521,
1934). Au regard du chrétien, les exigences mêmes de la vie
sociale (solidarité et justice) se fondent sur la conviction
qu'en tout homme se reflète l'effigie du Christ (2407, 2419).

*En conclusion, c'est pour sauvegarder ce mystère de Jésus-
Christ, l'Homme-Dieu, au cœur et à l'horizon de toutes les réalités humaines et créées, que l'Église des premiers siècles, à
travers de longs et difficiles débats, a tenu à préciser la doctrine de l'Incarnation (464-469). C'est tout l'enjeu de la formule du concile de Nicée :* Il est Dieu, né de Dieu, engendré,
non pas créé, de même nature que le Père.

8. — La mort et la résurrection du Christ

La foi au Christ mort et ressuscité fait scandale. C'était déjà vrai au temps de saint Paul. Cela reste vrai aujourd'hui : elle rencontre souvent le scepticisme et le rejet. Pour certains, la résurrection de Jésus semble appartenir au répertoire des mythologies. Quel crédit peut-on donner à un événement qui défie l'histoire et surtout à une croyance qui défie l'expérience commune de la destinée humaine ?

Sans contester ce que peut avoir d'impensable pour beaucoup l'idée même de résurrection après la mort, c'est pourtant l'assurance de la résurrection du Christ qui confère à la foi des chrétiens sa pleine dimension de vérité et de salut. Si l'Évangile est bonne nouvelle, c'est d'abord parce qu'il annonce, avec la passion et la résurrection de Jésus-Christ, la victoire du Fils de Dieu sur les puissances de mort et les forces du mal dont elles sont nées. De nombreux articles du *CEC* (première partie, deuxième section) développent le mystère pascal du Christ. Il est présenté en lien avec toute la Révélation à laquelle ce mystère apporte son *fondement capital*, comme le montre la prédication apostolique qui est à l'origine de la foi des communautés chrétiennes.

Comprendre la mort du Christ

— Le *CEC* commence par une *attestation* souveraine : « Le mystère pascal de la Croix et de la résurrection du Christ est au centre de la bonne nouvelle que les apôtres et l'Église à leur suite doivent annoncer au monde » (571, voir 422, 425, 638).

— « Le dessein sauveur de Dieu s'est accompli *une fois pour toutes* (He 9,26) par la mort rédemptrice de son Fils Jésus-Christ » (571).

— « Tout dans la vie de Jésus est signe de son mystère » (515). Les récits de l'Évangile qui racontent les circonstances de la Passion et de la mort sont particulièrement évocateurs du sacrifice et des souffrances acceptés par le Christ *pour nous les hommes et pour notre salut*, comme dit le *Credo* à propos de la venue du Fils de Dieu dans notre chair (456, 601).

— Car il ne faut pas considérer « la mort violente de Jésus », comme « le fruit du hasard dans un concours malheureux de circonstances » (599). À ce sujet, le *CEC* s'attache à dénoncer une trop persistante tradition qui tend à imputer aux Juifs la responsabilité « collective » de la mort de Jésus. Si certains furent « acteurs » de son procès, il convient de ne pas les englober tous dans une commune réprobation (595-597).

— La foi porte un *autre regard* : ce sont « les pécheurs qui furent les auteurs et comme les instruments de toutes les peines qu'endura le Rédempteur » (598). Le Christ est mort à cause du péché des hommes. Suivons ici les nombreuses références aux écrits apostoliques : « Il a donné sa vie en rançon pour la multitude » (Mt 20, 28). « Il est l'Agneau immolé qui enlève le péché du monde » (Jn 1, 29), le Serviteur souffrant annoncé par le prophète Isaïe (Is 53, 7). Ainsi saint Paul peut-il écrire que « le Christ est mort pour nos péchés selon les Écritures » (601, voir 608, 602).

Il n'y a pas de plus grande preuve d'amour

— La mort et la Passion qui l'a précédée n'ont *rien eu de fatal* pour le Christ. Il les a prévues et annoncées à ses disciples (554-557) comme l'heure à laquelle « Il devait venir » (Jn 12, 27) [607, 2605, 2746]. C'est librement qu'il s'engage sur la route de Jérusalem où l'attend sa Croix (557). C'est librement qu'Il s'offre à l'arbitraire de ses juges et à la violence des bourreaux (609).

— De sa mort, le Christ a dévoilé le sens (609, 601). C'est l'acte suprême de l'amour de « donner sa vie » (Jn 15, 15). C'est le gage absolu de la communion avec le Père et de la soumission à son dessein de salut (606). C'est aussi parce qu'il « goûte la mort » (He 2, 9) que la Résurrection en sera le terme (Mt 16, 21 ; Lc 24, 26-27) [voir 554, 572, 624].

— Ainsi la mort du Christ est-elle « à la fois le *sacrifice pascal* qui accomplit la rédemption définitive des hommes et le sacrifice de la nouvelle alliance qui remet l'homme en communion avec Dieu » (613). « Dans la souffrance et la mort, l'humanité du Christ est devenue l'instrument libre et parfait de son amour divin qui veut le salut des hommes » (609).

La vérité centrale de la foi

Le caractère d'exception de la Passion et de la mort du Christ ne prend son sens que dans le lien qui les rattache à l'événement de la Résurrection. *Le même acte de foi* qui accepte et comprend pourquoi le Christ « est mort et a été enseveli », accepte et comprend aussi pourquoi Il est ressuscité le « troisième jour ». Sans l'assentiment de la foi, la Résurrection sera toujours un scandale pour l'entendement naturel. Le *CEC*, dans son exposé sur la résurrection du Christ, tend moins à l'expliquer qu'à montrer tout ce qu'elle représente pour le croyant et pour l'Église.

— Elle est « la vérité culminante de notre foi dans le Christ, crue et vécue comme *vérité centrale* par la première communauté chrétienne, transmise comme fondamentale par la Tradition » (638).

— Les circonstances qui entourent la Résurrection sont évoquées par les témoignages rapportés dans les quatre évangiles et les lettres des Apôtres. Le tombeau trouvé vide au matin de Pâques (640), les apparitions qui ont marqué le retour du Seigneur (641) sont les faits majeurs qui donnent à la Résurrection son crédit historique. C'est « un événement réel » (639, 1085) qui s'est *inscrit dans l'histoire*, mais qui « la transcende et la dépasse » (647).

— Les Apôtres qui furent les premiers témoins du retour du Christ ont dû, malgré leur doute, se rendre à l'évidence. Ils ignorent comment s'est accompli le passage de la mort à une autre vie (647). L'humanité de Jésus qu'ils retrouvent est la même et différente : la même, puisque son corps porte encore les traces de la Passion ; différente, car il est affranchi des contraintes du temps et de l'espace (645). Comment ne serait-il pas revêtu de la gloire qui s'était manifestée au jour de la Transfiguration (555) ?

Au cœur de l'annonce évangélique

— On sait toute l'importance de la résurrection du Christ dans la première annonce du message évangélique. Elle constitue comme le noyau de la prédication des Apôtres (642). On sait aussi la fermeté du propos de Paul : « Si le Christ n'est pas ressuscité, alors notre prédication est vaine et vaine votre foi » (1 Co 15, 14) [651].

— La Résurrection donne au mystère du Christ son trait définitif et décisif. Avec l'Ascension du Seigneur qui la suit (659), elle achève sa mission de salut parmi les hommes et elle « confirme tout ce qu'Il a fait et enseigné » (651). Mort pour nos péchés, Il est ressuscité pour que « nous vivions dans une vie nouvelle » (Rm 6, 4). C'est ce don de la grâce divine, ce que saint Paul appelle notre *justification*, qui est le fruit de l'événement pascal (654, 1992, 1694-1695).

— Avec le mystère du Christ, c'est aussi celui de la Sainte Trinité qui est dévoilé par la Résurrection. C'est la puissance du Père qui s'est manifestée en délivrant le Christ des « douleurs de la mort » (Ac 2, 24). C'est l'œuvre de l'Esprit qui « a vivifié l'humanité morte de Jésus et l'a appelée à l'état glorieux du Seigneur » (648).

— Par l'ascension à la droite du Père, le Christ ressuscité entre dans la gloire du Père avec son humanité devenue source de grâce et de salut (659, 1084). Il est le Seigneur : par son humanité glorieuse, il « récapitule » l'histoire humaine et toute la création (668).

— Enfin, ce n'est pas la moindre assurance que procure au chrétien la résurrection du Christ : celle de sa propre résurrection à la fin des temps (655, 989 s.).

Une certitude pour la foi chrétienne

— Telle est l'importance du mystère pascal qu'il ne se limite pas à fonder les certitudes de la foi : il motive la vie chrétienne, à la fois dans ce qui l'anime (654) et dans ce qu'elle célèbre (1067).

— Le baptême qui fait de chacun un « membre du corps du Christ » (1267), donne d'appartenir à « Celui qui est mort et ressuscité pour nous » (1269). La foi se vit et se témoigne dans une fidélité intérieure à l'Esprit qui fait participer « à la passion du Christ en mourant au péché et à sa résurrection en naissant à une vie nouvelle » (1988, voir 729, 737, 1691, 1992).

— C'est surtout par la célébration des « Jours saints » qui préludent à la fête de Pâques que l'Église fait mémoire du mystère de mort et de résurrection du Christ (624).

— L'eucharistie est, par excellence « le mémorial de la passion et de la résurrection du Seigneur » (1330, voir 610, 611, 2643). Le dimanche, « Jour du Seigneur » (2174), tient sa signification de la célébration du mémorial par l'assemblée des fidèles (1166-1167).

Si la résurrection du Christ est une épreuve sur le chemin qui conduit à la foi, elle devient pour celui qui arrive au terme une certitude qui éclaire et illumine tout ce que la Révélation peut exprimer du mystère chrétien. Au cœur du doute, elle fait surgir pour l'homme intérieur la confiance dans l'amour invincible du Seigneur de l'univers (Is 9, 6).

9. — Comment parler de l'Esprit-Saint ?

L'Esprit-Saint n'a pas de visage. Est-ce la raison pour laquelle il reste trop souvent absent de l'imaginaire chrétien ? En dépit d'un réel renouveau d'intérêt dû aux mouvements spirituels dans l'Église d'aujourd'hui, la catéchèse et la prédication ont toujours du mal à faire passer l'Esprit-Saint dans la foi commune des chrétiens. Est-ce difficulté d'en parler ? Son mystère est-il si lointain ou si abstrait qu'il défie tout langage ?

Afin de prévenir ces difficultés, le *CEC* consacre nombre d'articles à définir qui est l'Esprit-Saint, son identité divine au sein de la Trinité, son rôle dans l'histoire du salut, sa présence dans l'Église et dans le cœur du croyant. Cet enseignement, tout imprégné d'Écriture et du meilleur de la pensée des Pères, donne à penser qu'en définitive *c'est le mystère de l'Esprit qui donne au christianisme sa singularité.* Qu'il s'agisse de la Révélation de Dieu, de la connaissance du Christ et de l'Église, qu'il s'agisse même de la vie morale et de la prière du baptisé, *c'est tout le credo qui s'évanouit, si on fait l'impasse sur l'Esprit* tel qu'il est reconnu et accepté par la foi.

Le parcours du *CEC* qui est ici proposé s'appuie sur la parole du Christ à ses Apôtres : « Lorsque viendra l'Esprit de vérité, il vous fera accéder à la vérité tout entière » (243). Il s'agira d'abord de discerner le rôle de l'Esprit-Saint dans la connaissance de ces quatre fondements de la foi : le mystère trinitaire, l'Incarnation du Fils, la mission de l'Église, l'expérience intérieure du croyant.

La révélation de la Trinité

— « Nul ne connaît ce qui concerne Dieu, sinon l'Esprit de Dieu » (1 Co 2, 11). Cette citation de l'Apôtre introduit la catéchèse de l'Esprit-Saint (683, 687). Il est le *Paraclet* annoncé et promis par le Christ pour conduire « à la vérité tout entière ». La vérité de Dieu est bien au-delà de ce que la

raison humaine peut en dire ; elle est dans la vérité des trois
personnes de la Sainte Trinité (689). Et c'est l'Esprit qui
doit le révéler (684).

— « L'Esprit ne parle pas de lui-même » (Jn 16, 13). Il ne
se dit pas ; nous ne l'entendons pas. « Nous ne le connaissons que dans le mouvement où Il nous révèle le Verbe et
nous dispose à L'accueillir dans la foi » (687).

— C'est donc *dans son œuvre* que l'Esprit se révèle
(688). Il est Lui-même révélateur de la Parole qui dit le
mystère de Dieu (111). Il est l'auteur des Livres saints qu'Il
a inspirés (105, 1100). Il nous donne de comprendre la
Parole (111, 1101). Il dispose le croyant à l'accueillir dans
la foi (91, 93, 108) et à grandir en elle (94, 158).

— Surtout, l'Esprit-Saint est l'Esprit d'amour qui révèle
l'être même de Dieu, l'amour, qui est « le secret le plus
intime » de la Trinité (221) dans l'échange qui unit les trois
personnes (255). Elle est là, la « vérité tout entière » du
mystère de Dieu que nous fait connaître l'Esprit (152). « Il
sonde tout, jusqu'aux profondeurs de Dieu » (1 Co 12, 10).

*Que l'Esprit-Saint soit écarté du champ de la foi, ce n'est
pas seulement le credo qui est amputé d'un de ses articles
essentiels, c'est la Trinité qui disparaît de l'horizon chrétien.*

Le mystère du Christ

— « Nul ne peut appeler Jésus Seigneur sinon dans
l'Esprit-Saint »
(1 Co 12, 3). « C'est l'Esprit qui révèle aux hommes qui est
Jésus » (152). Croire au Christ, le Fils de Dieu, c'est
l'œuvre de l'Esprit (153). Le reconnaître Rédempteur, c'est
encore l'œuvre de l'Esprit (388).

— L'Esprit a été présent à l'événement du salut qui s'est
accompli *dans la vie du Christ*. Il est « envoyé pour sanctifier le sein de Marie et le féconder... afin qu'elle conçoive le
Fils éternel du Père » (485, 504-505, 690). Ainsi l'Esprit Lui
a-t-il donné l'onction qui le fait Christ pour l'envoyer
annoncer la bonne nouvelle (486). L'Esprit est présent au
baptême de Jésus (535) ; Il conduit le Christ au désert (538),
sur la montagne pour prier à la Transfiguration (555). La
Résurrection est l'œuvre de l'Esprit (648).

*Que l'Esprit-Saint soit écarté de la vie du Christ, c'est le
mystère du Fils de Dieu qui s'en va. Le Christ devient une
simple figuration humaine de grandeur morale et de sacrifice.*

Le Corps du Christ qui est l'Église

— L'Église, « sacrement universel du salut » (774), justifie ce titre parce qu'en elle, l'Esprit-Saint est présent et agit, tout particulièrement dans les sacrements qu'elle a mission de donner (1091-1092).

— L'Église tient de l'Esprit ce qui la constitue comme le Corps du Christ (798). Il assure son unité (813) et procure à chacun de ses membres les dons spirituels (767, 799, 951, 1830) qui contribuent à faire de l'Église le *Temple de l'Esprit* (797).

— C'est encore de l'Esprit, « envoyé par le Père », que l'Église tient ses « quatre attributs » (811), les traits qui dessinent son visage : elle est *une* (813), *sainte* (828), *catholique* (830) et *apostolique* (861, 864).

— L'Esprit-Saint « mémoire vivante de l'Église » (1099) agit essentiellement en elle par *l'action liturgique* (1108) et par les *sacrements* en vue de « mettre en communion avec le Christ pour former son Corps » *(ibid.)*. Là encore se révèlent une *présence et une action qui font connaître l'Église* « dans sa vérité tout entière » (1117). La rémission des péchés (976), la naissance à une vie nouvelle appelée à grandir par la foi (1123), viennent de l'Esprit. Les sept sacrements, par une grâce particulière à chacun, la grâce sacramentelle (1129), sont les lieux où l'Esprit travaille dans le cœur des croyants afin de les sanctifier « en les unissant vitalement au Fils unique, le Sauveur » *(ibid.)*.

— Les dons de l'Esprit, « beaucoup d'éléments de sanctification et de vérité existent en dehors des limites visibles de l'Église catholique » (819). Au carrefour où se rencontrent les Églises séparées et marquées par les « blessures de l'unité », l'Esprit est présent pour les appeler à ouvrir les voies du retour à l'unité (820).

Que l'Esprit-Saint soit écarté de la vision de l'Église que donne la foi, et l'Église n'est plus qu'une institution sociale au service d'un système religieux comme un autre, avec ses croyances et ses rites vidés de toute dimension intérieure et signifiante du Corps du Christ. L'attente œcuménique perd alors tout son sens.

Laissez-vous conduire par l'Esprit (Ga 5, 16)

— « C'est par la puissance de l'Esprit que les enfants de Dieu peuvent porter du fruit » (736). Devenus « le Temple de l'Esprit-Saint », les chrétiens sont appelés à porter « les fruits de l'Esprit » (Ga 5, 22). « Il nous éclaire et nous fortifie pour vivre en "enfants de lumière" » (Ep 5, 8 ; voir 1695).

— « L'Esprit-Saint est le *Maître intérieur* de la vie selon le Christ... Il inspire, conduit, rectifie et fortifie cette vie » (1697). C'est que « la vie morale des chrétiens est soutenue par les dons du Saint-Esprit » (1830). Chacun, conscient de sa fragilité, doit suivre ses « appels à aimer le bien et à se garder du mal » (1811).

— C'est la grâce du Saint-Esprit qui a le « pouvoir de nous justifier, c'est-à-dire de nous laver de nos péchés et de nous communiquer la justice de Dieu » (1987). C'est la *grâce majeure qui est reçue au baptême* (1992).

— « Infusées par Dieu... les *vertus théologales* sont le gage de la présence et de l'action du Saint-Esprit dans les facultés de l'être humain » (1813). La foi est le premier fruit de l'Esprit (153-158). L'espérance qui fait attendre et désirer « l'héritage de la vie éternelle » (Tt 3, 7) est le fruit du désir creusé en nous par l'Esprit (1817, 2541). La charité, qui est le commandement nouveau, est par excellence le don de l'Esprit-Saint (1971).

— Le Saint-Esprit agit en nous pour conformer notre vie à la voie enseignée et suivie par le Christ (1696). Il entretient dans le cœur le désir de perfection morale et le goût de la vertu (2543). Ainsi est-il à la source des actes accomplis par le disciple de l'Évangile qui veut observer les commandements et suivre le Christ (1724). C'est à *cette vérité tout entière de la vie morale* que le chrétien est conduit par l'Esprit de Dieu.

Le Maître intérieur

— Avec le don qui « nous justifie et nous sanctifie », avec aussi les grâces sacramentelles, l'Esprit donne des grâces spéciales, appelées *charismes*. Ils sont au « service de la charité qui édifie l'Église » (2003).

— « L'homme intérieur » (Ep 3, 16) naît en nous du Maître intérieur (1995, 2672). Mais, comme tout ce qui est d'ordre surnaturel, l'action de l'Esprit « échappe à notre expérience et ne peut être connue que par la foi » (2005). Il convient donc d'user de *discernement* dans l'estimation qui peut être faite des dons spirituels, particulièrement des charismes. L'Esprit-Saint y concourt par ses propres dons de sagesse et de conseil (1831).

— Le discernement est également nécessaire quand le *choix moral* de la conscience individuelle s'affronte à des situations délicates où « le jugement est moins assuré et la décision difficile » (1787). Il y faut alors le recours à « la vertu de prudence, aux conseils de personnes avisées et à l'aide de l'Esprit-Saint » (1788).

— Parfois exposé à confondre la croissance du Royaume de Dieu avec le progrès de la société, le chrétien a besoin d'un discernement qui lui fait comprendre que le « Règne de Dieu est justice, paix et joie dans l'Esprit » (Rm 14, 17 ; voir 2819-2820).

— Le discernement qui, en nous, est l'œuvre de l'Esprit est important sur le *plan spirituel* pour ne point confondre l'épreuve et la tentation, la tentation elle-même et le consentement qui lui est donné (2847). C'est là que se légitime un « accompagnement » ou direction spirituelle (2690).

— Enfin, le « Maître intérieur » (2672) est Celui qui fait surgir en nous le sentiment filial de confiance et d'amour qui nous pousse à dire « Abba », Père (2766). Comment la prière chrétienne ne serait-elle pas, à l'imitation de celle du Christ (2600), en toutes ses formes (2625) et en toutes ses expressions (2658), l'œuvre en nous de l'Esprit ? C'est Lui aussi, du reste, qu'il faut prier pour être assisté et conformé au désir qu'Il suscite (2670).

Que l'Esprit-Saint soit écarté de la prière et de la vie morale du chrétien, elles ne sont plus que conformisme et observance légaliste de préceptes extérieurs. La vie morale devient un moralisme sans élan et la prière un rituel sans âme.

10. — Marie dans le dessein de Dieu

C'est un fait assez paradoxal. Le culte de la Vierge est un sujet de division, non seulement entre les confessions chrétiennes, mais entre les catholiques eux-mêmes. Les uns pensent qu'à l'égard de Marie, on n'en fait et on n'en dit jamais trop. Les autres ont plutôt tendance à garder une certaine réserve, voire à justifier au nom de la foi la distance qu'ils prennent à l'égard de certaines dévotions mariales qu'ils soupçonnent de nourrir une piété plus sentimentale que réfléchie.

C'est en prenant ses appuis sur l'Écriture et sur la plus ancienne Tradition de l'Église, celle de l'Orient comme celle de l'Occident chrétien, que le *CEC* formule les enseignements qui fondent le culte marial. Après avoir évoqué les différentes formes qu'il revêt dans l'Église, il les fonde sur le rôle que tient la Vierge dans l'économie globale du salut telle que la Révélation l'a fait connaître. Au-delà des interprétations divergentes, il est incontestable que Marie occupe une place privilégiée dans l'accomplissement rédempteur et la communion des saints.

Le culte marial dans l'Église

— La piété de l'Église envers la Sainte Vierge appartient au culte chrétien (971). Le *CEC* cite la déclaration de Paul VI qui justifie les fêtes mariales du cycle liturgique (1172), « les innombrables hymnes et antiennes » qui lui sont consacrées (2675), et la dévotion *privilégiée* du chapelet (2676 s.), le *Rosaire* étant comme « l'abrégé de tout l'Évangile » (971).

— Le *CEC* apporte deux précisions : d'une part, bien que d'un « caractère absolument unique, le culte marial n'en est pas moins essentiellement différent du culte d'adoration rendu au Verbe, ainsi qu'au Père et à l'Esprit-Saint » (971). D'autre part, la prière à la Sainte Mère de Dieu reste toujours « centrée sur la Personne du Christ manifestée dans ses mystères » (2675). Car tout ce qui est cru de Marie se fonde sur la foi au Christ (487).

La Vierge, parfait modèle de foi et de sainteté

— À la suite du concile Vatican II qui a présenté la vie de la Vierge comme un « pèlerinage dans la foi » (165), le *CEC* évoque d'abord ce qui donne à Marie de Nazareth sa place privilégiée dans l'univers des créatures : « son adhésion entière à la volonté du Père, à l'œuvre rédemptrice de son Fils, à toute motion de l'Esprit-Saint » (967). Elle est ainsi pour l'Église le modèle de la foi et de la charité ; elle constitue « la réalisation exemplaire », le *type* même de l'Église (*ibid.*).

— Nombreuses sont les références à la vie de Marie qui mettent en évidence sa foi absolue dans la Parole de Dieu : elle est « celle qui a cru » (Lc 1,45) à la parole de l'Ange de l'Incarnation (148, 273, 484, 494, 506) ; elle est celle qui, demeurant vierge dans la foi, accepte la promesse de la maternité (506) ; elle est celle dont la foi « jusqu'à la dernière épreuve, n'a pas vacillé » (149).

— La *prière de Marie* est tout entière inspirée par sa foi. Elle s'exprime dans le *Magnificat* comme une louange (722, 2097, 2619). Elle obtient à Cana le premier miracle de Jésus (2618). Elle assiste les Apôtres au Cénacle : l'Esprit est en elle, qui se manifestera à la Pentecôte (723, 726, 965, 2097).

— C'est la fidélité absolue de Marie à la Parole qui fait dire à saint Augustin qu'elle est « bienheureuse plus encore parce qu'elle a reçu la foi que parce qu'elle a conçu la chair du Christ » (506).

— « Comblée de grâce », *Marie est sainte*, d'une sainteté qui l'a préservée du péché (411) et qui, toute sa vie, a grandi en elle par sa docilité à l'Esprit-Saint (722 s.). Elle mérite le beau titre de *Panaghia*, la Toute Sainte, selon la pure tradition des Églises orientales (493).

— Ainsi est-elle le modèle achevé de ce que tout baptisé est appelé à devenir (829, 2030). Elle consomme en elle cette beauté de la sainteté que l'Église doit rayonner à la fin des temps (773, 972). Le *CEC* la désigne, après le concile, comme « l'icône eschatologique de l'Église » (*ibid.*).

Le mystère de Marie

— C'est en considérant dans toute son ampleur le dessein de rédemption du Dieu sauveur que la foi permet de comprendre l'exceptionnelle destinée de la Vierge (487).

— Elle est celle que l'Église ancienne a reconnue comme la *Nouvelle Ève*, préservée de la souillure héritée du péché d'origine et soustraite par la grâce divine à tout péché (411, 488, 491, 493, 494). C'est ce privilège que désigne le dogme de l'*Immaculée Conception*.

— Mais ce privilège ne met pas la Vierge en dehors de la sphère universelle de la Rédemption. Tout ce qu'elle est, Marie le tient de son Fils. Elle est la première rachetée par le sang de la Croix (492).

— C'est en vue de sa *maternité divine* que la Vierge a été, dès sa conception, dotée de la grâce qui la met à part (488, 494). Parce que celui qu'elle a conçu dans sa chair est le « Fils éternel du Père, la deuxième Personne de la Sainte Trinité, l'Église confesse que Marie est vraiment Mère de Dieu, *Theotokos* » (selon l'expression des Orientaux) [495, 466].

— Marie, ayant conçu par la puissance de l'Esprit-Saint, est demeurée vierge. Le *CEC*, en plusieurs articles, s'attache à montrer comment la *conception virginale* de Marie n'est concevable qu'en raison du mystère même de l'Incarnation du Fils de Dieu. « Elle est le signe que c'est vraiment le Fils de Dieu qui est venu dans une humanité comme la nôtre » (496). C'est le regard de la foi qui a permis à l'Église de mieux pénétrer le sens des Écritures concernant la promesse (497-498), de saisir « les raisons mystérieuses pour lesquelles Dieu, dans son dessein salvifique, a voulu que son Fils naisse d'une vierge » (502 s.).

— Dans le même regard de foi qui conduit à établir entre les vérités de la Révélation les liens et connexions qui font l'unité du mystère chrétien, la conscience croyante, depuis les origines, a grandi dans la connaissance du mystère de Marie. Entre l'Assomption, la maternité virginale et l'Immaculée Conception, il y a comme une sorte d'harmonie commune : en son corps et en son âme, la Vierge est affranchie du péché. Comment son destin terrestre ne pourrait-il recevoir par l'*Assomption* son parfait achèvement (967)?

— Anticipant la résurrection finale, présente au ciel et partageant la gloire du Père avec son Fils et l'Esprit, la Vierge, parfaite image de l'Église, en est aussi la Mère, comme elle est la mère de tous dans l'ordre de la grâce (967). Elle est médiatrice de notre salut, participant *à sa place de créature rachetée* à l'unique médiation du Rédempteur (970).

La doctrine mariale professée par l'Église catholique n'est pas le fruit d'une intuition gratuite ou d'une majoration excessive de la dévotion à la Vierge. Elle témoigne d'un réel développement de la foi qui, dès l'Église ancienne, s'efforce de comprendre ce qui est livré à la prière et à la pensée des croyants par la Parole qui révèle le mystère divin, en même temps dans son unité et dans ses multiples harmonies. C'est l'étude attentive et sereine de ce développement qui doit favoriser le progrès œcuménique.

11. — L'homme divisé en lui-même

Qui n'éprouve en soi le déchirement entre le désir de bien faire et l'attrait pour le mal ? C'est le drame de la conscience humaine, évoqué par saint Paul (Rm 7,19), de vivre cette contradiction. C'est sa noblesse de juger nos choix de liberté. Pourquoi l'Église qualifie-t-elle de péché ce qui est mal aux yeux de la conscience ? Comment la foi qu'elle propose explique-t-elle cette présence du péché dans le cœur de l'homme ?

Le *CEC*, qui revient souvent sur la *dignité* et la grandeur de l'homme « créé à l'image et à la ressemblance de Dieu, son Créateur » (1700), rappelle aussi que la *liberté* dont il est doté (1705, 1730), lui donne d'être le « père de ses actes » (1749), pour le meilleur et pour le pire (1732, 1776 s.).

Le *CEC* rappelle encore qu'en tout homme existe une *conscience* morale qui est la « voix de Dieu » (1706) et qui juge la conduite de chacun pour lui signifier ce qui est bon et ce qui est mal.

Le *CEC* précise d'autre part : ce que la conscience humaine juge comme une faute, la foi chrétienne le reconnaît comme *péché*, c'est-à-dire « offense faite à Dieu » (1850).

Enfin, devant le tableau de l'humanité qui, de tout temps et partout dans le monde, révèle l'universalité du péché, le *CEC* confirme la vision chrétienne qui reconnaît en tout péché la suite d'un *péché à l'origine* même de la création de l'homme (1707, 1739).

La réalité du péché

— Parce qu'il est doté de liberté (1731), l'homme, « père de ses actes », entre dans le cercle de la moralité : il est « sujet moral » (1749). Il est responsable de sa conduite (1734). Pour déterminer si un acte est bon ou mauvais, il faut tenir compte de sa nature, de l'intention et des circonstances (1750 s.).

— Il convient de mettre à part les actes qui, de soi, par leur nature même, sont moralement indignes et répréhensibles (1756).

— Ce que la conscience reconnaît comme une faute qui « blesse la nature de l'homme » (1849), *la foi le considère comme péché*. Car le péché, c'est « une offense à l'égard de Dieu..., c'est une désobéissance, une révolte contre Dieu » (1850, 1440). Ainsi, pour le chrétien, il ne suffit pas de s'avouer coupable, il doit se reconnaître pécheur devant Dieu. Ainsi se découvre l'appel à la « *conversion* qui requiert la mise en lumière du péché et qui contient en elle-même le jugement intérieur de la conscience » (1848).

— Il existe une grande diversité de péchés (1852). La Tradition de l'Église établit *la distinction entre péché mortel et péché véniel*. Le premier « détourne » radicalement l'homme de Dieu et « détruit la charité dans son cœur » (1855). Le second, « sans rompre l'alliance avec Dieu », traduit un attrait « désordonné pour les biens créés » (1863).

— Parce que certains vices sont contraires aux vertus évangéliques et parce qu'ils peuvent engendrer de nombreuses fautes morales, on les appelle *les péchés capitaux* (1866).

— Il convient de faire ici une remarque : *le CEC n'évoque jamais le péché sans faire référence en même temps au pardon et à la miséricorde* (1846, 1851). Seul Dieu pardonne le péché (1440). « Lent à la colère et plein d'amour » (2577), Dieu offre toujours son pardon (1846, 1851). L'appel à la conversion (1428, 1430) dispose à recevoir le « sacrement du pardon » que le Christ a institué pour la réconciliation du pécheur (1444). En donnant à ses Apôtres le « pouvoir des clefs » (982), il a confié ce ministère à son Église. En sorte que la « réconciliation avec l'Église est inséparable de la réconciliation avec Dieu » (1445).

— Enfin, il ne faut pas oublier le rôle de la *prière* pour purifier le cœur et demander le pardon du Seigneur. C'est tout l'objet de la cinquième demande du *Notre-Père* (2631, 2838-2839).

L'origine du péché

— L'expérience du péché est si *universelle* (386, 401, 408) dans l'histoire de l'humanité tout entière et de chaque homme en particulier qu'il faut bien présumer une explication commune à toute l'espèce humaine. De la Révélation transmise par l'Église, le croyant tient une connaissance des origines de l'homme qu'il convient de bien comprendre : c'est la doctrine du péché originel (385-412).

— Le *CEC* ne manque pas de réalisme quand, à plusieurs reprises, il évoque le « drame du péché » (309). Il mentionne que « le cœur de l'homme est lourd et endurci » (1432). Il atteste que « créatures intelligentes et libres... les anges et les hommes peuvent se dévoyer. En fait ils ont péché » (311). Il y a une « invasion du péché qui inonde le monde » (401).

— Surtout le *CEC* tend à établir la conviction qu'on ne peut comprendre l'origine du péché en dehors de la Révélation (387). *C'est le salut universel dans le Christ qui éclaire la présence universelle du péché* ; « on ne peut pas toucher à la révélation du péché originel sans porter atteinte au mystère du Christ » (389).

— Le *CEC* fait ici de nombreuses références au « récit imagé » de la Bible dans le livre de la Genèse (390). Il en éclaire le sens en montrant d'abord que le péché, dès l'origine, a été « l'épreuve de la liberté » (396).

— Après avoir traité de la « chute des anges » et du pouvoir de mort qui s'attache à Satan (394-395), le *CEC* montre en quoi, essentiellement, a consisté *le premier péché de l'homme* « il s'est préféré lui-même à Dieu..., il a fait choix de lui-même contre Dieu » (397).

— « Adam et Ève commettent un péché personnel, mais ce péché affecte la nature humaine qu'ils vont transmettre dans un état déchu » (404). Le *péché originel* désormais sera un péché « contracté » et non pas « commis ». C'est « un état et non pas un acte » *(ibid.)*.

— Ce qu'il faut bien comprendre, c'est que « le péché originel n'a, en aucun descendant d'Adam, un caractère de faute personnelle ». C'est une « privation », mais « la nature humaine n'est pas totalement corrompue » (405). En dépit du péché, tout homme reste aimé de Dieu : « il veut que tous les hommes soient sauvés » (1 Tm 2,4).

— Il reste que si le *baptême* — qui est une nouvelle naissance — a pour premier effet d'effacer ce qu'il faut appeler la tache originelle (981, 1263), il ne supprime pas la nécessité pour le chrétien, avec l'aide de la grâce divine (1999), de maîtriser ses passions qui sont en lui les marques de sa « nature blessée » (409, 1264, 2515). C'est tout le sens du « combat spirituel » (2516).

En définitive, le problème du péché dans son ensemble ne peut s'éclairer que dans la lumière de la Révélation tout entière. « Il n'y a pas un trait du message chrétien qui ne soit pour une part une réponse à la question du mal » (309).

12. — Morale chrétienne, morale humaine

À quel titre et de quel droit, quand elle énonce la loi morale, l'Église catholique prétend-elle obliger l'humanité tout entière ? La morale qu'elle édicte est faite pour ses fidèles, non pour l'ensemble des hommes. Notre société laïque se suffit de l'éthique des droits de l'homme qui est universelle.

Si l'Église s'octroyait le monopole de la morale en contraignant les consciences à la suivre, une telle prétention serait, de fait, insupportable. Mais l'Église tient de la Révélation divine l'idée très haute qu'elle se fait de la *dignité de l'homme*. Du Christ qui « savait ce qu'il y a dans l'homme » (Jn 2, 25), elle tient aussi en tout être humain un appel au bien sans cesse fragilisé et contrarié par l'attrait du mal. C'est pour aider chacun dans la conduite de sa vie que l'Église, enseignant à ses fidèles les principes et les obligations de la vie morale, ne peut s'interdire d'interpeller la conscience même de l'humanité. Dans le *CEC, il n'y a pas de références plus nombreuses que celles qui sont faites à la dignité de l'homme.* Il en assure le fondement. Il en définit les traits et les droits qui en découlent. Il en tire les obligations morales pour la conduite des individus, celle de la société et de ceux qui la dirigent.

Fondement de la dignité de l'homme

— La dignité de l'homme vient d'abord de sa nature d'être raisonnable, constitué d'un corps et d'une âme (365, 1703).

— Doté de *liberté* (1705), il est responsable (1731) et « père » de ses actes (1734). Son libre arbitre lui donne son autonomie : il est quelqu'un (357).

— Sa liberté donne à l'homme son aptitude à choisir le bien ou le mal (1732). Elle fait de lui un *sujet moral* (1749). L'exercice de la vie morale témoigne de la dignité de l'homme (1706).

— La *conscience* est en tout homme son « centre le plus intime et le plus secret » (1776). Elle exprime le jugement de la raison qui reconnaît la qualité morale des actes personnels (1778).

— Cette vision de l'homme, maintes fois rappelée par le *CEC*, exprime la sagesse de l'humanisme chrétien (1676). Elle rejoint assurément celle de toute la pensée politique et culturelle qui se recommande de la modernité des *droits de l'homme*. Bien avant la philosophie des Lumières qui a vu leur émergence, l'Église a toujours revendiqué l'éminente dignité de l'homme. Cette dignité, elle la fonde sur la Parole de Dieu qui révèle l'*origine de l'homme* : il est « créé à l'image et à la ressemblance de Dieu » (27, 355).

— Son âme immortelle, créée immédiatement par Dieu (366), est ouverte au désir de Dieu. L'homme « ne cesse de le chercher pour y trouver la vérité et le bonheur » (27). L'aspect le plus sublime de sa dignité, c'est de se savoir un « être religieux » (28).

— Le corps de l'homme participe à la dignité de « l'image de Dieu » (364). C'est grâce à l'âme spirituelle que le corps constitué de matière est un corps humain et vivant ; leur union forme une unique nature (365).

— Le plus significatif de la pensée chrétienne sur l'homme, c'est que, comme l'a dit le concile Vatican II, « de toutes les créatures visibles, il est *la seule que Dieu a voulue pour elle-même* » (LG 24, 3 ; voir 356). Dieu a tout créé pour lui (358).

Titres et droits

— La dignité de l'homme est *universelle* (1934). Elle n'a pas de frontières. Elle appartient à tous (1676), parce que l'image divine est présente en tous (1702). « La dignité naturelle égale implique un bien commun universel » (1911). « Le genre humain forme une unité » (360), en sorte que « tous les hommes sont vraiment frères » (361) et qu'il existe une requête de solidarité, « les biens de la création étant destinés à tout le genre humain » (2402).

— Plus particulièrement, il existe entre *l'homme et la femme* une dignité semblable : ils partagent « une parfaite égalité en tant que personnes, d'une part, et d'autre part dans leur être respectif d'homme et de femme » (369, 1645, 2203, 2334-2335, 2387).

— Sa propre dignité implique pour tout homme des *droits fondamentaux*, indispensables pour son existence personnelle (1935, 1956) et pour sa vie sociale (1906). L'égalité des hommes repose aussi sur ces droits fondamentaux (*ibid.*).

— La personne humaine étant « le principe, le sujet et la fin des institutions sociales » (1881, 1929), ses droits sont *antérieurs à la société* et ils s'imposent à elle (1940, 2426). Ce sont eux qui fondent la légitimité morale de l'autorité (1930).

— C'est en particulier le droit à l'exercice de la *liberté, surtout en matière morale et religieuse* qui est « inséparable » de la dignité humaine (1738 ; voir 2106-2108).

Obligations et règles morales

— Le corps des obligations et règles morales exposé dans la troisième partie du *CEC* dérive tout entier de la considération de l'homme, de sa dignité et de sa vocation (2070).

— Ce corps de morale est contenu dans les *dix commandements de Dieu* (le Décalogue) qui énoncent les exigences posées par le Seigneur au Peuple d'Israël afin qu'il soit fidèle à la Parole de l'Alliance (2056).

— Exprimés le plus souvent sous le mode d'interdits, les commandements indiquent les limites de la voie qu'il faut suivre pour ne point s'écarter de l'ordre de la création (2057). En ce sens, on peut parler de *loi naturelle* (2070) : elle est le reflet de la loi divine (1955).

— C'est toujours l'honneur et la dignité de l'homme qui sont en point de mire des *préceptes* contenus dans le Décalogue. Ils sollicitent la conscience de chacun qui offre à la liberté le choix entre ce qui est bien et ce qui est mal (1777), ce qui est conforme à la dignité d'être homme et ce qui ne l'est pas (1956, 1959).

— Ainsi faut-il entendre les obligations et les devoirs de quiconque veut *vivre à hauteur d'homme* : le respect de la vie humaine (2261-2267), l'exigence de justice sociale (1929, 2426 s.), l'équilibre sexuel et la fidélité dans l'amour (2334 s.), l'intégrité par rapport au bien d'autrui (2407 s.), l'usage des biens de la création (2415 s.), le devoir de faire et de dire la vérité (2467 s.).

— L'une des prescriptions majeures qui sous-tend les autres, c'est d'éviter de faire à autrui ce que l'on écarte pour soi-même. C'est la *règle d'or* des Anciens, rappelée à quatre reprises par le *CEC* (1931, 1789, 1970, 2407).

— La dimension *internationale* de la solidarité n'est pas négligée : il y a un devoir des pays riches par rapport à ceux qui n'émergent pas du sous-développement (1911, 2437 s.).

— Il faut aussi mentionner les responsabilités qui incombent à toute *autorité civile*, celles d'assurer le bien commun, en particulier par le respect du droit des personnes (1907, 1959, 2237), et surtout de la liberté de conscience et de la liberté religieuse (1738).

— L'effort moral poursuivi par l'homme au cœur des réalités de sa vie signifie pour lui l'accomplissement de sa destinée au niveau même où se perçoit l'*enjeu de sa dignité personnelle* (1955). Nous sommes ici dans la logique même de l'éthique des droits de l'homme.

— Il convient maintenant de préciser qu'au *regard de la foi*, cette dynamique de la vie morale, parce qu'elle est un défi à la nature humaine fragilisée par le péché (1849), ne peut se maintenir et atteindre ce qu'elle aspire sans l'écoute de l'Évangile, le recours à la grâce divine et l'assistance de l'Esprit-Saint (1960). Là est le *spécifique de la morale chrétienne*.

Ce n'est pas parce que l'Église a reçu de la Parole de Dieu sa propre vision de l'homme qu'il faut en conclure que la morale qu'elle enseigne s'écarte radicalement de l'éthique des droits de l'homme. De part et d'autre, c'est la même considération de la dignité humaine. De part et d'autre, c'est la même prescription du respect qui est dû aux droits les plus fondamentaux (2246). Mais l'Église prescrit une morale qui vient de plus haut et va plus loin que la sagesse des hommes. En l'attestant, elle ne contraint pas les consciences, ni ne s'oppose aux règles de l'humanisme de nos sociétés laïques. Elle annonce l'Évangile qui voit dans l'amour la « perfection de la loi » (2196). Ainsi l'Église, tout en la respectant, transcende les exigences de l'éthique des droits de l'homme. Elle la conforte en exerçant une « fonction prophétique » (2036) dans l'assurance que « seul ce qui dépasse l'homme est à la mesure de l'homme [1] ».

---

1. Conférence épiscopale allemande : *Catéchisme pour adultes*, tome II : *Vivre de la foi*, Centurion – Éd. du Cerf, 1997, p. 39.

13. — Naître et devenir chrétien

Les trois rites sacrés — baptême, confirmation et eucharistie — conférés par l'Église au début de la vie chrétienne ont-ils encore beaucoup de sens dans la société fort sécularisée qui est la nôtre ? Si un certain conformisme religieux persiste à les garder, surtout le baptême, le décalage semble grandir entre l'offre et la demande, c'est-à-dire entre le degré de vérité religieuse qui incite l'Église à proposer les sacrements et la compréhension que peuvent avoir ceux qui en expriment la requête. D'autre part, est-il sage de donner le baptême à des enfants dès le tout premier âge ?

N'ayant pas directement pour objectif de présenter ou de prescrire des règles et des directives qui relèvent davantage du droit canonique et, dans leur application, du jugement pastoral des responsables de la communauté chrétienne, le *CEC* n'offre pas de réponse immédiate aux questions telles qu'on vient de les poser. Sur ce point, comme sur beaucoup d'autres, le *CEC*, sans toutefois faire pure abstraction des situations humaines, tient essentiellement à préciser ce que représentent les rites sacramentels dans la tradition et la discipline de l'Église. Il se limite à *présenter les repères doctrinaux qui contribuent au discernement pastoral*. On a peut-être aujourd'hui trop tendance à ne considérer les trois sacrements d'initiation que par rapport à l'enfance. On risque ainsi d'oublier que *c'est d'abord le catéchuménat des adultes qui est à l'origine de la pratique sacramentelle de l'Église*. Et c'est par rapport à l'expérience du catéchuménat qu'il faut comprendre l'initiation sacramentelle des enfants.

Les sacrements de l'initiation chrétienne

— Les trois premiers font partie de l'ensemble des sept sacrements (1113, 1210) dont le *CEC* rappelle qu'ils ont été voulus par le Christ (1114, 1127) comme les instruments de sa grâce pour l'éclosion et la croissance de la vie chrétienne

à chacune des étapes ou des événements vécus au cours
d'une destinée humaine (1210).

— Ils sont *au départ de l'existence* vécue désormais sous
le signe de la foi. Ils en sont les fondements (1212). Ce sont
les sacrements du commencement, qu'il s'agisse d'adultes
récemment convertis à l'Évangile, ou d'enfants nés de
parents chrétiens (1229).

— Comme les autres, les sacrements d'initiation ne sont
pas de simples rites (1084, 1127-1128). Ils portent en eux le
symbolisme très fort du mystère chrétien (1086) qui requiert
d'être compris et accueilli *au terme d'une catéchèse*, soit
auprès des catéchumènes (1230, 1248, 1309), soit auprès
des parents (2221) qui demandent le baptême pour leur
enfant.

— En effet, chacun des trois sacrements est constitué par
un *symbole naturel* approprié à la réalité spirituelle qu'il
représente et signifie : l'eau pour le baptême (1213), le
chrême (huile parfumée) pour la confirmation (1293), le
pain et le vin pour l'eucharistie (1333). Chacun de ces
signes parle de lui-même. « Dieu parle à l'homme » à travers eux (1147).

— Le sacrement n'est pas seulement d'ordre symbolique.
Il accomplit au-dedans ce qu'il signifie. Par la parole qui est
dite, le don spirituel est conféré à celui qui reçoit le sacrement. Cette parole, par l'action de l'Esprit-Saint (1155),
procure sa véritable *forme* sacramentelle au rite qui est célébré (1153). C'est elle qui fait le sacrement.

La nouvelle naissance

— *La symbolique de l'eau* dans la Bible est multiple
(1217 s.). Dans sa transparence, l'eau est signe de pureté ;
dans sa violence, elle est signe de mort ; dans sa jouvence,
elle est signe de renouveau et de vie. C'est tout ce symbolisme qui s'attache à l'eau du baptême. Par la parole *Je te
baptise, au nom du Père et du Fils et du Saint-Esprit*, le
baptisé est purifié et justifié, transformé et renouvelé au-
dedans (1227).

— *Le salut de Jésus-Christ opère dans l'âme*. Héritée du
péché du premier homme, la tache originelle est abolie
(1263-1264). Avec l'effusion de l'Esprit et les dons de la
grâce s'accomplit la nouvelle naissance pour une nouvelle
vie (1265-1266). Enfin se réalise pour le baptisé son incorporation à l'Église (1267).

— Tout ce changement intérieur est la *figure de la Pâque
du Seigneur* dont il est aussi le fruit (1214, 1225). Le baptême fait participer au mystère du Christ mort pour nos

péchés et ressuscité à une vie nouvelle (1227, 1262). Le rite d'immersion du baptisé dans l'eau lustrale illustre bien ce passage tout spirituel de la mort à la vie (1214, 1239).

— On comprend, en raison même de sa signification, l'importance du baptême (1213, 1257). C'est lui vraiment qui fait la décision de vie chrétienne, qui ouvre la voie des fidélités évangéliques, qui donne au baptisé son titre de membre actif de son Église (1270), ayant part au *sacerdoce commun des fidèles* (1268) en raison du *caractère* indélébile qui le configure au Christ (1272).

— Cette nécessité du baptême est si fondamentale que, dans les cas d'urgence absolue, à défaut de ministre ordonné, *toute personne peut baptiser*, à condition de le faire avec l'intention et selon le rite de l'Église (1256). Nécessaire pour le salut, le baptême peut être suppléé dans certains cas exceptionnels (1258 s.).

— Ici surgit le *problème du baptême des petits enfants*. Pour quels motifs l'Église maintient-elle sa tradition de baptiser de tout jeunes êtres qui ne sont pas encore conscients ni responsables de leurs choix ? Ces motifs tiennent à la confiance faite par l'Église au choix des parents eux-mêmes (2220). Faut-il rappeler qu'aux temps apostoliques, les nouveaux convertis qui avaient choisi de suivre la « voie » étaient baptisés avec toute leur maison (1251-1252) ?

— Le baptême des petits enfants n'a point d'autre raison que l'*acte de foi des parents* qui veulent, dès la naissance, placer leur enfant dans la voie du salut et de la grâce (1250, 2222, 2228). C'est toute une existence, appelée à grandir, qui est investie à ses débuts de la présence de l'Esprit. Rien de magique en cela. C'est le réalisme de la foi. La famille est « une église domestique » : tout ce qu'elle vit à l'intérieur est marqué par la foi (2204). « La pure gratuité de la grâce du salut est particulièrement manifeste dans le Baptême des enfants » (1250).

Sous le signe de l'Esprit

— Deuxième sacrement de l'initiation chrétienne, la *confirmation*, si elle se distingue du baptême, n'en est pas séparée. Elle le continue et, comme son nom l'indique, elle le confirme (1289).

— Dans la manière dont elle est conférée, elle présente *deux particularités*. D'abord, elle témoigne du *ministère propre de l'évêque*, puisque c'est lui, le Jeudi saint, qui consacre le saint chrême (1297), instrument du sacrement, et qui, dans le rite latin, en est le ministre ordinaire[1] (1313).

---

1. La constitution sur l'Église du concile Vatican II disait : « originaire » (LG 26).

D'autre part, elle illustre l'initiative laissée par le Christ à
son Église dans la maîtrise de la gestion des sacrements,
puisque *le rite de la confirmation a varié* depuis les origines
(1288-1289) et que deux traditions, orientale et latine, se
sont établies pour la dispensation du sacrement (1290 s.).

— Le rite essentiel est l'*onction du saint chrême* (1289,
1300) qui suit l'imposition des mains (1288, 1299). Le
chrême est une huile parfumée qui symbolise à la fois
« l'abondance et la joie..., la force et la guérison » (1294).

— La parole formulée par le ministre est toute simple :
« Sois marqué de l'Esprit-Saint, le don de Dieu » (1300).

— C'est donc le *sceau*, en quelque sorte, de l'Esprit-Saint
dans l'âme du confirmant qui est donné par le sacrement
(1295-1296). Il l'est de façon définitive et ne peut être réitéré : comme pour le baptême, le *caractère* de la confirmation est indéfectible (1304).

— Les *fruits de l'Esprit* en découlent (1303) : fermeté de
la foi, maturité spirituelle (1308), fidélité et engagement
pour l'Église, signifiés fortement par le ministère de
l'évêque qui confère le sacrement (1313).

— *L'âge requis* pour la confirmation a varié dans les
Églises de l'Occident (1307). En France, pour des raisons
pastorales liées à l'évolution religieuse, il a semblé préférable de retarder le sacrement jusqu'à l'adolescence. Il est
ainsi pour de jeunes baptisés un choix qu'ils ont à faire personnellement. Au-delà du rite lui-même, la confirmation
s'identifie au *sacrement de la proposition*.

La communion eucharistique

— Le *CEC* présente la communion dans le cadre global
de la liturgie eucharistique dont la synthèse fait l'objet d'un
dossier à part.

En concluant cette présentation que fait le CEC *des sacrements d'initiation qui « équipent » le chrétien pour vivre dans
la foi et pour partager avec ses frères son engagement ecclésial, comment ne pas évoquer cette réflexion : « Il est plus difficile de devenir chrétien quand on l'est que de le devenir quand
on ne l'est pas ? » Naître à la foi n'est pas tout. C'est un départ.
Il ne suffit pas de toute une vie pour témoigner sa fidélité. Il
faut encore l'assistance de l'Esprit-Saint qui, avec le sceau
déposé par le baptême et la confirmation, assure dans la continuité des jours les dons indispensables pour garder « l'obéissance de la foi » (Rm 16, 26).*

14. — L'homme vertueux peut-il se sauver tout seul?

En bien des domaines de l'existence, l'individualisme d'aujourd'hui incline chacun à se tirer d'affaire tout seul. Sur le plan moral et religieux, on estime aussi se suffire à soi-même. On a sa conscience pour soi, et on présume avoir des intentions pures. Quel besoin a-t-on d'être assisté d'un secours que l'Église dit surnaturel et qu'elle appelle la grâce?

Le volontarisme en matière religieuse et morale est de tous les temps. C'est la tentation pélagienne, du nom d'un moine de l'Antiquité qui assurait pouvoir atteindre la perfection et faire son salut sans autre recours que la fermeté du caractère et la volonté arquée dans l'effort vertueux. L'Église s'est toujours insurgée contre cette prétention qui exclut la grâce divine du champ de la vie morale et spirituelle du chrétien. Elle retient (2074) la parole du Seigneur : « Sans moi vous ne pouvez rien faire » (Jn 15, 5). Le *CEC* développe trois enseignements : les limites de notre nature humaine pour faire le bien, les secours de la grâce qui nous sont acquis par la rédemption du Christ, et la présence de Dieu au cœur des fidélités du croyant solidaire de ses frères en Église.

L'homme blessé et vulnérable

— Comme il est rappelé plus haut dans le dossier « L'homme divisé en lui-même », il y a un réalisme de la foi dans la vision qu'elle donne de l'homme et de sa condition terrestre. Elle reconnaît sa grandeur (355 s.) et sa vocation (1730, 1719). Elle atteste aussi sa fragilité et ses limites (1739). Ni surévaluation de sa dignité, ni masochisme devant les faiblesses humaines.

— Il y a une expérience universelle du péché dans l'humanité (386, 1860). La *conscience* se débat toujours devant le choix entre le bien et le mal (1732). Elle est parfois exposée à des choix difficiles ; la vertu et le sens de l'obligation morale butent sur les conflits de devoirs (1787-1788).

— La Parole de Dieu révèle à l'homme sa connivence avec le péché dont elle éclaire la malice et la perversité. L'Évangile dénonce l'*attitude pharisienne* qui fuit la vérité sur soi que vient éclairer le jugement de la conscience (581-282, 2285).

— La foi appelle à la *conversion du cœur* (1427-1428). En luttant contre les instincts mauvais (1723), le croyant se renouvelle au-dedans par un « cœur nouveau » (1433). Cet « effort de conversion n'est pas seulement une œuvre humaine » (1427).

— Le changement intérieur est le fruit du secours divin qui s'appelle la grâce, et de la liberté de l'homme (1742); par l'assistance qu'elle apporte, la grâce fait grandir en l'homme la vertu (1810).

Accueillir le don de Dieu

— « Le salut vient de Dieu seul » (169). C'est parce que « Dieu est amour » (1 Jn 4, 8) [voir 221, 733], qu'il manifeste « l'immensité de sa charité en s'adressant aux hommes comme à ses amis pour... les recevoir dans sa communion » (142).

— Le salut est l'œuvre de la Trinité tout entière (258). « Le *Père* n'a pas envoyé son Fils dans le monde pour juger le monde, mais pour que le monde soit sauvé par lui » (Jn 3, 17). Par la croix glorieuse du *Fils* nous sont acquis les fruits de grâce de la Rédemption (605, 654). L'*Esprit-Saint* est présent dans l'âme du croyant et il agit par ses dons (734-736).

— Le premier don de Dieu à l'homme est sa *création* (295, 299).

— Dieu fait aussi à l'homme le don de sa *Parole*. C'est elle qui révèle le dessein d'amour de Dieu sur l'homme et lui fait entendre l'appel de sa vocation (1701, 1719). Parlant au cœur de l'homme par la voix intérieure de la conscience (1776), la Parole de Dieu l'aide à se connaître lui-même en vérité (387) et à mesurer la pesanteur des biens terrestres qui l'arrêtent sur le chemin des béatitudes (1723).

— Le don de Dieu, c'est l'*eau vive* de la grâce révélée à la Samaritaine (Jn 4, 10) [voir 2559]. Accueillie dans la foi et reçue par les sacrements, cette grâce produit l'œuvre de *justification* (1987-1996). C'est le mot — assez technique — qui veut signifier une réalité toute simple : la conformité de l'homme dans son être et sa conduite avec la justice de Dieu, c'est-à-dire sa sainteté (1991).

— Cette grâce de la justification qui est acquise par la Pâque de Jésus-Christ (1741), Sauveur du monde (601, 654), rend l'Esprit-Saint présent en nous pour accomplir par ses dons (1830) la vocation filiale à l'égard du Père dans le sillage du Christ premier-né (736).

— « La grâce ne se pose nullement en concurrence de notre liberté » (1742). Tout se joue au-dedans, dans une sorte de synergie entre la liberté humaine et la grâce divine. La première s'éprouve elle-même pour atteindre le bien, la seconde la libère et la purifie, l'élève et la sanctifie. C'est l'*œuvre de l'Esprit*, le « Maître intérieur » (1995).

— La pratique des vertus humaines elle-même entre dans ce mouvement dynamique tout intérieur conduit par l'Esprit-Saint (1810). C'est « l'équilibre moral », si difficile à atteindre et à garder, qui trouve son assurance dans le don de l'Esprit (1811).

Toutefois, le *CEC* met en garde contre tout illuminisme. Parce qu'elle est d'ordre surnaturel, « *la grâce échappe à notre expérience* et ne peut être connue que par la foi » (2005). Il suffit au chrétien de se souvenir de la parole du Christ : « À leurs fruits, vous les reconnaîtrez » (Mt 7, 20) pour en considérer la présence en lui-même et dans la vie des fidèles, surtout les saints *(ibid.)*.

Nul n'est vertueux pour soi ni tout seul

— Les enseignements recueillis dans le *CEC* ont assez montré que pour rester fidèle à l'Évangile et pour grandir en sagesse et en vertu, l'effort de vie morale a besoin du concours tout intérieur de la grâce divine.

— La *foi* elle-même est un don gratuit du Seigneur (162). Elle a besoin de s'affermir dans la prière et l'écoute de la Parole.

— Cette continuité dans la foi a son prix : c'est le *combat spirituel* qui permet de s'affranchir des pesanteurs du péché (409) et des obstacles rencontrés dans la prière (2725). C'est aussi la docilité intérieure à l'Esprit-Saint qui réalise la « communion toujours plus intime avec le Christ » (2014).

— La prière personnelle prend ici toute son importance (2697), puisque c'est par elle que chacun s'en remet filialement à la volonté du Père (2610).

— Si le chrétien ne peut se complaire dans un sentiment d'autosatisfaction personnelle dans l'accomplissement de son salut, il ne peut non plus se mettre à l'écart de tout ce que la *communauté des croyants rassemblés en Église* lui apporte (2655).

— Tout homme a besoin des autres (1936). Ce besoin qui tient à la nature humaine se vérifie également pour le disciple du Christ (781).

— Bien sûr, « la foi est un acte personnel » (166), nous sommes baptisés *un à un*, et c'est un à un que nous sommes responsables de notre conduite et de nos actes pour lesquels nous serons jugés un à un (2158, 1022). Il reste que c'est *de l'Église et par l'Église* que nous accueillons la Parole de Dieu qui est à l'origine de la foi (875, 2). C'est dans l'Église et par l'Église que nous recevons les sacrements dispensateurs de la grâce du Christ et de la vie en Esprit (1118, 2030, 2040). Et c'est en Église que nous célébrons l'eucharistie qui signifie l'unité du Peuple de Dieu (1141) en marche vers la Jérusalem du ciel qui rassemble les saints et les anges (757, 1138, 2788).

— N'est-ce pas à cause de cette solidarité de grâce et de vocation que le Christ a appris à ses disciples à prier *Notre Père* qui est dans les cieux (2792) ? Il exprime le partage des biens spirituels que l'Église désigne par la « communion des saints » (949).

De bout en bout, l'expérience spirituelle du chrétien repose sur la conviction que Dieu lui-même en est le principe, l'agent et la fin. Il faut prier comme si tout dépendait de lui et œuvrer comme si tout dépendait de nous (2834). En définitive, cette prière est celle de saint Augustin qui rétorquait au moine Pélage : « Seigneur, commande-moi ce que tu veux, mais donne-moi ce que tu commandes. » *Tant il est vrai que* tout est grâce *dans la vie du chrétien.*

15. — Mon frère en tout homme

Dans une société de contradiction comme la nôtre, qui produit l'exclusion en même temps qu'elle revendique les droits de l'homme, que vient faire le message évangélique de l'amour d'autrui ?

Est-il besoin de rappeler les fortes affirmations, maintes fois répétées dans le *CEC* : la dignité de l'homme et sa vulnérabilité qui vient du péché, l'égalité naturelle de tous et la violence qui divise, les droits fondamentaux universels et les disparités qui sécrètent l'injustice[1]. Le *CEC* présente ce qu'il y a *de plus spécifique et de plus essentiel* dans l'exigence évangélique de la charité fraternelle. Il souligne son rapport avec le devoir de justice. Il développe ce qui en résulte pour les relations humaines et ce qui en découle pour le changement des mœurs et la conduite de chacun.

Le « sacrement » du frère

— En de nombreux articles où le *CEC* traite de charité envers le prochain, il associe l'exigence de justice (2401, 2479, 2820, 2487). *Les deux vertus sont liées* (1889).
— La vertu de justice (1807) commande l'obligation fondée sur l'égalité de tous (360, 1878, 1934), la destination universelle des biens de la création (2402 s.) et l'intégrité personnelle (357, 1930) qui appartient à tout homme[2]. « Tous les hommes sont vraiment frères » (361).
— La charité, qui est la vertu majeure (1822, 1827), crée l'obligation d'aimer le prochain. Il faut « se faire le proche de l'autre » (1932). Le commandement de la charité à l'égard d'autrui est parallèle à celui de l'amour de Dieu (1878, 2196). Il accomplit *(ibid.)* la « perfection de la loi » (Rm 13, 10).

---

1. Voir en particulier les dossiers : « L'homme divisé en lui-même », « Morale chrétienne, morale humaine », « L'homme peut-il se sauver tout seul ? »
2. Voir sur la dimension sociale du devoir de justice le dossier « Le défi du message social de l'Église. »

— Les sept derniers commandements du Décalogue rappellent l'ensemble des obligations relatives à la charité pour autrui (2055).

— La charité fraternelle n'exclut personne. *À l'exemple du Seigneur*, nous devons « aimer comme lui jusqu'à nos ennemis, nous faire le prochain du plus lointain, aimer les enfants et les pauvres comme lui-même » (1825).

— Cette fraternité humaine et chrétienne se témoigne par le devoir de *solidarité* ou de « charité sociale » fondée sur « l'égalité de la nature raisonnable chez tous les hommes, à quelque peuple qu'ils appartiennent » (1939 ; voir 2407). La charité est « le plus grand commandement social » (1839). On comprend dès lors que le « pivot » de la vie morale soit « le sens d'autrui » tout autant que « l'aspiration et la soumission à Dieu » (1955).

Le commandement nouveau

— À cette charité pour autrui, le Christ révèle sa dimension la plus profonde. Elle est le commandement nouveau (1823), la loi nouvelle (1965, 1972) qu'il confie à ses disciples. Ce qui est neuf, ce n'est pas le précepte d'aimer les autres, mais de les aimer « comme il a aimé » (Jn 15, 12). Il a aimé tous les hommes et il les a aimés jusqu'à mourir (605, 601, 1741). Il les appelle tous au Royaume qu'il a annoncé et promis (543). Il s'identifie lui-même à ceux qui sont éprouvés (544).

— Mesure-t-on assez ce que le Christ veut dire quand il conclut la parabole du Jugement dernier : « Chaque fois que vous l'avez fait à l'un de ces petits qui sont mes frères, c'est à moi que vous l'avez fait » (Mt 25, 40) ? Le Christ révèle son visage dans celui qui est dans le besoin (678, 1932). Le prochain, et singulièrement celui qui est le plus démuni, est le signe, le « sacrement » de la présence du Christ (2449).

— Dans la liturgie eucharistique, la réception du corps du Christ par la communion est indissociable de « l'engagement envers les pauvres » (1397).

— Ainsi le chrétien, s'il se veut fidèle à l'Évangile, est appelé à reconnaître le *visage du Christ* en tous ceux, et surtout les « blessés de la vie », qui attendent une marque d'amour et de tendresse. N'y a-t-il pas là un gage très réel et très efficace de solidarité qui contribue à édifier dans les rapports humains l'harmonie et la paix indispensables à l'entente sociale (1889, 1931) et au recul de la misère (2448).

Ceux qu'il faut aimer

— La charité à l'égard d'autrui n'ayant aucune exclusive, c'est la *règle d'or* (1970) qui doit s'appliquer à tous : « Tout ce que vous désirez que les autres fassent pour vous, faites-le vous-mêmes pour eux » (Mt 7, 12).

— Le principe de la charité pour tous étant assuré, le *CEC* est attentif à certaines situations humaines où l'amour d'autrui trouve à s'exercer. Ainsi en est-il du milieu familial (2204, 2212), de la piété filiale des enfants (2215) et de l'affection des parents (2228).

— C'est surtout à l'égard de tous ceux qui vivent une certaine détresse dans leur corps ou dans leur âme que, selon l'exemple du Christ, le chrétien doit être attentif et secourable (544, 1503, 1509). Il est appelé à pratiquer à leur égard les gestes et les actes de charité désignés sous le nom d'*œuvres de miséricorde* (2447).

— L'Église garde une compassion particulière pour les pauvres (716) auxquels elle accorde un « amour de préférence » (2448). Elle se veut fidèle à l'exemple évangélique et aux béatitudes (2444).

— L'exigence de charité inspire le respect pour les croyants des autres confessions chrétiennes (818) et des diverses religions (2104), qu'il s'agisse du Peuple juif (839), des musulmans ou des autres religions non chrétiennes (841-842). *L'esprit de dialogue* (856) se fonde sur la communauté d'origine et de destin du genre humain (842).

— C'est encore cette considération de l'unité du genre humain dans la diversité des peuples et des races qui crée le devoir de *solidarité entre les nations* (1939), avec toutes les obligations morales de justice et de charité qui en découlent (2439).

— *Le pardon des ennemis* est l'une des exigences les plus difficiles de la vertu de charité. Elle est pourtant essentielle pour vivre dans la logique évangélique. « L'enseignement du Christ va jusqu'à requérir le pardon des offenses. Il étend le commandement de l'amour... à tous les ennemis » (1932, 2262, 2303).

— *La cinquième demande du Notre-Père* nous fait demander la force d'âme pour pardonner (2840, 2814). Il est significatif (2841) que le pardon est la seule disposition sur laquelle le Christ revient et qu'il développe dans le Sermon sur la montagne (Mt 5, 23-24 ; 6, 14-15).

La conversion du cœur

— La dépossession de soi qu'exige l'amour d'autrui demeure une gageure impossible sans la conversion du cœur, c'est-à-dire sans le changement intérieur qui suscite « le désir et la résolution de changer de vie » (1431). C'est la « pauvreté du cœur » de la première béatitude évangélique (2544-2545) qui appelle à fuir « le désordre des convoitises » (2535) et donc à « bannir l'envie » (2538) qui est un refus de la charité (2540).

— Le respect de la justice et la charité à l'égard d'autrui créent le devoir d'*éviter ce qui peut nuire à la réputation* personnelle. Ainsi la médisance et la calomnie (2479), le faux témoignage (2476).

— Le *mensonge* (2486-2487) et l'atteinte à la vie privée (2492) sont également à proscrire. De même on doit refuser de se laisser conduire par l'égoïsme et l'animosité.

— La provocation du *scandale* (2284-2285) porte également sérieusement atteinte à la charité.

— Le témoignage et l'exigence de charité pour tester la vérité d'une vie chrétienne sont, au regard de l'Évangile, tellement nécessaires qu'ils font l'objet majeur de la *prière*. Il faut l'attitude filiale (2734) pour demander au Père un « cœur humble et confiant » (2785), l'esprit de vigilance pour rester en communion avec le Christ (2860), et surtout la disposition à pardonner (2864).

— C'est parce que l'on prie le Père de pardonner (1631) que l'on peut soi-même donner à autrui son pardon qui est « le sommet de la prière chrétienne » (2864).

En conclusion : aussi bien pour les rapports individuels que pour les enjeux de la société, on ne peut que ratifier cet adage qui résume tout l'idéal chrétien : Au soir de la vie, c'est l'amour seul qui demeure.

16. — Le défi du message social de l'Église

Quelle nécessité pour l'Église catholique d'intervenir sur le terrain social et économique ? Ce n'est pas son domaine. Elle risque d'apparaître en connivence avec certaines idéologies politiques et avec les régimes et les hommes au pouvoir qui les représentent.

Avec les nombreux problèmes qu'elle soulève sur le plan de la justice, de la défense des droits, des requêtes de solidarité, la *question sociale* ne peut être indifférente à l'Église, ni à ses pasteurs, ni à ses fidèles. L'Église manquerait à sa mission si, au nom de l'Évangile, elle ne rappelait les enjeux de la vie sociale et de l'activité économique. Elle s'adresse à leurs responsables pour qu'ils assurent les conditions de justice et d'équité indispensables à l'harmonie et à l'équilibre des sociétés et des peuples.

Une certaine vision de l'homme

— En deux longs chapitres, l'un consacré à la vie en société (1877-1942), l'autre à la justice sociale (2401-2442), le *CEC* développe les principes qui commandent les rapports humains au sein de toute communauté sociale.

— Si l'Église fait entendre sa voix, c'est d'abord parce que, dans le champ de la vie sociale et économique, *la condition et le destin de l'homme sont en jeu*. L'Église intervient pour témoigner sa « vision de l'homme » (2244) qu'elle tient de l'Évangile (2419)[1].

— D'autre part, l'Église n'ignore pas les injustices et les désordres trop fréquents de la vie sociale et de l'économie. Elle y voit aussi un motif de se faire entendre. À plusieurs reprises, le *CEC* évoque les « structures de péché » (408) qui existent dans les institutions sociales et dans l'économie. Elle dénonce « le péché social » (1869), l'inversion des

---

1. On pourra se reporter à plusieurs autres dossiers du CEC qui évoquent la dignité humaine : « L'homme divisé en lui-même », « Morale Chrétienne, morale humaine », « Mon frère en tout homme ».

moyens et de la fin (1887), les inégalités (1938), l'asservissement des hommes (2414) et elle rappelle l'obligation
du respect des droits fondamentaux (1907, 1930).

— Si l'Église intervient, ce n'est donc point dans un
esprit d'ambition dominatrice sur les esprits et les mœurs.
Ce n'est pas non plus pour exercer un pouvoir direct en politique (2442, 2245). « Dans l'ordre de la moralité, sa mission
est distincte de celle des autorités politiques » (2419).

Un message de vérité sociale

— L'Église rappelle quelques vérités élémentaires : le
besoin de la vie sociale (1879, 1836), la nature de la société
(1980) et la présence de l'autorité qui la conduit (1897), le
service de la personne, « principe, sujet et fin des institutions sociales » (1881).

Elle ne méconnaît pas dans la plupart des sociétés
« une certaine prééminence de l'homme sur les choses »
(2245). Mais elle tient elle-même à assurer « le caractère
transcendant de la personne humaine » (*ibid.*). Elle se doit
d'annoncer les principes de la morale, *même en ce qui
concerne l'ordre social* (2030).

— En fonction de l'histoire et de l'évolution des sociétés
(2421), l'Église a forgé un « corps de doctrine sociale »
(2422). « Il propose des *principes* de réflexion, dégage des
critères de jugement et donne des *orientations* pour
l'action » (2423).

— D'autre part, en parlant au nom de l'Évangile, l'Église
apporte à la vie sociale l'*esprit de solidarité* évangélique. Il
dépasse les lois humaines (1932, 1940), doit rester présent
dans les rapports humains en excluant la violence et va
jusqu'à demander le pardon des ennemis (1933). Il y a une
« bienveillance mutuelle... qui ne se limite pas à la garantie
des droits » (2213). Dans son histoire, témoignant dans la
société de l'exigence de solidarité, l'Église a pu ouvrir des
voies nouvelles sur le plan des biens temporels (1942).

— Il appartient à sa mission de « porter un jugement
moral, même en des matières qui touchent le *domaine politique*, quand les droits fondamentaux de la personne ou le
salut des âmes l'exigent » (2246, 2420).

— C'est la *fonction des évêques*, dans l'exercice de leur
magistère, de transmettre le message de vérité (890) en
matière morale (2036-2037). Quand ils l'annoncent, leur
parole est *prophétique*.

— *Les fidèles laïcs* sont aussi l'Église (897). Ils ont aussi
à participer à sa mission. Leur initiative est particulièrement
nécessaire sur le plan des réalités sociales, politiques et

économiques pour les « imprégner » de l'esprit évangélique (899, 905, 909, 2442).

— Ils doivent néanmoins être attentifs à ne pas confondre « les droits et devoirs qui leur incombent en tant que membres de l'Église et ceux qui leur reviennent comme membres de la société humaine » (912, 2820).

Obligations et devoirs de la vie sociale

— L'autorité des responsables de la vie publique doit s'exercer « comme un *service* » (2234, 1902).

— Elle est tenue de respecter la hiérarchie des valeurs (1886, 2234) en vue de promouvoir le *bien commun de la société* qui exige respect de la personne et de ses droits, bien-être social et développement, sécurité et paix (1906-1911).

— Pour répondre à cette exigence première, l'autorité exercée par les responsables doit satisfaire à plusieurs *obligations majeures* : favoriser la vie associative et la participation de tous (1882) ; promouvoir la subsidiarité dans l'exercice des responsabilités (1883-1885) ; assurer le respect et le soutien de la famille (2209-2211), la garantie donnée à la défense de la vie (2273) et aux soins de santé (2288), le respect des droits politiques (2237) et surtout « le droit à la liberté morale et religieuse » (1738) et celui de l'exercer (1740).

— D'autres devoirs se conjuguent avec les précédents : le droit à l'information des citoyens (2498) et, quand la situation l'exige, le respect du secret professionnel (2491).

— Aux obligations qui incombent aux responsables correspondent les *devoirs du citoyen* : paiement des impôts, exercice du droit de vote, défense du pays (2240), soumission à l'autorité légitime (1900) qui n'exclut pas la résistance aux prescriptions du pouvoir quand elles violent « l'ordre moral, les droits fondamentaux des personnes et les enseignements de l'Évangile » (2242-2243).

Les requêtes de la justice sociale

— Quant à la justice sociale, l'*État* ne peut tout faire. « Il a le devoir de surveiller et de conduire l'application des droits humains dans le secteur économique » (2431).

— Il revient aux *partenaires sociaux* et surtout aux chefs d'entreprise (2432) d'assurer l'accès au travail (2433, 2427, 2436), le juste salaire (2434). Les conflits d'intérêt qui opposent les catégories sociales doivent d'abord se traiter par la négociation (2429). Recours inévitable dans certaines situations, la grève est « moralement légitime » (2435).

— Il est une responsabilité que le *CEC* met particulièrement en relief : celle de *la solidarité sur le plan international* (2437 s.). La question sociale a pris une « dimension mondiale » (2438) : les nations riches ont un devoir de solidarité, parfois de justice, à l'égard des nations pauvres (2439). Il y a un *bien commun universel* (1911) qui ne peut dispenser d'être attentif au développement des pays qui souffrent la violence de la faim ou de l'exploitation (2440). L'accueil des *immigrés* est aussi une forme d'assistance et de solidarité (1911, 2433).

— L'éthique sociale que propose l'Église aux responsables de la vie civile et de l'action économique s'ouvre à une dimension intérieure et morale qui appelle leur conscience à se remettre en cause pour agir en vérité. C'est la *vertu de prudence* (1806) qui permet le jugement préalable à la décision et au choix moral (1780). C'est aussi, pour résister aux tentations engendrées par le pouvoir, l'exigence de *conversion intérieure* (1916). Il est exclu de pouvoir réaliser les « changements sociaux » sans la volonté d'être soi-même à la mesure du progrès des lois et des mœurs que l'on souhaite pour la société que l'on veut servir (1888).

L'enseignement de l'Église en matière sociale et économique n'a rien d'un programme de droits à défendre et de devoirs à remplir. Il n'a rien non plus d'un système idéologique qui pourrait se comparer à d'autres (2425). Il est tout autant un esprit à promouvoir qu'une conviction à partager. L'esprit est celui de la solidarité qui vient de l'Évangile. La conviction qui s'en dégage tient au sens aigu de la grandeur de l'homme qu'il faut sauvegarder en le protégeant des menaces. En ce sens, le message social de l'Église ne peut manquer d'apparaître comme un défi.

17. — Parler de sexualité

La sexualité semble avoir toujours fait peur à l'Église. Sans doute parce que la sexualité se vit dans la « chair » et que l'Église n'en parle pas sans une certaine réserve ! Dès lors, son discours moral n'est-il pas disqualifié auprès d'une opinion publique de plus en plus sensible à la présence du sexe dans la culture et les médias ?

Si, dans le passé, une certaine littérature religieuse a pu nourrir quelques préjugés sur la pensée de l'Église, il s'en faut qu'elle représente la vérité de l'enseignement sur la sexualité humaine qu'au nom de l'Évangile l'Église entend donner. Non, *le sexe n'est pas tabou*. Elle n'a pas de prévention et ne cherche pas à culpabiliser les consciences. On verra ici comment le *CEC* présente la sexualité sous l'éclairage de la création. Comment aussi la morale que propose l'Église est celle d'un humanisme qui veut équilibrer, avec le secours de la grâce divine, les pulsions charnelles avec l'aspiration à une vraie liberté intérieure.

Création et sexualité

— Rappelons comment le *CEC* présente l'origine de l'être humain, créé homme et femme, dans une parfaite égalité de personnes (355, 369).

— Constitué d'une âme et d'un corps, l'être humain est doté d'une sexualité qui différencie l'homme et la femme (2333), mais qui les rend complémentaires l'un de l'autre (372, 2332).

— Parce que « la sexualité affecte tous les aspects de la personne » (2332), « il revient à chacun de reconnaître et d'accepter son *identité* sexuelle » (2333).

— En raison de la *dualité* de l'âme et du corps (362), il existe une tension dans les tendances et les pulsions qui relèvent les unes de « l'esprit », les autres de « la chair », selon l'expression de saint Paul (2515-2516).

— Le « cœur humain » (368, 2563, 2517) est le lieu où s'exprime cette tension qui naît des « passions » (1767). Il est aussi le lieu où celles-ci peuvent trouver leur équilibre (2517).

— Complémentaires et différents, homme et femme sont faits *l'un pour l'autre* (371-372). La vocation au mariage est « inscrite dans leur nature » (1603, 1605).

— « *L'amour* est aussi la vocation fondamentale et innée de tout être humain » (1604). L'amour qui unit homme et femme est « image de l'amour... dont Dieu les aime ».

— La condition sexuelle n'est pas une fatalité. Si elle est marquée par « l'héritage du péché » (2516), le chrétien ne peut oublier que le Christ est venu pour restaurer l'homme et la création (2536). Il reconnaît la *vocation du corps* à devenir « le temple de l'Esprit-Saint » (2519). Il le sait destiné à la résurrection (298, 988).

— *Loin de dévaluer le corps humain*, l'Église déclare qu'il partage avec la création tout entière la qualité d'être le reflet de son Créateur (2335). Le corps a donc sa bonté naturelle et il entre dans l'ordre et la sagesse qui ont présidé à la création (299, 307, 341). D'où le devoir de respecter les lois qui maintiennent son intégrité (2415).

— C'est justement cette limite que le génie humain de la recherche scientifique et de la technique doit s'imposer dans la tâche qui a été donnée à l'homme de « soumettre » la création (307, 373). À la lumière de ce principe doivent se comprendre les *normes de la bioéthique* dans le domaine de la sexualité et des rapports de l'homme et de la femme (2293-2294, 2376-2377).

Pour une discipline de la sexualité

— En prescrivant les règles de moralité sexuelle, l'Église ne fait que rappeler les préceptes de la *loi naturelle* (1954, 1959) qui sont contenus dans le sixième (2331 s.) et le neuvième commandement (2514 s.) du Décalogue.

— Le maître mot qui englobe les normes de la sexualité est celui de *maîtrise de soi* : « l'alternative est claire : ou l'homme commande à ses passions et obtient la paix, ou il se laisse asservir par elles et il est malheureux » (2339).

— Cette maîtrise de soi s'identifie à la vertu de *chasteté* (2337, 2345). Elle assure « l'intégration réussie de la sexualité dans la personne » et « l'unité intérieure de l'homme ».

— Liée à la vertu cardinale de tempérance (2341), la chasteté n'est jamais acquise (2342). Elle exige un véritable apprentissage (2339), surtout dans les années d'enfance et de jeunesse (2342). Sa croissance est toujours exposée et exige un effort constant à tous les âges de la vie *(ibid.)*.

— La pratique de la chasteté se différencie selon les *états de vie* : le célibat et la vie consacrée requièrent la continence ; les liens du mariage se vivent dans une chasteté conjugale (2349).

— Par la maîtrise de soi qu'elle demande, la chasteté est *ordonnée au don de soi* (2346), à la relation à autrui qui peut s'épanouir en amitié (2347-2348).

Sexualité et vie conjugale

— Dans la relation des époux la chasteté permet *l'intégralité du don* de soi à l'autre (2362). Parce que la sexualité n'est pas d'ordre « purement biologique » et qu'elle engage « ce qu'il y a de plus intime » dans l'être féminin et masculin, elle n'atteint sa vraie dimension que dans l'amour qui est don total de soi à l'autre (2361). C'est dans ce don qu'elle est « source de joie et de plaisir » pour les époux (2362).

— L'alliance matrimoniale qui établit une communauté de vie entre un homme et une femme a été élevée entre baptisés par le Seigneur à la dignité de *sacrement* (1601).

— Il est de la nature de l'union des époux que le don qu'ils se font l'un de l'autre soit irrévocable. La fidélité exprime la constance de l'engagement du mariage qui est *un et indissoluble* (1614-1615, 2364-2365).

— « L'amour conjugal tend naturellement à être fécond... L'enfant surgit au cœur même du don mutuel » (2366). Il y a un lien absolu dans cet amour entre l'union des époux et la *procréation* (*ibid.*, 2363, 2369). En affirmant ce lien, l'Église exprime une vérité de l'être humain qui vient de la création elle-même. Elle y voit pour les époux leur vocation à « participer à la puissance créatrice et à la paternité de Dieu » (2367).

— Ici, se pose le problème si controversé de la *régulation des naissances* (2368-2371). Il convient, dans le rappel des règles morales que précise l'Église, de considérer l'enjeu qu'elles représentent. Oui ou non, l'échange sexuel est-il seul en cause, ou ne doit-il pas, en respectant ces normes, s'ouvrir au-delà d'un égoïsme charnel qui, par des moyens illicites, refuse l'enfant à concevoir et à naître ?

— Il convient aussi de tenir la conviction que *l'enfant n'est pas un dû mais un don* (2378). N'y a-t-il pas une véritable contradiction dans la requête du « droit à l'enfant » et celle d'une liberté sans contrainte par rapport à la conception ?

Une sexualité dévoyée

— Moins encore que bien des réalités humaines, la sexualité n'est pas à l'abri de déviations et même de perversions. Dans une page réaliste, le *CEC* présente les *offenses à la chasteté* (2351-2356).

— Sans complaisance pour l'*homosexualité* (2357), il reconnaît néanmoins l'épreuve qu'elle constitue pour beaucoup de ceux qui en sont marqués et il demande de « les accueillir avec respect, compassion et délicatesse » (2358-2359).

— Sans illusion sur le « marché du sexe », le *CEC* dénonce la *permissivité* des mœurs qui repose sur une fausse conception de la liberté (2526). Il est aussi sans indulgence pour tout ce qui encourage le « voyeurisme » dans les publicités et les médias (2523).

Le défi de la chasteté

— La chasteté apparaît aux yeux de l'opinion comme une gageure impossible. Si elle est une vertu morale, elle est aussi un *don de Dieu*, une grâce qu'il faut savoir demander (2345).

— Pour le baptisé, il y a un appel impérieux à prendre les moyens de rester chaste (2340). C'est le *combat de la pureté* indispensable (2516, 2520).

— Le *CEC* porte une attention privilégiée à une conduite soucieuse de *pudeur* (2521). Celle-ci protège le mystère des personnes et leur amour. Elle maintient le silence ou la réserve à l'encontre d'une curiosité malsaine ou d'un besoin d'exhibition (2522).

— Le mariage ne met pas les époux chrétiens à l'abri des « blessures du péché » (1607-1608). « Rien n'est impossible à Dieu. » Par l'Esprit-Saint, il peut renouveler le cœur humain (298) et le purifier (2520). C'est tout le sens d'une *spiritualité conjugale*.

À l'heure où se dessine un courant qui relativise l'institution matrimoniale et qui risque d'ébranler les fondements mêmes de la société, est-il sans intérêt de reconnaître dans la pensée morale de l'Église la plus sûre garantie du maintien des valeurs indispensables à toute vie sociale ?

18. — La foi a-t-elle besoin de l'Église ?

Vivre en chrétien sans Église, croire en Dieu sans détour, et surtout sans le détour de l'institution et des rites qu'impose toute religion, c'est un sentiment qui est dans l'air du temps. Être croyant, ce serait se donner la liberté de s'ouvrir à l'Évangile sans se contraindre à suivre les règles d'une Église et à devenir membre d'une communauté.

L'enseignement sur l'Église que présente le *CEC* a pour objectif de justifier aux yeux du chrétien l'appartenance à un corps social : *la communauté de ses disciples voulue par le Christ*. Cette appartenance, parce qu'elle a sa logique propre, ne peut se concilier avec un syncrétisme qui, par l'abolition de leurs frontières, tendrait à fondre les religions dans le même creuset. Il y va ici de la fidélité à la foi catholique telle que la présente la Tradition biblique et ecclésiale.

Attestant l'aspect social et communautaire de l'Église, le *CEC* articule son enseignement autour des deux pôles qui la constituent : la *communion* qui assure l'unité de la foi et la *mission* qui appelle à la contagion de l'Évangile. C'est pour garantir la permanence de ces deux pôles que l'Église se structure dans une hiérarchie et qu'elle revendique pour chacun de ses membres une part active à sa vie propre et au service apostolique dans le monde.

Le sacrement du salut

— Si la foi est « un acte personnel », elle n'est pas « un acte isolé » (166, 781). Avant d'être celle du baptisé, la foi est professée par l'Église (168). Elle est notre *Mère dans la foi* (169).

— La Révélation témoigne que le projet de Dieu pour le salut est destiné à l'humanité tout entière (50, 56, 776). Les individus ne sont rejoints (781) que par leur appartenance au Peuple que Dieu s'est choisi : ainsi s'explique l'appel adressé à Abraham (60, 761-762).

— L'Église est l'achèvement de l'alliance du Peuple d'Israël (763). Elle est le « Peuple de Dieu », institué par le Christ (764-765), dont le visage se distingue de « tous les groupements religieux, ethniques, politiques ou culturels de l'histoire » (782). L'identité de l'Église se manifeste dans les attributs (les notes) que professe le *Credo* : elle est *une, sainte, catholique et apostolique* (811).

— L'Église, en effet, parce qu'elle est le Peuple de Dieu de la nouvelle alliance, jouit des trois caractères dont le Christ, Fils de Dieu, a reçu l'onction. Parce que le Christ est prêtre, prophète et roi (783), l'Église a *vocation sacerdotale* pour offrir le sacrifice spirituel (784), une *fonction prophétique* pour dire la Parole de Dieu et en témoigner (785), une *fonction royale* pour assurer le service évangélique dans le monde (786). Ces trois fonctions, l'Église les exerce par la puissance de l'Esprit qui vit et agit en elle (768).

— Mais tout ce que dit et tout ce que fait l'Église, elle ne le dit et ne le fait qu'au nom de *Jésus-Christ, l'unique médiateur* (771). L'Église ne prend pas la place du Christ : elle en est « l'instrument » (776, 738).

— Ainsi, comme l'a spécifié le concile Vatican II, l'Église est-elle le « sacrement, c'est-à-dire à la fois le signe et l'instrument de l'union intime avec Dieu et de l'unité de tout le genre humain » (775).

L'Église est communion

— « L'Église n'est pas seulement rassemblée autour du Christ, elle est *unifiée en Lui* » (790). C'est ce que font entendre les deux expressions de saint Paul : l'Église, Corps du Christ (791-795) et l'Église, Épouse du Christ (796).

— C'est justement l'unité du Corps dont le Christ est la Tête qui fonde l'exigence d'unité entre les membres de l'Église, ce qu'on appelle la *communion* qui se fonde d'abord sur l'union des baptisés avec le Christ (197, 787, 813-814, 2655).

— La communion dans l'Église s'accomplit par la présence et l'action de l'*Esprit-Saint* (798, 1108) dont les Pères disaient qu'Il « fleurit » en elle (749). L'Église est le Temple de l'Esprit (797).

— Ce sont les *liens de l'unité* qui assurent la communion : une « seule foi », une même liturgie sacramentelle, la même fidélité à la succession apostolique (815, 830). La prière est l'expression privilégiée de cette communion (2565).

— Ici, se pose la question du rapport de l'Église catholique avec les autres confessions chrétiennes. Le *CEC* traite avec délicatesse ce qu'il appelle les « blessures de l'unité » (817). Il reconnaît dans les autres confessions des « éléments de sanctification et de vérité » qui sont en elles l'œuvre de l'Esprit (819). Il atteste aussi que c'est « l'appel de l'Esprit » qui nous stimule à travailler pour la réconciliation des Églises et leur unité (820-822).

L'Église est mission

— Le *CEC*, en ses premières pages, mentionne la destination universelle de la Parole de Dieu (74 ; voir 759). C'est à l'Église que, dès son origine, est dévolue la tâche d'annoncer l'Évangile (767, 776). C'est sa *mission essentielle* (851, 863).

— Établie dans la succession des Apôtres qui ont les premiers annoncé l'Évangile (857-60), l'Église est *catholique* parce qu'elle se sait « envoyée en mission par le Christ à l'universalité du genre humain » (831, 851).

— C'est encore l'Esprit-Saint qui, par ses dons, assure la vitalité apostolique de l'Église (800) et la « conduit sur les chemins de la mission » (852).

— C'est un « droit sacré » pour l'Église d'être missionnaire et de transmettre l'Évangile (848). Il faut entendre en ce sens l'adage si souvent incompris : *Hors de l'Église point de salut*. Loin de prononcer l'exclusion (847), il ne veut signifier rien d'autre qu'une dynamique missionnaire au service de l'Évangile du salut (845, 846, 851).

— Du reste, à la suite du concile Vatican II, le *CEC* s'attache à discerner dans les *religions non chrétiennes* (839 s.) ce qui se rencontre « de bon et de vrai, comme une préparation évangélique » (844) à la connaissance de la vérité (851).

Construire l'Église

— L'Église, dans sa constitution, repose sur la succession apostolique (857, 861-862) signifiée par le sacrement de l'ordre (1087, 1536). Il confère aux *évêques* l'onction de l'Esprit qui leur donne autorité pour exercer, en union avec « le pape, évêque de Rome et successeur de Pierre » (882), les trois fonctions de sanctification, d'enseignement et de gouvernement (1558). Ainsi représentent-ils la « hiérarchie » à laquelle participent, à leur niveau respectif, les prêtres (1536, 1554, 1562 s.) et les diacres (1569-1570).

— Mais ce ministère n'exclut pas, pour les *laïcs* baptisés, le titre à exercer leur propre responsabilité au service de la communion et de la mission dans l'Église (897). Dans la diversité des vocations et des dons (873), tous participent à la vie de l'Église et à son témoignage dans la société (872, 898, 900, 909, 912).

— Cette responsabilité des laïcs s'enracine dans la grâce du baptême qui leur donne de partager la dignité sacerdotale du Peuple de Dieu (782, 901). Ainsi y a-t-il un « sacerdoce commun des fidèles » (1268, 1547) qui leur donne de prendre part à la catéchèse (904), à la célébration liturgique (901) et au témoignage apostolique (905), en conformité avec l'expérience initiale de la communauté de Jérusalem (84, 949) telle que l'évoquent les Actes des Apôtres (Ac 2, 42).

— L'exercice de ces responsabilités par les laïcs se réalise au sein des *communautés locales* dont il faut reconnaître que c'est « en elles et à partir d'elles qu'existe l'Église catholique une et unique » (833).

À tout baptisé il revient donc, non seulement d'être partenaire dans la foi, mais aussi et surtout d'être membre vivant et actif pour faire vivre l'Église. On naît chrétien par le baptême ; on le devient par son engagement au sein du Peuple de Dieu qu'est l'Église. C'est une contradiction dans les termes de s'affirmer chrétien et de refuser ce qui en justifie le titre.

19. — La question de l'infaillibilité

L'infaillibilité : un titre, un privilège ou une assurance...? C'est sûrement l'une des notions les plus incomprises et les plus brouillées dans l'opinion de beaucoup. Qu'ajoute donc à la dignité du pape et à son autorité morale le fait qu'il soit reconnu infaillible par ses fidèles ?

Dans un style clair et serein, le *CEC* apporte les explications en mesure de donner une idée juste de l'infaillibilité du pape. D'abord, en rappelant la fragilité de l'homme dans la recherche et la possession de la vérité. Puis en montrant que l'infaillibilité appartient d'abord à Dieu, à son Fils Jésus-Christ venu rendre témoignage à la vérité (Jn 18, 37), à l'Esprit qui conduit à la vérité tout entière (Jn 16, 13). Son infaillibilité, le Christ a voulu la partager à son Église pour tout ce qui concerne la connaissance des vérités contenues dans la Parole de Dieu qu'elle a mission de transmettre. *L'infaillibilité de l'Église vient avant celle du pape.* C'est pour le service de la Parole que le pape, assisté de l'Esprit-Saint, est déclaré infaillible. Encore que l'exercice de son magistère et son expression infaillible soient liés à des conditions que le *CEC* ne manque pas de préciser.

Dieu est source de vérité

— L'homme en quête de vérité, malgré son désir et son ouverture (33), demeure souvent impuissant et fragile dans le seul déploiement de son intelligence pour connaître ce qui le dépasse (37).

— Ainsi l'homme a-t-il *besoin d'une révélation* pour accéder, selon un texte du concile Vatican I « à des vérités morales et religieuses qui, de soi, ne sont pas inaccessibles à la raison, mais qui, dans l'état actuel du genre humain, puissent être connues de tous sans difficulté, avec une ferme certitude et sans mélange d'erreur » (38).

— La perfection infinie qui appartient au mystère de Dieu (41) ne saurait se comprendre sans l'attribut de vérité qui est son être même (215, 2465). C'est parce que *Dieu est véridique (ibid.),* qu'Il ne peut ni se tromper ni nous tromper, que le croyant donne foi à sa Parole (156). C'est donc en Dieu qu'il faut considérer la source de toute infaillibilité.

— Cette infaillibilité divine s'est reflétée dans le *Fils* (217, 241). « Il est venu dans le monde pour rendre témoignage à la vérité » (Jn 18, 37). Sa doctrine n'est pas de Lui, mais de Celui qui l'a envoyé (Jn 7, 16) [voir 427, 2471].

— *L'Esprit-Saint*, Esprit de vérité (Jn 14, 17) a reçu mission de conduire les disciples du Christ à la « vérité tout entière » (Jn 16, 13) [voir 91, 2466]. Il est présent à l'Église, tout particulièrement pour assister les pasteurs dans leur ministère de transmission et d'enseignement de la Parole (857, 862).

L'Église est dotée de l'infaillibilité

— L'Église, Corps du Christ dont Il est la Tête, est infaillible, parce que le Christ a voulu lui partager (889) ce qui est moins un privilège qu'une assurance d'indéfectibilité dans la transmission de la foi (890).

— L'Esprit-Saint assiste l'Église dans la totalité de ses membres pour que, fidèle à garder le « dépôt de la foi » (84), elle soit « témoin de son Dieu qui est et qui veut la vérité » (2464). Il assiste les *pasteurs*, « maîtres de la foi » (1558), dans l'exercice de la fonction prophétique qui s'identifie à la mission du magistère (94, 875). Il assiste également les *fidèles* pour qu'ils gardent l'intégrité de la foi qu'ils ont reçue en donnant leur adhésion à la Parole qui leur a été transmise (91, 889).

— Parce que la foi est d'abord connaissance de la vérité du mystère révélé, elle a besoin de s'exprimer dans les mots qui la traduisent (40, 89). C'est la raison des *dogmes définis par le magistère* des pasteurs unis au pape (77, 88). Les dogmes sont des formules de la foi issues de la Tradition de l'Église (78), mémoire vivante de la Révélation divine *(ibid).* Ils sont le gage de l'assistance de l'Esprit-Saint et de l'infaillibilité de l'Église (890).

L'infaillibilité personnelle du pape

— Au titre de la primauté qu'il exerce dans l'Église (881-882), l'évêque de Rome, successeur de Pierre, jouit *personnellement* de l'indéfectibilité dans l'exercice de son magistère (891).

— Ce qu'il faut comprendre, c'est que cette infaillibilité du pape ne doit être comprise ni comme le privilège d'être assuré contre la tentation et le péché, ni comme le gage d'une supériorité surhumaine, ni moins encore comme un droit à tout dire et à décider de tout.

— Son infaillibilité, le pape l'exerce dans des *conditions précises. L'objet* se limite au champ de la foi et des mœurs (891, 2035). Il y faut aussi le *respect des formes* : il s'agit de déclaration solennelle et publique, destinée à l'Église tout entière *(ibid.),* ce que l'on désigne par l'expression *ex cathedra.* C'est dire que l'exercice de l'infaillibilité pontificale est peu fréquent. Depuis la définition du concile Vatican I qui l'a promulguée, le pape n'en a usé que pour l'Assomption de la Vierge (966).

— Le pape peut ne pas être seul à proclamer une définition dogmatique. Les évêques rassemblés en *concile œcuménique* — c'est-à-dire réunis comme représentants de l'Église universelle — ont aussi autorité infaillible pour définir une vérité de la foi (891). Mais ils ne peuvent le faire qu'en union et avec l'assentiment du pape. Ce fut le cas au concile Vatican I qui justement a proclamé l'infaillibilité personnelle de l'évêque de Rome.

Le magistère ordinaire

— Il convient de distinguer le magistère solennel, dit extraordinaire, du magistère pontifical ou épiscopal qui s'exerce sous des formes plus ordinaires de déclarations ou d'exhortations destinées, en raison de certaines circonstances, au Peuple de Dieu. Il s'agit alors pour les pasteurs de tenir la responsabilité d'enseignement des fidèles pour affirmer et éduquer leur foi (892).

— C'est en particulier *sur le plan de la morale* et de la conduite de vie conforme à l'Évangile que s'exerce ce magistère ordinaire (2032-2034).

— C'est également sur le plan très concret de la loi naturelle (2036) et des problèmes de justice (2246, 2420) et de morale familiale et sexuelle (2351 s.) que l'*opinion critique* est souvent tentée de contester le magistère. Le chrétien est renvoyé à sa conscience assistée de l'Esprit-Saint, pour accueillir et donner son *assentiment filial* (2040) à un enseignement qui n'a d'autre fin que de transmettre les appels et les obligations morales qui découlent du baptême (2039).

Loin de considérer le charisme de l'infaillibilité comme une sorte de faveur attachée à la fonction du pape et des évêques, il faut le voir comme la caution donnée par le Seigneur à ceux qu'il a appelés pour le service de son Église. Ainsi en témoigne la belle prière de l'ordination épiscopale citée par le

CEC (1587) : « *Seigneur, remplis du don du Saint-Esprit celui que Tu as daigné élever au degré du sacerdoce afin qu'il soit digne de se tenir sans reproche devant ton autel, d'annoncer l'Évangile de ton Royaume et d'accomplir le ministère de ta parole en vérité.* »

20. — Pouvoir ou service dans l'Église ?

Un préjugé tenace tend à considérer les ministres de l'Église Catholique, consacrés par l'ordination, comme les détenteurs d'un pouvoir hiérarchique trop absolu pour ne point sembler dominateur. Qu'ils soient diacres, mais surtout prêtres ou évêques, leur autorité risque de paralyser ou de freiner la présence et l'action des laïcs qui participent à la vie et à la mission de l'Église.

Le *CEC* évite toute polémique. Il tient résolument à la *succession apostolique* et au *sacrement de l'ordre* dont les trois degrés font les ministres de l'Église. Le pouvoir qui en découle n'a d'autre fin que le service du Peuple de Dieu. C'est la considération du Peuple de Dieu qui est première : il rassemble tous les baptisés qui partagent le sacerdoce commun des fidèles afin de témoigner leur communion dans la foi et la mission pour l'annonce de l'Évangile. Pour un *service plus exclusif* du Peuple de Dieu, l'Église envoie ceux qu'elle a appelés et consacrés par l'imposition des mains. Leur ministère est moins un gage de dignité ou de supériorité que l'accomplissement d'un service.

Église, Peuple de Dieu

— Rappelons brièvement l'essentiel du dossier établi à partir du *CEC* sur l'Église, Peuple de Dieu[1]. Dans le Christ qui est le oui des promesses de l'alliance faites par le Père à Israël (2 Co 1, 20), l'Église constitue le Peuple de la nouvelle alliance (762).

— Elle a vocation pour remplir les *trois offices du Christ* qui a reçu l'onction du Père (783). Il est prêtre, prophète et roi, l'Église est investie de l'office sacerdotal, prophétique et royal (784 s.).

— *Tous les membres de l'Église participent à ces trois fonctions* (871, 1140, 1144). Cette dignité de vocation est partagée par tous (872). Elle se fonde sur la grâce et le

---

1. Voir le dossier « *La foi a-t-elle besoin de l'Église ?* »

caractère du baptême (*ibid.*, 900). Elle produit ses fruits dans l'ordre de la communion et de la mission par l'action de l'Esprit-Saint qui est présent à l'Église et qui agit en elle (798).

— Si tous les membres de l'Église ont part à la communion et à la mission, ils exercent néanmoins un *service différencié* (873). Le Christ a choisi les Apôtres pour être des fondateurs de communautés (857, 860) ; il leur a prescrit de désigner des successeurs (861-862) par l'imposition des mains (1556, 1538).

— Entre les fidèles laïcs eux-mêmes, si la vocation baptismale est commune, il y a des dons et des charismes différents qui les disposent, chacun à sa place, à tenir leur responsabilité au sein de l'Église (873).

L'ordre hiérarchique dans l'Église

— C'est le Christ lui-même qui, en appelant les Douze, a institué le collège apostolique auquel succède le collège épiscopal (877). Par là, il a établi l'ordre hiérarchique de son Église (874).

— Par le sacrement de l'ordre (875), l'Église confère à ceux qu'elle appelle pour le service ministériel (1585) le pouvoir d'exercer les fonctions qui relèvent de la compétence du diaconat, du presbytérat ou de l'épiscopat. Ce sont les *trois degrés du sacrement* (1536, 1554).

— Le degré supérieur est celui de l'*évêque* (1555) qui jouit de ce qu'on appelle la plénitude du sacerdoce. À ce titre, l'évêque exerce un rôle privilégié dans la transmission de la foi (888), dans la gestion des sacrements (893) et dans la conduite du Peuple de Dieu (894). « Tenant la place du Christ », il est maître, pontife et pasteur (1558, 1561).

— Il a une responsabilité directe et personnelle sur l'église locale (particulière) dont il est le pasteur (886, 1560). Mais en tant que successeur des Apôtres, l'évêque, en communion avec l'évêque de Rome et les autres évêques, a une responsabilité — que l'on dit *collégiale* — à l'égard de l'Église universelle (*ibid.*).

— *Le presbytérat* — ou la prêtrise — est le second degré du sacerdoce ministériel (1562). De l'ordination conférée par l'évêque, les prêtres reçoivent un pouvoir qui leur donne de participer à celui de l'évêque. Comme, lui, dont ils sont « l'aide et l'instrument » (1567), ils ont la charge d'enseigner l'Évangile, de donner les sacrements et de conduire le Peuple de Dieu (1564) rassemblé sur le territoire de la communauté locale (1567) qui leur est confiée. Ils sont les « serviteurs du pardon » par le sacrement de réconciliation

(1466) et l'onction des malades (1516); et ils président à l'eucharistie (1142).

— Comme l'évêque, les prêtres agissent au nom du Christ *(in persona Christi)*; ils participent à « l'autorité par laquelle le Christ lui-même construit, sanctifie et gouverne son Corps » (1563). Ensemble, ils constituent le *presbyterium* diocésain uni à l'évêque par les liens de « l'amour et de l'obéissance » (1567).

— « Au degré inférieur, se trouvent les *diacres* auxquels on a imposé les mains, non pas en vue du sacerdoce, mais en vue du service » (1569). On sait que le concile Vatican II a rétabli le diaconat permanent qui peut être conféré à des hommes mariés (1571). Les charges qu'ils accomplissent sont précisées (1570).

Une vocation de service

— Autant le *CEC* montre de vigueur pour affirmer la structure hiérarchique de l'Église et le pouvoir de ceux qui ont reçu le sacrement de l'ordre, autant il témoigne de netteté pour *identifier ce pouvoir à un service* du Peuple de Dieu. Cette notion de service est partout présente. Il est lié *intrinsèquement* au ministère (876).

— C'est ainsi que le sacerdoce ordonné ou ministériel est au service du sacerdoce baptismal (1120), c'est-à-dire du sacerdoce commun des fidèles (1547). Le pouvoir transmis aux ministres est celui du Christ (1548) dont ils sont, surtout l'évêque et les prêtres, *l'image vivante* (1549), *l'icône* (1142).

— Quand ils célèbrent, parce qu'ils représentent le Christ, ils représentent aussi l'Église qui est son Corps (1553). Il s'agit donc pour eux *d'abord et radicalement* d'une participation au sacerdoce du Christ qui est tout autre chose qu'une délégation issue de la communauté (*ibid.*, 1538).

— Il s'ensuit pour les ministres ordonnés qu'ils ont à se conformer au *modèle du pasteur* que le Christ a révélé dans l'Évangile. Cette exigence est d'abord celle de l'évêque (896), dont toute l'autorité doit s'exercer dans un « esprit de service » (894); elle est aussi celle des prêtres (893) et des diacres que leur ministère assimile au Christ, Serviteur de tous (1570).

— Parce qu'ils ont à exercer leur ministère pour le *service intégral* (1579) du Peuple de Dieu, les prêtres, dans l'Église latine, sont choisis parmi les croyants qui ont vocation de *célibat*[1]. *La prière des heures*, dans l'office qu'ils disent chaque jour, signifie pour eux l'union au Christ qui prie en eux et leur diligence pour l'Église qu'ils ont mission de servir (1175).

Présence et mission des laïcs

— Loin d'écarter les laïcs de toute responsabilité dans la communauté ecclésiale, le *CEC* multiplie les références pour motiver présence et engagement apostolique (900, 913) par le *sacerdoce commun des fidèles* (1120, 1547, 1545, 871-872, 904, 909).

— Comme il a été rapporté plus haut, l'unité du Corps du Christ s'accomplit dans l'harmonie des dons et des charismes qui différencient ses membres (799, 800, 814, 897 s.). Ainsi l'Église offre-t-elle au regard le visage d'un organisme tel que saint Paul en a esquissé l'image (790, 797).

— La cohésion du Corps du Christ ne peut s'accomplir que dans le respect des diverses fonctions qui ont à s'exercer (910-912). Le *CEC* ne traite pas des conflits éventuels qui peuvent survenir au sein des communautés. Il se refuse à n'y voir qu'une rivalité entre clercs et laïcs pour le « pouvoir ». Cependant, il est important de rappeler à tous que c'est dans l'union personnelle avec le Christ (893, 901) et la docilité intérieure à l'Esprit-Saint que chacun répond à sa vocation (739).

Dans son principe *même, et quoi qu'il en soit des modalités de son exercice par des hommes de « chair et de sang », ce service ministériel ne saurait contrarier la vocation des fidèles laïcs à participer à la vie et à la mission de leur Église. Mais il faut exclure l'idée selon laquelle, pour favoriser la présence de laïcs responsables, l'Église catholique en viendrait à renoncer à sa constitution hiérarchique. Elle ne sera jamais une démocratie dans le sens où l'exercice du pouvoir serait, comme dans la société civile, le fruit d'une délégation issue d'un suffrage électif. Si toutefois la procédure de désignation à certaines responsabilités se fait par mode d'élection, c'est toujours à un niveau subordonné et dans le cadre reconnu par l'autorité hiérarchique.*

1. Parce qu'il se situe au niveau magistériel qui engage l'enseignement doctrinal de l'Église, le CEC ne traite pas de la question si sujette à controverse aujourd'hui de l'ordination d'hommes mariés et de femmes. Il ne veut que témoigner de la discipline du sacrement de l'ordre héritée de la tradition séculaire de l'Église d'Occident, elle-même fondée sur la Révélation biblique telle qu'elle l'a toujours interprétée.

21. — Les sacrements, pourquoi?

On va à Dieu par une démarche personnelle qui n'engage que soi? Pourquoi donc l'Église intervient-elle dans cette rencontre? Elle s'interpose par des rites qu'elle désigne comme des sacrements. Ne rendent-ils pas la foi extérieure et formaliste? Qu'apportent-ils à la démarche du croyant?

Le *CEC* aborde la question et lui apporte la réponse en même temps qu'il la dépasse. D'abord, il précise que toute démarche religieuse s'appuie sur des rites. D'autre part, il rappelle que c'est le Christ Lui-même qui a donné les sacrements à l'Église. Enfin, il atteste que c'est par les sacrements que le Christ accomplit la promesse de l'alliance de Dieu avec les hommes. Il continue d'agir dans l'Église en signifiant les dons de la grâce issus de son mystère pascal.

Les sacrements du Christ

— Si la démarche religieuse est personnelle (27, 1779), il n'en reste pas moins que « l'homme, étant un être à la fois corporel et spirituel, exprime et perçoit les réalités spirituelles à travers *des signes et des symboles matériels* » (1146). « Nous sommes corps et esprit, et nous éprouvons le besoin de traduire extérieurement nos sentiments » (2701). « Les grandes religions de l'humanité témoignent » de ce besoin (1149).

— L'homme est aussi un « être social; il a besoin de signes et de symboles pour communiquer avec autrui... Il en est de même pour sa relation à Dieu » (1146). Les sacrements de l'Église ont une fonction communautaire; ils relient les fidèles entre eux dans un culte qui est commun à tous (1140-1141).

— Dans les sacrements qu'Il a établis (1114, 1117, 1210), le Christ a voulu qu'ils soient « accessibles à notre humanité actuelle » (1084). Chacun d'entre eux est constitué par une *réalité sensible*, qu'il s'agisse d'un élément du cosmos matériel ou d'un geste de la vie sociale (1145, 1148). Ainsi, la « pédagogie divine » (1145) destine ce qui est visible à représenter et à signifier la *réalité invisible* du salut de Jésus-Christ (1148). « Les sacrements de l'Église n'abolissent pas, mais purifient et intègrent toute la richesse des signes et des symboles du cosmos et de la vie sociale » (1152).

— Les sept sacrements rejoignent en quelque sorte la *totalité de l'existence humaine*. Ils sont établis par le Christ (1113, 1114, 1117) pour que l'homme puisse en bénéficier à toutes les étapes et dans les diverses conditions de sa vie (1210).

— Les uns sont pour assurer les « fondements » de la vie chrétienne (baptême, confirmation, eucharistie); on les appelle sacrements de *l'initiation*. D'autres sont pour la *guérison* (réconciliation et onction des malades). D'autres enfin, pour le « service de la communion et de la mission des fidèles » (ordre et mariage) [1210, 1212, 1421, 1534].

Les sacrements de l'Église

— On ne peut comprendre les sacrements de l'Église sans entrer au cœur du mystère de l'alliance qui les fonde et qu'ils signifient eux-mêmes. C'est le *mystère pascal*, celui du Christ qui, ayant accompli notre salut par sa mort et sa résurrection, demeure présent et vivant dans l'Église pour agir en elle et pour sanctifier ses membres (1085, 1116, 1118).

— L'action liturgique de l'Église, qui s'accomplit par les sacrements, est l'*œuvre de l'Esprit-Saint* que le Christ ressuscité a donné aux Apôtres en leur donnant son « pouvoir de sanctifier » (1086). Ainsi l'Esprit est-il l'*artisan* des sacrements (1091). « L'Église et l'Esprit coopèrent à manifester le Christ et son œuvre de salut » (1099). En sorte que les sacrements, et particulièrement l'eucharistie « source et sommet de toute la vie chrétienne » (1324) sont le « mémorial du mystère du salut » (1099).

— La foi ne considère pas les sacrements seulement comme des signes du mystère pascal qui le représentent. Elle voit en eux les *gages de l'alliance du Seigneur* et les *instruments efficaces de sa grâce* (1084). « En eux, le Christ Lui-même est à l'œuvre » (1127). L'Église en a une telle conviction que lorsqu'elle baptise, c'est le Christ qui baptise. « Il agit dans les sacrements afin de communiquer la grâce que le sacrement signifie » *(ibid.)*. C'est tellement vrai, au regard du croyant, que le sacrement actualise la grâce du Christ chez celui qui le reçoit « indépendamment de la sainteté personnelle du ministre » (1128, 1584).

— Il faut encore préciser que trois des sacrements ne transmettent pas seulement la grâce du Seigneur, mais confèrent une onction toute particulière, ce que l'Église désigne par le *caractère* qui est indélébile parce qu'il marque le chrétien pour toujours (1121). Ce sont les trois sacrements du baptême (1272-1273), de la confirmation (1304-1305) et de l'ordre (1581-1583).

En conférant aux sacrements tout le développement qui s'impose, le CEC n'a pas d'autre objectif que de faire découvrir ce qu'il faut bien considérer comme l'univers sacramentel de l'Église. Parce qu'ils sont les actes du Christ qui agit en elle, on peut en toute vérité affirmer que « les sacrements font l'Église » (1118).

Loin de nourrir le formalisme religieux, les rites sacrés que sont les sacrements sont au service de la foi la plus personnelle et la plus intérieure du croyant (1123). Ils la font grandir et la font entrer au centre même du mystère pascal de Jésus-Christ. Que serait la foi chrétienne si elle n'était d'abord cela ?

22. — La liturgie, plus qu'un cérémonial

Les célébrations et les offices de l'Église se déroulent dans un tel assemblage de rites et de discours que les non-initiés sont tentés de n'y voir qu'un pur cérémonial. Du reste n'est-ce point le langage populaire qui s'est approprié le vocabulaire liturgique quand on parle de « grand-messe » ou de « culte » à l'occasion d'une manifestation profane ou d'un événement sportif ?

Il faut reconnaître que le *CEC* ne traite pas de la liturgie sous son aspect le plus simple. Loin de réduire celle-ci à un protocole de gestes et symboles qui risquent de procurer un sentiment d'étrangeté à ceux qui en ignorent le sens, le *CEC* élargit le regard du croyant pour rejoindre dans l'acte liturgique l'horizon de l'infini, celui du mystère de Dieu lui-même ressaisi par la célébration. C'est *le mystère qui s'est révélé dans la Pâque du Seigneur*. La liturgie le contemple, le médite, le chante : en un mot, *elle le célèbre*. « Par la liturgie, le Christ continue dans son Église l'œuvre de notre Rédemption » (1069-1070).

Ce que le *CEC* cherche à faire comprendre, c'est que la liturgie met *l'Église en état de veille*. Elle se concentre dans la foi et la prière ; elle se laisse conduire par l'*Esprit* pour témoigner au *Père*, dans une attitude d'adoration et de louange, son action de grâces pour le salut rédempteur accompli par le *Fils*. Elle s'unit ainsi à la louange de gloire de la Jérusalem céleste et se veut dans l'attente et l'espérance « des cieux nouveaux et de la terre nouvelle » (Ap 21, 1).

Liturgie du ciel et célébration

— La liturgie de l'Église, qu'elle soit du ciel ou de la terre, est tout entière *célébration du salut* accompli par le Christ en son mystère de mort et de résurrection (1076, 1082, 1085, 1104, 2655).

— Cette œuvre du salut rédempteur qui s'est réalisée par le sacrifice du Fils, dans la soumission à la volonté du Père, se poursuit par la *mission de l'Esprit* (1092).

— On ne peut manquer de noter les multiples références du *CEC* à la *liturgie céleste* (1107, 1186, 1130, 1325, 1329, 1344, 1370, 1402, 1409). Aux trois personnes de la Trinité, les anges et les saints dans le ciel chantent l'hymne de louange et d'action de grâces. C'est donc en relation avec la liturgie de la « sainte cité de Jérusalem » (1090) que doit être considérée la liturgie terrestre de l'Église.

— La liturgie que célèbrent les fidèles est comme un « avant-goût » de la liturgie du ciel (1090). Elle donne *leur esprit et leur sens à nos célébrations*.

— En effet, l'esprit et le sens de nos liturgies, qu'elles soient sacramentelles ou eucharistiques, sont à chercher dans la *louange* (2639) et l'*action de grâces* (2637) pour les bénédictions reçues du Père qui nous a « bénis en son Fils et nous donne l'Esprit de l'adoption filiale » (1110 ; voir 1077-1081). Le culte chrétien est d'abord le mouvement d'*adoration* (2626) qui tourne nos cœurs vers le Père pour l'infini de la grandeur et de la bonté qu'Il a manifesté par tous ses bienfaits, et surtout pour la grâce du salut qui nous a été acquise par la Pâque de son Fils (1082, 1088).

— À ce mouvement d'adoration du Père se joint celui de l'hommage que nous faisons par « l'offrande de ses propres dons » sur laquelle nous le prions d'envoyer l'Esprit-Saint (1083, 1091, 1108) pour qu'elle produise dans la communion avec le Christ-Prêtre les fruits de vie « à la louange de gloire de sa grâce » (Ep 1, 6).

La célébration liturgique

— Toute célébration se situe *dans le temps de l'Église*, ce temps « nouveau inauguré par le don de l'Esprit pour la dispensation du mystère » (1076). Le Christ vit et agit en elle par les sacrements : c'est « l'économie sacramentelle » qui n'a d'autre but que de dispenser les fruits du mystère pascal (*ibid.*).

— C'est toute la communauté, le *Corps du Christ* uni à son Chef, qui célèbre (1140, 1144). En vertu de leur sacerdoce commun, tous les baptisés prennent part à la célébration (1141). Mais tous n'ont pas la même fonction. Il y a ceux qui sont ordonnés afin de pouvoir agir en la personne du Christ pour le service de tous (1142) ; ainsi se charpente la vie liturgique (1087).

— En toute célébration se rencontrent des *signes et des symboles* qui expriment « la pédagogie divine du salut » (1145). Signes du monde des hommes (1146), symboles naturels liés au cosmos (1147) ou aux réalités vécues dans la vie sociale (1148), signes de l'alliance et des événements de l'histoire biblique (1150) et surtout signes évangéliques reconnus dans la vie du Christ (1151), tous entrent dans le vaste concert de la symbolique liturgique et sacramentelle (1152).

— Si la liturgie est une *geste* qui se déploie par des rites visibles et concrets, elle est aussi *parole* : dans la mesure même où la Parole de Dieu est présente afin d'accompagner les rites et de susciter la réponse de la foi (1154). Dans les sacrements, on sait l'importance de la parole qui opère et accomplit le fruit spirituel signifié par le symbole (1155).

— L'action liturgique, parce qu'elle se situe dans le temps de l'Église (1163 s.) qui est aussi le *temps des hommes*, se réalise dans son rythme de saisons et de jours que constitue l'année liturgique (1168) culminant avec le *triduum* pascal (1168-1169). Se distingue le dimanche, « Jour du Seigneur » (1166, 1343, 2177).

— Est-il besoin d'ajouter que l'action liturgique a besoin d'un *lieu de culte* (1180) ? C'est l'église, maison de prière et maison des enfants du Père, parce que maison de Dieu (1181, 1186, 2179).

— La célébration se structure autour de la *liturgie de la parole* et de la *liturgie eucharistique* (1346-1347). L'une et l'autre obéissent à un cérémonial dont les séquences appartiennent à la plus haute tradition et dont la « substance » ne peut se modifier (1356, 1205). Ensemble, l'une et l'autre constituent « *un seul et même acte* du culte » (1346).

— Il faut en déduire que la célébration eucharistique, notre messe, n'est pas à inventer. *Elle est reçue de l'Église.* S'il peut y avoir des styles de célébration différents, la structure de la messe doit rester identique, dans la conformité aux règles établies par une longue tradition.

— Une autre incidence, c'est que la liturgie, avant d'être partage, est louange et action de grâces. Le mouvement de reconnaissance pour les dons de Dieu vient avant celui de la rencontre et de l'échange.

Le mémorial et le sacrifice

— L'eucharistie, qui achève l'initiation, est, comme l'atteste le concile Vatican II, « la source et le sommet de toute la vie chrétienne ». Elle « contient tout le trésor spirituel de l'Église, c'est-à-dire le Christ lui-même, notre Pâque » (1322-1324, 2771-2772).

— Cette plénitude de sens qui s'attache à l'eucharistie se révèle dans la richesse du vocabulaire qui la désigne. Chaque mot ouvre une perspective différente au sein du « mystère de la foi » (1328-1332).

— C'est le pain et le vin qui sont les signes du sacrement (1333) institué par le Christ à la dernière Cène, au temps de la Pâque en mémorial de sa mort et de sa résurrection (1337-1339), et de son intercession auprès du Père (1341).

— Ainsi le Christ a-t-il donné son sens définitif à la Pâque juive. Il a instauré la Pâque nouvelle et annoncé la Pâque finale de l'Église (1341, 1343). Tout le mystère pascal est présent dans le mémorial eucharistique.

— L'eucharistie n'est pas seulement mémorial ; elle est aussi *sacrifice*. Ou plutôt, parce qu'elle est mémorial, elle est sacrifice (1365). « Quand l'Église célèbre l'eucharistie, elle fait mémoire de la Pâque du Christ, et celle-ci devient présente : le sacrifice que le Christ a offert une fois pour toutes sur la Croix demeure toujours actuel » (1364, 1366).

— Ce qu'il faut bien comprendre, c'est que le sacrifice du Christ et le sacrifice de l'eucharistie sont *un même sacrifice*. Seule la manière d'offrir est différente, sanglante sur la Croix, non sanglante sur l'autel (1367). L'eucharistie n'est pas moins *sacrifice de l'Église*, puisqu'elle est unie au Christ dans l'offrande de Lui-même qu'il fait au Père et qui représente aujourd'hui celle de la Croix (1368-1369).

Le sacrement de la présence

— La présence « réelle » du Christ sous les « espèces » du pain et du vin consacrés à l'autel par le prêtre est assurément l'une des plus grandes difficultés de la foi. Ici, c'est la *foi toute pure* qui dit oui, dans la seule assurance d'entendre et d'accueillir la parole du Seigneur (1381). On sait d'autre part la résistance qui a divisé les disciples de Jésus lors de la première annonce du « pain de vie » (1332).

— Il faut donc en revenir à cette parole du Seigneur qui réalise la promesse : « Ceci est mon corps livré pour vous » (1374). « Par la conversion du pain et du vin au Corps et au Sang du Christ, *Il devient présent en ce sacrement* » (1375). C'est ce réalisme de la présence réelle du Christ que cautionne la parole qui opère le changement désigné du terme plus technique de *transsubstantiation* (1376).

— Ce changement s'accomplit aujourd'hui dans la célébration eucharistique par l'*action de l'Esprit-Saint*, présent à l'Église, comme Il l'est pour tous les sacrements (1375). La prière de l'*épiclèse*, avant la consécration du pain et du vin, a justement pour fin de demander au Père la venue de l'Esprit pour qu'Il opère le changement (1353).

— On conçoit qu'en raison de cette présence du Christ dans l'eucharistie, celle-ci soit *le plus grand des sacrements* (1374). Elle est reçue par les fidèles dans la communion dont les fruits spirituels sont évoqués par le *CEC* (1391-1398).

— Parmi tous ces fruits, il faut retenir en particulier l'unité du Corps du Christ (1396) et l'envoi vers les pauvres (1397). Le réalisme de la foi appelle le réalisme de la charité. En toute vérité, *on fait l'eucharistie pour faire Église* (1396).

Telle est donc l'extrême richesse de ce patrimoine eucharistique que le Christ a laissé à son Église. À la manière de saint Jean terminant son évangile, nous pourrions dire : « *Il y a, dans ce sacrement, bien d'autres aspects qui ne sont pas consignés ici. Ceux qui l'ont été le sont pour que vous croyiez que Jésus est le Christ, le Fils de Dieu et pour que, croyant, vous ayez la vie en son nom* » *(Jn 20, 30).*

23. — La prière, une obligation ou une grâce?

Est-il besoin d'être croyant pour prier? L'Église demande de « faire sa prière ». Mais la prière n'est-elle pas autre chose qu'un rite à observer? Elle doit exprimer le fond du cœur, ce que chacun ressent quand il se met en face de soi. Plus qu'une obligation, la prière est d'abord la grâce de ceux qui veulent respirer à l'intérieur d'eux-mêmes en présence de Dieu. Pourquoi donc l'Église a-t-elle codifié par des prescriptions les temps et les formules de prière?

Il faut d'abord remarquer que le *CEC* consacre toute sa quatrième partie (2558-2865) à la prière. C'est dire l'importance qu'il lui attache pour le chrétien. Il précise d'abord la place que tient la prière dans l'expérience même de la foi. Il insiste sur la présence de l'Esprit au cœur de la démarche priante. Il justifie le rôle éducatif de l'Église qui ouvre à ses fidèles les différents chemins de la prière, qu'elle soit personnelle ou communautaire.

La prière du croyant

— Quelles que soient ses formes, la prière est l'*expression de la foi* : c'est une « élévation de l'âme vers Dieu » (2559). Elle permet de s'établir en relation avec Dieu (2562).
— La prière naît du *cœur*, « notre centre caché, insaisissable par notre raison et par autrui » (2562).
— La prière est *universelle* parce que la « quête de Dieu » est présente partout. « Toutes les religions en témoignent » (2566). Elle est aussi *présente à l'histoire* des hommes : elle est « la relation à Dieu dans les événements de l'histoire » (2568).
— La prière chrétienne est la réponse à un *appel qui vient du dedans*. C'est l'Esprit-Saint, le *Maître intérieur* (741), qui, en nous, la fait « jaillir » et la « dirige vers le Père » (2564, 2652, 2670, 2672). C'est le Christ qui, en nous, a soif, comme au puits de la Samaritaine (2560).

— La prière est un *combat* (2725). « Elle ne se réduit pas au jaillissement spontané d'une impulsion intérieure. Pour prier, il faut le vouloir » (2650). Elle doit faire face à de multiples obstacles, en particulier à tous les préjugés issus des mentalités et des courants actuels (2726). D'autre part, on ne peut méconnaître les difficultés propres à l'exercice même de la prière (2729-2733).

— La prière est d'abord une *question d'amour* (2742). C'est la disposition du cœur qui purifie la demande exprimée dans la prière. C'est elle aussi qui accepte que Dieu n'exauce qu'à la mesure de notre bien (2735-2737). En outre, il ne suffit pas de dire : « Seigneur, Seigneur » (Mt 7, 21), mais « d'accorder son cœur à faire la volonté du Père » (2611).

La prière en Église

— Si l'Église a précisé les temps de la prière du chrétien (2698) et si elle privilégie certaines formules, c'est autant pour signifier la « communion » de tous (2565) que pour offrir un « langage » à tous ceux qui s'engagent sur des « chemins de prière » (2663).

— C'est d'abord dans les *Écritures* (2568-2597) que l'Église puise des modèles et des formulations de la prière (2625). Le Christ Lui-même a prié son Père (2599-2607) et il a demandé à ses disciples de « prier en son nom » (2614).

— La prière n'a rien d'uniforme. Elle ne va pas à Dieu par un sens unique. Elle prend *différentes voies* qui lui donnent chacune une forme particulière. Ainsi le *CEC* distingue-t-il la prière de bénédiction et d'adoration qui se tourne vers le Seigneur pour « exalter » sa grandeur et ses dons (2626-2628), la prière de demande et d'intercession dans laquelle nous Le supplions pour nous-mêmes ou pour les autres (2629-2636), la prière d'action de grâces et de louange qui, simplement, se réjouit que « Dieu est Dieu » (2639) et qui exprime la reconnaissance pour ses dons (2637-2643). Le modèle en est la Vierge Marie dans le *Magnificat* (2619).

— C'est dans la célébration de l'*eucharistie* que culminent toutes ces formes de la prière chrétienne (2643, 1359-1361).

Pédagogie de la prière

— Beaucoup d'enseignements du *CEC* concernent autant la *prière personnelle* que la prière communautaire (2586, 2655, 2664, 2704). « Le Seigneur conduit chacun par les chemins et de la manière qui Lui plaisent. Chaque fidèle répond selon la détermination de son cœur et les expressions personnelles de sa prière » (2699). Ainsi les Psaumes peuvent-ils inspirer tout autant la liturgie que le cœur de l'homme (2588). « Il est important de pétrir par la prière la pâte des humbles situations quotidiennes » (2660).

— La prière ne va pas de soi. Il y faut un *apprentissage* (2650). « On entre en prière comme on entre en liturgie : par la porte étroite de la foi » (2656). Le Christ lui-même a appris la prière à ses Apôtres (2607 s.). En réponse à leur demande (Lc 11, 1), Il a confié cette « prière chrétienne fondamentale » qu'est le *Notre Père* (2759). Dans son ultime partie, le *CEC* présente le commentaire de chacune des demandes de la prière du Seigneur (2761-2865).

En définitive, la prière teste la vérité de la foi et de la vie du chrétien. Prière et vie chrétiennes sont indissociables (2745). « On prie comme on vit, parce qu'on vit comme on prie » *(2725). La prière n'est rien d'autre que notre réponse à* « Dieu qui a soif que nous ayons soif de Lui » *(2560).*

Table des matières

TABLE DES MATIÈRES

Deuxième partie
La célébration
du mystère chrétien

Troisième partie
La vie dans le Christ